Cosmetología de Harry

J. B. Wilkinson-R. J. Moore

Cosmetología de Harry

Traducido por:

MARTA A. RODRIGUEZ NAVARRO
Licenciada en Farmacia

DARIO RODRIGUEZ DEVESA
Doctor en Química Industrial

Ediciones DÍAZ DE SANTOS, S. A.

Título original: «Harry's Cosmeticology»

© 1982 George Godwin
        Logman Scientific & Technical
© 1990 Ediciones Díaz de Santos, S. A.

ISBN en lengua inglesa: 0-582-00553-1
ISBN en lengua española: 84-87189-38-5
Depósito legal: M. 1.474-1990

Edita: Díaz de Santos, S. A.
        c/Juan Bravo, 3A. 28006 Madrid
Diseño de cubierta: Alonso Gómez
Fotocomposición: MonoComp, S. A.
Conde de Vilches, 31. 28028 Madrid
Impresión: EDIGRAFOS, S. A.
c/Edison, B-22. Pol. Ind. San Marcos
28906 GETAFE (Madrid)

Contenido

Prólogo .... **XIX**

PARTE PRIMERA: LA PIEL Y PRODUCTOS PARA LA PIEL 1

1. **La piel** **3**
   Introducción 3
   Epidermis y sistema de queratinización 5
   Sistema pigmentario.. 7
   Células de Langerhans 10
   Dermis 10
   Nervios y órganos sensoriales 12
   Vasos sanguíneos 14
   Glándulas sudoríparas ecrinas 14
   Folículos pilosos 16
   Glándulas sebáceas... 17
   Glándulas apocrinas.. 18
   Afecciones comunes de la piel 18

2. **Irritación y sensibilización de la piel** **29**
   Introducción 29
   Irritantes e inflamación 30
   Hipersensibilidad y alergia 36
   Ensayos para predecir la potencia de las sustancias para producir
   irritación o sensibilización..................................... 41

3. **Nutrición y control hormonal de la piel** **47**
   Nutrición de la piel 47
   Estados de la piel relacionados con deficiencias nutricionales ... 49
   Absorción percutánea 50
   Hormonas 51

4. **Cremas cutáneas** **57**
   Introducción 57
   Clasificación de las cremas cutáneas 59
   Cremas limpiadoras 61
   Cremas de noche y cremas de masaje 67
   Cremas hidratantes, evanescentes y de base 69
   Cremas base pigmentadas 75
   Cremas de manos y cremas de manos y cuerpo 77
   Cremas de todo uso 79

5. Astringentes y tónicos de la piel **83**
Introducción 83
Tipos de astringentes 83
Productos astringentes 84

6. Cremas protectoras y limpiadoras de las manos **91**
Introducción 91
Sustancias barrera: cremas y geles protectores 92
Productos para limpieza de las manos 98

7. Preparados para el baño **103**
Baños de espuma 103
    Introducción 103
    Formulación de baños de espuma 104
    Tipos de productos 110
    Evaluación del producto 112
Sales de baño 113
    Componentes y formulación 113
Aceites para baño 116
    Introducción 116
    Aceites extensibles o flotantes 117
    Aceites dispersables o eflorescentes 119
    Aceites solubles 120
    Aceites espumantes 121
Productos para después del baño 121
    Polvos corporales o empolvadores 121
    Emolientes para después del baño 122

8. Productos cutáneos para bebés **125**
Introducción 125
Problemas cutáneos en los bebés 125
Requerimientos funcionales de los productos para bebés 126
Seguridad de los productos para bebés 128
Ejemplos de formulaciones 129
Productos para limpieza de pañales 131

9. Productos cutáneos para jóvenes **133**
Introducción 133
Trastornos cutáneos en adolescentes 133
Productos para pieles grasas 134
Tratamientos específicos del acné 135

10. Antiperspirantes y desodorantes **139**
Introducción 139
Sudoración y su control 139
Componentes de los antiperspirantes 142
Evaluación de los antiperspirantes 146
Mecanismos de los desodorantes y componentes de los mismos 147

Evaluación de desodorantes 149
Formulación de productos: antiperspirantes 150
Formulación de productos: desodorantes 155

11. Depilatorios **159**
Introducción 159
Epilación 159
Electrólisis 161
Depilación química 161
Depilatorios faciales para piel negra 169
El depilatorio «ideal» 169
Evaluación de la eficacia depilatoria 170

12. Preparados para el afeitado **175**
Preparados para el afeitado húmedo 175
Introducción 175
Lubrificación de la piel 176
Crema de reblandecimiento de la barba 177
Cremas de jabón de afeitar 178
Barra de jabón de afeitar 181
Espumas de aerosoles de afeitar 181
Cremas no espumantes o sin brocha 191
Barras de afeitar sin brocha 194
Composiciones modernas para el afeitado húmedo 194
Preparados para el afeitado seco 196
Introducción 196
Loción preafeitado eléctrico 196
Loción preafeitado eléctrico de tipo espuma colapsable 198
Barra gel preafeitado eléctrico 199
Barra de talco preafeitado eléctrico 199
Polvo preafeitado eléctrico 201
Preparados postafeitado 202
Loción postafeitado 202
Espuma de rotura rápida postafeitado 206
Loción aerosol de espuma crujiente para postafeitado .. 207
Gel postafeitado 207
Crema y bálsamo postafeitado 208
Polvo postafeitado 209

13. Preparados para los pies **213**
Introducción 213
Influencia del calzado 213
Malos olores de pies 214
Dolor de pies 214
Infecciones de pies 215
Cuidados e higiene del pie 216
Baños de pies 217
Polvos para pies 219

Pulverizados (spray) de pies 221
Cremas para pies 222
Preparados para durezas y callos 223
Preparados para sabañones 225
Preparados para pie de atleta 226
Otras investigaciones 227

14. **Repelentes de insectos** **231**
    Introducción 231
    Sustancias repelentes 232
    Formulación 238

15. **Productos protectores solares, bronceadores, antiquemadu-
    ras solares** **249**
    Luz solar y el cuerpo húmano 249
        Introducción 249
        Bronceado 249
        Efectos benéficos de la radiación solar 250
        Efectos adversos de la radiación solar 250
        Radiación solar y sus efectos sobre la piel 252
        Mecanismo protector de la piel 257
    Preparados con filtros solares y bronceadores 259
        Introducción 259
        Agentes filtros solares 260
        Clasificación de productos según seguridad o eficacia ... 271
        Evaluación de preparados con filtros solares 274
        Formulación de filtros solares 281
    Preparaciones paliativas 287
    Preparados bronceadores artificiales 288

16. **Decolorantes o aclaradores de la piel** **295**
    Color de la piel 295
    Química de la melanina 296
    Mecanismo de despigmentación 296
    Agentes aclaradores de la piel y formulaciones 297

17. **Mascarillas y máscaras faciales** **309**
    Introducción 309
    Sistemas basados en cera 309
    Sistemas basados en goma 310
    Sistemas basados en resinas vinílicas 311
    Sistemas basados en hidrocoloides 311
    Sistemas basados en tierras (máscaras arcillosas) 313
    Preparados antiarrugas 316

18. **Polvos y maquillaje facial** **319**
    Polvos faciales 319
        Función y propiedades 319

Polvos cubrientes 320
Absorbancia 323
Deslizamiento 327
Adherencia 328
Luminosidad 329
Color 330
Perfume 332
Formulación 332
Fabricación 335
Polvo compacto 336
Maquillaje en pastillas 340
Maquillaje crema 343
Polvo líquido 343
Maquillaje líquido 346
Maquillaje barra 347

19. Preparaciones de maquillaje coloreadas **351**
Barras de labios 351
Introducción 351
Ingredientes de barras de labios 352
Ejemplos de formulaciones 360
Fabricación de barras de labios 365
Barras de labios transparentes 367
Pomadas de labios 368
Barras de labios líquidas 370
Colorete 371
Introducción 371
Colorete seco (colorete compacto) 372
Colorete basado en ceras 374
Colorete crema 375
Colorete líquido 378
Maquillaje de ojos 380
Introducción 380
Rímel (cosmético de pestañas) 380
Sombra de ojos 387
Delineadores de ojos 391
Lápices de cejas 392

20. Aplicación de los cosméticos **395**
Introducción 395
Cuidados y limpieza de la piel 396
Aplicación de cosméticos 397

PARTE SEGUNDA: LAS UÑAS Y PRODUCTOS PARA LAS UÑAS 401

21. Las uñas **403**
Biología de las uñas 403
Patología de las uñas 405

22. **Preparados de manicura** **411**
     Quitacutículas 411
     Limpiauñas 413
     Crema de uñas 414
     Endurecedores 415
     Blanco de uñas 416
     Pulidores de uñas 417
     Lacas de uñas (barnices de uñas) 418
         Introducción 418
         Ingrediente de laca de uñas 418
         Formulación 427
         Fabricación de lacas de uñas 429
         Capas bases y capas superiores 429
         Quitaesmaltes 430
         Secador de uñas 433
     Uñas de plástico y prolongadores 433
     Composiciones reparadoras de uñas 435

PARTE TERCERA: EL PELO Y PRODUCTOS PARA EL PELO ... 439

23. **El pelo** **441**
     Introducción 441
     El folículo piloso 441
     Influencias hormonales 446
     Influencia de la nutrición 448
     Química del pelo 449
     Color del pelo 459
     Trastornos del pelo 463
     Caspa 466

24. **Champúes** **475**
     Introducción 475
     Detergencia 476
     Evaluación de detergentes como bases de champúes 478
     Materias primas de champúes 480
         Tensioactivos principales y auxiliares 480
         Aditivos 493
     Formulación de champúes 498
         Champúes líquidos transparentes 499
         Champúes crema líquida o loción 501
         Champúes cremas sólidas o geles 502
         Champúes aceites 503
         Champúes polvos 504
         Champúes aerosoles 504
         Champúes secos 505
         Champúes acondicionadores 506
         Champúes para bebés 508

Champúes anticaspa y medicinales 508
Champúes ácidos 510
Seguridad de los champúes 511

25. Lociones y aerosoles fijadores y lacas capilares 521
Uso y finalidad de las lacas para el pelo 521
Lacas para el cabello femenino 522
   Lociones fijadoras 522
   Rizado por calor y secado por aire 525
   Lacas aerosoles capilares 526
Fijadores capilares para hombres 536
   Formulación 536
   Brillantinas 537
   Fijadores no oleosos 543
   Aerosoles 544
   Emulsiones 544
   Geles 547

26. Acondicionadores y tónicos capilares 551
Introducción 551
Productos medicamentosos 551
   Formulación de tónicos capilares medicamentosos 556
Acondicionadores 560
   Evaluación de acondicionadores 566
   Engrosadores capilares 566
Aclarados 567

27. Colorantes del cabello 577
Introducción 577
Sistemas de colorear el cabello 577
Características de un colorante ideal para el cabello 578
Proceso de coloración del cabello 581
Colorantes temporales capilares 583
   Colorantes 583
   Tipos de productos temporales comerciales y su formulación ... 585
Colorantes semipermanentes 586
   Sustancias colorantes 586
   Productos comerciales semipermanentes y su formulación 589
Colorantes permanentes de cabellos 591
   Bases 592
   Acopladores o modificadores 592
   Formación de los colores en el pelo 593
   Toxicidad y peligros de los colorantes *para* 596
   Formulación de colorantes permanentes de pelo 598
Otros colorantes para el pelo 602
   Compuestos aromáticos polihidroxílicos 602
   Colorantes vegetales para el pelo 603
   Colorantes metálicos para el cabello 604

Eliminadores de colorantes capilares 605
Decoloración y aclarado 606

28. Ondulación permanente y alisadores de pelo **613**
Introducción 613
Química de la ondulación del pelo 614
Evaluación del ondulado permanente 622
Procesos de ondulación en caliente 626
Procesos de ondulación en frío 628
Ondulación tibia «aire caliente» 633
Ondulación con rulos y pinzas 634
Ondulación permanente instantánea 634
Perfumado de lociones de tioglicolato 634
Toxicidad 635
Preparaciones fortalecedoras del pelo 635

29. Alisadores de pelo **641**
Introducción 641
Método de peinado caliente 641
Preparaciones caústicas 642
Agentes químicos reductores capilares 643

PARTE CUARTA: LOS DIENTES Y PRODUCTOS DENTALES . . . 649

30. El diente y la salud bucal **651**
Introducción 651
El diente y su entorno 651
    Estructura del diente 651
    Saliva 653
    Tegumentos adquiridos del diente 653
Principales problemas de la salud bucal 657
    Magnitud del problema 657
    Caries dental 658
    Afecciones periodentales 663
Usos de pastas dentífricas profilácticas 663
    Ingredientes activos 664

31. Dentífricos **673**
Requerimientos básicos de un dentífrico 673
Pastas dentífricas 674
    Estructura básica 674
    Ingredientes 675
    Formulación de pastas dentífricas 681
    Fabricación de pastas dentífricas 682
Polvos dentífricos 683
    Fabricación de polvos dentífricos 683
Dentífrico sólido 684

Ensayos funcionales 684
    Acción abrasiva 684
    Lustre (brillo o pulido) 686
El cepillo y el cepillado dentífrico 687
Limpiadores de dentaduras postizas 688

32. Enjuagues bucales **693**
Introducción 693
Selección del agente antibacteriano 694
Saborizantes de enjuagues bucales 696
Refrescantes bucales aerosoles 696

PARTE QUINTA: FABRICACION Y COMPONENTES DE LOS PRODUCTOS 699

33. Agentes tensioactivos **701**
Introducción 701
Clasificación de tensioactivos 702
Propiedades de los agentes tensioactivos 703
Selección y uso de agentes tensioactivos 707
Propiedades biológicas de los agentes tensioactivos 709

34. Humectantes **711**
Introducción 711
Desecación 711
Tipos de humectantes 712
Higroscopicidad 714
Estabilidad de las emulsiones 721
Seguridad 721
Hidratantes de la piel 722

35. Antisépticos **723**
Introducción 723
Flora microbiana del cuerpo 725
Efectos de agentes antibacterianos en la flora corporal .. 726
Pastillas de jabón antibacteriano y otras preparaciones germicidas . 727
Agentes antimicrobianos comúnmente utilizados en productos anti-sépticos 729

36. Conservantes **747**
Introducción 747
Metabolismo microbiológico 748
Importancia clínica de la contaminación 750
Orígenes de contaminación 754
Crecimiento microbiano en productos 756
Requerimientos del conservante 759
Factores que influyen en la efectividad de los conservantes 761
Selección de conservante 770
Aspectos de seguridad 773

Ensayos de efectividad de conservantes 775
Legislaciones actuales en Gran Bretaña referentes al control de calidad microbiológica de cosméticos y uso de conservantes 778

37. Antioxidantes **783**
Introducción 783
Teoría general de la autooxidación 783
Antioxidantes 791
Medida de oxidación y evaluación de la eficacia del antioxidante . . 795
Selección del antioxidante 799
Antioxidantes fenólicos 799
Antioxidantes no fenólicos 803
Fotodescomposición 804

38. Emulsiones **807**
Introducción 807
Principios básicos 807
Estabilización de las emulsiones cosméticas 812
Otros factores que afectan a la estabilidad de las emulsiones 822
Aspectos prácticos en la selección del emulsionante 824
Evaluación de la estabilidad de la emulsión 828
Características de las emulsiones 831
Determinación del tipo de emulsión 835
Control de calidad y análisis de la emulsión 835

39. La fabricación de cosméticos **839**
Introducción 839
Mezcla, y la fabricación de productos cosméticos a granel 841
Mezcla sólido-sólido 842
Fabricación de productos polvos pigmentados 844
Procesos de mezcla de líquidos 849
Principios generales de la mezcla de fluidos 850
Equipo de mezcla de fluidos 852
Mezcla sólido-líquido 873
Suspensión de sólidos en tanques agitados 877
Mezcla líquido-líquido 878
Líquidos miscibles 878
Líquidos inmiscibles 878

40. Aerosoles **887**
Introducción 887
El aerosol 888
Envases 888
Válvulas 891
Propulsores 896
Llenado de aerosoles 906
Tipos de descarga de productos aerosoles 910
Sistemas de dos fases 911

Sistemas de tres fases 915
Productos de cuidado personal con propulsores alternativos 921
Corrosión en envases aerosoles 924
Sistemas alternativos 930
Bombas de descarga sin propulsor 935

41. Envasado **941**
Introducción 941
Principios del envase 941
«Marketing» y envases 942
Tecnología y componentes 942
   Plásticos 942
   Metales 945
   Laminados 946
   Vidrio 947
   Papel y cartón 948
   Impresión y decoración 951
Desarrollo y diseño del envase 952
   Aspectos técnicos del diseño 952
   Cierres 954
Ensayo y compatibilidad del envase 955

42. La utilización del agua en la industria cosmética **959**
Propiedades y usos cosméticos del agua 959
Composición de las aguas de la red 960
Requisitos de la pureza del agua para cosméticos 960
Purificación posterior del agua de la red 961
Sistemas de destribución 968
Buena limpieza 972

43. Limpieza, higiene y control microbiológico en la fabricación **973**
Introducción 973
Fuentes de contaminación 974
Limpieza y desinfección 976
   Personal de limpieza 977
   Limpieza del equipo 978
   Desinfección del equipo 982
   Parámetros de limpieza, desinfección y enjuague 986
Control de la contaminación 988
   Riesgos procedentes de las personas 988
   Servicios y retretes 990
   Materias primas 991
   Areas de almacenamiento 992
   Envasado del producto 993
   Estándares microbiológicos 993
Conclusión 994

Apéndice **997**

Indice analítico **1011**

Prólogo

La utilidad de la Cosmetología de Harry, como libro de consulta a la vez completo y conciso, está corroborada por su continua popularidad en todas las partes del mundo: estamos convencidos de que, una vez más, esta séptima edición hallará una calurosa acogida.

Nos hemos esforzado en mantener la extensión y estilo generales del libro al modelo que parece ser apreciado por los lectores, diciendo no sólo «qué», sino también «por qué». Se proporcionan numerosas referencias de fuentes de información más detallada, puesto que no hemos pretendido realizar un simple trabajo de compendio de libros agotados. Los colaboradores de esta nueva edición proceden de un excepcional amplio campo académico y de compañías; agradecemos cuanto se relaciona con su cooperación para producir una obra unificada.

Se han presentado problemas de decisión respecto a áreas de la ciencia o tecnología de la cosmética que actualmente están en fase de cambio por razones de, digamos, recientes descubrimientos científicos o por cuestiones legales. Nuestra regla general ha sido evitar suposiciones arbitrarias sobre el futuro, y presentar la situación tal como se ve en el momento de entrar en imprenta. Sabemos que, inevitablemente, nos superarán los acontecimientos; nunca los lectores quedarán exentos de la tarea de comprobar la más reciente situación en legislación y patentes, y en lo que atañe a la utilización de la información proporcionada.

En el prólogo de la sexta edición aventuramos la opinión de que los progresos importantes científicos afectarían al desarrollo de los cosméticos puros. Desgraciadamente se trató de un leve amanecer y no encontramos justificación de cambios profundos en estas áreas especializadas; las fórmulas antiguas forman parte del imprescindible fundamento histórico —además, es erróneo considerar lo más moderno como inevitablemente lo mejor—. Todas las partes del libro han sido redactadas de nuevo y puestas al día. La continuidad de los capítulos se ha hecho más lógica, y se han añadido nuevos capítulos sobre la buena práctica de fabricación y el más importante de los ingredientes: el agua.

Especialmente se han redactado totalmente de nuevo los capítulos básicos de la piel, dientes, cabello y uñas para proporcionar una base científica actualizada. Con relación a esto, es oportuno resaltar, en palabras de una edición anterior, que tratamos con las «anormalidades normales» y relacionadas con aquellas desviaciones de la normalidad de la piel, cabello y dientes que se presentan o tienden a presentarse bajo las tensiones normales y cotidianas de trabajo, uso, suciedad, exposición y clima, sin excluir tensiones psicológicas.

Damos las gracias, como siempre, a los proveedores de material protegido por derechos de propiedad que nos han dado autorización para utilizarlo, especialmente muchas de las ilustraciones. Estamos encantados de haber continuado con la ayuda del autor original, Mr. R. G. HARRY, a quien le manifestamos nuestra sincera gratitud por la iniciativa que tuvo hace tantos años.

J. B. W.
R. J. M.

PARTE PRIMERA

La piel y productos para la piel

1

La piel

Introducción

La piel[1-3] no es una simple envoltura protectora del cuerpo, es una frontera activa que se interpone entre el organismo y el ambiente. No sólo controla la pérdida de fluidos valiosos, evita la penetración de sustancias extrañas, nocivas, radiaciones y actúa como cojín frente a golpes mecánicos, sino que también regula la pérdida de calor y transmite los estímulos que le llegan. Además, aporta señales sexuales y sociales por su color, textura y olor que posiblemente pueden ser incrementados fisiológicamente por la ciencia cosmética, e indudablemente son realzados por el arte cosmético según las culturas. Para los cosmetólogos, es esencial el conocimiento de la estructura y función de la piel, ya se interesen por la mejora de la piel farmacológicamente o en la prevención de su lesión como resultado de un arte.

La superficie total de la piel oscila entre los 2500 cm² del recién nacido a los 18 000 cm² del adulto, en tanto que pesa aproximadamente 4,8 kg en el hombre y 3,2 kg en la mujer.

Existen dos tipos principales de piel: velluda y lampiña. En la mayor parte del cuerpo, la piel posee folículos pilosos con sus glándulas sebáceas asociadas. Sin embargo, la cantidad de pelo varía grandemente; en casos extremos, el cuero cabelludo, con sus grandes folículos pilosos, contrasta con el rostro femenino, que tiene grandes glándulas sebáceas asociadas con folículos muy pequeños que producen pelo velloso fino y corto. La piel de las palmas de las manos y plantas del pie carecen de folículos pilosos y glándulas sebáceas, y está surcada en su superficie por crestas y surcos continuos y alternos que forman patrones de espirales, lazos o arcos característicos de cada individuo conocidos como dermatoglifos (Fig. 1.1). La piel lampiña se caracteriza también por su gruesa epidermis y por la existencia de órganos sensoriales encapsulados en el interior de la dermis.

Las barreras a la permeabilidad están situadas en varias capas de células firmemente empaquetadas que forman la superficie de la epidermis; la protección mecánica es proporcionada por la dermis subyacente más gruesa que se compone principalmente de tejido conjuntivo, esto es, sustancias secretadas por las células y situadas exteriormente a ellas. La epidermis aislada es tan imper-

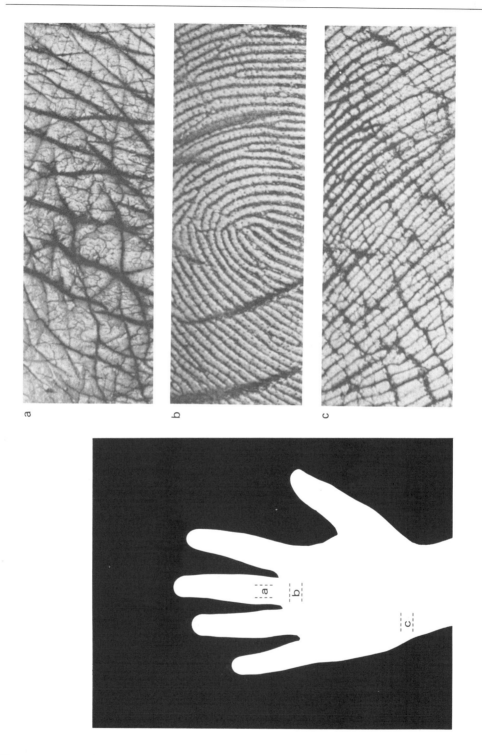

Fig. 1.1.　Patrones cutáneos de la mano humana (aumento X 45). *a*, dorsal; *b*, palmar; *c*, palmar.

meable como la piel completa, mientras que una vez se elimina la epidermis, la dermis es completamente permeable. Si se arrancan de modo progresivo las capas de la epidermis por medio de una cienta adhesiva, se aumenta la permeabilidad de la piel y, como consecuencia, no existen dudas de que las células corneas trabadas y entrelazadas del estrato córneo constituyen la barrera. No es probable que la grasa emulsionada de la superficie de la piel afecte grandemente a la permeabilidad, o que las glándulas sudoríparas y folículos pilosos sean más permeables que el epitelio superficial, si bien las sustancias puedan alcanzar las glándulas sebáceas por la ruta folicular.

Epidermis y sistema de queratinización

La epidermis consta de varias capas. La estratificación es el resultado de cambio en el interior de los *queratinocitos* a medida que ascienden al exterior procedentes de la capa basal, en la que continuamente se están formando por mitosis, hacia la superficie de la piel, donde se desprenden[4-7]. Hay otros tres tipos de células: *melanocitos* o células con pigmentos, *células de Langerhans*, que son incoloras y de forma dendrítica, y *células de Mekel*, que están relacionadas con el sentido del tacto (véase más adelante).

Límite dermoepidérmico

La sección del límite dermoepidérmico es ondulada; los llamados clavos reticulares o crestas interpapilares epidérmicas que se proyectan de la epidermis hacia la dermis. En el límite existe una membrana basal, que al microscopio electrónico se observa como una membrana plasmática enrollada y tachonada con *hemidesmosomas* y *desmosomas de unión*, separada de la capa electrónicamente densa *lámina basal* por una *lámina lúcida* transparente. La lámina basal está anclada por debajo en la dermis por fibrillas y haces de finos filamentos[7-8].

Estrato basal

El *estrato basal* o *stratum germinativum* es una capa continua que da origen a todos los queratinocitos. Generalmente, se describe como monocelular[7], pero, tanto en epidermis de espesor normal como en la patológica, parece que la mitosis no está limitada únicamente a las células en contacto con la membrana basal[9-10]. ¿Se forman células destinadas a diferenciarse como hijas de las progenitoras permanentemente ligadas a la división celular? Una opinión es que las células hijas retienen igualmente la capacidad de dividirse durante algún tiempo, pero, en cada una de las divisiones, una célula basal emigra hacia el estrato espinoso, bien al azar[12, 13], bien como consecuencia de su edad[14]. Sin embargo, POTTEN[15] sostiene el tradicional concepto de células ascendentes permanentes, aunque admite que las hijas puedan ser capaces de algunas pocas divisiones en «amplificación» antes de diferenciarse.

Entre una división y la siguiente, la célula experimenta un ciclo[16-19].

Inmediatamente después de la mitosis (M) existe una fase de crecimiento (G_1) que es seguida por un período de síntesis activa nuclear de DNA (S) y una corta fase de crecimiento premitótico (G_2). Cada período tiene un *tiempo de tránsito;* para el ciclo completo se debería emplear el término de «tiempo del ciclo celular». La expresión *tiempo de renovación* o sus sinónimos *tiempo de regeneración,* o *tiempo de reemplazamiento,* significa el tiempo para la completa sustitución de una población celular. Aunque frecuentemente se afirma ser equivalente a tiempo de ciclo celular, esto sólo es verdad si todas las células estan ciclando continuamente. En realidad, probablemente existe un compartimiento substancial (G_0) de células que no ciclan. Por tanto, es importante distinguir el tiempo de relevo de renovación del estrato córneo del tiempo de la epidermis viva.

La medida de duración del ciclo celular se ha estimado de modo variable para la epidermis humana normal en 163 horas[19], 308 horas[20], 457 horas[21] y 213 horas[22], y para la epidermis psoriásica en 37 horas[23]. Sin embargo, estas medidas se han realizado con el supuesto de que en la epidermis normal todas las células ciclan de modo continuo. Una explicación alternativa es que la epidermis psoriásica se diferencia de la normal no a causa del ciclo celular más corto, sino porque es mucho más elevada la proporción de las células que ciclan. El tiempo de reemplazamiento para la totalidad de la epidermis viva es aproximadamente de 42 días[24], y para el estrato córneo de unos 14 días[25, 26], y generalmente se admite que los tiempos son considerablemente más cortos en la piel psoriásica[27-29].

Las células del estrato basal tienen núcleos grandes; al microscopio electrónico, sus citoplasmas revelan muchos ribosomas, mitocondrias y, a veces, membranas lisas. Especialmente, contienen numerosos finos *tonofilamentos* de aproximadamente 5 μm de diámetro, que se presentan principalmente en haces sueltos, las *tonofibrillas.*

Stratum spinosum

El *estratum spinosum* o capa de células de forma de púas se llama así porque las células presentan una apariencia espinosa por los numerosos *desmosomas* o placas de unión de sus superficies. Antes se creía que éstas eran puentes intercelulares a través de los cuales las tonofibrillas mantenían el tono de la epidermis. Estudios ultraestructurales han revelado que son estructuras laminadas. En la zona superior del estrato espinoso aparecen los *gránulos recubridores de membrana*[30, 31], también denominados cuerpos lamelados o de Odland[32]. Existen cuerpos ovoides de aproximadamente 100-500 μm de longitud. En el estrato intermedio emigran finalmente hacia la periferia de la célula y parecen incrementar el número en los espacios intercelulares. Su función es desconocida, aunque parece que contienen mucopolisacáridos, y se ha sugerido que pueden constituir el cemento intercelular[31].

Stratum granulosum

El stratum spinosum continúa con el *stratum intermedium* o *stratum granulosum* que contiene gránulos basófilos de una sustancia llamada *queratohialina*[33].

Stratum lucidum

El *stratum lucidum*, no teñible por los métodos histológicos habituales, se puede reconocer únicamente en la piel de las palmas de las manos y plantas de los pies.

Stratum corneum

En el *stratum corneum*[6, 7, 34, 35], los queratinocitos han perdido sus núcleos y prácticamente todos sus orgánulos y contenidos citoplasmáticos, incluyendo los gránulos de queratohialina. Las células están aplanadas y completamente llenas de queratina, en forma de haces de filamentos fijados en una sustancia opaca interfilamentosa. En la transición entre el estrato intermedio y el estrato córneo, se reconocen las células de transición o células T[7, 36]. Se puede demostrar que las células cornificadas en su epidermis, aunque no la de piel lampiña, están ordenadas en forma de apilamientos regulares y verticales, que reflejan la organización dinámica subyacente[37−42]. La mayor parte de los autores creen actualmente que, tanto las estructuras filamentosas de las capas epidérmicas más inferiores como la queratohialina del estrato intermedio, contribuyen a la formación de la queratina[43, 44]. Sin embargo, algunos mantienen que las fibrillas no intervienen en nada[45−48]; otros han cuestionado la contribución de la queratohialina[49]. La hipótesis más atractiva, no demostrada aún, es que la sustancia de las fibrillas, con cadenas peptídicas ordenadas helicoidalmente, se transforma en el estrato intermedio en una matriz rica en azufre que hace posible los enlaces de cistina[7]. Varios intentos de caracterizar químicamente la «prequeratina» pura han propuesto unidades con pesos moleculares de 640 000[50, 51], 100 000-200 000[52] o 50 000[53].

Las células córneas se desprenden continuamente de la superficie de la piel. Si se protegen zonas de la piel por capas durante períodos de tiempo prolongados, se puede atrapar el material exfoliado, pero el espesor del estrato córneo coherente permanece sin cambios[54, 55]. Por tanto, parece que las capas córneas se descaman en un nivel final que no está influido por las fuerzas externas.

Sistema pigmentario

Aunque la piel debe algo de su color[56] a la hemoglobina de los vasos saguíneos y a los carotenoides amarillos de la grasa hipodérmica, el principal determinante es un pigmento oscuro, *melanina*, que es el producto de células especiales conocidas como *melanocitos*. El color de la piel de los seres humanos puede ser medido por espectrofotometría reflectante[57].

Los melanocitos proceden de las crestas neurales del embrión[58, 59] y emigran a muchos tejidos del cuerpo, incluyendo las capas basales de la epidermis y bulbo del pelo. Se diferencian de otras células del estrato basal por la posesión de procesos dendríticos (esto es, de forma digital) (Fig. 1.2) por los cuales transfieren pigmento a un grupo de queratinocitos, formando todo una «unidad epidérmica de melanina»[60]. Carecen de desmosomas.

El rasgo característico de los melanocitos es un orgánulo citoplasmático

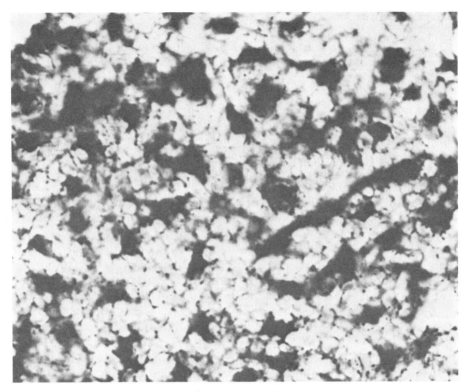

Fig. 1.2. Melanocitos en la capa inferior de la epidermis (aumento X 500): procesos en forma de dedos que se extienden a partir de los centros de los melanocitos.

especial conocido como *melanosoma* (Fig. 1.3), en el cual se forma la melanina por acción de la enzima tirosinasa. Los melanosomas aparecen como vesículas esféricas, limitadas por membranas, en la zona del aparato de Golgi. Al principio, los filamentos son visibles, pero finalmente la estructura de melanina se transforma en una estructura densa[61].

Las melaninas son polímeros quinoides de dos tipos. *Feomelaninas* de color amarillo o rojo, diferenciándose de las *eumelaninas* marrones o negras, solubles en álcalis diluidos. Ambas se forman por las mismas etapas iniciales que implica la oxidación de tirosina a 3,4-dihidroxifenilalanina (dopa) y su deshidrogenación a dopa quinona[62]. La formación posterior de eumelaninas implica varias etapas posteriores para producir indol-5,6-quinona, que se polimeriza y se une a la proteína. Actualmente se cree que la eumelanina no es un homopolímero compuesto únicamente de unidades indol-5,6-quinona, sino de polímeros heterogéneos que incluyen varios intermedios. Las feomelaninas se forman por vía diferente. La dopaquinona interacciona con la cisteína para formar 5-S- y 2-S-cisteinildopa, y estos isómeros se oxidan posteriormente en una serie de intermedios que después se polimerizan[63, 64].

El color de la piel es un componente *constitutivo*, es decir, genético, y un componente *facultativo*, o sea, dependiente del ambiente. Así se presentan varios grados de pigmentación en diferentes grupos étnicos; las diferencias se encuentran en la cantidad de melanina producida, no en el número de melanocitos

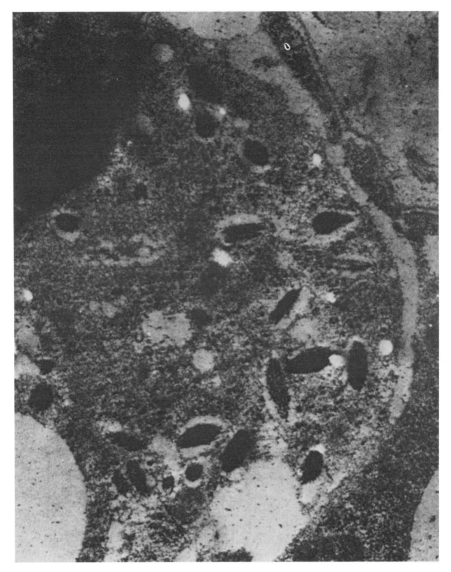

Fig. 1.3. Melanosomas en varias etapas de melanización (aumento X 29 000): los gránulos melanizados incompletamente presentan un aspecto a rayas.

presentes. La pigmentación se puede incrementar por exposición al sol o por factores endocrinos, por ejemplo durante el embarazo. La melanogénesis está influida por ciertas hormonas polipeptídicas de la pituitaria 65-67 y, en cierto grado, por las hormonas esteoides. De la pituitaria del cerdo[68, 69] se han aislado dos hormonas estimulantes de los melanocitos: α-MSH y β-MSH, que contienen respectivamente 13 y 18 restos de aminoácidos. La pituitaria humana carece de α-MSH, pero produce un β-MSH con 22 restos. Sin embargo, parece probable que la secuencia activa sea realmente parte de dos moléculas de mayor tamaño, β-lipoproteína con 91 aminoácidos y γ-lipotropina con 58[70].

Existen antiguos informes de que la testosterona aumenta la pigmentación de la piel en hombres castrados[71, 72] y en mujeres[73]. Lo mismo puede ser cierto para ciertas áreas especializadas de la piel en algunos animales, pero los estudios experimentales realizados en cobayas han fracasado para poner de manifiesto cualquier efecto de andrógenos[74, 75], aunque los estrógenos claramente incrementan la pigmentación de la piel en varias áreas[76, 77].

Indudablemente, la función principal de la melanina es la protección frente a la radiación solar[78, 80]. En general, el pigmento se distribuye geográficamente en relación a la intensidad solar experimentada por los variados grupos étnicos, siendo mayor en los trópicos, reducida en zonas templadas y reaparece parcialmente en las zonas de resplandor de la nieve[81]. Existen excepciones; por ejemplo, los indios americanos no difieren notablemente en color a lo largo del continente. Los efectos perjudiciales de la luz ultravioleta están bien ilustrados por la elevada incidencia del carcinoma epidérmico en europeos expuestos al sol tropical. La pigmentación de melanina puede ser útil por dos causas. Además de proporcionar una protección directa frente a la radiación, puede ser activada a un estado de radical libre por la luz incidente y así podría eliminar células genéticamente lesionadas por un mecanismo fototóxico.

Células de Langerhans

Las células de Langerhans son células dendríticas similares en forma a los melanocitos, pero libres de pigmento e incapaces de formarlo cuando se incuban con dihidroxifenilalanina (esto es, son dopa-negativas). Por primera vez se demostraron en la piel humana empleando cloruro de oro[52] y se pueden teñir con ATPasa[83]. Al microscopio electrónico se asemejan a melanocitos, ya que tienen un núcleo lobulado, pero se diferencian en que carecen de melanosomas, poseyendo, en su lugar, gránulos característicos en forma de bastoncito o raqueta[84-88].

Han sido muy discutidos el origen y afinidades de las células de Langerhans, pero queda sin determinar su función. Se ha descartado[89-91] la opinión de que son melanocitos agotados. Actualmente, se admite que las células de Langerhans son de origen mesenquimático y equivalentes, o estrechamente relacionados, a los histocitos dérmicos[92], en los que se han advertido idénticos gránulos[93-96]. Se han descrito varias posibles funciones. Por ejemplo, la opinión se divide acerca de si controlan[97] o no[98, 99] la proliferación de queratinocitos y el patrón de las columnas de células epidérmicas. Otro papel sugerido puede ser el desprendido de las conexiones intercelulares[100, 101]. Las células de Langerhans tienen capacidad limitada de fagocitosis, pero no se pueden considerar como macrófagos funcionales[102, 103]. Recientemente se ha dirigido la atención hacia la posibilidad de que estén relacionadas con las funciones de inmunidad.

Dermis

La *dermis*[1, 104, 105] es un tejido resistente y elástico que actúa de almohadilla del cuerpo frente a lesiones mecánicas, y proporciona nutrientes a la epidermis y apéndices cutáneos. Consta de una asociación de fibras de proteína con una sustancia amorfa fundamental que contiene mucopolisacáridos. Existen pocas células en esta matriz; la mayor parte de ellas son *fibroblastos* que secretan los componentes dérmicos, otras son los *mastocitos*, histocitos o macrófagos, linfocitos y otros leucocitos y melanocitos. También la dermis alberga los sistemas nervioso, linfático y sanguíneo, y rodea los apéndices epidérmicos invaginados, esto es, los folículos pilosos con sus glándulas asociadas y las glándulas sudoríparas ecrinas.

Colágeno

El componente principal fibroso de la dermis es el *colágeno*[105-111] que alcanza el 75 por 100 de su peso seco y el 18-30 por 100 en volumen. Al microscopio, las fibras de colágeno aparecen incoloras, como bandas onduladas ramificadas de 15 μm de anchura. El microscopio electrónico revela que cada una de las fibras está compuesta de fibrillas sin ramificar de aproximadamente 100 μm (1000 Å) de ancho y es característica su disposición estriada cruzada con una periodicidad de 60-70 μm. Las fibras de colágeno se pueden desintegrar por ácido acético al 0,01 por 100, originando moléculas de peso molecular entre 300 000-360 000, de aproximadamente 180 μm de largo. Cuando se neutralizan estas soluciones ácidas de *tropocolágeno*, reaparece la periodicidad de 64 μm, que puede explicarse con la hipótesis de que el colágeno nativo está compuesto de moléculas de tropocolágeno enlazadas lateralmente con un solapamiento regular de un cuarto de su longitud[112].

El colágeno de la piel se caracteriza por su elevado contenido de glicina, que constituye un tercio de la totalidad de los restos, y prolina e hidroxiprolina, que juntas componen un quinto más. Las moléculas de tropocolágeno[107] están constituidas por tres cadenas polipeptídicas, conteniendo cada una de ellas aproximadamente 1000 aminoácidos. Los fibroblastos producen un precursor conocido como *procolágeno* que tiene 300-400 aminoácidos adicionales en cada una de sus cadenas; estas prolongaciones se eliminan después de la secreción[113, 114].

Elastina y reticulina

Las *fibras elásticas*[115-124] constituyen el 4 por 100 de peso seco y el 1 por 100 del volumen de la dermis. Son fibras frágiles, en línea recta, muy ramificadas que se pueden alargar hasta el 100 por 100 o más, retornando a su longitud original, cuando se elimina la tracción. La elastina se diferencia del colágeno en tener sólo aproximadamente un cuarto o un tercio de la cantidad de aminoácidos básicos y ácidos, solamente una decima parte de la cantidad de hidroxiprolina, relativamente gran cantidad de valina y un aminoácido conocido como desmoseno[125] que aparece como único en ella y relacionado con los enlaces cruzados.

No todos los componentes fibrosos se pueden identificar claramente como colágeno o elastina en base a sus propiedades de tinción. Además de la elastina verdadera, se han diferenciado otras dos fibras similares y se han denominado oxitala y elaunina[126]. Además, aproximadamente el 0,4 por 100 en peso seco de la dermis está constituido por fibras ramificadas que, a diferencia del colágeno, se tiñen de negro con el nitrato de plata y son conocidas como *reticulina*. Su periodicidad axial es idéntica a la del colágeno[116].

Sustancia fundamental

La sustancia fundamental amorfa[127-135] en que están las fibras y células contiene una variedad de hidratos de carbono, proteínas y lípidos, de los cuales los más importantes son los mucopolisacáridos ácidos. Estos son macromoléculas constituidas por dos unidades diferentes de sacáridos que se alternan regularmente. En la dermis, el *ácido hialurónico*, en que la D-glucosamina, con un grupo amino acetilado, alterna con el ácido D-glucurónico, y el *sulfato de dermatan*, en que el ácido L-idurónico alterna con D-galactosamina, son los preponderantes.

Fibroblastos

El término de *fibroblasto*[105, 136, 137] debería denominar, de modo estricto, a una célula en su primer estadio, y *fibrocito,* a la que está plenamente diferenciada[138], pero la mayoría de los autores emplean fibroblasto para denominar una célula activa secretora, y fibrocito para una inactiva[105]. Los fibroblastos se derivan del mesénquima. No existen dudas de que los fibroblastos secretan colágeno[139]. Es probable que sean la fuente de la elastina 140 y, por otro lado, Asboe-Hansen[141] ha relacionado también a los mastocitos con los mucopolisacáridos[142].

Mastocitos

Los *mastocitos*[143-146] proceden igualmente de las células de migración del mesénquima. Se caracterizan por un citoplasma lleno de gránulos que se tiñen metacromáticamente con tintes básicos de anilina-púrpura con azul de metileno. Contienen heparina e histamina y pueden liberarlas. La ruptura de las células, con liberación de los gránulos, se observa en muchos tipos de lesiones cutáneas, y la histamina es la responsable de muchos de los incidentes asociados con inflamación, irritación y otras anomalías de la piel. Este tema se trata con mayor extensión en el próximo capítulo.

Nervios y órganos sensoriales

La piel está inervada con aproximadamente un millón de fibras nerviosas aferentes; la mayoría terminan en el rostro y extremidades; relativamente pocas alcanzan la espalda.

Las terminaciones sensoriales están comprendidas en dos grupos principales:

corpuscular, que incorpora elementos no nerviosos, y libres, que no[147-152]. Las terminaciones corpusculares, a su vez, se subdividen en receptores encapsulados de los que hay una amplia gama en la dermis, y no encapsulados, tales como la «mancha del tacto» epidérmico de Merkel[153, 154].

Los receptores encapsulados de mayor tamaño son los complejos *corpúsculos de Pacini*[155, 156], que son cuerpos ovoides de aproximadamente 1 mm de longitud y sección transversal laminada como una cebolla. Otros son los *corpúsculos de Golgi-Mazzon* hallados en el tejido subcutáneo del dedo, los *bulbos terminales de Krause*, en las capas superficiales de la dermis, y los *corpúsculos de Meissner*[147, 151, 152, 157], en las crestas papilares de la piel lampiña. De estructura algo diferente son las terminaciones ramificadas de Ruffini[151].

Las terminaciones nerviosas libres se presentan tanto en la dermis como en la epidermis. Los folículos pilosos tienen terminaciones nerviosas de grados variables de complejidad.

Se ha discutido mucho la función de estos variados receptores. Como es fácil trazar un mapa de las zonas sensoriales para distintos tipos de estímulos, la opinión general fue que los receptores eran específicos para las cualidades del tacto (corpúsculos de Meissner), calor (órganos terminales de Ruffini), frío (bulbos terminales de Krause) y dolor (terminaciones nerviosas libres). La hipótesis fue atacada por su base al no explicar por qué la piel peluda también podía distinguir entre los estímulos aunque carecía de estructuras encapsuladas[158].

En años recientes, se ha reafirmado la existencia de unidades aferentes funcionalmente específicas por experimentos electrofisiológicos. Se han establecido dos importantes categorías de unidades: mecanorreceptores y termorreceptores[150, 151], y una tercera categoría, receptores del dolor, que responden solamente a un elevado umbral de estimulación mecánica, térmica o química. Además, los mecanorreceptores se han clasificado en «adaptación lenta», cuando están representados por las terminaciones de Ruffini y células de Merkel, y «adaptación rápida», es decir, los receptores de los folículos pilosos, corpúsculos de Meissner y los corpúsculos de Pacini y Golgi-Mazoni[159].

El sistema nervioso autónomo suministra tanto fibras adrenérgicas como colinérgicas a los músculos erectores del pelo y vasos sanguíneos. La estimulación de músculo erector del pelo por su nervio asociado provoca que el tallo del pelo se eleve a una posición más perpendicular con relación a la superficie de la piel. Esto disminuye el paso del aire sobre la piel y, como consecuencia, reduce la cantidad de la pérdida de calor. Este fenómeno es la causa de la «piel de gallina». La regulación de la cantidad de sangre que fluye por las capas superficiales de la dermis también influye en la pérdida de calor (véase la sección siguiente).

Las glándulas sudoríparas ecrinas también están, por lo general, abundantemente provistas de nervios[160]. Las sustancias anticolinérgicas son capaces de inhibir el sudor, y la mayoría de los nervios se presentan como colinérgicos, aunque se han puesto de manifiesto algunas fibras adrenérgicas. Es probable que las glándulas de las palmas de la mano y plantas del pie, que secretan sudor para aumentar la capacidad de agarre de la piel, están influidas por fibras adrenérgicas, mientras que las de la superficie general del cuerpo, que regulan el calor del cuerpo, están bajo el control colinérgico.

Vasos sanguíneos

Las arterias penetran en la piel formando un plexo profundo, desde el que parte una red que se ramifica a los apéndices cutáneos y al plexo subpapilar, que a su vez, envía vasos a las capas capilares precisamente debajo del límite dermoepidérmico. A partir de estos capilares, la sangre se drena por las venas que descienden por los plexos intermedios[162-164].

Todos los nutrientes para las células epidérmicas tienen que pasar a través de la unión dermoepidérmica; ningún vaso sanguíneo penetra en la epidermis. La vascularización es mucho más compleja de lo que sería necesario únicamente para la nutrición; en efecto, la velocidad del metabolismo de la piel es inferior a la de muchos órganos menos irrigados. De este modo, el control de la temperatura se presenta como la función más importante. Cuando los vasos superficiales están completamente dilatados, la piel aparece sonrojada y la pérdida de calor está en el máximo. Sin embargo, existen cambios más profundos en la dermis entre los sistemas arterial y venoso, que pueden transportar toda o la mayoría de la sangre cuando se debe mantener la pérdida de calor en el mínimo. En estas circunstancias, se ha demostrado que los vasos capilares superficiales se encuentran casi completamente contraídos.

La regulación del volumen total de sangre en la piel, al contrario que su distribución, está regulada por la vasoconstricción y vasodilatación de la circulación cutánea, y permite realizar un gran almacenamiento de sangre, disponible rápidamente para funciones centrales vitales en momentos de «stress». El mecanismo de la constricción de la luz de un vaso sanguíneo en la dermis puede ser debido bien a una activación general de las células mioepiteliales contráctiles en la pared capilar, o por activación de *glomérulos (glomerae)*, que son pequeñas envueltas con capacidad de contracción alrededor del vaso y que estrangula de modo efectivo el vaso y corta el flujo sanguíneo. Las operaciones de vasoconstricción y vasodilatación están reguladas por la secreción local de sustancias químicas (por ejemplo, acetilcolina) procedentes de los nervios, hormonas (por ejemplo, adrenalina) y, en el caso de lesión cutánea, histamina dimanante de los mastocitos de la dermis.

Distante de esta opinión ampliamente aceptada, RYAN[165] ha acentuado la función oxigenadora de la vascularización en un tejido que está expuesto a muchos tipos de agresiones. Finalmente, se debe recordar que el suministro de sangre transporta todas las sustancias para la elaboración de los productos del folículo piloso y sus glándulas asociadas, así como las hormonas que influyen en su manufactura y las sustancias excretadas por las glándulas sudorales.

Glándulas sudoríparas ecrinas

Las glándulas sudoríparas ecrinas[166] son los apéndices más numerosos de la piel y se encuentran en la mayor parte de la superficie del cuerpo. En algunas zonas, su número llega a ser de 600 cm^{-2}. Tienen un conducto cilíndrico en espiral formado por células epidérmicas que se extienden desde su apertura visible en la epidermis hasta debajo en la profundidad de la dermis donde el conducto toma la forma de espiral y se enrosca en una bola (Fig. 1.4). Parte del

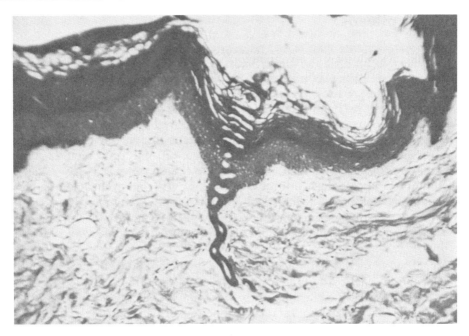

Fig. 1.4. Sección de piel de dedo humano mostrando un conducto sudoral en espiral (aumento X 140): se observa claramente la invaginación de tejido epidérmico en toda la longitud del conducto.

conducto enmarañado es secretor y elabora el sudor inodoro que asciende por el conducto para ser liberado en la superficie de la piel. Se cree que el conducto de la glándula tiene capacidad para modificar el sudor cuando fluye en sentido ascendente, eliminando sales o agua[167]. Frecuentemente, se aplica la analogía con la nefrona del riñón. Aunque las paredes del conducto se dicen ser epidérmicas, no están muy pigmentadas incluso en personas con piel pigmentada.

Las glándulas sudoríparas de la superficie general del cuerpo están relacionadas tanto con el control de la temperatura corporal como con la excreción. La evaporación del sudor produce un efecto de enfriamiento. Así, la glándula responde a la temperatura ambiente, pero también a otros estímulos, tales como luz ultravioleta, «stress» emocional e incremento de la temperatura del cuerpo a causa de la fiebre. En las palmas de la mano y planta del pie, sin embargo, la secreción de las glándulas sirven para aumentar la fricción superficial. En ambas áreas, el sudor está bajo el control nervioso, aunque intervienen diferentes tipos de fibras (véase la sección anterior).

La sudoración se presenta implicando la activación de las células mioepiteliales que rodean los conductos de las glándulas. Aunque la sudoración se considera un proceso continuo, parece ser que el sudor se descarga en pequeñas ráfagas, quizás 6-7 por minuto, sugiriendo una acción peristáltica por los conductos[168]. La composición del sudor ecrino es variable pero consta de iones electrolíticos, urea, aminoácidos, pequeñas cantidades de sacáridos y posiblemente de algunos lípidos. La variación normal de la concentración de cloruro sódico en el sudor ecrino se establece entre 10 y 100 miliequivalentes por litro[169].

Folículos pilosos

Los folículos pilosos son invaginaciones tubulares de la epidermis. El pelo se produce por queratinización de células formadas dentro de la matriz en la base del folículo[170-174]. Esta matriz epidérmica rodea una pequeña papila dérmica que está invaginada en su base.

Existen aproximadamente 120 000 folículos en el cuero cabelludo humano. Cada uno de ellos experimenta un ciclo de actividad[174] en el cual una fase activa (anagen), que dura de uno a tres años o aún más, está seguida por una fase corta de transición (catagen) y una fase de reposo (telogen) (Fig. 23.2). Este proceso implica el cese de la mitosis en la matriz y la queratinización de la base expandida del pelo para formar un «bastón», que es retenido hasta que el folículo se activa de nuevo, cuando se cae el pelo (Fig. 23.3). De este modo, aproximadamente 100 cabellos se pierden normalmente todos los días del cuero cabelludo[175, 176].

Tal actividad cíclica del folículo piloso se puede considerar como reminiscencia de la muda en otros mamíferos. A diferencia del cuero cabelludo humano, donde la actividad de cada folículo se presenta independiente de sus vecinos, algunos animales, tal como ratas y ratones, exihiben patrones en ondas de crecimiento de nuevos pelos y muda, que empieza en el centro del vientre y se extiende por los costados hasta el dorso[177]. Estos modelos han demostrado ser interesantes para experimentar sobre factores que controlan el crecimiento del pelo, pero no se debe suponer que tenga relación directa con la calvicie humana. Sucede que los folículos pilosos tienen un rítmo intrínseco, cuyo mecanismo queda sin descubrir, pero que puede ser muy modificado por hormonas circulantes y, de este modo, a su vez, por factores ambientales que actúan a través del hipotálamo y la pituitaria[177, 178]. Así, la muda, como la actividad reproductora, está regulada por las estaciones. Tal vez aún el cuero cabelludo humano retiene un reflejo de la muda estacional cuando aumenta el desprendimiento de bastones capilares en el otoño[179].

En la pubertad se desarrollan pelo grueso *terminal* —distinto del *vello* fino— en las regiones axilares y púbicas de ambos sexos, y en el rostro del varón continúa aumentando en cantidad durante varios años[180]. El crecimiento de este pelo se inicia y depende de los andrógenos (hormonas esteroides masculinas), que son secretadas por los testículos del varón y por las glándulas suprarrenales y ovarios de la mujer. También el pelo del cuerpo tipo varón depende de los andrógenos, aunque su cantidad y distribución varía grandemente entre individuos. De la elevada y anormal producción de andrógenos se originan cantidades inaceptables de pelo facial y corporal en la mujer, conocido como *hirsutismo*, pero también son importantes las variaciones individuales en la sensibilidad del objetivo de los folículos pilosos. Los compuestos que bloquean la accioın de los andrógenos, conocidos como anti-andrógenos, ofrecen posibilidades para aliviar el hirsutismo[181].

La alopecia de tipo masculino es un trastorno hereditario en que el pelo terminal desarrollado vigorasamente es reemplazado gradualmente por fibras muy pequeñas y sin utilidad estética en zonas del cuero cabelludo; esta evolución requiere la presencia de hormona masculina. Por consiguiente, los eunucos, aunque estén predispuestos genéticamente, no llegan a ser calvos, a menos que se traten con testosterona[182], y raramente las mujeres desarrollan zonas de clara calvicie, aunque con frecuencia padezcan de pérdida difusa de cabello, que es el equivalente femenino. Se está lejos de hallar una explicación al por qué las hormonas masculinas fomentan el crecimiento del cabello en el rostro y cuerpo, y lo aniquila en el vértice del cuero cabelludo.

La estructura y crecimiento del pelo se consideran en el capítulo 23.

Glándulas sebáceas

Las glándulas sebaceas[183, 184] secretan sebo, que constituye la mayoría del lípido que cubre la piel y el cabello. Se presentan en la mayor parte del cuerpo y están normalmente, aunque no invariablemente, asociadas con los folículos pilosos. Las concentraciones más altas (400-900 cm^{-2}) se encuentran en el cuero cabelludo, cara y zona superior del pecho y hombros, y no existe ninguna en las palmas de las manos ni en las plantas del pie.

Las glándulas son *holocrinas*, es decir, las células de la glándula pasan por una etapa de desarrollo y maduración, durante la cual acumulan lípido, llegando a ser varias veces su tamaño original, y desintegrándose completamente a continuación, descargando su contenido en el orificio de salida de la glándula. Continuamente se forman nuevas células a partir del revestimiento de la glándula por división celular para reemplazar aquellas pérdidas.

La actividad de las glándulas sebáceas se encuentra bajo control hormonal. Es estimulada por andrógenos. En los varones, las glándulas son diminutas durante la prepubertad, pero experimentan un amplio engrandecimiento en la pubertad, incrementándose su producción en más de cinco veces[185]. Los eunucos secretan aproximadamente la mitad del sebo que los varones normales, pero sustancialmente más que los muchachos; parece que la secreción depende de los andrógenos suprarrenales. Las mujeres adultas sólo secretan un poco menos que los varones; su actividad sebácea se mantiene por los andrógenos del ovario, así como por la corteza suprarrenal.

Evidencias indirectas en el hombre y experimental en los animales, indican que las hormonas de la pituitaria también influyen en la secreción sebácea. La secreción del sebo es anormalmente elevada en acromegálicos[186]. La respuesta de las glándulas sebáceas de la rata a la testosterona disminuye grandemente cuando se extirpa la pituitaria. La hormona del crecimiento bovino[187] y α-MSH sintético[188, 189] han demostrado poseer algún efecto directo sobre la secreción sebácea, y facilitan la respuesta de las glándulas a la testosterona.

Los estrógenos o antiandrogenos, tal como acetato de ciproterona, inhiben la secreción sebácea tanto en el hombre[181] como en las ratas[190].

El sebo humano[191] se compone de glicéridos y ácidos grasos libres ($57,5$ por 100), ésteres de ceras ($26,0$ por 100), escualeno ($12,0$ por 100), ésteres del colesterol ($3,0$ por 100) y colesterol ($1,5$ por 100). Los lípidos producidos por la epidermis superficial difieren por carecer de ésteres de ceras y escualeno y por tener una proporción mucho más elevada de ésteres de colesterol y colesterol. Los lípidos de la piel presentan grandes diferencias entre las especies.

Glándulas apocrinas

Las denominadas glándulas apocrinas[192] son glándulas tubulares ligadas al folículo piloso y, como las glándulas sebáceas, se desarrollan con él. Aunque rudimentariamente están distribuidas por todo el cuerpo en el feto, casi exclusivamente se canalizan y funcionan en las regiones axilares, anales y genitales, y en la aréola del pezón; pocas se encuentran en otras zonas. Solamente llegan a funcionar las glándulas axilares en la pubertad y parece probable que sean sensibles a los andrógenos, como derivados similares en otros animales, por ejemplo el conejo[193].

La secreción de las glándulas apocrinas humanas es lechosa, viscosa y, en un principio, inodora, que se afirma se desarrolla por la acción bacteriana. La actividad secretora es controlada por los nervios adrenérgicos.

Se ha discutido mucho sobre la función de las glándulas en la especie humana. En muchos otros mamíferos, constituyen o contribuyen al olor de las glándulas. Indudablemente el olor es importante en la comunicación humana[194, 195], aunque poca información se ha reunido desde que HAVELOCK ELLIS publicó sus pruebas anecdóticas y entretenidas[196].

Afecciones comunes de la piel

Al químico cosmético le atañen no las graves afecciones clínicas de la piel, pero sí las más ligeras, y que frecuentemente crónicas afectan a un gran número de la población y sólo se presentan al clínico cuando son graves. La exposición en este capítulo se limita a algunas de las que puedan estar en la esfera del cosmético científico. Para un estudio más detallado de estas y otras afecciones, se recomiendan los libros de texto de Dermatología[197, 198].

Afecciones pigmentarias

Efélides, léntigos y *lunares*. No es fácil hallar una clasificación sólida para las pequeñas zonas hiperpigmentadas que se presentan en la piel de muchos caucasianos. Generalmente, se acepta que las pecas (efélides) son pálidas, de color variable, normalmente no crecen y son innocuas. Su pigmentación se debe a una síntesis local incrementada con melanina en la epidermis. La predisposición a ellas está determinada aparentemente por la genética. Se encuentran con predominio en zonas expuestas de personas de cabello rubio o rojizo, y se estimulan por la exposición a las radiaciones X y ultravioleta. Los niños, generalmente, no tienen pecas hasta su sexto año de vida.

Suelen ser consideraciones de grado, lo que diferencia las pecas y los léntigos, más pronunciados, que están, generalmente, asociados a la edad y los lunares *(junctional nervi)*. Estos últimos están más fuertemente pigmentados, son menores en número y aparecen asociados a un engrasamiento de la epidermis. Raramente se presentan al nacer, y, en las mujeres, se oscurecen considerablemente durante el embarazo, como sucede en otras zonas[200]. Se debe mencionar que los casos más graves de estos lunares pueden llegar a ser malignos, pero esto no se considera en este libro.

Vitíligo. Aparte de las afecciones hiperpigmentadas, existen problemas cosméticos asociados a las enfermedades hipopigmentadas, siendo el vitíligo la más común de ellas; consiste en una despigmentación de zonas de la piel que afecta a gran número de personas no caucasianas. Aunque se presenta en caucasianos, no es usualmente un problema cosmetológico. A esta afección se refirió un antiguo Primer Ministro como «la enfermedad nacional de la India». Es más angustiosa si se considera su analogía con las primeras fases de la lepra, que también se presenta con despigmentación y, por esto, puede llevar a un estigma social sin ningún fundamento.

Generalmente, el vitíligo se asocia a la ausencia no sólo de melanina, sino también de melanocitos en las zonas afectadas. La etiología es desconocida. Frecuentemente, presenta un grado de simetría bilateral, y también se ha observado que sigue troncos nerviosos superficiales, pero existe poco fundamento para la hipótesis de que está asociada a la función nerviosa[201]. Una hipótesis de autoinmunidad se basa en su asociación clínica con otras supuestas afecciones de autoinmunidad[202].

El vitíligo se ha tratado sistémicamente con psoralenos (compuestos fotosensibles de ciertas plantas de umbelíferas) seguido de exposición al sol o radiación ultravioleta[203] o por preparaciones tópicas de corticoides[204]. Los tratamientos no son generalmente muy satisfactorios, y con frecuencia el camuflaje cosmético es el mejor recurso.

Afecciones de las glándulas sebáceas y sudoríparas

El *acné vulgaris*[205-207] es una afección de los folículos pilosebáceos que es tan frecuente entre los caucasianos como para ser considerada como fisiológica en los adolescentes. Las lesiones pueden incluir pápulas, pústulas y aún quistes y cicatrices graves; son bien conocidas y no necesitan una descripción detallada. Los comedones (puntos negros) pueden hallarse presentes, pero no siempre evolucionan a pústulas.

La afección está relacionada con la inflamación del aparato pilosebáceo. Parece que se desarrolla por hiperqueratinización del cuello del folículo, elaboración de sebo dentro de la glándula y rotura en la dermis. Los afectados por el acné tienen una media de producción de sebo superior a la de los sujetos normales[208]. En los contenidos pustulares, casi siempre están presentes bacterias *Corynebacterium acnes* y *Staphylococcus epidermidis*[209, 210].

La causa principal del acné ha sido muy discutida. Indudablemente se requiere la presencia de andrógenos, puesto que los niños y eunucos normalmente no la desarrollan[211]. Pero, al menos en los varones, los niveles medios de andrógenos de los afectados de acné no son tan elevados como en los individuos normales[212]. Indudablemente, los factores genéticos son importantes.

Así, los factores en el acné parecen ser predisposición, presencia de andrógenos junto con una sensibilidad anormal a ellos de la glándula sebácea y su conducto e infección por bacterias. Es posible que las bacterias ocasionen la producción de ácidos grasos libres a partir del sebo en las glándulas ocluidas y que esto produzca la inflamación[213] pero permanece una cuestión sin respuesta: el origen fundamental de estos casos angustiosos.

Como otras afecciones difíciles de tratar, el acné ha sido atacado por muchas formas terapéuticas. Tales tratamientos se han dirigido usualmente a reducir la secreción del sebo o a controlar el crecimiento de las bacterias. Dadas sistemáticamente dosis fisiológicas de estrógenos[214] se reduce la producción de sebo, y lo mismo sucede con antiandrógenos, tal como el acetato de ciproterona[181], pero ninguna de estas soluciones es aplicable al hombre, puesto que las posibles consecuencias hormonales y pérdida de libido pueden resultar menos aceptables que la afección. Los antibióticos de amplio espectro, tal como la tetraciclina, han demostrado ser seguros y bastante eficaces[215].

Varios medicamentos tópicos tienen como objetivo ser bacteriostáticos o inductores de la exfoliación. El ácido retinoico ha alcanzado popularidad recientemente[216].

Milaria. Así se denominan varias afecciones en las que el conducto sudoral llega a obstruirse en algún grado. La más común es *milaria rubra sarpullido*[217, 218].

Las lesiones del sarpullido son diminutas y uniformes pápulas rojizas que están asociadas a una sensación de picor insoportable. Se presenta especialmente en zonas de fricción con los vestidos y pliegues. Los bebés están particularmente predispuestos y frecuentemente presentan lesiones en el rostro, así como en el cuello, ingle, axilas y otras zonas del cuerpo.

El sarpullido es más común en ambientes cálidos, húmedos, aunque se puede presentar en desiertos, y puede afectar hasta el 30 por 100 de las personas expuestas a estos climas. Casi invariablemente va acompañado de abundante sudoración, y se puede producir experimentalmente por oclusión de la piel con polietileno durante algunos días. HÖLZLE y KLIGMAN[217] han postulado que la afección es resultado de un incremento en la densidad de bacterias aerobias, en especial cocos. Estos, a veces, secretan una toxina que lesiona las células de las paredes y precipita un depósito en la luz del conducto; posteriormente, se completa la obstrucción por la infiltración de leucocitos.

No existe una medicación satisfactoria para el sarpullido. Las aplicaciones tópicas de antibióticos u otras preparaciones antibacterianas tienen poco éxito; sin embargo, las lociones de calamina, seguidas de emolientes suaves, alivian el malestar. Se ha publicado la utilidad de la vitamina C oral[219], y los antibióticos sistémicos pueden ser útiles como profilaxis[217]. El único tratamiento eficaz es reducir la sudoración. Puede ser suficiente el retirar al paciente del ambiente a una habitación con aire acondicionado durate unas horas al día.

Afecciones descamantes de la piel

Psoriasis. Esta afección pertenece al campo del dermatólogo, y no al del químico cosmético. Aquí se considera brevemente por estar muy extendida, afectando aproximadamente al 2 por 100 de la población del noroeste de Europa, incluida Gran Bretaña[220].

Las lesiones son placas bien definidas, rosas o rojo-oscuras, cubiertas de escamas plateadas características, que, al eliminarse, muestran frecuentemente pequeños puntos sangrantes. Existen pocas dudas respecto a la intervención de un factor genético, pero la manifestación clínica de la afección se retrasa a veces

hasta tarde en la vida, y pueden desencadenarla factores metabólicos, infecciosos, ambientales y aun psicológicos.

Las placas son el resultado de un gran incremento de la velocidad de
proliferación epidérmica, unido a un tránsito muy acelerado de las células a
través de la epidermis. Las células retienen su núcleo, aún en el estrato córneo,
que entonces es descrito como *paraqueratolítico*. De acuerdo con varios autores, el
incremento en la producción celular se alcanza acortando el período medio de
una división a la próxima en una población en la que todas las células están
ciclando[221]. Parece más probable[222, 223] la explicación alternativa de que en la
epidermis normal sólo una menor proporción de células está ciclando, mientras
que en la psoriasis casi todas se hacen activas mitóticamente.

Los tratamientos propuestos para la psoriasis son varios. En términos generales se puede decir que están dirigidos contra la división de las células epidérmicas
e incluyen la aplicación tópica de alquitrán de hulla, ditranol y corticoides.

Caspa. A veces conocida como *pityriasis capitis*, esta afección se caracteriza por
la descamación masiva de pequeñas placas del estrato córneo procedentes del
cuero cabelludo que, en otros aspectos, es normal (Fig. 1.5). Las escamas pueden

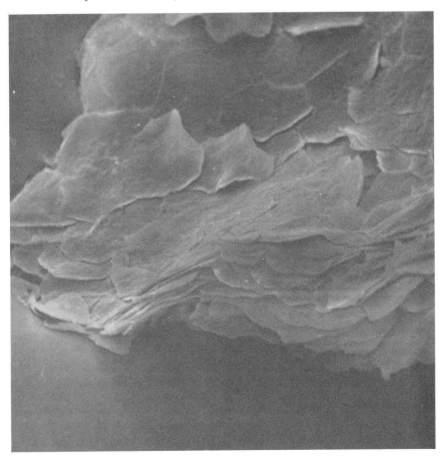

Fig. 1.5. Escama de caspa (aumento X 660).

ser secas o empapadas de una película de sebo. La caspa no es frecuente ni en la infancia ni en la primera infancia, pero, en la pubertad, aproximadamente la mitad de todos los hombres y mujeres están afectados y, en muchos, persiste durante toda la vida. Por tanto, debe ser considerada como un estado fisiológico más que como una enfermedad y, como tal, cae mucho mejor en el campo cosmético que en el clínico.

La causa de las caspa es aún discutible. Tal vez la constitución o, como en el acné, la estimulación de los andrógenos u otros factores fisiológicos desempeñan un papel importante. También pueden estar implicados microorganismos[224]; tanto *Pityrosporum ovale*[225] como *Pityrosporum orbiculare* abundan más en personas afectadas que en no afectadas[226]. Otras sugerencias son que la afección es causada por un alérgeno del sudor[227] o es un error fisiológico en el proceso normal de descamación[228].

La caspa se ha tratado con ungüentos que contienen un 2 por 100 de ácido salicílico. Actualmente, existe preferencia por los champúes que contienen disulfuro de selenio o piritiona de zinc, y parece que actúan reduciendo la renovación epidérmica[229]. Otras preparaciones se basan en su supuesta capacidad de reducir la flora de levaduras.

REFERENCIAS

1. Montagna, W., and Parakkal, P. F., *The Structure and Function of Skin*, 3rd edn, New York, Academic Press, 1974.
2. Rothman, S., *Physiology and Biochemistry of Skin*, Chicago, University Press, 1954.
3. Tregear, R. T., *Theoretical and Experimental Biology*, Vol. 5, *Physical Functions of Skin*, London, Academic Press, 1966.
4. Breathnach, A. S., *An Atlas of the Ultrastructure of Human Skin*, London, Churchill, 1971.
5. Breathnach, A. S., *J. invest. Dermatol.*, 1975, **65**, 2.
6. Brody, I., *The Epidermis*, ed. Montagna, W., and Lobitz, W. J., Jnr, New York, Academic Press, 1964, p. 251.
7. Brody, I., *J. Jadassohn's Handbuch der Haut und Geschlechtskrankheiten*, Vol. 1, part 1, ed. Gans, O., and Steigleder, G. K., Berlin, Springer, 1968, p. 1.
8. Briggaman, R. A., and Wheeler, C. E., Jnr, *J. invest. Dermatol.*, 1975, **65**, 71.
9. Pinkus, H., *Physiology and Biochemistry of the Skin*, ed. Rothman, S., Chicago, University Press, 1954, p. 584.
10. Pinkus, H., *Br. J. Dermatol.*, 1970, **94**, 351.
11. Pinkus, H., and Hunter, R., *Arch. Dermatol.*, 1966, **94**, 351.
12. Greulich, R. C., *The Epidermis*, ed. Montagna, W. and Lobitz, W. C., Jnr, New York, Academic Press, 1964, p. 117.
13. Leblond, C. P., Greulich, R. C., and Pereira, J. P. M., *Advances in Biology of Skin*, Vol. 5, *Wound Healing*, ed. Montagna, W. and Billingham, R. E., New York, Academic Press, 1964, p. 39.
14. Iverson, O. H., *Cell Tissue Kinet.*, 1968, **1**, 351.
15. Potten, C. S., *J. invest. Dermatol.*, 1975, **65**, 488.
16. Baserga, R., *Cell Tissue Kinet.*, 1968, **1**, 167.
17. Bullough, W. S., *Cancer Res.*, 1965, **25**, 1683.
18. Epifanova, O. I., and Terskikh, V. V., *Cell Tissue Kinet.*, 1965, **2**, 75.
19. Weinstein, G. D. and Frost, P., *J. invest. Dermatol.*, 1968, **50**, 254.
20. Weinstein, G. D. and Frost, P., *J. nat. Cancer Inst.*, 1969, **30**, 225.

21. Weinstein, G. D. and Frost, P., *Arch. Dermatol.*, 1971, **103**, 33.
22. Heenan, M. and Galand, P., *J. invest. Dermatol.*, 1971, **56**, 425.
23. Weinstein, G. D., *Br. J. Dermatol.*, 1975, **92**, 229.
24. Halprin, K. M., *Br. J. Dermatol.*, 1972, **86**, 14.
25. Baker, H. and Kligman, A., *Arch. Dermatol.*, 1967, **95**, 408.
26. Porter, D. and Shuster, S., *J. invest. Dermatol.*, 1967, **49**, 251.
27. Porter, D. and Shuster, S., *Arch. Dermatol.*, 1968, **98**, 339.
28. Rothberg, S., Crounse, R. G. and Lee, J. L., *J. invest. Dermatol.*, 1961, **37**, 497.
29. Rowe, L. and Dixon, W. J., *J. invest. Dermatol.*, 1972, **58**, 16.
30. Matoltsy, A. G., *J. ultrastruct. Res.*, 1966, **15**, 510.
31. Matoltsy, A. G. and Parakkal, P. F., *J. Cell Biol.*, 1965, **24**, 297.
32. Odland, G. F., *J. invest. Dermatol.*, 1960, **34**, 11.
33. Matoltsy, A. G. and Matoltsy, M.N., *J. Cell Biol.*, 1970, **47**, 593.
34. Brody, I., *Z. mikrosk. anat. Forsch.*, Leipzig, 1972, **86**, S.305.
35. Brody, I., *Dermatology*, 1977, **16**, 245.
36. Roth, S. I. and Clark, W. H., Jnr, *The Epidermis*, ed. Montagna, W. and Lobitz, W. C., Jnr, New York, Academic Press, 1964, p. 303.
37. Christophers, E., *J. invest. Dermatol.*, 1971, **56**, 165.
38. Christophers, E., Wolf, H. H. and Laurence, E. B., *J. invest. Dermatol.*, 1974, **62**, 555.
39. Christophers, E., and Laurence, E. B., *Curr. Probl. Dermatol.*, 1976, **6**, 87.
40. Menton, D. N. and Eisen, A. Z., *J. ultrastruct. Res.*, 1971, **35**, 247.
41. Mackenzie, I. C. and Linder, J. E., *J. invest. Dermatol.*, 1973, **61**, 245.
42. Mackenzie, I. C. *J. invest. Dermatol.*, 1975, **65**, 45.
43. Mercer, E. H., *Keratin and Keratinisation*, Oxford, Pergamon, 1961.
44. Odland, G. F., *The Epidermis*, ed. Montagna, W. and Lobitz, W. C., Jnr, New York, Academic Press, 1964, p. 237.
45. Jarrett, A., *Symp. zool. Soc. London*, 1964, **12**, 55.
46. Jarrett, A., *The Physiology and Pathophysiology of the Skin*, Vol. 1, ed. Jarrett, A., London, Academic Press, 1973, p. 161.
47. Jarrett, A. and Spearman, R. I. C., *Histochemistry of the Skin: Psoriasis*, London, English Universities Press, 1964.
48. Snell, R. S., *Z. Zellforsch. mikrosk. Anat.*, 1965, **65**, 829.
49. Braun-Falco, O., Kint, A. and Vogell, W., *Arch. Klin. exp. Dermatol.*, 1963, **217**, 627.
50. Matoltsy, A. G., *Nature (London)*, 1964, **201**, 1130.
51. Matoltsy, A. G., *Biology of the Skin and Hair Growth*, ed. Lyne, A. G. and Short, B. F., Sydney, Angus and Robertson, 1965, p. 291.
52. Baden, H. P., *J. invest. Dermatol.*, 1970, **55**, 185.
53. Crounse, R. G., *Nature (London)*, 1966, **211**, 1301.
54. Goldschmidt, H. and Kligman, A. M. *Arch. Dermatol.*, 1964, **88**, 709.
55. Kligman, A. M., *The Epidermis*, ed. Montagna, W. and Lobitz, W. C., Jnr, New York, Academic Press, 1964, p. 387.
56. Edwards, E. A. and Duntley, S. Q., *Am. J. Anat.*, 1939, **65**, 1.
57. Gibson, I. M., *J. Soc. cosmet. Chem.*, 1971, **22**, 725.
58. Boyd, J. D., *Progress in the Biological Sciences in Relation to Dermatology*, ed. Rook, A. J., Cambridge, University Press, 1960, p. 3.
59. Rawles, M. E., *Physiol. Rev.*, 1947, **28**, 383.
60. Fitzpatrick, T. B. and Breathnach, A. S., *Dermatol. Wochenschr.*, 1963, **147**, 481.
61. Jimbow, K. and Kukita, A., *Biology of Normal and Abnormal Melanocytes*, ed. Kawamura, T., Fitzpatrick, T. B. and Seiji, M., Tokyo, University of Tokyo Press, 1971, p. 171.
62. Mason, H. S., *Advances in Biology of Skin*, Vol. 8, *The Pigmentary System*, ed. Montagna, W. and Hu, F., Oxford, Pergamon, 1967, p. 293.
63. Prota, G. and Nicolaus, R. A., *Advances in Biology of Skin*, Vol. 8, *The*

Pigmentary System, ed. Montagna, W. and Hu, F., Oxford, Pergamon, 1967, p. 323.

64. Prota, G. and Thomson, R. H., *Endeavour*, 1976, **35**, 32.
65. Lee, T. H. and Lerner, A. B., *Pigment Cell Biology*, ed. Gordon, M., New York, Academic Press, 1959, pp. 435–444.
66. Lerner, A. B. and McGuire, J. S., *Nature (London).*, 1961, **189**, 176.
67. McGuire, J. S. and Lerner, A. B., *Ann. N. Y. Acad. Sci.*, 1963, **100**, 622.
68. Lerner, A. B. and Lee, T. H., *J. Am. chem. Soc.*, 1955, **77**, 1066.
69. Lee, T. H. and Lerner, A. B. *J. biol. Chem.*, 1956, **221**, 943.
70. Scott, A. P. and Lowry, P. J., *Biochem. J.*, 1974, **139**, 593.
71. Edwards, E. A., Hamilton, J. B., Duntley, S. Q. and Hubert, G., *Endocrinology*, 1941, **28**, 119.
72. Hamilton, J. B. and Hubert G., *Sciences (NY)*, 1938, **88**, 481.
73. Hamilton, J. B., *Proc. Soc. exp. Biol. Med.*, 1939, **40**, 502.
74. Bischitz, P. G. and Snell, R. S., *J. invest. Dermatol.*, 1959, **33**, 299.
75. Snell, R. S. and Bischitz, P. G., *Z. Zellforsch. mikrosk. Anat.*, 1959, **50**, 825.
76. Bischitz, P. G. and Snell, R. S., *J. Endocrinol*, 1960, **20**, 312.
77. Snell, R. S. and Bischitz, P. G., *J. invest. Dermatol.*, 1960, **35**, 73.
78. Blum, H. F., *Physiol. Rev.*, 1945, **25**, 483.
79. Blum, H. F., *Q. Rev. Biol.*, 1961, **36**, 50.
80. Wasserman, H. P., *Ethnic Pigmentation*, Amsterdam, Exerpta Medica, 1974.
81. Fleure, H. J. *Geogr. Rev.*, 1945, **35**, 580.
82. Langerhans, P., *Virchows Arch. pathol Anat. Physiol.*, 1868, **44**, 325.
83. Jarrett, A. and Riley, P. A., *Br. J. Dermatol.*, 1963, **75**, 79.
84. Birbeck, M. S., Breathnach, A. S. and Everall, J. D., *J. invest. Dermatol.*, 1961, **37**, 51.
85. Breathnach, A.S. and Wyllie, L. M. *Advances in Biology of Skin*, Vol. 8, ed. Montagna, W. and Hu, F., Oxford, Pergamon, 1967, p. 97.
86. Hashimoto, K., *Arch. Dermatol.*, 1970, **102**, 280.
87. Hashimoto, K., *Arch. Dermatol.*, 1971, **104**, 148.
88. Zelickson, A. S., *J. invest. Dermatol.*, 1965, **56**, 10.
89. Billingham, R. E., *J. Anat.*, 1949, **83**, 109.
90. Billingham, R. E. and Medawar, P. B., *Philos. Trans. R. Soc. London Ser. B.*, 1953, **237**, 151.
91. Masson, P., *Cancer*, 1951, **4**, 9.
92. Riley, P. A., *The Physiology and Pathophysiology of the Skin*, Vol. 3, *The Dermis and the Dendrocytes*, ed. Jarrett, A., London, Academic Press, 1974, p. 1101.
93. Basset, F. and Nezelof, C., *Bull. Mém. Soc. Méd. Hôp. Paris*, 1966, **117**, 413.
94. Breathnach, A. S., Gross, M., Basset, F. and Nezelof, C., *Br. J. Dermatol.*, 1973, **89**, 571.
95. Gianotti, F. and Caputo, R., *Arch. Dermatol.*, 1969, **100**, 342.
96. Kobayasi, T. and Asboe-Hansen, G., *Acta Derm. Vernereol.*, 1972, **52**, 257.
97. Potten, C. S. and Allen, T. D., *Differentiation*, 1976, **5**, 43.
98. Mackenzie, I. C., *J. invest. Dermatol.*, 1975, **65**, 45.
99. Mackenzie, I. C., Zimmerman, K. L. and Wheelock, D. A., *Am. J. Anat.*, 1975, **144**, 461.
100. Breathnach, A. S., *Br. J. Dermatol.*, 1968, **80**, 688.
101. Prunieras, M., *J. invest. Dermatol.*, 1969, **52**, 1.
102. Wolf, K. and Schreiner, E., *J. invest. Dermatol.*, 1970, **54**, 37.
103. Sagebiel, R. W., *J. invest. Dermatol.*, 1972, **58**, 47.
104. Montagna, W., Bentley, J. P. and Dobson, R. L., eds, *Advances in Biology of Skin*, Vol. 10, *The Dermis*, New York, Appleton–Century–Crofts, 1970.
105. Jarrett, A., ed., *The Physiology and Pathophysiology of the Skin*, Vol. 3, *The Dermis and Dendrocytes*, London, Academic Press, 1974.
106. Bornstein, P., *Annu. Rev. Biochem.*, 1974, **43**, 567.
107. Gross, J., *Harvey Lect.*, 1974, **68**, 351.

108. Harkness, R. D., *Biol. Rev.*, 1961, **36**, 399.

109. Harkness, R. D., *Progress in the Biological Sciences in Relation to Dermatology*, ed. Rook, A. and Champion, R. H., Cambridge, University Press, 1964, p. 3.

110. Jackson, D. S., *Advances in Biology of Skin*, Vol. 10, *The Dermis*, ed. Montagna, W., Bentley, J. P. and Dobson, R. L., New York, Appleton–Century–Crofts, 1970, p. 39.

111. Ramachandran, G. N. and Gould, B. S., eds, *Treatise on Collagen*, Vols. 1 and 2, London, Academic Press, 1967, 1968.

112. Cassel, J. M., *Biophysical Properties of the Skin*, ed. Elden, H. R., New York, Wiley Interscience, 1971, p. 63.

113. Martin, G. R., Byers, P. H. and Piez, K. A., *Adv. Enzymol. relat. Areas mol. Biol.*, 1975, **42**, 167.

114. Schofield, J. D. and Prockop, D. J., *Clin. Orthop.*, 1973, **97**, 175.

115. Piez, K. A., Miller, E. J. and Martin, G. R., *Advances in Biology of Skin*, Vol. 6, *Ageing*, ed. Montagna, W., Oxford, Pergamon, 1965, p. 245.

116. Smith, J. G., Jnr, Sams, W. M., Jnr and Finlayson, G. R., *Modern Trends in Dermatology*, Vol. 3, ed. McKenna, R. M. B., London, Butterworth, 1966, p. 110.

117. Banga, I., *Structure and Function of Elastin and Collagen*, Budapest, Akademiai Kiado, 1966.

118. Ross, R. and Bornstein, P., *J. cell Biol.*, 1969, **40**, 366.

119. Partridge, S. M., *Advances in Biology of Skin*, Vol. 10, *The Dermis*, ed. Montagna, W., Bentley, J. P. and Dobson, R. L., New York, Appleton–Century–Crofts, 1970, p. 69.

120. Hall, D. A., *Biophysical Properties of the Skin*, ed Elden, H. R., New York, Wiley Interscience, 1971, p. 187.

121. Bodley, H. D. and Wood, R. L., *Anat. Rec.*, 1972, **172**, 71.

122. Gotte, L., Mammi, M. and Pezzin, G., *Connect. Tissue Res.*, 1972, **1**, 61.

123. Gotte, L., Giro, M. G., Volpin, D. and Horne, R. W., *J. ultrastruct. Res.*, 1974, **46**, 23.

124. Jarrett, A., *The Physiology and Pathophysiology of the Skin*, Vol. 3, ed. Jarrett, A., London, Academic Press, 1974, p. 847.

125. Thomas, J., Elsden, D. F. and Partridge, S. M., *Nature (London)*, 1963, **200**, 651.

126. Colta-Pereira, G., Guerra Rodrigo, F. and Bittencourt-Sampaio, S., *J. invest. Dermatol.*, 1976, **66**, 143.

127. Dorfman, A. *J. Histochem. Cytochem.*, 1963, **11**, 2.

128. Muir, H., *The Biochemistry of Mucopolysaccharides of Connective Tissue*, ed. Clark, F. and Grant, J. K., Cambridge, University Press, 1961, p. 4.

129. Muir, H., *Progress in the Biological Sciences in Relation to Dermatology*, Vol. 2, ed. Rook, A. and Champion, R. H., Cambridge, University Press, 1964, p. 25.

130. Muir, H. *International Review of Connective Tissue Research*, Vol. 2, ed. Hall, D. A., New York, Academic Press, 1964, p. 101.

131. Pearce, R. H. and Grimmer, B. J., *Advances in Biology of Skin*, Vol. 10, *The Dermis*, ed. Montagna, W., Bentley, J. P. and Dobson, R. L., New York, Appleton–Century–Crofts, 1970, p. 89.

132. Rogers, H. J., *The Biochemistry of Mucopolysaccharides of Connective Tissue*, ed. Clark, F. and Grant, J. K., Cambridge, University Press, 1961, p. 51.

133. Davidson, E. A., *Advances in Biology of Skin*, Vol. 6, *Ageing*, ed. Montagna, W., Oxford, Pergamon, 1965, p. 255.

134. Schubert, M., *Biophys. J.*, 1964, **4** (Supplement), 119.

135. Smith, J. G., Jnr, Davidson, E. A. and Taylor, R. W., *Advances in Biology of Skin* Vol. 6, *Ageing*, ed. Montagna, W., Oxford, Pergamon, 1965, p. 211.

136. Branwood, A. W., *International Review of Connective Tissue Research*, Vol. 1, ed. Hall, D. A. New York, Academic Press, 1963, p. 1.

137. Porter, K. R., *Biophys. J.*, 1964, **4** (Supplement), 167.

138. Szirmai, J. A., *Advances in Biology of Skin*, Vol. 10, *The Dermis*, ed. Montagna,

W., Bentley, J. P. and Dobson, R. L., New York, Appleton–Century–Crofts, 1970, p. 1.

139. Bellamy, G. and Bornstein, P., *Proc. natl. Acad. Sci. USA*, 1971, **68**, 1138.

140. Ayer, J. P., *International Review of Connective Tissue Research*, Vol. 2, ed. Hall, D. A., New York, Academic Press, 1964, p. 33.

141. Asboe-Hansen, G., *Connective Tissue*, ed. Tunbridge, R. E., Oxford, Blackwell, 1957, p. 30.

142. Gersh, L. and Catchpole, H. R., *Am. J. Anat.*, 1949, **85**, 457.

143. Smith, D. E., *Ann. N. Y. Acad. Sci.*, 1963, **103**, 40.

144. Selye, H., *The Mast Cells*, Washington, Butterworth, 1965.

145. Comaish, J. S., *Br. J. Dermatol.*, 1965, **77**, 92.

146. Lagunoff, D., *J. invest. Dermatol.*, 1972, **58**, 296.

147. Weddell, G., Palmer, E. and Pallie, W., *Biol. Rev.*, 1955, **30**, 159.

148. Allenby, C. F., *An Introduction to the Biology of Skin*, ed. Champion, R. H., Gilman, T., Rook, A. J. and Sims, R. T., Oxford, Blackwell, 1970, p. 124.

149. Kenshalo, D. R., ed., *The Skin Senses*, Springfield, Charles C. Thomas, 1968.

150. Iggo, A., ed., *Handbook of Sensory Physiology, Somatosensory System*, Berlin, Springer, 1973.

151. Iggo, A., *The Peripheral Nervous System*, ed. Hubbard, J. I., New York, Plenum, 1974, p. 347.

152. Sinclair, D. C., *The Physiology and Pathophysiology of the Skin*, Vol. 2, *The Nerves and Blood Vessels*, ed. Jarrett, A., London, Academic Press, 1973, p. 347.

153. Hashimoto, K., *J. Anat*, 1972, **111**, 99.

154. Winkelmann, R. K. and Breathnach, A. S., *J. invest. Dermatol.*, 1973, **60**, 2.

155. Hunt, C. C., *The Peripheral Nervous System*, ed. Hubbard, J. I., New York, Plenum, 1974, p. 405.

156. Winkelmann, R. K., *Advances in Biology of Skin*, Vol. 1, *Cutaneous Innervation*, ed. Montagna, W., Oxford, Pergamon, 1960, p. 48.

157. Hashimoto, K., *J. invest. Dermatol.*, 1973, **60**, 20.

158. Weddell, G., *Advances in Biology of Skin*, Vol. 1, *Cutaneous Innervation*, ed. Montagna, W., Oxford, Pergamon, 1960, p. 112.

159. Iggo, A. and Gottischaldt, K.-M, *Rheinisch-Westfälische Acad. Wissenschaften*, 1976, **53**, 153.

160. Uno, H, *J. invest. Dermatol.*, 1977, **69**, 112.

161. Robertshaw, D., *J. invest. Dermatol.*, 1977, **69**, 121.

162. Montagna, W. and Ellis, R. A., ed., *Advances in Biology of Skin*, Vol. 2, *Blood Vessels and Circulation*, Oxford, Pergamon, 1961.

163. Moretti, G., *Jadassohn's Handbuch der Haut und Geschlechtskrankheiten*, Vol. 1, Part 1, Berlin, Springer, 1968, p. 491.

164. Ryan, T. J., *The Physiology and Pathophysiology of the Skin*, Vol. 2, ed. Jarrett, A., London, Academic Press, 1973, p. 557.

165. Ryan, T. J., *J. invest. Dermatol.*, 1976, **67**, 110.

166. Montagna, W., Ellis, R. A. and Silver, A. F., *Advances in Biology of Skin*, Vol. 3, *Eccrine Sweat Glands and Eccrine Sweating*, Oxford, Pergamon, 1962.

167. Gordon, R. S., and Cage, G. W., *Lancet*, 1966, **i**, 1246.

168. Randall, W. C. and McChine, W., *Am. J. Physiol.*, 1948, **155**, 462.

169. Cage, G. W. and Dobson, R. L., *J. clin. Invest.*, 1965, **44**, 1270.

170. Hamilton, J. B. and Light, A. E., eds, *Ann. N. Y. Acad. Sci.*, 1950, **53**, 461.

171. Montagna, W. and Ellis, R. A., eds, *The Biology of Hair Growth*, New York, Academic Press, 1958.

172. Lubowe, I. I., *Ann. N. Y. Acad. Sci.*, 1959, **83**, 539.

173. Montagna W. and Dobson, R. L., eds, *Advances in Biology of Skin*, Vol. 9, *Hair Growth*, Oxford, Pergamon, 1969.

174. Jarrett, A., ed., *The Physiology and Pathophysiology of the Skin*, Vol. 4, London, Academic Press, 1977.

175. Kligman, A. M., *J. invest. Dermatol.*, 1959, **33**, 307.

176. Kligman, A. M., *Arch. Dermatol.*, 1961, **83**, 175.

177. Ebling, F. J. and Hale, P. A., *Mem. Soc. Endocrinol.*, 1970, **18**, 215.

178. Ebling, F. J., *J. invest. Dermatol.*, 1976, **67**, 98.

179. Orentreich, N., *Advances in Biology of Skin*, Vol. 9, *Hair Growth*, ed. Montagna, W. and Dobson, R. L., Oxford, Pergamon, 1969, p. 99.

180. Hamilton, J. B., *The Biology of Hair Growth*, ed. Montagna, W. and Ellis, R. A., New York, Academic Press, 1958, p. 399.

181. Ebling, F. J., Thomas, A. K., Cooke, I. D., Randall, V. A., Skinner, J. and Cawood, M., *Br. J. Dermatol.*, 1977, **97**, 371.

182. Hamilton, J. B. *Am. J. Anat.*, 1942, **71**, 451.

183. Montagna, W., Ellis, R. A. and Silver, A. F., ed., *Advances in Biology of Skin*, Vol. 4, *Sebaceous Glands*, Oxford, Pergamon, 1963.

184. Ebling, F. J., *Dermatotoxicology and Pharmacology*, ed. Marzulli, F. N. and Maibach, H. I., Washington, Hemisphere, 1977, p. 55.

185. Strauss, J. S. and Pochi, P. E., *Recent Prog. Horm. Res.*, 1963, **19**, 385.

186. Burton, J. L., Libman, L. J., Cunliffe, W. J., Hall, R. and Shuster, S., *Br. med. J.*, 1972, **139**, 406.

187. Ebling, F. J., Ebling, E., Randall, V. A. and Skinner, J., *Br. J. Dermatol*, 1975, **92**, 235.

188. Thody, A. J. and Shuster, S., *J. Endocrinol.*, 1975, **64**, 503.

189. Ebling, F. J., Ebling, E., Randall, V. A. and Skinner, J., *J. Endocrinol.*, 1975, **66**, 407.

190. Ebling, F. J., *Acta Endocrinol.*, 1973, **72**, 361.

191. Greene, R. S., Downing, D. T., Pochi, P. E. and Strauss, J. S., *J. invest. Dermatol.*, 1970, **54**, 240.

192. Hurley, M. J. and Shelley, W. B., *The Human Apocrine Sweat Gland in Health and Disease*, Springfield, Charles C. Thomas, 1960.

193. Wales, N. A. M. and Ebling, F. J., *J. Endocrinol.*, 1971, **51**, 763.

194. Le Magnen, J., *Arch. Sci. Physiol.*, 1952, **6**, 125.

195. Russell, M. J., *Nature (London)*, 1976, **260**, 520.

196. Ellis, H. *Studies in the Psychology of Sex*, 4, *Sexual Selection in Man*, Philadelphia, F. A. Davis, 1905.

197. Rook, A., Wilkinson, D. S. and Ebling, F. J., *Textbook of Dermatology*, 3rd edn, Oxford, Blackwell, 1979.

198. Fitzpatrick, T. B., Eisen, A. Z., Wolff, K., Freedberg, I. M. and Austin, K. F., *Dermatology in General Medicine*, 2nd edn, New York, McGraw–Hill, 1979.

199. Brues, A. M., *Am. J. hum. Genet.*, 1950, **2**, 215.

200. Ferrara, R. J., *Cutis*, 1960, **2**, 561.

201. Lerner, A. B., Snell, R. S., Chanco-Turner, M. L. and McGuire, J. S., *Arch. Dermatol.*, 1966, **94**, 269.

202. Cunliffe, W. J., Hall, R., Newell, D. J. and Stevenson, C. J., *Br. J. Dermatol.*, 1968, **80**, 135.

203. El Mofty, A. M., *Vitiligo and Psoralens*, Oxford, Pergamon, 1968.

204. Bleehan, S. S., *Br. J. Dermatol.*, 1976, **94** (Supplement 12), 43.

205. Cunliffe, W. J. and Cotterill, J. A., *The Acnes*, London, Saunders, 1975.

206. Plewig, G. and Kligman, A. M., *Acne: Morphogenesis and Treatment*, Berlin, Springer, 1975.

207. Frank, S. B., ed., *Acne: Update for the Practitioner*, New York, Yorke Medical, 1979.

208. Pochi, P. E. and Strauss, J. S., *J. invest. Dermatol.*, 1974, **62**, 191.

209. Shehadeh, N. D. and Kligman, A. M., *Arch. Dermatol.*, 1963, **88**, 829.

210. Marples, R. R., *J. invest. Dermatol.*, 1974, **62**, 326.

211. Hamilton, J. B., *J. clin. Endocrinol. Metab.*, 1941, **1**, 570.

212. Forstrom, L., Mustakallio, K. K., Dessypris, A., Uggeldahl, P. E. and Adlersceutz, H., *Acta Derm. Venereol.*, 1974, **54**, 369.

213. Strauss, J. S. and Pochi, P. E., *Arch. Dermatol.*, 1965, **92**, 443.
214. Strauss, J. S. and Pochi, P. E., *Arch. Dermatol.*, 1962, **86**, 757.
215. Akers, W. A., Allen, A. M., Burnett, J. W., *et. al.*, *Arch. Dermatol.*, 1975, **111**, 1630.
216. Hersh, K., *Dermatologica*, 1972, **145**, 187.
217. Hölzle, E. and Kligman, A. M., *Br. J. Dermatol.*, 1978, **99**, 117.
218. Lobitz, W. C., *Dermatoses due to Environmental and Physical Factors*, ed. Rees, P. B., Springfield, Charles C. Thomas, 1962.
219. Hindson, T. C. and Worsley, D. E., *Br. J. Dermatol.*, 1969, **81**, 226.
220. Kidd, C. B. and Meenan, J. C., *Br. J. Dermatol.*, 1961, **73**, 129.
221. Weinstein, G. D. and Frost, P., *J. invest. Dermatol.*, 1968, **50**, 254.
222. Gelfant, S., *Br. J. Dermatol.*, 1976, **95**, 577.
223. Duffill, M. B., Appleton, D. R., Dyson, P., Shuster, S. and Wright, N. A., *Br. J. Dermatol.*, 1977, **96**, 493.
224. Van Abbe, N. J., *J. Soc. cosmet. Chem.*, 1964, **15**, 609.
225. Weary, P. E., *Arch. Dermatol.*, 1968, **98**, 408.
226. Roia, F. C. and Vanderwyck, R. W., *J. Soc. cosmet. Chem.*, 1969, **20**, 113.
227. Berrens, L. and Young, E., *Dermatologica*, 1964, **128**, 3.
228. Brody, I., *J. ultrastruct. Res.*, 1963, **8**, 580.
229. Plewig, G. and Kligman, A. M., *Arch. Klin. exp. Dermatol.*, 1970, **236**, 406.

2

Irritación y sensibilización de la piel

Introducción

Los fabricantes de cosméticos, productos de tocador y similares tienen una obligación moral, que se refuerza por los crecientes requerimientos legales, de no comercializar sustancias perjudiciales para el consumidor. Tales sustancias, aplicadas a la piel, pueden provocar graves efectos dañinos, siendo los más frecuentes la irritación y la sensibilización alérgica. Respuestas que se encuentran menos frecuentemente son la urticaria de contacto resultante de la liberación citotóxica de histamina, «picor», fototoxicidad y fotoalergia (véase tabla 2.1). Es necesario tener mucho cuidado al evaluar los posibles efectos adversos de las sustancias que se aplican a la piel y donde es conveniente realizar ensayos biológicos para garantizar la seguridad en su uso de modo que se reduzca al mínimo la posibilidad de reacciones adversas.

Tabla 2.1. Respuestas inflamatorias y alérgicas que pueden inducirse en la piel por la aplicación tópica de sustancias

Irritación (dermatitis irritante)
  a) Irritación aguda o primaria.
  b) Irritación por exposición repetida o secundaria.

Urticaria de contacto	Una respuesta edematosa transitoria mediada por intermediarios farmacológicos secretados por mastocitos, o por liberación citotóxica de los mastocitos, inducidas por la sustancia aplicada.
Picor	Una sensación transitoria diferente de la irritación y de la alergia, pero que puede considerarse una irritación de las terminaciones nerviosas sensoriales.
Urticaria alérgica	Una respuesta similar, en apariencia, a la urticaria de contacto antes mencionada, pero inducida por el antígeno en la sustancia aplicada, reacciona con anticuerpos específicos, y origina la liberación o generación de mediadores farmacológicos de los mastocitos.

Dermatitis alérgica de contacto (eczema de contacto)

Dermatitis fototóxica

Dermatitis fotoalérgica

Las consideraciones de seguridad se aplican no sólo a los consumidores de los productos, sino también a aquellas personas que los elaboran, quienes de modo análogo manipulan los ingredientes en grandes cantidades.

Irritantes e inflamación

Los irritantes son sustancias que inducen la inflamación o más detalladamente, sustancias y preparaciones no corrosivas, que, por contacto inmediato, prolongado o repetido con la piel o mucosas, causan la inflamación.

Un irritante primario provoca una respuesta inflamatoria al primer contacto con la piel, aunque el contacto sea de varias horas de duración. Un irritante secundario es una sustancia aparentemente innocua en su primer contacto con la piel, pero que produce la inflamación por aplicaciones repetidas que se hace progresivamente más grave. Otras definiciones de irritantes se refieren a la intensidad de las reacciones en una proporción de conejos utilizados en ensayos de predicción. Tales definiciones tienen aplicación legal.

La «inflamación» es el término para todos los cambios que se originan en los tejidos vivos cuando se lesionan, con tal de que la lesión no sea tan grave como para matar inmediatamente las células o destruir la estructura del tejido.

Inflamación

En un capítulo breve, no es posible hacer más que indicar la naturaleza de las alteraciones que se ocasionan sobre la piel irritada (inflamada) y las interacciones complejas entre la epidermis, los leucocitos infiltrados y las sustancias farmacológicamente activas liberadas o generadas. Para una información de la inflamación particularizada con relación a la piel, se remite al lector a PARISH RYAN[1] y, para exámenes más detallados, a ZWEIFACH et al.[2] y a LEPOW y WARD[3].

Los síntomas clínicos de la inflamación son enrojecimiento, hinchazón, calor y dolor. No todas las lesiones presentan estas cuatro características. Las irritaciones leves, tal como se producen con el uso continuado de algunas preparaciones cosméticas, originan enrojecimiento y picor débil, con hinchazón o calor inapreciables. Tales lesiones habitualmente evolucionan a una acumulación de escamas secas, finas fisuras superficiales y ligero engrosamiento de la piel. El enrojecimiento es una manifestación del aumento del flujo sanguíneo por los dilatados vasos sanguíneos superficiales y como consecuencia del mayor número de glóbulos rojos en el tejido. La posterior descamación de las escamas y el engrosamiento de la piel es consecuencia de la muda de las escamas córneas superficiales, que pueden haber sido dañadas y del ligero aumento de nuevas escamas formadas como parte de la hiperplasia reactiva. La epidermis también tiene varias capas de queratinocitos, y probablemente la dermis está infiltrada con eritrocitos y plasma, contribuyendo al aumento del espesor de la piel. El aspecto de la piel vuelve a la normalidad al cabo de una o dos semanas, dependiendo de la gravedad de la inflamación inicial, aun cuando queden pruebas histológicas del episodio.

La inflamación evoluciona a la regeneración o al restablecimiento. La regeneración es la curación manteniéndose los elementos del tejido casi de la misma forma existente antes de la lesión, aunque, si la lesión fue grave, la piel regenerada rara vez vuelve exactamente al estado anterior a la lesión. El restablecimiento de la piel es la curación de la distorsión de los tejidos originales y reposición del tejido cicatrizado. Esto ocurre pocas veces con la aplicación de una preparación cosmética.

Los cambios en el estrato córneo inflamado y queratinocitos se resumen en las tablas 2.2 y 2.3; la inflamación inducida es leve en personas hipersensibles a los cosméticos que previamente conocían esta circunstancia, y es improbable que se presenten degeneración coagulativa grave y necrosis. No obstante, un estudio de la inflamación es incompleto sin su consideración.

Tabla 2.2. Cambios en el estrato córneo después de la aplicación de irritantes

Eliminación de lípidos.
Eliminación de sustancias solubles celulares y agua.
Desnaturalización y desdoblamiento de proteínas.
Vacuolización.
Maceración.
Descamación.
Cambios en el contenido detectable de enzimas.
Hiperqueratosis y paraqueratosis.

Los cambios en la piel irritada están inducidos por las acciones tóxicas físicas y químicas del irritante, y por los mediadores farmacológicos liberados o activados en la respuesta inflamatoria. Así, los disolventes pueden extraer los lípidos del estrato córneo, macerar las células, dañar la función de la barrera acuosa y lesionar o matar algunos queratinocitos subyacentes. Estos cambios son un efecto directo de la sustancia aplicada. Durante la respuesta inflamatoria que sigue, las enzimas lisosómicas proteolíticas y otras, procedentes de los leucocitos infiltrados y de las células epidérmicas lesionadas, degradan a los elementos tisulares y activan a otros sistemas farmacológicamente activos, por ejemplo complemento y las quininas. Estos mediadores atraen más leucocitos y también liberan otras sustancias activas, por ejemplo histamina y quimasas proteolíticos procedentes de los mastocitos. La compleja cascada de hechos inflamatorios origina mayor cambio del tejido que el inducido directamente por la sustancia tóxica.

Entre los cambios inducidos en el estrato córneo por las sustancias aplicadas están la eliminación de lípidos, proteínas solubles y otras sustancias celulares, la desnaturalización de proteínas solubles y el desdoblamiento de proteínas fibrilares, tal como queratina (Tabla 2.2). Consecuentemente, éstos originan el deterioro de la función fisiológica, por ejemplo pérdida de la barrera acuosa o propiedades de retención del agua, que perjudica la resistencia a la penetración de los microorganismos o sustancias del medio ambiente, y pérdida de plasticidad o elasticidad que originan pequeñas fisuras y descamación. También se producen cambios histológicos, una afinidad alterada a las tinciones histológicas, deformación de las células, cambios en las enzimas detectables, que, bien quedan sin enmascarar dentro de las células, o bien se impermeabilizan en el interior de las escamas procedentes de la epidermis subyacente o dermis. Finalmente, la proliferación de las células epidérmicas subyacentes (hiperplasia) origina un incremento transitorio del número de escamas de la córnea (hiperqueratosis) para sustituir a las lesionadas, algunas de las cuales pueden conservar el material nuclear condensado (paraqueratosis). Conforme se muda el número creciente de escamas de la córnea, el espesor de este estrato superficial retorna a la normalidad.

Así, se apreciará que la piel con descamación seca observada en la irritación leve puede producirse por el efecto directo del irritante o por la respuesta hiperactiva transitoria posterior a la lesión.

Los posibles cambios en la capa basal y queratinocitos son mucho más complejos, y estas células están más sujetas a los estímulos procedentes de los leucocitos infiltrados y sustancias que se infiltran procedentes de la dermis y la sangre. El resumen de los posibles cambios, no completo y que omite los efectos inducidos por los leucocitos y mediadores no epidérmicos (Tabla 2.3), refleja las respuestas directas a los irritantes. Cada grupo de cambios representa la respuesta histológica dominante que puede observarse en un tiempo en particular, ya que existe un cambio en la naturaleza de la respuesta y su intensidad con respecto al tiempo, y todas las respuestas finalizan en una fase de estimulación del metabolismo e hiperplasia, con la emigración de las células epidérmicas desde los bordes hasta cubrir el área, si la lesión original conduce a la muerte y muda celular.

Una respuesta común epidérmica a los irritantes es la vacuolización resultante del envenenamiento del proceso de la regulación osmótica dentro de la célula, de modo que son absorbidas cantidades excesivas del fluido; esto se incrementa por la liberación de enzimas lisosómicas que autolisan el citoplasma, liberando más fluido.

Tabla. 2.3.   Resumen de las características de la inflamación epidérmica, omitiendo la participación de leucocitos (según Parish y Ryan)[1]

Estimulación	Degeneración hidrópica (vacuolización)	Degeneración coagulativa
Metabolismo	Activación enzimática celular	Condensación del citoplasma y núcleo
Migración celular	Agregación cromatínica	↓
Mitosis	Hinchamiento celular	Desaparición de enzimas y lisosomas
↓	↓	
Hiperplasia	Picnosis nuclear	↓
	Vacuolización perinuclear	Persistencia de células contraídas,
	Hinchamiento	posiblemente reteniendo algo de su
	Autolisis completa o ruptura	forma superficial (necrosis)

Las enzimas lisosómicas, proteasas ácidas y neutras, fosfatasas y nucleasas, cuando se liberan de las células vivas o muertas, contribuyen a la degradación de los tejidos próximos y a la activación de otras sustancias, por ejemplo complemento en el plasma que atraen a los leucocitos.

Los cambios inflamatorios en la dermis (Tabla 2.4) se parecen a los encontrados en muchos tejidos, y varían mucho según la gravedad y duración de la lesión. La respuesta inmediata en pequeños vasos sanguíneos a la irritación leve es el eritema (aumento del flujo sanguíneo); el aumento de permeabilidad da lugar al edema y a la adherencia del endotelio, de modo que en minutos los leucocitos se adhieren a la superficie y algunos emigran desde el vaso, particularmente los neutrófilos. Estos son los cambios fundamentales como consecuencia de la irritación leve de corta duración.

Tabla 2.4. Características de la inflamación en la dermis (común a muchos tejidos)

Eritema
Edema
Adhesión e infiltración leucocitaria
   Leucocitos polimorfonucleares
   Células mononucleares
Depósito de fibrina y trombosis
Degradación de tejidos
Granuloma
Proliferación capilar durante la resolución
Fibrosis y cicatrización

En irritación más grave o prolongada, además de las acumulaciones densas de neutrófilos, existe también infiltración de macrófagos que, al principio, se pueden enmascarar por los neutrófilos. En las etapas posteriores de resolución de la lesión, los macrófagos ingieren y eliminan las células muertas y restos tisulares, liberan enzimas para degradar el tejido lesionado y liberan otras sustancias que estimulan a las células, promoviendo la regeneración. En esta etapa, se intensifica la actividad de los fibroblastos mientras se depositan nuevos elementos del tejido conectivo. Normalmente, se producen otros cambios (Tabla 2.4) posteriores a la irritación más grave.

La piel, que recientemente se ha recuperado de un episodio inflamatorio, tiende a ser más susceptible a posteriores lesiones durante varios días; las células en división son más susceptibles a la alteración tóxica; los capilares y vénulas recientemente formados son hipersensibles a muchos estímulos, y los residuos de las sustancias del plasma, por ejemplo fibrina, potencian la activación posterior de mediadores farmacológicos.

Los cambios observados en la inflamación están influidos por sustancias procedentes del plasma, por células del tejido lesionado y por los leucocitos infiltrados. Los efectos observados son el resultado de los estímulos que provocan las alteraciones y de los numerosos inhibidores que modifican o evitan la lesión. Para una revisión detallada véase LEPOW y WARD[3], COCHRANE[4] y WASSERMAN[5]; PARISH y RYAN[1] proporcionan un resumen de actividades.

Los mediadores de los cambios inflamatorios generados o activados en el plasma son bradiquinina y complemento. Estas sustancias juntas inducen la vasodilatación en capilares, aumentan la permeabilidad vascular originando edema, atraen a leucocitos, y un componente del complemento libera otros mediadores a partir del tejido conectivo y mastocitos. Muchas de las sustancias que fomentan la inflamación se liberan a partir de las células. Las plaquetas en agregación liberan histamina, estimulantes de la coagulación y proteasas de pH neutro. Los neutrófilos y macrófagos infiltrados liberan una gran variedad de enzimas lisosómicas degradativas; también los macrófagos sintetizan uno o más componentes del complemento y prostaglandinas. Las prostaglandinas, también generadas por las células dañadas, por ejemplo epidermis, contribuyen a posteriores estímulos para aumentar la filtración vascular y modular, o influir en la liberación de los mediadores a partir de otros tipos de células. Los mastocitos del tejido conectivo son una fuente de potentes mediadores de la inflamación que incluyen histamina, una sustancia que aumenta el flujo sanguíneo en capilares, aumenta la filtración de las vénulas que originan edema y contrae el músculo liso. También los mastocitos liberan sustancias que atraen o «detienen» (esto es, paran el movimiento posterior) eosinófilos y neutrófilos, produciendo la acumulación de estas células y aumentando la concentración de los mediadores que provocan la inflamación. Así, un tipo de célula estimula las actividades de otra u otras, estimulando una secuencia cíclica de interacción entre célula y mediador hasta que son eliminados los efectos iniciales del agente inductor.

Todos estos cambios interactivos suceden, con intensidad variable, incluso en inflamaciones leves.

Urticaria de contacto

La urticaria es una erupción eritematosa transitoria, con edema, principalmente en la dermis. Al trastorno clínico espontáneo en el hombre, que puede extenderse a gran parte del cuerpo, se le suponen muchas causas, la mayoría de las cuales no están relacionadas con los cosméticos. La urticaria de contacto alude al edema local y eritema en el lugar de la aplicación de la sustancia.

El edema se origina por la liberación de la histamina de los mastocitos, que incrementa la permeabilidad de los vasos cutáneos, aumentada por la activación de quininas de acción similar.

Es lamentable que exista una tendencia general a designar como urticaria de contacto a todas las reacciones inmediatas transitorias, eritematosas, edematosas en el lugar de contacto sin considerar la causa. Este tipo de respuesta en las reacciones alérgicas anafilácticas al antígeno específico se considera en la sección de alergia. El término de «urticaria de contacto» es mejor reservarlo para la secreción inducida no alérgica, o liberación citotóxica procedente de los mastocitos, de histamina. Incidentemente, la urticaria por contacto con la ortiga (urtica), un ejemplo citado con frecuencia de una respuesta de urticaria local, es causada principalmente por la histamina de la planta que penetra por los finos pelos de la hoja en la piel, y no por la histamina liberada de los mastocitos.

La urticaria de contacto no alérgica está inducida por algunas sustancias utilizadas en cosméticos. La urticaria y asma crónicos y generalizados los padecen algunas personas, por ejemplo panaderos y peluqueras, como consecuencia de la exposición profesional a persulfatos, o personas que utilizan preparaciones decolorantes del pelo que contienen estas sales. Existe evidencia manifiesta de que los iones de dipersulfato (de sales de potasio y amonio) poseen una capacidad selectiva de liberar histamina de los mastocitos sin la lesión citotóxica de la membrana[6].

Sin embargo, aunque la liberación de histamina de los mastocitos por los persulfatos no es una respuesta alérgica, como puede demostrarse por ensayos de mastocitos normales aislados *in vitro*, es posible que aquellas personas susceptibles a esta acción inmediata de los persulfatos, bien sea urticaria o asmática, pueden tener una hipersensibilidad concomitante retardada (inducida por linfocitos) al ion persulfato[6]. El aldehído cinámico es otra sustancia inductora de reacciones inmediatas de urticaria, y es también un alérgeno sensibilizante de contacto[7].

Con el interés creciente en el fenómeno, es posible que se publique una actividad similar para un número de sustancias que afectan sólo a una muy pequeña proporción de las expuestas.

Picor

Existe una reacción de la piel mal definida a algunas sustancias tópicamente aplicadas que es generalmente denominada como picor, aunque otras descripciones de la sensación son prurito, picazón, quemazón o dolor. La respuesta comienza a los pocos minutos de la aplicación de la sustancia, se intensifica en los siguientes cinco a diez minutos y luego decae. La respuesta es característica en la cara, particularmente en los pliegues nasolabiales, y en menor grado en las mejillas[8]. No todas las personas son susceptibles; las mujeres de piel clara que se «ruborizan con facilidad» parecen ser las más sensibles[8].

El fenómeno es diferente de la irritación, y no origina alteración inflamatoria. Los irritantes pueden no producir picor, mientras que los no irritantes puede que lo produzcan. Una gran variedad de sustancias, ácidas y álcalis, aunque no estrictamente dependientes del pH tienen esta propiedad[8]. Sin embargo, en un ensayo con cremas que contenían urea, la preparación con un pH ácido causó picor en 13 de 60 personas, pero las de pH aproximadamente neutro no tenían tal efecto[9]

Se han publicado algunos ensayos en animales para predecir la actividad del picor en el hombre, pero, como el efecto en éste es una molestia pasajera sin inflamación residual, el autor considera que el hombre mismo constituye el sistema de ensayo más apropiado.

FROSCH y KLIGMAN[8] han publicado un procedimiento para identificar «los aguijones» y utilizarlos para ensayar la actividad de las sustancias. Podría concebirse un procedimiento más simple basado en su método.

Variaciones en la sensibilidad e irritantes

Hay poca variación significativa en la respuesta a los irritantes que provocan inflamación de moderada a grave, pero existen variaciones en la sensibilidad a los irritantes que inducen inflamación muy leve, manifestada como un ligero enrojecimiento seguido por una sequedad de la piel con escamas superficiales. Existen cambios en la sensibilidad de la piel normal, cambios con la edad, y con el ciclo estral de las mujeres. Ya se ha hecho referencia al aumento de la sensibilidad de la piel recientemente recuperada de la inflamación. Otro estímulo es el cambio en la «acomodación» de la piel, que se adapta a la aplicación

repetida de productos. Un cambio a otro producto similar puede causar alteraciones transitorias leves, indicativas de la estimulación mientras se adapta la piel.

También las condiciones ambientales —temperatura, humedad relativa y
exposición a la luz solar— influyen en la sensibilidad a la irritación.

Hipersensibilidad y alergia

Existen numerosas descripciones de las respuestas inmunológicas (alérgicas).
PARISH[10] proporciona un informe de inmunología con especial referencia a la
piel; COOMBS y GELL[12], y FUDENBERG et al.[13] describen alergias y mediadores
inmunológicos. Todos estos autores proporcionan las referencias para lecturas
posteriores.

La hipersensibilidad es una respuesta inmunológica de cualquier tipo más
intensa que la que normalmente se produce en la respuesta a los antígenos del
medio ambiente. Se aplica a todas las respuestas inmunológicas a la estimulación
antigénica inducida, por ejemplo respuestas a vacunas. El término de «alergia»
designa una reactividad al antígeno específico de los tejidos a sustancias en
comparación con la respuesta a la primera exposición a las mismas sustancias.
En el sentido estricto de los términos, hipersensibilidad y alergia son sinónimos,
pero en la práctica «alergia» se restringe a la reactividad alterada observable
clínicamente. La sensibilidad inmunológica o hipersensibilidad es un estado de
la respuesta inmunológica. La alergia es la alteración o condición clínica
resultante de la exposición de la persona hipersensible al antígeno.

Un antígeno es una sustancia que estimula la formación de anticuerpos, o
altera la reactividad de ciertas sustancias (respuestas mediadas por células), y
cuando se mezcla con los anticuerpos *in vitro*, o se aplica a los tejidos como en los
ensayos cutáneos, reacciona específicamente para inducir una reacción observable. Los antígenos que inducen la alergia son frecuentemente conocidos como
alérgenos.

Algunas sustancias, por ejemplo sustancias químicas de bajo peso molecular,
necesitan combinarse con proteínas antes de transformarse en antígenos. Estas se
conocen como haptenos, y cuando se combinan con la proteína inducen la
formación de anticuerpo, o hipersensibilidad retardada (mediada por células)
que responde específicamente al hapteno. Los haptenos son importantes agentes
sensibilizantes en la dermatitis de contacto.

Una propiedad importante de los antígenos es la especificidad. Los anticuerpos o linfocitos sensibilizados reaccionan con el antígeno, que induce la
sensibilización. Sin embargo, algunas reacciones cruzadas con otros antígenos
pueden producirse si participa alguno de los determinantes que confieren especificidad. Así, una persona sensibilizada a un antígeno puede reaccionar a otro de
similar estructura química, si bien la reacción cruzada es habitualmente más
débil.

La sensibilización antigénica se produce por una serie de hechos complejos
en los cuales los antígenos (por ejemplo de una preparación cosmética que puede
penetrar a través de la piel, membranas mucosas de la boca o tracto respirato-
rio) penetran en el cuerpo humano. Los antígenos son modificados por macrófagos, o por células de Langerhans de la epidermis, y el estímulo a la especificidad

de la estructura química determinada (determinantes) del antígeno se transfiere a las células linfoides. Las células linfoides, con la respuesta específica adquirida hacia aquel antígeno, experimentan numerosas divisiones celulares para formar clones, los cuales originan los linfocitos T circulantes. Los linfocitos T son las células efectoras que provocan las alteraciones de hipersensibilidad retardada, o reacciones de dermatitis de contacto. Estos linfocitos poseen varias otras actividades, una de las cuales es actuar como células «coadyuvantes» que contribuyen a la activación antígena de otro grupo de linfocitos, los linfocitos B.

Los linfocitos B sintetizan inmunoglobulinas (anticuerpos) que se mantienen unidas a la membrana celular. Son los precursores de las células del plasma que sintetizan el anticuerpo liberado en la sangre. Algunos antígenos pueden estimular la activación del linfocito B sin la colaboración del linfocito T.

El hombre elabora cinco clases de inmunoglobulinas; cada una de ellas posee especiales propiedades físicas y químicas y actividades biológicas. Aunque cuatro (y probablemente la totalidad de las cinco) clases de anticuerpos participan en varias reacciones alérgicas, el anticuerpo de mayor importancia en alergia a cosméticos es la IgE (Ig designa inmunoglobulina). A ésta se la conoce como reagina, y es el anticuerpo anafiláctico del hombre, que origina las respuestas alérgicas de tipo inmediato, por ejemplo fiebre del heno, asma y algunas gastroenteritis alérgicas. En la piel influyen el eritema (enrojecimiento), la urticaria alérgica (enrojecimiento con hinchazón edematosa) y el angioedema alérgico (hinchazón edematosa dérmica y subcutánea).

De los cuatro tipos de respuesta alérgica, sólo dos son de importancia en respuestas a cosméticos: la *hipersensibilidad retardada*, que se manifiesta por dermatitis de contacto o eczema, y la *reacción anafiláctica*, que se presenta en algunos tipos de eritema y edema, y por «urticaria alérgica de contacto».

Hipersensibilidad retardada

La hipersensibilidad retardada, también denominada respuesta inmunológica determinada por células, porque la respuesta clínica está inducida por los linfocitos T en ausencia del anticuerpo específico, aunque los anticuerpos puedan formarse simultáneamente con los linfocitos activados para el mismo antígeno.

La secuencia de las alteraciones en una respuesta de hipersensibilidad retardada (Fig. 2.1) es la siguiente. El alérgeno que penetra en la piel tiene que unirse dentro del tejido durante aproximadamente dos horas. Cuando el linfocito, específicamente sintetizado al antígeno y fortuitamente moviéndose en el tejido, encuentra al antígeno, la célula se une a él por medio de los receptores específicos de su membrana. Esta reacción motiva que el linfocito se transforme (se alargue al incrementar la síntesis de DNA) y, posteriormente, se divida, y puedan seguirse otras varias divisiones posteriores celulares. Al mismo tiempo, el linfocito, que se ha transformado, sintetiza varias otras sustancias, conocidas como productos de linfocitos activados o linfoquinas. Estas sustancias atraen otros linfocitos, no sensibilizados al antígeno, que también se transforman y sintetizan más productos de linfocitos; de este modo se aumenta el efecto de los pocos linfocitos sensibilizados específicamente que iniciaron la reacción. Tam-

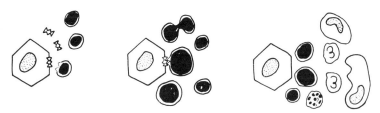

Fig. 2.1. Representación esquemática de la respuesta de hipersensibilidad retardada. El antígeno (alérgeno: sensibilizador) se une al tejido durante algunas horas. Los linfocitos T (efector), específicamente sensibilizados al antígeno, reaccionan con él, teniendo como consecuencia el alargamiento de la célula (transformacion) preliminar a varias divisiones celulares. Al mismo tiempo otros linfocitos, no sensibilizados al antígeno, son atraídos y activados. Se generan otras sustancias que atraen neutrófilos, en ocasiones a basófilos, y también activa a macrófagos. (Modificación basada en PARISH[10].)

bién las sustancias atraen a neutrófilos y atraen y activan a macrófagos. En algunas respuesta existe una infiltración precoz de grandes cantidades de basófilos. Los neutrófilos desaparecen al cabo de veinticuatro horas, y a las cuarenta y ocho horas el cambio predominante en la situación es la infiltración de células mononucleares. Otras sustancias promotoras de la inflamación son sintetizadas y contribuyen a la lesión de las células epidérmicas en la zona, o lesionan a otros tejidos según el lugar de la reacción.

El procedimiento de ensayo cutáneo de diagnóstico es el del parche en el cual el antígeno en discos adsorbentes especiales se aplica a la piel durante veinticuatro o cuarenta y ocho horas. Habitualmente, la respuesta alcanza su máxima intensidad en cuarenta y ocho horas de la primera aplicación, y se manifiesta como una zona abultada, roja y sólida, que puede tener diminutas pápulas o vesículas que, en reacciones intensas, pueden evolucionar a ampollas de mayor tamaño.

En general, las personas no poseen una predisposición a la hipersensibilidad de contacto retardada similar a la predisposición a la sensibilidad anafiláctica en personas atípicas. Sin embargo, existe cierta sensibilidad constitucional individual a la dermatitis de contacto. Los alérgenos fuertes sensibilizan a la mayoría de las personas; pero los alérgenos débiles sólo sensibilizan a una pequeña proporción de las personas expuestas, y un individuo sensibilizado a una sustancia no es necesariamente sensible a la sensibilización por otro.

Los ensayos predictivos de laboratorio para identificar a probables sustancias que inducen a la dermatitis de contacto, haciendo posible su eliminación de las formulaciones, garantizan que la mayoría de las preparaciones cosméticas no contienen tales alérgenos, generalmente conocidos como sensibilizadores. Sin embargo, siempre existen algunas personas susceptibles que se sensibilizan a sustancias innocuas para la gran mayoría de la población. Los ingredientes de perfumes parecen ser el origen más común de las fuentes de las reacciones adversas de este tipo. De acuerdo con esto, son numerosas las personas que desarrollan alergias de contacto a flores comunes de jardín, ya que los alérgenos vegetales se encuentran entre los más potentes de los hallados en un medio ambiente normal. Muchos perfumes contienen aceites esenciales procedentes de las plantas, o sustancias químicas sintetizadas por analogía a ellas.

Con pocas excepciones, como el agua, es imposible formular una sustancia a la que ninguna persona sea alérgica, si se exponen a ella suficientes personas.

Sensibilidad anafiláctica

Hace algún tiempo la sensibilidad anafiláctica se conocía como la reacción alérgica inmediata, porque los síntomas aparecían pocos minutos después a la exposición al antígeno. Esta respuesta está determinada por anticuerpos IgE que poseen la propiedad especial de ligarse a los mastocitos y a leucocitos basófilos. Estas son las únicas células con receptores para los anticuerpos anafilácticos, y contienen sustancias farmacológicas, por ejemplo histamina, que influyen las alteraciones anafilácticas.

Las personas sensibilizadas poseen anticuerpos IgE unidos a receptores de los mastocitos, por ejemplo en la dermis, y en leucocitos basófilos (Fig. 2.2). Los anticuerpos están unidos por la porción Fc, dejando libre la porción que se une al antígeno. Los anticuerpos IgE aparecen en la mayoría de las reacciones anafilácticas en el hombre, ya que en una proporción pequeña de personas existe un anticuerpo IgG sensibilizante de corta duración (S-TS, *short-term sensitizing*) que aparentemente se une a los mismos receptores que la IgE[10].

El antígeno que penetra a través de la piel reacciona con los anticuerpos unidos a las células. Si dos moléculas de anticuerpos están unidas por un puente por antígenos, una serie de cambios en la membrana y el citoplasma celular dan como resultado la secreción de los inductores preformados, por ejemplo histamina, y factor quimiotáctico del eosinófilo, o generación de otros, por ejemplo sustancias anafilácticas de reacción lenta. Estas sustancias farmacológicamente activas originan los cambios observados en la piel, por ejemplos dilatación capilar (enrojecimiento) y aumento de la permeabilidad vascular (edema e hinchazón).

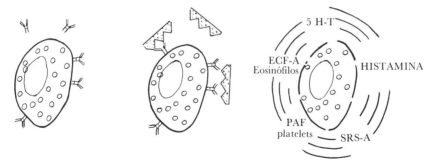

Fig. 2.2. Representación esquemática de la respuesta anafiláctica. El anticuerpo anafiláctico F_c se une a los receptores específicos sobre los mastocitos o membranas basófilas. El antígeno (bloques dentados) reacciona con los lugares F_{ab} libres (uniones del antígeno) para formar puentes o enlazar dos moléculas de anticuerpos. El antígeno, que reacciona con una molécula de anticuerpo, no inicia la reacción. La formación del complejo sobre la membrana celular inicia la liberación o generación de los agentes farmacológicos —histamina, 5-hidroxitriptamina en roedores, sustancias anafilácticas de reacción lenta (SRS-A, *slow reacting substance of anaphylaxis*), factor activante de plaquetas (PAF, platelet activating factor) (Parish[10]).

Ya se ha hecho referencia a la urticaria alérgica de contacto y otros observados en respuestas anafilácticas en la piel. Habitualmente, las reacciones son patentes en pocos minutos y, a menos que sea grave o que el antígeno persista en el lugar, la respuesta alcanza una intensidad máxima en quince minutos y disminuye en una o dos horas. El ensayo de diagnóstico para antígenos solubles es el del pinchazo, en el cual una gota de solución de concentración apropiada se aplica a la piel y se da un pequeño pinchazo con una aguja fina en la superficie para facilitar la penetración. La evolución con el tiempo de la reacción cutánea del ensayo se ha descrito anteriormente.

Los individuos difieren en su respuesta a la sensibilización anafiláctica. Aproximadamente, el 15-20 por 100 de las personas tienen una tendencia determinada genéticamente para sintetizar anticuerpos reagínicos de IgE para antígenos comunes de su medio ambiente, y poseen una sensibilidad mayor a los transtornos anafilácticos. Tales personas, conocidas como sujetos atípicos, pueden reaccionar a los productos antigénicos aplicados a su piel por erupciones y picor. El picor es uno de los síntomas inducidos por la histamina, y se manifiesta en las primeras etapas de una respuesta del ensayo del pinchazo.

Aún no están bien desarrollados los ensayos predictivos de laboratorio para determinar las sustancias potenciales que inducen la formación de anticuerpos IgE en el hombre, y la mayoría de la información se obtiene del historial del uso en el lugar de comercialización.

Urticaria alérgica de contacto. Este estado clínico difiere de la urticaria de contacto tratada anteriormente en que se inicia por antígenos que reaccionan con el anticuerpo anafiláctico para liberar histamina y otras sustancias procedentes de los mastocitos, mientras que en la urticaria no alérgica de contacto, la sustancia inductora actúa directamente sobre los mastocitos. Sin embargo, ambas respuestas son similares en que se liberan o activan los mismos mediadores.

El interés en respuestas de urticaria que sigue poco después de la aplicación de las sustancias a la piel en los ensayos de parche es un reflejo de la buena observación clínica, y no una indicación de un nuevo tipo de respuesta.

Reacción fototóxica y fotoalérgica

Algunas sustancias que son innocuas y bien toleradas se vuelven nocivas cuando se activan por la luz. Los efectos inducidos por la sustancia activada por la luz o sus metabolitos pueden ser fototóxicos (esto es, una inflamación provocada por la luz), fotoalergia, donde el estímulo antigénico es activado por la luz, o fotocanceroso, después de exposición frecuente y prolongada. La penetración de sustancias inductoras de reacciones puede seguir a la aplicación percutánea, ingestión o incluso inhalación. La sustancia (o sus metabolitos) es activada por la luz para originar moléculas en un estado electrónicamente excitado que son nocivas para los tejidos. Existen procesos naturales de desactivación en los tejidos que limitan la intensidad de tales reacciones.

La energía para activar las sustancias sensibles a la luz procede de radiaciones de longitudes de onda entre 300 y 800 μm de luz ultravioleta y visible absorbida por el sistema. Es una buena práctica para analizar sustancias según la consideración de uso en cosméticos por su capacidad de absorber la luz a longitudes de ondas superiores a 290 μm. Cualquier sustancia que lo haga debe considerarse sospechosa hasta que los ensayos demuestren que está exenta de actividad fotobiológica o que tal actividad no es relevante para su uso propuesto.

Existen varias sustancias que son, o suelen ser, utilizadas en cosméticos que originan fototoxicidad o fotoalergia. La eosina, hace tiempo utilizada en barras de labios, es un ejemplo muy citado de sustancia fototóxica. Otros ejemplos son derivados del ácido *p*-aminobenzoico y del trioleato de digaloilo en preparaciones con filtros solares, bitionol y hexaclorofeno en jabones de tocador y desodorantes, y las salicilanilidas halogenadas, por ejemplo tetraclorosalicilanilida (T4CS) como sustancia bacteriostática. Los perfumes compuestos con aceites esenciales procedentes de algunas plantas, por ejemplo bergamota, y particularmente los psoralenos contenidos en este aceite, son fuente de potentes fototoxinas.

Las reacciones fototóxicas son alteraciones inflamatorias originadas por longitudes de ondas de luz que serían bien toleradas si la piel no se hubiera vuelto sensible por la sustancia química fotoactivada. Las alteraciones histológicas no difieren significativamente de otras respuestas inflamatorias agudas, por ejemplo a irritantes químicos suaves.

Las fotoalergias son reacciones inmunológicas inducidas por linfocitos, como en la dermatitis de contacto de hipersensibilidad retardada, o por anticuerpos que deciden las alteraciones de urticaria anafiláctica. No existe razón para considerar que estas alergias difieren de sus correspondientes respuestas alérgicas que no son dependientes de la luz. Se considera que la fotoenergía modifica la sustancia química sensible, transformándola en un alérgeno que primero estimula y después provoca la respuesta y sensibilidad alérgica típica.

El diagnóstico de fototoxicidad y fotoalergia es complejo por la necesidad de lámparas que emitan luz de las longitudes de ondas apropiadas y de zonas de control de ensayo cutáneo para determinar la sensibilidad del paciente a la luz aislada.

Ensayos para predecir la potencia de las sustancias para producir irritación o sensibilización

Existen numerosas descripciones de métodos para predecir la actividad potencial de las sustancias para inducir irritación o sensibilización en el hombre. La mayoría de los procedimientos predictivos se efectúan en animales, aunque en algunos ensayos de laboratorio se realizan en el hombre. MARZULLI y MAIBACH[14], DRILL y LAZAR[15] y *The National Academy of Sciences*[16] proporcionan detalles de los procedimientos y referencias relacionadas.

Los ensayos predictivos, apropiadamente realizados, han sido muy eficaces durante muchos años para detectar sustancias o posibles productos perjudiciales para el hombre, permitiendo el rechazo de los productos dañinos, o la advertencia apropiada en la etiqueta si el producto posee una actividad débil para un tejido determinado, por ejemplo los ojos. Debe entenderse que, a pesar de todo el cuidado en el examen de productos, tal es la diversidad de la sensibilidad humana, que unas pocas personas mostrarán reacciones adversas si un número suficiente se expone a los productos. No obstante, los ensayos predictivos para seguridad en uso han garantizado que los productos son innocuos para la gran mayoría de las personas.

Irritación primaria

El ensayo utilizado con más frecuencia para detectar los posibles irritantes primarios es el de Draize[17] o modificaciones ligeras de éste. Se rasuran conejos albinos y se aplica la sustancia a ensayar a la piel intacta y a la piel descarnada o levemente escarificada, y se cubre con un parche tapado durante veinticuatro horas. Los lugares de aplicación son después examinados a intervalos de tiempo, y los cambios observados se evalúan, en cuanto a gravedad, según una escala de valores numéricos de varias características.

La piel de conejo es más sensible a la irritación que la humana, de manera que es posible identificar cualquier sustancia con posibilidad de tener un efecto en el hombre. Sin embargo, el método de valoración de resultados puede conducir a positivos falsos y al rechazo de sustancias innocuas para el hombre. También existen variaciones de laboratorios en la técnica y en los resultados obtenidos. Es preferible comparar el efecto de la sustancia a ensayar con el de una sustancia similar que se sabe que es innocua para los usuarios, más que usar el sistema de tanteo incorporado en el procedimiento de ensayo de los EE. UU. o Francia. Además, en Europa se están debatiendo propuestas para que el período de aplicación de la sustancia a ensayar sea de cuatro horas o menos, porque tiene la misma eficacia para la irritación inducida y es un tratamiento más suave para los animales. También se está cuestionando la necesidad de ensayar en piel descarnada.

Se han propuesto varios procedimientos para examinar los efectos de la aplicación repetida[14], pero éstos tienden a ser ensayos particulares de cada laboratorio, sin protocolo estándar aceptado.

Habiendo obtenido los resultados de los ensayos en animales, y los de otros ensayos, para determinar la seguridad de la sustancia o producto, el producto se puede ensayar en cuanto a su potencial irritación para el hombre por varias técnicas, incluyendo la aplicación repetida a la piel, ensayos de parches, ensayos de inmersión del brazo y ensayos de la simulación en uso. Tales ensayos en el hombre confirman los resultados de los ensayos en animales, a excepción de un pequeño número de personas que no pueden considerarse con representación fiable de todos los miembros de una gran población. Los resultados de los ensayos de parche también indican las concentraciones de ingredientes que son apropiadas como reactivos del ensayo de parche que deben requerirse por los dermatólogos para examinar cualquier efecto adverso, alergia o irritación, que se presente en un usuario individual de un producto.

Hipersensibilidad retardada (Dermatitis alérgica de contacto)

Existen varias técnicas diseñadas para detectar el potencial de las sustancias a inducir dermatitis alérgicas de contacto en el hombre. Las técnicas difieren mucho en el régimen y forma de aplicación de la sustancia a ensayar, y en el uso de coadyuvantes para potenciar la actividad antigénica. También difieren en capacidad para detectar alérgenos (sensibilizantes). Todas las técnicas detectan los alérgenos más potentes, pero aquellas en las cuales se utilizan coadyuvantes detectan un mayor número de alérgenos débiles. Las comparaciones entre las capacidades diferenciales de varios métodos son proporcionadas por FAHR *et al.*[18] y MAGNUSSON[19], y por KLECAL en *Dermatotoxicology and Pharmacology*[14].

La técnica más ampliamente utilizada, que no necesita un coadyuvante es el método de Draizer (1957)[17]. Se inyectan cobayos con la sustancia a ensayar en diez ocasiones durante tres semanas, y posteriormente se contrastan por inyección el trigésimo quinto día. La evidencia para respuestas alérgicas se busca durante la dosis sensibilizante y después de la dosis de contraste. MARZULLI y MAIBACH[14] comentan la técnica.

El procedimiento de mayor diferenciación es probablemente el de MAGUSON y KLIGMAN[19, 20], generalmente conocido como el ensayo de maximización. La sustancia a ensayar es inyectada a los cobayos con el coadyuvante de Freund, juntos, como una emulsión o en lugares separados. Los animales tratados son posteriormente contrastados por ensayos de parches de aplicación tópica.

Ningún método es apropiado para ensayos de todas las sustancias, y se ha criticado que los ensayos de inyecióhn no reflejan fielmente la exposicióhn del hombre a consecuencia de la aplicación tópica. KLECAK[14] propone el uso de su *Open Epicutaneous Test* (OET) (Ensayo Epicutáneo Abierto), en el cual la sustancia a ensayar se pinta sobre la piel intacta. Este método, sin embargo, requiere del tratamiento diario durante tres o cuatro semanas, o de, por lo menos, cinco días.

Se ha recomendado que el potencial sensibilizante debe examinarse en el hombre en lugar de en cobayos. Existen crecientes y fuertes críticas de los ensayos en hombres porque no es ético sensibilizarlo intencionadamente, predisponiendo a los sujetos a reacciones adversas, que pueden ser graves, por el posterior riesgo de contacto con el antígeno o antígeno de reacción cruzada. Además, un ensayo en diez o veinte personas no es más efectivo que algunos ensayos en cobayos en la predicción del potencial alergénico de una sustancia que se expone a varios miles de personas, unas pocas de las cuales poseerán una especial capacidad para responder a los determinantes de las sustancias. En la detección de los alérgenos, el cobayo es tan eficaz como los ensayos limitados en el hombre[19].

Los procedimientos predictivos sólo establecen el potencial alergénico o actividad sensibilizante de una sustancia, y no el riesgo real de sensibilización. El riesgo sólo puede valorarse considerando los resultados de los ensayos predictivos respecto de las concentraciones de las sustancias en el producto, naturaleza de uso, frecuencia de la exposición y otras muchas consideraciones.

La ejecución apropiada de los ensayos predictivos y la consideración cuidadosa del uso de las sustancias han hecho mucho para garantizar que las preparaciones cosméticas sean seguras en uso por millones de personas.

Requisitos para ensayo de potencial de irritación y sensibilización

En un momento donde existen muchos cambios inminentes en la legislación que controla la seguridad de los productos cosméticos, es suficiente indicar que llegaron a ser obligatorios los ensayos para examinar el potencial de los productos para inducir irritación y sensibilización alérgica (hipersensibilidad retardada).

Documentos legales, como la Directiva del Consejo de la CEE[21] y «Reglamento de productos cosméticos y protección al consumidor de Gran Bretaña» *(UK Consumer Protection Cosmetic Products Regulations)*[22], no han establecido las condiciones específicas de los ensayos, pero la necesidad del ensayo de seguridad estaba cubierto por el requerimiento general de que «... los productos cosméticos no deben ser nocivos en condiciones normales o previsibles de uso; considerando en especial que es necesario tener en cuenta la posibilidad de peligro de zonas del cuerpo contiguas a la zona de aplicación». Análogamente, en los EE. UU. los cosméticos están controlados esencialmente por la autoridad del Acta Federal de Alimentos, Especialidades farmacéuticas y Cosméticos de 1938 *(Federal Food, Drug and Cosmetic [FD and C] Act)*, modificado en 1960, en la que un cosmético se considera adulterado si contiene una sustancia tóxica o perjudicial que pueda causar daños a los usuarios en condiciones de uso normal. La técnica de Draize fue más tarde definida en detalle y estipulada a ser el procedimiento de referencia para los ensayos de irritabilidad[23].

Los requisitos más específicos para los ensayos de irritación primaria de cosméticos y productos de belleza fueron establecidos en las Leyes Francesas de Cosméticos de 1971, modificadas en 1973[24]. La documentación de datos de seguridad de los productos debe incluir los resultados de los ensayos de irritación sobre piel intacta y escarificada, basados en la técnica de Draize.

Entre las propuestas para los requerimientos o legislación en el futuro esta el proyecto de hojas con datos de seguridad del *Comité de Liaison des Syndicats Européennes de l'Industrie, de la Perfumerie et des Cosmetiques (COLIPA)* que incluye el suministro de datos sobre la sensibilización e irritación de la piel.

REFERENCIAS

1. Parish, W. E. and Ryan, T. J., *Textbook of Dermatology*, 3rd edn, ed. Rook, A., Wilkinson, D. S. and Ebling, F. J. G., Oxford, Blackwell, 1979, p. 231.
2. Zweifach, B. W., Grant, L. and McCluskey, R. T., eds, *The Inflammatory Process*, 2nd edn, 3 Vols, New York/London, Academic Press, 1974.
3. Lepow, I. H. and Ward, P., eds, *Inflammation Mechanisms and Control*, New York/London, Academic Press, 1972
4. Cochrane, C. G., *The Role of Immunological Factors in Infectious Allergic and Auto-immune Processes*, ed. Beers, R. F. and Basset, E., New York, Raven Press, 1976, p. 237; also Orange, R. P., on p. 223.
5. Wasserman, S. I., *J. invest. Dermatol.*, 1976, **67,** 620.
6. Parsons, J. F., Goodwin, B. F. J. and Safford, R. J., *Fd. Cosmet. Toxicol.*, 1979, **17,** 129.
7. Nater, J. P., de Jong, M. C. J. M., Boar, A. J. M. and Bleumink, E., *Contact Dermatitis*, 1977, **3,** 151.
8. Frosch, P. J. and Kligman, A. M., *J. Soc. cosmet. Chem.*, 1977, **28,** 197.
9. Fredriksson, T. and Gip, I., *Int. J. Dermatol.*, 1975, **14,** 442.
10. Parish, W. E., *Textbook of Dermatology*, 3rd edn, ed. Rook, A., Wilkinson, D. S. and Ebling, F. J. G., Oxford, Blackwell, 1979, p. 249.
11. Champion, R. H. and Parish, W. E., in *Clinical Aspects of Immunology*, 3rd edn, ed. Gell, P. G. H., Coombs, R. R. A. and Lachman, P. J., Oxford, Blackwell, 1975.

12. Coombs, R. R. A. and Gell, P. G. H., *Clinical Aspects of Immunology*, 3rd edn, ed. Gell, P. G. H., Coombs, R. R. A. and Lachman, P. J., Oxford, Blackwell, 1975, p. 761.
13. Fudenberg, H. H., Stiles, D. P., Caldwell, J. L. and Wells, J. V., eds, *Basic and Clinical Immunology*, Los Altos, Calif., Lange Medical, 1976.
14. Marzulli, F. N. and Maibach, H. I., eds, *Dermatotoxicology and Pharmacology*, *Advances in Modern Toxicology*, Vol. 4, New York/London, Wiley, 1977.
15. Drill, V. A. and Lazar, P., eds, *Cutaneous Toxicity*, New York/London, Academic Press, 1977.
16. *Principles and Procedures for Evaluating the Toxicity of Household Substances*, Report, National Academy of Sciences, Washington, 1977.
17. Draize, J. H., Woodward, G. and Calvery, H. O., *J. Pharmacol. exp. Therap.*, 1944, **82,** 377; also Draize, J. H., in *Appraisal of the Safety of Chemicals in Foods, Drugs and Cosmetics*, Austin, Texas, Association of Food and Drug Officials of the United States, 1959.
18. Fahr, H., Noster, U. and Schultz, K. H., *Contact Dermatitis*, 1976, **2,** 335.
19. Magnusson, B., *Contact Dermatitis*, 1980, **6,** 46.
20. Magnusson, B. and Kligman, A. M., *Allergic Contact Dermatitis in the Guinea-pig. Identification of Contact Allergens*, Springfield, Charles C. Thomas, 1970.
21. Council Directive of 27th July 1976 (76/768/EEC), *Official Journal of the European Communities*, L 262/169.
22. Consumer Protection, SI No. 1354, *The Cosmetic Products Regulations*, London, HMSO, 1978.
23. Code of Federal Regulations Title 49 Part 173, 210 (1975) and incl. Title 16 Part 1500.41 (1976).
24. *J. Officiel de la République Française*, 1973, 5 June.

3

Nutrición y control hormonal de la piel

Nutrición de la piel

Al igual que en todos los demás tejidos del cuerpo humano, la piel requiere de sustancias para el mantenimiento de su estructura y su actividad metabólica. Sus necesidades son considerables. Por ejemplo, la constante producción y pérdida de las células queratinizadas en la epidermis superficial y del folículo piloso exigen el suministro de aminoácidos, y la secreción de las glándulas sebáceas requiere los componentes para la síntesis de lípidos. Estas sustancias son transportadas desde el interior del cuerpo por la circulación sanguínea. La sangre también transporta otras sustancias esenciales, tales como hormonas, que pueden afectar profundamente la función de las estructuras de la piel.

Cuestiones importantes son hasta dónde las características de la piel pueden ser afectadas por la carencia de tales sustancias esenciales, si existen requerimientos especiales que sean peculiares de la piel y si algunas deficiencias pueden remediarse por medicamentos de uso interno. Un problema adicional, de particular interés para los cosmetólogos, es el grado con que la piel puede afectarse por sustancias, bien nutrientes o bien hormonales, aplicadas exteriormente.

Las sustancias que penetran en las células de la piel de este modo experimentan uno de estos destinos: bien se degradan para producir energía o bien intervienen en la síntesis de grandes moléculas, que pueden tener importancia estructural o bien actúan como reserva de energía.

Hidratos de carbono

Los hidratos de carbono[1-4] son la principal fuente de energía necesaria para mantener las células cutáneas y para la síntesis de sus productos. Sin embargo, también contribuyen a los componentes estructurales, por ejemplo mucopolisacáridos y pueden no ser la única fuente de energía.

La glucosa, conforme penetra en la célula, primero se fosforila a glucosa-6-fosfato. En el catabolismo, están abiertas dos vías importantes: la secuencia glucolítica (vía Embden-Meyerhof) seguida de una oxidación completa en el ciclo del ácido tricarboxílico (Krebs) o la ruta de la hexosa monofosfato (Warburg-Dickens).

La secuencia glucolítica comprende una serie de unas veinte transformaciones, en que la glucosa-6-fosfato se degrada a ácido pirúvico con bajo rendimiento de energía, en forma de adenosín-trifosfato (ATP). En condiciones anaerobias, el ácido pirúvico se transforma en ácido láctico; en presencia de oxígeno, penetra en el ciclo del ácido tricarboxílico, como acetil-coenzima A, condensándose con el ácido oxalacético para formar ácido cítrico, que después sufre una serie de transformaciones produciendo gran cantidad de enlaces fosfatos ricos en energía. El ácido oxalacético final de 4-C se combina con más acetil-coenzima A.

En la vía de la hexosa monofosfato, la glucosa-6-fosfato es inicialmente deshidrogenada a 6-fosfogluconato y después a una serie de azúcares-fosfatos de 3-C, 5-C y 7-C. El residuo de 5-C puede penetrar en la síntesis de los ácidos nucleicos.

Las dos vías de síntesis están abiertas a la glucosa-6-fosfato e implican un acoplamiento a uridín-difosfato. Después, éste puede captarse por 1,4-glicosilo o glucógeno o bien puede deshidrogenarse a ácido urónico y de aquí a mucopolisacáridos.

Lípidos

Los lípidos son sintetizados en la piel por las glándulas sebáceas y en la epidermis. Los lípidos de la glándula sebácea son secretados como sebo, pero los lípidos de la epidermis se considera que están destinados a desempeñar un papel estructural en la conservación de la función protectora y en la integridad estructural del estrato córneo. Los lípidos de la superficie cutánea se diferencian de los de otros tejidos en su contenido de cadenas ramificadas y en el número de ácidos grasos impares, dos tipos de ceras diésteres e intermediarios en la vía de síntesis del colesterol, variando desde escualeno hasta latosterol[5]. Incubando láminas de piel con sustancias reactivas, se puede demostrar que una amplia variedad de precursores, incluyendo acetato, propionato y butirato, intermediarios del metabolismo de los hidratos de carbono y varios aminoácidos, se pueden incorporar a los lípidos[5]. No se conocen cuáles son los substratos prioritarios *in vitro*.

Los lípidos pueden también catabolizarse por la piel, incrementando el ciclo del ácido tricarboxílico a través del coenzima A. La piel puede respirar *in vitro* durante varias horas en ausencia de sustancias incorporadas, y parece que en tales condiciones la utilización de hidratos de carbono y proteínas representa menos de la mitad de la respiración endógena. Esto sugiere que los ácidos grasos proporcionan un importante sustrato, aunque la glucosa normalmente es prioritaria[1].

Aminoácidos

La epidermis y el pelo (véase capítulo 23) contienen la mayoría de los veintidós aminoácidos que normalmente se encuentran en los tejidos vivos, aunque ciertas proteínas pueden contener excepcionalmente grandes cantidades de aminoácidos especiales —por ejemplo histidina[6]—. La proteína se considera que se sintetiza en la epidermis y folículo piloso de modo similar a la realizada en otros tejidos. Los aminoácidos se ensamblan por enlaces al ácido ribonucléico en cadenas de constitución apropiada y después se acoplan juntas en partículas especializadas en el citoplasma de las células denominadas ribosomas, siendo liberadas de estos como moléculas proteicas.

El aminoácido tirosina es el sustrato para la síntesis de eumelanina y feomelanina en los melanocitos. No obstante, existe escasa diferencia detectable en el contenido de tirosina entre pieles de pigmentación fuerte y suave.

Estados de la piel relacionados con deficiencias nutricionales

Las deficiencias nutricionales frecuentemente causan trastornos que se extienden por todo el cuerpo humano, de los cuales las alteraciones cutáneas son sólo un síntoma. Aquí únicamente se considerarán aquellos estados en que las alteraciones cutáneas son una característica importante. Las más importantes son las deficiencias vitamínicas y grave desnutrición proteica.

Vitamina A

La deficiencia de vitamina A ocasiona sequedad y queratosis folicular[7]. La vitamina A parece retrasar la diferenciación de las células epidérmicas[8] y se ha demostrado que la adición de grandes cantidades a piel normal de embrión de pollo *in vitro* podría causar la transformación de la epidermis en epitelio secretante de mucus[9].

Riboflavina (Vitamina B$_2$)

La deficiencia de riboflavina ocasiona varias anomalías, una de las cuales es la dermatitis escamosa alrededor de la nariz, ojos y orejas[10].

Acido nicotínico

La deficiencia del ácido nicotínico origina la *pelagra*[11], cuyos síntomas son diarrea, demencia y dermatitis. La piel enrojece y se descama, especialmente en áreas expuestas a la fricción, presión, luz solar o calor, y la lengua se atrofia y adquiere un color púrpura.

Vitamina C

La deficiencia en vitamina C (ácido ascórbico) origina el escorbuto, una enfermedad que solía asociarse a los largos viajes marítimos por la escasez de verduras y frutas. El tratamiento con ácido ascórbico aliviará los síntomas, que normalmente se describen como hemorragias, prolongación del tiempo de cicatrización de las heridas y encías sangrantes, aunque se observan otros síntomas no asociados a la piel en el cuerpo. Una característica del escorbuto es la deficiencia de fibras de colágeno, como consecuencia de un fallo en la hidroxilación de la prolina[12].

Proteína

La desnutrición proteica grave origina la enfermedad de *Kwarshiorkor*[13]. En consecuencia, éste es uno de los transtornos más comunes y más extendidos, especialmente entre niños, en países donde la escasa dieta consta de cereales, arroz o judías con poca proteína animal. Las manifestaciones de la piel pueden ser útiles para su diagnóstico; consisten en manchas purpurinas asociadas con arrugas y descamación. Normalmente, el pelo oscuro se vuelve castaño pálido o rojizo, llegando a ser prematuramente cano y tiene un aspecto de bandas. El crecimiento lineal puede reducirse hasta la mitad[14]. El porcentaje de pelos en fase anágeno puede reducirse mucho más y los folículos disminuirán mucho en tamaño[15].

Acidos grasos esenciales

Cuando a las ratas se las priva de determinados ácidos grasos poliinsaturados de largas cadenas carbonadas, la piel se descama y se cae el pelo[16]. Existe también un incremento de pérdida de agua. Parece ser que el ácido linoleico, que debe obtenerse enteramente de las fuentes dietéticas, y el ácido araquidónico, que se puede elaborar de él, son componentes esenciales de los fosfolípidos en las lipoproteínas de las membranas celulares y están involucrados en la integridad de la barrera acuosa[17, 18].

Los seres humanos que presentan deficiencias de ácidos grasos esenciales por enfermedad o cirugía también muestran síntomas de descamación y pérdida incrementada de agua. Tales alteraciones son reversibles con la aplicación tópica de aceite de girasol[19]. La dermatitis del cuero cabelludo, alguna alopecia y el brillo del color del pelo aparecen en pacientes con dieta exenta de grasas durante mucho tiempo[20].

Absorción percutánea

Puesto que una de las principales funciones de la piel es impedir la penetración de sustancias nocivas en el organismo humano, incluyendo el agua, no es sorprendente que el paso de la mayoría de las sustancias aplicadas a la piel sea generalmente insignificante o muy lento. Que esta barrera se debe a la totalidad del estrato córneo se ha demostrado por el hecho de que, eliminando de forma secuencial las capas epidérmicas con cinta adhesiva, se incrementa la permeabilidad. Las unidades pilosebáceas y las glándulas sudoríparas pueden proporcionar rutas de penetración de sustancias. El movimiento de sustancias a través del folículo piloso es observable mediante varias técnicas y puede alcanzar las glándulas sebáceas. Por otro lado, las glándulas sudoríparas probablemente no son importantes, ya que la piel de las palmas de las manos, rica en glándulas ecrinas, es extremadamente impermeable.

La piel humana es ligeramente permeable al agua, pero relativamente impermeable a los iones en solución acuosa[21]. Es escasa la permeabilidad a muchas sustancias covalentes, por ejemplo glucosa y urea, pero es relativamente elvada para otras, por ejemplo para algunos alcoholes alifáticos. Los solutos en líquidos orgánicos muestran una permeabilidad semejante a sus mismos disolventes. Algunos sólidos, por ejemplo los corticoides, continuarán su penetración mucho tiempo después de la evaporación de un solvente volátil[22].

La integridad de la barrera cutánea depende del grado de hidratación del estrato córneo. La absorción de sustancias depende del vehículo utilizado. Si la sustancia es soluble en una de las fases de un vehículo de dos fases (agua-aceite), penetrará mejor si está en la fase continua. La oclusión mediante vendajes o láminas de polietileno, o mediante parafina líquida, aumentará la penetración[23]. El ácido salicílico, que posee una acción queratolítica, es en ocasiones incorporado a pomadas; se duda si perjudica la barrera en la piel normal, aun cuando puede tener un efecto mayor en epidermis paraqueratóticas, en eczemas y psoriasis.

Ciertos disolventes, de los cuales el dimetilsulfóxido (DMSO) es el más potente, no sólo penetran rápidamente, sino que incrementan grandemente la penetración de las sustancias disueltas en ellos[24, 25]. Parece que actúan temporalmente sobrehidratando el estrato córneo o disolviendo lípidos de las paredes celulares, pero ninguna de tales lesiones parece ser permanente.

Hormonas

La piel está afectada por una serie de hormonas esteroides, incluyendo estrógenos, andrógenos y corticoides[26]. Además, las proteínas u otras hormonas polipeptídicas de la pituitaria pueden afectar a las estructuras de la piel, bien directamente o bien incrementando su respuesta a las hormonas esteroides. Finalmente, existe una cantidad de pruebas circunstanciales y experimentales de la existencia de hormonas locales, estimulantes o inhibidoras, aunque tales sustancias están por identificar.

Andrógenos

Los andrógenos son responsables del desarrollo de los caracteres sexuales secundarios masculinos. Son secretados por los testículos y las glándulas suprarrenales y los niveles se elevan grandemente al inicio de la pubertad cuando estos órganos se activan por las hormonas gonadotrópicas de la pituitaria. Las mujeres también producen andrógenos de las glándulas suprarrenales y, en cierto grado, de los ovarios.

Los andrógenos estimulan los folículos pilosos del pubis, regiones axilares y rostro del varón para producir pelo terminal grueso, en lugar del vello fino.

Paradójicamente, también predisponen al desarrollo de la calvicie de tipo masculino en personas predispuestas constitucionalmente.

También, las hormonas masculinas estimulan marcadamente la secreción sebácea, probablemente incrementando la división celular de las glándulas, así como los lípidos son sintetizados en el interior de cada célula[27-30]. Probablemente también estimulan las glándulas apocrinas y la división celular en la epidermis[31].

Estrógenos

Los estrógenos son secretados por los ovarios. Afectan al desarrollo del sistema reproductor femenino y su producción cíclica es responsable de los cambios durante el ciclo menstrual.

La evidencia de que la aplicación tópica de pomadas de estrógenos en la espalda de sujetos humanos seniles incrementaba localmente el tamaño de las células epidérmicas y acentuaba la ondulación de la capa basal[32] parecía estar reforzada por el hecho de que los estrógenos estimulan la división celular epidérmica en el ratón[33]. PUNNONEN y RAURAMO[34] reactivaron el tema afirmando que, en mujeres, el espesor epidérmico y el índice de tiamina marcada disminuían por ovariectomía, pero se podía reponer por tratamiento oral con succinato de estriol o valerato de estradiol. Frente a esto se puede aducir el fracaso para demostrar cualquier efecto mitótico de estradiol administrado sistemáticamente en ratas adultas[35, 36], o alguna notable mejora clínica cuando las cremas de estrógenos se aplicaron a los rostros de mujeres[37].

Al menos a dosis farmacológicas, los estrógenos suprimen la actividad sebácea tanto en el hombre[28] como en los animales de experimentación[27, 29, 36]. Hay evidencias para sugerir que el efecto es directo en el órgano aplicado; además no puede excluirse cierta acción central, por ejemplo la reducción de los niveles de andrógenos.

Antiandrógenos

Los antiandrógenos son esteroides sintéticos u otros compuestos que antagonizan la acción de los andrógenos. Los esteroides antiandrogénicos 17α-metil-B-nortestosterona[38] y el acetato de ciproterona[39] son eficaces inhibidores de la secreción sebácea estimulada por la testosterona cuando se administra sistemáticamente en la rata, requiriéndose dosis diez veces mayores o más que de andrógenos. Actúan, al menos en parte, por inhibición de la división celular, a diferencia de los estrógenos que parecen actuar inhibiendo principalmente la síntesis lipídica intracelular, a dosis muy inferiores.

El acetato de ciproterona, administrado oralmente, se ha usado con éxito en el tratamiento del hirsutismo femenino y acné[40, 41], y tiene cierta potencialidad para el tratamiento de algunas alopecias difusas en la mujer. El tratamiento reduce verdaderamente los niveles de andrógenos en el plasma sanguíneo, pero la prueba de evidencia sugiere que el antagonismo en el lugar deseado es el mecanismo de extrema importancia.

Se piensa que los antiandrógenos anteriormente citados compiten con la testosterona en la unión con los receptores proteicos intracelulares. Sin embargo, existen otros antagonistas esteroides que actúan inhibiendo el enzima 5-α-reductasa, que es necesario para la conversión de la testosterona en un metabolito activo, 5-α-dihidrotestosterona.

Corticoides

Las preparaciones de hormonas adrenocorticoides, tales como cortisona y sus homólogos sintéticos, muchos de los cuales son fluorados, son extensamente utilizados como medicamentos de uso tópico y son de considerable valor en dermatología. Alivian la inflamación y la sensibilización alérgica y son útiles en muchos tipos de eczemas y en psoriasis. Sin embargo, el uso prolongado de los compuestos más potentes puede causar alteraciones atróficas en la epidermis y dermis y la absorción sistémica, particularmente en niños, puede suprimir las síntesis de la hormona adrenocorticotropina y la función natural de la glándula suprarrenal.

Lo que puede ser medido, sea el flujo sanguíneo capilar en inflamación[42], mitosis epidérmica[43], espesor epidérmico[44] o espesor de la piel, se disminuye por corticoides.

Hormonas de la pituitaria

Algunas de las hormonas de la pituitaria tienen efecto directo sobre la piel. Varios polipéptidos han demostrado que influyen en la pigmentación y, así, se conocen como hormonas estimulantes de melanocitos. Dos de tales péptidos fueron los primeros en aislarse de la pituitaria del cerdo; uno se conoce como α-MSH, que posee 13 aminoácidos residuales; y el otro, β-MSH, que tiene 18[46]. El hombre no produce α-MSH, y no se sabe si la hormona melanotrófica activa es la β-MSH o una molécula mayor, β-lipotropina con 91 aminoácidos, pero que contiene la secuencia de la β-MSH[47].

También la α-MSH parece actuar sobre la secreción sebácea. Cuando se administra a ratas, no sólo tiene un efecto directo, sino también mejora la respuesta a la testosterona[48, 49].

Se han demostrado efectos similares para algunas otras moléculas mayores secretadas por la pituitaria. En ratas hipofisectomizadas, la respuesta de las glándulas sebáceas a la testosterona es mucho menor[27, 50]. Se ha propuesto la existencia de una hormona sebotrófica independiente, sin que tal sustancia haya sido aislada. Por otra parte, tanto una hormona de crecimiento del cerdo como una prolactina de la oveja han demostrado reestrablecer la respuesta[52], de igual modo que una hormona de crecimiento bovino tiene una significativa acción independiente[53].

Hormonas locales

Algunos hechos proporcionan pruebas circunstanciales de la existencia de sustancias producidas localmente que influyen sobre la actividad de varias células de la piel. La herida de la piel continúa después de aproximadamente cuarenta horas de explosión de actividad mitótica. Algunos autores (véase MONTAGNA y BILINGHAM[54]) opinan que se libera una hormona de la herida por las células dañadas; otros defienden que la división celular se mantiene normalmente por inhibidores o «chalonas», y que la mitosis se inicia cuando tales sustancias se dispersan[55-57]. Se confirmó que una chalona extraída de la epidermis del cerdo y del bacalao[58] era una proteína antigénica o glicoproteína con un peso molecular de 30 000-40 000, pero hasta ahora las chalonas no se han aislado. Se han preparado de otros tejidos, tal como las glándulas sebáceas y los melanocitos, y parecen muy específicas del tejido, pero no específicas de la especie.

También se han postulado funciones para los inhibidores[59] u hormonas de heridas[60] en el control del ciclo del folículo capilar.

REFERENCIAS

1. Cruikshank, C. N. D., *Symp. zool, Soc. London*, 1964, **12,** 25.
2. Freinkel, R., *The Epidermis*, ed. Montagna, W. and Lobitz, W. C. Jnr, New York, Academic Press, 1964, p. 485.
3. Weber, G., *The Epidermis*, ed. Montagna, W. and Lobitz, W. C. Jnr, New York, Academic Press, 1964, p. 453.
4. Jarrett, A., *The Physiology and Pathophysiology of the Skin*, Vol. 1, *The Epidermis*, ed. Jarrett, A., London, Academic Press, 1973, p. 45.
5. Wheatley, V. R., *J. invest. Dermatol.*, 1974, **62,** 245.
6. Gimucio, J., *J. invest. Dermatol.*, 1967, **49,** 545.
7. Moore, T., *Vitamin A*, Amsterdam, Elsevier, 1957.
8. Hunter, R. and Pinkus, H., *J. invest. Dermatol.*, 1961, **37,** 459.
9. Fell, H. B. and Mellanby, E., *J. Physiol. London*, 1953, **119,** 470.
10. Sherman, H., *Vitam. Horm. NY*, 1950, **8,** 55.
11. Stratigos, J. D. and Katsambas, A., *Br. J. Dermatol.*, 1977, **96,** 99.
12. Robertson, W. van B., *Biophys. J.*, 1964, **4** (Supplement), 93.
13. Gillman, T., *Comparative Physiology and Pathology of the Skin*, ed. Rook, A. and Walton, G. S., Oxford, Blackwell, 1965, p. 355.
14. Sims, R. T., *Arch. Dis. Child.*, 1967, **42,** 397.
15. Bradfield, R. B., *Protein Deficiencies and Calorie Deficiencies*, ed. McCance, R. and Widdowson, E. M., London, Churchill, 1968, p. 213.
16. Kingery, F. A. J. and Kellum, R. E., *Arch. Dermatol.*, 1965, **91,** 272.
17. Hartop, P. J. and Prottey, C., *Br. J. Dermatol.*, 1976, **92,** 255.
18. Prottey, C., *Br. J. Dermatol.*, 1976, **94,** 579.
19. Prottey, C., Hartop, P. J. and Press, M., *J. invest. Dermatol.*, 1975, **64,** 228.
20. Skolnik, P., Eaglstein, W. H. and Ziboh, V. A., *Arch. Dermatol.*, 1977, **113,** 939.
21. Tregear, R. T., *Physical Functions of Skin*, London, Academic Press, 1966.
22. Scheuplein, R. J. and Ross, L. W., *J. invest. Dermatol.*, 1974, **62,** 353.
23. Wahlberg, J. E. *Curr. Probl. Dermatol.*, 1973, **5,** 1.
24. Stoughton, R. B., *Arch. Dermatol.*, 1965, **91,** 657.
25. Baker, H., *J. invest. Dermatol.*, 1968, **50,** 283.
26. Ebling, F. J., *Biochem. Soc. Trans.*, 1976, **4,** 597.
27. Ebling, F. J., *J. Endocrinol.*, 1957, **15,** 297.
28. Strauss, J. S. and Pochi, P. E., *Recent Prog. Horm. Res.*, 1963, **19,** 385.
29. Ebling, F. J., *J. invest. Dermatol.*, 1974, **62,** 161.
30. Shuster, S. and Thody, A. J., *J. invest. Dermatol.*, 1974, **62,** 172.
31. Ebling, F. J., *Proc. r. Soc. Med.*, 1964, **57,** 523.
32. Eller, J. J. and Eller, W. D., Arch. Dermatol. Syphilol., 1949, **59,** 449.

33. Bullough, W. S., *Ciba Found. Colloq. Endocrinol.*, 1953, **6,** 278.
34. Punnonen, R. and Rauramo, L., *Acta Obstet. Gynecol. Scand.*, 1974, **53,** 267.
35. Carter, S. B., *J. Endocrinol.*, 1953, **9,** 19.
36. Ebling, F. J., *J. Endocrinol.*, 1954, **10,** 147.
37. Behrman, H. T., *J. Am. med. Assoc.*, 1954, **155,** 119.
38. Ebling, F. J., *J. Endocrinol.*, 1967, **38,** 181.
39. Ebling, F. J., *Acta Endocrinol. (Copenhagen)*, 1973, **72,** 361.
40. Hammerstein, J., Meckies, J., Leo-Rossberg, I., Matzl, L. and Zielske, F., *J. Steroid Biochem.*, 1975, **6,** 827.
41. Ebling, F. J., Thomas, A. K., Cooke, I. D., Randall, V., Skinner, J. and Cawood, M., *Br. J. Dermatol.*, 1977, **97,** 371.
42. Wilson, L., *Br. J. Dermatol.*, 1976, **94** (Supplement 12), 33.
43. Goodwin, P., *Br. J. Dermatol.*, 1976, **94** (Supplement 12), 95.
44. Winter, G. D. and Burton, J. L., *Br. J. Dermatol.*, 1976, **94** (Supplement 12), 107.
45. Kirby, J. D. and Munro, D. D., *Br. J. Dermatol.*, 1976, **94** (Supplement 12), 111.
46. Lerner, A. B. and Lee, T. H., *J. Am. chem. Soc.*, 1955, **77,** 1066.
47. Gilkes, J. J. H., Bloomfield, G. A., Scott, A. P. and Rees, L. H., *Proc. r. Soc. Med.*, 1974, **67,** 876.
48. Ebling, F. J., Ebling, E., Randall, V. and Skinner, J., *J. Endocrinol.*, 1975, **66,** 407.
49. Thody, A. J. and Shuster, S., *J. Endocrinol.*, 1975, **64,** 503.
50. Lasher, N., Lorincz, A. L. and Rothman, S., *J. invest. Dermatol.*, 1954, **22,** 25.
51. Lorincz, A. L., *Advances in Biology of Skin*, Vol. 4, *The Sebaceous Glands*, ed. Montagna, W., Ellis, R. A. and Silver, A. F., Oxford, Pergamon, 1963, p. 188.
52. Ebling F. J., Ebling E. and Skinner, J., *J. Endocrinol.*, 1969, **45,** 245.
53. Ebling, F. J., Ebling, E., Randall, V. and Skinner, J., *Br. J. Dermatol.*, 1975, **92,** 325.
54. Montagna, W. and Billingham, R. E., *Advances in Biology of Skin*, Vol. 5, *Wound Healing*, Oxford, Pergamon, 1964.
55. Bullough, W. S. *Biol. Rev.*, 1962, **37,** 307.
56. Bullough, W. S. and Laurence, E. B., *Proc. r. Soc. London Ser. B*, **151,** 517.
57. Bullough, W. S., *Natl. Cancer Inst. Monogr.*, 1973, **38,** 99.
58. Bullough, W. S., Hewett, C. L. and Laurence, E. B., *Exp. Cell Res.*, 1964, **36,** 192.
59. Chase, H. B., *Physiol Rev.*, 1954, **34,** 113.
60. Argyris, T. S., *Advances in Biology of Skin*, Vol. 9, *Hair Growth*, ed. Montagna, W. and Dobson, R. L., Oxford, Pergamon, 1969, p. 339.

4

Cremas cutáneas

Introducción

La palabra «crema» es de uso tan común que su definición es casi superflua. En realidad, «cremoso» se utiliza con frecuencia para describir la textura o apariencia de objetos o productos, que no llegan a ser clasificados como cremas.

En el contexto de los cosméticos, el término «crema» significa una emulsión sólida o semisólida, aunque igualmente se aplique a productos no acuosos, tales como máscaras basadas en cera-disolvente, sombras de ojos líquidas y ungüentos. Si una emulsión tiene una viscosidad suficientemente baja como para poderse verter, esto es, fluir bajo la única influencia de la gravedad, no se denomina crema sino «loción». Para los fines de la exposición que sigue, sin embargo, cremas y lociones se tratan bajo el encabezamiento general de cremas cutáneas. La base teórica de la preparación se expone en el Capítulo 38.

Es tal el número y la variedad de materias primas que están a disposición del científico cosmético para la formulación de cremas y lociones para la piel, que ningún libro de texto general dispone del espacio necesario para enumerarlas. Las fórmulas adecuadas y estables que se pueden lograr con estos componentes son excesivamente numerosas aun para confeccionar un catálogo completo. Además, nuevas materias primas, emulsionantes, emolientes, hidratantes y principios activos curativos son continuamente elaboradas y puestas a disposición por los proveedores; así pues, cualquier catálogo perdería actualidad, incluso antes de su difusión.

Por tanto, las materias primas y las fórmulas que se dan en este capítulo, en general deben ser consideradas sólo como ilustración de tipos de productos tradicionales y bien ensayados que, aunque aun siendo de gran valor, son sólo punto de partida y capaces de beneficiarse de la nueva tecnología a medida que sea aplicable. Se debe solicitar y seguir la literatura y el asesoramiento de proveedores establecidos de materias primas de buena calidad; muchos de estos proveedores gastan considerables esfuerzos en desarrollar buenas fórmulas de cremas que ilustren la mejor utilización de sus propios productos. El arte del científico cosmético no es seguir estas fórmulas con una dependencia total, sino estudiarlas y adaptarlas a sus propias necesidades e, incluso, incorporar las mejores características de varias fórmulas publicadas a su propia serie de experimentos.

Las materias primas que se citan aquí se denominan con sus nombres oficiales adoptados por la CTFA para evitar dificultades y ambigüedades que a veces se presentan sobre la exacta naturaleza química de algunas de estas sustancias[1].

Tabla 4.1. Características de las cremas cutáneas

Funcional	*Físico-química*	*Subjetiva*
Cremas limpiadoras	Contenido oleoso medio a elevado	Oleosa
Cold-cream	Aceite-agua o agua-aceite	Difícil de absorber por frotamiento
Cremas de masaje	Fase oleosa de baja temperatura de deslizamiento	Espesa y «rica»
Cremas de noche	pH neutro	También populares como lociones
	Pueden contener tensioactivos para mejorar la penetración y propiedades de suspensión	
Cremas hidratantes	Bajo contenido en aceite	Fáciles de extender y se absorben rápidamente por «frotamiento»
Cremas base	Usualmente aceite-agua	
Cremas evanescentes	Fase oleosa de baja temperatura de deslizamiento	Útiles como cremas o lociones
	Neutras a pH ligeramente ácido	
	Pueden contener emolientes y componentes hidratantes especiales	
Protectora de manos y cuerpo	Contenido oleoso bajo a medio Usualmente aceite-agua	Fáciles de extender pero no se «absorben» por frotamiento tan fácilmente como las cremas evanescentes.
	Fase oleosa de temperatura de deslizamiento media	Muy populares en forma de loción
	Pueden tener un pH ligeramente alcalino o ácido	
	Contienen «factores de protección», especialmente siliconas y lanolina	
Cremas de todo uso	Contenido oleoso medio Aceite-agua o agua-aceite	Muy frecuentemente ligeramente oleosas, pero deben ser fáciles de extender.

Clasificación de las cremas cutáneas

Tradicionalmente, las cremas cosméticas se han comercializado y vendido tomando como base su «función», esto es, las rotundas afirmaciones de la publicidad y del envase que las contiene. Así, los usuarios llegan a conocer el tipo de emulsión que pueden esperar de un tarro que se comercialice como *cold-cream* o «crema de noche». Sin embargo, éste no es un medio particularmente preciso de clasificación, puesto que el número de variaciones de apariencia, textura, sensación subjetiva, facilidad de extensión y velocidad de «absorción» por frotamiento, aventaja en mucho al número de categorías funcionales y hay, por fuerza, una cantidad considerable de solapamientos. Por tanto, el usuario obtiene su propio juicio sobre la base de estas características subjetivas utilizando las etiquetas funcionales de los fabricantes como guía de aplicación y calidad.

El científico cosmético, sin embargo, debe considerar el problema desde otro punto de vista diferente. A él le interesan las características físico-químicas, tales como relación volumen fase oleosa respecto a la fase acuosa, la naturaleza de la

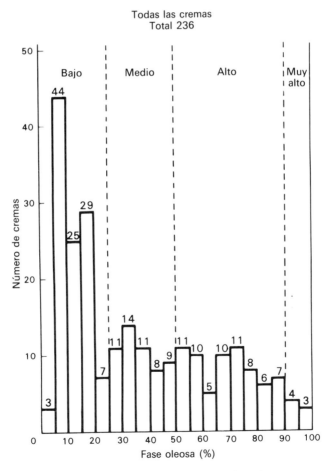

Fig. 4.1. Clasificación de 236 cremas según el contenido de fase oleosa.

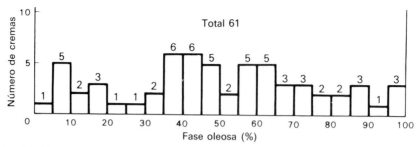

Fig. 4.2. Clasificación de cremas limpiadoras *(cold-cream)* según el contenido de fase oleosa.

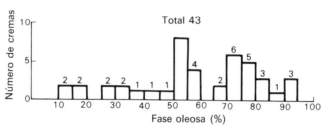

Fig. 4.3. Clasificación de cremas de noche según el contenido de fase oleosa.

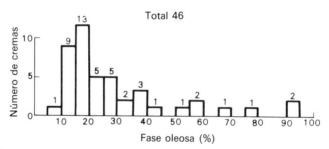

Fig. 4.4. Clasificación de cremas evanescentes según el contenido de fase oleosa.

fase continua, pH de la emulsión, tipo de emoliente utilizado, temperatura de deslizamiento de la fase oleosa, etc.

Hasta cierto punto, estos tres métodos de clasificación (funcional, subjetiva y físico-química) pueden correlacionarse y la tabla 4.1 es un intento de ello. Una correlación puramente objetiva entre el porcentaje de la fase oleosa y la función atribuida a 236 cremas se ha representado en los histogramas de las figuras 4.1 a 4.6. Estos tienen el valor de presentar, de modo fácilmente asimilable, el intervalo de valores en el cual se aplican los productos disponibles comercialmente por común acuerdo; se observará que no representan un método fácil para identificar las funciones por medios puramente químicos, excepto la separación de dos grupos que tienen un elevado contenido medio de fase oleosa (cremas de limpieza y cremas de noche).

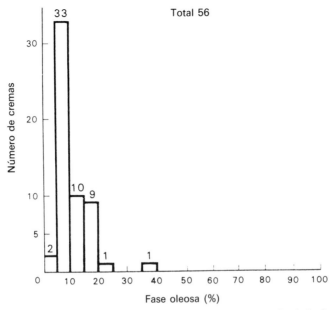

Fig. 4.5. Clasificación de cremas de manos y cuerpo según el contenido de la fase oleosa.

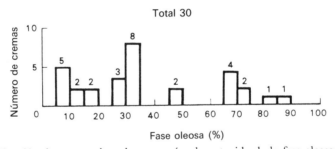

Fig. 4.6. Clasificación de cremas de todo uso según el contenido de la fase oleosa.

Cremas limpiadoras

Para mantener sana y con buen aspecto la superficie de la piel se requiere una frecuente limpieza para eliminar polvo, suciedad, sebo y otras secreciones, células muertas, depósitos y maquillaje aplicado. El agua es un agente de limpieza muy barato y efectivo para cierto tipo de suciedad facial, pero es ineficaz por sí mismo frente a sustancias oleosas. Mediante el proceso de emulsión, los jabones y otros detergentes son capaces de mejorar las propiedades limpiadoras del agua de modo espectacular. Sin embargo, esta asociación tiene desventajas; es incómoda de usar fuera del cuarto de baño y puede eliminar excesiva sustancia oleosa de la superficie cutánea, dejándola seca y áspera, una característica que es empeorada por la alcalinidad del jabón, que puede provocar que las células más externas se desprendan y se separen de sus vecinas.

Las lociones y cremas limpiadoras efectúan la limpieza de la superficie de la piel de modo eficaz y agradable, gracias a una asociación de agua y a la acción disolvente de los aceites. Más aún, si se formulan de forma adecuada pueden realizar esto sin desengrasar la piel (es decir, dejando posteriormente una capa muy fina de emoliente formado por aceite limpio, que proporciona una sensación sana y flexible a la superficie de la piel) y esto se combina con un método mucho más cómodo de usar que agua y jabón [2, 3].

Al usar una loción o crema limpiadora se extiende sobre la piel, empleando las yemas de los dedos y dando masajes a la superficie. Esta acción sirve para desprender y suspender el polvo y la suciedad en la emulsión. A continuación se enjuaga con un pañuelo de papel *(tissue)* o con una almohadilla de algodón o lana, eliminando la mayor parte de la emulsión limpiadora aplicada y, con ésta, la suciedad y el polvo o maquillaje. Por tanto, como consecuencia, la emulsión debe tener un porcentaje medio a elevado de fase oleosa, extenderse con facilidad, no absorberse por frotamiento ni debe ser irritante para la piel. Si, además, también deja una película residual emoliente sobre la piel, tanto mejor.

Hay un grupo de emulsiones relacionado con las cremas limpiadoras conocido colectivamente como *cold-cream* (este nombre procede del efecto refrescante que estos productos producen en la piel). Las *cold-cream* poseen un peculiar interés histórico, puesto que se encuentran entre las primeras emulsiones cosméticas descritas en la literatura [4]. Estas emulsiones antiguas (siglo II) se componían inicialmente de ceras naturales y de aceites vegetales (tradicionalmente, cera de abeja y aceite de oliva). A comienzos del siglo XX, el aceite mineral sustituyó a los aceites vegetales, que son insaturados y menos estables, y se establecieron las bases de las modernas *cold-creams*. La inclusión de bórax en la fórmula les proporcionó una mayor estabilidad, puesto que, por reacción con los ácidos grasos libres de las ceras naturales, se pudieron formar jabones sódicos y, de este modo, producirse un emulsionante *in situ*.

Hoy las emulsiones de cera de abeja-bórax son aún populares y disponibles comercialmente, aunque el desarrollo de emulsionantes secundarios o alternativos permiten al formulador producir una mayor variedad de emulsiones en torno al tema cera de abeja-bórax.

Las ceras de abeja padecen por sí mismas de dos desventajas como componente de cremas cutáneas. La primera de ellas es su olor peculiar, que usualmente ha de ser enmascarado en el producto final; el olor no es desagradable, aunque no es compatible con la imagen sofisticada que actualmente muchos fabricantes dan a sus productos. La segunda se debe al origen natural y, como consecuencia, la calidad y el precio de la cera de abeja tienden a variar según la región y la época del año. No obstante, la calidad de la cera de abeja neutralizada como emulsionante es tal que se continuará utilizando en cremas limpiadoras y *cold-cream* en un futuro previsible.

Al mezclar una solución de bórax con cera de abeja fundida, se forman las sales sódicas de los ácidos de la cera en la interfase aceite-agua. Es usual que la cantidad de bórax que se emplea sea bastante inferior a la cantidad teórica, pues así se obtiene una crema de mayor estabilidad y textura. La cantidad de cera neutralizada con bórax en una *cold-cream* varía del 5 al 16 por 100. A concentraciones inferiores se producen cremas más fluidas que se pueden espesar, si es necesario, con la incorporación de otras ceras. Los ejemplos 1, 2 y 3 son emulsiones agua-aceite.

	(1) por ciento	(2) por ciento	(3) por ciento
Cera de abeja	5,0	16,0	12,0
Aceite mineral	45,0	50,0	—
Bórax	0,2	0,8	0,5
Cera microcristalina	7,0	—	—
Esperma de ballena	—	—	12,5
Aceite de sésamo	—	—	40,0
Agua	32,8	33,2	35,0
Perfume, conservante	c.s.	c.s.	c.s.
Cera parafina	10,0	—	—

Alternativas a las ceras como espesantes de la fase continua oleosa son las bentonas (hectoritos cuaternarios y sustancias químicas análogas). POLON[5] describe los mecanismos de espesamiento de este tipo de agentes inorgánicos. Un producto de este tipo es el ejemplo 4:

	(4) por ciento
Cera de abeja	12,0
Aceite mineral	53,0
Quaternium-18 hectorito	0,7
Bórax	0,7
Agua	33,2
Isopropanol	0,4

Procedimiento: Se muele la bentona con el isopropanol y algo de aceite mineral. Calentar el gel resultante con la cera de abeja y el resto del aceite a 75 °C. Disolver el bórax en agua, calentar a 70 °C y verter lentamente sobre la fase oleosa mientras se agita. Se continúa agitando hasta alcanzar 45 °C, añadiendo el perfume en esta última etapa.

Una particularidad del sistema cera de abeja-bórax es la de producir tanto cremas agua-aceite como aceite-agua sin necesidad de emulsionantes secundarios. Los factores que influyen en el tipo de emulsión comprenden la relación de aceite-agua, la proporción de cera de abeja saponificada, los componentes de la crema (que afectan al **HLB** requerido) y la temperatura. SALISBURY *et al.*[6] estudiaron un sistema sencillo de tres componentes, aceite mineral, agua y cera de abeja completamente neutralizado con bórax y hallaron que, en estas condiciones, la proporción crítica de la fase acuosa era el 45 por 100. A proporciones inferiores corresponden cremas agua-aceite, y a superiores aceite-agua. Tal proporción crítica existe probablemente en todas las formulaciones de cera de abejas, aunque frecuentemente estén por debajo del 45 por 100. PICKTHALL[7], comentando el trabajo de SALISBURY, destaca que la preparación a alta temperatura tiende a producir *cold-cream* de tipo agua-aceite. También es posible que se produzca una inversión de fases durante el proceso. Casi con certeza, la inversión de fases se produce en la piel cuando la emulsión aceite-agua se extiende sobre la superficie cutánea y la fase acuosa comienza a evaporarse.

Se pueden utilizar emulsionantes no iónicos para suplementar las emulsiones cera de abeja-bórax, dotando de mayor flexibilidad y estabilidad a la emulsión. Con mucho, los coemulsionantes más habituales son los ésteres de los ácidos grasos de sorbitan. Este punto se ilustra en los ejemplos 5 y 6; el ejemplo 5 es una emulsión agua-aceite, mientras que el ejemplo 6 es una emulsión aceite-agua.

	(5) *por ciento*	(6) *por ciento*
Cera de abeja	10,0	10,0
Aceite mineral	50,0	20,0
Lanolina	3,1	3,0
Bórax	0,7	0,7
Aceite vegetal hidrogenado	—	25,0
Antioxidante	—	0,5
Sorbitan, sesquioleato	1,0	—
Sorbitan, estearato	—	5,0
Polisorbato 60	—	2,0
Agua	35,2	33,8
Perfume, conservante	*c.s.*	*c.s.*

Aparte del sistema emulsionante primario cera de abeja-bórax, estos mismos emulsionantes no iónicos pueden ser utilizados como los únicos emulsionantes, aunque a veces se incorpore cera de abejas. Los ejemplos 7 y 8 son emulsiones agua-aceite y los ejemplos 9 y 10 son emulsiones aceite-agua.

	(7) *por ciento*	(8) *por ciento*	(9) *por ciento*	(10) *por ciento*
Petrolato	31,0	35,0	—	—
Aceite mineral	20,0	15,0	50,0	23,0
Cera de parafina	7,0	5,0	—	—
Lanolina	3,0	3,0	0,5	4,0
Ceresina	—	5,0	—	—
Sorbitan, sesquioleato	4,0	4,0	0,5	—
Sorbitol (sol. al 70 por 100)	2,5	2,5	—	12,2
Magnesio, sulfato	0,2	0,2	—	—
Agua	32,3	30,3	23,5	41,8
Cera de abeja	—	—	15,0	2,0
Esperma de ballena	—	—	2,0	—
PEG-40 sorbitan, lanolato	—	—	4,0	—
Sorbitan, estearato	—	—	4,0	—
Magnesio y alumino, silicato	—	—	0,5	—
Acido esteárico	—	—	—	15,0
Sorbitan, trioleato	—	—	—	1,0
Polisorbato-85	—	—	—	1,0
Perfume, conservante	*c.s.*	*c.s.*	*c.s.*	*c.s.*

Si se desea, la fase externa de las cremas limpiadoras aceite-agua se pueden espesar con la utilización de derivados de celulosa, alginatos y otros hidrocoloides (ejemplo 11).

	(11) por ciento
Cera de abeja	8,0
Aceite mineral	49,0
Cera de parafina	7,0
Alcohol cetílico	1,0
PEG-15 cocamina	1,0
Bórax	0,4
Carbomer-934	0,2
Agua	33,4
Perfume, conservante	c.s.

Se han fabricado varios derivados de cera de abeja con propiedades emulsionantes modificadas. Hay, por ejemplo, disponible una variedad de derivados de ceras de abejas etoxiladas con valores HLB en que oscila de 5 a 9. Aunque aún tienen olor a cera de abejas, se atribuye a las cremas elaboradas con ellos, características más suaves, facilidad de licuarse, permitir la incorporación de cantidades mayores de agua, neutralidad y estabilidad a 50 °C. Los ejemplos 12 y 13 son cremas aceite-agua.

	(12) por ciento	(13) por ciento
Aceite mineral	50,0	50,0
Cera de abeja	—	7,0
PEG-8 Sorbitan cera de abeja	12,0	—
PEG-20 Sorbitan cera de abeja	3,0	8,0
Polisorbato-40	—	2,0
Agua	35,0	33,0
Perfume, conservante	c.s.	c.s.

Cremas más ligeras del tipo aceite-agua con contenido medio de aceite pueden utilizarse con la función de cremas limpiadoras y, en efecto, son preferidas por el consumidor en ciertos sectores del mercado. Se han elaborado muchos productos de éxito basados en los sistemas emulsionantes convencionales del esterato de trietanolamina o estearato de glicerilo autoemulsionables. De los siguientes ejemplos, 14-16 son cremas y 17-18 son lociones.

	(14) por ciento	(15) por ciento	(16) por ciento	(17) por ciento	(18) por ciento
Aceite mineral	30,0	29,0	18,0	10,0	—
Acido esteárico	10,0	13,5	—	3,0	4,0
Trietanolamina	2,0	1,8	—	1,8	1,0
Glicerilo, estearato (AE)	—	—	15,0	—	—
Carbomer 934	0,5	—	—	—	—
Agua	57,5	51,9	55,0	84,7	66,0
Glicerina	—	2,0	5,0	—	1,0
Sodio, alginato	—	1,8	—	—	—
Alcohol cetílico	—	—	2,0	0,5	—
Esperma de ballena	—	—	5,0	—	—
Escualeno	—	—	—	—	28,0
Perfume, conservante	c.s.	c.s.	c.s.	c.s.	c.s.

Desde el descubrimiento de que el pH de la piel es ácido[8-10] y las cremas limpiadoras tamponadas ácidas permiten un retorno más rápido al pH normal de la piel que sus competidoras más alcalinas, se ha suscitado cierto interés por las emulsiones limpiadoras ácidas. Se dispone de menos emulsionantes aplicables a emulsiones ácidas, siendo los más populares estearatos de glicerilo, alcoholes cetílicos y estearílicos, alcoholes grasos fosfatados y sulfatos de alcoholes grasos. El ejemplo 19 utiliza jugo de limón como ingrediente ácido.

	(19) por ciento
Sorbitan, sesquioleato	4,0
Ozoquerita	8,0
Petrolato	30,0
Aceite mineral	10,0
Lanolina	12,0
Agua	30,0
Jugo de limón	6,0
Perfume, conservante	c.s.

Las tradicionales emulsiones cera de abeja-bórax son difíciles de eliminar de la piel con un simple lavado con sólo agua. Muchas de las cremas más «sofisticadas» que aquí se dan presentan una facilidad de eliminación por lavado muy mejorada, característica muy apreciada por un gran número de mujeres que utilizan jabón y agua como parte de un régimen de limpieza facial. Los ejemplos 14 y 15 presentan particularmente buenas propiedades de «eliminación por lavado».

Sin embargo, la facilidad de eliminar la crema por lavado se mejora más con la incorporación de detergentes como parte del sistema emulsificante. Los ejemplos 20 y 21 utilizan cetil sulfato sódico. Se prefiere el empleo de éste al del lauril sulfato, pues es mejor emulsionante, produce menos espuma y es menos irritante para la piel.

	(20) por ciento	(21) por ciento
Aceite mineral	40,0	52,0
Ozoquerita	3,0	—
Alcohol cetílico	2,0	3,0
Sodio, cetil sulfato	1,0	3,0
Agua	54,0	23,0
Cera de abeja	—	5,6
Cera de parafina	—	5,0
Petrolato	—	8,4
Perfume, conservante	c.s.	c.s.

Más recientemente, el principio de «eliminación por lavado» se ha extendido a emulsiones que realmente forman espuma en la piel en el momento de aplicarse, especialmente si se añade un poco de agua extra. Los ejemplos 22 y 23 son productos de este tipo; la fórmula 23 está patentada[11].

	(22) por ciento	(23) por ciento
Acido esteárico	10,0	12,5
Aceite mineral	5,0	—
Petrolato	2,0	—
Alcohol cetoestearílico	1,5	2,0
Isopropilo, miristato	3,0	5,0
Sorbitan, monolaurato	2,0	—
Glicerina	6,5	—
Sodio, lauril sulfato	5,0	—
Trietanolamina	1,5	—
Polioxietilen sorbitan, monolaurato	2,0	—
Agua	61,5	68,1
Lanolina	—	0,4
Coco-sodio, isotionato	—	12,0
Perfume, conservante	c.s.	c.s.

Se dispone de preparaciones limpiadoras distintas de las emulsiones; las más populares son los geles detergentes basados en carbómeros neutralizados o derivados de celulosa (ejemplo 24), o lociones basadas en sistemas no emulsionados, siendo las últimas usualmente simples soluciones acuosas o hidroalcohólicas de detergentes suaves con un humectante o sin él (ejemplos 25-27).

	(24) por ciento
Sodio, magnesio, silicato	4,0
Sodio, lauril sarcosinato	15,0
PPG-12-PEG-50 lanolina	5,0
Hidroxietilcelulosa	0,3
Agua	75,7
Perfume, conservante	c.s.

	(25) por ciento	(26) por ciento	(27) por ciento
TEA, lauril sulfato	5,0	—	5,0
Aceite de oliva sulfonado	—	10,0	—
Propilen glicol	—	—	10,0
Agua	95,0	90,0	85,0
Perfume, conservante	c.s.	c.s.	c.s.

Cremas de noche y cremas de masaje

Tradicionalmente, productos que se describen como cremas de noche o masaje se han diseñado para dejarse sobre la piel durante varias horas o para permanecer inamovible en la piel aun después de un vigoroso frotamiento. Como consecuencia, evidentemente se deben componer de una fase sustancialmente oleosa que se extiende con facilidad sin ser absorbida, pero que tampoco sea eliminada con los vestidos o sábanas. Estas cremas tienden a tener un elevado contenido oleoso y son cremas agua-aceite, sólidas blandas o viscosas fluidas.

Los beneficios que se esperaban del uso de las cremas de noche, o a ser «aplicadas durante la noche», han sido indudablemente exageradas en el pasado. No hay duda de que la capa oclusiva que proporcionan a la superficie cutánea disminuye la velocidad de la pérdida de agua transepidérmica y, como consecuencia, se pueden presentar como poseedoras de efecto «hidratante». Naturalmente, como la mayoría de las cremas, proporcionan sensación de suavidad a la superficie cutánea por acción lubricante de la superficie y haciendo posible el alisamiento de todas las células «dientes de sierra» de la capa externa del estrato córneo. Periódicamente, sin embargo, los formuladores tienden a incorporar el término «nutritivo» a la descripción de tales productos: es un término que difícilmente puede ser justificado, con independencia de los componentes de tales cremas, ya que el estrato córneo está completamente muerto, y cualquier sustancia (tal como hormonas) que penetrase esta capa transformaría la categoría de tal producto, por definición, de cosmético a producto farmacéutico.

El masaje, sin embargo, desempeña un papel valioso en el cuidado de la piel, pues es bien sabido que el frotamiento energético de la piel ayuda a prevenir la acumulación de excesivo número de células muertas superficiales y mantiene en buenas condiciones el suministro de riego sanguíneo a la epidermis.

El término de «hidratante», al que nos hemos referido anteriormente, también se aplica a las cremas agua-aceite de este tipo. Con los avances en la investigación científica sobre el cuidado de la piel que han tenido lugar en los últimos años, el concepto de hidratante ha superado el simple principio de barrera oclusiva de la piel; muchas cremas hidratantes modernas son, comparativamente, ligeras y fáciles de extender comparadas con los tipos de noche y masaje, aunque todavía se mantiene un mercado para las cremas hidratantes más viscosas.

Aparte de los componentes que han demostrado tener un efecto hidratante o filtrante de las radiaciones ultravioletas, de vez en vez se hace publicidad respecto a que se han descubierto sustancias que tienen un efecto beneficioso más enigmático sobre la piel, y frecuentemente tales sustancias se incorporan a cremas de noche o masaje. Si bien es verdad que muchos de tales productos han tenido éxito comercial, pocos pueden resistir una seria investigación científica. Destacan entre ellos productos «naturales», especialmente vitaminas. Algunas de las pruebas avanzadas del uso de las vitaminas en las cremas para la piel se dan más adelante —el lector podrá sacar sus propias conclusiones—.

Vitaminas en cremas para la piel

DE RITTER et al.[12] consideran que las deficiencias locales de vitaminas pueden aliviarse por aplicación tópica de vitaminas en cantidad suficiente para proporcionar elevadas concentraciones locales. Según LORINZ[13], las deficiencias vitamínicas graves son raras, y son tratadas mejor sistemáticamente por administración vía oral. Hay evidencia de que el incremento del espesor de la epidermis y la disminución de la velocidad de queratinización que se observan después de aplicaciones tópicas en ratas no tienen lugar en la epidermis humana. JARRETT[14] sugiere que la vitamina debe encontrarse en la crema en forma soluble en agua y que las preparaciones liposolubles son de escaso valor.

ELLOT[15], sin embargo, afirma que tanto las vitaminas liposolubles como las hidrosolubles pueden absorberse a través de la piel, lo que justifica su empleo en preparaciones cosméticas para aplicación externa con tal que contengan suficiente cantidad de vitaminas adecuadamente estabilizadas. Publica varias fórmulas.

La publicidad sobre jalea real de abeja[16] y polen[17] que manifiestan propiedades casi mágicas, principalmente por ingestión, pero también por aplicación tópica, se basan fundamentalmente en el contenido de vitamina B.

El ácido pantoténico, una parte del complejo de vitamina B soluble en agua, su precursor y las sustancias relacionadas con él, tales como pantenol[18], pantetina[19] y ácido pangámico[20], se han citado por poseer una acción beneficiosa en la piel y por ser útiles en preparaciones para la piel y el cabello. Aunque no existen pruebas seguras de que penetren a través de la piel y alcancen el lugar donde ejercen su efecto, el complejo de vitamina B, pantenol y vitamina B_6 (piridoxina) se emplean en algunos cosméticos.

El ácido ascórbico (vitamina C) y su isómero, ácido isoascórbico, se adicionan a algunas preparaciones de tocador, pero esto no se debe a sus efectos en la piel. La mejoría del estado de la piel durante el tratamiento del escorbuto exige la ingestión de vitamina C.

La vitamina D, como la vitamina A, es liposoluble y esencial para la salud de la piel, pero sus deficiencias se corrigen mejor por administración oral para alcanzar un efecto sistémico. En ocasiones, sin embargo, se utilizan las vitaminas D_2 y D_3 (calciferol) asociadas a la vitamina A. Se considera sinérgica la mezcla de vitamina A, E y D_3[21].

Se ha afirmado que la vitamina E mejora la absorción percutánea, y a la vitamina H se le atribuye que coadyuva a la síntesis de grasas y colesterol.

En la literatura se mencionan otras vitaminas que se emplean en las preparaciones tópicas. Entre ellas se incluye la denominada vitamina F, actualmente conocida como ácidos grasos esenciales insaturados (EFA, *essential [unsaturated] fatty acids*), que indudablemente curan los síntomas cutáneos característicos de las ratas a las que se les ha provocado una deficiencia crónica de EFA. El punto destacable aquí es que sería prácticamente imposible provocar en el ser humano un estado de deficiencia de EFA equivalente.

Componentes de la fase oleosa

En las cremas de noche y masaje los componentes predominantes son petrolato, aceite mineral, lanolina, ceras de bajo punto de fusión, tales como cera de abeja y ceras minerales de bajo punto de fusión (ceresina y parafina). Los ésteres, tales como palmitato de isopropilo, miristato de isopropilo y aceite de purcellin, se reservan para los tipos de productos «cremas evanescentes» más ligeras.

Cremas hidratantes, evanescentes y de base

El término de «evanescente» implica que las cremas y lociones que se incluyen en esta categoría han sido diseñadas para ser extendidas con facilidad y producir sensación que desaparece rápidamente cuando se frotan en la piel.

Hidratantes

De todas las propiedades beneficiosas que se atribuyen a las cremas cosméticas, quizá la más frecuentemente citada sea la «hidratante». Este término procede del descubrimiento de que el agua es la única sustancia capaz de dar elasticidad a la capa de células más externas y muertas de la epidermis para dotarla del atributo más deseado, que llamamos piel «suave y tersa».

La piel se deshidrata y pierde su elasticidad cuando elimina más rapidamente agua del estrato córneo que la que éste recibe procedente de las capas más internas de la epidermis. BLANK[22] demostró que sólo el aceite no restaura la flexibilidad de la piel.

Existen dos tipos básicos de piel seca. El primero se debe a una prolongada exposición al viento y a una humedad ambiental baja, que modifica el gradiente de hidratación normal del estrato córneo. El segundo tipo de piel seca se debe a cambios físicos o químicos en la piel como consecuencia de procesos tales como envejecimiento, continuo desengrasamiento, etc.

Los cambios debidos al envejecimiento se atribuyen, principalmente, a la influencia de la luz ultravioleta, que parece justificarse cuando se consideran las diferencias existentes entre la piel de las partes del cuerpo que habitualmente están cubiertas y aquellas que no se tapan[23-25].

El enfoque para restaurar el agua a una piel seca sigue tres direcciones: oclusión, humectación y restauración de sustancias deficitarias, estos métodos pueden ser, y frecuentemente lo son, asociados a la vez.

La oclusión consiste en reducir la velocidad de la pérdida transepidérmica de agua a través de piel envejecida o dañada, o proteger, además, la piel sana de los efectos fuertemente desecantes del ambiente.

Se ha demostrado[26] que la oclusión de la piel por este mecanismo origina una inmediata disminución de la velocidad de pérdida de agua a través de la epidermis. Esto tiene el efecto deseado al proporcionar un estrato córneo más hidratado, haciéndolo más suave y flexible; sin embargo, el efecto eventual de esta extrahidratación es aumentar el coeficiente de difusión del agua a través de la epidermis, de modo que en el período de tres horas a partir de la aplicación a la piel sana de vaselina, por ejemplo, se produce un aumento real de la velocidad de pérdida de agua a valores superiores al de la situación anterior al tratamiento. Naturalmente, esto de ninguna manera quita mérito a este método de hidratación, puesto que logra la hidratación deseada del estrato córneo.

Con esta finalidad, se pueden emplear muchas sustancias oclusivas, no permeables al agua, entre ellas aceites minerales y vegetales, lanolina y siliconas. En ocasiones, estas sustancias sencillas han sido aumentadas con el empleo de mezclas de lípidos y otras sustancias químicas grasas que se han diseñado para imitar la composición de las secreciones oleosas naturales de la piel. Se ha argumentado que tales secreciones pueden llegar a desaparecer en la piel seca, siendo ésta, al menos parcialmente, la causa de la sequedad. El empleo de tales mezclas artificiales de lípidos cutáneos no se ha descartado comercialmente, ni incluso han tenido éxito científico, principalmente porque son difíciles de formular en una emulsión que ha de conservarse microbiologicamente, y porque no han demostrado ser una mejora respecto a aceites ya disponibles, más sencillos y menos caros, tales como los mencionados anteriormente. Como cabría esperar, la

composición analizada químicamente de las secreciones cutáneas varía grandemente con relación a la zona de la piel, edad y momento.

Como alternativa, puede considerarse el empleo de sustancias más sencillas
formadoras de películas que tienen una composición sólo aproximada o «semejante» a las secreciones naturales cutáneas. En este grupo de sustancias se
incluyen albúmina[27], mucopolisacáridos[28, 29], una mezcla de veinte aminoácidos, tal y como se presentan en la queratina de la piel[30], gelatina[31] y proteínas
hidrolizadas[32]. Si los extractos de frutas y plantas poseen algún valor al
respecto, es posible que sea en virtud a las propiedades de los ácidos poliuróni-
cos, azúcares, aminas y aminoácidos, como se declaran en una patente[33] para el
empleo de extractos de bambú con la finalidad de hidratar y proteger la piel. En
otra patente, se emplea el extracto de cactus[34], mientras que MASSERA y
FAYAUD[35] ensalzan el empleo de varios jugos de frutas, como suplemento a las
dietas naturalistas. Se afirma que algunas de estas sustancias se utilizan con éxito
por especialistas de tratamientos de belleza, pero generalmente no han sido
aplicadas masivamente en el mercado.

Más recientemente se dispone de sustancias barrera con propiedades de
sustantividad para la piel (principalmente basadas en complejos de amonio
cuaternario) que parecen ser capaces de influir en la velocidad de pérdida de
agua transepidérmica sin poner una barrera grasa u oclusiva sobre la superficie.
Estas sustancias han demostrado tener propiedades de sustantividad para la piel
(y cabello) y no actúan sólo como hidratantes, sino también como emolientes y
agentes acondicionadores de la piel[36]. Ejemplos son Quaternium 19, un derivado de hidroxietilcelulosa y Quaternium 22 que se basa en ácido glucónico. La
loción para piel seca, ejemplo 28, se ha tomado directamente de la literatura del
proveedor.

| | (28) |
	por ciento
Isopropilo, linoleato	2,0
Glicerilo, estearato	3,0
Diisopropilo, adipato	2,0
Miristilo, miristato	1,0
PEG-40, estearato	1,0
Alcohol cetílico	1,5
Cetereth-20	0,5
Quaternium-22	2,0
Hidroxietilcelulosa (sol. acuosa al 2 por 100)	25,0
Propilen glicol	3,0
Agua	59,0
Perfume, conservante	*c.s.*

El segundo enfoque del problema de la hidratación es el uso de humectantes
para atraer agua de la atmósfera, y así suplementar el contenido de agua de la
piel. Aunque popular en su utilización, tal concepto es inferior, y algo dudoso
desde el punto de vista fisiológico. Después de todo, es fácil demostrar que el
agua aplicada externamente no aumenta la flexibilidad del estrato córneo; de
hecho puede tener precisamente el efecto opuesto[30].

Los humectantes más frecuentemente usados como hidratantes son glicerol, etilen glicol, propilen glicol y sorbitol, que pueden ser usados sólo o en mezclas a varias concentraciones. Si penetran o no en la superficie de la piel es una cuestión discutible, pero, al menos, estas sustancias pueden atraer la humedad a la piel. Fox *et al.*[37] midieron la absorción del agua de mezclas de algunas de estas sustancias y otro humectante, lactato sódico, con callo desecado y encontraron que es exactamente aditiva. Ninguno de los humectantes tiene un efecto que incremente la absorción de la humedad por el callo, excepto el lactato sódico, que es una de las sustancias extraíbles con agua de la piel.

OSIPOW[38] afirma que el lactato sódico ácido actúa tanto como tampón como humectante, y la pérdida de humedad es razonable independiente del pH. Los lactatos son compatibles con la mayoría de los componentes de los cosméticos y se dan fórmulas de cremas que contienen solución de lactato sódico.

El tercer enfoque, y quizás el más valioso, para hidratar la piel es determinar el mecanismo exacto del proceso natural de hidratación, con la finalidad de evaluar lo que hay de erróneo en el caso de piel seca, y reemplazar cualquier sustancia que, según la investigación, se demuestre que es deficitaria en la piel lesionada.

Durante los últimos veinticinco años, muchos investigadores, incluyendo JACOBI, BLANCK, SHAPIRO y ROTHMAN, han demostrado ampliamente la existencia de un factor natural de hidratación (NMF, *natural moisturizing factor*) en la piel, que se puede eliminar por medio del agua, otros disolventes polares y soluciones detergentes. Se ha comprobado que esta sustancia es de naturaleza amino-lipídica. Según CURRI[28], podría tratarse de un complejo mucoproteico o un complejo lipomucopolisacárido.

Trabajando sobre la base de que la sustancia posee mitades tanto polares como apolares, o de parecerse a alguna sustancia natural encontrada en la piel, y asociada con el factor natural hidratante, existen varios enfoques que exponemos a continuación. Operando con las sustancias solubles en agua, LADEN y SPITZER[39] identificaron 2-pirrolidona-5-carboxilato sódico, como hidratante existente natural. Esta sustancia ha demostrado ser útil en la hidratación de la piel seca y descamada. En fecha anterior, CIOCCA, ROVESTI y ROCCHEGANI[41] sintetizaron una sustancia, furil glicina, y un intermedio, furil hidantoína, que asocian las funciones amino y carboxílica con un núcleo lipofílico. Como consecuencia de ensayos limitados afirmaron que el compuesto de glicina poseía propiedades favorables para la piel y recomendaron su uso en cosméticos.

Así pues, es evidente que la simple adición de agua a la piel no es suficiente para plastificarla; la piel está ligada a complejos proteico-lipídicos (posiblemente dentro de las mismas células muertas), y únicamente esta forma es efectiva para mantener la piel suave. Desgraciadamente, las simples aplicaciones de componentes del factor natural hidratante (NMF) solubles en agua (como pirrolidona-carboxilato sódico y lactato sódico) presentan poca afinidad por las capas más externas de la epidermis, bien en soluciones o en emulsiones aceite-agua. Se ha sugerido que sería mejor aplicarlos en el interior de lamellas lípidas, por ejemplo, dispersiones acuosas de lípidos no iónicos, que han sido denominadas «niosomas»[42]. Estas presentan ciertos resultados prometedores a juzgar por los resultados experimentales publicados.

Emolientes

La «emoliencia» es otro término mal definido, frecuentemente utilizado con respecto a las cremas de la piel. El concepto general de la palabra es impartir suavidad y sensación general de bienestar a la piel, como se comprueba por el tacto. En este sentido, pues, el agua es un emoliente. Además, se ha demostrado que emolientes tradicionales también alisan el perfil superficial de la piel, hinchando los corneocitos individuales y suavizando y disminuyendo las arrugas faciales[43-45]. La causa exacta de estos efectos no se trata en detalle, aunque puede ser debida sencillamente a la hidratación ocasionada por el efecto oclusivo de los emolientes. Indudablemente, sin embargo, se ha demostrado claramente el efecto de varios líquidos en la lubricación de la superficie cutánea, y la disminución de la sensación áspera asociada con las células muertas con «dientes de sierra» situadas en la capa más externa de la piel.

La lista de emolientes es casi infinita, pues casi todo líquido, semisólido o sólido de bajo punto de fusión, de naturaleza suave y calidad cosmética, se ha utilizado con esta finalidad. Entre los emolientes hidrosolubles más populares, están la glicerina, el sorbitol, el propilen glicol, y varios derivados etoxilados de lípidos. Los emolientes liposolubles incluyen aceites hidrocarburos y ceras, aceites de silicona, aceites vegetales y aceites[46-47] y grasas, ésteres alquílicos, ácidos y alcoholes grasos[48-50], junto con éteres de alcoholes grasos, incluyendo los alcoholes polihídricos. La elección está determinada por preferencia personal, datos de irritación potencial de la piel, grado «grasiento» y apariencia visual de la película residual en la piel, precio y disponibilidad.

Los aceites minerales y aceites de siliconas no «desaparecen» muy rápidamente de la piel cuando se utilizan en cierta cantidad y, por consiguiente, son útiles, como ya se resaltó, en cremas de noche y limpiadoras. El propilen glicol es ampliamente utilizado, y es un eficaz conservante frente a determinados microorganismos a concentraciones superiores al 8 por 100, pero es un sensibilizante potencial.

Los ésteres alquílicos representan un amplio grupo de emolientes de interés, comprendiendo lactatos, oleatos, miristatos, adipatos, linoleatos con la posibilidad de cadenas lineales, cadenas ramificadas[52-55], precursores insaturados o saturados. Algunos de ellos son líquidos casi tan fluidos como el agua, que se extienden rápidamente en la piel (oleatos de decilo e isodecilo, miristato de isopropilo), y otros son sólidos cerosos que funden a la temperatura próxima a la del cuerpo y dan «consistencia» a las cremas.

Hace tiempo la lanolina era considerada como un emoliente extremadamente deseable, y el reclamo «contiene lanolina» era la presentación de producto «extra». Actualmente, esta misma declaración es exigida por la legislación europea para prevenir a los consumidores del posible riesgo que presenta como sensibilizante primario[56]. Sin embargo, actualmente se están realizando muchos trabajos para demostrar que la lanolina y sus derivados no son sensibilizantes para la piel sana, y que incluso son de gran valor en cremas cutáneas como emolientes[57].

Cremas evanescentes y de base

Está claro que muchas de las cremas hata aquí descritas como cremas de noche, cremas de masaje y cremas de elevado contenido graso pueden también legítimamente ser presentadas como «hidratantes» y «emolientes». Sin embargo, la actual tendencia se dirige hacia cremas hidratantes y emolientes que están próximas en composición y características de uso a las cremas evanescentes y de base.

Con la finalidad de alcanzar un rápido efecto de «absorción» por frotamiento, las cremas evanescentes están compuestas, en la fase oleosa, de ésteres emolientes que dejan una película apenas visible sobre la piel; por esta razón, también generalmente se selecciona un bajo porcentaje de fase oleosa.

Las cremas de base poseen muchas de las mismas propiedades; estas cremas son para ser usadas de día como protectoras y «acondicionantes» de la piel limpia. Por tanto, deben dejar la superficie de la piel no grasienta, y preferentemente mate, de modo que sobre ella se pueda aplicar fácilmente otro maquillaje. Las cremas de base modernas son de excelente aspecto y estabilidad; contienen no sólo emolientes e hidratantes, sino también, en muchos casos, agentes filtrantes solares que ayudan a proteger la piel del consumidor de los efectos nocivos y envejecedores de la radiación solar de corta longitud de onda [58-60].

La fórmula tradicional de una crema evanescente se basa en ácido esteárico de elevada calidad como fase oleosa. Esto proporciona una fase oleosa que funde por encima de la temperatura del cuerpo y cristaliza en forma adecuada, de modo que es invisible durante su uso, y proporciona una película no grasienta; además, confiere un aspecto muy atractivo al producto. El emulsionante es jabón, que frecuentemente se forma *in situ* añadiendo suficiente álcali o base para neutralizar una parte, generalmente del 20-30 por 100, de los ácidos grasos libres. RISTIC [61] definió estas cremas como suspensiones de ácido esteárico en un gel de jabón de estearato (suspensión hidrogel).

Una crema evanescente «sencilla» típica puede elaborarse con la fórmula siguiente:

	(29)
	por ciento
Acido esteárico	15,0
Potasio, hidróxido	0,7
Glicerina	8,0
Agua	76,3
Perfume, conservante	*c.s.*

Aunque esta fórmula parece sencilla, en realidad no lo es por dos razones. En primer lugar, la estearina comercial, a la que se suele denominar ácido esteárico, no es una sustancia pura, sino una mezcla de ácidos esteárico y palmítico junto con pequeñas cantidades de ácido oleico. En segundo lugar, aunque en el pasado a las cremas evanescentes de este tipo se las consideraba alcalinas por contener jabón, generalmente tienen valores de pH comprendidos entre 6,0 y 6,9. Esto puede explicarse por la existencia de «jabones ácidos». RYER [62] preparó varios jabones de ácido esteárico de composición bien definida que corresponden a las siguientes fórmulas:

1. $R\text{—COONa} \cdot R\text{—COOH}$
2. $2R\text{—COONa} \cdot 3R\text{—COOH}$
3. $R\text{—COONa} \cdot 2R\text{—COOH}$

pero no encontró la prueba de

$$2R\text{—COONa} \cdot R\text{—COOH} \; (R = C_{17}H_{35})$$

Por tanto, es probable que una crema evanescente correspondiente a la fórmula anterior contenga no sólo jabones normales y ácidos grasos libres de cada uno de los ácidos constituyentes de la estearina, sino también jabones ácidos de los tres ácidos. Usando mezclas de bases para neutralizar, se puede considerar que el número de posibles constituyentes se incrementa enormemente y que existe una amplia diversidad de aspecto y propiedades de la crema.

Esta selección de las fórmulas no representa, de ningún modo, la variedad completa de cremas evanescentes buenas, blancas perladas, brillantes, cremas de día, y cremas hidratantes, que se pueden lograr con la vasta selección de las modernas materias primas. Sin embargo, realmente cubren varios productos básicos de mucho éxito en los que se pueden introducir como componentes adicionales factores hidratantes, absorbentes ultravioletas y otros aditivos deseables, como se ha tratado anteriormente.

Cremas base pigmentadas

Las cremas base pigmentadas contienen del 3 al 25 por 100 de pigmentos. Las que contienen entre un 3 y 10 por 100 son un sustrato adecuado para una posterior aplicación de polvo, mientras que aquellas otras con mayor concentración de pigmentos se utilizan como maquillajes completos y, con frecuencia, se designan cremas polvo. Pueden ser sistemas de fase continua acuosa o fase continua oleosa en forma fluida o sólida. Existen dificultades en la fabricación de estas preparaciones, especialmente en cuanto: a) la elevada superficie específica del pigmento que puede absorber preferentemente los agentes emulsionantes y, en algunos casos, ocasionar la inversión de la emulsión, y b) obtener la adecuada dispersión de pigmentos para dar colores reproducibles.

Los pigmentos se pueden suspender utilizando derivados de celulosa o silicatos inorgánicos, tales como las bentonitas o el silicato de magnesio hidratado.

JACOBI[54] afirma que algunos compuestos inorgánicos de cadenas ramificadas pueden dar porosidad a las sustancias formadoras de película y, por tanto, no interfieren la respiración imperceptible de la piel. A estas sustancias se las ha denominado porositonas, y son ideales para su incorporación a un maquillaje fluido. La fórmula citada en el ejemplo 30 se cree que da un aspecto más natural y no interfiere con la función fisiológica de la piel. Permite el paso del 96 por 100 de la cantidad de vapor de agua transmitido por la piel sin cubrir, comparado con el 50 al 70 por 100 de la mayor parte de las otras cremas de maquillaje del mercado.

	(30) por ciento
Monoglicéridos de ácidos poliinsaturados	0,5
Isopropilo, miristato	2,0
Glicerilo, estearato	2,5
Trietanolamina (TEA), estearato	2,5
Propilen glicol	5,0
Talco	4,0
Dióxido de titanio	5,0
Pigmentos de óxidos de hierro	c.s. tono
Goma de celulosa	0,8
Silicato de magnesio hidratado	0,8
Isopropilo, lanolato	2,5
Esteres y ácidos grasos de cadena ramificada	5,0
Alantoína	0,2
Hexaclorofeno	0,5
Agua, perfume, conservantes, etc., hasta	100,0

Los siguientes ejemplos ilustran algunos de los tipos básicos de cremas de base coloreadas.

Cremas agua-aceite	(31) Sólida por ciento	(32) Fluida por ciento
Aceite mineral ligero	4,0	30,0
Isopropilo, miristato	8,0	—
Lanolina	—	8,0
Ceresina	19,2	—
Cera microcristalina	—	1,0
Sorbitan, sesquiolato	2,8	2,3
Polisorbato-60	—	0,1
Polvo base	c.s.	8,0
Dióxido de titanio	3,0	—
Glicerina	—	5,0
Agua, perfume, conservante, etc., hasta	100,0	100,0

Cremas sólidas aceite-agua	(33) por ciento	(34) por ciento	(35) por ciento
Aceite mineral	30,0	—	—
Acido esteárico	3,0	8,0	12,0
Isopropilo, palmitato	—	—	1,0
Glicerilo, estearato	3,0	—	—
Sorbitan, estearato	—	—	2,0
Polisorbato-60	—	—	1,0
Alcohol cetílico	2,0	—	—
Trietanolamina	1,0	—	—
Glicerina	—	10,0	—
Sorbitol	—	—	2,5
Propilen glicol	—	—	12,0
Cera Lanette	—	8,0	—
Pigmento y polvo base	5,0	10,0	11,0
Agua, perfume, conservante, etc., hasta	100,0	100,0	100,0

Maquillaje fluido aceite-agua		(36)
		por ciento
Aceite mineral		20,0
Alcohol cetílico		1,0
Esperma de ballena		1,0
Sodio, lauril sulfato		0,5
Glicerilo, estearato		1,0
Bentonita		2,5
Polvo base y color		8,0
Agua, perfume, conservante, etc.,	hasta	100,0

Existen algunas preparaciones base que no contienen agua, por ejemplo:

	(37)
	por ciento
Aceite de sésamo	64
Zinc, óxido	11
Oxicolesterol	2
Triglicerilo, estearato (poligliceril-3 estearato)	1
Perfume y colorante	6
Titanio, óxido	16
Conservante	*c.s.*

Cremas de manos y cremas de manos y cuerpo

Es evidente que las manos representan la principal superficie sin protección del cuerpo, aparte del rostro. En cierto modo, las manos son aún más vulnerables a los efectos del medio ambiente que el rostro, y es importante que la piel que las cubre permanezca suave y tersa. Quizás el medio más perjudicial de todos es la solución caliente de detergente, puesto que tiene el efecto de solubilizar los lípidos y se ha demostrado que daña las paredes celulares. La piel puede, así, quedar desprovista de su factor natural hidratante y sus secreciones naturales protectoras, y hacerse seca, agrietada y escamosa, un estado que se denomina «manos de fregar sartenes». Se espera que las cremas de manos proporcionen cierto tipo de remedio para este estado, suavizando e hidratando la piel dañada. Como consecuencia, las principales características de las buenas cremas o lociones de manos son las de ser fáciles y rápidas de aplicar, sin dejar una película pegajosa, suavizar las manos y quizás, ayudar a curarlas sin interferir con la transpiración normal de las manos. Generalmente, están coloreadas y ligeramente perfumadas para hacer agradable su empleo.

La distinción entre cremas de manos y cremas de manos y cuerpo no es completamente clara, puesto que estos mismos criterios se aplican también a las últimas. Sin embargo, se puede afirmar que generalmente se prefieren las lociones a las cremas sólidas para cubrir grandes superficies del cuerpo de modo fácil y rápido.

Como consecuencia, muchas de las fórmulas ya dadas para cremas evanescentes e hidratantes cumplirán la función de cremas de manos y cremas de manos y cuerpo. Puesto que las manos son especialmente vulnerables al agrietamiento y asperezas de la piel, sin embargo es usual añadir a los emolientes y agentes hidratantes sustancias que han demostrado ser eficaces en aliviar y curar la piel agrietada y también antisépticos.

Entre los agentes curativos, el más popular es la alantoína (2,5-dioxo-4-imidazolidinil-urea), cuyas propiedades de proliferación y limpieza de células y calmantes eran ya bien conocidas en las décadas de 1930 y 1940. Aún la alantoína es hoy de uso popular, como lo son algunos de sus complejos de metales débiles, tal como el dihidroxialantoinato de aluminio[70]. Además, algunas de las más recientes sales de amonio cuaternario sustantivas a la piel también han demostrado poseer efectos calmantes y curativos, por ejemplo, Quaternium 19, un derivado de hidroxietilcelulosa.

A continuación se dan ejemplos de otras formulaciones idóneas, como punto de partida, de cremas o lociones de manos.

	(38)
	por ciento
Glicerilo, estearato SE	2,7
Alcohol cetílico	1,5
Dimethicone	1,5
Aceite de lanolina	2,0
Escualeno	3,0
Sodio, lauril sulfato	0,3
Agua, perfume, conservante, etc.	*c.s.*

	(39)
	por ciento
DEA-oleth-3, fosfato	0,5
Alcohol de lanolina	1,0
Aceite mineral	4,0
Acido esteárico	1,0
Glicerina	3,0
Trietanolamina	0,5
Carbomer 941	0,1
Dimethicone	1,0
Agua, perfume, conservante, etc.	*c.s.*

	(40)
	por ciento
Acido esteárico	7,0
Lanolina	0,5
Sorbitan, oleato	0,5
Polisorbato-60	0,5
Sorbitol	10,0
Agua, perfume, conservante, etc.	*c.s.*

	(41)
	por ciento
Cetrimonium, bromuro	1,5
Isopropilo, miristato	3,0
Alcohol cetílico	2,5
Lanolina	2,0
Glicerina	8,0
Agua, perfume, conservante, etc.	*c.s.*

Cremas de todo uso

La denominación «todo uso», aunque popular, no es completamente correcta, puesto que para servir para todos los usos tal preparación debe cumplir con los siguientes requisitos:

1.   Como crema base de uso general ha de proporcionar una base satisfactoria para el maquillaje sin ser excesivamente grasa.

2.   Como crema limpiadora se ha de licuar rápidamente y ser de naturaleza grasa, y deslizamiento fácil. No debe absorberse rápidamente por la piel.

3.   Como crema de manos debe ser emoliente, sin dejar película grasienta o pegajosa en la piel.

4.   Como crema protectora y como crema emoliente debe dejar una película grasa, no oclusiva en la piel.

También a las cremas de todo uso se las denomina a veces «cremas de deportes». El término surgió en Europa, donde las cremas basadas en ésteres de lanolina o extractos, incluyendo una crema vendida como crema de todo uso, fueron populares como cremas de esquiadores y otras actividades al aire libre en que los elementos podían dañar la piel. Está claro que ninguna preparación sencilla puede satisfacer todos los requerimientos contradictorios mencionados anteriormente, y, cualquier preparación que lo intente, debe ser un complemento para que realice satisfactoriamente cada una de las funciones que de ella se espera sin sobresalir en ninguna, o verdaderamente realizar funciones específicas, como las cremas funcionalmente especializadas.

Sin embargo, parece existir un mercado para la crema de todo uso, y algunas de las posibles salidas comerciales para tal producto son:

a)   el consumidor no sofisticado que carece de espacio y dinero que, por tanto, compra una crema que se muestra tan eficaz como sea posible;

b)   el consumidor ligeramente más sofisticado que compre una crema especializada para una función en particular y confíe en una crema de todo uso para todas las demás funciones;

c)   el consumidor que encuentra en la crema todo uso como idealmente idónea a su tipo de piel, para una función en particular y la usa como una crema especializada;

d)   el consumidor que diversifica sus cremas para la piel, y recurre a una crema de todo uso en sus viajes o vacaciones;

e)   para uso general de toda la familia y protección frente a los agentes ambientales.

Algunas fórmulas sugeridas como base de partida para cremas de todo uso se dan en los ejemplos 42-44.

	(42) por ciento
Trioleilo, fosfato	3,0
Petrolato	18,0
Glicerilo, estearato	5,0
Isopropilo, palmitato	4,0
Alcohol cetílico	2,0
Estearilo, heptanoato	0,5
Cetearilo, octanoato	0,5
Sorbitol	5,0
Agua, perfume, conservante, etc.	c.s.

	(43) por ciento	(44) por ciento
Acido esteárico	15,0	15,0
Lanolina	4,0	2,0
Cera de abeja	2,0	2,0
Aceite mineral	23,0	24,0
Polisorbato-85	1,0	—
Sorbitan, estearato	1,0	—
PEG-40, estearato	—	5,0
Sorbitol	12,0	10,0
Agua, perfume, conservante, etc.	c.s.	c.s.

REFERENCIAS

1. *CTFA Cosmetic Ingredient Dictionary*, CTFA, Washington, 1977.
2. Frazier, C. N. and Blank, J. H., *A Formulatory for External Therapy of the Skin*, Springfield, Charles C. Thomas, 1956.
3. Latuen, A. R., *Am. Perfum.*, 1958, **72**, 29.
4. Martin, E. W. and Cook, E. F., eds, *Remington's Practice of Pharmacy*, Mack Publishing, Easton, Penna, 1956, p. 8, 624.
5. Polon, J. A., *J. Soc. cosmet. Chem.*, 1970, **21**, 347.
6. Salisbury, R., Leuallen, E-E. and Charkin, L. T., *J. Am. Pharm. Assoc. Sci. Ed.*, 1954, **43**, 117.
7. Pickthall, J., *Soap Perfum. Cosmet.*, 1954, **27**, 1270.
8. Schade, H. and Marchionini, A., *Klin. Wochenschr.*, 1928, **7**, 12.
9. Rothman, S., *Physiology and Biochemistry of the Skin*, Chicago, University Press, 1954, pp. 224–226.
10. Jacobi, O. and Heinrich, H., *Proc. sci. Sect. Toilet Goods Assoc.*, 1954, (21), 6.
11. French Patent 1 467 447, Unilever NV, 1966.
12. De Ritter, E., Mafid, L. and Sleezer, P. E., *Am. Perfum. Aromat.*, 1959, **73** (5), 54.
13. Lorincz, A. L., *Drug Cosmet. Ind.*, 1961, **88** (4), 442.
14. Jarrett, A., *J. Pharm. Pharmacol.*, 1961, **13**, 35T.
15. Ellot, B., *Kosmet. Parfüm. Drogen Rundsch.*, 1970, **17** (3–4), 33, 36,
16. Willson, R. B., *Drug Cosmet. Ind.*, 1957, **81**, 452.
17. Entrich, M., *Am. Perfum. Aromat.*, 1956, **68** (5), 25.
18. Walker, G. T., *Seifen Öle Fette Wachse*, 1963, **89**, 203.
19. US Patent 3 285 818, Dai-ichi Seivaku Co., 1964.
20. Bigi, B., *Parfums Cosmet. Savons*, 1966, **9**, 565.
21. Eller, J. J. and Eller, W. D., *Arch. Dermatol. Syphilol.*, 1949, **59**, 449.
22. Blank, J. H., *Proc. sci. Sect. Toilet Goods Assoc.*, 1955, (23), 19.
23. Smith, J. G. and Findlayson, C. R., *J. Soc. cosmet. Chem.*, 1965, **16**, 527.

24. Nix, T. E., Nordquist, R. E. and Everett, M. A., *J. ultrastruct. Res.*, 1965, **12**, 547.
25. Ippen, M. and Ippen, H., *J. Soc. cosmet. Chem.*, 1965, **16**, 305.
26. Cooper, E. R. and Van Duzee, B. F., *J. Soc. cosmet. Chem.*, 1976, **27**, 555.
27. British Patent 1 038 415, Helene Curtis, 1966.
28. Curri, S. B., *Soap Perfum. Cosmet.*, 1967, **40**, 109.
29. Pichler, E., *Kosmet. Monatschr.*, 1967, **16** (8), 10.
30. Belgian Patent 669 090, Nestle SA, 1964.
31. US Patent 3 016 334, Lewis, J. T., 1962.
32. S. African Patent 67/0945, Colgate-Palmolive Co., 1966.
33. Netherlands Patent 6 508 251, Roger and Gallet, 1964.
34. US Patent 3 227 616, Warner Lambert, 1962.
35. Massera, A. and Fayaud, A., *Perfum. essent. Oil Rec.*, 1958, **49**, 812.
36. Faucher, J. A. and Goddard, E. D., *J. Soc. cosmet. Chem.*, 1976, **27**, 543.
37. Fox, C., Tassoff, J. A., Reiger, M. M. and Deem, D. E., *J. Soc. cosmet. Chem.*, 1962, **13**, 263.
38. Osipow, L. I., *Drug Cosmet. Ind.*, 1961, **88**, 438.
39. Laden, K. and Spitzer, R., *J. Soc. cosmet. Chem.*, 1967, **18**, 351.
40. Middleton, J. D.and Roberts, M. E., *J. Soc. cosmet. Chem.*, 1978, **29**, 201.
41. Ciocca, B., Rovesti, P. and Rocchegani, G., *J. Soc. cosmet. Chem.*, 1959, **10**, 77.
42. Handjani-Vila, R. M., Ribier, A., Rondot, B. and Vanlerberghie, G., *Int. J. cosmet. Sci.*, 1979, **1** (5), 303.
43. Nicholls, S., King, C. S. and Marks, R., *J. Soc. cosmet. Chem.*, 1978, **29**, 617.
44. Packman, E. W. and Gans, E. H., *J. Soc. cosmet. Chem.*, 1978, **29**, 79.
45. Packman, E. W. and Gans, E. H., *J. Soc. cosmet. Chem.*, 1978, **29**, 91.
46. Rutkowski, A. *et al.*, *Tluszcze, Srodki Piorace Kosmet.*, 1969, **13** (2), 44.
47. Hutterer, G., *Riechst. Aromen, Koerperpflegem.*, 1970, **20** (6), 222.
48. Weitzel, G. and Fretzdorff, A. M., *Riechst. Kosmet. Seifen*, 1965, **67** (1), 26.
49. Coppersmith, M. and Rutkowski, A. J., *Drug Cosmet. Ind.*, 1965, **96**, 630.
50. Murray, H. E., *Aust. J. Chem.*, 1967, **18**, 149.
51. US Patent 3 098 795, Van Dyk and Co., 1958.
52. Weitzel, G. and Fretzdorff, A. M., *Fette Seifen Anstrichm.*, 1961, **63**, 171.
53. Jacobi, O. K., *J. Soc. cosmet. Chem.*, 1967, **18**, 149.
54. Jacobi, O. K. and Maruszewski, A., *Am. Perfum. Cosmet.*, 1967, **82** (10), 83.
55. British Patent 1 004 774, Kolmar AG, 1961.
56. EEC Cosmetics Directive, 27 July 1976, 76/768/EEC.
57. Guillot, J. P., Giauffret, J. Y., Martin, M. C., Gonnet, J. F. and Soule, G., *Int. J. cosmet. Sci.*, 1980, **2**, 1.
58. Meybeck, A., *Int. J. cosmet. Sci.*, 1979, **1** (4), 199.
59. De Rio, G., Chan, J. T., Black, H. S., Rudolph, A. H. and Knox, J. M., *J. invest. Dermatol.*, 1978, **70**, 123.
60. Volden, G., *Br. J. Dermatol.*, 1978, **99**, 53.
61. Ristic, N., *Arh. Farm.*, 1969, **19** (1), 28, (Croat.) (*Chem. Abs.*, **71**, 116476).
62. Ryer, F. V., *Oil, Soap (Chicago)*, 1946, **23**, 310.
63. Mecca, S. B., *Phila. Med.*, 1946, **41**, 1109.
64. Comunale, A. R., *J. med. Soc. N.J.*, 1937, **34**, 619.
65. Kaplan, T., *J. Am. med. Assoc.*, 1937, **108**, 968.
66. Robinson, W., *Smithsonian Institution Annual Report*, 1937, p. 451.
67. Robinson, W., *J. Bone Jt. Surg.*, 1935, **17**, 267.
68. Gordon, I., *Int. J. orthod. oral Surg.*, 1937, **23**, 840.
69. Rice, E. C., *J.natl. Assoc. Chirop.*, 1936, **26**, 5.
70. Mecca, S. B., *Soap Perfum. Cosmet.*, 1964, **37**, 132.

5

Astringentes y tónicos de la piel

Introducción

Los astringentes son una clase de sustancia que se caracteriza por sus efectos locales en la piel cuando se aplica tópicamente. Estos efectos incluyen todos o algunos de los siguientes (no todos los astringentes poseen la misma actividad): erección del pelo, estirado de la piel (o al menos la sensación de tirantez), la reducción temporal del tamaño del poro, antitranspirante, tratamiento de «piel grasa», la rápida coagulación de la sangre de una herida recién producida, sanar la piel, promover el crecimiento de los tejidos y otras sensaciones más subjetivas, como refrescante o estimulante. En tanto estas propiedades beneficiosas garantizan que los astringentes se consideren como sustancias cosméticas valiosas e importantes, no todas las afirmaciones que se hacen de ellos pueden ser demostradas por experimentación realizada.

Químicamente, salvo pocas excepciones, los astringentes conocidos se pueden clasificar en tres categorías: sales metálicas de ácidos orgánicos o inorgánicos, ácidos orgánicos de bajo peso molecular y los alcoholes de menor peso molecular. Es significativo que las tres categorías tengan en común la propiedad de precipitar proteínas de sus suspensiones[1].

Tipos de astringentes

Sales metálicas astringentes

Hace tiempo se conocen los efectos astringentes de muchos iones metálicos. En la lista de los metales activos se incluye hierro, cromo, aluminio, zinc, plomo, mercurio, estaño, cobre, plata y circonio, aunque varían en su grado de astringencia[2]. No sorprende que algunas de estas sales sean inadecuadas para el uso cosmético por su toxicidad, por la decoloración o la irritación que pueden producir. Como consecuencia, la única selección aceptable en la práctica está entre las sales de zinc, aluminio y circonio.

El efecto del anión en las sales metálicas astringentes no es completamente pasivo. Se ha comprobado, por ejemplo, que la astringencia de un ion metálico depende parcialmente de la identidad del anión. Más aún, el anión contribuye a determinar la solubilidad de la sal en varios medios cosméticos. Mientras que, por ejemplo, el clorhidrato de aluminio se emplea ampliamente en preparaciones acuosas astringentes, el desarrollo satisfactorio de los antitranspirantes en aerosoles tuvo que esperar a la invención de una variante soluble en alcohol, el aluminio clorhidrex[3], en el cual el clorhidrato de aluminio forma un complejo con un glicol. La lista de posibles aniones es extremadamente extensa, incluyendo acetato, cloruro, sulfato, clorhidróxido, fenolsulfonato, lactato, glicolato, citrato, tartrato, salicilato, formiato, gluconato, benzoato y alumbre. Rara vez se emplean acetatos, debido a su olor desagradable, ni formiatos, por su tendencia a producir irritaciones.

Acidos orgánicos

Los ácidos orgánicos de bajo peso molecular y con un protón ionizable poseen propiedades astringentes, aunque se evite el empleo de los ácidos fórmico y acético por su característica de dañar a la piel. Los más empleados son el ácido láctico y el ácido cítrico.

Alcoholes

Tanto el etanol y, menos frecuentemente, el isopropanol se utilizan como astringentes, generalmente en soluciones acuosas o concentración de hasta el 60 por 100 peso-volumen. Las soluciones de etanol a concentraciones superiores al 20 por 100 pueden causar picor cuando se aplican por primera vez, aunque esto se puede considerar beneficioso en ciertos tipos de productos.

Los alcoholes, a veces, se incluyen en productos astringentes como tinturas o como «destilado de hamamelis». El hamamelis, por sí mismo, se obtiene de la plata *Hamamelis virginiana*, y es un poderoso astringente probablemente debido a la presencia de tanino y ácido tánico. El destilado debe su astringencia al alcohol que posteriormente se añade para evitar la descomposición de la solución.

Aditivos auxiliares

Aparte de las sustancias que constituyen el vehículo del astringente, frecuentemente se añaden otras sustancias a las preparaciones astringentes para coadyuvar o incrementar su efecto. Se incluyen mentol para producir efecto refrescante en un preparado después del afeitado, un antibacteriano en una barra estíptica, y agua de rosas como auxiliar refrescante en un tónico para la piel; son varios agentes añadidos a los tónicos para promover el alivio y la curación de la piel lesionada.

Productos astringentes

Muchos tipos de productos contienen materias primas que poseen propiedades astringentes. Se pueden clasificar estos variados productos atendiendo a su característica particular astringente. Por ejemplo, los antiperspirantes aprovechan la propiedad que algunos compuestos de zinc, aluminio y circonio tienen para producir «anhidrosis» o disminución de la actividad de las glándulas sudoríparas.

Las lociones astringentes —otro tipo de producto— se subdividen en varios productos relacionados. Estos incluyen lociones para antes y después del afeitado, tónicos cutáneos y tónicos especiales cutáneos, colonias y refrescantes.

Los productos astringentes emulsionados incluyen las cremas antiperspirantes, así como sencillas cremas y leches astringentes junto con colonias en emulsión para después del afeitado.

Las barras astringentes se elaboran, generalmente, con geles alcohólicos de estearato sódico. Entre los productos que se presentan de esta forma, están antiperspirantes, desodorantes, colonias para después del afeitado y lápices estípticos.

Varios astringentes se presentan en forma de gel, incluyendo algunos productos de limpieza y máscaras faciales.

Puesto que se tratan con más detalle en otros capítulos, no se exponen aquí los productos antiperspirantes y sólo brevemente los productos para el afeitado.

Lociones acuosas e hidroalcohólicas

Tónicos. Los tónicos han llegado a ser una parte aceptada del régimen de tratamiento de la piel del rostro. Normalmente, se recomienda su uso después de la limpieza y antes de aplicar una crema hidratante. La finalidad principal de tales productos es estirar la piel, disminuir el tamaño del poro y reducir la tendencia grasienta de zonas del rostro y del cuello. También algunos fabricantes afirman que el tónico ayuda a eliminar residuos de crema limpiadora. De modo especial, los tónicos «suaves» carecen totalmente de alcohol, como los ejemplos 1 a 3. El alcohol, generalmente etanol desnaturalizado, se añade en cantidades de hasta el 60 por 100. En ciertas gamas de productos los tónicos se presentan en una serie de concentraciones alcohólicas crecientes para las pieles seca, normal y grasa (ejemplos 4, 5 y 6).

Tónicos cutáneos: acuosos	(1) *por ciento*	(2) *por ciento*	(3) *por ciento*
Potasio, alumbre	1,0	—	4,0
Zinc, sulfato	0,3	1,0	—
Glicerina	5,0	—	6,0
Zinc, fenolsulfonato	—	2,0	—
Agua de rosas	50,0	57,0	35,0
Agua de flor de naranjo	—	—	35,0
Agua	43,7	40,0	20,0
Perfume, conservante	*c.s.*	*c.s.*	*c.s.*

Existe una variedad de emolientes solubles en agua o alcohol que se pueden emplear para compensar el efecto desecante del etanol. En los ejemplos 4, 5 y 6 se usa un derivado etoxilado de lanolina, junto con propilen glicol.

Tónicos cutáneos: hidroalcohólicos	(4)	(5)	(6)
	por ciento	*por ciento*	*por ciento*
Etanol desnaturalizado	20,0	35,0	50,0
Agua	72,0	58,0	42,0
Propilen glicol	5,0	5,0	2,0
Laneth-10, acetato	3,0	3,0	1,0
Perfume, conservante	*c.s.*	*c.s.*	*c.s.*

Tónicos especiales cutáneos. La transición de los tónicos *(toners)* a tónicos especiales cutáneos *(skin tonics)* se verifica con la incorporación de aditivos auxiliares y, tal vez, mentol o alcanfor para producir una fragancia ligeramente «medicamentosa». Posiblemente, el aditivo calmante y curativo cutáneo más frecuentemente usado es la alantoína, una sustancia química del grupo de las purinas. La alantoína ha demostrado poseer propiedades regeneradoras, curativas, suavizantes, calmantes y queratolíticas[4]. Más recientemente se dispone de dos compuestos derivados de alantoína: clorhidroxialantoinato de aluminio y dihidroxialantoinato de aluminio. Estos poseen ligeras propiedades astringentes además de las propiedades curativas y calmantes de la propia alantoína, y su aplicación ha sido especialmente recomendada en lociones astringentes del «tipo tónico especial»[5, 6].

Desde antiguo, el azuleno y sus derivados, particularmente el guayazuleno, se han acreditado por sus propiedades calmantes y curativas[7, 8].

Los componentes calmantes disponibles más recientemente incluyen un polímero catiónico de celulosa, que ha adoptado el nombre de Quaternium 19 según CTFA[9, 10]. No hay duda que similares propiedades deseables se pueden encontrar en otros polímeros catiónicos que presentan propiedades sustantivas para la piel.

Los muchos beneficios que se derivan del uso de tales aditivos los hacen ingredientes lógicos de los productos para antes y después del afeitado. Las lociones para antes del afeitado, especialmente las diseñadas para ser usadas antes del afeitado eléctrico, utilizan la propiedad astringente para poner erectos los pelos de la cara. Las lociones para después del afeitado se diseñan para aliviar y refrescar la piel, estirarla, cerrar poros y esterilizar y cortar el flujo de sangre de cualquier corte o arañazo hecho inadvertidamente.

Tónico especial cutáneo/para después del afeitado	(7)	(8)
	por ciento	*por ciento*
Alcohol	40,00	20,00
Agua	55,30	77,75
Alantoína	0,20	—
Polisorbato-80	1,50	—
Sorbitol	1,50	—
Glicerina	1,50	2,00
Quaternium-19	—	0,25
Perfume, colorante, conservante	*c.s.*	*c.s.*

El pH normal de la piel es ligeramente ácido; las lociones para el cuerpo y las preparaciones para el afeitado frecuentemente utilizan ácidos para «restaurar» el carácter ácido, así como por razones de astringencia, como en los ejemplos 9 y 10.

Tónico especial cutáneo/lociones para el afeitado	(9) por ciento	(10) por ciento
Alcohol	10,00	45,00
Zinc, sulfato	0,50	—
Acido cítrico	1,00	—
Sorbitol	6,00	5,00
Agua	82,50	48,90
Acido láctico	—	1,00
Mentol	—	0,10
Perfume, colorante, conservante	*c.s.*	*c.s.*

Las lociones astringentes, como éstas, se pueden espesar con éteres de celulosa, ejemplos 11, 12, o carbomer, ejemplos 13, 14, o cualquier otro agente adecuado, tal como un alginato.

Loción para el cuerpo	(11) por ciento
Alcohol	43,00
Aluminio, clorhidroxialantoinato	0,20
Propilen glicol	3,00
Mentol	0,05
Aluminio, clorhidrato (50 por 100)	5,00
Hidroxipropilmetilcelulosa (3 por 100)	47,75
Mica (y) titanio, dióxido	1,00
Perfume, colorante, conservante	*c.s.*

Loción para el cuerpo	(12) por ciento
Magnesio, aluminio, silicato	1,50
Hidroxipropilmetilcelulosa	0,75
Agua	80,05
Monoglicérido acetilado	3,00
Di-isopropilo, adipato	5,00
Alcanfor	0,40
Mentol	0,80
Metilo, salicilato	6,50
Zinc, fenolsulfonato	1,00
Mica (y) titanio, dióxido	1,00
Perfume, colorante, conservante	*c.s.*

En los ejemplos 11 y 12 se incluye una cantidad pequeña de micas recubiertas de titanio que proporciona un efecto «perlado», que es poco común en productos de este tipo.

Refrescante cutáneo	(13) por ciento
Carbomer 940	2,00
Alcohol	73,00
Propilen glicol, dicaprato	1,00
PEG-25 aceite de ricino	5,00
Di-(2-etil hexil) amina	2,00
Agua	17,00
Perfume, colorante, conservante	*c.s.*

Gel astrigente	(14)
	por ciento
Alcohol	50,25
Agua	47,26
Carbomer 940	0,70
Mentol	0,04
Di-isopropilamina	0,50
Octoxinol-9	1,25
Perfume, colorante, conservante	*c.s.*

Otra forma de gel astringente es la máscara facial. El ejemplo 16 es una mezcla de polvo, al cual se le añade agua (1 a 3 partes de polvo) para formar una pasta extensible.

Máscara facial ácida		(15)	(16)
		por ciento	*por ciento*
Magnesio, aluminio, silicato		6,00	20,00
Agua		83,00	—
Alcohol		4,00	—
Glicerina		4,00	—
Aceite de ricino sulfatado		3,00	—
Talco		—	55,00
Acido cítrico		—	9,90
Caolín		—	15,00
Captan		—	0,10
Perfume, clorante, conservante		*c.s.*	*c.s.*
Solución tampón	hasta pH	5,5	

Máscara facial gel transparente		(17)
		por ciento
Sodio, magnesio, silicato		8,00
PEG-75		1,00
Alcohol		5,00
Carbomer 940 (sol. acuosa al 2 por 100)	hasta pH	7,5
Agua	hasta	100,00
Perfume, colorante, conservante		*c.s.*

Emulsiones astringentes

Las cremas o lociones astringentes, tipo emulsión, cumplen muchas finalidades en el campo cosmético, particularmente como antiperspirante, productos para el afeitado y cremas perfumadas. En la práctica, existe poca dificultad en la incorporación de astringentes a la fase acuosa de una emulsión, con tal que únicamente se seleccione el sistema emulsionante compatible con ellos. Por esta razón, muchas de las emulsiones astringentes están formadas con emulsionantes no iónicos o catiónicos (los cationes libres asociados con muchas sustancias astringentes en solución tienen menos probabilidad de mantenerse intactos con un emulsionante aniónico). El ejemplo 20 es no iónico y el 21 es aniónico.

Crema astringente alcohólica (aniónica) (18)

	por ciento
Sodio, magnesio, silicato	2,00
Isopropilo, miristato	5,00
Trietanolamina	0,80
Glicerina	2,00
Acido esteárico	3,00
Alcohol cetílico	0,50
Triclosan	0,10
Alcohol	30,00
Agua	56,60
Colorante, perfume	*c.s.*

Loción alcohólica para después del afeitado (no iónica) (19)

	por ciento
Laneth-40	0,5
Oleth-10	0,5
Aceite mineral	1,0
Alcohol	15,0
Agua	72,5
Glicerina	1,0
Di-isopropilamina (sol. acuosa al 2 por 100)	1,5
Carbomer 941 (dispersión al 1 por 100)	8,0
Perfume, colorante, conservante	*c.s.*

Cremas astringente/antiperspirante

	(20) por ciento	(21) por ciento
Acido esteárico	14,00	10,00
Aceite mineral	1,00	1,00
Cera de abeja	2,00	1,00
Sorbitan, estearato	5,00	—
Polisorbato 60	5,00	—
Aluminio, clorhidrato (sol. acuosa al 50 por 100)	40,00	32,00
Agua	33,00	42,70
Glicerilo, estearato	—	6,40
Propilen glicol	—	5,00
Sodio, laurilsulfato	—	1,30
Colorante, perfume, conservante	*c.s.*	*c.s.*

Loción astringente no iónica/catiónica (22)

	por ciento
Glicerilo, estearato	5,00
Quaternium-7	5,00
Aluminio, clorhidrato	15,00
Agua	67,00
PEG-20, estearato	3,00
PEG-8	5,00
Colorante, perfume, conservante	*c.s.*

Crema astringente con hamamelis (23)

	por ciento
Agua	69,00
Extracto de hamamelis	10,00
Alcohol cetílico	3,00
Pripilen glicol, estearato	12,00
Sorbitol	5,00
Isopropilo, miristato	1,00
Perfume, colorante, conservante	*c.s.*

Barras astringentes

Una forma de producto popular para un antiperspirante, desodorante o perfume-colonia es la barra basada en gel alcohol-jabón estearato sódico. A continuación se ofrece su fórmula básica:

Barra de alcohol-estearato sódico		(24)
Agua o solución acuosa	hasta	100,00 g
Alcohol		12-45 ml
Sodio, estearato		6,00 g
Propilen glicol o sorbitol o glicerina		3,00 g
Perfume y colorante		*c.s.*

El agua o el alcohol pueden llevar disuelto cualquier astringente soluble, tal como el clorhidroxilactato de sodio-aluminio (en barras antiperspirantes), siendo generalmente la concentración total de ellos del 5-15 por 100.

El gel puede ser elaborado formando estearato sódico *in situ* a reflujo a partir del ácido esteárico y del hidróxido sódico.

Las barras estípticas se fabrican de geles tradicionales alcohol-jabón, pero no son satisfactorios por la tendencia de las pequeñas barras a secarse muy deprisa. Más frecuentemente se fabrican a partir de cristales de alumbre potásico, fundiéndolos, e incorporando una carga, usualmente talco y un humectante. Finalmente el producto fundido se vierte en moldes calientes y se deja solidificar, el producto terminado se pule con un paño húmedo.

REFERENCIAS

1. Govett, T. and de Navarre, M. G., *Am. Perfum.*, 1947, **49**, 365.
2. Sollmann, T., *A Manual of Pharmacology*, 8th edn, Philadelphia, W. B. Saunders, 1957.
3. *Cosmetic Ingredient Dictionary*, 2nd edn, Washington, CTFA, 1977, p. 16.
4. Van Abbe, N. J., *Chem. Prod.* 1956, **19**, 3.
5. Fabre, R., *Press Méd.*, 1962, **70**, 1042.
6. Mecca, S. B., *Soap Perfum. Cosmet.*, 1976, **49**, 10.
7. Nöcker, I. and Schleusing, G., *Münch. med. Wochenschr.*, 1958, **100**, 495.
8. Ritschel, W., *Pharmacol-Acta. Helv.*, 1959, **34**, 162.
9. *Cosmetic Ingredient Dictionary*, 2nd edn, Washington, CTFA, 1977, p. 279.
10. Faucher, J. A., Goddard, E. D., Hannan, R. B. and Kligman, A. M., *Cosmet. Toiletries*, 1979, **92**, 39.

6

Cremas protectoras
y limpiadoras
de las manos

Introducción

Una de las principales funciones de la piel es proteger el cuerpo de los riesgos ambientales, evitando la penetración de la suciedad y la pérdida de agua del organismo humano. No obstante, durante su larga evolución, el tejido cutáneo probablemente jamás se ha enfrentado a los riesgos químicos y físicos que la moderna tecnología origina en el hogar y lugar de trabajo; como consecuencia, la misma tecnología tiene que proporcionar alguna protección extra para evitar que la misma piel resulte dañada.

Son muy numerosas las sustancias químicas que se usan cotidianamente capaces de causar daños a la piel desprotegida para permitir elaborar una lista completa, pues incluyen sustancias de uso doméstico como detergentes, pulidores de suelos y metales, blanqueadores, limpiahornos, pinturas y barnices. Los riesgos industriales incluyen ácidos, álcalis, disolventes orgánicos, resinas, tintes, herbicidas, insecticidas, lubricantes y muchos otros.

El evidente y completo modo de proporcionar protección frente a tan amplia relación de irritantes potenciales es el uso de vestimenta protectora hecha de material adecuado, especialmente el uso de guantes. Sin embargo, tal vestimenta resulta incómoda, no es elegante e imposible su uso constante, aun en el lugar de trabajo. De este modo, queda abierto al formulador cosmético el modo de proporcionar a la piel productos protectores de naturaleza más ingeniosa, permitiendo que las manos y el cuerpo se puedan usar de modo natural y cómodo, proporcionando, al mismo tiempo, un grado suficiente de protección. No debe subestimarse la influencia del confort y atracción estética al determinar la amplitud de uso de los productos protectores de la piel. La experiencia demuestra que los trabajadores no utilizan un producto poco atractivo, independientemente de la eficacia que pueda tener.

Fácilmente, los tipos de riesgos de los que hay que proteger a la piel se pueden clasificar en varias categorías como por ejemplo las siguientes:

1. Sólidos secos, polvo y suciedad.

2. Soluciones acuosas o suspensiones.

3.   Sustancias no acuosas, incluyendo aceites, grasas y disolventes.

4.   Emulsiones.

5.   Riesgos físicos, tales como calor, frío, radiaciones ultravioletas y abrasión.

Es poco probable que un solo producto proteja de modo eficaz al usuario frente a tal amplitud de riesgos; como consecuencia, se debe esperar cierto grado de especialización en los productos, si bien se han comercializado cremas barreras «todo uso».

La lesión causada por sustancias que se aplican tópicamente puede considerarse bien como una lesión directa a la superficie de la piel (tal como con ácidos fuertes, álcalis, agentes oxidantes, abrasivos) o como una lesión fisiológica (tal como en la absorción de hormonas y otras sustancias químicas que interfieren en el metabolismo normal o con irritantes primarios y sensibilizantes y agentes alergénicos).

El objetivo del formulador debe ser desarrollar un producto que, además de formar una barrera continua, impermeable y flexible frente a riesgos determinados, sea fácil de aplicar y eliminar cuando se desee, sea de consistencia, olor y aspecto agradables y, al mismo, no sea irritante.

Sustancias barrera: Cremas y geles protectores

De todas las sustancias barrera disponibles para aplicarse en geles y cremas protectoras, las más numerosas son aquellas que proporcionan una protección frente a la exposición de sustancias acuosas. Existen muchas sustancias hidrófugas que se pueden extender en la piel como película continua para formar una película oclusiva repelente al agua. Incluyen petrolato, parafina, ceras, aceites vegetales, lanolina, siliconas y ésteres oclusivos. Adicionalmente, se pueden incluir otras sustancias repelentes al agua que por sí mismas son incapaces de formar una película continua, pero que modifican el agente formador de películas para mejorar sus propiedades estéticas o funcionales; estas sustancias incluyen alúmina, óxido de zinc, estearato de zinc, talco, dióxido de titanio, caolín y ácido esteárico. Las películas repelentes de aceite se pueden formar con polímeros hinchables en agua, tales como alginatos, derivados de celulosa, bentonitas y arcillas naturales. La mezcla de sustancias repelentes de agua y aceite constituye la base de una crema barrera de uso general.

Fórmulas ejemplo: Cremas y lociones

El ejemplo 1 es una crema no sofisticada que utiliza las propiedades barrera de la lanolina, el petrolato y el caolín. También contiene pequeñas cantidades de estearato sódico para facilitar una cómoda eliminación por lavado. Tal crema puede considerarse como la mejor para proteger la piel del polvo y polvos secos.

	(1) por ciento
Acido esteárico	6,00
Alcohol cetílico	3,00
Lanolina	3,00
Petrolato	2,00
Sodio, hidróxido	0,65
Agua	67,35
Caolín	18,00
Colorante, conservante, perfume	c.s.

Los ejemplos 2 y 3 son emulsiones agua-aceite que usan emulsionantes no iónicos y se espesan por la presencia del ácido esteárico. El ejemplo 2 utiliza las propiedades barrera del aceite de silicona, mientras el ejemplo 3 ilustra el uso de las propiedades hidrófugas del estearato de zinc junto a una sustancia formadora de película: la metilcelulosa. En cada uno de los casos, el sorbitol presente evita el efecto «enrollamiento» en la aplicación y proporciona un efecto emoliente adicional. El ejemplo 2 se puede emplear en forma de aerosol si se envasa en un recipiente con nitrógeno a presión.

Cremas protectoras de manos	(2) por ciento	(3) por ciento
Acido esteárico	20,00	15,00
Dimethicone	5,00	—
Zinc, estearato	—	5,00
Isopropilo, miristato	2,00	—
Sorbitan, estearato	1,50	1,50
Polisorbato 60	3,50	2,00
Sorbitol	20,00	6,00
Metilcelulosa (sol. acuosa al 40 por 100)	—	25,00
Agua	48,00	45,50
Perfume, colorante, conservante	c.s.	c.s.

También los ejemplos 4 y 5 utilizan las propiedades barrera de las siliconas; el sistema emulsionante se compone de una mezcla de ésteres de polietilen glicol del alcohol cetílico y la viscosidad está controlada por la presencia de otro agente formador de película, el Carbomer 934 (neutralizado con trietanolamina).

Loción protectora de manos	(4) por ciento	(5) por ciento
Dimethicone	10,0	10,0
Cereth 2	2,6	4,0
Cereth 10	4,9	—
Cereth 20	—	3,6
Trietanolamina	0,2	0,2
Carbomer 934	0,2	0,2
Agua	82,1	82,0
Perfume, colorante, conservante	c.s.	c.s.

El ejemplo 6 es una loción protectora de manos aceite-agua más compleja, que utiliza lanolina, así como silicona y una película de silicato de magnesio y aluminio como sustancia barrera.

Loción protectora	(6)
	por ciento
DEA-oleth-3, fosfato	2,0
Alcohol cetílico	0,5
Lanolina	0,5
Dimethicone	2,0
Isopropilo, miristato	2,0
Acido esteárico	3,0
Trietanolamina	0,5
Propilen glicol	5,0
Magnesio, aluminio, silicato	0,5
Agua	84,0
Perfume, colorante, conservante	*c.s.*

Procedimiento: Dispersar el silicato de magnesio y aluminio al 20 por 100 en parte del agua antes de añadir al producto emulsionado a 60 °C.

En el ejemplo 7, se presenta una crema más sencilla que contiene silicona, aceite mineral y sulfato de sodio y magnesio.

Crema barrera	(7)
	por ciento
Dimethicone	19,0
Aceite mineral	19,0
Glicerilo, oleato	2,0
Sodio, magnesio, silicato	2,0
Agua	58,0
Colorante, conservante, perfume	*c.s.*

Las sustancias formadoras de película, tales como éteres de celulosa, PVP y silicatos han demostrado presentar ciertas propiedades barrera, aunque pueden ser afectadas negativamente por el agua y, por ello, son más apropiadas frente a disolventes orgánicos y otros irritantes no acuosos. En formulaciones que contienen estas sustancias, la protección frente a los irritantes transportados por agua se puede proporcionar, como se ha demostrado, por medio de componentes repelentes del agua. Sin embargo, se han hecho intentos de utilizar sustancias formadoras de película de un tipo completamente impermeable y estable al agua. Un método de emplear tales películas polímeras es aplicar la sustancia en forma soluble en agua y después transformarla, *in situ*, en un análogo insoluble. Se podría considerar el uso, por ejemplo, de polímeros ácidos que son solubles, como las sales alcalinas, pero insolubles en forma de ácido libre. Si una sustancia pudiera presentarse como sal amónica, por ejemplo, el extremo alcalino volátil de la molécula se podría desprender, dejando atrás el polímero en forma ácida. Análogamente, las sales sódicas solubles de ciertos formadores de película (por ejemplo alginatos) se pueden transformar en forma insoluble por la posterior aplicación de calcio u otros iones adecuados [1].

Productos barrera no acuosos

Algunos formuladores han propuesto que la protección frente a irritantes solubles en agua se proporciona mejor por sustancias formadoras de película de un medio no acuoso. Por ejemplo, ha sido patentado [2] el uso de películas de nitrocelulosa (conjuntamente con siliconas). Análogamente, de cuando en cuando se recomiendan composiciones que contienen polímeros fluorocarbonados [3] y acrilatos de acrilamidas y otros polímeros. Sin embargo, tales composiciones tienen dos desventajas. En primer lugar, los disolventes que se requieren en la formulación para disolver o dispersar a estos polímeros pueden ser ellos mismos irritantes o nocivos para la piel o desagradables de usar. En segundo lugar, tales películas impermeables pueden afectar seriamente a la función normal de la superficie cutánea, particularmente al transporte de agua a través de la epidermis, conduciendo a la maceración. Además, la eliminación eventual de tales películas requiere la aplicación posterior de disolventes que pueden irritar o dañar la piel.

Quizás el producto protector no acuoso más extensamente usado de todos es el ungüento de zinc y aceite de ricino que ha sido aplicado en las superficies más vulnerables de innumerables bebés y niños. Equivalentes modernos menos pegajosos, anhidros, se comentan en el capítulo de productos para bebés, basados en la acción protectora del óxido de zinc, sílice e hidrocarburos de parafinas. La siguiente formulación anhidra se sugiere como protección contra quemaduras instantáneas [4].

Base protectora	(8)
	por ciento
Dimethicone	50,0
Titanio, dióxido	30,0
Magnesio, estearato	18,0
Hierro, óxido	2,0

Un producto mucho más agradable y sofisticado es la formulación de aceite gelificado dada en el ejemplo 9 [5].

Gel protector	(9)
	por ciento
Aceite de lanolina	12,00
PEG-75 lanolina, cera	2,50
Aceite mineral	50,48
Aceite de oliva BP	20,00
Sorbitan, oleato	5,00
BHT	0,02
Sílice	10,00

Propiedades barrera de los polímeros catiónicos

Más recientemente se ha demostrado que ciertas resinas catiónicas solubles en agua parecen proporcionar protección a la piel frente a irritantes y alérgenos y reducir la lesión hecha a la función barrera de la piel causada por la exposición prolongada al agua. Se asegura que el grado de protección dado por tales polímeros es superior al que se podría esperar de la simple barrera mecánica de la película de polímero sin carga[6]. Se han aportado pruebas de que tales polímeros pueden penetrar en el estrato córneo en virtud de su carga catiónica, modificando el volumen y propiedades superficiales del estrato córneo, disminuyendo así su sensibilidad a jabones, detergentes y a álcalis presentes en cremas depilatorias y a ciertos alérgenos[7-11]. El ejemplo 10 ilustra el empleo de tal polímero en una loción protectora de manos[12].

Loción protectora de las manos	(10)
	por ciento
Aceite mineral	2,40
Isopropilo, miristato	2,40
Acido esteárico	2,90
Lanolina	0,50
Alcohol cetílico	0,40
Glicerilo, estearato	1,00
Trietanolamina	0,95
Propilen glicol	4,80
Quaternium-19	0,20
Agua	84,45
Colorante, perfume, conservante	*c.s.*

Ensayo de preparados protectores

Aunque se han descrito ensayos de selección de laboratorio para determinar la eficacia relativa de las cremas protectoras, ninguno de ellos, en su forma actual, representa un criterio real por el cual se pueda predecir el comportamiento de la crema protectora en uso, aunque algunos de ellos dan indicaciones útiles, particularmente en el aspecto negativo, ayudando a eliminar preparados que claramente son inadecuados, antes de que sean sometidos a ensayos prácticos reales del usuario.

En la introducción de una publicación sobre dermatitis profesional, que trata entre otras cosas de los métodos de ensayo para evaluar sustancias barrera, PORTER[13] llamó la atención sobre las deficiencias en los métodos de ensayo hasta entonces propuestos.

Tal vez el más sencillo de los ensayos realizados sea aquel en que una película de la crema barrera o protectora se aplica a una serie de portas limpios de microscopio que, después de dejarse secar durante un período prescrito, se sumergen en varios disolventes, tales como agua, alcohol, acetona y varios aceites y otras sustancias frente a las cuales se valora la resistencia del producto. El porta puede someterse a condiciones estandarizadas de agitación y se examina la integridad de la película barrera después del tratamiento, preferentemente frente a una preparación control que ha resultado ser prometedora.

En otro ensayo, el preparado se aplica a una membrana de soporte poroso, que puede ser papel de filtro, piel animal u otra sustancia deseada y después de secos se aplican en ella varias soluciones, frente a las cuales se desea determinar la resistencia del preparado barrera. El período de tiempo que la solución ensayo tarda en penetrar la membrana que contiene la película protectora se toma como medida de la resistencia de la preparación a aquella solución. Se han utilizado varias modificaciones de este procedimiento en las que el pH de la solución ensayo hace cambiar el color de una solución de un indicador que empapa el reverso de la membrana o, en la cual, la penetración de la fase acuosa afecta al indicador fluorescente bajo luz ultravioleta o en la que la solución de ensayo simplemente contiene un colorante soluble que tiñe el lado opuesto de la membrana durante la penetración. Una de las principales dificultades ha sido obtener la sustancia protectora en una capa de superficie y espesor estandarizados en el ensayo de la membrana.

Para superar esta dificultad, SCHWARTZ, MASON y ALBRITTON[14] controlaron el espesor de la película, colocándola en el papel de ensayo por medio de una hoja metálica de forma especial y de espesor estandarizado que, después de llenarse con la preparación a ensayar, se sometía a presiones de 5000 psi (35 MPa), con lo que el espesor de la película de la crema protectora correspondía al relleno estandarizado de la pieza metálica.

Para medir la permeabilidad de las películas de las cremas protectoras, MARRIOTT y SADDLER[15] diseñaron un aparato en el que el paso de la solución ensayo a través de la barrera puede ser medido por la lectura del menisco, a intervalos de tiempo, en un tubo de vidrio de calibre preciso, graduado en centésimas de mililitro.

Todos los ensayos anteriores, aunque valiosos como ensayos de clasificación que sirven para rechazar aquellas cremas que no son satisfactorias, omiten tomar en consideración la flexibilidad de la película barrera y también su resistencia en las condiciones de uso, donde condiciones de elevada humedad o contenido de electrólitos pueden afectar sólo a uno de los lados de la película.

PORTER[13] propuso el empleo de una técnica basada en la que se utiliza para ensayar la penetración del agua en el cuero, en la que pliega una película de crema colocada sobre un papel de filtro doblado en forma de barco y conteniendo el líquido frente al cual se juzga el comportamiento de la crema.

Cuando se llega a la selección final entre varias muestras experimentales diferentes, todas ellas con resultados prometedores en los ensayos de laboratorio, la selección debe basarse en ensayos prácticos.

En la práctica, se ha demostrado que se puede obtener una buena idea, tanto de la flexibilidad como del comportamiento general de los preparados en uso, aplicando la preparación protectora a las manos, dejándola secar, flexionando los dedos y sumergiendo las manos en varias soluciones, frente a las cuales se desea determinar la resistencia del producto, estando tales soluciones muy coloreadas con un colorante soluble e inocuo. Es interesante indicar que en los experimentos realizados por SCHWARTZ, MASON y ALBRITTON, mencionados anteriormente, la lanolina anhídrida y la vaselina entran en la misma clase, como los mejores protectores comerciales, no sólo frente a los álcalis y ácidos como era de esperar, sino también frente al aceite. Igualmente, se destacó que una elevada proporción de preparados declarados por sus fabricantes como protectores frente a aceites o disolventes, realmente entran en la categoría de los ensayos de laboratorio de aquellos que se declaran como protectores frente al agua.

En general, las cremas protectoras mantienen su eficacia durante al menos cuatro horas y se aplican al menos dos veces al día. Sin embargo, si se manejan sustancias especialmente corrosivas o si la crema se elimina regularmente, se requieren aplicaciones más frecuentes de la crema protectora a fin de proporcionar una total protección a las manos.

Toda crema protectora debe etiquetarse de manera adecuada e indicando claramente las sustancias frente a las que proporciona protección, de modo que el consumidor evitará el contacto con aquellos irritantes frente a los cuales no protege una determinada crema.

Productos para limpieza de las manos

Los diversos productos para limpieza de la piel se consideran, en la actualidad, una parte importante del régimen de cuidado de la piel junto con tónicos e hidratantes. Sin embargo, tales productos de limpieza están formulados para eliminar la suciedad, secreciones y maquillaje diarios y no son igualmente efectivos frente a manchas intensas, grasas, resinas, adhesivos, aceites, pinturas, alquitranes y tintes con que la piel, particularmente las manos, puede llegar a cubrirse en el hogar moderno, garage o lugar de trabajo. Los productos de limpieza enérgicos ofrecen la posibilidad de eliminar muchos de estos problemas contaminantes con poco riesgo de daño permanente para la piel.

Históricamente, el primer producto enérgico de limpieza de las manos, aparte de agua y jabón, fueron los aceites sulfonados, particularmente eficaces en la eliminación de aceites y disolventes, donde el uso frecuente y habitual de jabón ocasiona irritación en la piel. Sin embargo, actualmente los aceites sulfonados han sido sustituidos en su mayor parte por los denominados productos de limpieza de manos sin agua. El término «sin agua» es engañoso porque muchos de ellos contienen agua en la formulación y «sin agua» se refiere al hecho de que se pueden usar sin el empleo *adicional* de agua, aunque los fabricantes recomiendan frecuentemente un enjuague posterior con agua.

Los productos de limpieza sin agua para las manos se pueden formular como pastas, cremas, geles, lociones o líquidos transparentes y se basan en un agente de limpieza, un espesante, un emulsionante y, generalmente, agua.

Puesto que la mayoría de los contaminantes que los productos enérgicos de limpieza han de eliminar no son solubles en agua, los agentes de limpieza más comúnmente empleados en ellos son disolventes alifáticos, razonablemente eficaces, baratos, innocuos y fácilmente disponibles. Así, la mayoría de los ejemplos que se dan a continuación contienen keroseno inodoro, disolventes y aceites minerales.

Se puede utilizar como espesante cualquier agente que espese la fase acuosa o la fase oleosa del producto. En los ejemplos que se dan, se usan silicato de magnesio y aluminio (ejemplo 17), silicato de sodio y magnesio (ejemplo 16), un copolímero metil-vinil-éter-anhídrido maleico (ejemplo 18) y metilcelulosa (ejemplo 17). El jabón o los detergentes no iónicos que se utilizan frecuentemente como emulsionantes y, por su acción detergente, también proporcionan el espesamiento al formar un gel. Asimismo, se han empleado emulsionantes auxiliares para incrementar el poder de limpieza del producto, como con el anfótero del ejemplo 12, el sulfonato en el ejemplo 13 y la cocamida en el ejemplo 11.

Los jabones usados como emulsionantes para producir geles pueden ser sales de sodio, trietanolamida o monoetanolamida de los ácidos esteárico u oleico o mezcla de ambos.

Se añaden emolientes para mejorar las propiedades de aplicación y evitar la pérdida de grasa de la piel. La elección del emoliente es extensa y en las siguientes fórmulas se utiliza lanolina (ejemplo 11), lanolina etoxilada (ejemplo 12), miristato de miristilo (ejemplo 19) y propilen glicol (ejemplo 14).

Geles para las manos sin agua	(11) *por ciento*	(12) *por ciento*
Keroseno desodorizado	35,00	25,00
Lanolina	10,00	—
DEA cocamida	4,00	—
Acido esteárico	2,43	6,00
Acido oleico	3,64	8,00
Sodio, hidróxido	0,38	0,80
Amphoteric-2	—	2,00
PEG-75 lanolina	—	0,50
Agua	44,55	57,50
Perfume, colorante, conservante	*c.s.*	*c.s.*

Gel para manos sin agua	(13) *por ciento*
Keroseno desodorizado	20,00
Alquilaril sulfonato (amina neutralizada)	5,00
DEA cocamida	2,00
Acido oleico	8,00
Monoetanolamida (al 20 por 100)	8,00
Agua	57,00
Perfume, colorante, conservante	*c.s.*

Limpiadores para manos desprovistos de agua	(14) *por ciento*	(15) *por ciento*
Keroseno desodorizado	20,00	55,00
Aceite mineral	20,00	—
Glicerilo, estearato	3,00	—
Acido esteárico	5,00	—
Acido oleico	—	4,50
Estearamida-MEA, estearato	—	6,00
Propilen glicol	5,00	—
Trietanolomina	1,50	1,50
PEG-8, cocoato	—	3,00
Agua	45,50	30,00
Perfume, colorante, conservante	*c.s.*	*c.s.*

Gel de limpieza cutánea	(16)
	por ciento
Aceite mineral	15,50
Acido esteárico	4,40
Triclosan	0,10
Sodio, magnesio, silicato	2,00
Trietanolamina	1,60
Agua	76,40
Perfume, colorante, conservante	*c.s.*

El ejemplo 16 ilustra sobre la posibilidad de incorporar agentes antisépticos (como el triclosan) y otras sustancias auxiliares que proporcionan ventajas adicionales al producto. Cuando el producto se destina a eliminar suciedad especialmente fija, tal como tinta de papel carbón o de cinta de la máquina de escribir, el formulador debe seleccionar un abrasivo suave, tal como la piedra pómez finamente pulverizada. Sin embargo, no debe recomendarse el uso de tal producto en pieles sensibles.

El ejemplo 17 no tiene jabón y utiliza emulsionantes no iónicos para producir una crema. Esta fórmula la prefieren los usuarios que encuentran los productos alcalinos irritantes para su piel. El ejemplo 18 es una forma mucho más suave de limpiador en forma sencilla líquida.

Crema de limpieza para manos sin agua	(17)
	por ciento
Magnesio, aluminio, silicato	2,50
Sorbitan, estearato	2,00
Polisorbato 60	8,00
Keroseno desodorizado	35,00
Metilcelulosa	0,50
Agua	52,00
Perfume, colorante, conservante	*c.s.*

Producto líquido de limpieza para manos		(18)
		por ciento
Polímero de PVM/MA		0,40
PEG-6-32		5,00
Octoxinol-9		5,00
Agua		89,60
Potasio, hidróxido	hasta pH	7
Perfume, colorante, conservante		*c.s.*

El último ejemplo es excepcional, puesto que comprende un producto base que puede transformarse en varios productos diferentes variando la consistencia por adición de disolvente junto con cantidades variables de ácido oleico:

Producto de limpieza para manos sin agua	(19)
A. Base (pasta sin grumos)	*por ciento*
Cocamidopropilamina, óxido	18,00
Cocamida, DEA	38,00
Dioctilo, sulfosuccinato	15,00
Miristilo, miristato	15,00
Acido oleico	14,00

Mezclar hasta obtener producto sin grumos a 45-55 °C

B. Productos terminados	Gel	Crema	Loción
	por ciento	*por ciento*	*por ciento*
Base	15,00	13,90	12,95
Keroseno inodoro	30,00	27,70	25,90
Acido oleico	1,50	1,40	1,40
Agua	53,50	57,00	59,75
Perfume, colorante, conservante	*c.s.*	*c.s.*	*c.s.*

Procedimiento: Calentar y agitar todos los componentes excepto el agua hasta transparencia a 55 o 65 °C. Añadir agua lentamente a 55 °C agitando a elevada velocidad hasta que el producto sea homogéneo y sin grumos.

REFERENCIAS

1. British Patent 1 122 796, Givardière, G., 1968.
2. British Patent 754 844, Morgulis, S., 1954.
3. British Patent 797 992, British Oxygen Co., 1956.
4. Cook, M. K., *Drug Cosmet. Ind.*, 1959, **84,** 32.
5. Silverman, H. I. *et al.*, *Drug Cosmet. Ind.*, 1974, **114,** 30.
6. Union Carbide Corporation, *Polymer JR for Skin Care*, 1977.
7. Faucher, J. A. and Goddard, E. D., *J. Soc. cosmet. Chem.*, 1976, **27,** 543.
8. Goddard, E. D., Hannan, R. B. and Faucher, J. A., *The Absorption of Charged and Uncharged Cellulose Ethers*, paper presented at the International Congress on Detergency, Moscow, September, 1976.
9. Goddard, E. D., Phillips, T. S. and Hannan, R. B., *J. Soc. cosmet. Chem.*, 1975, **26,** 461.
10. Goddard, E. D. and Hannan, R. B., *J. Colloid Interface Sci.*, 1976, **55,** 73.
11. Faucher, J. A., Goddard, E. D., Hannan, R. B. and Kligman, A. M., *Cosmet. Toiletries*, 1977, **92,** 39.
12. Goddard, E. D. and Lueng, P. S., *Cosmet. Toiletries*, 1980, **95,** 67.
13. Porter, R., *Br. J. Dermatol.*, 1959, **71,** 22.
14. Schwartz, L., Mason, H. S. and Albritton, H. R., *Occup. Med.*, 1946, **1,** 376.
15. Marriott, R. H. and Sadler, C. G. A., *Br. med. J.*, 1946, **2,** 769.

7

Preparados para el baño

En los últimos años, los productos comercializados para el baño han sufrido una considerable evolución, tanto en términos de volumen como en la variedad de productos disponibles. En particular, productos que anteriormente dominaron el mercado, tales como sales de baño, tabletas y cristales son ahora mucho menos populares y han sido sustituidos en gran parte por los baños de espuma. La gama de los preparados para el baño, actualmente, incluye aceites para baño, geles para ducha, lociones corporales para después del baño e incluso los más recientes productos hidroalcohólicos, denominados a veces como *bath satins*.

BAÑOS DE ESPUMA

Introducción

Sin duda alguna, actualmente los baños de espuma son los preparados para el baño más populares del mercado, y han disfrutado de excelente crédito en los últimos años. Generalmente se encuentran en forma líquida, gel o polvo. La limpieza del cuerpo, la función primaria de un baño, se realiza muy bien con un baño de burbujas, que además ofrece la oportunidad de aplicar muchos ingredientes deseables para la salud y belleza de la piel, aunque necesariamente no sean tan eficaces como cuando estas sustancias coadyuvantes se utilizan individualmente. Actuando como un producto de limpieza corporal, un baño de burbujas desprende y suspende la suciedad, mugre y grasas corporales, y evita la formación del «anillo de la bañera» que usualmente se forma cuando se utiliza jabón. A este respecto, un producto para baño de burbujas bien formulado acondiciona la piel, desodoriza y perfuma el cuerpo y el cuarto de baño, estimula los sentidos y fomenta la relajación.

Un buen producto de baño espumoso debe presentar las siguientes características:

1. Debe proporcionar abundante espuma a mínima concentración de detergente.

2. La espuma debe ser estable, especialmente en presencia de jabón y

suciedad, y dentro de amplios límites de temperatura. Las propiedades simultá-
neas de estabilidad de espuma y facilidad de eliminación del baño no se han
logrado en la práctica, y se debe intentar proporcionar una espuma razonable,
pero sin excesiva estabilidad. Eludiendo el uso del jabón, naturalmente, es
posible evitar la rotura prematura de espuma y, por tanto, satisfacer los
requerimientos estéticos del que se baña y facilitar la posterior eliminación del
agua sucia del baño.

3. Debe impedir la formación del anillo de la bañera.

4. No debe ser irritante a los ojos, piel ni mucosas. A los baños de burbujas
se les ha achacado producir síntomas de irritación en el tracto urinario inferior,
y es esencial comprobar el grado de irritabilidad potencial de todos estos
productos antes de comercializarlos.

5. Debe tener un poder detergente adecuado de modo que limpie el cuerpo
con eficacia. Para contrarrestar una aspereza excesiva para la piel, se recomienda incluir un emoliente de la piel a baja concentración.

Formulación de baños de espuma

Como ya se ha mencionado, los baños de espuma se presentan en varias
formas físicas, y es evidente que la selección de materias primas depende
principalmente de la forma final del producto. Antes de exponer detalladamente
los tipos de productos, es interesante examinar las materias primas disponibles.

Agentes de espuma

Es evidente que el agente de espuma es el ingrediente más importante de
todos los productos para el baño de espuma, y se debe tener mucho cuidado en
su selección. Cuando se selecciona un tensioactivo es importante tener presente
las propiedades que debe presentar un buen baño de espuma. De los muchos
tensioactivos actualmente disponibles, los aniónicos son los más ampliamente
utilizados; tanto los no iónicos como los anfóteros son, también, de considerable
interés. Los catiónicos, sin embargo, a causa de su incompatibilidad con jabones
y otros aniónicos, y su más acusada irritabilidad para los ojos, se utilizan, si
acaso, raramente en formulaciones de los baños de espuma.

Entre los tensioactivos aniónicos más comúnmente utilizados están las sales
de sodio, amonio y alcanolaminas de alcohol graso-sulfatos, alcoholes graso éter
sulfatos y, a veces, alquil benceno sulfonatos. Los jabones no son tensioactivos
adecuados para usar en baños de espuma, pues precipitan los jabones de calcio y
magnesio en aguas duras como una nata espesa sucia.

Los alcoholes graso-sulfatos, principalmente los lauril sulfatos, fueron los
primeros aniónicos de alguna importancia que se utilizaron como agentes
primarios de espuma en los baños de esta índole. Aunque forman menos espuma
instantánea que los aún más utilizados alcoholes graso éter sulfatos, frecuentemente su espuma se considera mucho más cremosa; esta propiedad, junto con su
irritación potencial relativamente baja, «sensación» de suavidad para la piel, e
inhibición de la formación del anillo en la bañera, ha contribuido al extensivo

uso de los lauril sulfatos. La versatilidad de las variadas sales disponibles ofrece al formulador una gran libertad en la creación de productos en muchas formas. Por ejemplo, elevadas concentraciones de lauril sulfato sódico se pueden mezclar en productos en polvo secos. Sin embargo, el lauril sulfato sódico no es especialmente recomendable para productos líquidos debido a su relativa insolubilidad, y, como consecuencia, a sus elevados valores de punto de turbiedad; por ejemplo, una solución al 30 por 100 de lauril sulfato sódico tiene un punto de turbiedad de 20 °C aproximadamente. Algunos consideran al lauril sulfato amónico como el mejor espumante y limpiador, y tiene la ventaja sobre la sal sódica de que es menos propenso a hidrolizarse a bajos valores de pH. Sin embargo, presenta un problema: la exigencia de mantener el pH ácido para evitar el desprendimiento de amoniaco. Varios lauril sulfatos de alcanolaminas, en virtud de su mayor solubilidad y menor viscosidad, permiten la formulación de productos líquidos de mayor concentración, pero tienden a producir menos espuma.

Quizás los más populares de los tensioactivos usados en baño de espuma sean los alcoholes graso éter sulfatos, especialmente las sales sódicas y, en particular, los basados en alcoholes lauril-mirístico y que contienen 2-3 moles de óxido de etileno por mol de alquil éter sulfato. Abundante espuma independiente de la dureza del agua, razonable estabilidad de la espuma en presencia de jabón, esencias de grato olor, aditivos oleosos y detritos del cuerpo, junto con buena compatibilidad con la piel, hacen que estas sustancias sean especialmente elegidas para productos de baño. Se ha logrado un elevado grado de progreso, cuando un dispersante de jabón cálcico evita la formación del anillo, o cerco, en la bañera, aun con aguas muy duras. Otras ventajas de estos tensioactivos son su pigmentación, que permite el empleo de colores muy delicados de pastel, su buena respuesta de viscosidad electrolítica y un poder de disolución poco frecuente para los perfumes.

Precisamente por razones de costo, los alquil benceno sulfonatos, principalmente dodecil benceno sulfonatos de cadena ramificada, encontraron pronto su vía procedente de su uso en los detergentes domésticos hacia los productos de tocador, tales como baños de espuma. De todos los tensioactivos sintéticos, los alquil benceno sulfonatos sódicos son probablemente los más adecuados para secado por atomización, y hasta hace poco la mayor parte de los productos comerciales del mercado en forma granulada se componían de esta sustancia y varias sales coadyuvantes de espuma y diluyentes. Cuando las consideraciones de biodegradabilidad se hicieron críticas, creció la importancia de los alquil benceno sulfonatos lineales. No obstante, en 1970 se informó a la *Food and Drug Administration* de los Estados Unidos de América de un número creciente de reclamaciones por irritación e infección, principalmente en muchachas. Se sospechó de los alquil benceno sulfonatos lineales y se renunció al empleo tanto de la sal sódica en productos de baños de espuma en polvo, como de la sal de trietanolamina más soluble en baños de espuma líquidos, con la finalidad de evitar la amenza de acciones reguladoras reglamentadas por la Administración[1].

Otros tensioactivos aniónicos dignos de mención son los alfa-olefín sulfonatos, lauril sulfoacetatos, los semiésteres sulfosuccinatos y los parafín sulfonatos.

Los alfa-olefín sulfonatos son comercialmente atractivos, y han sido utilizados como alternativa a los alquil benceno sulfonatos en baños de espuma en polvo.

Sus propiedades toxicológicas, sin embargo, tienen que ser aún aclaradas, independientemente de que se les atribuya el problema de la regulación de la viscosidad con electrólitos en productos líquidos.

Los lauril sulfoacetatos son, a veces, utilizados en baños de espuma en polvo o granulados de elevado precio, pero su limitada solubilidad ha restringido grandemente su empleo en productos líquidos.

Los sulfosuccinatos, especialmente los monoésteres, tal como lauril alcohol poliglicol éter sulfosuccinato disódico, Rewopol SBFA30, se consideran detergentes muy suaves con buenas propiedades espumantes y libres de toda tendencia a irritar la piel y membranas mucosas. Además, se les atribuye la propiedad de aumentar la tolerancia de la piel a otros detergentes, tales como alcohol graso éter sulfatos y alquil bencen sulfonatos.

Los parafín sulfonatos obtenidos de la sulfooxidación de n-parafinas son productos relativamente económicos y, por consiguiente, de interés. En especial, son interesantes los alcano sulfonatos secundarios conocidos comercialmente como Hostapur SAS. Esta sustancia, además de ser biodegradable y de presentar buenas propiedades fisiológicas, es también un buen espumante con elevada solubilidad en agua. Sin embargo, el uso aislado de Hostapur SAS normalmente desengrasa en exceso la piel y, además, el producto final es difícil de espesar. Estas dificultades se superan al asociarlos con otros tensioactivos, tal como alquil éter sulfato.

Los tensioactivos no iónicos no forman especialmente bien espuma y, por consiguiente, no son utilizados como espumantes primarios. En cambio, los componentes no iónicos de baños de espuma se emplean para estabilizar la espuma, incrementar la viscosidad del producto o solubilizar los ingredientes que se utilizan para el cuidado de la piel y perfumes. Entre los tensioactivos no iónicos que se usan en los baños de espuma, los de mayor empleo son los alcanolamidas y óxidos de aminas; además se emplean, ocasionalmente, derivados etoxilados, tales como alcoholes grasos etoxilados, ácidos grasos etoxilados, alquilfenoles etoxilados, alcanolamidas etoxiladas, condensados de óxido de propileno etoxilados (Pluronic) y condensados de sorbitan ácido graso etoxilado.

Las alcanolamidas constituyen una amplia gama de tensioactivos y comercialmente se dispone de muchos tipos. Se obtienen de la condensación de fracciones de ácidos grasos prodedentes del aceite de coco con alcanolamidas. Las dietanolamidas tienden a ser usadas en baños de espuma en forma líquida, como consecuencia de su mayor solubilidad en agua. Tanto las amidas de Kritchevsky (2 moles de dietanolamina reaccionan con 1 mol del ácido graso) como las super amidas (1 mol de dietanolamida reacciona con 1 mol del éster metílico del ácido graso) se comportan bien en esta aplicación y son difíciles de superar económicamente como «boosting»; además regulan y estabilizan la espuma y aportan viscosidad en los baños de espuma convencionales basados en alquil sulfatos y alquil éter sulfatos. Las monoetanolamidas e isopropanolamidas insolubles en agua tienden a ser utilizadas principalmente en productos secos. Usualmente, la mayor estabilidad de espuma y compatibilidad con jabón son dadas por las partes de ácido graso de estas aminas que generalmente tienen 12 a 18 carbonos de longitud; con mayor pureza en la amida del ácido graso de C-12. La concentración de alcanolamida empleada varía en función del detergente primario utilizado, pero usualmente es inferior al 3-4 por 100. En ocasiones, la presencia de elevadas concentraciones de un emoliente, perfume o agente perlante puede necesitar aumentar esta concentración.

Las alcanolamidas etoxiladas contribuyen a la formulación total del mismo modo que las alcanolamidas, pero, como era de esperar, son más solubles y, en la mayoría de los casos, no espesan al producto terminado en la misma amplitud.

A los oxidos de aminas se les atribuyen mejores propiedades estimulantes de la espuma que a las alcanolamidas, pero ésta es una cuestión discutible. Tal vez el más utilizado sea el óxido de dimetilamina C-12, pues se han encontrado problemas de turbidez con el óxido de dimetilamina C-14.

Los tensioactivos etoxilados no iónicos mencionados anteriormente se utilizan más como emulsionantes, solubilizantes y emolientes que como reguladores de espuma. Por ejemplo, el grupo de polímeros Pluronic se ha recomendado como solubilizantes útiles de perfumes. A las gomas solubles en agua se les atribuye actuar como estabilizadores de espuma cuando se emplean a bajas concentraciones, y se considera que actúan reforzando las paredes de las burbujas de espuma y, por ello, aumentan su resistencia a colapsar.

Los tensioactivos anfóteros, cuya carga puede variar según el pH del sistema, se presentan como uno de los grupos de tensioactivos especiales de crecimiento más rápido. Recientemente, se ha prestado mucho interés hacia las alquil imidazolín betaínas y, en particular, a dos alternativas de imidazolín betaínas del coco, Empigen CDR10 y Empigen CDR30, fabricadas por Albright y Wilson. Estas dos sustancias son muy similares, pero difieren considerablemente en sus efectos sobre la viscosidad. A ambos productos se les atribuye presentar destacada suavidad y, además, excelentes propiedades de producir espuma, comparable a los tensioactivos aniónicos convencionales; también se afirma que la estabilidad de la espuma es buena, aun en presencia de suciedad y jabón. No obstante, se recomienda combinar estas sustancias con los tensioactivos aniónicos convencionales para mejorar su comportamiento en relación a limpieza, control de la viscosidad y costos. Otros anfóteros que se han empleado en baños de espuma son las alquil amido betaínas, que se presentan como buenos productores de espuma, además de tener propiedades estabilizadoras de ella. A estas sustancias se les atribuye excepcionales propiedades para promover la estabilidad de la espuma en presencia de aceite y sebo. Se disponen comercialmente de varias procedencias, por ejemplo, Tego-betaína L7 de Goldschmidt, Steinapon AM-B13 de Rewo y Empigen BT de Albright y Wilson. Por otra parte, las alquil dimetil betaínas, por ejemplo, Empigen BB de Albright y Wilson, tienden a usarse solamente como estabilizantes de espuma.

Emolientes

En un intento de superar algunos de los posibles efectos de aspereza en la piel de los baños de espuma, se pueden añadir ingredientes especiales, conocidos como emolientes, para lograr y mantener una piel sana y atractiva. El valor de muchos de estos acondicionadores ha sido discutido, pero continúan utilizándose con manifiesto éxito. Aunque se ha argumentado que la persona permanece muy poco tiempo en el baño para obtener un beneficio real, igualmente opiniones de prestigio se han expresado en el sentido de que, aun en este poco tiempo, la piel absorbe sustancias activas. Se usan mucho tales ingredientes. La relación que sigue, aunque no exhaustiva, indica algunos de los más populares de uso común: ésteres de cadena ramificada, por ejemplo miristato de isopropilo; oleato de decilo; ésteres de ácidos grasos de glicéridos parcialmente etoxilados (Sofrigen 767); derivados de proteínas; derivados de lanolina; alcoholes grasos etoxilados, etc. Polymer JR de la Unión Carbide, que es un éter catiónico derivado de la celulosa, se ha recomendado para usarlo en baños de espuma, y, debido a su naturaleza catiónica, se considera que posee mejores propiedades de sustantividad para la piel que muchos otros emolientes.

Otras dos sustancias interesantes y relativamente nuevas son Aethoxal y Cetiol HE de Henkel. Además de emolientes, estos aceites presentan actividad tensioactiva suave y no interfieren con las propiedades espumantes de otros tensioactivos. Ambas son más solubles en agua fría que en el agua caliente del baño y, como consecuencia, cuando se añaden al agua caliente del baño se produce una espuma instantánea.

Es digno de recordar que es necesaria una formulación cuidadosa cuando se emplean algunos de estos ingredientes para evitar pérdida de espuma y proteger al producto frente a la inestabilidad.

Perfumes

No es cuestionable que el perfume empleado en un baño de espuma es de extrema importancia; es, quizá, de igual importancia a la del ingrediente espumante. La mayor parte de las grandes compañías que comercializan baños de espuma gastan una gran cantidad de tiempo y dinero en la selección de los perfumes para sus productos. Evidentemente, un buen perfume debe transmitir la imagen de «marketing» de la marca, y también debe cumplir con los siguientes requisitos:

1. Debe ser notable cuando se huele el frasco.
2. Debe ser fresco y tener suficiente volatilidad para producir un fuerte impacto.
3. Debe ser persistente, proporcionando sensación de frescura y bienestar.
4. Debe ser estable durante la vida comercial del producto.

La concentración de perfume empleado varía entre 1 y 5 por 100, dependiendo de las limitaciones de costo. La naturaleza de los ingredientes del perfume puede exigir el uso de solubilizantes adicionales; los más comúnmente utilizados son los no iónicos, tales como alcoholes grasos etoxilados, ésteres de ácidos grasos etoxilados, ésteres sorbitan de ácidos grasos etoxilados y condensados de óxido de propileno etoxilado, por ejemplo, Pluronic. Es digna de atención una interesante y reciente publicación de BLAKEWAY et al.[2] sobre la solubilización de perfumes.

Debido a su compleja naturaleza, frecuentemente los perfumes originan problemas de estabilidad al producto. No sólo afectan a la estabilidad del olor, sino que originan decoloración, alteran el sistema conservante y provocan la inestabilidad en productos transparantes, opalescentes y emulsiones. No se debe subestimar la necesidad de adecuados ensayos de estabilidad de todo nuevo producto. Los ingredientes usados en perfumes también deben someterse a ensayos de seguridad antes de ser usados.

Los extractos de plantas, aunque no pueden ser clasificados estrictamente como ingredientes de perfumes, se emplean en preparados para baño, usualmente para transmitir la imagen de la marca y justificar los reclamos terapéuticos con relación a transtornos leves de la piel. Si se desea, se pueden obtener extractos de la mayor parte de las plantas existentes, pero su naturaleza medicinal está sujeta a especulación.

Controladores de la viscosidad

El problema de lograr una viscosidad adecuada de los productos líquidos no es sencillo, pues depende de muchos factores, tales como la elección y concentración del tensioactivo y del regulador de espuma. Incluso se han encontrado ciertos perfumes que tienen un efecto significativo en la viscosidad. Generalmente, las sales inorgánicas, tales como cloruros de sodio y potasio, se utilizan para espesar el producto cuando es posible, mientras que alcohol, hexilen glicol, propilen glicol y polietilen glicoles se emplean para disminuir la viscosidad. Sin embargo, ciertos problemas de espesamiento pueden ser sólo resueltos usando gomas naturales, como la tragacanto y arábiga, o gomas sintéticas, como metilcelulosa e hidroxietilcelulosa.

Color

La coloración de los baños de espuma es importante en *marketing*, y se debe tener cuidado al elegir los matices en el producto seleccionado para que sean estables. Es evidente que si los productos se comercializan en frascos transparentes se deben realizar adecuados ensayos a la luz. Se pueden lograr efectos interesantes de coloración en el baño usando colores indicadores y fluoresceína. Antes de seleccionar finalmente un sistema de color se debe comprobar cuidadosamente las exigencias requeridas del país en que se van a comercializar los productos.

Conservantes

Excepto en el caso de preparados en polvo para baño de espuma y los que tienen una concentración muy elevada de detergente, los baños de espuma deben contener una cantidad adecuada de conservante para prevenir el ataque de mohos y bacterias, particularmente de especies de Pseudomonas. El ataque bacteriano puede producir opacidad en productos que pretenden ser transparentes, separación en productos emulsionados y perlantes y pueden producir alteraciones en los sistemas de perfumado y coloración. La conservación es cuestión de seleccionar un conservante apropiado de acuerdo con los requerimientos legislativos del país de venta. Conservantes disponibles incluyen: etanol; hidroxibenzoatos de metilo, propilo y butilo; nitrato de fenilmercúrico; formaldehído,

Bronopol y muchos otros. Sólo se puede determinar el mejor conservante para un baño de espuma en particular por ensayo microbiológico adecuadamente proyectado. Una buena limpieza en la planta de fabricación es, sin embargo, tan importante como la selección del conservante para evitar la contaminación del producto.

Agentes opalescentes

Cuando se desea un baño de espuma líquido y opaco se necesita una sustancia que proporcione la opacidad. Las más comúnmente empleadas son las siguientes: alcoholes superiores, tales como alcohol esteárico o cetílico; mono-diestearatos de etilen glicol; estearatos y palmitatos de glicérilo y propilen glicol; sales de magnesio, calcio y zinc del ácido esteárico.

Evidentemente, la viscosidad es un factor decisivo en la estabilidad de tales sistemas, pero también la técnica de fabricación empleada es de vital importancia para lograr la máxima estabilidad. Idealmente, cuando se emplean los opalescentes anteriormente citados, todos los ingredientes, salvo el perfume, deben calentarse a 65-70 °C y dejarlos enfriar lentamente hasta temperatura ambiente agitando suavemente para desarrollar el perlado. Un enfriamiento rápido produciría productos menos perlados que pueden ser inestables. Sin embargo, es posible obtener concentrados de mezclas opalescentes-detergentes de algunos de estos opalescentes que evita la necesidad de calentar el lote. También, pueden incorporarse otros opalescentes sin calentar, pero tienden a dar una apariencia menos perlada, por ejemplo, sustancias polímeras tales como los opalescentes de la gama Antara de GAF y Series E de Morton Williams

Tipos de productos

Líquidos

Los líquidos se pueden, además, clasificar en productos transparentes, translúcidos, opacos, perlados y multicapas. Las posibilidades de formulación de un baño espuma líquido, transparente, de precio medio son infinitas; una formulación de un producto típico, y muy sencillo, es la que sigue:

	(1)
	por ciento
Sodio, lauril éter sulfato (28 por 100 activo)	50
Dietanolamida de coco	3
Perfume	1-2
Acido cítrico	*c.s.* hasta pH 7
Colorante, conservante, emolientes, solubilizante	*c.s.*
Sodio, cloruro	*c.s.* hasta viscosidad requerida
Agua	hasta 100

Se pueden lograr formulaciones más caras, pero más suaves, sustituyendo parte del lauril éter sulfato sódico por una imidazolidín betaína de coco, por ejemplo Empigen CDR10 (Albright y Wilson), o sal disódica de lauril alcohol poliglicol éter sulfosuccinato (Rewopol SBFA30-Rewo). Además, se podría introducir, para mejorar la estabilidad de la espuma, particularmente en presencia de jabón, una alquil amido betaína, por ejemplo Empigen BT (Albright y Wilson):

	(2) *por ciento*	(3) *por ciento*
Sodio, lauril éter sulfato (28 por 100 activo)	25	30
Empigen CDR10	25	—
Rewopol SBFA30	—	40
Empigen BT	4	—
Dietanolamida de coco	—	3
Perfume	1-2	1-2
Acido cítrico	*c.s.* hasta pH 7	*c.s.* hasta pH 7
Colorante, conservante, emolientes	*c.s.*	*c.s.*
Sodio, cloruro	—	*c.s.* hasta viscosidad requerida
Agua	hasta 100	100

Los productos translúcidos y perlados se crean con la adición de estearatos insolubles, como se expuso anteriormente. Todos los grandes fabricantes de tensioactivos disponen de ellos, y el grado de opacidad depende de la concentración de la adición que generalmente es entre el 1 y el 5 por 100. Los productos opacos y no perlados se obtienen por adición de sustancias poliméricas tales como Antara 430 (GAF).

Se pueden lograr productos multicapas, y una formulación típica tomada de una patente británica[3] es la siguiente:

	(4) *por ciento*
Sodio, lauril éter sulfato (25 por 100)	50,0
Dietanolamida de coco	9,0
Hexilen glicol	14,0
Monoetanolamina, citrato, neutro	13,0
Acido cítrico	3,0
Perfume, colorante, conservante, agua	hasta 100,0

Geles

Básicamente los geles son muy similares a los productos líquidos, excepto en que tienen una viscosidad mucho más elevada. Esto se logra incrementando la concentración de detergente, estabilizante de espuma o contenido de electrólito, dependiendo de la formulación en particular. También aquí se pueden considerar los geles para la ducha, pues son prácticamente idénticos en formulación a los productos líquidos de elevada viscosidad para el baño; sin embargo, deben ser mucho más suaves, pues se venden para ser aplicados directamente al cuerpo, y es habitual para los geles de ducha adoptar los tipos de formulación, ya mencionados, que tienen una acción más suave para la piel y los ojos.

Productos en polvo de baños de espuma

Los productos en polvo seco de baños de espuma merecen ser mencionados, aunque son de mucha menos importancia que los productos líquidos de baño de espuma. Consisten en una mezcla de uno o más agentes espumantes, sustancia de carga y ablandadores de agua para dar cuerpo, o actuar como portadores, perfume, color y agentes deslizantes.

Generalmente, los ingredientes mayoritarios tensioactivos son productos secos, a veces reforzados con tensioactivos líquidos, por ejemplo lauril éter sulfato sódico, para dar una espuma instantánea. A causa de los esporádicos incidentes de irritación del tracto urinario alegados, estos tensioactivos tienden a ser reemplazados por alfa-olefín sulfonatos. Otros tensioactivos que han sido utilizados incluyen lauril sulfato sódico, lauril sulfoacetato sódico y derivados de isetionatos.

Las cargas inorgánicas, tales como cloruro sódico y sulfato sódico, se utilizan con frecuencia en los productos más económicos. Sin embargo, estos pueden sustituirse por productos de carga funcionales, que, además de actuar como carga, también poseen propiedades ablandadoras del agua. Estos incluyen hexametafosfato sódico, sesquicarbonato sódico y pirofosfato tetrasódico. Uno de los principales problemas de la formulación de los productos en polvo de baños de espuma es mantener su fluidez y evitar el aglutinamiento. Esto se consigue incorporando al preparado fosfato tricálcico, silicato cálcico o silico aluminato de sodio. Generalmente, se emplean bentonita o almidón para absorber el perfume, con el fin de dispersarlo por la totalidad del producto, mientras el colorante se incorpora mediante una premezcla con uno de los productos de carga. Veamos dos ejemplos de formulaciones:

	(5) por ciento
Alfa-olefin sulfonato (40 por 100 activo granos secados por atomización)	20
Isopropanolamida, ácido laurico	3
Sodio, sesquicarbonato (baja densidad)	60
Sodio, cloruro	14
Perfume	3
Colorante	c.s.

	(6) por ciento
Sodio, lauril sulfato	30
Sodio, lauril sulfoacetato	10
Isopropanolamida, ácido laurico	3
Sodio, sesquicarbonato (de baja densidad)	50
Calcio, silicato	4
Perfume	3
Colorante	c.s.

Evaluación de producto

Es difícil una completa evaluación de los productos de baño de espuma, puesto que la interpretación de la sensación inicial y final en la piel, eficacia de los ingredientes especiales, perfume y cantidad y textura de espuma es subjetiva, y requiere de grandes paneles de consumidores para obtener resultados significativos. Por tanto, es normal limitar los ensayos de laboratorio a evaluar el volumen de espuma y la estabilidad en presencia, tal vez, de suciedad y jabón. Esto es razonable, pues el poder espumante es probablemente la propiedad sencilla más importante que atañe al consumidor. Una técnica idónea de medir la espuma se detalla en una publicación de BEH y JAMES[4]. Empleando un método relativamente sencillo, se demuestra que la adición de pequeñas cantidades de iones calcio aumenta realmente el volumen de la espuma, aunque en presencia de jabón la estabilidad de la espuma empeoró cuando había iones calcio presentes. También se demostró que el efecto de los iones calcio desapareció incorporando EDTA. Igualmente, se examinaron varios estabilizadores de espuma y como consecuencia de este estudio se demostró que una alquilamido betaína es el mejor agente estabilizante frente al jabón y, en segundo lugar, la N-alquildimetil betaína. Algunos resultados, aparentemente anómalos, de esta publicación ilustran la importancia de realizar medidas de la espuma en todos los productos terminados para detectar la posible inclusión de desestabilizadores de espuma.

SALES DE BAÑO

Las sales de baño, que también se conocen como cristales de baño, se encuentran entre los primeros aditivos utilizados en el baño, aunque en la actualidad forman una parte relativamente poco importante dentro del mercado total de productos para el baño. Se componen de sales inorgánicas solubles, agradablemente perfumadas y coloreadas, diseñadas para dotar al baño de propiedades de fragancia, color y, en la mayor parte de los casos, de ablandamiento del agua. Además de esto, algunas de ellas producen efervescencia, mientras otras contienen aditivos oleosos con propiedades emolientes. La característica más importante de las sales de baño es, sin duda alguna, la fragancia que ha de ser refrescante y relajante y tener la suficiente intensidad como para esparcirse por la zona de baño.

También son claramente importantes el tamaño, el color y la atracción de los cristales; además, los cristales deben fluir libremente, dispersarse con facilidad y disolverse rápidamente en el agua del baño. Además son muy importantes la baja alcalinidad y la suavidad para la piel, y tanto si son ablandadoras del agua como si no, las sales de baño nunca deben perjudicar al poder espumante o detergencia del jabón, ni deben contribuir a la formación del anillo en la bañera.

Componentes y formulación

Sales

Sesquicarbonato sódico ($Na_2CO_3 \cdot NaHCO_3 \cdot 2H_2O$), mezcla de sales, es probablemente la sustancia más popular utilizada en los preparados para sales de baño. Se presenta en cristales de tamaño uniforme, alargados, translúcidos y atractivos, que son muy estables, no se aglomeran y fluyen libremente. Se disuelven rápida y completamente en agua, son fáciles de teñir y perfumar, son un excelente ablandante del agua y bastante suaves a la piel, teniendo un valor de pH de aproximadamente 9,8 en solución al 1 por 100.

Otros cabonatos que se han empleado son el carbonato sódico decahidrato, $CO_3Na_2 \cdot 10H_2O$, y el monohidrato, $CO_3Na_2 \cdot H_2O$. El decahidrato, conocido como sosa para lavar, es un buen ablandante del agua y se compone de atractivos cristales de gran tamaño que se disuelven rápidamente en agua caliente. Desgraciadamente, tiene varios graves invonvenientes, incluyendo su bajo punto de fusión de 35 °C, a cuya temperatura, se disuelve en su propia agua de cristalización. Esto claramente excluye su utilización en climas cálidos. Aun en condiciones normales de almacenamiento, tiende a eflorescer y a transformarse en polvo impresentable, aunque esto se supera recubriendo los cristales con una película de humectante tal como glicerina. También presenta una elevada alcalinidad respecto al sesquicarbonato. El monohidrato es la forma más estable del carbonato sódico, y se presenta en atractivos aglomerados de cristales de excelente estabilidad. Sus principales inconvenientes son su lenta velocidad de disolución, y el hecho de que es más alcalino que el sesquicarbonato.

Los fosfatos se incluyen habitualmente en las sales de baño para mejorar las propiedades ablandadoras del agua, siendo los más empleados el hexametafosfato sódico (Calgón), el pirofosfato tetrasódico y el tripolifosfato sódico. El fosfato trisódico es un buen ablandador del agua, pero requiere la incorporación de soluciones tampones por su elevada alcalinidad. Sin embargo, se utiliza asociado con sesquicarbonato sódico o con bórax, bastante efectivos para formar mezclas tampones.

El bórax ($B_4O_7 \cdot 10H_2O$) es menos alcalino que los carbonatos y posee una acción detergente suave, aunque su acción ablandadora del agua es menos efectiva que la de los carbonatos y, además, se disuelven con lentitud.

La sal de roca, cloruro sódico, NaCl, pertenece al tipo de sal de baño que sólo proporciona fragancia; es muy estable y sus cristales de gran tamaño son atractivos y se colorean con facilidad. Evidentemente, no es alcalino, y es suave para la piel. Sus desventajas son que no posee propiedades ablandadoras para el agua y, si se utiliza en cantidad, tiende a interferir con la espuma del jabón; además, los cristales de gran tamaño no se disuelven con facilidad.

En los sistemas efervescentes, se incluyen bicarbonato sódico, ácido tartárico o ácido cítrico.

Perfume

La inestabilidad del perfume puede ser un problema en las sales de baño, debido a que, en este tipo de productos, el perfume se distribuye en una capa delgada sobre la superficie de una sal inorgánica que puede ser bastante alcalina. Como consecuencia, el perfume debe tener buenas propiedades fijadoras, además de ser estable a álcalis, luz y oxidación. Polvos absorbentes de aceites, como silicato cálcico o sílice coloidal, se utilizan para favorecer el deposito, la retención y la estabilidad del perfume, e incluso para mejorar la fluidez del producto.

Colorante

Así como con el perfume, la selección de color está limitada por la estabilidad tanto a álcalis, como a la luz. El perfume también puede afectar a la estabilidad del color. Por eso, se recomienda el empleo de colorantes insolubles que presentan mejor estabilidad frente a la alcalinidad y la luz. Estos se dispersan mejor a una concentración de aproximadamente el 1 por 100 en un medio adecuado, tal como un glicol o tensioactivo no iónico líquido.

Ejemplos de formulaciones

Sales de baño: sólo perfume	(7)
	por ciento
Sodio, cloruro	95-99
Perfume	1-5
Colorante	*c.s.*

Sales de baño: ablandadoras de agua	(8)
	por ciento
Sodio, sesquicarbonato	95-99
Perfume	1-5
Colorante	*c.s.*

Sales efervescentes de baño	(9)
	por ciento
Sodio, sesquicarbonato	25
Sodio, bicarbonato	50
Acido tartárico	20
Perfume, colorante	5

La fabricación de sales de baño es un proceso sencillo y se puede realizar en la mayoría de los tipos de mezcladoras de polvo seco. La coloración se realiza, bien pulverizando con la solución colorante, mezclando y desecando, o bien por inmersión de las sales en la solución de colorante, seguido de secado. Las soluciones de colorantes pueden ser hidroalcohólicas o, si es posible, alcohólicas. El alcohol, además de reducir el tiempo de secado, evita la solución de las sales de baño. El perfume se añade pulverizando una solución alcohólica o dispersando el perfume en la solución de colorante. También el perfume se puede mezclar con los polvos absorbentes de aceite. Como es natural, no se puede utilizar agua para colorear sales efervescentes.

Cubos y tabletas de baño

Los cubos y las tabletas de baño utilizan las mismas sustancias que las sales de baño, pero en forma de polvo. Las sales de baño pulverizadas se granulan, primeramente, con almidón y aglutinante de una pequeña cantidad de goma soluble en alcohol. Después, el granulado se comprime en forma de cubo o tabletas. Antes de comprimir, se incorporan sustancias disgregantes adecuadas, tales como lauril sulfato sódico o almidón, para favorecer el proceso de disolución en el baño.

ACEITES PARA BAÑO

Introducción

La función fundamental de un baño es limpiar el cuerpo. Por eso, es esencial destacar claramente que la función de los aceites para baño no es limpiar, sino lubrificar la piel y, además, a veces se utilizan para perfumar el cuerpo.

Los aceites para baño han surgido como método sencillo y efectivo de lubrificar la sequedad generalizada de la piel. La piel seca afecta tanto a jóvenes como a viejos y, en su forma más suave, se presenta como ligera aspereza y descamación de piel. La sequedad grave produce prurito molesto, y tanto la incidencia como la intensidad del prurito empeora progresivamente conforme envejece el individuo. Con la edad, los cambios atróficos que se producen en las capas cutáneas y subcutáneas originan la disminución del espesor de la piel y, como disminuye la actividad de las glándulas sebáceas y sudoríparas, la superficie cutánea se vuelve seca, descamada y tiende a agrietarse con más facilidad. Esto es el resultado de que la pérdida de agua del estrato córneo al ambiente es más rápida que la humedad que recibe de las capas inferiores de la epidermis y dermis. La sequedad cutánea se agrava en los meses de invierno, especialmente en hogares con calefacción donde la humedad relativa disminuye hasta el 10 por 100. Los tratamientos clínicos para prevenir la sequedad de la piel se basan en el concepto de que una aplicación de un aceite superficial o película lipídica sobre la piel retarda la pérdida de agua por evaporación; de aquí la importancia de los baños de aceite para combatir la piel seca.

Varios experimentadores han realizado investigaciones encaminadas a cuantificar la adsorción de diferentes aceites por la piel. TAYLOR [5, 6] realizó uno de los primeros intentos objetivos para cuantificar el depósito de aceite en la superficie cutánea, sirviéndose de la técnica de inmersión del brazo en un baño de aceite. Llegó a la conclusión de que los productos basados en aceite mineral se adhieren mejor a la superficie cutánea que las formulaciones de aceites vegetales. Además, encontró que un preparado oleoso de harina de avena (harina de avena coloidal mezclada con aceite mineral y lanolina) era muy poco adsorbible por la piel. Probablemente la explicación de este hecho se debe a que la harina de avena es un sustrato más adsorbente de aceites que la piel. También, TAYLOR observó que la adsorción aumentaba conforme se elevaba la temperatura del baño y aumentaba la concentración del aceite. Sin embargo, una inmersión que dure más de veinte minutos no proporciona un aumento significativo de la adsorción de aceite. KNOX y OGIVA [7], empleando una modificación de la técnica de Taylor, pero utilizando estrato córneo pulverizado, obtuvieron resultados muy concordantes con los publicados por TAYLOR. Era de esperar que la incorporación de tensioactivos en los aceites para baño cambiase las características de la adsorción, y esto, en efecto, fue demostrado por KNOX y OGIVA [8].

Los aceites para baño se clasifican en cuatro categorías principales: aceites para baño extensibles o flotantes que son inmiscibles con el agua; tipo dispersante o eflorescente que se vuelve lechoso al añadir al agua; tipo soluble que forma una dispersión transparente; y un tipo espuma similar al baño de espuma.

Aceites extensibles o flotantes

Los aceites de baño extensibles o flotantes son de naturaleza hidrófuga. Debido a su inferior densidad, flotan en la superficie del agua del baño, recubriendo la piel de la persona que se baña de una película oleosa a la salida del agua. Además de proporcionar una capa de emoliente sensual, este tipo de productos es ideal para aumentar la naturaleza estética del baño al proveer de una fragancia agradable al cuarto de baño, puesto que la capa de aceite sobre la superficie del baño del agua caliente permite al perfume difundirse rápidamente en la atmósfera. Este tipo de producto tiene un inconveniente: la formación de un «anillo» antiestético alrededor de la bañera a causa del depósito de aceite. Este depósito se compone de espuma de jabón, si el que se baña también utiliza verdadero jabón en aguas duras. Más aún, puesto que los aceites son depresores de espuma, la capa de aceite flotante de un baño impide la formación de espuma de jabón. Idealmente, un aceite flotante para baño debe recubrir totalmente la superficie del agua y depositarse sobre la piel en forma de película muy fina, cubriendo tanta superficie cutánea como sea posible. Un aceite lubrificante para baño no debe depositarse en forma de capa grasa densa, que no resulta atractiva para el usuario, ni debe dejar una película oleosa en el baño que sea difícil de eliminar.

Es necesario comprender los principios físico-químicos que intervienen para formular un sistema de aceite extensible. Al depositar una gota de aceite para baño sobre la superficie del agua, en la que es insoluble, se extenderá en forma de película o quedará como una gota en forma lentecular. Es evidente que un aceite para baño no extensible será de uso insatisfactorio, puesto que sólo proporcionará un depósito sobre la piel en forma de parches. El hecho de que se extienda la gota o permanezca intacta depende del equilibrio entre dos fuerzas superficiales. La primera de ellas es el trabajo de cohesión (Wc), que es aquel componente de la energía libre superficial que motiva que cualquier gota de líquido tome la forma de mínima área superficial. La segunda fuerza es el trabajo de adhesión (Wa), y es el componente de la energía libre superficial que aumenta al máximo la tensión interfacial entre dos líquidos inmiscibles. La diferencia entre estas fuerzas se conoce como el coeficiente de extensión, S, y determina si la gota se extiende o no. Esta relación se puede expresar como sigue:

$$S = W_a - W_c = \gamma_w - \gamma_o - \gamma_{ow}$$

donde γ_w es la tensión superficial de la fase acuosa, γ_o es la tensión superficial de la fase oleosa y γ_{ow} es la tensión interfacial entre ambas. La deducción de esta ecuación se puede consultar en cualquier texto de físico-química o en el artículo especializado de aceites extensibles para baño de BECHER y COURTNEY [9].

Esta ecuación predice que se produce la extensibilidad del aceite cuando $S > 0$, mientras que no se produce si $S < 0$. La tabla 7.1 enumera algunos de los coeficientes de extensibilidad característicos para aceites comúnmente empleados en productos para baño, basados en el valor de 72 din cm^{-1} a 25 °C para la tensión superficial del agua. Es evidente que, a partir de estos datos, el aceite mineral ligero, como componente único, no se extenderá en el agua. Sin embargo, la extensibilidad se logra con la adición de un tensioactivo adecuado, cuyo efecto en la tensión superficial del aceite es usualmente pequeña, comparado con la disminución impresionante de la tensión interfacial entre aceite y agua. En efecto, con un tensioactivo potente, como el éster polioxietilén poliol de ácido graso (Arlatone T), la tensión interfacial aceite mineral-agua puede reducirse casi a cero con la adición de 1 por 100, y esto proporciona un coeficiente de extensibilidad aproximado + 40, que es óptimo.

Es deseable un coeficiente de extensibilidad de valor elevado positivo por varias razones. En primer lugar, la superficie que cubre un aceite es proporcional a su coeficiente de extensibilidad. En segundo lugar, por razones estéticas es importante una rápida extensión del aceite, porque resulta más atractivo para el usuario y porque la velocidad de extensión es indirectamente proporcional al coeficiente de extensibilidad dividido por la viscosidad del líquido sobre el que se extiende; así pues, son obvias las ventajas de un coeficiente de extensibilidad elevado. Es digno de destacar la tendencia de los coeficientes de extensibilidad a disminuir al aumentar la temperatura, puesto que en algunos casos se puede presentar una inversión de extensible a no extensible cuando existe una variación de temperatura de aproximadamente 20 °C. Por tanto, es importante medir el comportamiento a la temperatura del agua del baño (40 o 50 °C). Esto resulta relativamente fácil por el siguiente método sencillo; se llena un recipiente de aproximadamente 25 × 25 cm con agua a 50 °C y se espolvorea con almidón; después se vierte gota a gota una pequeña cantidad medida de aceite en el centro; el aceite alejará el almidón desde el centro a los bordes del recipiente, demostrando claramente la extensibilidad y su velocidad.

Aunque se ha demostrado que el valor de HLB (equilibrio hidrofílico-lipofílico) del tensioactivo está directamente relacionado con el coeficiente de extensión (esto es, el coeficiente de extensibilidad aumenta en magnitud al aumentar el valor de HLB), sin embargo no es necesariamente la mejor elección el tensioactivo que posee el valor HLB más elevado. Claramente, para un producto aceptable, el tensioactivo debe ser soluble en el aceite, y éste no es el caso de los tensioactivos de elevados valores de HLB. Como ya se ha mencionado, Arlatone T, que tiene un HLB 9,0, proporciona tanto una buena solubilidad, como una buena extensibilidad, en muchos sistemas.

Posiblemente el aceite más extensamente utilizado en tales fórmulas es el aceite mineral por su economía, seguridad, disponibilidad y, naturalmente, sus propiedades emolientes. Sin embargo, con frecuencia se utiliza asociado con miristato de isopropilo, que ayuda a superar la característica grasa del aceite mineral y es mucho mejor solubilizante de perfumes. Se han utilizado muchos otros emolientes que incluyen aceites vegetales, tales como aceite de oliva, algodón, cacahuete, girasol, ricino, etc. También se han usado, por sus mejores efectos emolientes, tal como mejor tacto agradable a la piel, la lanolina y sus derivados, así como ácidos grasos, alcoholes grasos y sus ésteres. Uno de los emolientes más recientes es el propoxilato de ácido graso (Arlamol E), y se afirma que es particularmente adecuado para aceites de baño gracias al tacto característico que deja sobre la piel y su excepcional propiedad disolvente de perfumes. En efecto, se considera más eficaz que el miristato de isopropilo como portador de perfume en aceite mineral.

Tabla 7.1. Coeficientes de extensibilidad a 25 °C

Aceite	Tensión superficial, γ_o $(din\ cm^{-1})$	Tensión interfacial, γ_{ow} $(din\ cm^{-1})$	Coeficiente de extensibilidad, S $(din\ cm^{-1})$
Alcohol hexadecílico	28,6	22,6	20,8
Hexadecilo, estearato	30,6	23,2	18,2
Isopropilo, miristato	29,1	25,2	17,7
Aceite mineral ligero	29,0	50,6	− 7,6

Es evidente que el perfume es un ingrediente importante, y la concentración de su incorporación depende mucho de los requerimientos de coste. Otros ingredientes incluidos a veces son antioxidantes, colorantes y filtros solares.

La fabricación de estos productos es relativamente sencilla y generalmente supone una mezcla simple. A veces es necesaria la filtración, y aun el enfriamiento antes de filtrar, para producir un producto completamente transparente.

En los ejemplos 10 y 11 se dan fórmulas características de aceites flotantes para baño.

	(10)
	por ciento
Arlamol E	49
Arlatone T	1
Aceite mineral ligero	45
Perfume	5

	(11)
	por ciento
Aceite mineral ligero	46
Isopropilo, miristato	48
Arlatone T	1
Perfume	5

Aceites dispersables o eflorescentes

Los aceites para baño dispersables están constituidos por aceites emolientes, perfumes oleosos, y contienen un tensioactivo seleccionado para emulsionar los aceites en el agua, en lugar de hacerlos extensibles sobre la superficie. Cuando se vierten en el agua de baño, eflorescen en forma de nube lechosa. En ocasiones, se prefieren al tipo de aceite flotante, debido a que estos aceites se dispersan uniformemente en la masa del agua del baño, proporcionando un contacto total con la superficie del cuerpo durante el baño. Si están adecuadamente formulados, después de desaguar el baño, dejan muy poca pegajosidad grasa o anillo en la bañera. En general, se utilizan los mismos aceites emolientes que los usados en los aceites para baño flotante, y su concentración de perfumes varía entre el 5 y el 10 por 100.

Uno de los tensioactivos más comúnmente empleados en la formulación de aceites para baño dispersables es el Brij 93 (polioxietilen-2-oleil éter). Tiene bajo valor HLB (4,9) que indica su buena solubilidad en aceite; sin embargo, es suficientemente hidrofílico para dispersar los aceites en el agua del baño. Puesto que es no iónico, es efectivo tanto en aguas duras como blandas.

Una fórmula característica de aceites dispersables para baño es la que sigue.

(12)

	por ciento
Aceite mineral	65
Isopropilo, miristato	20
Brij 93	10
Perfume	5

El aceite mineral es el principal emoliente que se utiliza por su bajo coste. El miristato de isopropilo también colabora en el efecto emoliente, y ayuda a disolver los perfumes oleosos. La cantidad de Brij 93 variará según los requerimientos de la emulsión, del emoliente y del perfume seleccionados. Por ejemplo, la eflorescencia se aumenta reduciendo el miristato de isopropilo y aumentando el aceite mineral, o aumentando el contenido de Brij 93.

Aceites solubles

Los aceites solubles para baño contienen grandes cantidades de tensioactivos para solubilizar las elevadas concentraciones de perfume oleoso y para dispersar o disolver estos aceites rápidamente en el agua del baño. No dejan residuos en la bañera y no tienen efecto emoliente sobre la piel. Los aceites solubles para baño son concentrados anhidros constituidos por perfumes y tensioactivos o productos solubilizados compuestos de perfume, tensioactivos y agua. Contienen entre el 5 y el 20 por 100 de perfume oleoso, que, generalmente, se solubiliza fácilmente por medio de tensioactivos hidrófilos. En esta solubilización del perfume se emplean ampliamente los tensioactivos Tween y Brij en el intervalo de HLB comprendido entre 12 y 18, y una fórmula típica es la dada en el ejemplo 13.

(13)

	por ciento
Perfume	5
Tween 20	5-25
Conservante	c.s.
Agua	100

La cantidad de Tween 20 (monolaurato de polioxietilen sorbitán) depende fundamentalmente del tipo de perfume utilizado. Se puede obtener un producto de gran viscosidad usando Tween 80 (mono oleato de polioxietilén sorbitán).

Aceites espumantes

Los aceites espumantes para baño se consideran como baños de espuma con elevada concentración de perfume o como aceites solubles a los que se les han añadido agentes espumantes y estabilizantes. Estos productos proporcionan tanto perfume como acción espumante, y también sirven para eliminar el anillo de la bañera. Generalmente, como los aceites solubles para baño, no tienen propiedades emolientes. Se emplean los agentes espumantes y estabilizantes expuestos en los baños de espuma, aunque frecuentemente se emplea Tween 20 para solubilizar el perfume en el aceite espumante para baño. Se añaden, generalmente, espesantes tales como carboximetilcelulosa, metilcelulosa y otras gomas, así como a veces secuestrantes. Una formulación característica se da en el ejemplo 14.

	(14)
	por ciento
Perfume	5
Tween 20	20
Sodio, lauril éter sulfato (28 por 100 activo)	40
Dietanolamida de coco	2
Conservante	*c.s.*
Agua	hasta 100

Poco frecuente es la inclusión de aceites emolientes a concentraciones significativas en estos productos, pues tienen tal acción depresora de espuma que el producto final difícilmente puede considerarse como baño de espuma.

PRODUCTOS PARA DESPUES DEL BAÑO

Los productos para después del baño incluyen los polvos corporales o empolvadores y varias lociones para después del baño o ducha.

Polvos corporales o empolvadores

Los polvos corporales o empolvadores se conocen también como polvos de talco para el cuerpo o polvos de talco, y tienen una amplia demanda por la sensación suave y efecto refrescante que imparten, además de temporalmente, absorben humedad. El efecto refrescante se debe a la pérdida extra de calor de la gran área superficial de las partículas de talco.

En estas formulaciones, el ingrediente mayoritario es el talco, que posee buenas propiedades deslizantes, adherentes al cuerpo y absorbentes. Las propiedades deslizantes y de textura se basan esencialmente en el talco. Por eso, es importante utilizar talco de elevada calidad cosmética, libre de arenillas y álcalis. Evidentemente, se deben usar talcos libres de bacterias y siempre esterilizados. Para mejorar las propiedades adherentes, se añaden estearatos metálicos, tales como estearatos de magnesio o zinc, y caolín, mientras se mejora la absorbencia con carbonato magnésico, almidón, caolín y sulfato cálcico precipitado. Cuando se requiera se pueden añadir óxidos de zinc y titanio a bajas concentraciones junto a tierras colorantes con fines de tinción. Fácilmente se incorporan los perfumes oleosos, y deben ser suficientemente fuertes como para cubrir el olor de base sin interferir, no obstante, con otros perfumes que pueda utilizar el usuario. Otros componentes que se añaden a veces son ácido bórico, que actúa como tampón cutáneo, y sílice coloidal, que da un polvo de densidad inferior.

Una formulación típica es la siguiente:

| | (15) |
	por ciento
Talco	75
Caolín	10
Sílice coloidal	2
Magnesio, carbonato	6
Zinc, estearato	6
Perfume	1

Emolientes para después del baño

Los emolientes para después del baño o hidratantes se aplican sobre la superficie corporal con objeto de reemplazar líquidos naturales de la piel que se han eliminado durante el baño. Por eso, su función es prevenir la aparición de la piel seca. Existen básicamente cuatro tipos de productos: sistemas basados en aceites anhidros, emulsiones aceite-agua, emulsiones agua-aceite y emulsiones hidroalcohólicas. Por su naturaleza grasa, los sistemas basados en aceites anhidros y las emulsiones agua-aceite son, con mucho, menos populares que los otros dos tipos, y que se exponen posteriormente. Las emulsiones aceite-agua son, quizás, las más ampliamente usadas, pues hay oportunidades ilimitadas en el diseño y formulación de estos sistemas. Generalmente, se comercializan en forma de loción y usualmente se formulan para dar buenas propiedades de absorción por «frotamiento» y sensación final. Las posibilidades de formulación son demasiado extensas para ser tratadas aquí, y se discuten en el capítulo 4.

Las emulsiones hidroalcohólicas, denominadas a veces *bath satins*, son dignas de ser mencionadas con más detalle, puesto que son de reciente desarrollo. Estos productos actúan de modo similar a cualquier otro producto emoliente cutáneo, depositando una película de aceite sobre la piel para reducir la cantidad de pérdida de agua. Sin embargo, los *bath satins*, además, proporcionan un efecto refrescante cuando el alcohol se evapora de la piel.

Estos sistemas se componen principalmente de un aceite emoliente emulsionado en una base hidroalcohólica. Sin embargo, para producir un sistema estable es esencial incluir una cantidad suficiente de goma compatible con el alcohol, tal como Carbopol o Klucel. Una formulación esbozada como típica es la que sigue a continuación.

(16)

	por ciento
Crodafos N-3, ácido	0,5
Aceite emoliente	5,0
Carbopol 941	0,4
Etanol desnaturalizado (95 por 100)	40,0
Trietanolamina *c.s.* hasta pH	6,5
Perfume	1-5
EDTA	*c.s.*
Agua hasta	100,0

Tal producto se puede fabricar, sin necesidad de calentar, hidratando el Carbopol en el agua con adecuada agitación mecánica; a continuación se adiciona una mezcla de aceite emoliente, perfume y Crodafos. Finalmente, se completa la emulsión, adicionando el alcohol en donde se ha disuelto la trietanolamina. Se incluye EDTA u otro secuestrante adecuado para estabilizar el gel de Carbopol, pues los iones metálicos pueden despolimerizar al Carbopol, y esto conduce a una pérdida de viscosidad y, por consiguiente, a la inestabilidad de la emulsión.

Se consigue aumentar el efecto emoliente incrementando la concentración del aceite emoliente. Esto producirá un producto más opaco y puede desestabilizar la emulsión a menos que se aumenten simultáneamente las concentraciones del emulsionante y agente gelificante. El incremento de la concentración de alcohol sirve para proporcionar una mayor exaltación del perfume y un secado más rápido, aunque se produce una emulsión más fina, menos opaca y, a veces, más inestable. Se deben evitar concentraciones de alcohol superiores al 50 por 100, pues tienden a la inestabilidad propia de la coagulación del Carbopol.

REFERENCIAS

1. FDC Reports, 'Pink Sheets', 19 October 1970; 7 December 1970.
2. Blakeway, J. M., Bourdon, P. and Seu, M., *Int. J. cosmet. Sci.*, 1979, **1**, 1.
3. British Patent 1 247 189, Unilever, 1971.
4. Beh, H. H. and James, K. C., *Cosmet. Toiletries*, 1977, **92**, 21.
5. Taylor, E. A., *J. invest. Dermatol.*, 1961, **37**, 69.
6. Taylor, E. A., *Arch. Dermatol.*, 1963, **87**, 369.
7. Knox, J. M. and Ogiva, R., *Br. med. J.*, 1964, **2**, 1048.
8. Knox, J. M. and Ogiva, R., *J. Soc. cosmet. Chem.*, 1969, **20**, 109.
9. Becher, P. and Courtney, D. L., *J. Soc. cosmet. Chem.*, 1966, **17**, 607.
10. Ross, S., Chen, E. S., Becher, P. and Ranauto, H. J., *J. Phys. Chem.*, 1959, **63**, 1681.

8

Productos cutáneos para bebés

Introducción

Durante los primeros años de vida, la piel de los niños experimenta grandes cambios y desarrollos; esto sucede especialmente en las primeras semanas después del nacimiento. Por tanto, la consecuencia es que la piel de los niños de temprana edad difiere de la piel del adulto y de los niños mayores. Por ejemplo, se ha demostrado que la piel muy joven es muy fina[1], menos cornificada, con menos pelos y contiene una relativa elevada proporción de agua comparada con la del adulto. Las glándulas sebáceas no sólo están presentes en el recién nacido, sino que empiezan a funcionar muy pronto[2]. Aparentemente, sin embargo, la pérdida de agua transepidérmica a esta edad es inferior a la del adulto (al menos para ciertas zonas del cuerpo)[3].

Es sabido que, durante las primeras pocas semanas de vida, el recién nacido tiene escasa capacidad propia para resistir las infecciones, y su protección inmunológica proviene fundamentalmente de los anticuerpos que le transfiere la madre. Frecuentemente se ha aducido que, en esta etapa de la vida, el niño es particularmente sensible a las irritaciones e infecciones cutáneas, pues al ser comparativamente la piel más fina, es más permeable a los agentes aplicados tópicamente. Si bien realmente no son raras las irritaciones y las infecciones cutáneas en los bebés, es discutible la causa de la extensión de ellas como resultado de la especial susceptibilidad de la piel debida a su estructura, y así como de la cuantificación como resultado, por otra parte, del entorno único en que se encuentran ciertas áreas de la piel. Por supuesto, se ha demostrado que la superficie cutánea de la mayoría de los bebés en el momento del nacimiento está lejos de la esterilidad[4].

Típicamente la piel de los bebés y de los niños caucasianos es rosada, muy flexible y suave al tacto.

Problemas cutáneos en los bebés

A pesar de las diferencias histológicas con la piel del adulto, la piel de los niños de corta edad no está exenta de las reglas generales que rigen el cuidado de la piel que se aplican de forma universal. Si se exponen a radiaciones solares excesivas o a situaciones muy secas, si se somete a la abrasión y si se deja acumular suciedad y secreciones, la piel del bebé reacciona de la misma manera que la del adulto y puede llegar a dañarse. Además, hay una agresión que se aplica exclusivamente a los bebés y que se manifiesta frecuentemente como sarpullido del pañal. Este estado se origina por la combinación de ropas ajustadas y cerradas y orina y defecación incontrolados. Como su nombre indica, el sarpullido del pañal aparece entre y alrededor de las nalgas e ingle, zonas en que retienen las secreciones por los pañales muy ajustados, proporcionando, de este modo, un medio húmedo, cálido y nutritivo para la proliferación de bacterias. Los metabolitos de éstas (especialmente *Brevibacterium ammoniagenes*, que se nutre de urea con producción de amoniaco), junto con la naturaleza abrasiva del pañal, conducen a la irritación y enrojecimiento de la piel infantil, que se tipifica como sarpullido del pañal. Si se deja avanzar a forma grave, el sarpullido del pañal puede evolucionar a un estado ulceroso con erupciones secundarias que están infectadas con microorganismos pirogénicos, causantes de extremas molestias. *Candida albicans* es un invasor frecuente secundario y ha sido aislado en el 41 por 100 de todos los pañales por un grupo de investigadores[5]. No hay duda de que los pañales mal lavados e incorrectamente aclarados son causas que contribuyen al sarpullido del pañal, si estos se dejan con superficie áspera y alcalina.

La piel del recién nacido, también es susceptible de otras formas de sarpullido, siendo destacable el eczema de recién nacido, cuyos orígenes son polémicos, pero se relacionan con la dieta y el impétigo del recién nacido. Existen lesiones clínicas, sin embargo, que requieren medicación y que no pertenecen al campo de la ciencia cosmética.

Parece probable que el mayor número de los problemas cutáneos proceden de la tendencia a arroparlos con ropas ajustadas y cerradas, proporcionando así un medio cálido y estanco para el crecimiento de las bacterias. El sarpullido del pañal es desconocido en países donde a los bebés se los acuesta desnudos.

Requerimientos funcionales de los productos para bebés

Consecuencia de las consideraciones que anteceden, desde el punto de vista funcional los productos para el cuidado de la piel del bebé tienen como objetivo proteger la piel de un medio hostil, para limpiar a fondo la piel de sebo, suciedad y excrementos y mantenerla tan seca como sea posible.

Aunque no faltan opiniones de expertos con relación a los mejores métodos de limpieza de la piel del bebé, muchas de las opiniones manifestadas son contradictorias y desconcertantes. Los tipos de productos disponibles son exactamente los mismos que los productos de limpieza que se diseñan para pieles de mayor edad, es decir, agua y jabón, aceites, emulsiones y geles conteniendo tensioactivos. Todos estos tipos están representados en el mercado, aunque los geles son relativamente raros en el momento de escribir este texto. Ante la asociación del sarpullido del pañal con el crecimiento bacteriano, muchos formuladores se han orientado a incluir germicidas en sus productos, los más frecuentemente encontrados en los ejemplos son los amonios cuaternarios, tal como bromuro de cetil trimetil amonio, cloruro de alquildimetil bencil amonio, cloruro de cetil piridinio y cloruro de benzethonium. Sin embargo, no parece que haya una evidencia sólida de que la incorporación de tales ingredientes activos sea de gran beneficio en la prevención del sarpullido del pañal. Un enfoque más racional sería proporcionar productos que limpien de modo efectivo, y tratar las infecciones cutáneas con preparados tópicos farmacéuticos, que no son de la competencia del químico cosmético.

La mayoría de las pieles de bebés entran en contacto con agua y jabón a los pocos días del nacimiento y, posteriormente, en los baños. Aunque no hay evidencia de que el jabón ordinario tenga efectos adversos en el bebé, la mayoría de los jabones para bebés son blancos y exentos de perfume. Una alternativa, que aún no se dispone en todos los países en el momento de escribir este texto, es la barrera detergente neutra o ligeramente ácida.

Las cremas limpiadoras no son populares entre los productos para bebés. Esto se debe quizás, a la exigencia de limpiar las zonas entre los pliegues adiposos del bebé, para lo cual es más conveniente un producto líquido. Hay cierta evidencia de que las sustancias oleosas y grasas, por oclusión de la superficie cutánea, pueden predisponer a los recién nacidos al sarpullido producido por el calor[6, 7]. Así, las lociones son preferidas para fines de limpieza. Como la mayoría de los productos para bebés, se perfuman sólo ligeramente o se elimina totalmente el perfume a causa del efecto potencial irritante de algunos componentes de los perfumes[8].

Ante la polémica anteriormente indicada sobre el empleo de los aceites oclusivos en la piel del bebé, parece sorprendente que los aceites para bebés continúen siendo el tipo de producto popular. Representan un método de limpieza, muy adecuado y relativamente barato, de la zona del pañal, y la capa residual que deja en la piel indudablemente proporciona una cierta protección frente a los contenidos del pañal. Aunque los aceites para bebés están compuestos de los anteriormente citados aceites vegetales, derivados de lanolina, ésteres y alcoholes superiores, las marcas más populares se basan casi completamente en aceite mineral de elevada pureza con, quizá, trazas de perfume y solubilizante.

Tradicionalmente la protección que requiere la piel del bebé se ha proporcionado con cremas o ungüentos de zinc y aceite de ricino. Se atribuye al óxido de zinc suaves propiedades antisépticas, astringentes y antiinflamatorias; esto justifica su uso en productos protectores, generalmente a la concentración del orden del 2-10 por 100. Otras materias primas frecuentemente utilizadas para proveer una barrera protectora y oclusiva comprenden petrolato, aceite de ricino, cera de abejas, lanolina, aceite de silicona y cera polietileno. Estas se pueden utilizar como preparados anhidros o como fase oleosa de una crema protectora para bebés. Las sales inorgánicas de los ácidos esteárico y oleico se utilizan para mejorar el efecto repelente del agua, además de mejorar la estabilidad de la emulsión.

Los polvos para bebés son otro de los productos de tocador valiosos y tradicionales. Su función principal es proporcionar a la piel una superficie seca y lubrificada, que ha sido limpiada y protegida con aceites o lociones. El principal constituyente de estos polvos para bebés es el talco, puesto que carece de las propiedades absorbentes de otros polvos y frecuentemente se mezcla con sustancias tales como caolín, silicato de aluminio hidratado, carbonatos de calcio y magnesio, almidones y sílice coloidal. Evidentemente, la calidad de estas sustancias es importante, en especial el talco, que debe ser de la mayor pureza disponible, y estar exento de sustancias fibrosas. El poder adhesivo de los polvos para bebés, así como su repelencia al agua, se pueden mejorar incorporando estearatos de aluminio, zinc y magnesio; los alcoholes cetílico y estearílico y el óxido de zinc desempeñan la misma función.

Uno de los principales problemas asociados con el uso del talco es su susceptibilidad a la contaminación con microorganismos. Existen varios métodos utilizables para esterilizar el talco, siendo algunos de ellos más adecuados y de mejores resultados que otros[9]. El tratamiento con óxido de etileno deja residuos irritantes, mientras que el tratamiento con calor no siempre es suficiente para esterilizar completamente a la sustancia.

La utilización de ácido bórico y boratos en los polvos para bebés como antisépticos suaves y como tampón neutralizante, que fue popular en el pasado, se ha dejado de usar por la naturaleza potencialmente tóxica de estas sustancias[10, 11].

Seguridad de los productos para bebés

Ya se ha expuesto anteriormente la falta de resistencia al ataque bacteriano de los bebés, así como las diferencias en el aspecto histológico que presenta la piel de los bebés frente a la de los adultos. Es extremadamente importante garantizar que todos los productos para bebés estén exentos de bacterias en el momento de su comercialización y que contengan sistemas conservantes adecuados para prevenir la contaminación accidental durante su uso; tales principios deben aplicarse igualmente para todos los productos cosméticos y de tocador.

Cuando el bebé crece, se expone a otro peligro adicional y que debe tomar en consideración el formulador de productos para bebés. Este peligro es la posibilidad de envenenamiento por ingestión de los contenidos de tarros y frascos. Probablemente, la boca es la zona más sensible del cuerpo, y los bebés la utilizan para explorar su entorno. Además, los líquidos de frascos están asociados con agradables cosas para beber. Afortunadamente, son raros los casos de envenamientos de bebés por ingestión de productos de tocador pero, no obstante, los fabricantes importantes de productos para bebés informan que frecuentemente se ponen en relación con médicos competentes para investigar la seguridad en cuanto a los componentes de un producto que ha sido ingerido en cantidad por un bebé.

Por esta razón, y no otra, es necesario restringir la utilización de componentes activos, tal como germicidas, a un mínimo, puesto que pueden ser potencialmente tóxicos para un bebé. Otro aspecto importante de la protección frente al mal uso de los productos para bebés es su envasado, y especialmente la facilidad con que el envase se puede abrir, así como el tamaño de los contenidos que el bebé puede comer o beber. Aunque tales cuestiones, normalmente, están fuera del alcance del control del formulador, es conveniente que éstos sean conscientes de la contribución a la seguridad que se puede hacer con tales consideraciones.

Las conclusiones lógicas que se deben deducir de estas consideraciones son que las materias primas utilizadas en productos para bebés deben ser seleccionadas, siempre que sea posible, por su baja toxicidad, así como por su carácter no irritante cuando se aplican tópicamente.

Ejemplos de formulaciones

Las dos primeras fórmulas de cremas y lociones para bebés ilustran el uso de un tipo de emulsionante, relativamente nuevo, suave, innocuo, basado en ésteres de sacarosa de ácidos esteárico y palmítico[12]. Estas sustancias, que se conocen por su nombre comercial «Crodestas», son mezclas de mono-, di- y tri-ésteres que proporcionan una gama de valores del HLB[13]. El ejemplo 1 es una loción y el ejemplo 2 una crema.

	(1) por ciento	(2) por ciento
Aceite mineral	25,00	35,00
Alcohol cetearílico	—	0,50
Petrolato	—	4,20
Alcohol de lanolina	—	1,25
Crodesta F70	3,00	—
Crodesta F160	0,50	—
Crodesta F110	—	3,00
Hidroxietilcelulosa	0,20	—
Agua	71,30	55,05
Glicerina	—	1,00
Perfume, conservante	c.s.	c.s.

Las cremas y las lociones para bebés más tradicionales se basan en un sistema emulsionante (aniónico) de estearato de trietanolamina del cual existen numerosos ejemplos, siendo bastante representativos los ejemplos 3 y 4.

	(3) por ciento	(4) por ciento
Aceite mineral	26,00	15,00
Lanolina	1,04	5,00
Acido esteárico	0,94	2,00
Trietanolamina	0,52	1,00
Agua	69,68	52,00
Alcohol estearílico	0,94	—
Alcohol cetílico	0,52	—
Sodio, alginato	0,36	—
Isopropilo, palmitato	—	2,00
Cera de abeja	—	8,00
Propilen glicol	—	5,00
PEG-400, estearato	—	10,00
Perfume, conservante	c.s.	c.s.

Los ejemplos 5, 6 y 7 ilustran el empleo de algunos emulsionantes no iónicos basados en sorbitol en cremas y lociones para bebés.

	(5) por ciento
Alcohol cetearílico	1,00
Aceite mineral	4,00
Polisorbato 60	1,70
Sorbitan, iso-estearato	1,00
Glicerilo, estearato	1,00
Lanolina líquida	0,25
Agua	83,35
Hidroxietilcelulosa	0,20
Glicerina	7,50
Perfume, conservante	c.s.

	(6) por ciento
Aceite mineral	35,50
Lanolina	1,00
Alcohol cetílico	1,00
Sorbitan, oleato	2,10
Polisorbato 80	4,90
Dimethicone	5,00
Agua	50,50
Perfume, conservante	c.s.

	(7) por ciento
Petrolato	20,00
Sorbitan, iso-estearato	2,10
Cera microcristalina	3,34
Aceite mineral	10,55
Glicerina	3,14
Agua	60,87
Perfume, conservante	c.s.

Los ejemplos 5 y 6 son cremas aceite-agua, mientras que el ejemplo 7 es agua-aceite. La fórmula de la última crema (ejemplo 8) ilustra el uso de los derivados de polioxietilen sorbitan lanolina, que también se consideran bastante suaves.

	(8) por ciento
Aceite mineral	15,00
Acido esteárico	15,00
Cera de abeja	2,00
Lanolina	1,00
PEG-20 sorbitan, lanolato	5,00
PEG-40 sorbitan, lanolato	1,00
Sorbitol	10,00
Agua	51,00
Perfume, conservante	c.s.

En vista de su naturaleza potencialmente irritante, el uso de la lanolina como tal debe ser cuidadosamente considerado en los productos para bebés. No hay duda de que se publicará, de vez en vez, en los próximos años, nueva información con relación a la seguridad de materias primas, valiosas en otros usos, y se aconseja que sea estudiada por el formulador de cosméticos.

En la transición de emulsiones a aceites para bebés, se debe considerar el uso de ungüentos anhidros, de los cuales es un ejemplo la crema de zinc y aceite de ricino en la Farmacopea británica. La siguiente formulación es un poco menos pegajosa y más agradable de usar que la de aceite de ricino y zinc, mientras sigue proporcionando una excelente barrera protectora a la piel frente a las excretas del bebé[13].

	(9) por ciento
Aceite mineral	83,50
Alcohol de lanolina acetilado	1,50
Sílice coloidal	5,00
Zinc, óxido	10,00

Procedimiento: Dispersar la sílice coloidal en aceite mineral-alcohol de lanolina acetilado caliente. Añadir, por último, el óxido de zinc y pasar la mezcla por molino o utilizar un aparato rotor-estator de elevada velocidad.

Los aceites para bebés se componen predominantemente de aceite mineral de gran pureza de calidad. Se incluyen pequeñas cantidades de ésteres de ácidos grasos, aceites vegetales, derivados de lanolina y otras sustancias compatibles, sólo después de valorar cuidadosamente su toxicidad e irritación potencial.

Como se ha mencionado, la función de los polvos para bebés es lubrificar, secar e incluso perfumar ligeramente la piel. La siguiente fórmula ilustra cómo las propiedades absorbentes y adherentes del talco pueden mejorarse mezclándolo con otras sutancias.

	(10) por ciento	(11) por ciento	(12) por ciento	(13) por ciento
Talco esterilizado	80,00	74,00	95,00	90,50
Magnesio, estearato	10,00	4,00	—	2,50
Calcio, carbonato	10,00	—	—	—
Caolín	—	20,00	—	5,00
Glicerilo, estearato	—	1,00	—	—
Alcohol cetílico	—	1,00	—	—
Almidón	—	—	5,00	—
Zinc, oxido	—	—	—	2,00
Perfume	*c.s.*	*c.s.*	*c.s.*	*c.s.*

Productos para limpieza de pañales

Aunque los pañales no son, rigurosamente hablando, productos para la piel de los bebés, ni aún cosméticos en la amplia definición de la palabra, los productos de limpieza de pañales desempeñan un papel importante en el cuidado de la piel del bebé y se considera apropiado incluir una breve anotación sobre el tema.

Son evidentes los requerimientos de limpieza, suavidad y esterilidad sin dejar depósitos residuales de irritantes potenciales. Actualmente, los más populares son los productos «remojo de pañales» *(nappy soak)*, que se disuelven o diluyen en agua para proporcionar un medio de limpieza-esterilidad en que los pañales sucios se dejan simplemente sumergidos durante unas pocas horas. Esto tiene sus ventajas manifiestas para la madre ocupada. Las fórmulas se basan en las propiedades blanqueantes y esterilizantes del cloro y del peróxido de hidrógeno. El primero es de acción algo más rápida, pero potencialmente más irritante si se dejan trazas posteriores. Los productos líquidos pueden utilizar hipoclorito, pero la fórmula de polvo más común hace uso de agentes liberadores de cloro o peróxido. El siguiente ejemplo ilustrativo emplea perborato sódico en una base detergente polvo:

	(14)
	por ciento
Sodio, tripolifosfato	30,00
Sodio, carbonato	10,00
Sodio, dodecilbencen sulfonato (80 por 100)	6,00
Sodio, perborato tetrahidratado	20,00
Sodio, sulfato	33,90
Abrillantador óptico	0,10
Perfume	*c.s.*

Después de mantener los pañales en remojo, se pueden suavizar, si fuese necesario, con un suavizante de ropa y, lo más importante, se deben enjuagar muy bien.

REFERENCIAS

1. Stuart, H. C. and Sobel, E. H., *J. Pediatr.*, 1946, **28**, 637.
2. Ramasastry, P., Downing, D. T., Pochi, P. E. and Strauss, J. S., *J. invest. Dermatol.*, 1970, **50**, 139.
3. Wildnauer, R. H. and Kennedy, R., *J. invest. Dermatol.*, 1970, **54**, 483.
4. Potter, R. T. and Abel, A. R., *Am. J. Obstet. Gynecol.*, 1936, **31**, 1003.
5. Dixon, P. N., Warin, R. P., English, M. P. and Grenfell, L., *Brit. med. J.* 1969, **2**, 23.
6. Perlstein, M. A., *Am. J. Dis. Child.*, 1948, **75**, 385.
7. Wrong, N. M., *Pediatrics*, 1952, **10**, 710.
8. Schimmel and Co., *Schimmel Briefs* No. 139.
9. Ferreira, J. M. and Freitas, Y. M., *Cosmet. Toiletries*, 1976, **91**, 48.
10. George, A. J., *Fd. Cosmet. Toxicol.*, 1965, **3**, 99.
11. Skipworth, G. B., Goldstein, N. and McBride, W. P., *Arch. Dermatol.* 1967, **95**, 83.
12. Chalmers, L., *Soap Perfum. Cosmet.*, 1977, **50**, 191.
13. *Croda Cosmetic/Pharmaceutical Formulary*, 1979.

9

Productos cutáneos para jóvenes

Introducción

En la mayoría de las personas, el primer contacto de la piel con los cosméticos o productos de tocador tiene lugar en las primeras semanas de vida. En esta etapa, son pocos los beneficios que se obtienen de estos productos, salvo los de limpieza y protección de la piel del entorno mojado. En los primeros años, la piel de la mayoría de los niños es suave, sana y está exenta de espinillas y manchas (siempre que tengan una dieta adecuada) y precisa de pocos cuidados, que no son otros que una limpieza regular. Sin embargo, al comienzo de la pubertad la piel puede presentar una serie de problemas. La mayoría de los cuales se pueden atribuir a la hiperactividad de las glándulas sebáceas productoras de sustancias grasas. Más de uno de los estudios realizados en grupos de adolescentes en edades comprendidas entre los doce y los dieciocho años han señalado que la incidencia de espinillas, granos, comedones, acné y otras imperfecciones relacionadas es superior al 50 por 100 de la población[1]. Por tanto, no sorprende que la mayor parte de los productos para la piel consumidos por jóvenes de estas edades estén relacionados con el tratamiento, prevención o enmascaramiento de granos o piel grasienta. Junto a estos productos, existen otros para la piel que son adquiridos y consumidos por estos adolescentes y que tienen la misma composición que otros que se comercializan en el mercado general, tal vez con diferente presentación. Estos se tratan en otros capítulos apropiados de este libro.

Trastornos cutáneos en adolescentes

Las glándulas sebáceas, junto con los sistemas muscular, nervioso y vascular a ellas asociados, se conocen, en conjunto, como aparato pilosebáceo. Hace tiempo se observó que el aparato pilosebáceo está controlado principalmente por hormonas endógenas, que se hallan excepcionalmente a elevadas concentraciones en la sangre durante la adolescencia y pubertad. El incremento correspondiente en la actividad de las glándulas sebáceas conduce a la producción de cantidades excesivas de sebo. Esto, por sí mismo, es causa de una grasa desagradable en la piel, que ocasiona una apariencia brillante y desigual y, en las jóvenes, dificulta o imposibilita la aplicación del maquillaje en las zonas afectadas. Desgraciadamente, esta situación empeora por el incremento simultáneo de la velocidad de queratinización del estrato córneo de la piel. En algunos jóvenes se pueden eliminar capas de células queratinizadas por una simple fricción facial con el dedo índice y esto, naturalmente, se une a los problemas de aplicar algo a la superficie cutánea. Sin embargo, aún más importancia tiene que también proliferan las células córneas de revestimiento, los folículos pilosos, constituyendo un empaquetamiento compacto, y pueden formar un tapón oclusivo o comedón. Esta barrera física, unida a la producción incrementada de sebo, conduce a un rápido acúmulo de presión opuesta y el sebo estancado constituye un medio ideal para la proliferación de bacterias (principalmente, *Staphylococcus aureus, Staphylococcus albus* y *Cornibacterium acnes*). Con el tiempo, cuando el folículo obstruido se rompe y permite la descarga de su contenido, éste incluye productos de degradación del metabolismo de las bacterias, incluyendo irritantes, tales como ácidos grasos, ocasionando inflamación e hinchazón locales. También existe la posibilidad de que las células externas del folículo piloso se ennegrezcan por el depósito de pigmentos procedentes de las células dañadas que se encuentran en capas más profundas, originando «puntos negros» (se debe destacar que las espinillas no se deben, por tanto, a la acumulación de suciedad ni detritos).

Productos para pieles grasas

Todavía no se conocen sustancias activas de aplicación tópica que inhiban la producción local de sebo. Por tanto, el principal tratamiento para pieles grasas consiste en la limpieza cuidadosa y regular, que evite la acumulación de grasa sobre la superficie cutánea, el uso de sustancias absorbentes, que embeban el exceso de grasa y la aplicación de productos (particularmente, bases líquidas) capaces de secar la piel hasta conseguir un aspecto mate y no brillante.

La limpieza frecuente y adecuada de la piel (particularmente cara, cuello, pecho y espalda) es de gran importancia en el control de la piel grasa y de las complicaciones que se originan con frecuencia de ésta. Las emulsiones limpiadoras no parecen ser la elección de preferencia ya que, por fuerza, depositan una película de grasa adicional sobre la superficie cutánea. No obstante, se comercializan emulsiones aceite-agua de bajo contenido oleoso para los adolescentes y tales productos pueden ser satisfactoriamente usados siempre que se eliminen los últimos residuos de la emulsión por la aplicación posterior de un tónico o un tónico astringente. Un sistema más tradicional basado en agua y jabón es muy efectivo en la eliminación de la grasa superficial, no existiendo método más barato de limpieza, aunque muchos expertos creen que el uso prolongado de algo tan alcalino como el jabón puede causar daños a la piel. Como alternativa al jabón, se dispone de varias variedades de pastillas detergentes (de pH ligeramente ácido), que se utilizan en forma de pastillas de jabón[2]. Quizás el método más lógico para limpiar la piel grasa sea una solución acuosa sencilla de un tensioactivo, que puede presentarse en forma de gel con un agente gelificante orgánico convencional. Tales productos limpiadores, que no contienen sustancias grasas, ásperas o alcalinas, proporcionan un eficaz poder de limpieza sin exacerbar el estado grasiento de la piel. Además, estos productos se pueden mejorar con la incorporación de etanol, como astringente y germicida, que ayuda al control de las bacterias productoras del acné, que se encuentran sobre la superficie de la piel (este último principio también se puede aplicar a cualesquiera de los productos de limpieza para adolescentes ya mencionados). A continuación se dan dos ejemplos de formulación de tipo gel germicida de limpieza, que son suficientes para representar el fundamento general:

	(1)
	por ciento
Triclosán	3,00
Mentol	10,00
DEA-oleth-3, fosfato	2,50
Hidroxipropilcelulosa	2,50
Amphoteric-1	5,00
Agua	37,00
Alcohol (96 por 100)	40,00

	(2)
	por ciento
Fenoxiisopropanol	2,00
Sodio, lauril sulfato	5,20
Propilen glicol	8,00
Quaternium-15	0,20
Hidroxietilcelulosa	1,00
Agua	83,60
Perfume, colorante	*c.s.*

Son aplicables una gama de germicidas, tensioactivos, agentes gelificantes para sustituir en las fórmulas anteriores a discreción del formulador.

Un segundo enfoque del problema de la piel grasa consiste en el desarrollo de productos que dejan una capa mate sobre la superficie cutánea para combatir el brillo o absorber el exceso de grasa. El método más común es la incorporación en el producto de sílice coloidal pirogénico, que tiene la doble propiedad de absorber la grasa y proporcionar un aspecto mate[3]. La sílice puede incorporarse en la fase oleosa de una emulsión o, como alternativa, aplicarse como gel o solución de una suspensión acuosa o hidroalcohólica. Se pueden utilizar otros polvos no irritantes con fines similares, incluyendo polietileno, talco y bentonita[4].

Tratamientos específicos del acné

A pesar de las numerosas investigaciones que se han realizado, los modernos tratamientos del acné consisten en contenerlo hasta alcanzar una normalización por sí misma. El tratamiento efectivo, aunque limitado en ocasiones, tiende a ser largo y repetitivo[5]. Sin embargo, son utilizables simultáneamente dos maneras de enfocar el problema. La primera de ellas implica el empleo de lo agentes *peeling* (sustancias que eliminan las capas externas de la piel) para una eliminación rápida y eficaz de las células escamosas queratinizadas de la capa córnea, que facilitan la formación de comedones en el caso de que se dejen acumular en la superficie de la piel. La segunda se basa en una limpieza completa de las partes afectadas de la piel que ayudará a mantener bajo control la proliferación de los bacilos del acné, especialmente con la incorporación de algunos de los productos de limpieza con germicida a los que hemos hecho referencia anteriormente.

Entre los agentes *peeling* comúnmente utilizados, están el resorcinol, azufre y peróxido de benzoilo, y éstos (y particularmente el último) han demostrado ser valiosos en este limitado cometido. En ocasiones, se incorpora ácido salicílico, probablemente en un intento de reducir el efecto irritante del peróxido de benzoilo. La guanidina y sus derivados también han sido utilizados con el mismo fin[6], aunque el grado de irritación causada por el peróxido parece depender de las variables de la formulación, tamaño de la partícula y calidad de la propia materia prima[7]. Posteriormente, se da una selección de cremas y lociones *peeling*. El formulador debe evitar el uso de aminas orgánicas e hidróxidos inorgánicos, pues, como la mayoría de los peróxidos orgánicos, el peróxido de benzoilo se descompone en solución alcalina dando peróxido de hidrógeno.

Crema evanescente medicinal	(3)
	por ciento
Laneth-10	2,00
Alcohol de lanolina	0,50
Alcohol cetílico	5,50
Polawax	6,00
Miristilo, miristato	2,00
Benzoilo, peróxido	2,00
Resorcinol, monoacetato	0,20
Magnesio, aluminio, silicato	4,00
Metilparaben	0,20
Azufre	1,40
Perfume	*c.s.*
Agua	76,20

Procedimiento: Disolver el peróxido de benzoilo en el propilen glicol y después añadir el resto de los componentes de la fase oleosa. Añadir silicato de magnesio y aluminio al agua a 75 °C y dispersar agitando, añadir azufre y metilparaben y agitar de nuevo para dispersar. Mezclar las fases y emulsionar a 70 °C, añadiendo el perfume a 50 °C.

Loción peeling	(4)
	por ciento
Resorcinol	3,50
Acido salicílico	2,00
Alcohol	17,00
Agua de rosas	77,50

Crema para acné		(5)
		por ciento
A.	Alcohol cetearílico	1,50
	Ceteareth-20	1,00
	Isopropilo, adipato	1,50
	Agua	73,20

B.	Celulosa	2,80
C.	Benzoilo, peróxido	5,00
	PEG-4000	5,00
	Agua	10,00

Procedimiento: Moler toda la fase *C* en un molino coloidal. Añadir *B* a *A* y mezclar a 75 °C. Añadir *C* a 40 °C.

Algunos vehículos modernos para el peróxido de benzoilo suponen el empleo de geles[8]. No parece ser conocido el mecanismo de acción preciso del peróxido de benzoilo que ayuda a la eliminación de las capas superficiales e inflamadas de la piel. También han sido patentadas otras composiciones que liberan oxígeno; sin embargo, destaca una basada en *N*-acetil-*dl*-metionina formando complejo con sales de amonio cuaternario[9]. Es sabido que las bacterias productoras del acné primario son anaerobias y no pueden proliferar en presencia de oxígeno.

En la actualidad, existe mucho interés por el ácido de la vitamina A (ácido retinoico o Tretinoin) en el control del acné. Hace tiempo que se conoce la influencia de la vitamina A en las células del estrato córneo. El ácido retinoico estimula el crecimiento epitelial y, de este modo, se forma una capa córnea menos adherente. Se aplica directamente a las zonas afectadas como gel o solución alcohólica al 0,025 por 100. Tales formulaciones pueden ser mejoradas con la adición de antibióticos[10]. La aplicación tópica de sólo antibióticos no es muy efectiva pero parece existir una acción complementaria entre los antibióticos y el ácido retinoico; este último colabora a reducir primeramente la agregación de las células córneas, mientras que los primeros inhiben la infección secundaria. La tetraciclina es un ejemplo de un antibiótico que puede actuar de este modo. También se sabe que el zinc influye en el metabolismo de la vitamina A y algunas personas con acné grave mejoran como consecuencia de la aplicación de sulfato de zinc por vía oral. Otras patentes mencionan la aplicación del ácido retinoico asociado a ésteres del ácido láctico[11] y derivados desmetil vinil del ácido retinoico[12].

Sin duda, seguirán apareciendo nuevas patentes que describan tratamientos tópicos para el acné, si bien indudablemente la naturaleza de algunos de ellos pertenecerá a la categoría de preparados farmacéuticos por algunos de los productos que contengan. En la actualidad, es necesaria una mayor investigación del problema de la prevención, más que de la curación. Existen pruebas de que algunos componentes de los cosméticos pueden realmente empeorar o potenciar el acné, originando el término de «comedogénico». Ciertos trabajos clínicos indican que estas materias primas tienden a tener un efecto comedogénico sobre pieles susceptibles, independientemente del tipo de formulación que las contengan[13-16]. Tales investigaciones se consideran aún como algo polémicas, pero indudablemente continuarán y pueden llegar a ser una ayuda valiosa para el científico cosmético interesado en la formulación de productos para la piel del adolescente.

REFERENCIAS

1. Munro-Ashman, D., *Trans. Rep. St John's Hosp. Dermatol. Soc.*, 1963, **38,** 144.
2. Delmotte, A. *Arch. Belg. Dermatol. Syphiligr.*, 1960, **1,** 118.

3. US Patent 4 600 317, Colgate-Palmolive, 28 December 1976.
4. US Patent 4 164 563, Minnesota Mining and Manufacturing Co., 14 August 1979.
5. Parish, L. C. and Witkowski, J. A., *Acne, Update for the Practitioner*, ed. Frank, S. B., New York, Yorke Medical, 1979, pp. 7–12.
6. US Patent 4 163 800, Procter and Gamble, 7 August 1979.
7. Lorenzetti, O. J., Wernett, T. and McDonald, T., *J. Soc. cosmet. Chem.*, 1977, **28,** 533.
8. Anderson, A. S., Goldye, G. J., Green, R. C., Hohisel, D. W. and Brown, E. P., *Cutis*, 1975, **16,** 307.
9. US Patent 4 176 197, Dominion Pharmaceutical B Inc., 1979.
10. Kligman, A. M., Mills, O. H., McGinley, K. J. and Leyden, J. J., *Acta Derm. Venereol.*, 1975, **74** (Supplement), 111.
11. French Patent 1 551 637, Hoa, J. H. B., August 1979.
12. US Patent 3 882 244, University of California, May 1975.
13. Kligman, A. and Mills, O., *Arch. Dermatol.*, 1972, **106,** 843.
14. Fulton, J., *Cutis*, 1976, **17,** 344.
15. Frank, S. B., *Cutis*, 1974, **13,** 785.
16. Kligman, A., *J. Assoc. military Dermatol.*, 1976, **1,** 63.

10

Antiperspirantes y desodorantes

Introducción

Si se realizara una votación para seleccionar el producto cosmético que mejor ilustra la variedad de envasado, el ganador por unanimidad sería el desodorante-antiperspirante[1], pues probablemente no existe otro producto que se comercialice, cuando menos en ocho diferentes tipos de envase. Cada uno de ellos satisface un mercado específico y una comodidad, y cada uno de ellos tiene sus ventajas e inconvenientes.

Los desodorantes-antiperspirantes se suelen envasar en los siguientes tipos de presentación:

Barras: sólidas
Adsorbentes *(pads)*
Chapoteables *(dabber units)*
Aerosoles
Frascos-bola *(roll-ons)*

Pulverizadores bomba
Frascos comprimibles
Cremas
Barras: cremas

Ante la confusión sobre el uso y fines de los productos antiperspirantes y desodorantes, se considera útil distinguir los fines que pretenden cumplir.

Los antiperspirantes se diseñan fundamentalmente para reducir la humedad (axilar). En los EE. UU., están clasificados legalmente como medicamentos, pues su mecanismo de acción afecta a una función fisiológica del cuerpo, es decir, a las glándulas sudoríparas ecrinas. Los desodorantes, salvo los jabones, están diseñados para reducir el olor axilar. Puesto que esto no se considera una finalidad terapéutica, ni se altera una función fisiológica del cuerpo, los desodorantes se clasifican como cosméticos.

A pesar de la avalancha de antiperspirantes de uso tópico que han invadido a los consumidores, y en contra de las repercusiones de los mensajes publicitarios, actualmente no se dispone de un único agente tópico que elimine el sudor axilar del individuo hidrótico[2].

Sudoración y su control

El olor de la piel humana se produce a partir de las secreciones de las glándulas sebáceas y sudoríparas[3]. Las glándulas sebáceas se encuentran en cada uno de los pelos sobre la superficie roja de los labios, en el interior de las ventanas nasales, papilas, ano, prepucio y labios menores.

El sebo que secretan estas glándulas se compone principalmente de colesterol y sus ésteres, ácidos palmítico y esteárico y sus ésteres y otras variadas sustancias de naturaleza aún no conocida. En general, el sebo es graso y solidifica sobre la superficie cutánea. El sebo puro no es un factor crítico del olor de la piel. Los constituyentes identificados son inodoros[4]: en general, son sustancias de mayor peso molecular que los compuestos olorosos.

Es esencial una revisión de la fisiología de la sudoración para evaluar adecuadamente y entender la acción de desodorantes antiperspirantes.

La transpiración colabora en la regulación de la temperatura corporal disipando calor por medio de la evaporación de humedad de la superficie de la piel. También actúa con otras propiedades, como eliminación del ácido láctico que se forma durante el ejercicio muscular, y protección de la piel de la sequedad.

Se calcula que hay unas 2 380 000 glándulas sudoríparas distribuidas por toda la superficie corporal. Existen dos tipos de glándulas sudoríparas: glándulas ecrinas y glándulas apocrinas. Las glándulas ecrinas, o pequeñas glándulas en espiral, son las verdaderas glándulas sudoríparas y se encuentran en casi toda la superficie del cuerpo. Se forman en las capas más profundas de la dermis o subdermis desembocando directamente a la piel por un fino conducto. Las glándulas apocrinas, o grandes glándulas en espiral, son aquellas que están asociadas al desarrollo sexual, y aparecen después de la pubertad. Se presentan en relativamente pequeño número, y se localizan en las axilas, alrededor del pezón, en el abdomen y en la región púbica.

Aunque la axila es prácticamente un órgano apocrino, el flujo abundante de sudor que denominamos hiperhidrosis es el resultado de la intensa actividad de las glándulas ecrinas más que de las apocrinas de esta zona. En número de unas 25 000 en cada una de las bóvedas axilares, estas glándulas ecrinas secretan grandes cantidades de sudor. En los individuos hiperhidróticos, cada axila produce más de 12 gramos por hora. Esta fuerte emanación local es perjudicial y afecta tanto a la tranquilidad como a la vestimenta del individuo.

Estudios de laboratorio han demostrado que en el momento de afluir, tanto el sudor ecrino como el apocrino son estériles e inodoros[5]. El olor se produce después por la acción de las bacterias, fundamentalmente sobre el sudor apocrino, que es rico en sustancias orgánicas y es un sustrato idóneo para el crecimiento bacteriano[5]. El sudor ecrino, que es más abundante, es una solución acuosa muy diluida, y ha demostrado ser de mucha menor importancia como origen del olor axilar[6]. Sin embargo, probablemente la humedad procedente de las glándulas ecrinas favorece indirectamente la producción de olor de dos modos importantes: *a*) la pequeña cantidad de sustancia grasa y pegajosa procedente de las glándulas apocrinas axilares se dispersa en una superficie más extensa; *b*) la humedad en la cálida bóveda axilar completa un medio ideal para el rápido crecimiento y proliferación de las bacterias residentes que se nutren de esta materia orgánica. También el pelo de las axilas ha resultado favorecer el desarrollo del olor. Se piensa que los pelos de las axilas actúan como lugar de acúmulo del sudor apocrino y, así, incrementan el área superficial disponible para el crecimiento bacteriano.

La descomposición de las secreciones de las glándulas sudoríparas y sebáceas por la microflora bacteriana cutánea, y también la descomposición de proteínas de la superficie cutánea, originan numerosas sustancias de fuerte olor. Esta es la mezcla que origina el olor natural de la piel humana[7]. En ella se encuentran ácidos grasos de bajo peso molecular $(C_4\text{-}C_{10})$ y sistemas macrocíclicos, esteroides, lactonas, etc. Aunque éstos por sí mismos no huelen, sirven para fijar el olor. También el olor básico del *Homo sapiens* depende del individuo o grupo, consecuencia de la acción combinada del último alimento ingerido y estados físico y fisiológico.

El olor real del ser humano es la suma del olor natural y del adquirido: dos mujeres, que se vistan, laven y perfumen de forma idéntica, huelen de forma diferente. Los seres humanos encuentran dificultad para reconocer esta diferencia, pero un perro no tiene dificultad alguna para tal detección. Es, por tanto, el olor corporal una propiedad completamente individual del ser humano, exactamente igual que sus huellas dactilares o el sonido característico de la voz. La intensidad del olor corporal difiere de una persona a otra, y depende de sus circunstancias personales, medio y estados social y fisiológico.

A partir de estos hallazgos, existen varios modos para reducir o controlar el olor de las axilas: *a*) reducir el sudor apocrino en las axilas; *b*) eliminar las secreciones de ambos tipos de glándulas sudoríparas tan rápidamente como sea posible; *c*) impedir el crecimiento bacteriano; *d*) adsorber los olores corporales.

Muchos investigadores suponen que las secreciones humanas contienen feromonas[8], que tienen sexualmente efectos agradables y atrayentes, y reflejan el estado psicologico de los individuos. Por consiguiente, el olor humano tiene gran importancia.

Los antiperspirantes actúan limitando la cantidad de secreción de las glándulas sudoríparas que descarga en la superficie de la piel. En consecuencia, el mecanismo de acción implica un descenso en la producción de sudor a nivel glandular, la formación de una obstrucción o tapón en el conducto sudoríparo, la alteración de la permeabilidad del conducto sudoríparo a los fluidos (como si fuera una manguera de agua que estuviese perforada) o cualesquiera de las otras teorías que implican nuevos conceptos, tales como el potencial electrofisiológico a lo largo del conducto sudoríparo. Las múltiples teorías expuestas para explicar la acción de los antiperspirantes se pueden encontrar en varias publicaciones y artículos de revisión[9-11].

A pesar de predominar las teorías mecánicas, el mecanismo de la anhidrosis axilar es relativamente desconocido.

PAPA y KLIGMAN[12] han proporcionado pruebas histológicas en sujetos en que el cloruro de aluminio altera el estado fisiológico de los conductos sudoríparos. Los patrones iontoforéticos de azul de metileno sugieren incremento en la permeabilidad al agua del conducto sudoral, mientras que el arranque del estrato córneo con cinta adhesiva no anula el estado anhidrótico producido. Ambas series de datos sugieren que el cierre u obstrucción (formación de tapón) del poro no se presenta cuando se produce anhidrosis con cloruro de aluminio. Además, LANSDOWN[13] demostró que concentraciones elevadas de cloruro de aluminio dañan la epidermis de la piel de los mamíferos y también descomponen los fosfolípidos. Por otro lado, igualmente PAPA y KLIGMAN han publicado que determinados agentes que precipitan proteínas, tales como formaldehído, producen obstrucciones superficiales en el conducto de la glándula ecrina. La anhidrosis originada por conocidos agentes que precipitan proteínas fue anulada con la eliminación del estrato córneo[14].

La anhidrosis parcial o total producida por fármacos anticolinérgicos no procede por vía de un mecanismo relacionado con tales factores anatómicos o histológicos. Algunos autores indican que ciertos fármacos poseen actividad anticolinérgica supresora de la secreción del sudor por acción directa sobre el proceso secretor de la glándula sudorípara[9, 15]. Estos fármacos inhiben la acción de la acetilcolina estimulante del producto de la sudoración.

El vehículo del que se liberan los fármacos anticolinérgicos desempeña un papel importante, al influir en la eficacia, puesto que estos compuestos han de atravesar el estrato córneo y la epidermis para llegar al lugar activo[15, 16].

La moderna historia de los antiperspirantes tópicos para axilas comenzó con la observación en 1916 de STILLIAN: una solución al 25 por 100 de cloruro de aluminio hexahidratado en agua destilada, aplicada suavemente en las axilas cada dos o tres días, reduce la sudoración excesiva[17].

Actualmente, la revisión más extensa y detallada del tema de antiperspirante es la de FIDLER[18], que contiene 411 referencias. Es interesante destacar que la formulación de STILLIANS, en 1916, es uno de lo antiperspirantes utilizados de mayor eficacia. No es tóxica ni alérgena. Sin embargo, hoy en día sólo tiene una venta limitada porque, a) es irritante a la piel de algunos usuarios, y b) su elevada acidez estropea la ropa. Uno de los primeros cambios importantes de la evolución tuvo lugar en la década de 1940, cuando se descubrió que una sal compleja de aluminio menos ácida, clorhidróxido de aluminio, podía sustituir al cloruro de aluminio. Esto redujo la irritación de la piel y se disminuyó apreciablemente el daño a la ropa. Desgraciadamente, también redujo el efecto antiperspirante.

Componentes de los antiperspirantes

Varias sales de metales poseen propiedades astringentes. Entre ellas se encuentran las de aluminio, circonio, zinc, hierro, cromo, plomo, mercurio y otros metales raros[19]. Se han realizado varios intentos para encontrar los antiperspirantes más efectivos de las sales de estos metales. Sin embargo, muchos se han tenido que desechar inmediatamente por razones de toxicidad, y el campo ha quedado reducido principalmente a las sales de aluminio y circonio.

Circonio

En 1955, el lactato de sodio y circonilo fue empleado en barras desodorantes formuladas en un gel alcohólico de jabón. En 1956, se publicaron casos de erupciones granulomatosas en axilas de consumidores de estos productos[20].

A pesar de esto, se publicó una serie completa de patentes en el período de 1955 a 1961[21-24], cubriendo la aplicación antiperspirante de las sales de circonio, a veces en asociación con compuestos de aluminio y tampones, como urea o glicina.

El siguiente progreso importante se produjo en 1968, con una patente de Bristol-Myers[25] de un complejo basado en circonio que se mostró eficaz tanto como antiperspirante como no irritante. Siguieron otras varias patentes, y de 1972 a 1975 se introdujeron en EE. UU. varios aerosoles antiperspirantes conteniendo complejos de circonio. Se presentaron como antiperspirantes mucho más efectivos que los compuestos de aluminio, siendo utilizados en antiperspirantes comerciales.

En 1973, Gillette retiró sus productos aerosoles basados en circonio a causa de las «reacciones leves inflamatorias en monos».

En 1975, se publicó que la Administración de Alimentos y Medicamentos de EE. UU. contemplaba una posible prohibición de los antiperspirantes aerosoles basados en circonio, consecuencia de las deducciones de riesgo de estos productos a largo plazo. En 1977, llegó la prohibición oficial de la Administración de Alimentos y Medicamentos de los EE. UU. (FDA), cuando en ese momento no se había dejado ningún producto en el mercado[26]. La Administración de Alimentos y Medicamentos declaró que no había razón para prohibir los antiperspirantes que contenían circonio aplicados directamente sobre la piel, y que los complejos de aluminio y zinc correspondían a la Categoría I (seguros y efectivos) para aplicaciones no aerosol a concentración del 20 por 100 o inferiores, calculada en base anhidra.

En 1978, tres de los cuatro antiperspirantes bola (roll-ons) de la cima del mercado de los EE. UU. contenían sales de circonio[27].

Aluminio

Las diferencias observadas en el comportamiento antiperspirante, entre el clorhidróxido de aluminio y el cloruro de aluminio, se han atribuido a alteraciones de su interacción con la piel[28]. La literatura contiene muchas referencias a métodos para medir las interacciones de sustancias exógenas con la piel. Las propiedades eléctricas de la piel se han utilizado con éxito como medio para el propósito de describir este efecto, y se consideraron apropiadas para investigar este enfoque con relación a las sales de aluminio. Se desarrollaron instrumentos y técnicas adecuadas para medir la impedancia eléctrica de la membrana epidérmica aislada. Así, fueron medidos los efectos que producían las dos sales antiperspirantes de aluminio en la impedancia del estrato córneo del cobaya. El clorhidróxido de aluminio redujo la impedancia cinco veces más que el cloruro de aluminio. Los resultados obtenidos concuerdan con el comportamiento en la absorción cutánea, que manifiestan ambas sales, y su actividad antiperspirante *in vivo*. Este estudio apoya la hipótesis de que la antiperspirancia se basa en la interacción antiperspirante-piel.

La Administración de Alimentos y Medicamentos de lo EE. UU. publicó el 10 de octubre de 1978 recomendaciones del Grupo Asesor y Revisor de Productos de Mostrador *(Advisory Review Panel on Over-the-Counter-OTC)* como una propuesta de regulación, y expresó serias preocupaciones acerca de las posibles consecuencias de la inhalación inadvertida a largo plazo de antiperspirantes aerosolizados. Los preparados aerosoles que contienen derivados de aluminio se han situado en la Categoría III por el *Panel OTC*, esto es, con insuficientes datos disponibles en el momento para permitir su clasificación final[29].

Aunque la naturaleza del aluminio difiere marcadamente en muchos aspectos de la del circonio, particularmente en cuanto a su carencia de antigenidad potencial, no aparece tan claramente diferenciada su implicación en la posible formación de granuloma en algunas circunstancias.

Principios activos

El Grupo Asesor y Revisor de Productos OTC *(OTC Panel)* ha desarrollado una serie de guías completas y rigurosas que se han proyectado como protocolo estándar para ser empleado en estudios de inhalación crónica realizados en animales, diseñada para clasificar en la Categoría I (seguros y efectivos) los productos que los han superado satisfactoriamente.

Basado en el conocimiento de la disponibilidad comercial de polvos antiperspirantes de aluminio suministrados a granel en tamaño de partícula controlados y diseñados para ser empleados en suspensiones aerosoles «polvo en aceite», el Grupo Asesor OTC *(OTC Panel)*[30] ha recomendado que todos los sistemas aerosoles comercializados en EE. UU. de tipo suspensión se deben formular de modo que al menos el 90 por 100 de las partículas emitidas sean mayores de 10 μm de diámetro. Puesto que se considera a la nariz el filtro principal, prácticamente existe completa retención de partículas mayores de 10 μm. Casi el 50 por 100 de las partículas de 5 μm se retienen, mientras que todas las partículas de 1-2 μm atraviesan la nariz. En general, las partículas inferiores a 5 μm son respirables y penetran en los pulmones.

RUBINO *et al.*[31] describen el desarrollo de un clorhidrato de aluminio de partícula controlada en el cual un mínimo del 95 por 100 del peso de las partículas posee diámetros de 10 μm o superiores.

La tabla 10.1 reproduce las Categorías propuestas por el Grupo Asesor OTC.

Composiciones antiperspirantes que emplean derivados de aluminio recubiertos de almidón como agente activo son objeto de dos patentes expedidas a L'Oreal[32, 33]. El agente activo descrito en una de las patentes comprende microcristales de un derivado de aluminio recubierto con almidón degradado que forma geles en agua a una temperatura inferior a 100 °C, y así se proporciona un gel atomizable con una concentración de almidón, que varía entre el 5 y el 10 por 100 en peso. El recubrimiento de almidón evitará que el compuesto de aluminio reaccione con perfumes, y reduce irritaciones en usuarios de piel sensible.

Se afirma que todos estos inconvenientes pueden evitarse empleando partículas de un compuesto de aluminio higroscópico, recubiertas con un polímero que se disuelve con suficiente rapidez en agua a la temperatura corporal para permitir una rápida liberación al contacto con el sudor.

La segunda patente de L'Oreal también emplea un compuesto de aluminio recubierto con almidón, pero esta vez se pretende producir una acción antiperspirante retardada.

Tabla 10.1. Categorías de componentes activos—Grupo Revisor OTC («USA FDA OTC Antiperspirant Review Panel»)
I = Permitidos. II = Prohibidos. III = Temporalmente permitidos.

Componentes activos	No pulverizados	Pulverizados
Aluminio, bromohidrato*	II (S,E) †	II (S,E)
Aluminio, clorhidratos	I	III (S)
Aluminio, cloruro (solución acuosa al 15 por 100 o inferior)	I	III (S)
Aluminio, cloruro (soluciones alcohólicas)	II (S)	II (S)
Aluminio, sulfato	III (S,E)	III (S,E)
Aluminio, circonio, clorhidratos	I	II (S)
Aluminio, sulfato tamponado	I	III (S)
Potasio, aluminio, sulfato	III (S,E)	III (S,E)
Sodio, aluminio, clohidroxilactato	III (S)	III (S,E)

* Este componente no ha sido nunca comercializado en EE. UU. en amplitud y tiempo materiales y, por tanto, no puede recibir reconocimiento general de seguridad y efectividad.

† (S) se refiere a las consideraciones de seguridad, y (E) se refiere a las consideraciones de efectividad.

Componentes de la Categoría I

1. Clorhidratos de aluminio a concentraciones del 25 por 100 o inferiores, calculadas en una base anhidra, en formulaciones tópicas (no aerosoles) de uso exclusivo en axilas.
2. Clorhidratos de aluminio y circonio a concentraciones del 20 por 100 o inferiores, calculadas en base anhídrida, en formulaciones tópicas (no aerosoles) de uso exclusivo en axilas.
3. El cloruro de aluminio a concentraciones del 15 por 100 o inferiores, calculadas en base de forma hexahidratada, en solución acuosa y para formulaciones tópicas (no aerosoles) de uso exclusivo en axilas. Las soluciones alcohólicas son Categoría III a causa del excesivo número, observado, de irritaciones en los datos considerados.
4. Sulfato de aluminio tamponado como sulfato de aluminio a una concentración del 8 por 100 más lactato de aluminio y sodio a la concentración del 8 por 100 para formulaciones tópicas (no aerosoles) para uso exclusivo en axilas.

Componentes de la Categoría III

1. Todos los componentes de la Categoría I descritos anteriormente, excepto sales de circonio, cuando se usan en formulacones aerosoles. La razón de esto es la carencia de suficientes pruebas de datos de seguridad de inhalación a largo plazo.
2. Clorhidroxi lactato de aluminio y sodio. El grupo llegó a la conclusión de que este componente es seguro, pero carecía de suficientes pruebas de eficacia para permitir la clasificación final en este momento. Las pruebas de eficacia se exigen para todos los demás antiperspirantes.
3. Sulfato de aluminio. El grupo consideró que este componente carecía de suficientes pruebas de seguridad, a menos que su acidez sea reducida previamente con lactato de aluminio y sodio. También, sus datos de eficacia se consideraron insuficientes por carecer de datos de ensayos en hombre.
4. Sulfato de aluminio y potasio (alumbre potásico). Este componente se incluyó en la Categoría III a causa de pruebas insuficientes, tanto de seguridad como de eficacia.

Se asegura que los derivados de aluminio antiperspirantes micronizados convencionales se disuelven inmediatamente en contacto con el sudor, proporcionando una actividad antiperspirante de sólo corta duración; usando un agente antiperspirante recubierto, la sustancia activa es progresivamente liberada durante el contacto con el sudor y, por tanto, es activa durante un tiempo más prolongado.

UNILEVER publicó una patente en 1977 [34] describiendo el empleo de polímeros orgánicos absorbentes de humedad para absorber la humedad superficial de la piel. Se pueden aplicar en forma aerosol pulverizado, y se incluyen ciertos polisacáridos, polipéptidos, polímeros vinil carboxílicos y copolímeros. Los polímeros preferidos están caracterizados por su capacidad de absorber una cantidad de humedad superior a su propio peso y hasta diez veces superior a su propio peso después del depósito de la composición sobre la piel.

Evaluación de los antiperspirantes

Eficacia de los antiperspirantes

Puesto que un producto que reduzca un 20 por 100 del sudor presenta únicamente un efecto antiperspirante apenas perceptible, los antiperspirantes que alcanzan menos del 20 por 100 de efectividad en ensayos de habitación cálida carecen de valor probablemente en términos de beneficio al consumidor. El Grupo de Revisión de Antiperspirantes de Productos de Venta de Mostrador[35] en los EE. UU. ha propuesto un criterio estadístico que proporciona una garantía razonable para comercializar sólo los productos antiperspirantes que produzcan reducción del sudor del 20 por 100 al menos en la mitad de los sujetos.

El intervalo de efectividad (porcentaje medio de reducción del sudor) en ensayos de laboratorio en habitación cálida de los antiperspirantes OTC sometidos al Grupo de Revisión de Antiperspirantes (*Antiperspirant Review Panel*) se da en la tabla 10.2. Una conclusión general que parece válida es que los antiperspirantes en forma de aerosol no son generalmente tan efectivos como en otras formas de dosificación.

Tabla 10.2.   Intervalo de reducción media de sudor —Grupo de Revisión Antiperspirantes— US FDA OTC

Forma dosificación	Reducción media (por 100)
Aerosoles	20-33
Cremas	33-47
Frascos bola (*roll-ons*)	14-70
Lociones	28-62
Líquidos	15-54
Barras	35-40

En la actividad antiperspirante[36] influyen muchos factores. Una variación pequeña en la composición de la fórmula es una de las más críticas y que poco frecuentemente se reconoce. Un aditivo a la fórmula puede inhibir grandemente la actividad antiperspirante, o, en ciertas circunstancias, puede aumentar la actividad de modo definitivo. A esta última clase pertenecen los aditivos que reducen la irritablidad de la fórmula sin afectar contrariamente a la actividad antiperspirante.

Existe marcada variación de respuesta entre diferentes sujetos. Por ejemplo, el cloruro de aluminio sin formular reduce el sudor de algunos sujetos un 40-50 por 100, pero aumenta el de otros en una proporción similar. Sujetos que presentan marcado incremento en sudoración (actividad properspirante), generalmente presentarán irritación visible axilar. También MAJORS y WILD[36] han observado, sin embargo, muchos ejemplos de muestras que fueron efectivas en la mayoría de los sujetos, pero que no presentaron efecto antiperspirante en algunos sujetos ni aun mostraron actividad properspirante sin patente evidencia de irritación axilar. Esto indicaría que existe algún factor distinto al de inactivación del antiperspirante por componentes de la fórmula que tiene efecto con cierta especificidad en sujetos de eficacia individual disminuida.

La eficacia de un antiperspirante se define mejor como el porcentaje de reducción en el valor de la sudoración en la axila que se puede alcanzar después de una aplicación real o series de aplicaciones del producto de ensayo. Los métodos preferidos para la determinación de la eficacia son la gravimetría o el uso de higrómetros electrónicos.

Método gravimétrico[36]. Las personas pertenecientes al grupo de ensayo deben abstenerse del uso de toda sustancia antiperspirante por lo menos durante una semana antes de iniciar el estudio. Las tomas del sudor se realizan en habitaciones de temperatura controlada a 37,8 °C $\pm$ 3,6 °C (100 $\pm$ 2 °F) y de aproximadamente un 35 por 100 de humedad relativa. Las tomas de sudor se hacen en dos períodos sucesivos de veinte segundos utilizando almohadillas adsorbentes taradas. Estas tomas irán precedidas de un período de acondicionamiento de cuarenta minutos en la cámara cálida, en la que a las personas de ensayo se le aplican almohadillas no taradas en sus axilas. La relación de sudor producido por las axilas derecha e izquierda se determina en la serie de tomas controladas. El efecto de sustancias antiperspirantes sobre el valor de la sudoración de cada invíduo se determina comparando la relación postratamiento con relación al control medio del sujeto. El cambio de porcentaje para cada individuo se calcula:

$$\text{Reducción (por 100) en valor de sudor} = \frac{\text{relación postratamiento}}{\text{relación media de control}} \times 100$$

Higrometría. Los métodos disponibles más exactos son los que emplean higrómetros electrónicos. Se fija una copa a la piel y el agua del área depositada se evapora por una corriente constante de gas seco. Se monitoriza el contenido de agua de esta corriente de gas y se calcula el valor de la sudoración.

Puesto que la célula empleada para cubrir la piel no es muy grande y sólo encierra una pequeña superficie de la axila, su colocación en esta prueba es decisiva. A menos que las células se coloquen en la misma posición exacta para cada sesión experimental, la diferencia en la sudoración de diferentes lugares puede ser superior a los cambios producidos por el empleo de los productos antiperspirantes.

Probablemente, el antebrazo es el lugar de aplicación más adecuado por, *a)* no ser tan crítica la posición de las células en la piel por ser uniforme su distribución de las glándulas, y *b)* Los reflejos que unilateralmente afectan a la sudoración no son tan pronunciados en los antebrazos o se pueden evitar completamente utilizando dos lugares del mismo brazo.

Mecanismos de los desodorantes y componentes de los mismos

Ya que el olor axilar se produce principalmente por la acción de bacterias sobre nutrientes presentes en la secreción apocrina, en teoría, cualquier compuesto que inhiba el crecimiento de aquellos microorganismos que se encuentren en las axilas presentará propiedades desodorantes. Los agentes antibacterianos publicados en la literatura, o empleados por los fabricantes de cosméticos y productos de tocador, incluyen compuestos de amonio cuaternario, como cloruro de benzethonium (cloruro de di-isobutil fenoxietoxi etil dimetil benzoilamonio monohidratado), compuestos catiónicos, como acetato de clorhexidina (acetato de 1,6-di-[N-*p*-clorofenildiguanido] hexano) y triclosan (2,4,4'-tricloro-2'-hidroxidifenil éter).

Antes de la Segunda Guerra Mundial, los bacteriostáticos más populares eran los cresoles. Sin embargo, su olor desagradable limitó su aplicación. En 1941, investigadores de Givaudan Corporation descubrieron que un bifenol halogenado, hexaclorofeno, poseía cualidades bacteriostáticas cuando se incorporaba al jabón. A mediados de 1971, la FDA de los EE. UU. publicó un informe respecto a que las lesiones cerebrales en los ensayos de animales eran producidas por dosis elevadas por vía oral de hexaclorofeno (HCP). El 22 de septiembre de 1972 la FDA tomó su decisión final sobre el hexaclorofeno. Esta regulación prohibía completamente el uso del hexaclorofeno en todo producto que no fuera de prescripción facultativa. El mayor impacto de esta regulación fue experimentado por Armour-Dial, fabricante del jabón «Dial». Inmediatamente Armour-Dial anunció que, en el plazo de una semana, cambiaría la formulación del jabón «Dial» de hexaclorofeno (HCP) al 0,75 por 100, más triclorocarbanilida (TCC) al 0,75 por 100, a sólo triclorcabanilida (TCC) al 1,50 por 100.

Una patente inglesa[37] describe la amplia eficacia en el empleo de hexametilentetramina que anteriormente se había utilizado como antiséptico urinario. Un ejemplo de una composición desodorante es el que sigue:

	(1)
	por ciento
Hexametilentetramina	14-20
Zinc, óxido	16-23
Almidón	16-23
Vaselina	38-43
Perfume	0,5-1,2

Se afirma que la eficacia de este desodorante no disminuye en siete a quince días.

El uso de bicarbonato sódico como desodorante se conoce desde hace muchos años[38]. El bicarbonato sódico es una sal ácida que actúa químicamente tanto como álcali débil, como ácido débil. Los olores de las axilas se producen principalmente por compuestos ácidos volátiles que son absorbidos por el bicarbonato sódico para formar sales inodoras estables. En 1975, aparecieron en EE. UU. productos aerosoles conteniendo bicarbonato sódico, y se expidió una patente a Colgate-Palmolive[39] sobre composiciones aerosoles que contenían esta sustancia.

Las sales metálicas del ácido ricinoleico[40], particularmente de zinc y otros elementos próximos al zinc en la tabla periódica, muestran una reactividad marcada hacia compuestos orgánicos de bajo peso molecular con grupos funcionales que contienen nitrógeno amino y azufre mercapto. Esto origina un efecto desodorante que se intensifica con la incorporación de pequeñas cantidades de otros derivados de ácidos grasos polihidroxilados o ácidos resínicos. Un ensayo sensorial en el caso de derivados similares de otros ácidos grasos no revela ningún efecto desodorante.

L'Oreal publicó una patente[41] sobre composiciones desodorantes basadas en extractos vegetales y, después de largas investigaciones, localizó la actividad deseada en las especies de *Ungulina* de hongos de la familia *Polyporaceae*. La invención proporciona una composición idónea para la aplicación al cuerpo humano que incluye el extracto de al menos un hongo de las especies de *Ungulina*, un vehículo compatible y un perfume, conteniendo el extracto ácido argariaco. *Ungulina officinalis* es un hongo parasitario de la madera de los árboles alerces, que se localiza principalmente en las regiones alpinas de Rusia y Siberia.

KABARA[42] describe las relaciones estructura-actividad de tensioactivos como agentes antimicrobianos. Los tensioactivos no iónicos, que en tiempos pasados se consideraron carentes de actividad antimicrobiana, demuestran ser activos, cuando se forman los monoésteres del ácido láurico.

El alcohol etílico, que se utiliza como vehículo en los productos desodorantes, también es un activo agente antibacteriano[43].

Desde hace medio siglo, se conocen las propiedades antimicrobianas de los aceites esenciales. CADE[44] publicó una extensa revisión y bibliografía de las publicaciones de este campo hasta 1955. Estos estudios demuestran que varios aceites esenciales presentan efectos antibacterianos significativos. La variación considerable en los resultados de los ensayos se atribuye al hecho de que, en muchos casos, son productos naturales; también, en gran medida, contribuye a la desviación de los resultados, la variedad de organismos y métodos de ensayo empleados. Un aceite esencial puede variar considerablemente en su composición química, originándose así la correspondiente carencia de uniformidad en la actividad antimicrobiana. Algunos aceites esenciales, tales como el tomillo y el clavo, muestran buena actividad antimicrobiana, que generalmente se atribuye a su elevado contenido fenólico, es decir, timol y eugenol.

KELLNER y KOBER examinaron la acción antibacteriana de 175 aceites frente a nueve microorganismos y clasificaron 21 de los aceites más activos según su composición química[45]. También se encontró que los terpenos tenían buenas propiedades antibacterianas. MARUZELLA[46] dirigió amplias investigaciones de las propiedades antibacterianas y antifúngicas de aceites esenciales, perfumes y sustancias químicas aromáticas. Informó de una elevada incidencia de actividad en estas sustancias tanto en la fase de contacto, como en la de vaporización de los agentes antimicrobianos.

Evaluación de desodorantes

En el caso de los desodorantes, las técnicas de evaluación son relativamente directas: métodos microbiológicos convencionales de análisis del contenido microbiológico en experimentos convenientemente diseñados suministrarán datos concernientes a la eficiencia de los componentes y productos desodorantes *in vitro* e *in vivo*. Sin embargo, el último ensayo para todo producto cosmético desodorante terminado comprenderá estudios del olor axilar[47]. A pesar de que esto parezca una técnica primitiva, está extremadamente bien amoldada a un producto de consumo; para una enumeración útil de estas técnicas consúltese a ROTHWELL[48]. Los atributos del producto final son función de la fórmula total en la cual el perfume desempeña un papel significativo. En el análisis final, es la nariz bien entrenada, capaz de relacionar la percepción de olor del consumidor, lo que ayudará a la determinación del éxito o fracaso de un producto desodorante.

Formulación de productos: Antiperspirantes

Aerosoles

A mediados de la década de los sesenta, aparecieron en los EE. UU. antiperspirantes aerosoles polvo-aceite empleando clorhidrato de aluminio en polvo micronizado y conteniendo un 3-4 por 100 de ingredientes activos en una base oleosa. Este sistema ha llegado a ser, con mucho, el tipo de aplicación preferida de antiperspirantes.

Se disponen de muchas combinaciones de materias primas para la formulación de aerosoles antiperspirantes, y su selección debe ser cuidadosamente considerada, puesto que la química de superficie del sistema puede afectar a las características de sedimentación y dispersión de la fórmula[49]. Además, las formulaciones deben proporcionar la mayor eficacia antiperspirante y desodorante, máxima seguridad, elegancia cosmética y manchar lo mínimo posible.

Una fórmula característica polvo-aceite es:

		(2)
		por ciento
Aluminio, clorhidrato (micronizado)		4,50
Isopropilo, miristato		3,70
Sílice coloidal		0,15
Perfume		*c.s.*
Propulsor 11/12 (65:35)	hasta	100,00

Se utiliza un emoliente o portador de aluminio para producir una sensación suave en la piel y facilitar la adherencia del polvo. Se emplea comúnmente un éster, ta como miristato de isopropilo, aunque algunos productos contienen siliconas volátiles para evitar que se manchen los vestidos.

Se añade un agente suspensor para evitar la aglomeración del clorhidrato de aluminio que originaría el bloqueo de la válvula y fugas. Agentes suspensores típicos son sílice coloidal y derivados «Bentone». La sílice coloidal tiene un tamaño de partícula extremadamente pequeño y forma una cubierta alrededor de las partículas de polvo para prevenir la formación de sedimentos pesados. FLOYD[50] ha revisado los efectos de las arcillas montmorillonitas y silíceas en las propiedades reológicas de antiperspirantes en aerosol y otras formas de productos.

Los aerosoles son continuamente atacados por ciertos grupos que se adjudican la defensa del medio ambiente, especialmente en EE. UU., debido a la teoría de la disminución de «ozono». Se creee que los propulsores fluorocarbonados reaccionan con la capa de ozono de la atmósfera y la dañan. En la actualidad, existe una importante polémica sobre la realidad del problema de la disminución del ozono, pero, en los EE. UU., la FDA reguló que a partir de abril de 1979 no se podían comercializar aerosoles para uso no esencial que contuviesen propulsores fluorocarbonados. En los EE. UU., actualmente los aerosoles antiperspirantes y desodorantes están propulsados con butano.

Manchas en la ropa por aerosoles antiperspirantes. Han sido ampliamente comercializadas composiciones de aerosoles antiperspirantes en los que la sustancia astringente, por ejemplo clorhidróxido de aluminio, se prepara como un sólido suspendido en un vehículo higrófugo anhidro del líquido, tal como aceite mineral, miristato de isopropilo o palmitato de isopropilo. Aunque tales composiciones son efectivas en reducir la sudoración, tienden a producir manchas en la ropa que quedan después del lavado.

En una patente de Gillette de 1974[51], se afirma que las manchas debidas a composiciones aerosoles pueden reducirse de forma apreciable usando como vehículo líquido un éster que sea miscible con el propulsor, y que esta selección actúa con el grupo representado por la fórmula,

$$CH_2COOR_1$$
$$|$$
$$RO\text{---}C\text{---}COOR_1$$
$$|$$
$$CH_2COOR_1$$

donde R es un átomo de hidrógeno o grupo acilo de 2 a 3 átomos de carbono. Ejemplos de los compuestos incluyen citrato de trietilo y citrato de acetil trietilo.

La efectividad de estos ésteres en la reducción de las manchas se demostró *in vivo* con aproximadamente 100 varones que recibieron botes codificados que contenían antiperspirantes paralelos de formulaciones de citrato de trietilo y palmitato de isopropilo y camisas T nuevas de algodón. Se les dio instrucciones de usar un solo producto para la axila derecha y el otro para la axila izquierda. La camisa T se debía usar al menos durante cuatro ciclos de lavado casero. Después de cuatro semanas, se recogieron las camisas T y se evaluaron. Las zonas correspondientes en la camisa T en contacto con las axilas a las que se les había aplicado citrato de trietilo mostraron de modo manifiesto estar menos manchadas que las zonas donde se había aplicado palmitato de isopropilo. El grado de confianza de esta observación fue superior al 99,5 por 100.

Una patente de Unión Carbide publicada en 1977[52] hace referencia al uso de compuestos de silicona cíclica volátil que se puede emplear en lugar de miristato de isopropilo u otros emolientes comúnmente usados en aerosoles antiperspirantes para reducir eficazmente el choque o nube sin manchar la ropa y que, esencialmente, proporcionan una oleosidad reducida a la piel.

Varias patentes relacionadas con las manchas se han concedido a Unilever Ltd.[53-55]. En una de éstas, se demuestra que se puede lograr una reducción sustancial del nivel de machado de ropa en contacto repetido con antiperspirantes, incorporando a estas composiciones ciertos polialquilén glicoles. La invención describe una composición aerosol antiperspirante que no mancha y que se compone de un tipo de polvos en suspensión que contiene un polialquilén glicol miscible en agua e incoloro (tal como polipropilén glicol y derivados), en el cual se han butilado la proporción de grupos hidroxílicos de los glicoles. Estas últimas sustancias se suministran por Union Carbide Chemical Co. bajo las marcas *Ucon HB* y *Ucon H*. El término de «polialquilén glicol» también incluye un conjunto de copolímeros de óxido de etileno y óxido de propileno que son suministrados por Wyandotte Chemicals Corporation bajo la marca *Pluronic*. Una formulación típica descrita en la patente es la que sigue:

	(3) *por ciento*
Aluminio, clorhidrato	3,50
Sílice coloidal	0,50
Ucon 50-HB-660	4,77
Pluronic L64D	1,50
Perfume	0,38
Propulsor 11/12 (70:30)	hasta 100

Barras antiperspirantes

Desde hace varias décadas se han utilizado barras de colonia o jabón de clorhidroxi lactato de sodio y aluminio y, frecuentemente, se han denominado antiperspirantes. Sin embargo, en realidad, son desodorantes, pues su eficacia está dentro del intervalo de sólo un 8-12 por 100 de reducción de sudor. En los últimos años se han introducido auténticas barras antiperspirantes, que utilizan como ingrediente activo complejo de propilen glicol clorhidrato de aluminio o clorhidrato de aluminio micronizado. Estos productos producen una reducción del sudor del orden del 40 por 100.

- Generalmente, las barras antiperspirantes se basan en una matriz cerosa que sirve como portador del polvo de clorhidrato de aluminio y silicona volátil. Son necesarias una matriz de bajo punto de fusión y una silicona volátil de elevada temperatura de ebullición para conservar esta última durante la elaboración. Por esta razón, se prefiere el alcohol estearílico frente al ácido esteárico a causa de su inferior temperatura de fusión (58,5 °C frente a 69,9 °C).

Formulaciones típicas son las que siguen:

	(4) *por ciento*	(5) *por ciento*
* Volatile silicone 7158	46	46
Aluminio, clorhidrato en polvo	20	20
Alcohol estearílico	24	24
Polietilen glicol, diestearato 6000	6	6
* Carbowax PEG 1000	—	2
* Carbowax PEG 1540	4	2

* Union Carbide

Procedimiento: Calentar el alcohol estearílico, Carbowax PEG 1000 y 1540 y diestearato de polietilen glicol 6000 a 80 °C. Una vez fundido, añadir clorhidrato de aluminio, y mezclar completamente. Enfriar a 70 °C y mezclar rápidamente en la silicona volátil 7158. Cuando la mezcla es completa, verter la mezcla en moldes de barras. Dejar enfriar la mezcla y dejar en reposo durante veinticuatro horas.

FMC Corporation[56] han desarrollado barras antiperspirantes por compresión seca aplicando la compactación isostática de polvos de clorhidrato de aluminio y celulosa microcristalina.

Barra antiperspirante seca	(6)
	por ciento
Fase polvo	
Avicel PH-105 (FMC)	52,35
Talco de Italia	14,30
Aluminio, clorhidrato, Ultrafino (Reheis)	19,00
Dri-Flo Starch 4951 (National Starch)	7,30
Zinc, estearato	1,90
Fase líquida	
Volatile silicone 7202 (Union Carbide)	4,80
Isopropylan 33 (Robinson-Wagner)	0,10
Perfume	0,25

Procedimiento: Mezclar las sustancias en polvo en un mezclador especial en V durante diez minutos, añadir la fase líquida y mezclar con un reforzador durante cinco minutos. Comprimir la mezcla de polvo a 2000 psi (14 MPa) en una matriz rígida.

La celulosa microcristalina Avicel es una sustancia pura secada por atomización que proporciona una fase sencilla aglutinante de astringentes activos.

Las ventajas atribuidas a este tipo de barra son:

a) elevados niveles perceptibles de antiperspirancia;
b) suave aplicación seca;
c) no tener efecto corrosivo ni manchar los tejidos.

Cremas antiperspirantes

Una patente de EE. UU.[57] describe cremas anhidras antiperspirantes. Aunque las emulsiones aceite-agua proporcionan un vehículo idóneo para contener y liberar antiperspirantes activos, las composiciones de este tipo tienden a producir una sensación indeseable húmeda, fría y pegajosa cuando se aplican y se extienden sobre la piel. Esto se puede reducir algo utilizando composiciones en forma anhidra. Un ejemplo es el siguiente:

	(7)
	por ciento
Isopropilo, miristato	32,0
Bentone 38 (agente espesante-suspensor)	7,0
Alcohol etílico (agente promotor de gel)	3,0
Complejo de hidroxicloruro de circonio-clorhidróxilo de aluminio-glicina	47,0
Silicona (agente antisinerético)	10,0
Perfume	1,0

Esta es una composición antiperspirante fundamentalmente anhidra en forma de crema y resistente a la sinéresis.

Una formulación antiperspirante de crema normal aceite-agua [58] es:

(8)

partes por peso

A.	* Neo-Fat 18-55	10,6
	Aceite mineral	1,0
	Cera de abejas	1,0
	Glicérilo, monoestearato, puro	6,4
B.	† Chlorhydrol (solución de clorhidrato de aluminio al 50 por 100)	32,0
	Perfume	*c.s.*
C.	Propilen glicol	5,0
	Sodio, lauril sulfato	1,3
	Agua desionizada hasta	100,0

* Armak Co, Chicago, EE. UU.
† Reheis Chemical Co., Phoenix, EE. UU.

Procedimiento: Calentar *A* a 70-80 °C. Añadir *C* con agitación y enfriar a 35-40 °C. Añadir *B* y mezclar completamente.

Antiperspirantes frasco bola *(roll-ons)*

Desde hace muchos años se comercializan los frascos bolas *(roll-ons)* antiperspirantes. Generalmente, son productos basados en emulsiones o soluciones hidroalcohólicas espesadas con gomas de celulosa. Los productos hidroalcohólicos se secan más rápidamente y son menos pegajosos que los productos en emulsión. La viscosidad del producto final es importante para evitar que rezume alrededor de la bola.

En la siguiente formulación emulsión de Reheis Chemical Co., EE. UU., se emplea silicato de magnesio y aluminio como espesante y estabilizador de emulsión, y el monoestearato de glicerilo interviene como agente espesante adicional y opalescente. La silicona volátil reduce la pegajosidad de la bola debido al secado de clorhidrato de aluminio.

(9)

por ciento

A.	Magnesio, aluminio, silicato	1,0
	Agua desionizada	49,0
B.	Glicerilo, monoestearato (estable en medio ácido)	8,0
C.	Aluminio, clorhidrato (solución al 50 por 100)	40,0
D.	Silicona volátil	2,0
E.	Perfume	*c.s.*

Procedimiento: Añadir lentamente silicato de magnesio y aluminio al agua, agitar suavemente hasta homogeneizar y calentar a 70 °C. Calentar *B* a 75 °C y añadir a 1; mezclar hasta que la temperatura baje a 50 °C. Calentar *C* a 50 °C y añadir 2; mezclar hasta que el producto tenga la temperatura ambiente. Añadir *D* y *E* y agitar durante quince segundos.

Frasco bola (roll-ons) *hidroalcohólico*	(10)
	por ciento
A. Agua desionizada	29,10
B. Propilen glicol	4,00
* Natrosol 250H (hidroxietil celulosa)	0,40
C. Aluminio, clorhidrato (sol. al 50 por 100)	40,00
D. Alcohol al 99 por 100 v/v	25,00
Nonil fenol etoxilado (9 mol)	1,00
Perfume	0,50

* Hercules Powder Co.

Procedimiento: Calentar el agua *A* a 70 °C. Dispersar el Natrosol en propilen glicol y añadir esta mezcla *B* al agua con buena agitación. Mezclar bien hasta que el Natrosol se hidrate completamente. Añadir la solución de clorhidrato de aluminio. Enfriar el lote a 30 °C. Añadir *D* lentamente con adecuada agitación.

En esta formulación, el propilen glicol reduce la cristalización de la sal de aluminio en la bola y se añade el nonil fenol etoxilado para solubilizar el perfume en la preparación final.

Formulación de productos: desodorantes

Jabones desodorantes

El mercado del jabón de tocador es uno de los de mayor importancia en todos los países. Las dos marcas mayoritarias mundiales de jabón desodorante son «Dial» de Armour-Dial, en primer lugar de los jabones de EE. UU., y «Rexona», de Unilever, que se comercializa en la mayor parte de Europa.

En EE. UU. los jabones desodorantes están clasificados como «fármacos». Cuando se revisó el empleo de agentes antimicrobianos utilizados en los jabones, el Grupo Asesor OTC de la FDA de los EE. UU. *(FDA's OTC Advisory Panel)* citó una serie de estudios[59] para apoyar la postura de que estos antimicrobianos tópicos podían producir cambios en la flora microbiana, con riesgos para el usuario a causa de un crecimiento excesivo de microorganismos gram-negativos. Sin embargo, no se debe ignorar el historial de seguridad de billones de pastillas de jabón antimicrobiano vendidos en los EE. UU. durante las dos últimas decadas. No se ha informado de ningún problema médico importante, y no existen pruebas evidentes para demostrar un cambio ecológico en la flora de la piel atribuible al uso rutinario de formulación antimicrobiano en jabones desodorantes y productos similares.

Actualmente, los agentes antimicrobianos más frecuentemente utilizados son triclorcaban (TCC), cloflucarban (CF_3) y triclosan (DP300). Antes de su prohibición, el hexaclorofeno (G11) y tribromsalan (TBS) ocuparon los puestos claves de esta aplicación. Todos, salvo el triclosan, son sólo activos frente a microorganismos gram-positivos en presencia de jabón; el triclosan es activo tanto frente a gram-positivos como frente a muchos microorganismos gram-negativos.

Barras desodorantes

Durante algunos años, las barras desodorantes se han basado en el estearato sódico[60]. Una formulación característica es la dada en el ejemplo 11.

	(11)
	por ciento
Sodio, estearato	8,0
Alcohol etílico	74,0
Propilen glicol	10,0
Isopropilo, miristato	5,0
Triclosan	0,2
Perfume	2,0

Procedimiento: Formar una suspensión de jabón con disolventes orgánicos y triclosan en frío y después calentar a 60-75 °C. Agitar la masa manteniéndola caliente hasta transparencia. Añadir perfume y colorante deseados a 5-8 °C por encima de la temperatura de solidificación de la barra. Alcanzada la homogeneidad, verter la solución jabón en los moldes y dejar enfriar. El estearato sódico se puede preparar *in situ*, pero se requiere un control riguroso para evitar el exceso de álcali o ácido graso.

Para evitar la contracción que pueden presentar las barras alcohólicas, especialmente si el envase es sencillo, se pueden preparar barras desodorantes no alcohólicas, tal como sigue (ejemplo 12).

	(12)
	por ciento
Sodio, estearato	8,0
Propilen glicol	10,0
Perfume	1,0
Dietanolamida de coco	5,0
PPG-3-miristil éter	68,8
Triclosan	0,2
Agua	7,0

La preparación es similar a la descrita en la barra alcohólica.

Desodorantes aerosoles

Los desodorante aerosoles se basan en soluciones alcohólicas de un bactericida. En algunos casos, un producto denominado *deo-colonia*, usado como pulverización corporal, se basa únicamente en una solución alcohólica de un perfume. Una formulación típica para desodorante aerosol es la dada en el ejemplo 13. Se pueden usar envases lacados monobloques de aluminio u hojalata.

	(13)
	por ciento
Triclosan	0,05
Propilen glicol	2,00
Alcohol (99 por 100 v/v)	57,45
Perfume	0,50
Propulsor 12	40,00

REFERENCIAS

1. Glaxton, R., *Drug Cosmet. Ind.*, 1972, **110**(5), 64.
2. Shelley, W. B. and Hurley, H. J., *Acta Derm. Venereol.*, 1975, **55**, 241.
3. Sehgal, K., *Manuf. Chem. Aerosol News*, 1978, **49**(1), 43.
4. Fiedler, H. P., *Cosmet. Perfum.*, 1968, **84**(2), 25.
5. Shelley, W. B., Hurley, H. J. and Nicholls, A.C., *Arch. Dermatol. Syphilol.*, 1973, **68**, 430.
6. Hurley, H. J. and Shelley, W. B., *The Human Apocrine Sweat Gland in Health and Disease*, Springfield, Charles C. Thomas, 1960.
7. Geller, L., *Dragoco Rep.*, 1972, **19**(3), 54.
8. Comfort, A., *Dragoco Rep.*, 1973, **20**(3), 54.
9. Goodall, McC., *J. Clin. Pharmacol.*, 1970, **10**, 235.
10. Lansdown, A. B. G., *J. Soc. cosmet. Chem.*, 1973, **24**, 677.
11. Papa, C. M., *J. Soc. cosmet. Chem.*, 1966, **17**, 789.
12. Papa, C. M. and Kligman, A. M., *J. invest. Dermatol.*, 1967, **49**, 139.
13. Lansdown, A. B. G., *Br. J. Dermatol.*, 1973, **89**, 67.
14. Papa, C. M. and Kligman, A. M., *J. invest. Dermatol.*, 1966, **47**, 1.
15. McMillan, F. S. *et al.*, *J. invest. Dermatol.*, 1964, **43**, 362.
16. Grasso, P. and Lansdown, A. B. G., *J. Soc. cosmet. Chem.*, 1972, **23**, 481.
17. Stillians, A. W., *J. Am. Med. Assoc.*, 1916, **67**, 2015.
18. Fiedler, H. P., *Der Schweiss*, 2nd edn, Aulendorf, Cantor KG, 1968.
19. Bathe, P., *Manuf. Chem. Aerosol News*, 1978, **49**(7), 72.
20. Shelley, W. B. and Hurley, H. J., *Nature (London)*, 1957, **180**, 1060.
21. British Patent 735 681, Carter Products, 1955.
22. US Patents 2 814 584, 2 814 585, Daley, E., 1957.
23. US Patent 2 906 668, Beekman, S., 1959.
24. US Patent 2 906 668, Beekman, S., 1959.
25. US Patent 3 407 254, Bristol-Myers, 1968.
26. Anon., *Manuf. Chem. Aerosol News*, 1977, **48**(12), 10.
27. Anon., *CTP Marketing*, 1978, (28), 5.
28. Floyd, D. T., *J. Soc. cosmet. Chem.*, 1978, **29**, 717.
29. *Federal Register*, 1978, **43**(196).
30. *Tentative Findings of the OTC Antiperspirant Panel, Draft Report*, US FDA, November 1977.
31. Rubino, A. M., Siciliano, A. A. and Magres, J. J., *Aerosol Age*, 1978, **23**(11), 22.
32. US Patent 4 080 438, L'Oreal, 1978.
33. US Patent 4 080 439, L'Oreal, 1978.
34. British Patent 1 485 373, Unilever, 1977.
35. *Federal Register*, **43**(196), 1978.
36. Majors, P. A. and Wild, J. E., *J. Soc. cosmet. Chem.*, 1974, **25**, 139.
37. British Patent 1 525 971, Hlavin, Z., 1978.
38. Anon., *Aerosol Age*, 1976, **21**(2), 32.
39. British Patent 1 476 117, Colgate-Palmolive, 1977.
40. Sartori, P., Lowicki, N. and Sidillo, M., *Cosmet. Toiletries*, 1977, **92**, 45.
41. British Patent 1 477 882, L'Oreal, 1977.
42. Kabara, J. J., *J. Soc. cosmet. Chem.*, 1978, **29**, 733.
43. Bandelin, F. J., *Cosmet. Toiletries*, 1977, **92**(5), 59.
44. Cade, A. R., *Antiseptics, Disinfectants, Fungicides and Chemical and Physical Sterilization*, Philadelphia, Lea and Febiger, 1957, Chapter 15.
45. Kellner, W. and Kober, W., *Arzneim. Forsch.*, 1955, **5**, 224.
46. Maruzella, J. C., *Am. Perfum.*, 1962, **77**, 67.
47. Dravnieks, A., *J. Soc. cosmet. Chem.*, 1975, **26**, 551.
48. Rothwell, P. J., paper presented to *Symposium on Sensory Evaluation*, Society of Cosmetic Scientists, 1980.
49. Jungermann, E., *J. Soc. cosmet. Chem.*, 1974, **25**, 621.

50. Floyd, D.T., *Cosmet. Toiletries*, 1981, **96**(1), 21.
51. US Patent 3 833 721, Gillette, 1974.
52. British Patent 1 467 676, Union Carbide, 1977.
53. British Patent 1 300 260, Unilever, 1972.
54. British Patent 1 369 872, Unilever, 1974.
55. British Patent 1 409 533, Unilever, 1975.
56. Raynor, G. E. and Steuernagel, C. R., *Manuf. Chem. Aerosol News*, 1978, **49**(4), 65.
57. US Patent 4 083 956, Procter and Gamble, 1978.
58. Anon., *Soap Cosmet. chem. Spec.*, 1975, **51**(9), 121.
59. *Federal Register*, **39**(179), 33103–33122, 1974.
60. Barker, G., *Cosmet. Toiletries*, 1977, **73**(7), 73.

11

Depilatorios

Introducción

Hace miles de años que se conocen preparados para eliminar el pelo superfluo. Entre ellos, se encuentran la rusma, mezcla de cal y piritas arsenicales en la relación 1:2, utilizada en tiempos antiguos por las bailarinas de Oriente. Antes de usar este producto se pulverizaba y se mezclaba con una solución alcalina, posiblemente obtenida de cenizas de madera; otro preparado, que se utilizó con la misma finalidad fue el oropimente, que es, esencialmente, trisulfuro de arsénico.

No hay referencia de ningún otro trabajo de desarrollo realizado con relación a este tema en siglos posteriores. Se tomó la actitud de no hablar de tales cosas, y, si alguien utilizaba alguna, se usaba piedra pómez.

Sin embargo, en tiempos modernos se ha observado un interés creciente en los depilatorios provocado por cambios de modas, vestimentas y costumbres sociales.

Aunque el término «depilatorio» se ha aplicado a todo preparado destinado a eliminar el pelo superfluo, especialmente, el pelo que aparece en rostro, piernas y axilas, sin lesionar la piel, se debe distinguir entre la eliminación mecánica bien arrancándolo con pinzas o embebiéndolo en una sustancia adherente que se puede arrancar de la piel llevándose el pelo con ella, proceso conocido como epilación, o destrucción del pelo por electrólisis, y la eliminación del pelo después que ha sido suficientemente atacado por medios químicos.

Se han publicado extensas revisiones bibliográficas [1-4] del desarrollo histórico y tecnológico de los depilatorios.

Epilación

La epilación tiene algunas consecuencias por su efecto ligeramente más duradero, puesto que los pelos epilados se llevan con ellos sus bulbos o sus papilas pilosas, existiendo una pausa relativamente prolongada hasta que el pelo comience a crecer en el folículo y alcance la superficie de la piel. Sin embargo, no hay método indoloro, y, frecuentemente se producen graves lesiones en la piel y, después, infección, y por tanto no es recomendado por los médicos.

Durante muchos años, los preparados epilatorios se han basado en mezclas compuestas esencialmente de colofonía y cera de abeja, modificadas en algunos casos con la adición de aceite mineral y/o ceras. Los siguientes ejemplos son ilustrativos [5, 6]:

	(1)
	por ciento
Colofonía	75,0
Cera de abeja	25,0

	(2)
	por ciento
Colofonía ligeramente coloreada	52,0
Cera de abeja amarilla	25,0
Cera parafina	17,0
Petrolato	5,0
Perfume	1,0

Procedimiento: Fundir colofonía y ceras, mezclar y añadir petrolato, después, cuando la temperatura desciente a aproximadamente 60 °C, añadir el perfume y verter la masa fundida en moldes adecuados. Cuando se emplea esta cera, se funde y se extiende sobre la superficie a depilar.

Además de la colofonía y ceras, se pueden incluir aceite mineral o vegetal, por ejemplo a una concentración de aproximadamente un 15 por 100. Con frecuencia se incluye alcanfor por su efecto refrescante, que reduce las molestias que se experimentan cuando se tira del pelo. Se mejora este efecto con un anestésico local, por ejemplo, benzocaína, y un compuesto antibacteriano reduce el riesgo de infección cutánea después de la exposición o lesión.

No ha habido desarrollos espectaculares de epilatorios «indoloros» en la industria. Tales desarrollos, tal como han tenido lugar, están relacionados con modificaciones en el método de aplicación, tal como suministro de una tira flexible soporte, y también proporcionar un preparado que no requiere ser fundido antes de usarse y puede ser aplicado en frío, estando el preparado basado en una mezcla de glucosa y óxido de zinc [7]. El empleo de «solución de goma», en que se evapora el disolvente y la película de goma se arranca, está protegido por una patente en los EE. UU. [8].

Varias patentes más recientes describen composiciones epilatorias. Una patente francesa [9] describe ceras depilatorias en forma de tiras, y cita la siguiente composición como ejemplo:

	(3)
	partes
Colofonía	1700
Aceite vegetal	900
Trietanolamina	100
Benzoína	10
Bálsamo de Tolú	10
Aroma de limón	5
Butilo, *p*-aminobenzoato	10
Alcohol	5

La cera se extiende sobre el lado rugoso de una tira de papel levaft, y la parte lisa se trata con silicona. Otras patentes describen el uso de jugo fresco de limón en una pasta epilatoria tipo jarabe[10]. Solución de dextrina hidrosoluble en frío en glicerina[11]; cinta epilatoria impregnada con una sustancia pegajosa[12]; solución formadora de película que se aplica a la piel, se deja secar y se arranca[13]; composición de cera depilatoria de baja temperatura de fusión[14].

MAXWELL-HUDSON[15] ha descrito una fórmula depilatoria «hecha en casa» basada en azúcar caramelizada, jugo de limón y glicerina.

GALLANT[16] ha realizado una descripción detallada de técnicas profesionales para tratamientos con ceras depilatorias.

Electrólisis

Los métodos mecánicos anteriormente citados son temporales y con frecuencia sólo relativamente efectivos, pues no siempre eliminan la papila y el bulbo del pelo y pronto vuelve a aparecer el pelo. Indudablemente, el método más efectivo de depilación es la electrólisis, que se basa en la introducción de una aguja en el folículo piloso y la completa destrucción de la raíz del pelo por medio de una débil corriente eléctrica continua. Este método se practica en institutos de belleza y por algunos dermatólogos, pero es caro y lento, ya que cada uno de los pelos debe ser tratado individualmente e incluso un especialista sólo puede tratar 25-100 pelos por sesión.

Depilación química

En la actualidad, el término «depilatorio» se usa para hacer referencia a preparados que se diseñan para la destrucción química del pelo superfluo sin lesionar la piel.

La ventaja de tales preparados es que evitan cualquier peligro de cortaduras o abrasión de la piel en zonas tales como axilas, donde es difícil ver la zona claramente y donde es aún más difícil guiar la máquina de afeitar provista de cuchilla por los complicados contornos. También existe la creencia, ampliamente extendida, de que el afeitado aumenta la velocidad de crecimiento del pelo y su aspereza. Aunque de hecho estas creencias no tienen fundamentos, los depilatorios químicos presentan la ventaja aparente de que impiden el recrecimiento del pelo cuando se aplican regularmente. No parece que existan explicaciones científicas para esto, pero posiblemente provienen de la eliminación gradual del detrito queratinoso de la boca del folículo piloso, lo que permite una eliminación del pelo a un nivel más profundo.

Puesto que el tallo del pelo es de composición similar a la piel —ambos se derivan de la queratina— se puede presentar una lesión local de pequeño grado como consecuencia de aplicar tales preparados, especialmente si el depilatorio se mantiene en contacto con la piel durante cierto lapso y el pH es suficientemente elevado; también resulta atacado el estrato córneo.

Con tal que la piel esté razonablemente sana, el tiempo de aplicación del depilatorio no sea excesivamente largo y el depilatorio esté correctamente formulado, se producirá una lesión muy leve, si se produce alguna. Por tanto, al formular los preparados depilatorios se deben tomar precauciones para garantizar que preferentemente reaccionarán con el pelo y que sus efectos serán suficientemente rápidos para provocar la destrucción del pelo antes de causar ningún daño a la piel subyacente y entorno circundante.

Teniendo en cuenta los objetivos anteriores, los requerimientos deseados de un depilatorio se pueden definir como sigue:

1. No tóxicos ni irritantes para la piel.
2. Eficaces en su acción, eliminando rápidamente el pelo, preferentemente en cuatro a seis minutos.
3. Preferentemente sin olor.
4. Estables durante su almacenamiento.
5. Innocuos para las ropas.
6. Con preferencia, cosméticamente elegantes.

Generalmente, y en línea con los requerimientos para una rápida depilación, los preparados depilatorios contienen como componente activo un agente reductor alcalino. Este provoca el hinchamiento de las fibras del pelo y produce la ruptura de los puentes de cistina entre cadenas polipeptídicas adyacentes, como fase previa a la completa degradación del pelo.

Sulfuros

Desde hace mucho tiempo, como se ha mencionado al comienzo de este capítulo, se conoce el uso de los sulfuros: sin embargo, en EE. UU., hasta 1885 no aparece la primera patente del empleo de los polisulfuros de bario para eliminar el pelo. En abril de 1891[17] se patentaron con el mismo fin los monosulfuros, polisulfuros y sulfuro ácido de estroncio. Sin embargo, estos preparados eran más mezclas que cremas, pues el primer depilatorio en forma de crema se desarrolló en 1921.

Las composiciones basadas en sulfuros alcalinos y alcalinotérreos son capaces de producir una rápida depilación, especialmente si se usan junto con una suspensión de cal.

No obstante, los sulfuros alcalinos, como el sulfuro sódico, se manifiestan excesivamente drásticos en su acción. Su acción depilatoria está ligada a su hidrólisis y a la formación de ácido sulfhídrico e hidróxido sódico. Este último actúa como irritante primario y produce eritema. Incluso una solución acuosa al 2 por 100 de sulfuro sódico tiene pH 12. Aunque desintegra al pelo en seis a siete minutos, simultáneamente lesionará al estrato córneo. Por eso, no se utiliza en preparados depilatorios del mercado.

El sulfuro de estroncio es un depilatorio mucho más suave, pero exige usarse a concentraciones superiores a las del sulfuro sódico para producir una acción depilatoria equivalente. Aún existen preparados que contienen sulfuro de estroncio, aunque han sido sustituidos mayoritariamente por los que se basan en tioglicolatos. Son muy efectivos y actúan en tres a cinco minutos después de su aplicación.

Aunque algunas personas son sensibles a tales preparados, como realmente les sucede a ciertas personas con los jabones de afeitar, estos productos se consideran innocuos si se utilizan siguiendo las instrucciones del fabricante. La principal razón de su pérdida de popularidad se basa, como sucede con otros sulfuros, en el hecho de que se forma un olor a sulfuro de hidrógeno durante la aplicación y no es raro que esto suceda durante su almacenamiento. Este olor es más intenso cuando el producto se elimina al enjuagar con agua, debido a la hidrólisis del sulfuro. Por tanto, se aconseja eliminar la mayor parte del producto con una espátula antes de aclarar, y es una práctica frecuente incluir una espátula de madera o plástico en el envase. También sirve para aplicar el producto en capa de espesor necesario (1-2 mm). En ningún caso se omitirá el aclarado final.

Además del agente activo, un preparado depilatorio contiene un humectante, tal como glicerina o sorbitol. A veces se incorpora un agente espesante, como por ejemplo metilcelulosa, de modo que la solución se espese lo suficiente como para mantenerla en contacto con el pelo tanto tiempo como sea necesario.

Para un depilatorio basado en sulfuro, se encuentra efectiva la siguiente fórmula:

	(4)
	por ciento
Estroncio, sulfuro	20,0
Talco	20,0
Metilcelulosa	3,0
Glicerina	15,0
Agua	42,0

Esta fórmula, también, puede prepararse usando una base de emulsión para dotarla de suavidad y estabilidad.

La formulación de los depilatorios depende de ajustarse muy cuidadosamente a los detalles; ligeras desviaciones de la formulación durante el proceso de elaboración pueden producir diferencias acusadas de las eficacias de lotes diferentes de un supuesto mismo producto. Por esta razón, cualquier formulación no puede ser más que una guía general.

A pesar de sus desventajas, los depilatorios basados en sulfuros son preferidos por muchas personas de piel negra para eliminar los pelos faciales, a causa de su acción comparativamente rápida. Este tema se trata posteriormente en este capítulo.

Estannitos

En la década de los treinta, se dedicó una gran atención a los «estannitos solubles». Por ejemplo, el empleo de estannito sódico, como sal preferente de zinc con sal Rochelle como estabilizante, se protegió en una patente EE. UU.[18] publicada en 1933.

Otra patente de EE. UU.[19] destaca el hecho de que los estannitos experimentan inestabilidad, formando estannatos en presencia de agua, aunque no presenten un olor acusado. Esta patente propone el empleo como estabilizadores de compuestos orgánicos solubles en agua, conteniendo tres o más grupos carbinol hidroxi o tres grupos hidroxilos distintos a los del grupo carboxílico y también hace referencia a silicatos solubles; ejemplos concretos son la trietanolamina, la dextrina, los azúcares y, en el caso de silicatos, los metasilicatos de potasio o sodio. Una patente británica[20] describe la adición de soluciones acuosas de cloruro estannoso a una solución acuosa de hidróxido sódico, conteniendo silicato sódico para dar una solución de pH inferior a 12,6 (12,3). Una patente francesa[21] también expone un método para la preparación de estannito estable. No obstante, los estabilizadores recomendados en estas patentes no han demostrado su efectividad, y no producen preparados estables.

Mercaptanos sustituidos

La mayoría de los depilatorios de que se disponen actualmente son mercaptanos sustituidos que se utilizan en presencia de sustancias de reacción alcalina, por ejemplo, tioglicolato cálcico, asociado a hidróxido cálcico. Estos preparados poseen menos olor que el tipo de sulfuro, pero necesitan más tiempo para actuar. Son más seguros que los sulfuros y, por ello, se pueden usar en la cara, una zona donde el pelo superfluo puede ocasionar grandes angustias y donde las mujeres padecen una gran aversión psicológica a usar una máquina de afeitar. En general, los preparados de tioglicolato son más atrayentes que los de tipo sulfuro. No obstante, su lentitud en atacar el pelo fuerte y resistente de la axila ha dejado un mercado abierto para los depilatorios de sulfuro usados con esta única finalidad.

Con frecuencia se afirma que los depilatorios se pueden utilizar para suavizar las piernas, pero para la mayor parte de los usuarios sería antieconómico por la gran cantidad de producto que se requiere para cubrir cada una de las piernas. En cualquier caso, las piernas son fáciles de afeitar.

Tioglicolatos

Los preparados basados en tioglicolatos son no tóxicos y estables a la concentración a que se utilizan, es decir, entre 2,5 y 4 por 100. A concentraciones inferiores al 2 por 100 actúan demasiado lentamente para ser utilizables, mientras que no se logra ventaja, en términos de efectividad, si su concentración se eleva a valores superiores al 4 por 100. A las concentraciones en que se utilizan, producen la depilación en cinco a quince minutos, dependiendo del pH de la preparación. Este no debe ser inferior a pH 10,0, incluso debe llegar a 12,5 para producir una depilación en un tiempo suficientemente corto y sin irritar la piel.

El empleo de tioglicolato en los depilatorios procede de investigaciones realizadas por TURLEY y WINDERS[22], y fue coronado por patentes realizadas en Francia[23], Gran Bretaña[24] y EE. UU.[25].

La patente británica[24] concedida a Bohemen protegió la utilización de tioglicolato cálcico en una base de crema. La base tenía la fórmula:

	(5) por ciento
Alcohol estearílico	9,0
Alcohol estearílico sulfonado	1,0
Agua	90,0

Sesenta y seis partes de la base anterior se mezclaron con 10 partes de cal hidratada y 4 partes de ácido tioglicólico al 90 por 100, después de lo cual la crema se fluidifica y se espesa por adición de al menos 20 partes de sulfato cálcico precipitado.

Una patente de EE. UU.[26] concedida en 1944 a EVANS y McDONOUGH protegió el empleo de mercaptanos sustituidos (ácido tioglicólico) asociados a una sustancia de reacción alcalina y un perfume. Se prefieren los mercaptanos sustituidos con grupos polares. En las patentes se afirma que, para obtener la acción depilatoria deseada, el agente depilatorio debe cumplir ciertas reglas generales:

1. El valor del pH debe estar comprendido entre 9,0 y 12,5.
2. La concentración de mercaptanos debe estar comprendida entre 0,1 y 1,5 mol por litro.
3. El ingrediente alcalino debe tener una constante de ionización superior al 2×10^{-5}.
4. Es deseable que la concentración de la sustancia alcalina, en solución, no sea superior a dos veces la concentración equivalente de mercaptanos para evitar lesionar la piel.
5. La forma de pasta es la más satisfactoria.
6. Se emplean gomas naturales para proporcionar formulaciones estables.

EVANS CHEMETICS[27] ofrecen fórmulas básicas para preparar depilatorios cremas, semifluidos y polvos:

Depilatorio crema	(6) por ciento
Evanol	6,5
Calcio, tioglicolato	5,4
Calcio, hidróxido	7,0
Duponol WA pasta	0,02
Sodio, silicato «0»	3,43
Perfume	c.s.
Agua destilada hasta	100,0

Procedimiento: Calentar el agua a 70 °C. Añadir agitando Duponol y Evanol, continuar agitando hasta fusión y dispersión. Interrumpir la calefacción y enfriar agitando hasta alcanzar la temperatura ambiente. Añadir hidróxido cálcico y perfume. Añadir tioglicolato cálcico y agitar hasta homogeneidad.

Depilatorios semifluidos	(7) por ciento	(8) por ciento
Crema base		
Agua destilada	60,0	60,0
Alcohol cetílico	6,0	6,0
Brij 35	1,0	1,0

Producto final:

Agua destilada	17,3	17,2
Calcio, tioglicolato	5,4	5,4
Calcio, hidróxido	6,6	10,4
Estroncio, hidróxido	3,7	—
Perfume	*c.s.*	*c.s.*
Crema base (como antes citada)	67,0	67,0

Procedimiento: Preparar la crema base a 70 °C y dejar enfriar a temperatura ambiente. Añadir el tioglicolato cálcico a un volumen mayoritario de agua y mezclar bien; añadir el hidróxido cálcico lentamente con agitación, y después hidróxido de estroncio y el agua restante. Mezclar las dos partes y agitar bien, añadiendo el perfume en este momento.

Depilatorio polvo	(9)
	por ciento
Calcio, tioglicolato	20,0
Calcio, hidróxido	23,1
Estroncio, hidróxido 8H$_2$O	8,9
Sodio, lauril sulfato, polvo	1,5
Cellosize QP.100M	1,0
Magnesio, carbonato USP	45,2
Perfume	0,3

Procedimiento: Mezclar tioglicolato cálcico, hidróxido cálcico, hidróxido estróncico, lauril sulfato sódico y Cellosize. Mezclar bien el perfume con el carbonato magnésico. Añadir la última mezcla a la primera, y mezclar hasta homogeneidad. (N.B. Esta fórmula contiene una concentración de tioglicolato superior a la permitida para la comercialización según la legislación de la CEE.)

La actividad inferior de los tioglicolatos ha conducido a intentar acelerar la acción depilatoria incorporando sustancias que causan el hinchamiento de las fibras del pelo. Para este propósito se consideró la urea, pero no se pudo utilizar puesto que se descompone al pH normal de los preparados depilatorios. Por tanto, se ha tratado de encontrar otros compuestos que puedan acelerar la velocidad de depilación en composiciones que contienen mercaptanos y permanezcan estables al pH al que normalmente estas preparaciones depilatorias se usan.

En una patente de L'Oreal[28] se reivindica que la melamina y diciandiamida, o una mezcla de estos dos compuestos, poseen un efecto acelerador en la depilación y se propusieron para utilizarse en composiciones depilatorias a concentraciones comprendidas entre 0,5 y 2 partes por parte, por ejemplo, de ácidos tioglicólico o tioláctico o sus sales de calcio o estroncio.

Otras patentes L'Oreal[29] sugieren el empleo de sales de litio de los ácidos tioglicólico y mercaptopropiónico para mejorar la velocidad de depilación en virtud de su buena solubilidad. Las sales de sodio y potasio son igualmente solubles, pero son irritantes para la piel. La acción más rápida de las sales de litio, también permite que se utilice a concentraciones y pH inferiores al de las sales de calcio y estroncio, lo cual, en cambio, reduce el riesgo de irritación de la piel.

Una serie de patentes[30] propone el uso de matasilicato sódico con tiourea, como aceleradores sinérgicos para el tioglicolato cálcico. MORILLÈRE *et al.*[31]

sugieren la utilización de una mezcla de copolímeros de N-vinil lactama con un hemiéster de un ácido dicarboxílico insaturado.

Otros medios de acelerar la velocidad de depilación es aumentando la temperatura. Investigadores de BEECHAM[32] han propuesto un producto basado en dos partes contenidas en un tubo dentro de otro; una patente es anhidra y contiene óxido cálcico, y la otra contiene agua. En la extruxión, se mezclan las dos partes y generan calor.

Se ha patentado[33] una composición depiladora anhidra en forma de barra, a la que se atribuye formar, al contacto con la piel húmeda, una crema capaz de depilar completamente en menos de diez minutos sin producir olores repugnantes durante este tiempo. La barra consta de un agente depilatorio, una sustancia sólida básica, una base sólida y un perfume. El agente depilatorio es un derivado de tiol, preferentemente tioglicolato cálcico que constituye un 10-35 por 100 en peso de la composición. La sustancia sólida básica es un hidróxido o carbonato alcalinotérreo o una mezcla de los dos; se utilizan en cantidad suficiente como para proporcionar un pH de 10,5-12,5 en solución acuosa saturada.

La función de la base sólida es proteger la piel sensible del rostro de la posible irritación causada por el ingrediente activo, y proporcionar propiedades emolientes. Se compone de los siguientes: 1) un esterol, preferentemente una fracción insaponificable de lanolina; 2) un componente de carga orgánico, inerte, sólido, para dotar de propiedades hidrofílicas y emolientes, proporcionar cuerpo y evitar la penetración del agua aplicada externamente. El componente de carga, que llega a constituir más del 75 por 100 en peso de la base sólida, puede incluir petrolato, cera de parafina, cera microcristalina, alcoholes grasos, esperma de ballena, cera de abejas y otros; 3) un emulsionante agua-aceite no iónico tipo polialquenoxi para proporcionar homogeneidad a la composición final y suplementar a las propiedades emolientes e hidrofílicas del complemento de carga orgánico. Los compuestos comercialmente disponibles que representan esta clase son «Polycholes», Solulan, productos Atlas G-1441, G-1471 y derivados etoxilados de lanolina, como Lanogel y Ethoxilan.

Por otra parte, las pastas depilatorias que contienen derivados tioles, que son de por sí inestables por descomponerse en presencia de agua en agentes activos y producir olor desagradable, y las composiciones depilatorias, que se describen en la patente, se declaran estables por ser anhidras.

Otra serie de patentes[34] describe un depilatorio emulsionado que contiene un condensado de alcanolamida tipo Kritchewsky que se dice puede estar en contacto con la piel durante amplios períodos de tiempo sin ocasionar irritación u otros efectos colaterales.

SLIWISKY[35] ha descrito un depilatorio aerosol que es pulverizado sobre la piel y, después, se expande en espuma; se basa en tioglicolato cálcico-sódico y Polawax (Croda). Un producto que se comporta similarmente ha sido patentado por WEBSTER[36]; éste utiliza tioglicolato de litio-sodio, tiolactato o tioglicerol junto con lauril éter sulfato sódico. También International Chemical Co. ha patentado[37] un producto depilatorio aerosol en forma de espuma.

La Directiva de Cosméticos de la CEE[38] y la Reglamentación de Productos Cosméticos del Reino Unido (*UK Cosmetic Products Regulations*) 1978[39] limitan el uso del ácido tioglicólico en depilatorios a un máximo del 5 por 100 con un valor de pH que no exceda al 12,65.

Otros compuestos «tio»

El ácido tioglicólico es el agente más económico y efectivo de este tipo. Sin embargo, la legislación francesa prohíbe esta sustancia en productos de uso en el hogar. Se han utilizado con éxito varias alternativas de compuestos «tio», y destacan entre éstos ácido 2-mercaptopropiónico (tioláctico), ácido 3-mercapto-propiónico, y 3-mercaptopropano-1,2-diol (tioglicerol).

Se ha descrito [40] un depilatorio gel aerosol basado en tiolactato de estroncio. Una patente suiza[41] reivindica una barrera de «jabón» depilatoria no irritante y de acción rápida:

	(10) *por ciento*
Acido láctico	30,5
Complejo sorbitol-urea	25,5
Estroncio, hidróxido	4,5
Calcio, hidróxido	4,5
Sodio, lauril sulfato	35,0

Se ha descrito[42] un depilatorio gelificado basado en tioglicerol con éteres de polietilen glicol de alcoholes grasos o alquilfenoles.

BRISTOL-MYERS obtuvo una patente[43] en que el agente activo depilatorio es un complejo molecular (1:1, 0,5:1 ó 1:0,5) de tioglicerol con una base nitrogenada de tipo Deriphat o Miranol. Se afirma que éstos son depilatorios de alta efectividad a pH 8,5-10,5.

Una patente de EE. UU.[44] potencia el empleo de 1,4-dimercaptobutanodiol y compuestos análogos en los cuales los grupos hidroxilos están sustituidos por grupos alternativos polares.

Enzimas

También se han desarrollado preparados depilatorios basados en la enzima queratinasa, que no tienen el olor desagradable del sulfuro e incluso de los depilatorios tioglicolatos, y no son irritantes. Sin embargo, no son suficiente-mente efectivos. La queratinasa fue aislada de *Streptomices fradiae* por NOVAL y NICKERSON[45] y se demostró capaz de digerir la queratina.

La queratinasa se emplea en preparados depilatorios en forma purificada, tamponada a un pH comprendido entre 7-8 con actividad de 200 k unidades por miligramo. La unidad k se define como la cantidad de enzima que digerirá queratina de lana, de modo que se produzca un incremento en la densidad óptica de 0,04 a 280 μm.

Un depilatorio pasta descrito en un ejemplo incorporado en una patente concedida a Mearl Corporation[46] contenía 3,3 por 100 de queratinasa (200 unidades k/mg).

Depilatorios faciales para piel negra

SHEVLIN[47] y DE LA GUARDIA[48] han descrito los problemas especiales de la piel del varón de raza negra en relación a eliminar el pelo facial.

Frecuentemente, el pelo facial del varón de raza negra es rizado y fuerte. El pelo afeitado deja sus terminaciones en forma de puntas agudas y, cuando el pelo vuelve a crecer, éstas pueden volverse y penetrar en la piel, ocasionando un cuadro clínico denominado *pseudofolliculitis barbae*. Por este motivo, muchos hombres de raza negra no se afeitan; prefieren usar un depilatorio que, no sólo proporciona un «afeitado» más apurado, sino que también deja el extremo del pelo despuntado y blando de modo que no puede pinchar ni volver a entrar en la piel.

Los depilatorios convencionales basados en tioglicolatos tardan de quince a veinte minutos en eliminar el pelo de la barba, lo cual se considera demasiado largo. La eficacia contrapesa la elegancia cosmética, y la tendencia es usar un polvo depilatorio que se ha de mezclar con agua antes de usarlo, pero que realiza una adecuada eliminación del pelo en tres a siete minutos.

Los ingredientes activos, usados generalmente en los EE. UU. en polvos depilatorios[48], son sulfuro bárico y tioglicolato cálcico. El primero es más popular por su eficacia, a pesar de su olor desagradable. Sin embargo, se considera que los polvos basados en tioglicolato cálcico ganan adeptos, pues tienen menos olor y, por tanto, aunque son menos efectivos, se perfuman más fácilmente.

No obstante, no se debe olvidar que las sales de bario están prohibidas para ser usadas en cosméticos en los países de la CEE, y el límite máximo para tioglicolato cálcico (trihidratado) es el 10 por 100 (correspondiente al 5 por 100 de ácido tioglicólico).

El depilatorio «ideal»

Aún no se ha descubierto el depilatorio «ideal»: que sea inodoro, elimine el pelo en un minuto aproximadamente, se pueda utilizar regularmente sin transtornos de irritación y evite el trabajo diario del afeitado. Sin duda, cuando tal producto aparezca tendrá un mercado.

Algunas vías interesantes de exploración fueron abiertas por los estudios sobre el efecto depilatorio de ciertos compuestos insaturados.

RITTER y CARTER[49] publicaron lo siguiente:

> «... Cuando se realizaba la polimerización comercial del clorobutadieno en una emulsión acuosa, al cabo de pocas semanas o meses, algunos empleados comenzaban a perder pelo. Esta pérdida de pelo se pudo reducir mucho cambiando completa y frecuentemente el aire de la atmósfera en que trabajaban. La pérdida de pelo era principalmente en el cuero cabelludo, y el cabello crecía siempre de nuevo cuando los empleados se trasladaban a otras ocupaciones. El examen microscópico minucioso del pelo mostró que salía de la raíz, existiendo un bulbo en la terminación de cada uno de los tallos, pero había evidencia de altera-

ción en este mismo tallo. Se preparó un producto compuesto que contenía varios polímeros cíclicos y de cadena corta: cuando dos gotas de este producto se colocaban en el dorso de un ratón o cobaya, la zona cubierta por la solución quedaba completamente desprovista de pelo en cuatro a diez días. Aproximadamente en tres semanas el cabello otra vez era visible en la zona calva, y en seis semanas había vuelto a crecer ...»

La parte interesante de esta observación es que los desarrollos anteriores se han relacionado con preparados que pretendieron hinchar al pelo en la zona próxima a la boca del folículo y reducir su resistencia a la tracción en tal grado que permitiesen la eliminación muy fácil por «descorchamiento». Puesto que tanto el pelo como la piel están compuestos por queratina, no existe un margen muy amplio entre lo que ataca al uno e irrita a la otra. La observación citada anteriormente demuestra la posibilidad de un método diferente de ataque: no lesionar *per se* el pelo ni la piel, sino exclusivamente desprender el bulbo del pelo de su folículo, siendo tal lesión aparentemente temporal, puesto que el pelo volvió a crecer al cabo de tres a seis semanas.

Otra observación, que podía ser de alguna revelancia para el desarrollo de nuevos depilatorios, fue hecha por FLESCH[50], quien encontró que el escualeno y un grupo de compuestos insaturado liposolubles, con grupos —C=C—, causaban una calvicie total reversible cuando se aplicaban a la piel de animales de laboratorio. Estos compuestos incluyen dímeros sintéticos de cloropreno y ciertos ésteres de alcohol alílico, que se presentan en la naturaleza con vitamina A, ácidos oleicos y linoleicos. FLESCH postuló que la depilación era causada por la reacción entre los enlaces —C=C— y el grupo sulfhídrilo de la proteína epidérmica. Aunque FLESCH no fue capaz de depilar seres humanos con algunos de estos agentes depilatorios insaturados, estos descubrimientos sugirieron que el sebo humano podía tener influencia en el crecimiento del cabello.

Evaluación de la eficacia depilatoria

YABLONSKY y WILLIAMS[51] describieron un procedimiento para determinar la eficacia de los depilatorios. Implica la medida del diámetro de sección y longitud del cabello sumergido en la solución de un depilatorio y observación del tiempo de máxima hinchazón del pelo. Cuando se representan tanto la longitud como la anchura de hinchamiento del cabello frente al tiempo, se obtienen curvas sigmoideas. La pendiente máxima de estas curvas sigmoideas se puede utilizar para definir un índice de eficacia depilatoria *in vitro*. No se han dado resultados de los ensayos. En una publicación posterior[52], YABLONSKY describe una simplificación del método.

ELLIOT[53] ha diseñado un depilómetro para simular las condiciones prácticas de empleo tan próximas como sea posible. Los ensayos en aplicación real dan una buena correlación, y es posible una rápida selección de variables de formulación empleando esta técnica.

ELLIOT halló una variación considerable en los tiempos de depilación entre individuos, pero, en general, el pelo de las piernas es más fácil de eliminar que el pelo axilar, que es similar al cabello craneal.

Tabla 11.1. Eficacia de compuestos «tio» a la concentración del 5 por 100, ajustada a pH 11,0-12,0

Compuesto «tio»	Tiempo medio de depilación* (min)
2-Mercapto-etanol	4,0
Tioglicerol	6,5
Acido tioglicólico	7,5
Acido 3-mercaptopropiónico	8,0
Acido 2-mercaptopropiónico	11,0
Tiodiglicol	15,0
Acido tiomálico	15,0

* Tiempos medios para todos los álcalis empleados para la neutralización. Algunas combinaciones resultaron ser más efectivas que otras.

Varios compuestos «tio» fueron estudiados junto con el efecto de diferentes álcalis, valores de pH y concentración. La tabla 11.1 resume la eficacia relativa de varios compuestos «tio» a la concentración del 5 por 100 con suficiente álcali para ajustar el valor del pH a 11,0-12,0. La tabla 11.2 da datos similares a los encontrados para diferentes álcalis. ELLIOT demostró de modo convincente que es suficiente una concentración del 5 por 100 de compuesto «tio»; concentraciones superiores no aumentan apreciablemente la velocidad de depilación.

Una patente anterior de L'Oreal[29] publicó los resultados que se dan en la tabla 11.3.

Tabla 11.2. Eficacia relativa de varios álcalis

Hidróxido	Tiempo medio de depilación (min)
Sodio	5,7
Litio	5,7
Potasio	6,5
Bario	6,5
Calcio	7,1
Estroncio	8,3

Tabla 11.3. Actividad depilatoria del ácido tioglicólico y ácido tioláctico neutralizados con varios álcalis (concentración del ácido mercapto 0,4 M, pH 12,5)

Catión	Acido tioglicólico Tiempo depilación (min)	Efecto sobre la piel	Acido tioláctico Tiempo depilación (min)	Efecto sobre la piel
Calcio	7	0	10	0
Bario	12	0	7	0
Estroncio	5	0	7	0
Sodio	4	+	5½	+
Potasio	3½	+	4	+ +
Litio	3½	0	5	0

REFERENCIAS

1. Alexander, P., *Am. Perfum. Cosmet.*, 1968, **83**(10), 115.
2. Barry, R. H., Depilatories, in *Cosmetics Science and Technology*, 2nd edn, Vol. 2, ed. Balsam M. S. and Sagarin E., New York, Wiley-Interscience, 1972.
3. Rieger, M. M. and Brechner, S., Depilatories, in *The Chemistry and Manufacture of Cosmetics*, 2nd edn, Vol. 4, ed. De Navarre M. G., Orlando, Fla., Continental Press, 1975.
4. Rieger, M. M., *Cosmet. Toiletries*, 1979, **94** (3), 71.
5. De Navarre, M. G., *The Chemistry and Manufacture of Cosmetics*, New York, Van Nostrand, 1941, p. 532.
6. Anon., *Drug Cosmet. Ind.*, 1949, **65** (November), 575.
7. US Patent 2 417 882, Neary, L. J., 25 March 1947.
8. US Patent 2 067 909, Lucas, H. V., 19 January 1937.
9. French Patent 1 396 582 through *Recherches*, 1967, 16 (December), 241.
10. German Patent 2 115 423, Jung, W. A., 1972.
11. US Patent 3 563 694, Ganee, M., 1972.
12. US Patent 3 808 637, Lapidus, H., 1974.
13. German Patent 2 253 117, Henkel, 1974.
14. British Patent 1 348 760, Dupuy, J., 20 March, 1974; see also US Patent 3 711 371, 1973; German Patent 2 261 057, 1974; French Patent 2 137 112, 1972.
15. Maxwell-Hudson, C., *The Natural Beauty Book*, London, Macdonald and Jane's, 1976, p. 106.
16. Gallant. A., *Principles and Techniques for the Beauty Specialist*, London, Stanley Thornes, 1975, p. 188.
17. US Patent 450 032, Perl, J., 7 April 1891.
18. US Patent 1 899 707, McKee, R. H. and Morse, E. H., 28 February 1933.
19. US Patent 2 123 214, Stoddard, W. B. and Berlin, J. 12 July 1938.
20. British Patent 516 812, Stoddard, W. B. and Berlin, J., 9 July 1938.
21. French Patent 840 552, Stoddard, W. B. and Berlin, J., 11 July 1938.
22. Turley, H. G. and Windus, W., *Stiasny Festschrift*, Darmstadt, Edouard Roether, 1937, p. 396.
23. French Patent 824 804, Fletcher, W., 17 February 1938.
24. British Patent 484 467, Bohemen, K., 27 April 1938.
25. US Patent 1 973 130, Rohm & Haas, 11 September 1934.
26. US Patent 2 352 524, Sales Affiliates Inc. (Evans, R. L. and McDonough, E. G.), 1944.
27. Evans Chemetics, *Technical Bulletin: Depilatories*, April 1967; and Supplement 13 January 1969. (Now Evans Chemetics, Organic Chemical Division, W. R. Grace & Co., Darien, CT 06820, USA)
28. French Patent 1 345 572, L'Oreal, 4 November 1963; see also US Patent 3 271 258, 1966.
29. French Patent 1 359 832, L'Oreal, 23 March 1964; see also German Patent 1 236 728, 1967; British Patent 1 030 362, 1966; US Patent 3 384 548, 21 May 1968.
30. US Patent 3 981 681, Carson Chemical Co., 1976; British Patent 1 463 966, 9 February 1977.
31. French Patent 2 168 202, Morillère, G., Coupet, J. and Navarro, R., 1973.
32. German Patent 2 603 402, Hagarty, P. M. *et al.*, 1976.
33. British Patent 1 116 259, Chemway Corp., 1968; see also US Patent 3 194 736, 1965.
34. US Patent 3 154 470, Chemway Corp., 27 October 1964; see also French Patent 1 411 308, 1965; British Patent 1 064 388, 1967.
35. British Patent 1 142 090, Sliwinski, R. A., 1969.
36. British Patent 1 296 356, Webster, I. K. R., 15 November 1972.
37. British Patent 1 264 319, International Chemical Co. 23 February 1972.
38. EEC Directive 76/768/EEC, *Off. J. European Communities*, 1976, **19** (L262).
39. *The Cosmetics Products Regulations 1978*, SI 1978 No. 1354, London, HMSO.

40. French Patent 1 405 939, Roy, R., 1965.
41. Swiss Patent 525 674, Silvestri, R., 1972.
42. British Patent 1 488 448, Beecham (UK), 1977.
43. US Patent 3 686 296, Bristol-Myers Co., 22 August 1972.
44. US Patent 3 865 546, Collaborative Research Inc., 11 February 1975.
45. Noval, J. J. and Nickerson, W. J., *J. Bacteriol*, 1959, **77,** 251; see also US Patent 2 988 487, 1961; US Patent 2 988 488, 1961.
46. US Patent 2 988 485, Mearl Corp., 13 June 1961.
47. Shevlin, E. J., *Cosmet. Perfum.*, 1974, **89**(4), 41.
48. De La Guardia, M., *Cosmet. Toiletries*, 1976, **91**(7), 137.
49. Ritter, W. L. and Carter, A. S., *J. indust. Hyg.*, 1948, **30,** 192.
50. Flesch, P. *J. Soc. cosmet. Chem.*, 1952, **3**, 84.
51. Yablonsky, H. A. and Williams, R., *J. Soc. cosmet. Chem.*, 1968, **19,** 699.
52. Yablonsky, H. A., *Am. Perfum. Cosmet.*, 1970, **85**(2), 41.
53. Elliot, T. J., *J. Soc. cosmet. Chem.*, 1974, **25,** 367.

12

Preparados para
el afeitado

Por lo general el hombre tiende a considerar como un trabajo penoso la eliminación diaria de 20 000-25 000 terminales de pelos que sobresalen 250-500 μm de la piel, formando ángulos de 30-60 grados[1] y cubriendo una superficie facial de 250 cm². Para minimizar el trauma del afeitado, actualmente se dispone de una amplia gama de preparados que acondicionan la barba y la cara para el afeitado, aumentan la velocidad y comodidad durante el mismo y proporcionan una sensación de bienestar después del afeitado. La elección del preparado para el afeitado es en gran medida individual; no obstante, generalmente se reconoce que se requieren diferentes formas de preparados para el afeitado «húmedo» (con hoja de afeitar) y «seco» (máquina eléctrica). Esto es el resultado del contraste de mecanismos del corte del pelo, que afecta a la apariencia de las terminaciones de los pelos cortados por los dos instrumentos. Como consecuencia, la descripción de las preparaciones para el afeitado se ha dividido en tres secciones: preparados para el afeitado húmedo, seco y para después del mismo.

PREPARADOS PARA EL AFEITADO HUMEDO

Introducción

Los requerimientos funcionales principales de un preparado para el afeitado húmedo son ablandar la barba, lubrificar el deslizamiento de la hoja por la superficie del rostro y mantener enhiesto el pelo de la barba. Además, el preparado no debe irritar la piel, debe ayudar a eliminar el detrito del afeitado de la cara, ser estable encima de una gama de temperaturas, resistente a la desecación y colapsados rápidos, no corrosivo para la hoja de afeitar y fácil de eliminar al enjuagar la hoja de afeitar. Existen buenas pruebas de las funciones de reblandecimiento y lubrificación del preparado para el afeitado, pero poco se ha publicado sobre el hecho de mantener vertical el pelo.

Reblandecimiento de la barba

El reblandecimiento de la barba es producido por cambios en las propiedades mecánicas del pelo al absorber agua. El pelo absorbe un 31 por 100 de su peso seco de agua al 100 por 100 de humedad relativa; la relación entre la absorción de agua y la humedad relativa no es lineal y el hinchamiento del pelo es en alto grado anisotrópico[2]. La fuerza requerida para cortar el pelo de la barba saturado de agua es aproximadamente el 65 por 100 inferior a la necesaria para el pelo seco[3].

La hidratación del pelo se acelera al incrementar la temperatura; no obstante, existen distintas opiniones sobre el tiempo exigido para hidratar completamente el pelo. Este oscila entre dos minutos a temperatura ambiente, medido por la fuerza necesaria para cortar el pelo de la barba[3], pasando en dos minutos y medio a tres a 49 °C (120 °F), medidos por deformación del pelo del cuero cabelludo extrapolado al espesor del pelo de la barba[1], hasta seis minutos a 43 °C (110 °F) medido por cambios en la elasticidad del pelo[4].

La opinión generalizada sobre el reblandecimiento de la barba se basa en medidas de deformación y elasticidad del pelo, confirmadas por ensayos prácticos de afeitado. Estos indican que la velocidad de reblandecimiento de la barba se puede incrementar añadiendo un agente humectante al agua, aumentando el pH del agua y eliminando el sebo del pelo. Un trabajo más reciente[3] sugiere que la fuerza requerida para cortar el pelo no se reduce por debajo del valor correspondiente a sólo agua por el empleo de agentes humectantes, soluciones jabonosas o cremas para afeitar. Análogamente, el cambio de pH más allá del intervalo 4,0 a 2,1 y la presencia de sebo en el pelo no influyen en la fuerza cortante. La importancia del preparado para el afeitado en el reblandecimiento de la barba difiere claramente según el conjunto de resultados que se acepten.

Lubrificación de la piel

Existen pocos trabajos publicados referentes a la contribución de la lubrificación de la piel al «confort», apurado y rapidez del afeitado húmedo. El primer trabajo de NAYLOR[5] sobre el coeficiente de fricción de materiales plásticos sobre la piel indicó que la fricción era inferior si la piel estaba seca, grasa o muy húmeda pero más elevada si la piel estaba simplemente húmeda. Otra publicación ha demostrado que la fricción de la piel se reduce por soluciones tensioactivas, aceites minerales[6] y fluidos de siliconas[7]. La fuerza de fricción sobre la piel no está en función lineal de la carga normal[7, 8] como sugiere la ley de Amonton, siendo atribuidas las desviaciones al comportamiento elástico de la piel.

La fuerza de fricción entre la hoja de afeitar y la piel facial se ha medido usando una maquinilla de afeitar construida con un aparato de medida del esfuerzo[9]. Las propiedades de fricción de la piel seca demuestran ser más elevadas que las correspondientes a la piel húmeda, aunque los valores absolutos varían en zonas diferentes de la cara. El tipo de preparado para el afeitado usado influye tan destacadamente en las propiedades de fricción que es posible distinguir entre diferentes formulaciones aerosoles espuma de afeitar. Generalmente, se ha comprobado que el segundo deslizamiento de la hoja en una parte dada de la cara ocasiona una fuerza de fricción superior al primero, probablemente porque el primer deslizamiento elimina de modo efectivo la mayor parte del preparado para el afeitado. Al parecer, los barberos ajustan el esfuerzo aplicado a la hoja según la preparación usada; cuanto más baja es la fuerza de fricción entre la hoja y la piel, mayor es el esfuerzo que se aplica y más apurado es el resultado del afeitado.

Unicamente se puede especular sobre el mecanismo de lubrificación correspondiente a preparaciones para el afeitado, pues depende del esfuerzo aplicado a la hoja, superficie de contacto con la cara, velocidad de la hoja por la cara y viscosidad del preparado. A elevados esfuerzos por unidad de superficie y bajas velocidades de afeitado, probablemente predomine una lubrificación límite, de modo que, para un bajo coeficiente de fricción, el preparado para el afeitado debe tener una elevada viscosidad y formar una película condensada que interacciona fuertemente con la piel para conservar la integridad de la película lubrificante. A leves esfuerzos por unidad de superficie y elevadas velocidades de afeitado, probablemente predomine la lubrificación hidrodinámica. La viscosidad del preparado debe ser bastante elevada para proporcionar una película de espesor suficiente para evitar un contacto áspero, pero posteriormente la viscosidad debe ser tan baja como sea posible.

Crema de reblandecimiento de la barba

Para muchos, el lavado de la cara con agua y jabón es una preparación adecuada de preafeitado para lograr un afeitado satisfactorio con hoja y espuma de afeitar. Cuando esto se considera inadecuado, se dispone de preparados de preafeitado para humedecer y reblandecer la barba y lubrificar la piel, a éstos se les suele denominar reblandecedores de barba. Especialmente, son útiles para aquellos que se descarnan o poseen diámetros grandes de pelo, puesto que el tiempo de hidratación varía con el cuadrado del radio del pelo, suponiendo que la difusión del agua en el pelo sigue las leyes de Fick. Las cremas de afeitar sin brocha no espumantes, aunque satisfactorias en cuanto a su acción lubrificante, no suelen reblandecer la barba adecuadamente ni con la suficiente rapidez. La aplicación de reblandecedores de barba que contienen jabones, tensioactivos sintéticos o posiblemente urea proporciona una humectación y reblandecimiento más completos de la barba y garantiza un afeitado suave y apurado. Tal formulación contiene un agente dispersante de jabón cálcico para mejorar la acción hidratante en agua dura, un agente antibacteriano compatible con el jabón, mentol y un conservante.

Una crema reblandecedora de la barba recomendada por KEITHLER[10] tiene la composición siguiente:

	(1) *por ciento*
Acido esteárico	13,8
Alcohol estearílico	2,0
Isopropilo, palmitato	1,9
Aceite de parafina	2,0
Lanolina	2,0
Tween 60	2,4
Span 60	1,0
Trietanolamina	1,0
Dupanol C	1,0
Agua	72,4
Perfume	0,5

BELL[11] da otro ejemplo de un preparado de reblandecimiento de barba con la composición siguiente:

	(2)
	por ciento
Acidos grasos de coco, destilación doble	4,20
Acido oleico (con bajo contenido de ácido linoleico)	5,60
Propilen glicol	5,00
Trietanolamina	2,85
Monoetanolamina	1,26
Tergitol NPX	2,00
Agua desmineralizada	79,09

Procedimiento: Mezclar juntos los ácidos grasos y agitar en propilen glicol. Añadir las aminas, y agitar hasta que se obtenga una solución transparente. Por último, mezclar con Tergitol y perfume si se desea, seguido con la mezcla con agua.

Tergitol NPX (alquil aril polietilen glicol éter) se emplea en el ejemplo 2 para dispersar los jabones cálcicos insolubles y mejorar la acción humedecedora en agua dura. Se han desarrollado líquidos, cremas y geles basados solamente en tensioactivos sintéticos a partir de formulaciones de champúes para el cabello, y resultan ser especialmente efectivos como reblandecedores de barba en zonas de aguas duras.

Cremas de jabón de afeitar

Criterios para una buena crema de jabón de afeitar

El éxito indiscutible de los preparados de espuma de afeitar se debe, probablemente, a la economía de uso y capacidad de proporcionar agua a la barba al drenar ésta por las zonas límites formadas en las uniones de las burbujas de la espuma, con lo cual se mantiene el pelo en condiciones de completa saturación con agua. Los requerimientos de una buena crema de jabón de afeitar son los siguientes:

1. Debe producir una abundante espuma compuesta de pequeñas burbujas.
2. No debe ser irritante.
3. Debe tener buenas propiedades humedecedoras.
4. Debe ser suave, agradable y completamente libre de grumos.
5. Debe adherirse fácilmente tanto a la cara como a la brocha y, sin embargo, ser fácil de eliminar en el enjuague.
6. Debe conservar una consistencia y textura satisfactorias en todas las condiciones de temperatura probables a las que se encuentran durante el uso.

Cuando se evalúan preparados de espuma para el afeitado, tal como crema de jabón y espuma aerosol, se debe prestar atención a los puntos:

Facilidad de transferir a la cara.
Facilidad de extensibilidad en la cara.

Propiedades humedecedoras y drenaje de la espuma.

Afeitado apurado y agradable.

Textura, rigidez y reología de la espuma.

Estabilidad de la espuma.

Facilidad de eliminar la espuma y detritos del afeitado de la máquina de afeitar y lavabo.

Aceptabilidad y compatibilidad del perfume.

Compatibilidad con el envase.

Efectos en la vida de la hoja de afeitar.

Formulación

Las cremas de jabón de afeitar son dispersiones concentradas de jabones de metales alcalinos en glicerina y agua. Para mantener el nivel deseado de formación de espuma, consistencia y estabilidad del producto, es esencial el control cuidadoso del proceso de fabricación. Aún el más ligero cambio en la formulación o procedimiento de fabricación puede originar una separación desastrosa de las fases de la crema a temperaturas ligeramente elevadas. Por tanto, se debe estar preparado para afrontar los problemas del paso de las formulaciones de laboratorio a escalas mayores de fabricación.

Las cremas de jabón para el afeitado contienen normalmente del 30 al 50 por 100 de jabones. Formulaciones basadas únicamente en ácido esteárico no producen una espuma suficientemente voluminosa, y es usual añadir algunos ácidos grasos de aceite de coco. La proporción de ácido esteárico o aceite de coco varía considerablemene en diferentes productos, pero la inclusión de aproximadamente un 25 por 100 de aceite de coco con un 75 por 100 de ácido esteárico da generalmente buenos resultados. Para saponificar los ácidos grasos se emplea una mezcla de hidróxidos de sodio y potasio. Se ha sugerido[12] que una proporción 5 : 1 de hidróxido de potasio respecto al hidróxido sódico con un 3-5 por 100 de ácidos grasos libres proporciona cremas para afeitar de grado correcto de plasticidad. Una crema que contenga una elevada concentración de jabones sódicos tiende a ser espesa y filamentosa, por lo que es difícil producir una espuma adecuada. Las cremas de jabón se pueden fabricar con sólo jabones potásicos, pero estos tienden a ser menos estables.

Con la finalidad de prevenir una desecación prematura de la crema se añade hasta un 15 por 100 de humectante. Normalmente, éste es glicerina pero se puede usar sorbitol o propilen glicol. También los humectantes tienen el efecto de hacer las cremas más suaves; el propilen glicol tiene la influencia mayor en la textura de la crema. Se ha comprobado[13] una mejora en las propiedades de la crema y jabón, sustituyendo la glicerina por 1,3-butilen glicol. Los emolientes tales como lanolina, alcohol cetílico, aceite mineral y ésteres de ácidos grasos se deben mantener a bajas concentraciones, un 1 por 100, para no deteriorar las propiedades de jabón. Otros aditivos de las cremas de jabón para el afeitado, tales como tensioactivos sintéticos como estabilizadores de espuma, agentes refrescantes, agentes antibacterianos, etc., se tratan con más detalle en las espumas aerosoles para el afeitado.

El valor del pH de las cremas de jabón de afeitar es generalmente aproximadamente 10. La aparente paradoja de un valor alto de pH y ácido graso libre se explica por el concepto de proceso de mezcla. Permanecen bolsas de álcalis sin neutralizar, aún en condiciones bien controladas de fabricación, a causa de la elevada viscosidad del producto. Se debe determinar la concentración de ácidos grasos libres como parte del control de calidad de las cremas de jabón de afeitar para comprobar la eficacia de la mezcla durante la fabricación. La concentración de ácidos grasos libres es uno de los factores que influyen en la temperatura máxima a la que la crema conserva una consistencia estable. Por encima de esta temperatura, los ácidos grasos libres ascienden a la superficie del producto, de modo similar al cremado de una emulsión, y queda afectado seriamente el funcionamiento de la crema.

Los ácidos grasos libres y los jabones de estearato menos solubles en agua son responsables de las características perladas de las cremas de jabón de afeitar. La apariencia perlada es un resultado de la formación de fases cristalinas líquidas dentro de la crema que puede aumentar la estabilidad de la espuma generada, además de mejorar su apariencia. La rapidez con que se forman las fases cristalinas líquidas depende del método de fabricación, especialmente de la velocidad de enfriamiento y de las características de la agitación. La práctica normal de los fabricantes es almacenar la crema durante algún tiempo antes de envasar para que se desarrolle la estructura. Se debe tener en cuenta el ligero cambio en la consistencia y estabilidad de la espuma durante el período inmediatamente posterior a la fabricación, cuando se analizan los lotes de producción de crema de jabón de afeitar.

Aunque son empíricos muchos de nuestros conocimientos sobre las cremas de jabón de afeitar, sin embargo se puede profundizar más consultando la bibliografía de la fabricación de jabón. La formulación que sigue ayudará como guía para la experimentación, pero la fabricación de una buena crema de afeitar es completamente un arte que debe superar las diferentes exigencias climatológicas.

	(3)
	por ciento
Acido esteárico	30,0
Aceite de coco	10,0
Aceite de palma	5,0
Potasio, hidróxido	7,0
Sodio, hidróxido	1,5
Glicerina	10,0
Agua	36,0
Perfume	*c.s.*

Procedimiento: Mezclar la mitad del ácido esteárico con los aceites, fundir calentando por vapor y calentar hasta alcanzar la temperatura de 75-80 °C. Verter en el álcali agua y glicerina y agitar bien hasta que la saponificación sea completa. En este momento, se añade el resto del ácido esteárico fundido junto con el agua que se haya perdido durante la fabricación. El perfume se añade a 35 °C.

Una fórmula de Atlas citada por DE NAVARRE[14] es la siguiente:

	(4)
	por ciento
Acido esteárico	36,0
Aceite de coco	9,0
Potasio, hidróxido	8,0
Sodio, hidróxido	1,0
Sobitol (sol. al 70 por 100)	3,0
Agua	43,0
Conservante, perfume	*c.s.*

Procedimiento: Calentar el aceite de coco a 75-80 °C. Disolver el álcali en la mitad del agua y añadir el aceite de coco. Cuando la saponificación es completa, añadir el ácido esteárico fundido (70 °C) en fino vertido, seguido por la solución de sorbitol, conservante y resto de agua. Después se enfría la mezcla. A 35 °C se añade el perfume y se enfría la emulsión a temperatura ambiente. Se realiza un ensayo del grado de saponificación alcanzado y se ajusta el contenido de ácido graso libre entre el 3 y 5 por 100. El producto se envasa, finalmente, en tubos.

Barra de jabón de afeitar

Se puede preparar una barra de jabón de afeitar partiendo de una mezcla que contenga un 80 por 100 de jabones de ácidos grasos, un 5-10 por 100 de glicerina y un 8-10 por 100 de agua. La relación de ácidos grasos y la relación de jabones potásicos con respecto a lo sódicos deben ser similares a las descritas en cremas de jabón de afeitar. Después de mezclar la composicion, se trocea, seca y muele con los otros componentes requeridos, tales como perfume, colorante o un opalescente. Las escamas de jabón se adensan en la forma que se desee en una compactadora de jabón.

Espumas aerosoles de afeitar

Las espumas aerosoles de afeitar son emulsiones aceite-agua en que las gotitas de propulsor licuado bajo presión forman una parte importante de la fase oleosa. Cuando la emulsión se descarga a la atmósfera, las gotitas dispersas del propulsor se vaporizan, produciendo una espuma formada por las burbujas de vapor propulsor rodeadas de una fase acuosa tensioactiva.

Algunas de las primeras patentes de espumas aerosoles de afeitar proporcionan indicadores útiles sobre la influencia de la composición del jabón en el aspecto y propiedades de la espuma. La primera patente de espuma aerosol de afeitar concedida a SPITZER[15], protegió el empleo de los propulsores fluorocarbonados en soluciones acuosas de jaboén incluidas en un envase resistente a la presión. Se presentó, como jabón preferente, el estearato de trietanolamina a concentraciones del 8-12 por 100 junto con cantidades menores de jabones de trietanolamina de los ácidos grasos de coco para evitar la gelificación a bajas temperaturas. Se citan también como adecuados los jabones potásicos para proporcionar espumas de afeitar satisfactorias, pero el estearato sódico sólo puede ser usado a muy bajas concentraciones debido a su tendencia a gelificar. Una patente posterior de Colgate-Palmolive[16] sugirió que los jabones de trietanolaminas solos no proporcionan espumas aerosoles de afeitar satisfactorias, por la tendencia de la emulsión a formar espuma en el interior del envase. Como consecuencia, la espuma descargada contiene grandes burbujas y una proporción importante de emulsión que no puede ser expulsada del envase. Las espumas descritas en la patente contienen del 4 al 15 por 100 de jabones, principalmente estearato de trietanolamina con proporciones menores de potasio y sodio, como en el ejemplo 5.

	(5)
	por ciento
Trietanolamina, estearato	8,0
Sodio, estearato	1,0
Potasio, estearato	4,6
Agua	72,5
Perfume	0,9
Bórax	0,5
Propulsor (hidrocarburo fluorado)	12,5

Otra patente concedida a Colgate-Palmolive[17] reivindica que las espumas aerosoles de afeitar con un contenido menor del 4 por 100 de jabones potásicos producen los mejores resultados en el reblandecimiento del pelo y en la reducción de su resistencia al corte por la hoja de afeitar. Los jabones mono- y dietanolaminas también se consideraban adecuados para estos propósitos, pero los jabones de trietanolamina resultaron ser ineficaces. Puesto que la espuma producida por tales soluciones diluidas de jabón eran bastante inestables, se incluyeron agentes espesantes sintéticos en la composicion. Especialmente, se prefieren sales solubles en agua de ácido poliacrílico y sus derivados con un peso molecular medio comprendido entre 100 000 y 200 000, empleados a concentraciones que varían entre el 0,5 y el 3 por 100. Estos polímeros también proporcionan una lubrificación adicional para la hoja de afeitar sobre la piel. Se comunicó una relación de ácido esteárico respecto a ácidos grasos de coco del 80 : 20 para proporcionar un mejor efecto de reblandecimiento de la barba con relación a otras mezclas de ácidos grasos, cuando se emplean a bajas concentraciones. Se dejan grandes proporciones de ácidos grasos libres para mejorar la lubrificación y estabilidad de la espuma. Otros lubrificantes, tales como alcohol cetílico o monoestearato de glicérilo, también se incorporan para mejorar la sensación de la piel después del afeitado, mientras que los emulsionantes no iónicos se incorporan para mejorar la emulsificación de los ácidos grasos libres.

Un ejemplo de concentrado de espuma aerosol de la patente tiene la siguiente composición:

	(6)
	por ciento
Jabón potásico de ácido esteárico-ácidos grasos de aceite de coco (80 : 20)	1,5
Potasio, poliacrilato (ácido poliacrílico PM 100 000-200 000)	1,0
Polivinilpirrolidona	0,5
Acido esteárico-ácidos grasos de aceite de coco (80 : 20)	3,0
Aceite de ricino	3,0
Dietanolamida del ácido laúrico	0,5
Polietilen sorbitan, monolaurato	0,5
Perfume	0,5
Agua	89,5

Guías de formulación

Se proporciona la siguiente guía general en la formulación de las espumas aerosoles de afeitar.

Acidos grasos. Los principales componentes de espumas aerosoles de afeitar son los ácidos grasos saturados de cadena larga que contienen de 12 a 18 átomos de carbono a la concentración del 7-9 por 100. Acidos grasos de inferior peso molecular, tales como los que se encuentran en el aceite de coco sin fraccionar, causan irritaciones en la piel. La relación de ácidos grasos se puede variar ampliamente para producir espumas con diferentes propiedades físicas. La presencia de ácido esteárico no es esencial para una espuma en aerosol como puede deducirse de las primeras patentes. Una proporción elevada de ácido esteárico en la mezcla de ácidos grasos tiende a dar espumas más rígidas y a una reducción del número de afeitados por bote. Sustituyendo parte del ácido esteárico por ácido laurico se tiende a producir espumas más suaves y se mejoran las características de expulsión.

Bases. Las bases preferidas para la saponificación de los ácidos grasos son trietanolamina, hidróxido potásico o mezcla de los dos. Raramente se emplea hidróxido sódico y, en todo caso, sólo como un componente minoritario. Ocasionalmente, se emplea mono- y di-etanolaminas, pero es necesario tomar precauciones que eviten la irritación cutánea. Los jabones de trietanolamina tienden a proporcionar espumas más compactas que los jabones potásicos, especialmente con propulsores hidrocarburos fluorados.

Es práctica común ajustar la cantidad de base de modo que la formulación contenga un 1-3 por 100 de ácido graso libre. El ácido graso libre mejora la apariencia y lubrificación de la espuma, formando un complejo con el jabón y aumentando la estabilidad de la espuma. Sin embargo, esto sucede a expensas de reducir la cantidad de espuma disponible e incrementar la rapidez de secado de la espuma en la cara.

Tensioactivos. En espumas para el afeitado, se puede utilizar una amplia variedad de tensioactivos sintéticos aniónicos y no iónicos para mejorar propiedades, tales como la estabilidad de la emulsión (por ejemplo, monoestearato de glicérilo, autoemulsionante), las propiedades humedecedoras de la espuma (por ejemplo, lauril éter sulfato sódico), la dispersabilidad en agua de la espuma y detritos del afeitado (por ejemplo, alcoholes grasos polietoxilados), la estabilidad de la espuma (por ejemplo, dietanolamida laúrica) y ablandamiento (por ejemplo, lanolinas etoxiladas). A causa de la naturaleza compleja de las interacciones entre tensioactivos, jabones y ácidos grasos libres, no se pueden predecir fácilmente las propiedades interfaciales en la emulsión y espuma.

Humectantes. Generalmente, se añaden polioles, tales como glicerina, sorbitol o propilen glicol a concentrados de espuma de afeitar a densidades del orden del 3-10 por 100. Por su capacidad de captar agua, reducen la tendencia de la espuma a desecarse en la cara.

Lubrificantes. Con la finalidad de ayudar al deslizamiento de la máquina de afeitar sobre el rostro y proporcionar ablandamiento, se incluyen lubrificantes adicionales tales como aceites minerales, siliconas fluidas, lanolina o miristato de isopropilo a concentraciones del 1 al 2 por 100, para suplementar los efectos del ácido graso libre. También mejoran la lubrificación e incrementan la estabilidad de la espuma los polímeros solubles en agua, tales como polivinilpirrolidona, carboximetil celulosa sódica o ácido poliacrílico y sus derivados. A la polivinilpirrolidona se le atribuyen propiedades anti-irritantes, esto es, reduce las irritaciones causadas por otros componentes.

Propulsores. Las espumas aerosoles de afeitar contienen un 7-10 por 100 de propulsores hidrocarburos fluorados o un 2,8-3,5 por 100 de propulsor hidrocarburo. Los propulsores hidrocarburos fluorados son, generalmente, mezclas en las proporciones 40:60 a 60:40 de diclorodifluorometano y diclorotetrafluoroetano. Los propulsores hidrocarburos son mezclas de *n*-butano, isobutano y *n*-propano.

A más elevada concentración de propulsor, menor densidad de espuma, espuma más rígida y mayor es el número de afeitados que se obtiene de un peso dado de emulsión. Espumas de densidad inferior a 65 g l^{-1} probablemente son difíciles de extender sobre la cara y tienen poca capacidad de reblandecer la barba.

A pesar del mayor costo, las espumas de afeitar propulsadas por hidrocarburos fluorados se hicieron populares, posiblemente por la facilidad relativa de formar espumas compactas y estables. Actualmente, todas las espumas aerosoles de afeitar de los EE. UU. se basan en propulsores hidrocrburos, como consecuencia de la hipótesis de ROWLAND y MOLINA[18] de la reducción del ozono de la estratosfera por los propulsores hidrocarburos fluorados y la legislación de los EE. UU. Las espumas aerosoles de afeitar que más se venden en Gran Bretaña también están basadas en propulsores hidrocarburos.

Perfume. Se utilizan perfumes compatibles con jabones a concentraciones de 0,15 a 0,65 por 100.

Agentes refrescantes. Frecuentemente se añaden a las espumas de afeitar agentes refrescantes fisiológicos que contrarrestan la sensación de «ardor» asociada con el afeitado. El agente refrescante más utilizado es el mentol a la concentración del 0,05-0,2 por 100. La volatilidad del mentol da lugar a que su efecto refrescante en la piel sea transitorio, y es casi imposible de enmascarar su olor dominante. Un grupo de compuestos, que comprende los tipos químicos de carboxamidas a ureas y óxidos de fosfina, ha demostrado poseer propiedades refrescantes fisiológicas[19]. Muchos son tan efectivos como el mentol, pero sin las desventajas asociadas a su volatilidad. El efecto refrescante puede durar de cinco a quince minutos después de la aplicación a una concentración del 0,1-0,2 por 100 en espumas de afeitar.

Colorante. Las espumas pueden colorarse con el empleo de D&C o FD&C. Se deberán usar muy bajas concentraciones para evitar manchar la piel y la toalla.

Conservantes. Muchas de las espumas de afeitar no requieren un conservante; sin embargo, cuando sea necesario será suficiente un 0,2 por 100 de una mezcla de *p*-hidroxibenzoato de metilo y propilo.

A veces se requieren antioxidantes para evitar el enranciamiento en formulaciones que contienen incluso bajas concentraciones de compuestos insaturados.

Inhibidores de corrosión.   No son normalmente necesarios con envases adecuadamente cerrados. Se puede usar bórax (0,04 por 100, 10 mol), con envases de hojalata y de solución de silicato sódico al 0,25 por 100 35 °Be con envases de aluminio.

Bacteriostáticos, etc.   El triclorhidroxidifenil éter (Irgasan DP300) al 0,05 por 100 y la alantoína al 0,05 por 100 reducen las infecciones de la piel y fomentan la curación de los cortes.

Agentes pilomotores.   Se afirma que un afeitado «apurado» se obtiene incorporando a la preparación para el afeitado compuestos que tengan actividad pilomotora, esto es, capacidad de provocar la contracción de los músculos erectores (músculo del folículo piloso). Esta contracción ocasiona que el pelo de la barba sea expulsado por encima del nivel de la superficie de la piel aproximadamente 0,2-0,3 mm. Un corte de pelo en posición erguida, lo retrae por debajo de la superficie de la piel, cuando el músculo del folículo retorna a su normalidad. Tales compuestos patentados incluyen: imidazolinas[20], por ejemplo, 2-(2',5'-dimetoxi-4',6'-dimetilbenzil)-2-imidazolina; 2-amino-imidazolinas[21]; morfolinas[23], por ejemplo, 2-(3'-hidroxifenil)-morfolina; y 2-(fenilamino)-1,3-diazaciclopentenos-(2)[23].

También se pueden utilizar algunos de los compuestos anteriormente citados para el mismo efecto en cremas de jabón de afeitar, cremas de afeitar sin brocha y lociones de preafeitado eléctrico.

Un estudio estadístico de la formulación de espumas aerosoles de afeitar[24] examinó la importancia de diversas variables, tales como concentración de jabón, tipo ácido graso, concentración de ácido graso libre, tipo y concentración de poliol, y tipo y concentración de propulsor. El concentrado fue evaluado en términos de viscosidad, pH, densidad y estabilidad, mientras que las propiedades de descarga y de espuma fueron evaluadas en términos de número de afeitados por envase, residuo en el envase después de la descarga, densidad y consistencia de la espuma, tiempo de secado y tamaño de burbuja. Algunas de las conclusiones del estudio se han incluido en este capítulo.

Ejemplo de formulaciones

Espuma de afeitar propulsada por hidrocarburos fluorados	(7) *por ciento*
A. Acido esteárico	5,6
Acido palmítico	2,2
Isopropilo, miristato	1,0
Monoetanolamida de coco	0,3
B. Sodio, lauril éter sulfato (sol. al 40 por 100)	3,5
Trietanolamina	3,9
Glicerina	5,0
Agua (desionizada)	78,5
Perfume	*c.s.*
Concentrado	91,5
Propulsor 12/114 (40:60)	8,5

Crema aerosol de afeitar (Croda Chemicals Ltd[25])   (8)

		por ciento
A.	Acido esteárico	4,0
	Acido laurico	2,0
	Lanolina líquida (Fluilan)	1,0
B.	Cromeen*	3,0
	Trietanolamina	2,5
	Agua (desionizada)	87,5
	Perfume	*c.s.*
	Concentrado	92,0
	Propulsor 12/114 (40:60)	8,0

* Cromeen (Croda Chemicals Ltd) es un derivado sustituido de alquil amina de varios ácieos de lanolina.

Espuma aerosol de afeitar propulsada por hidrocarburos fluorados   (9)

		por ciento
A.	Acido palmítico	5,0
	Acido laurico	1,0
B.	Sodio, lauril sulfato	1,0
	Polietilen glicol (400), monolaurato	0,5
	Acido poliacrílico (agua al 40 por 100), peso mol. 100 000	1,5
	Trietanolamina	2,0
	Potasio, hidróxido	0,8
	Glicerol	5,0
	Agua (desionizada)	83,2
	Perfume	*c.s.*
	Concentrado	96,9
	Propulsores, isobutano-propano	3,1

Procedimiento: El procedimiento general de elaborar todas las espumas aerosoles de afeitar es calentar las partes *A* y *B* separadamente a 75 °C. Añadir *A* a *B* con agitación enérgica y dejar enfriar a 35 °C, momento de añadir el perfume. El envase aerosol se carga cuando el concentrado ha alcanzado la temperatura ambiente.

Espuma aerosol consistente de afeitar

Las propiedades y características de expulsión de las espumas aerosoles de afeitar cambian de modo significativo a medida que el envase se vacía. De manera característica, el último 10-15 por 100 de producto es acuoso y pobremente propulsado. Esto es un problema cotidiano para el formulador de aerosoles y el consumidor que, a su pesar, han aprendido a aceptarlo. No es posible superar este problema sólo aumentando el contenido del propulsor, pues éste hace que la espuma inicialmente descargada sea inadmisible, seca y rígida. Una solución de interés ha sido propuesta por MACE y CARRION[26] que incluye el empleo de una formulación de concentrado que absorbe sólo el suficiente propulsor licuado para proporcionar una espuma de densidad correcta. El exceso de propulsor se añade para formar una capa discreta de reserva que pueda suministrar todo el vapor necesario para llenar el creciente espacio superior. De este modo, la composición formadora de espuma permanece sin cambio cuando el envase se vacía. Esta solución puede imponer restricciones en la formulación, y la necesidad de educar al consumidor para no agitar el envase antes de usarlo. Medios con posibilidades varias, pero relativamente caros, de obtener un producto consistente son los proporcionados por el uso de un envase barrera, en el cual el propulsor, que provoca la fuerza expulsora para descargar el concentrado líquido, está separado de la composición generadora de la espuma por un pistón o una bolsa flexible. Se han publicado informes[27] sobre espumas con propiedades muy uniformes durante la vida de un envase tipo barrera. Tal envase se utiliza en el empleo del gel que posteriormente forma espuma.

Un medio reciente[28] de mantener la consistencia de un aerosol espuma es usar una goma que se hincha con el propulsor como fuente adicional de propulsión. Sólo cuando cae la presión de vapor del espacio superior, se desprende vapor del propulsor de la goma. De este modo, las propiedades de la espuma descargada de un envase lleno no son afectadas por la presencia de propulsor adicional. Cuando se expulsa la emulsión, el volumen de espacio superior aumenta y existe una pequeña pero brusca caída en la presión de vapor. La presión de vapor se restaura ligeramente por debajo del valor inicial por desprendimiento directo o indirecto procedente del depósito de reserva y no sólo de la emulsión. De este modo, la relación de concentrado a propulsor en la emulsión, que determina la densidad de la espuma, no se reduce en el mismo grado que con el envase depósito, como sería el caso normal.

Los beneficios de usar depósitos de reserva de goma se han demostrado en las fórmulas que siguen[29]:

	(10) *por ciento*
Acido palmítico	5,0
Potasio, hidróxido	1,0
Sodio, lauril sulfato	2,5
Dietanolamida laurica	1,5
Polietilen glicol (6000), monoestearato	2,0
Agua (desionizada)	88,0

Llenado para un envase aerosol de 6 oz	*peso (g)*
Concentrado	177,0
Propulsor butano 40	7,6
Goma etilen-propileno	3,0

Un envase convencional sin depósito de reserva deberá contener 5,1 g de propulsor (Butano 40) y 177 g de concentrado.

Después de un tiempo de almacenamiento apropiado para permitir la absorción de algo de propulsor por la goma, el volumen total de espuma útil fue el 25 por 100 superior cuando se utilizaba el depósito de reserva, y las características de descarga se mantuvieron satisfactorias hasta que se vació el envase. La proporción de contenido utilizable aumenta con el uso de depósito de reserva desde el 79 por 100 hasta el 95 por 100.

Espuma aerosol caliente

El interés por las espumas calientes de afeitar es consecuencia de la mejora del reblandecimiento de la barba por el aumento de temperatura. Espumas calientes de afeitar pueden obtenerse por reacción química exotérmica entre componentes que se mantienen separados dentro del envase aerosol o poniendo la espuma en contacto con un intercambiador de calor conectado al suministro de agua caliente. Los productos que se basan en una reacción exotérmica redox requieren un doble dispositivo en el envase aerosol; el compartimiento interno contiene peróxido de hidrógeno y el externo la solución jabonosa, un propulsor, una piridina, una tiourea y un sulfito o tiosulfito.

Cualquiera que sea el medio de calentar la espuma, generalmente son inadecuadas las composiciones convencionales de aerosoles de afeitar pues, a temperaturas superiores, forman grandes burbujas inestables y la espuma carece del cuerpo necesario para un afeitado satisfactorio. Las composiciones que se consideran adecuadas para espumas aerosoles calientes de afeitar[30] se basan en soluciones acuosas de estearato de trietanolamina superengrasadas con ácido esteárico libre. La presencia de ácidos grasos de bajo peso molecular tienden a reducir la estabilidad de la espuma a temperaturas elevadas. Esto puede ser compensado en cierto grado incrementando la concentración de ácido esteárico que tiene la propiedad de espesar la solución acuosa jabonosa calentada. La inclusión de propilen glicol o tensioactivos no iónicos, que producirían espumas más ricas y más viscosas a temperatura ambiente, tienden a dar espumas de consistencia acuosa a elevada temperatura.

Se obtienen formulaciones satisfactorias con un 8-15 por 100 de estearato de trietanolamina, un 1 por 100 de jabón de trietanolamina de aceite de coco y un 2 ó 3 por 100 de ácido esteárico. A concentraciones inferiores de estearato de trietanolamina (7-12 por 100) se obtiene una composición satisfactoria con un 2 por 100 de jabón de trietanolamina de aceite de coco y un 3 ó 4 por 100 de ácido esteárico.

Espuma aerosol libre de «nata» para afeitado

Los preparados de afeitar basados en jabones dejan en el lavabo y en la hoja de afeitar un depósito antiestético que no se elimina fácilmente enjuagándolo. Este depósito, conocido como grumos o nata de jabones cálcicos, se hace particularmente perceptible en las zonas de aguas duras y está formado por jabones cálcicos o magnésicos, insolubles en agua, y ácidos libres. El depósito puede reducirse añadiendo tensioactivos dispersantes de los jabones calizos a una formulación convencional. Incluso el mejor agente dispersante de los jabones calizos se debe incorporar a concentraciones dos o tres veces superiores a la concentración del jabón para prevenir la formación de «nata». Las formulaciones que contienen bajas concentraciones de jabón y altas concentraciones de tensioactivos producen espumas inestables. Es posible restaurar la estabilidad de la espuma añadiendo alcoholes grasos de cadena larga, tales como alcohol mirístico[31]. Un ejemplo de una espuma aerosol libre de «nata», conteniendo baja concentración de jabones, es el que sigue:

		(11)
		por ciento
A.	Acido palmítico	1,95
	Acido mirístico	0,62
	Alcohol mirístico	2,10
B.	Polioxietilen (20) cetil éter	5,23
	Dietanolamida laurica	5,23
	Propilen glicol	0,82
	Glicerina	3,54
	Trietanolamina	1,54
	Agua (desionizada)	78,97
	Perfume	*c.s.*
	Concentrado	91,5
	Propulsor 12/114 (40:60)	8,5
ó	Concentrado	97,0
	Propulsor (Butano 48)	3,0

Espumas aerosoles sin jabón para afeitar

La mejora de la estabilidad de la espuma en el ejemplo 11 se logra por la formación del complejo molecular entre el alcohol graso de larga cadena y el polioxietilen graso éter. SANDERS[32] ha investigado la interacción de los ácidos grasos de cadena larga y los alcoholes grasos con los éteres de polioxietilen grasos de espumas de afeitar propulsadas con hidrocarburos fluorados. Muchas de estas formulaciones sin jabón mostraron aumentos de viscosidad y estabilidad de la emulsión, y en la firmeza y estabilidad de la espuma. Sin embargo, se ha observado que muchas emulsiones sin jabón experimentan una separación irreversible de fases cuando se mantienen a 37 °C durante algunas semanas, de modo que, aun después de una agitación enérgica para reemulsionar la fase sólida, los contenidos no pueden ser descargados en forma de espuma.

Se proponen[33] ciertos tensioactivos nitrogenados asociados a alcohol mirístico para formar espumas estables aerosoles sin jabón para afeitar que no presentan separaciones irreversibles de fases cuando se almacenan a elevadas temperaturas. Tales espumas no forman depósito en agua dura y frecuentemente dispersan de modo completo la nata formada por lavado con jabón previo al afeitado. Con formulaciones sin jabón, es posible usar tensioactivos hipoalérgicos, y el pH debe ajustarse al valor ligeramente ácido de la piel.

Un ejemplo de espuma aerosol sin jabón de afeitar es el siguiente:

		(12)
		por ciento
A.	Alcohol mirístico	2,1
B.	Imidazolina laurica dicarboxilada, sol. al	
	40 por 100 (Cycloteric DL)	5,1
	Polietilen glicol (1000), monolaurato	5,5
	Poliol propoxilado (Emcol CD-18)	0,7

Glicerina	5,0
Agua (desionizada)	81,6
Perfume	*c.s.*
Acido cítrico	*c.s.*
Concentrado	97,0
Propulsor (Butano 40)	3,0

Procedimiento: Calentar las partes *A* y *B* separadamente a 75 °C. Añadir *A* a *B* con agitación enérgica. El perfume se añade después de enfriar a 35 °C. El pH del concentrado se ajusta al valor deseado, añadiendo ácido cítrico.

La fórmula de una espuma aerosol sin jabón para el afeitado que contiene tensioactivos aniónicos sarcosinatos, publicadas en *Croda Chemicals Technical Literature*[34], es la siguiente:

		(13)
		por ciento
A.	Fluilanol	5,0
	Crodaterge LS	3,0
	Crodaterge OS	4,0
	Aceite mineral Pentol	1,0
B.	Propilen glicol	5,0
	Trietanolamina	1,0
	Agua (desionizada)	81,0
	Perfume	*c.s.*
	Concentrado	95,0
	Propulsor isobutano-propano	5,0

Gel aerosol post-espumante

Productos de este tipo descargan de un envase aerosol como un gel estable que, cuando se extiende en el rostro, se afirma que mejora la humidifcación de la piel y la barba. La espuma se forma posteriormente *in situ* en la superficie de la piel por la vaporización de los hidrocarburos alifáticos de baja temperatura de ebullición. El producto se envasa en recipiente aerosol con una barrera para separar el gel que posteriormente forma espuma de propulsor requerido para la expulsión. El envase barrera garantiza que se descargue un gel homogéneo, esencialmente libre de burbujas, que produce una espuma autogenerada de consistencia y densidad uniformes durante toda la vida del producto. El gel post-espumante consta fundamentalmente de una dispersión acuosa de jabones, agentes gelificantes solubles en agua y un agente post-espumante que tiene una presión de vapor de 0,422-0, 984 kg/cm^2 (41-96 KPa) a 37 °C, por ejemplo hidrocarburos saturados alifáticos o hidrocarburos halogenados. También se incluyen varios aditivos en la formulación, tales como humectantes, emolientes, auxiliares espumantes, perfume, etc.

Dos ejemplos de geles post-espumantes de espumas de diferente consistencia se han publicado en la patente asignada a S. C. Johnson & Son Inc.[35] y tienen las composiciones siguientes:

	(14)	(15)
	por ciento	*por ciento*
Acido esteárico (95 por 100 de pureza)	2,000	2,250
Acido palmítico (97 por 100 de pureza)	5,800	6,500
Polioxietilen (2) cetil éter	1,000	1,000
Hidroxialquil celulosa (Krucel HA)	0,067	0,075
Carbopol 934	0,180	0,225
Propilen glicol, diperlargonato	2,750	2,750
Sorbitol (sol. al 70 por 100)	10,000	10,000
Propilen glicol	3,300	3,300
Trietanolamina	4,200	4,750
Agua (desionizada)	67,953	66,400
Perfume, colorante	*c.s.*	*c.s.*
n-butano	0,550	0,550
n-pentano	2,200	2,200
Consistencia de la espuma	29,0 g cm^{-2}	69,8 g cm^{-2}

Procedimiento: Preparar el jabón intermedio añadiendo una solución acuosa de sorbitol y trietanolamina a los ácidos grasos y polioxietilen (2) cetil éter a 80 °C. Añadir soluciones separadas de Klucel HA en propilen glicol acuoso y Carbopol 934 en agua al jabón intermedio a 27 °C. Dispersar los hidrocarburos en un volumen igual de propilen glicol a 4 °C y mezclar con el resto de la formulación de tal modo que se evite que quede aire atrapado en el gel. El gel es inmediatamente transferido al compartimiento interno de un envase aerosol tipo barrera y se fija la válvula en su lugar. El compartimiento externo se presuriza con aproximadamente 10 ml de una mezcla de propano e isobutano que tiene una presión de vapor de aproximadamente 46 psi (3,164 kg/cm² 317 KPa) a 25 °C.

Cremas no espumantes o sin brocha

Las cremas de afeitar sin brocha o no espumantes son emulsiones aceite-agua. Contienen componentes similares a los de las cremas evanescentes, siendo la principal diferencia que la concentración de aceites y agentes emulsionantes tiende a ser más elevada en las preparaciones de afeitar. Idealmente, la crema debe desaparecer en la ejecución del afeitado, dejando el rostro libre de irritación con una apariencia mate. Puesto que una desaparición demasiado rápida de la crema puede ser perjudicial para el bienestar y el apurado del afeitado, debe ser posible como mínimo, extender crema remanente en la piel después del afeitado.

La popularidad de las cremas sin brocha se atribuye a su comodidad, puesto que eliminan la necesidad de la brocha, y facilitan un afeitado más rápido. La espesa película de lubrificante sobre el rostro proporciona emoliencia y protección a la piel, reduciendo la resistencia al deslizamiento de la hoja de afeitar durante el afeitado. Los valores inferiores de pH de las cremas sin brocha (7,5-8,5) son el fundamento de la referencia a que ocasionen menos irritación, especialmente en piel lesionada, que las cremas de jabón de pH 10. Las desventajas de las cremas sin brocha son que requieren mayor cantidad por afeitado que un preparado de espuma, la crema es frecuentemente difícil de eliminar con agua de la hoja y puede dejar sensación grasa a la piel. Debido a una menor absorción de agua de la emulsión por el pelo, la acción reblandecedora de la crema sin brocha es considerada menos efectiva que una preparación de espuma. Esto puede dar lugar a un embotado más rápido de filo de la hoja. Para promover el reblandecimiento de la barba, se recomienda lavar la cara con jabón y agua antes de aplicar la crema al rostro húmedo.

Formulación

La fase oleosa de una crema típica sin brocha comprende: un 4-10 por 100 de lubrificante (por ejemplo, aceite mineral, ésteres de ácidos grasos de cadena larga, petrolato); un 10-25 por 100 de ácido esteárico para proporcionar una acción sobreengrasante y favorecer la característica de aspecto perlante de la crema; y un 0-5 por 100 de emoliente (por ejemplo, lanolina, colesterina, alcohol cetílico, alcohol estearílico, esperma de ballena). El esperma de ballena se recomienda mucho como medio de evitar que la crema se desvanezca demasiado rápidamente. La fase acuosa, generalmente, contiene un 1-5 por 100 de jabones (por ejemplo, estearato potásico o de trietanolamina), un 0-5 por 100 de un tensioactivo sintético para mejorar la estabilidad de la emulsión y la humidificación de la barba y facilitar la eliminación por agua (por ejemplo, monoestearato de glicerilo, alcoholes grasos sulfonados, amidas de ácidos grasos), un 0-1 por 100 de agente espesante que también mejorará la estabilidad de la emulsión (por ejemplo, goma tragacanto, alginato sódico, polivilpirrolidona, ácido poliacrílico y sus derivados), y un 2-10 por 100 de humectante para evitar la desecación de la crema (por ejemplo, glicerina, sorbitol, propilen glicol). Es usual añadir un conservante, por ejemplo, ésteres del ácido *p*-hidroxibenzoico para este tipo de formulación. Otros aditivos, como perfumes, agentes refrescantes, bacteriostáticos, etc., también se pueden incluir, como se ha expuesto en los preparados aerosoles de espuma de afeitar.

La composición de una crema típica de afeitar sin brocha es la siguiente:

	(16)
	por ciento
Aceite mineral	9,0
Lanolina	0,5
Acido esteárico	14,5
Carbopol 934	0,5
Trietanolamina	2,5
Trietanolamina, lauril sulfato	1,0
Glicerina	5,0
Agua	67,0
Conservante, perfume	*c.s.*

Procedimiento: Calentar aceite, lanolina y ácido esteárico a 75 °C. Dispersar Carbopol 934 en agua fría y añadir glicerina, tensioactivo y trietanolamina. Añadir la fase oleosa a la acuosa a 75 °C con agitación enérgica. Enfriar rápidamente la mezcla, añadiendo el perfume a 45 °C.

La composición de una crema de afeitar sin brocha, publicada en *Seifen-Öle-Fette-Wachse*[36], se da en el ejemplo 17.

	(17)
	por ciento
Acido esteárico	18,0
Lanolina	4,0
Propilen glicol, monoestearato	4,0
Isopropilo, palmitato	4,0
Clicerina	2,0
Trietanolamina	1,0
Agua	66,8
Perfume	0,2

A la presencia de aceite de silicona en una crema de afeitar sin brocha se le atribuye que imparte una «sensación» agradable a la aplicación y mejora el deslizamiento de la hoja de afeitar. Una formulación publicada en *Union Carbide Bulletin*[37] tiene la siguiente composición:

		(18)
		por ciento
A.	Acido esteárico	18,0
	Aceite mineral	5,0
	Silicone fluid L-45 (1000 cS)	1,0
	Polioxietilen (20) sorbitan, monoestearato	5,0
B.	Sorbitol (sol. al 70 por 100)	5,0
	Bórax	2,0
	Trietanolamina	1,0
	Agua	63,0
	Conservante, perfume	*c.s.*

Procedimiento: Calentar la fase oleosa a 90 °C; calentar por separado la fase acuosa a 95 °C, y añadir a la fase oleosa con agitación.

Se puede usar Carbowax 1500 en lugar de aceites para formular las denominadas cremas de afeitar sin brocha no grasas[38]:

		(19)
		partes
A.	Carbowax 1500	45,0
	Acido esteárico	37,5
B.	Trietanolamina	3,0
	Potasio, hidróxido	1,6
	Agua	2,0
	Sodio, alginato	3,5
	Agua	178,0
	Propilen glicol	12,0
	Carbitol	15,0
	Perfume	*c.s.*

Procedimiento: Calentar *A* a 70 °C y agitar en *B*. Añadir el alginato sódico disperso en agua a 70 °C seguido de los restantes componentes. El perfume, disuelto en parte del Carbitol, se añade cuando la crema se enfría a 50 °C; verter la crema a 45 °C.

Como con las cremas de jabón de afeitar, la velocidad de enfriamiento y las características de agitación pueden afectar a la consistencia del producto. El enfriamiento del producto bajo vacío ayuda a reducir la aireación producida de la crema durante la fabricación de la crema.

Es posible obtener una crema de afeitar sin brocha sin utilizar elevadas concentraciones de ácidos grasos. El monoestearato de glicerilo autoemulsionante a concentraciones del 10-25 por 100 es un emulsionante adecuado para aceites y produce cremas más translúcidas y con mejores propiedades emolientes que las cremas estándares. Un ejemplo de este tipo de crema es el siguiente[39]:

	(20) por ciento
Glicerilo, monoestearato	10,0
Aceite mineral	3,0
Lanolina	5,0
Glicerina	3,0
Acido esteárico	2,0
Potasio, hidróxido	0,1
Agua	76,9

Barras de afeitar sin brocha

THOMAS y WHITHAM[40] describen una barra para el afeitado sin brocha que puede ser aplicada directamente al rostro. Se asegura que la continua y fina película que se forma sobre la piel humedecida proporciona adecuada lubrificación para la operación del afeitado. La barra se compone de sustancias grasas o cerosas, a las cuales un adecuado emulsionante proporciona propiedades hidrófilas, por ejemplo jabón o un éster parcial de ácido graso de un alcohol polihídrico. Esto garantiza que el producto se humedezca rápidamente, pero sólo es escasamente soluble en agua. Se incorporan pigmento, colorante u opalescente para indicar la presencia de la composición en la cara.

Se ha citado el siguiente ejemplo:

	(21) por ciento
Aceite de sésamo	35,35
Esperma de ballena	45,80
Estearina	7,60
Jabón	5,00
Monoglicéridos de ácidos grasos de aceite de coco	3,00
Titanio, dióxido	2,00
Perfume	1,25

Composiciones modernas para el afeitado húmedo

Existen varios productos cuya función actúa de manera ligeramente diferente a las preparaciones convencionales de afeitar basadas en jabones y que frecuentemente se citan como composiciones auxiliares del afeitado. Estas composiciones modernas ponen gran énfasis en la protección de la piel durante el afeitado, al proporcionar una capa eficaz de lubrificante. Se aplican directamente al rostro o al filo de la hoja y se pueden usar sin ningún otro tipo de preparado para el afeitado húmedo. Como alternativa, se pueden considerar preparaciones de afeitado prehúmedo.

Un ejemplo[41] de una composición basada en aceite mineral es el siguiente:

	(22)
	por ciento
Aceite mineral	95,97
Dioctilo, sodio, sulfosuccinato (Aerosol OT)	1,44
Lanolina	0,96
Silicone fluid (DC 400)	0,67
Octadecanol	0,48
Perfume	0,48
Conservante	*c.s.*

La preparación se aplica a la piel húmeda, no mojada, que ha sido lavada con jabón y agua caliente. Los aceites y el octadecanol proporcionan lubrificación y actúan como barrera a la evaporación del agua y, por tanto, previenen la deshidratación de la piel y del pelo de la barba.

A una acción sinérgica entre tensioactivos no iónicos e iónicos y las siliconas fluidas se le atribuye[42] proteger la piel durante el afeitado, facilitando el corte de la barba y protegiendo la hoja de la corrosión entre afeitados. Las composiciones se pueden aplicar como loción o crema y se usa con una preparación convencional de afeitar o sin ella.

Un ejemplo de loción alcohólica es el siguiente:

	(23)
	por ciento
Metilfenilsiloxano (DC-555)	6,6
Dimetilpolisiloxano (DC-200, 350 cS)	6,6
Polietilen (20) sorbitan, monooleato (Tween 30)	6,6
Polietilen (20) sorbitan, monolaurato (Tween 20)	6,6
Dioctilo, sodio, sulfosuccinato	0,5
Agua	25,8
Alcohol etílico (95 por 100)	47,3

Otros preparados hacen uso de las propiedades lubrificantes de gomas y polímeros solubles en agua que se pueden añadir a tensioactivos sintéticos, humectantes, emolientes y aceites. Se ha asegurado que los jabones aniónicos y tensioactivos presentes en las cremas de afeitar tienden a emulsionar el sebo y, como consecuencia, privan a la piel de su protección natural y la dejan seca, expuesta a las condiciones adversas atmosféricas y a la acción abrasiva de la hoja de afeitar.

CLAIROL[43] ha propuesto preparados para el afeitado basados en emulsiones aceite-agua. Estas composiciones contienen dimetilpolisiloxano (200-500 cS) emulsionado con 0,3 a 0,7 por 100 de polioxietilen lauril éteres en 87-95 por 100 de agua que se ha espesado con 0,2-1,0 por 100 de Carbopol neutralizado con trietanolamina a pH 6,5-7,2. Se afirma que la silicona fluida forma una película protectora sobre la piel y, como consecuencia, evita la emulsificación del sebo, reduce la resistencia al avance de la hoja y minimiza las irritaciones de la piel.

PREPARADOS PARA EL AFEITADO SECO

Introducción

Se reconoce, generalmente, que las máquinas de afeitar eléctricas no apuran tanto como las hojas de afeitar. Esto fue confirmado en un estudio de BHAKTAVI-ZIAM *et al.*[44] que también demostró que los terminales de los pelos observados veinticuatro horas después del afeitado con una máquina de afeitar eléctrica mostraba las puntas desiguales y algunas astilladuras verticales del tallo del pelo. Tanto el afeitado eléctrico como el afeitado con hojas conducen a una eliminación de la piel, cuya cantidad depende, en una determinada persona, de la presión aplicada al rostro. Generalmente, cuanto más próximo es el afeitado, mayor es la cantidad de lesión cutánea. Se ha sugerido[45] que los preparados preafeitado eléctrico no mejoran la calidad del afeitado, sino que ayudan a reducir las lesiones cutáneas.

Por contraste en el afeitado con hoja es preferible suavizar la barba; cuando se usa una máquina de afeitar eléctrica, la barba debe secarse de modo que los pelos se pongan tiesos y puedan ser cogidos y eliminados por los peines de la máquina de afeitar. La eliminación de la película de sudor del rostro reduce la fricción entre la máquina eléctrica y la piel y evita que la barba sea resbaladiza y huidiza al filo cortante de la máquina de afeitar eléctrica. Esto se logra de diferentes modos por las dos formas más populares de preparados para antes del afeitado: la loción, basada en una solución alcohólica, y la barra de talco. Se debe indicar que se ha expuesto una opinión completamente contraria de la finalidad de un preparado para antes de afeitar en una patente concedida a Sunbeam Corporation[46], en que se preconiza que no es deseable la eliminación de la humedad de la piel y barba antes del afeitado eléctrico: de hecho, el agua ablanda la barba, causando el hinchamiento de los pelos, y el alargamiento asegura un afeitado más suave, eficaz y apurado. Además, a las soluciones alcohólicas se les atribuye originar la contracción del pelo del folículo, haciendo más difícil obtener un afeitado limpio y apurado. Los preparados propuestos en la patente son emulsiones aceite-agua que contienen del 5-20 por 100 en peso de ésteres de ácidos grasos, tales como miristato de isopropilo, y un agente emulsionante que es una mezcla de sal alcalina-amina del ácido poliacrílico.

Loción preafeitado eléctrico

Al formular una loción para antes del afeitado eléctrico se deben considerar deseables los siguientes atributos:

1. Una astringencia adecuada para poner tiesa la barba y estimular los músculos del folículo piloso.

2. Un rápido secado para hacer posible una rápida evaporación de toda la humedad presente en la cara.

3. Un pH inferior al punto isoeléctrico de la queratina para evitar el hinchamiento del pelo (esto es pH 4,5-4,8).

4. Provisión de un recubrimiento de la piel en que se desliza la máquina de afeitar eléctrica de tal modo que se evite la irritación de la piel y se proporcione lubricación para los filos cortantes de la máquina de afeitar.

5. Ausencia de toda sustancia con probabilidad de corroer la cabeza cortante.

6. Ausencia de todo lubricante con posibilidad de tener un efecto adverso en los componentes plásticos de la máquina de afeitar.

Las lociones alcohólicas para antes del afeitado eléctrico pueden ser astringentes u oleosas. Las lociones astringentes pretenden fundamentalmente secar y poner tiesos los pelos y, teóricamente al menos, ayudar a erizarlos. Además, el efecto astringente del alcohol puede ser aumentado con la inclusión de sustancias astringentes suaves en el preparado, tales como clorhidróxido de aluminio, fenolsulfonato de zinc o ácido láctico. El mentol o alcanfor pueden ser incluidos para dar un efecto refrescante junto con un antiséptico adecuado y una baja concentración de lidocaína como analgésico. También se pueden añadir a los preparados para antes del afeitado eléctrico compuestos que tienen actividad pilomotora.

Las lociones de tipo oleoso tienen como objetivo depositar en el rostro una película de lubricante que reduzca la resistencia al deslizamiento del cabezal cortante con la piel. Se ha demostrado[7] que una película de aceite de silicona reduce apreciablemente la fuerza de fricción entre la piel y un estilete liso de acero. El mecanismo que interviene en una lubricación hidrodinámica, esto es, la fuerza de fricción depende de la viscosidad del lubricante. Quizás los lubricantes más frecuentemente utilizados para este tipo de productos sean los ésteres de ácidos grasos superiores, como el miristato de isopropilo. Con una adecuada elección del tipo de lubricante y de la concentración, será posible proporcionar un afeitado confortable aun en condiciones húmedas y calurosas sin dejar la piel con sensación grasa. Se atribuye a algunos tipos de preparados oleosos alargar la vida de los filos cortantes de la máquina de afeitar eléctrica, por su acción lubricante.

Ejemplos de formulaciones

Lociones astringentes preafeitado eléctrico (24)

	por ciento
Etanol	45,0
Sorbitol	5,0
Acido láctico	1,0
Agua	49,0

(25)

	por ciento
Zinc, fenolsulfonato	1,0
Extracto destilado de hamamelis	40,0
Etanol	40,0
Agua	18,8
Mentol	0,1
Alcanfor	0,1

		(26) *por ciento*
Aluminio, clorhidróxido (al 50 por 100)		5,0
Isopropilo, miristato		5,0
Etanol		80,0
Perfume		*c.s.*
Colorante		*c.s.*
Agua	hasta	100,0

Lociones lubrificantes preafeitado eléctrico	(27) *por ciento*
Isopropilo, miristato	20,0
Etanol	80,0
Perfume	*c.s.*
Antiséptico	*c.s.*

	(28) *por ciento*
Etanol	77,0
Isopropilo, miristato	13,0
Alcohol oleilo (calidad cosmética)	4,0
Perfume	1,0
Agua destilada	5,0
Colorante	*c.s.*

En una patente concedida a E. Merck A-G[20], se citó una loción para antes del afeitado eléctrico que contiene un agente pilomotor. Tiene la composición siguiente:

		(29) *por ciento*
2-(2′,5′-dimetoxibencil)-2-imidazolina		0,1
Acido cítrico		2,5
Polivinilpirrolidona		0,5
Isopropilo, miristato		3,5
Alcohol (al 96 por 100)		80,0
Perfume		*c.s.*
Agua	hasta	100,0

Las lociones para antes del afeitado eléctrico se pueden aplicar directamente al rostro mediante un aplicador de bola *(roll-on)*. En tal caso, es necesario ajustar las propiedades humectantes y viscosidad de la loción para evitar el escurrido por la bola cuando se invierte el aplicador.

Loción preafeitado eléctrico de tipo espuma colapsable

Para facilitar la transferencia de la loción para antes del afeitado eléctrico de la mano a la cara, se han desarrollado espumas aerosoles de rotura rápida. La espuma es bastante estable y se confina a una superficie limitada cuando descarga, pero rompe en forma de líquido fluido cuando se frota o calienta con el calor del cuerpo. El concentrado típico de espuma contiene un 55-77 por 100 de una solución hidroalcohólica, un 4-10 por 100 de lubricante, un 0,5-5 por 100 de tensioactivo que debe ser soluble en uno de los disolventes miscibles, pero que forma una solución transparente homogénea al añadir un 3-10 por 100 de un propulsor licuado al concentrado. La persistencia de la espuma cuando se deja sin tocar en la mano puede variar de algunos segundos a varios minutos, dependiendo de la proporción de alcohol, agua y propulsor y del tipo y concentración de tensioactivo. El mecanismo de estabilización de la espuma es complejo, pero parece depender de la insolubilización parcial y pérdida de la formación de la estructura molecular del tensioactivo en la solución hidroalcohólica una vez que el propulsor se ha evaporado. La espuma se colapsa o rompe por frotamiento, pues las paredes de las burbujas son extremadamente finas comparadas con las de las espumas aerosoles de afeitar basadas en jabones.

Los tensioactivos que se han hallado adecuados para la mayoría de espumas aerosol de ruptura rápida son ceras emulsionables no iónicas compuestas de éteres de polietilen glicol de alcoholes cetílico y esteárico y agentes emulsionantes auxiliares, por ejemplo, Polawax A-31 *(Croda Chemicals Ltd.)*, Promulgen tipos D y G *(Robinson Wagner Co.)*. La adición de aceites lubricantes al concentrado puede ocasionar problemas de inestabilidad; sin embargo, un limitado número de compuestos han demostrado[47] poseer una correcta combinación de lubricidad seca, solubilidad en soluciones hidroalcohólicas y estabilidad inicial de espuma. Los ejemplos incluyen adipato de di-isopropilo, sebacato de dimetilo, succinato de dietilo y carbonado de propileno.

La composición de una loción para antes del afeitado eléctrico en espuma colapsable divulgada en una patente concedida a Yardley[47] fue la siguiente:

	(30) *por ciento*
Di-(2-metoxi-2-etoxi) etilo, adipato	2,4
Alcohol etílico desnaturalizado (al 95 por 100)	68,1
Polawax A-31	4,9
Agua	21,9
Isobutano	2,7

Barra gel preafeitado eléctrico

Las barras sólidas para antes del afeitado eléctrico del tipo colonia pueden formarse gelificando el etanol con estearato sódico en presencia de glicerina y un libricante adecuado.

Barra de talco preafeitado eléctrico

El talco es empleado como principal componente en algunas preparaciones para antes del afeitado eléctrico para absorber el sudor y las secreciones sebáceas procedentes de la piel y conferir sus propiedades deslizantes de modo que el cabezal de la máquina de afeitar se deslice suavemente por el rostro. Se ha observado[7] una reducción del 50 por 100 de la fuerza de fricción entre la piel y el acero pulido después de tratar la piel con talco. Generalmente, el caolín coloidal está presente en los preparados para mejorar la capacidad absorbente de humedad y la adherencia a la piel. Se incluye estearato de zinc o magnesio para aumentar tanto la adherencia como el deslizamiento. El carbonato magnésico y sulfato cálcico precipitado se utilizan como portadores del perfume al mismo tiempo que se incrementan las propiedades absorbentes. Una exigencia importante es que los polvos para fines de preafeitado eléctrico estén exentos de arenillas para evitar la pérdida del filo cortante de la máquina de afeitar eléctrica. Esto se puede lograr moliendo los polvos antes de ser empleados.

El método más conveniente para aplicar el preparado de talco a la cara es dotarlo de forma de barra. Las barras pueden moldearse partiendo de una dispersión acuosa de polvos usando silicato de aluminio y magnesio coloidal (Veegum) como aglutinante.

Una fórmula para una barra de talco para antes del afeitado se publicó en un Boletín técnico de *R. T. Vanderbilt Co. Inc.*[48]. Tiene la composición siguiente:

		(31)
		partes
A.	Veegum	1,9
	Agua	30,0
B.	Zinc, estearato	4,7
	Magnesio, carbonato ligero	1,9
	Perfume	*c.s.*
	Talco	91,5

Procedimiento: Añadir el Veegum lentamente al agua con agitación continua hasta producir una dispersión suave. Absorber el perfume con carbonato magnésico, añadir el estearato de zinc y dispersar posteriormente en el talco. Añadir *A* a la mezcla de polvos *B* y mezclar hasta obtener una pasta suave. Verter en moldes y dejar secar hasta endurecimiento. Las barras se secan, finalmente, en un horno.

Se afirma que las barras resultantes no se rompen con facilidad y que poseen excelentes propiedades de eliminarse frotando. El grado de eliminación por frotamiento y la consistencia de la barra se pueden controlar con la concentración del aglutinante.

Se ha divulgado en una patente de EE. UU.[49] un método para fabricar barras de talco sin utilizar aglutinante en el mismo. La patente publicó la fórmula siguiente:

	(32)
	por ciento
Talco	50
Zinc, óxido	10
Calcio, sulfato	10
Caolín	10
Sílice coloidal	20

Las barras se elaboran por compresión moldeadora de la mezcla de polvo a presiones comprendidas entre 31,6 y 42,2 kg/cm² (3-4 MPa); después son recubiertas, excepto en la parte extrema, con un polímero adecuado formador de película para protegerlos de agrietamiento y desmenuzamiento.

Polvo preafeitado eléctrico

Un polvo suelto que puede usarse como preparado para antes del afeitado eléctrico es el ilustrado por el ejemplo 33.

	(33)
	por ciento
Talco	50,0
Caolín	14,0
Magnesio, carbonato	12,0
Polvo ANM (almidón eterificado)	10,0
Alcohol cetílico	3,0
Glicerilo, monoestearato	1,0
Zinc, estearato	4,0
Zinc, óxido	5,5
Perfume	0,5

Para superar los problemas de manipulación del polvo y evitar derrames, los polvos para antes del afeitado eléctrico se presentan en envases aerosoles. Una mezcla de propulsores de baja presión y una selección adecuada de pulsador son necesarios para producir una pulverización suave y seca que no «disperse» partículas excesivamente finas fuera de la superficie a que se destinan.

Oxido de zinc, estearato de zinc, caolín y carbonato cálcico tienden a aglomerarse en presencia de propulsor y no pueden ser utilizados en aerosoles. Pequeñas proporciones de sílice coloidal (Aerosil), carbonato magnésico, estearato magnésico y almidón pueden utilizarse para mejorar la dispersión del talco en los propulsores. El miristato de isopropilo o aceite mineral (al 0,5-1 por 100) se utilizan como lubricantes y también como auxiliares para la dispersión. El contenido de polvo total de estas composiciones raramente excede del 15 por 100 del peso total para evitar la obstrucción de la válvula o pulsador.

El ejemplo 34[50] ilustra la posible composición de un polvo aerosol para antes del afeitado:

	(34)
	por ciento
Talco	80,0
Aerosil	5,0
Almidón	4,5
Magnesio, estearato	5,0
Magnesio, carbonato ligero	5,0
Perfume	0,5

Este polvo base se pasa por un tamiz de 200 mallas y se envasa como aerosol de la manera siguiente:

	por ciento
Polvo base	15
Propulsor 11	60
Propulsor 12	25

PREPARADOS POSTAFEITADO

El afeitado húmedo o seco ocasiona tanto la eliminación de la piel como la del pelo del rostro. La cantidad total de piel y pelo eliminados pueden variar en un factor cuatro o más, dependiendo del individuo. Análogamente, el porcentaje de la piel en los detritos del afeitado puede variar entre el 25 y el 75 por 100[1]. La mayor parte de la piel eliminada es capa córnea epidérmica que se mudaría de modo natural aun sin afeitado. El trauma cutáneo asociado con el afeitado se presenta cuando se atraviesa la capa externa córnea. La lesión se causa más probablemente en los poros de los folículos del tallo del pelo[1]. Una segunda fuente de irritación en el afeitado procede de los preparados para el afeitado. El efecto desengrasante de los jabones y tensioactivos sintéticos puede aumentar la permeabilidad de la piel y permitir que álcalis y otros irritantes alcancen las células de Malpighi[51].

La función de un preparado para después del afeitado es aliviar la leve irritación o «escozor posterior» y proporcionar una sensación agradable de bienestar después del afeitado. Esto se logra proporcionando una ligera sensación de frescor, anestesia y astringencia suaves o ablandamiento de la piel. Al mismo tiempo, el preparado debe ser antiséptico para ayudar a mantener la piel libre de infecciones bacterianas durante el poco tiempo que dura la recuperación del ligero grado de lesión ocasionada durante el afeitado. El grado en que se acentúan estas propiedadeses depende del tipo de formulación. Las sustancias usadas en los preparados para después del afeitado se discutirán principalmente en el tema de lociones.

Loción postafeitado

En su forma más sencilla, una loción para después del afeitado es una solución transparente hidroalcohólica que contiene un perfume. El equilibrio deseado de astringencia suave y sensación de frescor se logra controlando la relación de alcohol etílico a agua. El análisis de las marcas británicas habituales de lociones para después del afeitado muestra que contienen un 50-70 por 100 de peso de alcohol etílico. Otros países, especialmente Alemania, a causa de su estructura de impuestos, emplean concentraciones mucho más inferiores de alcohol. Fuentes de EE. UU. recomiendan un 40-60 por 100 en volumen de alcohol para obtener el equilibrio de propiedades; sin embargo, fabricantes de marcas populares tienden a usar concentraciones de alcohol similares a las británicas.

El éxito comercial de una loción para después del afeitado depende en gran medida del perfume y del modo en que se comercializa el producto. Muchos tipos diferentes de perfumes han tenido éxito, por ejemplo, especias, chipre, sándalo, cuero y tabaco. Es competencia del perfumista la creación de un aroma equilibrado estable, libre de componentes que puedan causar irritación o sensibilización.

La composición química del perfume determina la máxima concentración a la que se puede usar una mezcla de alcohol-agua determinada. Puede ser necesario con algunos perfumes incrementar el contenido de alcohol para alcanzar el nivel requerido de aroma. Cuando no se desea incrementar el contenido de alcohol o reducir la concentración de perfume, es práctica común el empleo de un solubilizante para obtener una loción transparente. Los tensioactivos no iónicos con valor de equilibrio hidrófilo lipófilo (HLB) en el intervalo 15-18 son los solubilizantes más eficaces, aunque también han sido utilizados tensioactivos aniónicos. Para una información más detallada, se hace referencia a un trabajo publicado[52-54] sobre la eficacia de los tensioactivos en solubilizar perfumes oleosos específicos. La solubilización de un perfume no parece que reduzca su estabilidad o cause la alteración del olor[52]. Tensioactivos basados en azúcares, por ejemplo, ésteres de sacarosa, glicéridos de sacarosa y glicéridos de sacarosa etoxilados, pueden ser útiles como solubilizantes de perfume en lociones para después del afeitado, puesto que se ha afirmado[55] que producen menor desengrasado de la capa lipídica que los derivados polioxietilénicos de ácidos y alcoholes grasos más usuales y, por tanto, son menos propensos a ocasionar irritación en la piel.

Un perfume oleoso que contenga resinas, terpenos y ciertas sustancias cristalinas es más difícil de solubilizar y puede exigir varias veces más de tensioactivo que perfume oleoso. Un perfume basado en aceites sin terpenos, alcoholes, compuestos de bajo peso molecular y compuestos polares exigirá menos tensioactivo. El tipo y concentración de solubilizante requerido se determina disolviendo el perfume y el tensioactivo en alcohol y valorando con agua hasta obtener la relación alcohol-agua exigida. La concentración óptima de tensioactivo es la que justamente proporciona una solución micelar transparente que permanezca estable en un intervalo adecuado de temperaturas (0-40 °C).

Frecuentemente se añaden a las lociones para después del afeitado humectantes y emolientes a concentraciones que no excedan del 5 por 100. Polioles, tales como glicerina, sorbitol y propilen glicol, ayudan a mantener el contenido de agua de la piel. La glicerina tiene las mejores propiedades humectantes del grupo, pero frecuentemente se prefiere el propilen glicol porque tiene mayor poder disolvente, menor viscosidad y mayor volatilidad. La sensación de la piel puede mejorarse con la adición de ésteres grasos de cadena larga, por ejemplo miristato de isopropilo o lanolina. Frecuentemente, las cantidades están limitadas por su baja solubilidad en soluciones hidroalcohólicas. Los derivados de lanolina hidrosolubles se pueden utilizar a concentraciones superiores para proporcionar emoliencia y favorecer la solubilización del perfume oleoso.

El efecto refrescante en la piel es resultado de la evaporación de la solución alcohólica. Esa sensación se puede aumentar por el efecto fisiológico refrescante del mentol. La concentración del mentol debe mantenerse por debajo del 0,1 por 100, debido a sus propiedades lacrimógenas y a que su olor puede alterar el equilibrio del perfume. Agentes refrescantes inodoros[19] son más apropiados para este tipo de producto. Se atribuye, también, al mentol causar una ligera anestesia superficial de la piel; sin embargo, es preferible lograr este efecto con lidocaína a concentraciones del 0,025-0,05 por 100.

La suave astringencia del alcohol puede completarse con extracto de hamamelis o también con compuestos de aluminio y zinc, tales como fenolsulfonato de zinc, clorhidróxido de aluminio o complejos de cloruro de aluminio solubles en alcohol.

En un estudio de los efectos de las lociones para después del afeitado en la

flora cutánea, THEILE y PEASE[56] demostraron que una solución acuosa que
contuviese el 55 por 100 en peso de alcohol cetílico reducía el recuento de la
flora facial en más del 90 por 100 inmediatamente después de la aplicación,
retornando el recuento al nivel anterior a la aplicación después de las seis horas.
Con la misma solución alcohólica que contenía un perfume, el recuento de la
flora cutánea fue nuevamente reducido por encima del 90 por 100 inmediatamente después de la aplicación, y se mantuvo inferior al 35 por 100 por debajo
de la concentración anterior al afeitado después de seis horas. Esto concuerda
con la bien conocida actividad antimicrobiana de muchos perfumes oleosos.
Aunque las soluciones alcohólicas reducen la flora facial, los ensayos *in vitro*
demuestran que no inhiben el crecimiento de bacterias y hongos en placas de
agar. Se encontró alguna acción inhibitoria con soluciones alcohólicas de perfumes, pero un efecto mayor se alcanzó con compuestos de amonio cuaternario. La
incorporación de 0,1 por 100 de cloruro de benzalkonium a una loción para
después del afeitado demostró duplicar la zona de inhibición del crecimiento
bacteriano facial.

Los tensioactivos catiónicos son germicidas de amplio espectro que pueden
destruir o inhibir el crecimiento de microorganismos en un amplio intervalo de
pH. Los compuestos de amonio cuaternario, por ejemplo bromuro de cetil
trimetil amonio, se pueden usar en preparados para después del afeitado con tal
de que se hayan usado los tensioactivos aniónicos para solubilizar el perfume.
Los tensioactivos aniómicos poseen cierta actividad frente a microorganismos
gram-positivos y hongos, pero son raramente efectivos frente a bacterias gram-
negativas. Los tensioactivos aniónicos no se consideran germicidas. Sin embargo,
un desarrollo importante es el hallazgo de que los monoésteres formados a partir
de alcoholes polihídricos y ácido laurico (Lauricidin) tienen actividad germicida
y son sustancias GRAS[57]. Esto ofrece la posibilidad de solubilización del
perfume y la actividad germicida en un solo compuesto. Se dispone de bactericí-
das y fungicidas mucho más potentes, pero estos requerirán una valoración
cuidadosa para garantizar la compatibilidad con la loción y la carencia de
irritación o sensibilización de la piel.

Los preparados para el afeitado basados en jabones tienden a dejar la piel
ligeramente alcalina, considerando que el valor normal de pH de la piel es de 5
a 6. En tiempos pasados, se sugirió que el ácido bórico era un componente útil
en lociones para después del afeitado, tanto como sustancia antiséptica y como
neutralizante de cualquier alcalinidad residual. Existe una ligera posibilidad de
intoxicación por absorción del ácido bórico a través de la piel lesionada y, por
ello, es preferible utilizar el ácido láctico o benzoico.

Frecuentemente se añade alantoína a las lociones para después del afeitado a
concentraciones del 0,1-0,2 por 100 para fomentar la cicatrización de las heridas
de la piel

Ejemplos de formulaciones

Una loción básica para después del afeitado, que no requiere solubilización
del perfume, se puede elaborar como en el ejemplo 35.

| | (35) |
	por ciento
Alcohol etílico, desnaturalizado	60
Propilen glicol	3
Agua, desmineralizada	36
Perfume	1

Procedimiento: Disolver el perfume y propilen glicol en alcohol y añadir lentamente el agua, agitando bien para evitar que se localice una elevada concentración de agua que precipitaría los componentes menos solubles del perfume. Dejar reposar la solución durante varias horas a aproximadamente 4°C; después, filtrar.

| *Loción antiséptica postafeitado* [58] | (36) |
	por ciento
Hayamine 10-X (al 25 por 100)	0,250
Alcohol etílico	40,000
Mentol	0,005
Benzocaína	0,025
Agua	59,720
Perfume	*c.s.*

| *Loción astringente postafeitado* | (37) |
	por ciento
Extracto de hamamelis	15,00
Alcohol etílico	10,00
Alumbre	0,50
Mentol	0,05
Etilo, *p*-amino benzoato	0,05
Glicerina	5,00
Agua	69,40

Una loción aerosol para después del afeitado (ejemplo 38) se publica en el Boletín Técnico[59] de Esso Chemicals.

| | (38) |
	por ciento
Alcohol hexadecílico	0,8
Alcohol etílico	53,7
Agua destilada	33,0
Polawax A-31	2,0
Perfume	0,5
Propulsor 12/114 (40 : 60)	10,0

Una formulación que contiene alúmina coloidal[60] proporciona una loción refrescante y astringente de excelentes propiedades lubricantes:

| | (39) |
	por ciento
A. Alúmina Baymol	2,10
Agua	57,90

B.	Alcohol (74 OP)	36,950
	Polietilen glicol (400), diestearato	3,000
	Mentol	0,025
	Alcanfor	0,025
	Conservante, perfume	*c.s.*

Procedimiento: Las partes *A* y *B* se preparan separadamente empleando tanto calor como sea necesario para disolver el diestearato de PEG en alcohol. Las dos partes se mezclan en frío.

Algunos componentes de perfumes destacan por su inestabilidad cuando se exponen a la luz ultravioleta. No es raro encontrar que, después de una exposición a la luz solar directa durante algunos meses, una loción para después del afeitado en frascos transparente desarrolla un olor característico «a frasco», muy distinto al perfume original. Por eso, se deben incluir ensayos acelerados de estabilidad a la luz ultravioleta de los productos envasados en la evaluación de preparados para después del afeitado. Muchos fabricantes evitan el problema utilizando frascos de vidrio opacos o vidrio que contiene cromo para envasar la loción.

Espuma de rotura rápida postafeitado

Para ayudar a transferir la loción para después del afeitado desde la mano al rostro, se han desarrollado aerosoles de rotura rápida. Los principios de la acción de este tipo de producto se han expuesto en la sección de lociones para antes del afeitado eléctrico de tipo espuma colapsable.

Una loción para después del afeitado de rotura rápida de *General Chemical Division* de Allied Chemical[61] se da en el ejemplo 40.

		(40) *por ciento*
A.	Polawax A-31	1,50
	Alcohol cetílico (SDA No. 40)	62,10
B.	Mentol	0,05
	Alcanfor	0,05
	Perfume	0,30
C.	Emcol E-607	0,20
	Alantoína	0,10
	Agua (destilada)	35,70
	Concentrado	92
	Propulsor 12/114 (20 : 180)	8

Procedimiento: Calentar la parte *A* a 45 °C para disolver el Polawax; enfriar a 37 °C y añadir la parte *B*. Calentar la parte *C* a 80 °C para disolver los componentes; enfriar a 37 °C y añadir a la solución de *A* y *B*. Envasar mientras está caliente.

Loción aerosol de espuma crujiente para postafeitado

Se han formulado preparados para después del afeitado, de modo que descargan de un envase aerosol como una espuma que emite un sonido crujiente cuando se la somete a la fricción durante la aplicación a la cara. Se asegura que las composiciones de este tipo son emulsiones aceite-agua, conteniendo en la fase continua acuosa emulsionantes adecuados, y componiéndose la fase oleosa de un propulsor licuado y sustancias solubles en el propulsor. El propulsor, hidrocarburo fluoroclorado, constituye el 75-95 por 100 en peso de la emulsión.

Un ejemplo[62] de loción aerosol crujiente para después del afeitado es el siguiente:

(41)

	por ciento
Di-isopropilo, adipato	0,778
Perfume	1,090
Mentol	0,060
Tergitol-XD*	0,500
Agua	9,572
Propulsor 114	88,000

* Monobutoxi éter de polietilen-polipropilen glicoles, peso molecular 2500 (Union Carbide).

Procedimiento: Mezclar los tres primeros componentes y agitar la mezcla resultante en agua que contenga Tergitol-XD. Enfriar esta emulsión a 1 °C y añadir 17,6 partes en peso de Propulsor 114, enfriado previamente a 1 °C. Agitar la mezcla resultante hasta formar una emulsión homogénea, pudiéndose añadir entonces el Propulsor 114 restante (70,4 partes en peso). La mezcla resultante se vierte en un envase aerosol previamente enfriado (1 °C) y se fija la válvula en su lugar.

Gel postafeitado

Se puede elaborar un gel hidroalcohólico neutralizando un polímero carboxivinílico con una base. La cantidad de agente gelificante (generalmente inferior al 1 por 100) y el grado de neutralización controlan la consistencia del gel. Este puede contener opcionalmente un agente refrescante fisiológico y un emoliente que sea soluble en la solución alcohólica.

El ejemplo 42 da un gel para después del afeitado procedente del Boletín B. F. Goodrich Chemical Co.[63]:

(42)

	por ciento
Etanol	45,1
Agua	53,0
Carbopol 940	1,0
Mentol	0,1
Di-isopropilamina	0,8
Perfume oleoso	*c.s.*

Procedimiento: Disolver el perfume y el mentol en alcohol y después agitar lentamente en la mayor parte del agua (se puede usar un solubilizante para obtener una solución transparente). Dispersar el Carbopol 940 en la solución hidroalcohólica. Reducir la velocidad del mezclador y , lentamente, añadir la di-isopropilamina disuelta en una pequeña cantidad de agua retenida.

El producto obtenido debe ser un gel transparente cristal que está sujeto a degradación por la luz ultravioleta. Por eso, es preferible empaquetar en envases coloreados u opacos. Como alternativa, se pueden añadir estabilizadores ultravioleta a la formulación.

Una formulación similar[64], que contiene Viscofas X 100 000 (al 1 por 100) neutralizado con tri-isopropilamina (al 0,1 por 100) en lugar de Carbopol y diisopropilamina, se puede preparar dispersando el Viscofas en agua a 90 °C, dejando enfriar a temperatura ambiente antes de añadir alcohol y después la triisopropilamina.

Se pueden usar derivados de raíces de regaliz y sales del ácido glicirrícico para formar geles a valores de pH entre 2 y 6. La consistencia del gel se puede aumentar con la adición de sales metálicas solubles en agua, por ejemplo, sulfato de zinc, alumbre, fenolsulfonato de zinc.

Gel astringente postafeitado[65]   (43)

	por ciento
Dipotasio, glicirricinato	1,0
Acido cítrico	0,5
Zinc, sulfato	0,2
Zinc, fenolsulfonato	0,2
Alcohol etílico	10,0
Propilen glicol	5,0
Agua	83,1
Perfume, conservante	c.s.

Procedimiento: Se prepara una mezcla de glicirricinato dipotásico, alcohol y propilen glicol, y se añade al perfume. Calentar esta mezcla a aproximadamente 50 °C y añadir una solución acuosa de ácido cítrico, sales de zinc y conservante. La solución resultante se enfría a aproximadamente 10 °C y se deja reposar toda la noche.

Crema y bálsamo postafeitado

La astringencia de los preparados para después del afeitado que contienen más del 50 por 100 en peso del alcohol pueden resultar irritantes a la piel que está muy lesionada por el afeitado o por una excesiva exposición al sol y al viento. Cada vez con más frecuencia los fabricantes introducen cremas o bálsamos en su gama de preparados para después del afeitado. Muy a menudo, las formulaciones utilizadas para obtener emulsiones aceite-agua de suave textura son semejantes a las cremas evanescentes o hidratantes. Se puede conseguir cierta ventaja usando composiciones sin jabón, ya que el pH de la emulsión se puede ajustar al valor ligeramente ácido de la piel normal.

Cremas postafeitado exentas de jabón [66]	(44)
	por ciento
A. Glicerilo, monoestearato A/E (Teginacid H)	10,0
Aceite mineral	10,0
Petrolato	6,0
Tegiloxan 100	0,5
Lanolina	3,0
Alcohol cetílico	3,0
B. Glicerina	3,0
Acido cítrico	0,2
Potasio, aluminio, sulfato	0,1
Agua	64,2
Perfume	*c.s.*

Bálsamo opaco hidroalcohólico [67]	(45)
	por ciento
A. Amerchol L-101	5,0
Isopropilo, lanolato	1,0
Polietilen glicol (1540), monoestearato	3,0
B. Carbopol 934	0,5
Agua	60,0
Trietanolamina	0,5
Alcohol etílico	30,0
Perfume	*c.s.*

Procedimiento: Añadir Carbopol 934 lentamente al agua a temperatura ambiente con agitación rápida. Mezclar bien hasta obtener una dispersión fina y turbia. Calentar la solución de Carbopol y la fase oleosa *A* por separado a 75 °C. Añadir la solución de Carbopol a la fase oleosa y agitar durante cinco minutos para emulsionar antes de añadir la trietanolamina. Enfriar agitando a 38 °C. Añadir el alcohol y el perfume y continuar enfriando.

Polvo postafeitado

El principal objetivo de los polvos, como el de todo preparado para después del afeitado, es aliviar cualquier molestia producida durante el afeitado y dejar el rostro frío y refrescado. Otras funciones posibles de los polvos para después del afeitado son cubrir las pequeñas imperfecciones de la piel y enmascarar cualquier brillo inaceptable producido por el excesivo aceite de una crema de afeitar sin brocha, dejando la piel del rostro con aspecto terso y mate. Se pueden añadir otras funciones si se desea, por ejemplo, efecto refrescante producido por el mentol, astringencia suave incorporando una sal de aluminio, actividad antimicrobiana, agentes que alivien la irritación y favorezcan la cicatrización de las pequeñas heridas.

Las propiedades fundamentales de un polvo para después del afeitado son deslizamiento, adherencia y absorción. El poder de cubrimiento es menos importante en polvos para después del afeitado que en composiciones similares relacionadas con polvos faciales. El principal componente de un polvo para después del afeitado es el talco, que proporciona deslizamiento y absorción. La absorción se puede mejorar con la presencia de caolín o carbonato magnésico, mientras el poder de cubrimiento se provee con sulfato cálcico precipitado, óxido de zinc o dióxido de titanio. El color se obtiene de pigmentos de grado cosmético. Un color ocre producirá un efecto ligero de bronceado, mientras que el óxido de hierro dará un tono rosa suave. Una mezcla de estos dos pigmentos producirá un tono que hará al polvo menos llamativo en la piel media caucasiana. Tal polvo debe adherirse bien a la piel y, por ello, generalmente se añaden jabones metálicos a la formulación, por ejemplo estearato de zinc.

El método de fabricación es muy similar al de los polvos faciales y polvos de talco. El control del tamaño de partícula es importante y, si fuera necesario, la mezcla debe ser precedida de un proceso de molienda. Los perfumes, grado polvo, se deben absorber por sulfato cálcico precipitado antes de incorporarlos a la mezcla de polvo.

REFERENCIAS

1. Hollander, L. and Casselman, E. J., *J. Am. med. Assoc.*, 1939, **109**, 95.
2. Bendit, E. G. and Feughelman, M., *Encyclopaedia of Polymer Science and Technology*, New York, Wiley, 1968, p. 8.
3. Deem, D. E. and Rieger, M. M., *J. Soc. cosmet. Chem.*, 1976, **27**, 579.
4. Kish, A. B., *Drug Cosmet. Ind.*, 1938, **43**(6), 664.
5. Naylor, P. F., *Br. J. Dermatol.*, 1955, **67**, 239.
6. Highley, D. R., Coomey, M., Denbeste, M. and Woolfram, L. J., *J. invest. Dermatol.*, 1977, **69**(3), 303.
7. El-Shimi, A. F., *J. Soc. cosmet. Chem.*, 1977, **28**, 37.
8. Comaish, S. and Bottoms, E., *Br. J. Dermatol.*, 1971, **84**, 34.
9. Unpublished work, Wilkinson Match Research.
10. Keithler, W., *The Formulation of Cosmetics and Cosmetic Specialities*, New York, Drug and Cosmetic Industry, 1956.
11. Bell, S. A., *Cosmetics—Science and Technology*, ed. Sagarin, E., New York, Interscience, 1966.
12. Thomssen, E. G. and Kemp, C. R., *Modern Soap Making*, New York, MacNair-Dorland, 1937.
13. Harb, N. A., *Drug. Cosmet. Ind.*, 1977, **121**(4), 38.
14. Atlas *Bulletin* L D-69, quoted by deNavarre, *Chemistry and Manufacture of Cosmetics*, Van Nostrand, New York, 1941.
15. US Patent 2 655 480, Spitzer, J. G., 1953.
16. US Patent 2 908 650, Colgate-Palmolive Co., 1959.
17. British Patent 838 913, Colgate-Palmolive Co., 1960.
18. Rowland, F. S. and Molina, M. J., *Nature (London)*, 1974, **249**, 810.
19. Watson, H. R., Hems, R., Rowsell, D. G. and Spring, D. J., *J. Soc. cosmet. Chem.*, 1978, **29**(4), 185.
20. German Patent 1 150 180, E. Merck AG, 1962.
21. German Patent 1 147 712, Dr Karl Thomae GmbH, 1961.
22. US Patent 3 296 076, Boehringer Ingelheim GmbH, 1967.
23. US Patent 3 190 802, Boehringer Ingelheim GmbH, 1965.
24. Carter, P. and Truax, H. M., *Proc. sci. Sect. Toilet Goods Assoc.*, 1961, (35), 37.
25. Croda Chemicals Ltd, technical literature.
26. Mace, H. and Carrion, C., *J. soc. cosmet. Chem.*, 1969, **20**(9), 511.
27. Richman, M. D., Contractor, A. and Shangraw, R. F., *Aerosol Age*, 1968, **13**(3), 32.
28. US Patent 3 858 764, Wilkinson Sword Ltd, 1975.
29. Thompson, J. and Peacock, F., *Aerosol Age*, 1978, **23**(11), 14.

30. US Patent 3 484 378, Carter Wallace Inc., 1969.
31. British Patent 1 423 179, Wilkinson Sword Ltd, 1976.
32. Sanders, P. A., *Soap Chem. Spec.*, 1967, July, 68.
33. British Patents 1 479 706, 1 479 707, 1 479 708, Wilkinson Sword Ltd, 1977.
34. Croda Chemicals Ltd, *Cosmetic and Pharmaceutical Formulary, Supplement.*
35. British Patent 1 279 145, S.C. Johnson & Son Inc., 1972.
36. Schweisheimer, W., *Seifen Öle Fette Wachse*, 1960, **86,** 609.
37. Union Carbide, *Bulletin* CSB 45-185 4/64, Formula C-117.
38. Carbide and Chemical Corp., technical literature.
39. Kalish, J., *Drug Cosmet. Ind.*, 1939, **45,** 173.
40. British Patent 537 407, Thomas, R. and Whitham, H., 1939.
41. US Patent 3 178 352, Erickson, R., 1965.
42. US Patent 3 136 696, Corby Enterprises Inc., 1964.
43. US Patent 3 314 857, Clairol Inc., 1967.
44. Bhaktaviziam, C., Mescon, H. and Matoltsy, A. G., *Arch. Dermatol.*, 1963, **88,** 242.
45. Tronnier, H., *Am. Perfum.*, 1968, **83,** 45.
46. British Patent 1 011 557, Sunbeam Corp., 1962.
47. British Patent 1 096 753, Yardley & Co. Ltd, 1967.
48. R.T. Vanderbilt Co. Inc., *Technical Bulletin* No. 539.
49. US Patent 2 390 473, Teichner, R. W., 1941.
50. Du Pont, *Aerosol Technical Booklet*, Series No. 2, 60.
51. Bettley, F. R., *Br. med. J.*, 1960, **1,** 1675.
52. Moore, C. D. and Bell, M., *Soap Perfum. Cosmet.*, 1957, **30,** 69.
53. Alquier, R., *Soap Perfum. Cosmet.*, 1959, **30,** 80.
54. Angla, B., *Soap Perfum. Cosmet.*, 1966, **39,** 375.
55. Nobile, L., Rovesti, P. and Svampa, M. B., *Am. Perfum.*, 1964, **79**(7), 19.
56. Theile, F. C. and Pease, D. C., *J. Soc. cosmet. Chem.*, 1964, **15,** 745.
57. Kabara, J. J., *J. Soc. cosmet. Chem.*, 1978, **29,** 733.
58. *Schimmel Brief* No. 190, January 1951.
59. Esso Chemicals Ltd., *Technical Bulletin.*
60. Du Pont, *Baymal Colloidal Alumina—Use in Cosmetic and Toilet Preparations.*
61. Allied Chemical Corp., *Aerosol Age*, 1960, **5**(5), 50.
62. British Patent 1 170 152, Rexall Drug and Chemical Co., 1969.
63. B. F. Goodrich Chemical Co., *Technical Bulletin.*
64. Anon., *Specialities*, 1968, **4**(5), 2.
65. Cook, M. K., *Drug Cosmet. Ind.*, 1974, **114**(4), 40.
66. T. H. Goldschmidt AG, *Technical Literature*, Formula 5.
67. Amerchol *Laboratory Handbook for Cosmetics and Pharmaceuticals.*

13

Preparados para
los pies

Introducción

A pesar de que una gran proporción de la población adulta sufre de una u otra forma molestias de pies, lo realmente asombroso es la poca atención personal que se dedica a los tan maltratados pies humanos, aunque la fatiga del pie afecte adversamente al bienestar físico y mental del paciente, y dé lugar a un descenso acusado en el rendimiento del individuo. Más aún, este efecto se acumula, y al final frecuentemente termina en varias formas de dolencia estomacal más la dolencia original de los pies (el cansancio y el sufrimiento de los pies conducen a malhumor, y las comidas ingeridas con mal talante, a la indigestión).

Esto no es realmente sorprendente si consideramos que el pie humano tiene que soportar el peso de todo el cuerpo. A pesar del hecho de estar equipado con una gran cantidad de glándulas sudoríparas, sin comparación a ninguna otra parte de la superficie cutánea a excepción de la superficie de las palmas de las manos, se encaja primero en unas medias y después en un zapato o bota, bajo los preceptos y necesidades de la civilización moderna. Los componentes orgánicos de la sudoración que se acumulan en los zapatos proporcionan, particularmente en las condiciones de calor y humedad, un sustrato adecuado para el crecimiento de diversos tipos de microorganismos. Pese a que el calcetín y las medias se cambian y se lavan con frecuencia, y también se lavan los pies, no obstante, las bacterias que permanecen en los zapatos y los calcetines limpios se vuelven a infectar. Tal infección se puede promover además por una escasa ventilación ocasionada, por ejemplo, por suelas y partes superiores de los zapatos de gomas impermeables y resinas sintéticas o por el nailón de las medias. Los productos formados por la descomposición bacteriana originan malolores que, especialmente, se acentúan cuándo el cuidado del pie es deficiente.

Influencia del calzado

HOLE [1] publicó las relaciones entre el calzado moderno y la salud de los pies. Se estudió que la eliminación del sudor procedente de los pies se dificultaba por el calzado, así como la absorción de la humedad y transmisión de propiedades de materiales de viejo y nuevo calzado. El cuero es extraordinariamente efectivo en la absorción y transmisión de vapor de agua. Por otro lado, los materiales artificiales son relativamente impermeables al vapor de agua y, por tanto, al sudor y, por ello, pueden tener una influencia considerable sobre la salud del pie. Los ensayos de calzado demuestran que las propiedades del material de la parte superior del zapato son las que tienen, con mucho, el mayor efecto en la acumulación del sudor en los zapatos.

La acumulación del sudor en el calzado tiene un efecto directo:

a)   en las propiedades mecánicas de la piel del pie;
b)   en las propiedades físico-químicas del material del calzado;
c)   en el estímulo del crecimiento microbiológico sobre la piel y los materiales del calzado.

Se debe resaltar que es insustituible un zapato cómodo y que un pie sea anatómicamente sano. Un paciente con dolor de pies deberá seleccionar calzados cómodos y adecuadamente ajustados y, si el sufrimiento es el que comúnmente se conoce como pies planos (dolencia común en aquellas personas cuyo trabajo impone estar muchas horas de pie, por ejemplo, vendedores, policías, operarios de fábricas y técnicos de laboratorio), requiere un adecuado soporte del pie con la forma de arco o pie más cómodo que debe ser ajustado por un entendido con experiencia en este tipo de trabajo.

Malos olores de pies

SEHGAL[2] señala que la piel endurecida, que es una capa de células planas (células epiteliales en forma de escamas y estratificadas) unidas por desmosomas y atravesadas por tonofibrillas, es principalmente de queratina, y esto, junto con la sudoración y los hongos, es un medio nutritivo para los microorganismos residentes en la piel; la descomposición bacteriana da origen al mal olor. Se ha demostrado la contribución de *Staphylococcus epidermidis* y *Trichophyton floccosum* en la formación de los olores del calzado y pie[3]. Las bacterias responsables de la descomposición del sudor y los hongos imparten un olor mohoso y fétido al calzado y pie, y esto parede ser debido más a la piel que al zapato. Sin embargo, otros olores se pueden formar por interacciones con el material del calzado.

Dolor de pies

El descuido de los pies puede conducir a uno o más de los siguientes estados desagradables (SHRODER[4]): olor penetrante de los pies sudorosos, causado por descomposición bacteriana del sudor y detritos de piel; sensación ardiente, y picor entre los dedos del pie; pies doloridos, cansados e hinchados; ablandamiento del lecho de las uñas de los pies; irritación de la piel húmeda, creando las condiciones ideales para infecciones por hongos.

CHALMERS[5] resume así los trastornos comunes del pie:

Durezas: Causadas por fricción y presión, no tienen raíces y pueden ser debidos a deformidad estructural.

Juanetes: Articulaciones en malas condiciones que llegan a hincharse y reblandecerse; básicamente debidos a la debilidad de la estructura del músculo, aunque contribuyen la herencia y el calzado demasiado ajustado.

Callos: Crecimiento de piel dura protectora sobre las zonas donde se repite la presión o existe la fricción; como la mayoría de los callos son manifestación de alguna alteración subyacente, no se eliminan permanentemente hasta que no se corrija la causa de origen.

Verrugas: Con frecuencia se confunden con durezas, son contagiosas y generalmente bastante dolorosas; si no son tratadas tienden a extenderse.

Uña encarnada: Generalmente debida a cortes inadecuados de uñas, aunque pueden contribuir herencia, heridas e infecciones.

Pie de atleta: Una enfermedad cutánea común de origen fúngico.

Infecciones de pies

CHALMERS,[5, 6] hace una revisión excelente de este tema. Los pies pasan mucho tiempo cubiertos con calcetines o medias y recluidos en el calzado. Esto conduce a un estado persistente de calor y humedad que proporciona un medio ambiente ideal para la proliferación y actividad microbiana. Como consecuencia, los calcetines y las medias deben cambiarse y lavarse diariamente; lo que no se comprende tan fácilmente es que, cuando sea posible, el calzado no debe usarse dos días consecutivos, y cuando menos dejarlo secar.

En un estudio de hospital publicado por CHALMERS[6], la incidencia de *tinea pedis* (tiña por hongos en los pies, incluyendo *tinea unguium*) fue del 40,8 por 100 de los 348 hombres examinados. De estas infecciones, el 50 por 100 fueron debidas a *Trichophyton interdigitale*, el 26 por 100 a *Trichophyton rubrum*, el 0,7 por 100 a *Epidermophyton floccosum*, el 4,1 por 100 a dermatofitos (solamente en uñas), el 11,7 por 100 a infecciones mixtas y el 7,5 por 100 fueron positivas al microscopio, pero no se identificaron.

El uso de instalaciones públicas de lavabos y baños es la causa principal de la expansión de estas infecciones. Incluso el lavabo falló para eliminar el *T. interdigitale* de calcetines de noche, y en el estudio de hospital mencionado anteriormente se sugirió que los calcetines infectados eran, todavía, fuente más importante de propagación de la contaminación cruzada que los suelos del cuarto de baño. Es evidente la importancia fundamental de una limpieza higiénica de baños, duchas, etc., públicos; es esencial la limpieza regular con productos germicidas para eliminar detritos de piel y contaminantes microbiológicos.

Los hongos —micosis— ocasionan la mayoría de los tipos predominantes de infecciones de pies. La micosis, bien conocida como «pie de atleta», casi se ha convertido en una enfermedad internacional. El pie de atleta, también conocido como *tinea pedis, trichophytosis pedis* y micosis de los pies, es una enfermedad habitual originada por el hongo *Trichophyton mentagrophytes* y con menos frecuencia por otro hongo *Epidermophyton inguinale*. El *Trichophyton rubrum* ocasiona una variedad crónica de *tinea pedis*, que con frecuencia afecta a las uñas y es muy resistentes al tratamiento. El pie de atleta no está tan difundido como piensan muchas personas. Se estima que en las condiciones climáticas de temperatura existentes en Gran Bretaña su incidencia no es superior al 4 por 100 de la población total. La enfermedad es más común entre atletas, estudiantes, colegiales y, en general, entre los que se bañan en lugares públicos. En su forma más común, el trastorno conduce a la maceración y descamación entre los dedos de los pies, aunque en tiempo cálido se puede producir una erupción más activa de las vesículas de las áreas interdigitales y en las plantas de los pies[7]. En general, el *tinea pedis* se presenta en un sólo pie.

Existen trastornos de hongos semejantes, y, para que el tratamiento sea efectivo, debe hacerse un diagnóstico correcto precedido del examen al microscopio, y, si es necesario, por cultivo. A este respecto, se debe hacer mención de otra enfermedad del pie, es decir la dermatitis del pie, que se puede producir por los tintes y productos químicos de los calcetines, piel del calzado o gomas. A diferencia de la *tinea pedis,* las erupciones son simétricas, y no afectan a las zonas interdigitales, sino sólo a las plantas y lados de los pies.

La hiperhidrosis de los pies también puede ocasionar enrojecimiento y maceración de la piel de las plantas y entre los dedos de los pies, pero se puede diferenciar del pie de atleta por su simetría y por el hecho de que no se limita a las zonas interdigitales entre los cuatro y cinco dedos de los pies como en el caso del pie de atleta.

En lo que concierne al pie de atleta, los orígenes de la infección son generalmente las esterillas de suelos y baños de los establecimientos públicos y duchas en fábricas y minas utilizadas por individuos descalzos que padecen infecciones fúngicas de los pies. En primer lugar, los dermatofitos afectan a las capas córneas de la piel, pero con el tiempo producen síntomas inflamatorios que varían en intensidad, y que en el caso de micosis interdigitales no son demasiado fáciles de tratar, puesto que los microorganismos causantes se encuentran localizados en las profundidades de las grietas de la piel.

Cuidados e higiene del pie

Es una verdad indiscutible que a los pies, aunque necesitan más cuidado y atención que la mayoría de las restantes partes del cuerpo, en la práctica, se les atiende poco. Un buen cuidado de los pies comprende la selección y tratamiento de calcetines, medias y, especialmente, calzado.

Los pies se deben lavar al menos una vez al día con agua y jabón, y después del lavado se deben secar completamente, en especial entre los dedos, y espolvorear talco o polvos para pies. Si se sospecha o es probable que exista infección, el jabón y los polvos deben contener un agente antiséptico.

Se está extendiendo el uso de compuestos bactericidas en productos de tocador, pero tal empleo puede ser cuestionable en muchos productos. Sin embargo, el uso de bactericidas y fungicidas está ciertamente justificado en los productos para pies que presentan situaciones muy favorables al desarrollo de microorganismos.

Existen muchos tipos de preparados para pies. Algunos se usan para proporcionar alivio a los pies cansados o doloridos, otros para suavizar la piel cornificada o combatir la sudoración del pie, y existen los que se utilizan para aliviar las irritaciones, erupciones e infecciones cutáneas y para proporcionar un efecto antibacteriano o antifúngico.

Los productos de tocador de utilidad general se pueden emplear para estos fines e incluso comercializarlos como productos para pies; los requerimientos básicos no se diferencian de los productos similares que se utilizan en otras partes del cuerpo. Por ejemplo, las lociones para pies pueden formularse según la línea de un tónico o una solución astringente suave para piel.

Baños de pies

Puesto que es una extremidad del cuerpo, y si no realiza el adecuado ejercicio, el pie humano, particularmente cuando está comprimido en zapatos ajustados o elásticos y ligas alrededor de la pierna, se predispone a una circulación deficiente. El baño de pies en agua caliente estimula la circulación sanguínea, elimina las secreciones sudorales rancias y reduce temporalmente la infección bacteriana. Si el baño es alcalino, ablanda la capa endurecida de queratina de la piel, durezas, callos, etc.

Las sales comerciales de baño para pies se componen esencialmente de sales alcalinas, frecuentemente asociadas a una sustancia liberadora de oxígeno, tal como perborato sódico. En algunas de las sales de baño para pies oxigenantes se utilizan catalizadores, tales como borato magnésico y enzimas para acelerar la liberación del oxígeno. Otros tipos de preparados se formulan de modo que la solución de baño final se aproxime en su composición al agua del mar. CHALMERS[5] propone la siguiente fórmula para sales de baño para el cuidado de los pies. Los ejemplos 1 y 2 son polvos refrescantes de pies alcalinos, oxigenantes; los ejemplos 3 y 4 son baños minerales de pie para aliviar el dolor y la fatiga de los pies.

	(1) por ciento	(2) por ciento	(3) por ciento	(4) por ciento
Sodio, sesquicarbonato (agujas o polvo)	94,4	94,0	—	—
Sodio, lauril sulfato (polvo)	0,2	0,5	—	—
Metilo, salicilato	0,2	—	0,1	—
Mentol	0,2	0,1	—	0,1
Eucaliptol	—	0,2	—	—
Perfume de pino oleoso	—	0,2	—	0,1
Sodio, perborato	5,0	—	—	—
Sodio, percarbonato	—	5,0	—	—
Sodio, dicloro-isocianurato (6 por 100 de cloro activo)	—	—	0,1	0,1
Dowfax 2A	—	—	—	0,2
Salmarina, cristales	—	—	99,7	—
Magnesio, sulfato, cristales (sales de higuera)	—	—	—	99,4
Perfume	—	—	0,1	0,1
Colorante	c.s.	c.s.	c.s.	c.s.
Dosis de baño: gramos por dos litros y medio de agua a 40 °C	20	20	150	150

Algunas veces se utilizan los polvos de sal de mar artificial en baños de pies y suele lograrse un ahorro con su uso. En general, los componentes principales del agua marina de calidad comercial económica se adquieren por separado y se mezclan en proporción aproximada al agua del mar, siendo el polvo empaquetado en envases. Pueden teñirse y perfumarse. Una parte de este polvo es suficiente para veinte partes de agua para un baño de pies de elevada concentración.

	(5) partes
Potasio, yoduro	1
Potasio, bromuro	2
Magnesio, cloruro	250
Calcio, cloruro	125
Magnesio, sulfato	250
Sodio, sulfato	500
Sodio, cloruro	1500
Colorante, perfume	*c.s.*

Una tableta de baño burbujeante de pies, que libera oxígeno y dióxido de carbono, se puede formular de la forma siguiente:

	(6) por ciento
Lathanol LAL	26,0
Acido tartárico, polvo	26,0
Acido salicílico	1,0
Sodio, bicarbonato, polvo	25,0
Sodio, sesquicarbonato, polvo	9,0
Sodio, hexametafosfato	4,0
Sodio, perborato	5,9
Perfume	1,5 o *c.s.*
Calflo E	1,5
Colorante: FD&C Azul n.º 1	0,1 o *c.s.*

Baños de «lujo» para pies cremas o líquidos con hierbas y propiedades desodorantes se pueden formular según las líneas convencionales de baños de espuma:

Baño de pies con lujo [9]	(7) por ciento
Tegobetaina L7	50
Aminoxid WS35	3
Tego 103S	5
Dietanolamida undecilénica	2
Acido láctico	5
Agua	35
Perfume, colorante	*c.s.*

Baño de pies con hierbas[4]   (8)

                                                    por ciento

A. Zetesol 856T   10,0
    Agua   52,8
    Extrapone ortiga especial   1,0
    Extrapone hamamelis   5,0
      Destilado incoloro especial
    Extrapone camomila especial   0,5
    Extrapone hierbas alpinas especial   2,0
    Acido salicílico, solución al 10 por 100*   20,0
    Foromycen F10   0,3

B. Neo-PCL hidrosoluble   2,0
    Fungicide DA   5,0

C. Mentol puro recrist.   0,4
    Perfume oleoso   1,0

* Acido salicílico, solución al 10 por 100:
    Bórax   5,0
    Acido salicílico   10,0
    Agua   85,0

Calentar hasta cerca del punto de ebullición para disolver el ácido salicílico.

Baño de pies espuma-desodorante[4]   (9)

                                                    por ciento

Texapon Extract N25   55
Comperlan KD   6
Acido salicílico, solución al 20 por 100 *   25
Foromycen F10   2
Agua   7
Neo-PCL hidrosoluble   1
Perfume oleoso   4

* Acido salicílico solución al 20 por 100:
    Bórax   8
    Acido salicílico   20
    Agua   72

Calentar hasta cerca del punto de ebullición para obtener una solución transparente.

Polvos para pies

LEHMAN[10] afirma que los polvos para pies se recomiendan en el Ejército de los EE. UU.; mantienen los pies secos y contienen un agente fúngico o fungiostático; el medicamento se le presenta una oportunidad mejor para una aplicación más continuada al disolverlo la sudoración. En los zapatos, ayudan a prevenir la reinfección. LEHMAN cita la fórmula siguiente:

                              (10)

                          por ciento

Timol   1
Acido bórico   10
Zinc, óxido   20
Talco   69

Otro polvo fungicida sencillo para empolvar los pies es el propuesto por
GOLDSCHMIEDT [8]:

	(11)
	por ciento
Zinc, undecenoato	10,00
Acido undecenoico	2,08
Aceite de pino	0,47
Almidón	50,00
Caolín, ligero	37,45

Quaker Oats Co. [11] sugiere un polvo para pies que contiene un antiperspirante:

	(12)
	por ciento
Talco	82,65
Oat-Pro	3,00
Microdry	10,00
Sylid 72	2,00
Ottasept extra	0,15
Zinc, óxido	2,00
Perfume	0,2 o *c.s.*

Los polvos para pies se han presentado en forma de aerosol pulverizado
(*spray*) con varios aditivos desodorantes y antiperspirantes, como en los ejemplos
13 y 14.

Polvos para pies aerosol [4]	(13)
	por ciento
Talco	92,0
Zinc, estearato	1,0
Irgasan DP.300	0,2
Santocel 54	2,8
Span 85	2,0
Isopropilo, miristato	1,0
Perfume oleoso	1,0
Polvo base	15
Propulsores 11/12 (50:50 ó 65:35)	85

Pulverizado («spray») para pies femeninos [12]	(14)
	por ciento
Perfume	0,35
Mentol, cristales	0,10
Talco «lo micron»	8,35
Acetol	1,00
Cloroxilenol	0,20
Propulsores 12/11 (40:60)	90,00

Pulverizados (spray) de pies

Los pulverizados de pies se aplican principalmente para enfriarlos y refrescarlos. Generalmente, contienen agentes antimicrobianos, a veces una sustancia antiperspirante, y contienen un polvo absorbente. Se pueden pulverizar a través de calcetines o medias y, por consiguiente, son adecuados para tratamientos de «emergencia».

Las tres fórmulas siguientes, dos para pulverizadores (spray) aerosol procedentes de Croda y RITA respectivamente y una para una bomba pulverizadora no aerosol procedente de RITA, ilustran los productos modernos. Del ejemplo 16 se afirma: «Esta pulverización calmante y refrescante proporciona alivio a los pies cansados y ardientes, dejándolos con una sensación suave y tersa». El ejemplo 17 se describe como: «Una solución líquida transparente para envasar en un pulverizador manual que se seca rápidamente y no es viscosa, dejando los pies fríos y refrescados.»

Pulverizado («spray») de pies antiperspirante [13]	(15)
	por ciento
Talco USP	34,0
Cab-o-sil M5	2,0
Microdry	5,0
Procetyl AWS	4,0
PVP-VA Copolymer E-735	4,0
Mentol USP	0,5
Etanol anhidro	50,5
Concentrado	15,0
Propulsor 114	35,0
Propulsor 12	50,0

Pulverizado («spray») desodorante para pies aerosol [14]	(16)
	por ciento
Ammonyx 4002	0.125
Mentol (racémico)	0,125
2-Ethyl-1,3-hexanodiol	2,25
Laneto 100	0,25
Etanol anhidro	27,25
Perfume	*c.s.*
Propulsores 11/12 (50:50)	70,00

Solución pulverizadora («spray») desodorante para pies, para bomba pulverizada («spray») [14]	(17)
	por ciento
Etanol al 96 por 100	28,00
Versene	0,03
Perfume	*c.s.*
Hyamine 10X	0,25
Laneto 50	2,00
Agua desionizada	68,62
Silicone fluid DC-556	0,10
Alcanfor	0,50
Mentol (racémico)	0,50

Procedimiento: Disolver todos los ingredientes en el etanol, y después añadir agua.

Cremas de pies

El masaje del pie es extremadamente relajante: de hecho los chinos creen que el simple masaje y manipulación de los pies puede aliviar toda la tensión, e incluso cura enfermedades[15]. GALLANT[16] describe las técnicas para un masaje profesional de pies.

Las cremas son un auxiliar apropiado para el masaje, y pueden contener agentes antimicrobianos, antiperspirantes, agentes queratolíticos suaves, vasodilatadores para estimular la circulación, agentes refrescantes, así como agentes que proporcionan propiedades emolientes y suavizantes de la piel. Una crema simple de pies emoliente y desodorante se puede formular de la forma siguiente:

		(18)
		por ciento
Glicerilo, monoestearato (autoemulsionable)		15,0
Lanolina		1,0
Sorbitol, jarabe al 70 por 100		2,5
Glicerina		2,5
Agente antimicrobiano		0,25-0,50
Agua	hasta	100,0

Muchas de las fórmulas dadas como cremas base pueden adaptarse a cremas de pies. En general, se restringe la cantidad de sustancias grasas. Se incluye para dar una película cerosa, más que una capa grasa en el pie, algún sustituto de la esperma de ballena o cera de alto punto de fusión, o ácido graso, tal como ácido esteárico. Se añaden frecuentemente alcanfor y salicilato de metilo para proporcionar sensación refrescante; con finalidad similar se utiliza el mentol. En general, la fórmula del ejemplo 19 sigue estas líneas. Se dan tres fórmulas más pretenciosas en los ejemplos 20-22.

	(19)
	por ciento
Glicerilo, monoestearato (autoemulsionable)	12,0
Aceite mineral	2,0
Glicerina	5,0
Sustituto de esperma de ballena	5,0
Alcanfor	1,0
Metilo, salicilato	1,0
Agua	73,9
Conservante	0,1

Crema de pies[17]

		(20)
		por ciento
A.	Ottasept extra	1,00
	Lexemul AR	16,00
	Alcohol cetílico	1,00
	Amerchol L-101	3,00
	Solutan 98	0,50
	Aceite mineral	3,00

B. Alcloxa   0,25
    Propilen glicol   5,00
    Agua destilada   69,95

C. Perfume   0,30

Procedimiento: Calentar *A* y *B* a 75 °C. Con agitación rápida, añadir *B* a *A*. Enfriar con agitación constante, y añadir el perfume en el punto que se forma la crema.

Crema antiperspirante de pies[17]	(21)
	por ciento
A. Acido esteárico	2,00
Genapol S200	8,00
Alcohol cetílico	10,00
PCL liquid	2,00
Colesterol	0,30
B. Sorbitol, jarabe al 70 por 100	5,00
Agua, conservante	45,90
Alantoína	0,20
Aluminio, hidroxicloruro 23 (Hoechst)	20,00
C. Acido salicílico	5,00
Fungicide DA	0,20
D. Perfume	0,20
Irgasan DP.300	0,20
Polyglycol 400	1,00

Procedimiento: Calentar *A* a 70 °C y *B* a 75 °C. Añadir justo antes de la emulsificación el ácido salicílico y Fungicide DA a *A*. Añadir *B* a *A* agitando. Enfriar agitando constantemente, añadiendo la mezcla *D* a 40 °C. Si se desea, pasar por molino.

Emulsión aceite-agua para masaje de pies[4]	(22)
	por ciento
A. Neo-PCL, autoemulsionante	25,0
Propilen glicol, diperlargonato	3,0
Hostaphat KL340N	0,5
B. Agua	65,9
Propilen glicol	5,0
Conservante	0,3
Bórax	0,1
C. Perfume oleoso	0,2

Procedimiento: Calentar *A* y *B* a 75 °C y emulsionar. Enfriar agitando, añadiendo el perfume a 40 °C.

Preparados para durezas y callos

Las curas y películas para durezas contienen ácio salicílico en colodión con extracto de cánnabis o sin él. Otros preparados incluyen ácido láctico, ácido tricloracético, ácido acético glacial:

| | (23) |
	por ciento
Acido salicílico	10
Acido láctico	10
Colodión flexible BP	80

| | (24) |
	por ciento
Acido salicílico	10
Extracto de cánnabis (BPC 1949)	100
Colodión flexible BP	80

Para su efecto plastificante, si se desea, se puede añadir un 5 por 100 de aceite de ricino a las anteriores.

Para reblandecer los callos se utilizan productos alcalinos, tales como:

| | (25) |
	por ciento
Sodio, fosfato tribásico	8
Trietanolamina	12
Agua	80
Perfume (estable medio alcalino)	c.s.

| | (26) |
	por ciento
Potasio, hidróxido	0,5
Glicerina	15,0
Agua	84,5

El ejemplo 26 debe ser utilizado con cuidado y no permanecer en contacto con la piel, pues es cáustico.

Se ha descrito un eliminador de durezas en forma de gel[37]:

| | (27) |
	por ciento
Acido salicílico	12
Acido benzoico	6
Pluronic F.127	47
Agua	35
Perfume, colorante	c.s.

El peróxido de hidrógeno, diez volúmenes, aplicado con algodón durante varios minutos, tiene suaves pero valiosas propiedades reblandecedoras de la piel, y puede continuar ventajosamente con un masaje de aceite caliente.

A finales de la década de los cincuenta, los productos que aparecen para eliminar las durezas de la piel de los pies, codos, etc., hacen un ingenioso uso de la propiedad de «formación de pelotillas» de las emulsiones que contienen ceras. La emulsión, presentada como leche o crema fluida, es sensible a la presión y se rompe cuando se extiende sobre la piel. Después, la fase sólida dispersa se compacta en forma de partículas grandes separadas que rueden sobre la piel, englobando las células desprendidas de la misma. La adicción de látex y sílice finamente divididos aumenta la eficacia. El producto es efectivo sobre la piel limpia, aunque la presencia de aceite o de grasa puede causar «recubrimiento» en lugar de «pelotillas». La emulsión se puede hacer sensible a la presión utilizando cantidades mínimas de tipo correcto de emulsionante. La siguiente fórmula servirá como base de ensayo:

	(28)
	por ciento
Acido esteárico	1,0
Cera de abejas	4,0
Alcohol cetílico	0,5
Cera parafina	12,0
Trietanolamina	0,6
Sorbitol, jarabe al 70 por 100	5,0
Veegum	0,5
Agua	76,4

Preparados para sabañones

Los sabañones son una afección consecuencia de una circulación pobre e inadecuado suministro de sangre a las manos y pies. Como GOURLAY[18] indica, el «primer síntoma del desarrollo de un sabañón es un enrojecimiento e irritación local que avanza cuando se permanece en la cama o sentado frente al fuego»; posteriormente, se intensifica el dolor y se puede producir la «ruptura» del sabañón. GOURLAY llama la atención sobre el hecho de que, mientras los sabañones se producen con cierta frecuencia en Gran Bretaña y Europa, son raros en Canadá y EE. UU., y recuerda el tratamiento acertado en algunos casos de la administración por vía oral con ácido nicotínico (se cree que su eficacia se debe a su acción vasodilatadora).

WINNER y COOPER-WILLIS[19] experimentaron un bálsamo que tiene la composición que se da en el ejemplo 29.

	(29)
	por ciento
Fenol	1,0
Alcanfor	6,0
Bálsamo Perú	2,0
Parafina líquida	25,0
Parafina sólida	7,5
Lanolina anhídrida	58,5

Las instrucciones que dieron fueron: *a)* sumergir la parte afectada en agua caliente a la hora de acostarse, secar cuidadosamente y aplicar el ungüento; o *b)* frotar el ungüento por la noche y por la mañana. Los médicos informaron de que el ungüento aliviaba el dolor y promovía una curación rápida, y algunos lo describieron como el mejor remedio que habían hallado. WINNER y COOPER-WILLIS consideran este ungüento como un remedio eficaz, que probablemte actúe estimulando la circulación local.

Aunque se han descrito buenos resultados en el tratamiento de sabañones administrando vitamina K[20], parece que la mejor medida profiláctica a tomar, en el estado de nuestros conocimientos, es mantener pies y manos calientes con guantes, calcetines de lana, etc.

La mayoría de los productos comerciales se basan en el empleo de anestésicos locales con bases adecuadas que alivien la irritación. También pueden estimular la circulación.

Preparados para pie de atleta

Actualmente, el tratamiento de *tinea pedis* está fuera del campo de interés del químico cosmético, especialmente si el trastorno se agrava con eccemas e infecciones bacterianas secundarias. Sin embargo, están dentro del campo del químico cosmético ciertos preparados, tales como aquellos que se utilizan para prevenir la infección o aquellos que se utilizan en la fase posterapéutica para prevenir la reinfección.

Ha habido un marcado aumento en el número de los preparados para el tratamiento del pie de atleta desde que se introdujeron los pulverizadores (sprays) y polvos aerosoles. Los antisépticos que se encuentran presentes en las preparaciones aerosoles para los pies se seleccionan fundamentalmente por el control fúngico, aunque también tienen una función importante como agentes desodorantes por inhibir el crecimiento de las bacterias productoras del olor. Se ha publicado una cantidad considerable de información sobre el tratamiento del pie de atleta, y LESSER[21] y CHALMERS[6] han publicado buenas revisiones de este tema.

Las sales de ciertos ácidos grasos, tales como propiónico y undecilénico, que frecuentemente se utilizan en asociación con los ácidos libres, han demostrado tener buenos resultados en el tratamiento de *Trichophyton* y otros dermatofitos. KEENEY[22] cita las fórmulas que se dan en los ejemplos 30 y 31. Existe poca diferencia en la eficacia clínica entre estos dos ungüentos.

Ungüento con propionato	(30)
	por ciento
Sodio, propionato	16,4
Acido propiónico	3,6
Propilen glicol	5,0
Alcohol *n*-propílico	10,0
Carbowax 4000	35,0
Zinc, estearato	5,0
Agua	25,0

Ungüento con undecilenato	(31)
	por ciento
Acido undecilénico	10,0
Trietanolamina	6,0
Propilen glicol	14,0
Carbowax 1500	10,0
Carbowax 4000	40,0
Agua	20,0

Estos ácidos raramente ocasionan reacción adversa en la piel. Con frecuencia, el ácido undecilénico que se utiliza junto con undecilenato de zinc, que es similar al estearato de zinc, como se ha publicado en *Schimmel Brief*[23], puede ser más adecuadamente utilizado en polvos aerosol que en lociones a presión. Un gran inconveniente del ácido undecilénico es su olor desagradable, semejante al de la sudoración. Sin embargo, este inconveniente puede ser superado con el uso de derivados del ácido, es decir, su monoetanolamida (Fungicide UMA, Loramine U185), dietanolamida (Fungicide DA, Loramide DU185) o monoetanolamidosulfosuccinato (Loramine SBU185). Estas sustancias asocian el efecto fungicida del ácido undecilénico con propiedades tensioactivas, y se afirma que no son irritantes.

La siguiente composición ilustra un ejemplo de un polvo antifúngico para pies basado en una mezcla de sales de ácidos propiónicos y caprílico:

(32)

	por ciento
Calcio, propionato	15,00
Zinc, propionato	5,00
Zinc, caprilato	5,00
Acido propiónico	0,25
Talco	74,75

El ejemplo 33 ilustra un producto para pies en forma de gel.

(33)

	por ciento
Etanol al 96 por 100	72,0
Agua	21,0
Acido undecilénico	5,0
Carpopol 940	1,0
Di-isopropanolamina	1,0

Los agentes antifúngicos comerciales, que han demostrado ser efectivos frente a los dermatofitos *Trichophyton* y *Epidermophyton*, incluyen:

Bronopol (Boots)[24].
Diclorofeno (BP).
Fungicide DA y UMA (Dragoco)[25].
Hibitane (ICI)[26].
Irgasan DP.300 (Ciba-Geigy)[27].
Loramine DU.185, SBU.185 y U.185 (Rewo)[28].
Myacide SP (Boots)[29].
Tolnaftate (BP)[30].
Vancide 89RE (Vanderbilt)[31].

Otras investigaciones

Entre las investigaciones más modernas, se cuentan «plantillas que destruyen el olor» con propiedades absorbentes y desodorantes[32], una serie de cuidados del pie con «todo lo que usted necesita» para el cuidado de los pies[33] y una «esponja de pies» de fibra sintética que se usa con jabón para eliminar la piel gruesa y endurecida[34].

Una patente reciente[35] describe un desodorante para los pies, etc., basado en una sustancia intercambiadora de iones como un algodón intercambiador de iones.

SCHOLL ha obtenido una patente[36] para el uso de vanillina para el tratamiento del pie de atleta en varias formas de producto, o en un artificio de descarga controlada.

REFERENCIAS

1. Hole, L. G., *J. Soc. cosmet. Chem.*, 1973, **24**, 43.
2. Sehgal, K., *Manuf. Chem.*, 1978, **49**(1), 43.
3. Russel, B. F., *Brit. med. J.*, 1962, **ii**, 815.
4. Schroder, B., *Dragoco Rep.*, 1976, (2), 35.
5. Chalmers, L., *Dragoco Rep.*, 1972, (11), 215; (12), 235.
6. Chalmers, L., *Manuf. Chem.*, 1972, **43**(1), 33.
7. Thompson, W. A. R., ed., *The Practitioner's Handbook*, London, Cassell, 1960, p. 398.
8. Goldschmiedt, H., *Soap chem. Spec.*, 1971, **47**(6), 31.
9. Ceccarelli, C, and Proserpio, G., *Goldschmidt Informiert*, English edition, 1973, (26/5), 18 (Th. Goldschmidt AG, Essen).
10. Lehman, A. J., *Soap Perfum. Cosmet.*, 1943, **16**, 435.
11. *Soap Cosmet. chem. Spec.*, 1977, **53**(5), 165.
12. Emery Industries Inc., Linden, NJ, *Malmstrom Chemicals Cosmetic and Proprietary Formulations*, 1976.
13. Croda Chemicals Ltd, *Cosmetic/Pharmaceutical Formulary*, 1978.
14. RITA Chemical Corp., Crystal Lake, Ill., *Lanolin and Lanolin Derivatives, Bioactive and Organic Substances for the Cosmetic Industry*, 1976.
15. Maxwell-Hudson, C., *The Natural Beauty Book*, 1976, London, Macdonald and Jane's, p. 107.
16. Gallant, A., *Principles and Techniques for the Beauty Specialist*, London, Stanley Thornes, 1975.
17. Nobel Hoechst Chimie, Puteaux, France, Brochure no. 2, *Allantoin, Typical Formulations in Cosmetics*.
18. Gourlay, R. J., *Brit. med. J.*, 1948, **i**, 336.
19. Winner, A. L. and Cooper-Willis, E. S., *Lancet*, 1946, **2**, 663.
20. Wheatley, D. P., *Brit. med. J.*, 1947, **ii**, 689.
21. Lesser, M. A., *Drug Cosmet. Ind.*, 1951, **69**, 468.
22. Keeney, E. L., *Med. Clin. North Am.*, 1945, March, 323.
23. *Schimmel Brief* No. 302, May 1960.
24. The Boots Company Ltd, *Bronopol—Boots*, Technical Bulletin issue 3, September 1979.
25. Nowak, G. A., *Dragoco Rep.* 1960, (4), 97.
26. Lawrence, C. A., *J. am. pharm. Assoc., sci. Ed.*, 1960, **49**, 731; ICI Ltd, Pharmaceutical Division Technical Data 1972, *Hibitane Chlorhexidine*.
27. Ciba-Geigy Ltd, Circular 2502, *Irgasan DP.300, General Information*, 1973.
28. Rewo Chemicals Ltd (formerly Dutton & Reinisch), Technical Bulletins: *Loramine Undecylenic Alkanolamides*; *Loramine SBU.185*.
29. The Boots Company Ltd, *Myacide SP*, Technical Bulletin, September 1979.
30. *Martindale, The Extra Pharmacopoeia*, 26th edn. ed. Blacow, N.W., London, Pharmaceutical Press, 1972, p. 782.

31. R. T. Vanderbilt Co., Technical Bulletin no. 3: *Vancide 89RE—Bactericide/ Fungicide*.
32. Glaxton, R., *Drug Cosmet. Ind.*, 1979, **124**(3), 58.
33. Anon., *Drug Cosmet. Ind.*, 1979, **124**(5), 82.
34. *Cosmetic World News*, 1979, (66), 28.
35. US Patent 4 155 123, Klein, P. M., 1979.
36. US Patent 4 147 770, Scholl Inc., 1979.
37. Schmolka, I. R., *Cosmet. Toiletries*, 1977, **92**(7), 77.

14

Repelentes de insectos

Introducción

Los repelentes de insectos pueden ser considerados legítimamente como preparación de higiene, puesto que se presentan en forma cosmética o incluso en combinación con otros atributos funcionales, especialmente con filtros solares.

Mucho del trabajo de los primeros tiempos sobre repelentes de insectos estuvo relacionado con la protección del personal militar en el campo. Estudios más recientes han relacionado a los insectos como vectores de enfermedades del hombre y con la protección de animales, especialmente, ganado vacuno, con la finalidad de proporcionar rendimientos sustancialmente crecientes de leche.

En un simposium sobre insectos y enfermedad[1], Malbach et al.[2] publicaron que la relativa atracción de la piel del hombre para el mosquito *Aedes aegypti* dependía del equilibrio entre ciertos elementos atractivos del sudor y la repelencia de lípidos de la piel. Novak[3] publicó un trabajo sobre varios factores atrayentes para el mosquito: colores, intensidad de luz, humedad, temperatura y olores. Wright y Burton[4] discutieron el modo de acción de los repelentes de insectos en un estudio sobre el pelitre.

Se han revisado[5] las ideas admitidas sobre el modo de acción de los repelentes de mosquitos. Se han admitido que los mosquitos «habitan» en corrientes de convección procedentes de animales vivos y de sangre caliente, y responden a aumentos de humedades relativas. Se afirma, como consecuencia, que un modo de defensa es impedir que funcionen normalmente los sensores de humedad, lo que se puede lograr por repelentes químicos que físicamente bloquean los poros de cutícula. La forma y tamaño moleculares y las fuerzas de absorción son factores reguladores.

Los factores repelentes de los lípidos de la piel son[5] los ácidos grasos C_9-C_{20} insaturados de cadena lineal, de los cuales el ácido 2-decenoíco es uno de los más potentes.

Se ha discutido[1] la posibilidad de lograr la repelencia a los insectos por medios orales; uno de los fármacos idóneos es el clorhidrato de tiamina[5].

La mayoría de los estudios de eficacia sobre los repelentes de insectos introduce un factor de «tiempo de protección», pero Burton y sus colaboradores de British Columbia Research Council[6-8] publicaron un nuevo método por el cual una sustancia química puede probar su «repelencia intrínseca» frente al mosquito *Aedes aegypti* y otros insectos. El método depende de la concentración requerida de repelente en el aire para neutralizar el efecto de un «objetivo de atracción estandarizado»; se han publicado los resultados de 47 compuestos[7].

Sustancias repelentes

Antes de 1940, las materias repelentes de insectos usadas comúnmente eran sustancias fuertemente olorosas, tales como aceite de citronela, aceite de clavo y alcanfor, que son relativamente ineficaces para los requerimientos actuales. MULLER[9] publicó los siguientes aceites esenciales con propiedades repelentes de insectos: bergamota, alquitrán de abedul, cassia, *cedrus atlantica*, hojas de cedro, citronela, eucalipto, hinojo, aceite de pino silvestre, lavanda, hoja de laurel, melisa, clavo, hierbabuena, pimentón, poleo, sándalo, sasafrás, árbol de té y ajenjo.

El estallido de la Segunda Guerra Mundial, y la necesidad de llevar a cabo operaciones en muchas zonas tropicales, originó una investigación exhaustiva en la cuestión de repelentes de insectos; como resultado de ensayos profundos de seleción con relación a propiedades de irritación primaria y toxicidad cutánea de unos cuatro mil compuestos, se redujeron, primero a cuarenta y dos compuestos, y después, como resultado de ensayos intensivos posteriores, a dieciocho.

Se debe observar que los requerimientos y condiciones de uso de los repelentes de insectos para personal militar difieren de los que se usan para la población civil, puesto que los primeros se componen principalmente de adultos jóvenes bajo rígida supervisión médica, mientras que los ciudadanos potenciales incluyen jóvenes, individuos de edad y personas achacosas. Por otra parte, entre los numerosos requerimientos para el personal militar se encontraba el uso de preparados bajo condiciones tropicales, esto es, bajo fuerte sudoración y aplicación a grandes superficies del cuerpo, o sea mucho más riguroso que el requerimiento de uso en climas más templados.

Entre las sustancias consideradas seguras de uso se encuentran:

Dimetilo, ftalato
3-Etil-1,3-hexanodiol (Rutgers 612)
Una mezcla de la siguiente composición:

Dimetilo, ftlato	6 partes
3-Etil-1,3-hexanodiol	2 partes
«Indalone» (butoxipiranoxil)	2 partes

Di-isopropilo, tartrato
Ciclohexilo, acetoacetato
Ester dietílico del ácido hexahidroftálico
Piperonil éter butóxido

Entre las sustancias mejor conocidas, consideradas seguras de uso, contamos con butil-3,4-dihidro-2,2-dimetil-4-oxo-2*H*-piran-6-carboxilato (butoxipiranoxil).

MARTINDALE[11] destaca que la completa protección contra insectos (en peores condiciones) requiere la aplicación tanto a la piel como a las vestiduras. Los repelentes utilizables en la piel también se pueden emplear en la ropa (excepto con la precaución que se debe tener con el rayón); lo inverso no es rigurosamente así. Los repelentes efectivos para los vestidos incluyen benzoato de bencilo, butilpropanodiol, ftalato de dibutilo y dietil toluamida. Cuando los repelentes se aplican a la piel, se debe lograr un recubrimiento completo; los mosquitos pueden picar en cualquier «agujero» de la película protectora.

Un informe de la Organización Mundial de la Salud[12] recomienda la mayoría de los repelentes disponibles para muchos de los insectos picadores comunes.

GILBERT[13] publicó que los mejores repelentes de mosquitos eran, para la aplicación cutánea: dietiltoluamida, clorodietilbenzamida, etilhexanodiol, ftalato de dimetilo, carbato de dimetilo y butoxipiranoxil; para los vestidos: butiletilpropanodiol, etil hexanodiol y dietiltoluamida.

GOUCK[14] publicó que los repelentes más efectivos de garrapatas que proporcionan un 99 por 100 de protección de las vestiduras incluían butoxipiranoxil, dietiltoluamida, ftalato de dimetilo y benzoato de bencilo. Contra las moscas, los más efectivos son la dietiltoluamida y el benzoato de bencilo, que proporcionan más del 90 por 100 de protección en vestidos. Contra pulgas y mosquitos, dietiltoluamida, ftalato de dimetilo y etilhexanodiol son efectivos cuando se aplican a la piel o al vestido.

Ftalato de dimetilo

El ftalato de dimetilo es un líquido incoloro, casi inodoro, de punto de ebullición 282-285 °C, poco soluble en agua (1/250) y miscible con la mayor parte de los líquidos orgánicos.

Es un repelente efectivo frente a moscardones, mosquitos, moscas de agua, ácaros, garrapatas y pulgas[11], y se aplica, generalmente, como crema o loción a proporciones de más del 40 por 100; a concentraciones inferiores es inefectivo. Se le atribuye prevenir las picaduras de mosquitos en la piel durante tres a cinco horas, a menos que sea eliminado por sudoración copiosa, o por permanencia en el vestido durante una semana, aunque para esta aplicación se prefiere el ftalato de dibutilo, pues es menos volátil y menos fácil de eliminar por lavado.

El ftalato de dimetilo no es tóxico, pero puede ocasionar ligero escozor temporal en personas sensibles. SMITH[15] publicó que la dosis mínima efectiva para proteger frente a *Aedes aegypti* está entre 1,15 y 3,5 mg por centímetro cuadrado de piel. Su principal desventaja es su acción disolvente para ciertos materiales plásticos, y no se debe poner en contacto con ropas de rayón, ni con monturas de gafas de plástico.

Carbato de dimetilo

Nombre químico: dimetil-biciclo-(2,2,1)-heptano-2,3-dicarboxilato. El carbato de dimetilo es un sólido cristalino de color blanco a pajizo, temperatura de solidificación 35 °C, soluble en agua (1,5 por 100), aceite mineral (5,6 por 100), y muy soluble en ésteres y aceites vegetales[16].

Se ha descrito como un efectivo repelente de insectos[17] y ha sido utilizado por las fuerzas armadas de los EE. UU., generalmente en asociación con otras sustancias, aunque actualmente parece tener poca aplicación.

Etilhexanodiol

Nombre químico: 2-etilhexano-1,3-diol. *Otros nombres:* Ethohexadiol (USP), octilen glicol, Rutgers 612, 6-12 (Union Carbide).

El etilhexanodiol es un líquido oleoso transparente, incoloro, casi inodoro (pero con un ligero olor que recuerda al de avellana), temperatura de ebullición 244 °C, es ligeramente soluble en agua (1/50) y miscible con alcohol, alcohol isopropílico, propilenglicol y otras sustancias.

GRANETT y HAYNES[18] han publicado el desarrollo histórico del etilhexanodiol en la Universidad Rutgers durante la Segunda Guerra Mundial, y describen ampliamente sus propiedades. Es estable en extremas condiciones de almacenamiento y son débiles sus propiedades disolventes de plástico y fibras sintéticas. Es tema de una patente antigua concedida a Unión Carbide[19].

McCLURE[20] consideró al etilhexanodiol entre los mejores repelentes de insectos. También repele moscas, mosquitos, ácaros y pulgas durante cuatro a ocho horas cuando se aplica puro, pero menos proporcionalmente cuando se usa en aplicaciones más diluidas. GRANETT y HAYNES[18] han publicado estudios comparativos de efectividad frente al ftalato de dimetilo, y encontraron que el etilhexanodiol es casi siempre mejor frente a mosquitos y muy efectivo contra otros insectos. Estos autores demostraron un tiempo de protección de aproximadamente ocho horas en la piel y ocho días en los vestidos, aunque estos últimos son afectados por la lluvia. Se ha confirmado especialmente efectivo cuando se usa en unión con ftalato de dimetilo y butoxipiranoxil[11].

En un estudio de su eficacia protectora frente a *Aedes aegypti*, SMITH[15] encontró que la dosis efectiva mínima está en el intervalo de aproximadamente 80 a 280 μg por centímetro cuadrado de piel. No se ha encontrado ningún efecto sinérgico entre el etilhexanodiol y la dietiltoluamida[21]. Rigurosos ensayos de toxicidad, y uso a gran escala por fuerzas militares, indican su seguridad y carencia de propiedades irritantes[18].

Butoxipiranoxilo

Nombre químico: butil-3,4-dihidro-2,2-dimetil-4-oxo-2-*H*-piran-6-carboxilato. *Otros nombres:* butil mesitil óxido, «Indalone» (nombre de marca de US Industrial Chemicals Inc.).

El butoxipiranoxilo es un líquido amarillo a marrón rojizo pálido con olor aromático característico, insoluble en agua y glicerina, pero miscible con alcohol, propilen glicol, otros glicoles, aceites minerales ligeros y aceites vegetales.

El butoxipiranoxilo es un repelente efectivo; las lociones que contienen 20-45 por 100 proporcionan protección durante cuatro a seis horas y aún más. Se ha utilizado principalmente en unión con ftalato de dimetilo y etilhexanodiol.

También el butoxipiranoxilo posee modestas propiedades de filtro solar, y se le atribuye que una película de 0,1 mm proporciona completa absorción de luz ultravioleta hasta 350 μm. Sin embargo, es prudente incluir una pequeña cantidad de absorbente ultravioleta más activo para lograr un filtro solar efectivo.

El butoxipiranoxilo se hidroliza durante su almacenamiento en presencia de más del 10 por 100 de agua, y las prepaciones que contienen ésta, como consecuencia, deben ser formuladas con un contenido inferior de agua.

Dietiltoluamida

Nombre químico: N,N-dietil-*m*-toluamida. *Otros nombres:* DET, DEET, Detamide, Delphene o Metadelphene (Hercules Powder Co.).

La N,N-dimetil-*meta*-toluamida es un líquido incoloro con débil olor agradable, casi insoluble en agua y glicerina, pero miscible con alcohol y alcohol isopropílico. La sustancia comercial contiene un mínimo del 95 por 100 del isómero meta[22].

La dietiltoluamida fue desarrollada por el Departamento de Agricultura de EEUU para ser utilizada por las tropas durante la Guerra de Corea en 1951. De los tres isómeros (*orto*, *meta* y *para*), el isómero *meta* resultó ser un 10 por 100 más efectivo. GILBERT, GOUK y SMITH[23-25] hallaron que la N,N-dietil-*m*-toluamida y la *o*-etoxi-N,N'-dietilbenzamida eran superiores o iguales al repelente estandard del Ejército de los EE. UU., M2020. La Dietiltoluamida, conteniendo aproximadamente un 70 por 100 de isómero *meta*, demostró ser generalmente más efectivo que el etilhexanodiol y otros repelentes, tanto para la piel, como para el vestido.

La dietiltoluamida es efectiva frente a moscardones, ácaros, mosquitos, garrapatas y moscas[11]. CLYDE y KNIGAZI[26] encontraron en estudios de laboratorio que la dietiltoluamida era un repelente efectivo de mosquitos durante dieciocho a veinte horas comparada con las cuatro a cuatro horas y media, para una crema de ftalato de dimetilo al 40 por 100. Se ha publicado que es el repelente más efectivo frente a *Aedes aegypti*[21]. SMITH[18] demostró que la dosis mínima efectiva para la protección frente a *Aedes aegypti* está en el intervalo de 50 μg a 77 μg por centímetro cuadrado de piel.

Entre las propiedades que se le atribuyen[27] a la dietiltoluamida, están su gran persistencia, resistencia a la acción de fregado, resistencia al sudor y su naturaleza no oleosa.

MAJOR y HESS[28] publicaron que la N-etoxi-N-etil-*m*-toluamida tiene una considerable toxicidad para el mosquito *Aedes aegypti* y que es repelente de las moscas de establo, *Stomoxys calculans*, pero no frente a la mosca casera *Musca domestica*.

Se han encontrado dos nuevas toluamidas especialmente efectivas frente a las moscas de establo, N-(*m*-toluil)-2-metil piperidina y N-(*m*-toluil)-4-metil piperidina[29]. Se han utilizado en una variedad de formulaciones que comprenden desde ungüentos a aerosoles, y se les atribuye repeler gran número de artrópodos molestos.

Repelentes MGK

MCLAUGHLIN GORMELEY KING han formulado una variedad de composiciones de repelentes utilizando sustancias patentadas bajo la denominación «Repelentes MGK para uso personal» a las que se atribuyen la utilización de los más recientes desarrollos en sustancias repelentes, y proporcionan una protección máxima[30]. Las ventajas respecto a fórmulas más antiguas son:

1. Mejores asociaciones utilizables para moscas de establo, moscas domésticas, moscas de ganado y moscardones, frecuentemente más problemáticos que los mosquitos en playas, campos de golf, etc.
2. Excelente repelencia para mosquitos.
3. Protección frente a garrapatas, moscas y pulgas.
4. Sin efectos adversos en fibras sintéticas, excepto un ligero obscurecimiento del rayón.
5. Efecto plastificante, no tan intenso como las composiciones dependientes de sólo dietiltoluamida o ftalato de dimetilo.

Los «Intermedios MGK», una serie de composiciones repelentes, están basados en mezclas de dietiltoluamida con MGK-264 (N-octil biciclohepten dicarboximida), una sustancia insecticida sinérgica; con MGK Repellent[11] (2,3 : 4,5-*bis*-(2-butilen)-tetrahidro-2-furaldehído), repelente primario de moscas, y con MGK Repellent 326 (di-*n*-propil isocincomenonato), también repelente primario de moscas.

Los «Intermedios MGK» tienen las composiciones que siguen (porcentaje):

Intermediate No.	1995	2007	2020	5134	6339	5582
Dietiltoluamida	86	76,92	80	70	67	—
MGK-264	8	15,38	12	20	11	66,6
MGK-Repellent 11	3	3,85	4	20	11	16,7
MGK-Repellent 326	3	3,85	4	5	22	16,7
Concentración típica de uso	25 %	32,5 %	25 %	10-15 %	9-15 %	3—6 %

1995 da la máxima protección frente a mosquitos, menos contra moscas; 2007 tiene mayor repelencia para todas las moscas y mosquitos; 2020 es una composición de fines generales con excelente repelencia para mosquitos; 5134 es un repelente de uso general que proporciona una repelencia excelente de mosquitos y buena repelencia para todas las moscas e insectos; 6339 proporciona una acción excelente repelente de mosquitos, así como especialmente efectivo frente a moscardones y moscas de arena; 5582 es un repelente de moscas generalmente en mezcla con dietiltoluamida u otro repelente seleccionado.

El MGK Repellent 326 no debe usarse en preparados basados en alcohol, pues puede presentar transesterificación; es perfectamente satisfactorio en alcohol isopropílico. A veces, presenta inestabilidad en sistemas basados en agua, especialmente si son alcalinos.

Otros repelentes

Benzoato de bencilo. Es el mejor repelente contra pulgas y uno de los mejores de moscas y garrapatas[12]. Sin embargo, no debe usarse en la piel, pues puede ocasionar erupciones en personas sensibles. Generalmente, se aplica a vestiduras donde es muy efectivo, y su acción persiste después del lavado.

Ftalato de dibutilo. Es ligeramente menos efectivo que el ftalato de dimetilo, pero se prefiere al último para impregnar vestidos por ser menos volátil y menos fácilmente eliminable por lavado.

Butiletilpropanodiol. Se usa en el tratamiento de vestidos y no debe ser utilizado en la piel. Es un ingrediente del M-1960 (butiletilpropanodiol al 30 por 100, butilacetamida al 30 por 100, benzoato de bencilo al 30 por 100, emulsionante al 10 por 100), utilizado por el Ejército de los EE. UU. para impregnar ropas; es efectivo contra moscardones, mosquitos y otros insectos[11].

Butoxipolipropilenglicol. Se considera muy efectivo contra la mosca doméstica (*Musca doméstica*[32]). Se comercializa bajo el nombre «Crag Repellent» (*Unión Carbide Agricultural Chemicals*) para su empleo en ganado, etc., pero no se ha aprobado para uso en ganado de carne y leche en EE. UU.[31]

Succinato de di-n-butilo (Tabatrex). Se considera efectivo frente a la mosca doméstica (*Musca doméstica*[32]). Se utiliza en aplicaciones de agricultura, pero no se ha aprobado su empleo en ganado de carne y leche en EE. UU.[31] Una patente[33] recomienda el empleo de succinato de di-*n*-butilo y, como sinérgico, una sustancia grasa, tal como ácido oleico, ácido ricinoleico, oleato de propilo u oleato de bencilo.

Ácido undecenoico. Es un efectivo repelente de insectos, pero su olor desagradable es difícil de enmascarar[11].

Repellent 790. (E. Merck, Darmstadt). Es un repelente patentado, composición no publicada, posiblemente basado en dietanolamida del ácido caprílico[34]. Se le atribuye tener un amplio espectro de actividad, ser de potencia elevada, acción demostrada y bien tolerado por la piel. Se considera tan efectivo como la dietiltoluamida frente a mosquitos, y tres veces más efectivo que éste frente a la mosca doméstica[32].

Moskitox (Dragoco). Es una composición patentada, basada en dietiltoluamida, ftalato de dimetilo y hexilen glicol.

Otros desarrollos

RALSTON y BARRET[35] han publicado que los alcoholes decilo, undecenilo y dodecilo, y los nitrilos de alifáticos con 10-14 átomos de carbono son repelentes de elevada eficacia frente a moscas. El olor inherente a estas sustancias excluye su aplicación en preparados cosméticos.

Un investigador ruso, NOBOKOV[36], ha publicado que el sulfato de anabasina, un alcaloide de la planta *Anabasis aphylla (Chenopodiaceae)* que ha sido empleada en Rusia como repelente agrícola de insectos durante muchos años, confiere protección durante diez horas cuando se aplica a la piel en forma de loción al 5 por 100. Se ha demostrado que es innocuo para la piel y la salud de la persona tratada. También se asegura que la sustancia es inodora.

SHAMBAUGH y sus colaboradores[37] estudiaron la repelencia de algunos fenilfenoles para las moscas domésticas; los más eficaces de ellos fueron el bifenilo y 4-cloro-2-fenilfenol. Una mezcla de estos con fenol, *o*-fenilfenol y 6-cloro-2-fenilfenol fue más efectiva que cualesquiera de los componentes sencillos.

WEAVING y SYLVESTER[38, 39] y WRIGHT y BURTON[4] han investigado el pelitre como repelente de insectos.

QUINTANA y sus colaboradores han realizado varios estudios sobre sustancias potenciales para ser empleadas en repelentes de insectos de larga duración: ésteres del ácido undecanoico con fenoles, especialmente resorcinol, hexaclorofeno, 4-cloro-resorcinol y 4-clorofenol[40]; ésteres del ácido undecanoico con dihidroxiacetona, especialmente 1,3-di-undecanoil-oxiacetona y 1-undecanoiloxi-3-hidroxiacetona demostraron tener actividad repelente de larga duración frente a insectos en la piel[41]; fueron estudiados los ésteres monohexanoato y mono-propanoato, mono-benzoato y mono-undecanoato de dihidroxiacetona y especialmente destacable[42] es la repelencia del mono-hexanoato de dihidroxiacetona.

Una patente[43] obtenida por STEPANOV et al. preconiza un repelente de insectos que contiene un 20-90 por 100 de hexametilencarbamida para proporcionar protección contra mosquitos, cínifes, moscas de arena, moscardones, moscas domésticas, pulgas y garrapatas. En un ejemplo, a un ungüento que contiene una mezcla de hexametilencarbamida (al 30 por 100) y ftalato de dimetilo (al 52 por 100), se atribuye suministrar protección durante veinticuatro a treinta y seis horas contra mosquitos y moscas de arena; a una emulsión conteniendo un 75 por 100 de hexametilencarbamida aplicada a los vestidos, se le atribuye una protección de cinco meses o más.

Dos patentes concedidas a Dow Corning[44,45] citan los derivados de tetrasila-adamato como repelentes de insectos.

GUALTIERI et al.[46] investigaron varios acetales, amino-acetales, carboximida-acetales y ésteres aromáticos sobre la piel en cuanto a la repelencia de mosquitos. Los amino-acetales demostraron el grado más elevado de repelencia, pero no pudieron rivalizar con la dietiltoluamida en el tiempo de protección.

KLIER y KUHLOW[47] evaluaron varios derivados de beta-alanina N-disustituidos. Diversos ésteres N-alquil del ácido 3-(N-n-alquil-N-acil)-aminopropiónico y del ácido 3-(N-n-alquil-N-carboxialquil)-aminopropiónico fueron efectivos como repelentes de insectos en la piel; iguales que la dietiltoluamida. Un compuesto en particular, es 3-(N-n-butil-N-acetil) aminopropionato de etilo, demostró elevada repelencia para los mosquitos y extrema baja toxicidad y ser bien tolerado por la piel.

Formulación

Generalmente, en la formulación se recomiendan cantidades de repelente del orden del 10 por 100 o más, y se ha destacado[30] una tendencia hacia el uso de concentraciones más elevadas.

Cuando se formula, se deben considerar las limitaciones de ciertas sustancias repelentes, tal como la tendencia del ftalato de dimetilo, especialmente, para atacar algunos plásticos y fibras, y la inestabilidad del butoxipiranoxilo en presencia de concentraciones de agua superiores al 10 por 100. «MGK Repellent» 326 y «MGK Intermediates», que lo contienen, no se deben usar en composiciones basadas en alcohol, aunque es admisible el alcohol isopropílico, y se deben tener precauciones en las orientaciones hacia sistemas acuosos. No se debe emplear MGK Repellent 11 en presencia de 2-aminopropanodiol (AMPD)[30].

Los repelentes de insectos se pueden formular en una gama completa de formas y fórmulas cosméticas que abundan en la literatura para lociones, aceites, leches, cremas, aerosoles pulverizadores, espumas, espumas de «rotura rápida», pulverizadores-«bomba», toallitas, geles y barras.

Se ha resaltado[30] que en condiciones normales de uso, en la playa, campos de golf y otros esparcimientos de vacaciones y placer, el problema son las picaduras de moscas y otros insectos y no los mosquitos, y los productos se deben formular de acuerdo con esto. Una tendencia significativa es la asociación lógica de un repelente de insectos y un filtro solar en un mismo producto para proporcionar una protección doble.

A continuación siguen fórmulas para una gama representativa de productos. Es digno de destacar que productos más sofisticados se pueden desarrollar utilizando técnicas de formulación más avanzadas que son aplicadas en el campo de los preparados de filtros solares; frecuentemente, las características del producto y los problemas de formulación son similares.

Lociones

Las lociones son soluciones sencillas de un repelente de insectos en alcohol con la adición o sin ella de modificadores para moderar la sensación grasa, o mejorar la sensación a la piel. Productos hidroalcohólicos pueden ser formulados usando un solubilizador, aunque se consideran menos resistentes al lavado. También pueden ser soluciones en otros disolventes más o menos volátiles (véase posteriormente «Aceites repelentes»).

Loción alcohólica	(1)
	por ciento
Dimetilo, ftalato	33
Alcohol 96°	67

Loción hidro-alcohólica transparente[48]	(2)
	por ciento
Tween 80	15
Repellent 790	10
Alcohol 96°	30
Agua, purificada	45

Pulverizaciones aerosoles

Los ejemplos 3[32], 5[30] y 6[30] son repelentes de insectos; el ejemplo 4 es una asociación de filtros solar y repelente.

	(3)	(4)
	por ciento	*por ciento*
Repellent 790	20	15,0
Eugenol G	15	15,0
Sustancia filtro solar 3573	—	2,5
Alcohol isopropílico	65	67,5
Concentrado	50	50
Propulsor 11	25	25
Propulsor 12	25	45

	(5) por ciento	(6) por ciento
MGK Intermediate 5734	15	10-25
Isopar E	30 ⎱	
Alcohol isopropílico	51 ⎰	70-55 *
Oxido nitroso o dióxido de carbono	4	
A-46 Isobutano-propano	—	20

* Todo alcohol isopropílico, todo Isopar E o una mezcla de los dos.

Pulverizaciones con válvula «bomba»

Debido por una parte a las preocupaciones actuales, y teniendo en cuenta la situación legal sobre propulsores aerosoles clorofluorados y, por otra, al desarrollo de válvulas pulverizadoras «bomba», muy perfeccionadas, se ha acrecentado el interés por repelentes personales que pueden ser descargados por este método. Fórmulas ensayadas incluyen [30]:

	(7) por ciento	(8) por ciento
MGK Intermediate 5734	15	—
MGK Intermediate 2007	—	32,5
Isopar E	15	15,0
Alcohol isopropílico	70	52,5

Aceites repelentes

Puesto que la mayoría de las sustancias repelentes son oleosas por naturaleza, y hay necesidad de usar concentraciones bastante elevadas para lograr eficacia, es ventajosa su aplicación como aceite. Sustancias modernas permiten la formulación de productos minimizando la característica inherente grasienta sobre la piel para producir productos estéticamente aceptables. Se puede acudir a la experiencia en la formulación del campo de filtros solares, donde es un método popular de aplicación. Una solución directa es el envase a presión para conseguir productos aplicados en aerosol. Se puede dar una característica adicional con la inclusión de «aceites» moderadamente volátiles, tales como Isopar o siliconas volátiles.

El ejemplo 9 da una formulación sensible de uso general:

	(9) por ciento
Aceite mineral, ligero	40
Aceite vegetal	30
Isopropilo, palmitato	20
Repelente (a seleccionar)	10

Aceite hidrófilo repelente [48]	(10) por ciento
Atlas G-1086	7,5
Aceite repelente	20,0
Aceite mineral, ligero	42,5
Isopropilo, miristato	29,0
Perfume	1,0

Aceites filtros solares-repelentes insectos aerosoles[49]	(11) *por ciento*	(12) *por ciento*
Dimetilo, ftalato	4	6,0
Moskitox	5	6,0
Prosolal S8	5	4,2
PCL Liquid	24	23,0
Aceite de cacahuete	10	—
Isopropilo, miristato	40	60,0
Aceite mineral, viscoso	10	—
Antioxydol	1	—
Perfume oleoso	1	0,8
Concentrado	40	40
Propulsor 11/12 (50:50)	60	60

Cremas y cremas líquidas

Las cremas estables son menos fáciles de formular a causa de las elevadas concentraciones de sustancia repelente necesaria para la efectividad y sus problemas inherentes de emulsificación. Una vez más, las técnicas conocidas de la formulación de filtros solares pueden ser muy útiles.

La siguiente fórmula para una crema repelente de moscas de agua fue propuesta por *Scottish Scientific Advisory Committee*[50] que evita la emulsificación.

	(13) *por ciento*
Dimetilo, ftalato	67
Magnesio, estearato	10
Zinc, estearato	23

Procedimiento: La mezcla se gelifica por medio de calor.

Otra crema no emulsificada tiene la fórmula siguiente[51]:

	(14) *por ciento*
Etilhexanodiol	18,6
Butoxipiranoxilo	18,6
Dimetilo, ftalato	55,8
Etil celulosa	2,7
Celulosa-acetato-butirato	2,3
Propilen glicol, monoestearato	2,0

Los ejemplos 15 y 16 ilustran el uso de etilhexanodiol en asociación con el estearato de zinc y propilen glicol.

	(15) *por ciento*	(16) *por ciento*
Etilhexanodiol	30,0	30
Zinc, estearato	20,0	20
Acido esteárico	4,8	—
Potasio, hidróxido, sol. acuosa al 41 por 100	1,8	—
Agua purificada	43,4	20
Carbowax 4000	—	30

Una emulsión sencilla ha sido propuesta por Croda[52]:

		(17) *por ciento*
A.	Dietiltoluamida	20
	Polawas	7
	Alcohol ceto-estearílico	12
	Crillet 3 (Polisorbato 60)	1,5
B.	Agua purificada	59,5
	Perfume, conservantes	*c.s.*

Procedimiento: Calentar *A* y *B* separadamente a 70 °C. Añadir *B* a *A* agitando a elevada velocidad. Enfriar agitando a baja velocidad.

Una loción agradable aceite-agua no grasa ha sido descrita[53] usando Veegum como estabilizador de la emulsión:

		(18) *por ciento*
A.	Veegum	1
	Agua	64
B.	Dietiltoluamida	25
	Acido esteárico	4
	Sorbitan, monoestearato	4
	Polisorbato 60	2
	Conservante	*c.s.*

Procedimiento: Añadir lentamente el Veegum al agua, agitar continuamente hasta homogeneidad fluida. Calentar a 70 °C. Calentar *B* a 75 °C, añadir *B* a *A* y continuar la agitación hasta enfriar.

Se ha descrito[54] una crema filtro solar-repelente de insectos, excelente prosentación, brillante, suave (ejemplo 19) adecuada para frasco flexible compresible o envasado en tubo. Se le atribuye ser fácilmente extensible y absorbible, sin efecto blanquecino, sin sensación grasa o pegajosa objecionables, y proporcionar una buena protección frente a los elementos ambientales:

		(19) *por ciento*
A.	Amerchol L-101	3,50
	Modulan	1,00
	MGK Intermediate 5734	12,00
	Escalol 506	1,20
	Tinuvin P	0,05
	Arlacel 165	5,00
	Alcohol cetílico	1,50
B.	Carbopol 940	0,21
	Agua, purificada	75,34

C. Trietanolamina 0,20
  Perfume, conservantes *c.s.*

Procedimientos: Añadir lentamente el Carbopol al agua con agitación rápida. Mezclar hasta dispersión completa. Añadir *B* a 75 °C a *A* a 75 °C agitando. Después de la emulsificación, añadir la trietanolamina. Continuar mezclando y enfriar a 32 °C.

Otra loción filtro solar-repelente de insectos de excelente presentación ha sido propuesta por MALMSTROM[55]:

		(20)
		por ciento
A.	Nimlesterol P	5,00
	Emerest 2400	5,00
	Aceite mineral 70 visc.	18,00
	PEG-23 lauril éter	5,00
	Metil paraben	0,20
	Propil paraben	0,10
	Alcohol cetílico	0,10
	Emersol 132	3,00
	Dietiltoluamida	10,00
	Escalol 506	1,20
B.	Agua	48,95
	Carbopol 934	0,25
	Emsorb 6915	2,00
C.	Trietanolamina	1,20

Procedimiento: Calentar *A* y *B* a 80 °C. Añadir *A* a *B* lentamente con agitación. Mezclar perfectamente y añadir *C.* Enfriar manteniendo la agitación.

Geles

Un buen gel es un excelente modo de presentar un repelente de insectos y puede ser de base alcohólica, acuosa u oleosa. Algunas de las fórmulas presentadas anteriormente en este capítulo como cremas son, en realidad, aceites gelificados opacos; sin embargo, generalmente se piensa que los geles son transparentes o casi transparentes. Los geles sencillos basados en Carbopol se pueden preparar como en el ejemplo 21.

Gel repelente personal[30]	(21)
	por ciento
MGK Intermediate 5734	10-15
Alcohol isopropílico	50
Agua	31-36
Carbopol 940	2
Ethomeen C-25	2

Procedimiento: Dispersar el Carbopol homogéneamente y hasta fluidez en la mezcla alcohol isopropílico-agua usando un sistema de elevada velocidad de mezcla; disminuir la agitación hasta que el Carbopol esté plenamente hinchado. Añadir MGK Intermediate, después de añadir el Ethomeen hasta formar un gel denso.

La fórmula anterior da un producto ligeramente opalino, verde pálido. Un gel transparente, brillante, suave, con emoliencia adicional, se puede formular como sigue[54]:

| | (22) |
	por ciento
MGK Intermediate 5734	10,00
Alcohol al 96 por 100	50,00
Carbopol 940	0,75
Agua	28,25
Di-isopropanolamina, sol. acuosa al 10 por 100	8,00
Solulan 98	3,00
Perfume, conservantes	c.s.

Procedimiento: Dispersar el Carbopol en el agua usando elevada velocidad de agitación. Mezclar MGK Intermediate y alcohol, reducir la velocidad de agitación y añadir la solución de di-isopropanolamina seguida del Solulan 98 y mezclar hasta uniformidad.

Barras

Generalmente, las barras han demostrado ser menos efectivas a causa de la dificultad de transferir suficiente repelencia a la piel. Sin embargo, dos fórmulas son interesantes como productos típicos; una es una barra gel jabón-alcohol y otra es un producto basado en ceras.

En el ejemplo 23 se utiliza MGK Intermediate que no contiene Repellent 396 por que se ha demostrado que este último se descompone rápidamente en barras basadas en jabón. Se asegura que se conserva consistente a elevadas temperaturas, y que es semitransparente.

| *Barra repelente de uso personal*[30] | | (23) |
		por ciento
A.	MGK Intermediate 6561	20,0
	Alcohol isopropílico	64,5
	Glicerina	5,0
	Sorbo, sorbitol jarabe	4,0
B.	Sodio, estearato	6,0
	Alcohol estearílico	0,5

Procedimiento: Calentar *A* a 55-65 °C y agitar hasta uniformidad. Añadir *B* y calentar a 65-70 °C agitando hasta transparencia. Inmediatamente verter en moldes y enfriar.

| *Barra repelente tipo cera*[32] | | (24) |
		por ciento
A.	Repellent 790	20
B.	Lanolina	25
	Cera parafina, p.f. 68-72 °C	20
	Esperma de ballena (o sustituto)	20
	Aceite mineral, viscoso	15
	Colorante, perfume	c.s.

Procedimiento: Fundir *B* a 75 °C, mezclar y agitar en *A*. Añadir el perfume a 55-60 °C. Verter en moldes a 39-40 °C.

Una patente EE. UU.[56] divulgó un producto tipo barra (ejemplo 33) que contenía una elevada proporción de un repelente activo en una base de jabón. Se plastificó con glicerina, y se afirmó que era transparente, estable a extremas temperaturas usualmente encontradas, no quebradiza y fácilmente aplicable a la piel.

	(33)
	partes
Dimetilo, ftalato	18,2
Etilhexanodiol	18,0
Alcohol isopropílico (al 91 por 100)	31,5
Sodio, estearato (pulverizado)	20,3
Glicerina	12,1
Agua destilada	3,5
Colorante, solución	1,2
Perfume	1,2

Procedimiento: Mezclar juntos los tres primeros ingredientes y añadir el estearato sódico, agua y colorante en solución a la mezcla. Calentar a 81-82 °C agitando de vez en vez. Cuando se obtenga una solución transparente, generalmente, en siete a diez minutos, eliminar la fuente de calor y dejar enfriar a 60 °C. Añadir el perfume y verter en moldes; enfriar a temperatura ambiente.

Al fabricar tales barras, al menos se incorporará un 30 por 100 de repelente; el agente gelificante puede ser cera de abeja con adición de aceites, grasas y ceras para obtener la viscosidad deseada.

Toallitas

Está aumentando la aceptación popular de toallitas de papel o tejido para aplicar productos varios de higiene y cosméticos. Una solución adecuada para impregnar se prepara del modo siguiente[30]:

	(34)
	por ciento
MGK Intermediate 5734	10-25
Alcohol isopropílico	56-50
Agua	34-25

REFERENCIAS

1. Symposium on Insects and Disease. *J. Am. med. Assoc.*, 1966, **196**, 236 *et seq.*
2. Maibach. H. I., *et al., J. Am. med. Assoc.*, 1966, **196**, 263.
3. Novak. D., *Acta hyg.*, 1959, 7(2), 84.
4. Wright. R. H. and Burton, D. J., *Pyrethrum Post*, 1969, **10**(2), 14.
5. *Norda Briefs* no. 469, 1975. Norda Inc., East Hanover, NJ 07936.
6. Kellogg. F. E., Burton. D. J. and Wright. R. H., *Can. Entomol.*, 1968. **100**, 736.
7. Burton. D. J., *Am. Perfum. Cosmet.*, 1969, **84**(4), 41.
8. British Columbia Research Council. University of British Columbia. Vancouver 8. Canada. reported in *Soap Perfum. Cosmet.*, 1968, **41**, 502; *Soap chem. Spec.*, 1968, **44**(9). 68.

 9. Müller, A., *Internationaler Kodex der Ätherischen Öle*, Heidelberg, Alfred Hüthig, 1952.
10. Draize, J. H., Alvarez, E., Whitesell, M. F., Woodward, G., Hagan, E. C. and Nelson, A. A, *J. pharmacol, exp. Ther.*, 1948, **93**, 26.
11. *Martindale, The Extra Pharmacopoeia*, 26th edn. ed. Blacow, N. W., London, Pharmaceutical Press, 1972.
12. *Insect Resistance and Vector Control. Tenth Report of the Expert Committee on Insecticides*, Tech. Rep. Ser. World Health Organisation no. 191, 1960.
13. Gilbert, I. H., *J. Am. med. Assoc.*, 1966, **196**, 164.
14. Gouck, H. K., *Arch. Dermatol.*, 1966, **93**, 112.
15. Smith, C. N., *J. Am. med. Assoc.*, 1966, **196**, 236.
16. Harry, R. G., *The Principles and Practice of Modern Cosmetics*, vol. 2, *Cosmetic Materials*, rev. Myddleton, W. W., London, Leonard Hill, 1963.
17. Wright, R. H., *Nature (London)*, 1956, **178**, 638.
18. Granett, P. and Haynes, H. L., *J. econ. Entomol.*, 1945, **38**, 671.
19. US Patent 2 407 205, Union Carbide, 11 February 1943.
20. McClure, H. B., *Chem. Eng. News*, 1944, **22**, 416.
21. Gilbert, I. H., *J. Am. med. Assoc.*, 1966, **196**, 253.
22. McLaughlin Gormley King, Minneapolis, Minn. 55427, Technical Bulletin, *MGK Diethyltoluamide*, 1974.
23. Gilbert, I. H. and Gouck, H. K., *Florida Entomol.*, 1955, **38**, 153 (in *Chem. Abstr.*, 1956, **50**, 6732).
24. Gilbert, I. H., Gouck, H. K. and Smith, C. N., *J. econ. Entomol.*, 1955, **48**, 741.
25. Gilbert, I. H., Gouck, H. K. and Smith, C. N., *Soap chem. Spec.*, 1957, **33**(5), 115.
26. Clyde, D. F. and Kingazi, H., *East Afr. med. J.*, 1957, **34**, 185, reported in ref. 11 above.
27. Hercules Powder Company, Wilmington, Del., *Technical Bulletin no. 213*, 1957.
28. Major, R. T. and Hess, H. J., *J. Am. pharm. Assoc., sci. Ed.*, 1959, **48**, 485.
29. US Patent 3 463 855, S. C. Johnson, 26 August 1969.
30. McLaughlin Gormley King, Minneapolis, Minn. 55427, USA, Technical Bulletin: *MGK Repellents for Personal Use*, 1977.
31. McLaughlin Gormley King, *Dairy Stock Spray Bulletin*, 1972.
32. E. Merck, Darmstadt, Germany, *Product Information*: Repellent 790.
33. US Patent 2 991 219, Bruce, W. N., 1961.
34. German Patent 1 055 283, Merck, E., 7 September 1957.
35. Ralston, A. W. and Barrett, J. P., *Oil, Soap*, 1941, **18**, 89.
36. Nabokov, V. A., *Annu. Rev. Soviet Med.*, 1945, **2**, 449.
37. Shambaugh, G. F., Pratt, J. J., Kaplan, A. M. and Rogers, M. R., *J. econ. Entomol.*, 1961, **61**, 1485.
38. Weaving, A. J. S. and Sylvester, N. K., *Pyrethrum Post*, 1967, **9**(1), 31.
39. Sylvester, N. K. and Weaving, A. J. S., *Pyrethrum Post*, 1967, **9**(2), 18.
40. Quintana, R. P., Garson, L. R. and Lasslo, A., *Can. J. Chem.*, 1968, **46**, 2835.
41. Quintana, R. P., Garson, L. R. and Lasslo, A. *Can. J. Chem.*, 1969, **47**, 853.
42. Quintana, R. P., Lasslo, A., Garson, L. R., Smith, C. N. and Gilbert, I. H., *J. pharm. Sci.*, 1970, **59**, 1503.
43. US Patent 3 624 204, Stepanov, M. K. *et al.*, 30 November 1971.
44. British Patent 1 297 351, Dow Corning Corp., 22 October 1972.
45. British Patent 1 301 045, Dow Corning Corp., 29 December 1972.
46. Gualtieri, F., Johnson, H., Maibach, H. I., Skidmore, D. and Skinner, W., *J. pharm. Sci.*, 1972, **61**, 577.
47. Klier, M. and Kuhlow, F., *J. Soc. cosmet. Chem.*, 1976, **27**, 141.
48. Atlas Chemical Industries, *Atlas Manual for the Cosmetic and Pharmaceutical Industries*, 1978.
49. Dragoco (Great Britain) Ltd, data sheet, *Prosolal S.8 sun-screen agent*, 1966.
50. Todd, J. P., *Pharm. J.*, 1950, **165**, 2.
51. US Patent 2 404 698, Du Pont de Nemours, 4 January 1945.

52. Croda Chemicals Ltd, Cowick Hall, Snaith, Goole, N. Humberside DN 14 9AA, Technical Bulletin, *Crills and Crillets*.
53. R.T. Vanderbilt Co. Inc., New York, NY 10017, Bulletin no. 44, *Veegum*.
54. American Cholesterol Products Inc., Edison, NJ 08817, *Amerchol Laboratory Handbook for Cosmetics and Pharmaceuticals*.
55. Emery Industries Inc., Linden, NJ 07036, *Malmstrom Chemicals Cosmetic and Proprietary Formulations*.
56. US Patent 2 465 470, Onohundro, A. L, Neumeier, F. M. and Zeitlin, B. R., 1949.

15

Productos protectores solares, bronceadores, antiquemaduras solares

LUZ SOLAR Y EL CUERPO HUMANO

Introducción

La exposición a la radiación solar puede tener efectos beneficiosos y perjudiciales sobre el cuerpo humano, dependiendo de la duración y frecuencia de la exposición, la intensidad de la luz solar y la sensibilidad del individuo considerado.

El efecto más manifiesto de la exposición a los rayos del sol es ante todo el eritema de la piel, seguido de la formación de un bronceado que parece haber sido adoptado por la civilización mundial actual como un símbolo de salud física. En realidad, el desarrollo del bronceado es una reacción de protección del cuerpo humano para reducir el efecto nocivo de la radiación solar.

La intensidad del eritema (enrojecimiento) producido en la piel debido a la exposición a la radiación solar depende de la cantidad de energía ultravioleta absorbida por la piel. En general, el eritema comienza a desarrollarse después de un período de latencia de dos a tres horas, y alcanza su máxima intensidad en las diez a veinticuatro horas después de la exposición.

Bronceado

La capacidad bronceadora de un individuo está predeterminada genéticamente y, depende de su posibilidad para producir pigmento en los melanocitos.

Las respuestas al bronceado se estimulan por las longitudes de onda eritemógena (así como mayor longitud) en los intervalos de radiación ultravioleta y visible. Existen tres tipos de respuestas al bronceado:

a) bronceado inmediato;
b) bronceado retardado;
c) bronceado real, también conocido como melanogénesis.

El bronceado inmediato es estimulado por la energía comprendida entre 300 y 660 μm, y su eficacia máxima se sitúa entre 340 y 360 μm. Implica el oscurecimiento inmediato de los gránulos de melanina no oxidados presentes en la capa epidérmica de la piel, próximos a su superficie. Alcanza un máximo aproximadamente una hora después de la exposición a la radiación, y comienza a perder color al cabo de dos a tres horas después de la exposición.

El bronceado retardado implica la oxidación de los gránulos de melanina presentes en la capa de células basales de la epidermis y su emigración hacia la superficie de la piel. Puede iniciarse tan pronto como una hora después de la exposición, alcanza una cota máxima después de unas diez horas y, posteriormente, pierde color rápidamente después de cien a doscientas horas tras la exposición.

El bronceado retardado y también el bronceado real se estimulan principalmente por la denominada radiación eritemógena, esto es, por longitudes de onda comprendidas entre 295 y 320 μm.

El bronceado real comienza aproximadamente dos días después de la exposición y alcanza un máximo hacia las dos o tres semanas posteriores.

Efectos benéficos de la radiación solar

La exposición moderada del cuerpo humano al sol produce, psicológicamente y fisiológicamente, una sensación de salud, sosiego mental y bienestar general. También tiene ciertos efectos benéficos determinados sobre la salud humana. Estimula la circulación sanguínea, aumenta la formación de hemoglobina y también puede promover una reducción de la presión sanguínea. Más aún, desempeña un papel vital en la prevención y tratamiento del raquitismo, produciendo —a través de la activación del 7-dehidrocolesterol (provitamina D_3) presente en la epidermis— vitamina D, que incrementa la absorción del calcio del intestino.

Se ha utilizado en el tratamiento de ciertos tipos de tuberculosis, tal como la tuberculosis de glándulas y de huesos, y el tratamiento de ciertas enfermedades cutáneas, como la psoriasis. También se cree que ejerce una influencia beneficiosa sobre el sistema nervioso autónomo y disminuye la sensibilidad de los individuos a determinadas infecciones. Por último, al producir melanina y originar un engrosamiento de la piel, desempeña un papel esencial en la formación del mecanismo de protección natural del cuerpo a las quemaduras.

Efectos adversos de la radiación solar

La radiación solar puede tener efectos adversos tanto a corto como a largo plazo.

Quemaduras solares

El efecto a corto plazo, por lo que a la piel se refiere, es una lesión temporal de la epidermis, manifestándose por sí misma en los síntomas conocidos de las quemaduras. Estos pueden variar en su gravedad desde un ligero eritema a quemaduras dolorosas y ampollas en los casos más graves; cuando se han afectado grandes cantidades de piel, se acompaña de escalofríos, fiebre, náuseas y, algunas veces, prurito.

Según KELLER[1], los síntomas de las quemaduras solares son el resultado directo de la lesión o destrucción de células en la capa celular espinosa de la piel, posiblemente por desnaturalización de sus constituyentes proteicos. Las sustancias similares a la histamina liberadas por las células dañadas son responsables de la dilatación de los vasos sanguíneos y del eritema. También causan hinchazón de la piel (edema) y estimulan las células basales de la piel a la proliferación.

Durante el período de latencia precedente a la aparición de los síntomas de las quemaduras solares, los productos de degradación fotoquímica formados como consecuencia de la irradiación solar se consideran que desencadenan una serie de reacciones de radicales libres que conducen a la formación de sustancias biológicamente activas, como se ha comentado anteriormente, que se difunden a través de los vasos sanguíneos dérmicos y producen los síntomas descritos.

Como resultado de los experimentos realizados en los EE. UU. con la exposición solar al mediodía del mes de junio, LUCKIESH[2] llegó a las siguientes definiciones de cuatro grados de quemaduras solares:

1. *Eritema mínimo perceptible:* una ligera, pero discernible coloración roja o rosácea de la piel producida en veinte minutos.

2. *Eritema intenso:* una coloración roja brillante de la piel, no acompañada de dolor alguno, producida en cincuenta minutos.

3. *Quemadura dolorosa:* caracterizada tanto por eritema intenso como por dolor, variando desde leve a intensa, producida en cien minutos.

4. *Quemadura con ampollas:* caracterizada por un extremadamente alto nivel de dolor acompañado de eritema intenso y, posiblemente, de síntomas sistemáticos con ampollas y descamación, producido en doscientos minutos.

Las quemaduras producidas por el sol no dejan cicatriz alguna. Una quemadura leve protegida de exposición posterior al sol desaparece al cabo de veinticuatro a treinta y seis horas. Las quemaduras más graves generalmente se curan al cabo de cuatro a ocho días. Si la inflamación subsiste, ésta irá seguida por la descamación de la piel.

Exposición crónica

La exposición crónica a la luz solar intensa, a que con frecuencia se someten marineros, granjeros y obreros de la construcción, ocasiona riesgos más graves, tal como, por ejemplo, desarrollo de cáncer. También pueden producirse alteraciones degenerativas del tejido conectivo de la dermis, y conduce al denominado envejecimiento de la piel. Esto se pone de manifiesto por el engrosamiento de la piel, pérdida de su elasticidad natural y la aparición de arrugas, todo esto como resultado de la pérdida de la capacidad de fijar agua a la piel. Existe también un aumento de la tendencia a manchas cutáneas.

La exposición excesiva a la radiación solar también puede agravar o ser la causa directa de algunas enfermedades cutáneas, variando desde una dermatitis transitoria hasta un cáncer de piel. Ciertos tipos de dermatitis se producen por fotosensibilización como consecuencia de la radiación solar en presencia de ciertas sustancias colorantes y químicas, tal como la tetraclorosalicilanilida. Otro ejemplo es la dermatitis de Berlock, una decoloración irregular de la piel resultante de la aplicación de aceite de bergamota o la colofonía alcohólica a la piel seguida de la exposición a la radiación solar. LERNER, DENTON y FITZPA-TRICK[3] sugieren que los psoralenos presentes en la bergamota y en otros aceites de cítricos son responsables de la dermatitis de Berlock.

Existen algunas pruebas que avalan la opinión de que el exceso de radiación solar es un factor principal en la producción del cáncer cutáneo y en que coinciden los límites de la radiación ultravioleta de las longitudes de ondas eritemógena y carcinogénicas. En consecuencia, según PERS[4], la mayor inciden-cia del cáncer cutáneo se podría esperar que se produjera en regiones con radiaciones solares ricas en radiaciones ultravioletas más cortas.

ROFFO[5] ha demostrado que los crecimientos malignos se producen funda-mentalmente en aquellas regiones del cuerpo que reciben la mayor cantidad de radiación, tal como cuello, cabeza, brazos y manos. PASSEY[6] considera que los marineros que están expuestos a radiación solar intensa durante un número de años desarrollan cáncer de piel con más frecuencia que otros individuos. Tam-bién se sabe que las personas de piel clara son más susceptibles al cáncer cutáneo que las personas con pigmentación más oscura, y que los negros se caracterizan por su resistencia al cáncer cutáneo, señal de que una pigmentación oscura protege a los no blancos frente a los efectos nocivos de la radiación solar.

AUERBACH[7] encontró un índice de crecimiento constante en la incidencia del cáncer cutáneo avanzando hacia el sur y el ecuador, que se duplica por cada 3° 48' de reducción en latitud; el crecimiento en la incidencia de este modo se ha relacionado con un aumento en la exposición de los individuos a la radiación solar en las latitudes meridionales sobre las latitudes septentrionales.

La verificación de la existencia de riesgos a largo plazo de la radiación solar condujo a algunos dermatólogos a propugnar la adopción de medidas de precaución en una escala más amplia que la practicada hasta el momento. Por ejemplo, KNOX[8] sugirió la inclusión de filtros solares en bases de maquillajes, polvos faciales, lociones para después del afeitado, y afirmó que 2,4-dihidroxi-benzofenona, en un vehículo de alcohol y aceite de silicona, proporciona excelente protección a los individuos fotosensibles y también evita el bronceado.

Radiación solar y sus efectos sobre la piel

La radiación solar está compuesta de un espectro continuo de longitudes de ondas que varían desde el infrarrojo pasando por la radiación visible hasta la región ultravioleta. La radiación infrarroja comprende longitudes de onda superiores a 770 μm; las longitudes de onda de la radiación visible están comprendidas entre 400 y 770 μm, mientras que la radiación ultravioleta comprende longitudes de onda entre 290 y 400 μm.

La piel responde de forma diferente a las radiaciones de longitudes de onda distintas. El enrojecimiento de la piel producido por radiación visible e infrarroja (390-1400 μm) aparecerá inmediatamente, y disminuye rápidamente al final de la exposición. La radiación entre 320 y 390 μm induce la pigmentación aunque no sea eritemogénica. El eritema se origina esencialmente por la exposición a la radiación ultravioleta entre 320 y 290 μm, aunque también se pueda producir por radiación a longitudes de onda más cortas.

Muchos investigadores han tratado de definir cuáles son las partes aisladas del espectro ultravioleta que originan la quemadura solar y el bronceado. Con el fin de simplificar, muchos han utilizado fuentes de radiación ultravioleta artificiales, tales como lámparas de arco de varios tipos. Debe recordarse que la radiación total de estas fuentes incluye alguna radiación de longitud de onda tan baja como 200 μm, y a pesar de que las longitudes de onda más bajas se filtran de la radiación solar por el ozono de la atmósfera superior, el cosmetólogo tiene a veces que tratarse con bronceamiento por lámparas solares artificiales así como por los rayos solares.

LUCKIESH y TAYLOR[9] realizaron una investigación clásica en este campo y establecieron las curvas del espectro de producción de bronceado y eritema. Utilizando una gama de filtros para aislar bandas estrechas de longitudes de ondas desde la radiación generada por una lámpara eléctrica de arco, bajo un filtro de agua para absorber calor, encontraron que la acción sobre las areas expuestas dependía de la longitud de onda de la energía a la cual se había expuesto. Se evaluaron el eritema y el bronceado inmediatamente después de la exposición, al día siguiente y a intervalos semanales posteriores. Examinaron la piel bajo radiación ultravioleta y concluyeron que el eritema y el bronceado se pueden producir simultáneamente, pero un intenso eritema puede ocultar el bronceado.

Respecto a la longitud de onda, encontraron que a longitudes de ondas superiores a unos 330 μm, las zonas aparecían algo bronceadas y tostadas inmediatamente después de la exposición. Después, se desarrolla un eritema junto al bronceado. Las longitudes de ondas de 334,2 y 366,3 μm son especialmente efectivas en la producción del bronceado con un mínimo eritema. A longitudes de onda de aproximadamente 295-315 μm no producen un efecto visible inmediato, sino que después de algunas horas comienza un eritema definido. Al cabo de algunos días, disminuye el eritema y se forma un bronceado. A 250-270 μm, el eritema es bastante superficial y desaparece a los pocos días sin que se produzca el bronceado.

No encontraron diferencias en la velocidad de desaparición del eritema del bronceado producido a longitudes de ondas diferentes.

Las conclusiones deducidas fueron que la curva del espectro eritemógeno no se puede separar de la curva de la efectividad del bronceado a longitudes de onda superiores a los 295 μm, al menos para aquellos efectos del bronceado que puedan aparecer al cabo de doce horas, cuando aproximadamente el eritema alcanza su máximo.

Utilizando exposiciones suberitemógenas intermitentes, LUCKIESH y TAYLOR comprobaron que una única exposición del 40 por 100 de inferior duración que una que no produce bronceado ni eritema cuando se aplicaba intermitentemente, podía producir eritema o bronceado. Estos resultados parecen indicar que, si se desea el bronceado, las exposiciones deben ser lo suficientemente prolongadas como para producir algo de eritema.

BLUM[10] clasificó la radiación por debajo de 320 μm como eritematosa, y las de 300-420 μm, como melanogénicas.

Para resumir los trabajos anteriores y otros, la zona ultravioleta (UV) puede ser subdividida en las tres bandas siguientes:

1. La zona UV-A, también denominada radiación ultravioleta de onda larga, tiene longitudes de ondas comprendidas entre 320 a 400 μm con un máximo amplio a 340 μm. Esta zona se considera responsable del bronceado directo de la piel sin inflamación preliminar, posiblemente debido a la fotooxidación de la forma leuco de la melanina ya presente en la capa superior de la piel; sin embargo, es débil en la producción de eritema.

2. La zona UV-B de la radiación ultravioleta cae dentro de las longitudes de ondas 290 y 320 μm. También se conoce como la radiación de quemaduras solares o radiación ultravioleta media y posee un máximo de eficacia alrededor de 297,6 μm. Esta es la zona ultravioleta eritematógena responsable de la producción de quemaduras solares, así como de reacciones irritantes que conducen a la formación de melanina y al desarrollo del bronceado.

3. La zona UV-C, también conocida como radiación germicida o radiación ultravioleta corta, comprende longitudes de ondas entre 200 y 290 μm. Aunque es perjudicial para el tejido, es filtrada en gran cantidad de la radiación solar por el ozono de la atmósfera. Sin embargo, se puede emitir por fuentes ultravioletas artificiales. Aunque no es eficaz en la estimulación del bronceado, puede causar eritema.

Las bandas A, B y C de la radiación ultravioleta emiten diferentes cantidades de energía y producen reacción eritemógena a diferentes intervalos de tiempo después de la exposición. Se requieren aproximadamente 20-50 J cm^{-2} de radiación UV-A para producir eritema mínimo perceptible en comparación con sólo 20-50 mJ cm^{-2} de energía UV-B, y 5-20 mJ cm^{-2} de energía UV-C.

En el caso de la energía UV-A, el eritema de la piel producido como resultado de la exposición a esta radiación alcanza su máxima intensidad aproximadamente a las setenta y dos horas después de la exposición, mientras que, en el caso de la radiación UV-B, la reacción eritemógena alcanza su máxima intensidad al cabo de las seis a veinticuatro horas después de la exposición.

Además, las proporciones de energía de diferentes longitudes de onda varían con muchos otros factores, tales como el momento del día, la estación del año, la altitud, la latitud, la humedad y la presencia de humo o partículas de suciedad en la atmósfera.

Concepto de E-viton y mínima dosis eritemógena

Para cuantificar la energía eritematosa, LUCKIESH y TAYLOR[9] adoptaron como unidad de flujo eritematoso, independientemente de la longitud de onda, el E-viton, equivalente a 10 microwatios de energía radiante a 296,7 μm de longitud de onda donde el efecto eritemógeno es máximo.

La unidad de intensidad del flujo eritemógeno es 1 E-viton cm^{-2} (también se denomina Finsen).

La medida de la intensidad es indirecta y se basa en la premisa de que, para producir un eritema mínimo perceptible sobre una media de piel no bronceada, se requiere una exposición de aproximadamente 40 E-viton min cm^{-2} de piel. Así, un eritema mínimamente perceptible (MPE, *minimal perceptible erythema*) se produce por una de las siguientes exposiciones:

1 E-viton cm^{-2} actuando durante cuarenta minutos.
10 E-viton cm^{-2} actuando durante cuatro minutos.
40 E-viton cm^{-2} actuando durante un minuto.

En las figuras 15.1 y 15.2 se muestra la intensidad de energía solar ultravioleta eritemógena en E-viton cm^{-2} sobre un plano horizontal con variaciones en horas durante tres días determinados.

La energía requerida para producir un eritema mínimo perceptible se conoce actualmente como MED (dosis mínima de eritema, MED, *mínima erythema dose*). Se ha determinado tanto por radiación monocromática como policromática. Rottier[11] utilizó el tiempo requerido por el eritema ultravioleta (a diferencia del eritema caliente) en desarrollarse y desaparecer como una medida de la gravedad de la reacción eritematosa. El Eritema UV aparece varias horas después de la lesión producida en la piel, y el período de latencia depende de la dosis ultravioleta. Así, la latencia asociada con 1 MED es de 8-10 horas, mientras que con 8 MED puede disminuir a una o dos horas. El eritema producido por una dosis superior a 3 MED puede persistir durante varios días, mientras que veinticuatro horas después de tal dosis puede dar un edema que persiste varias horas. Dosis mayores pueden causar edema grave durante días, mientras que el eritema puede permanecer durante meses, aunque puede resultar imperceptible bajo un bronceado intenso.

Cada longitud de onda tiene una dosis eritemógena mínima específica, y una representación gráfica de log MED (s cm^{-2}) frente a la longitud de onda (μm) para longitudes de onda de 250 μm hasta aproximadamente 550 μm da un

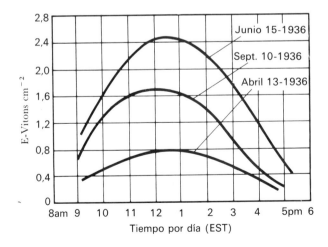

Fig. 15.1. Energía ultravioleta medida como eritema o antirraquítica incidente en un plano horizontal durante tres días claros de abril, junio y septiembre. La exposición a aproximadamente 40-E-viton min cm^{-2} produce un eritema apenas perceptible en piel media no bronceada. (Cortesía de *American Perfumer.*)

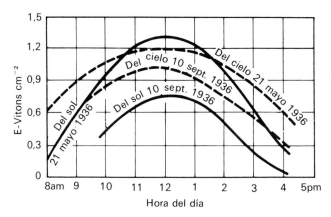

Fig. 15.2. Energía ultravioleta medida como eritema o antirraquítica incidente en un plano horizontal procedente del sol y de cielo despejado en dos días claros de mayo y septiembre. (Cortesía de *American Perfumer*.)

«espectro de acción» que demuestra que la piel es más sensible a radiaciones de longitude de ondas de 250-297 µm, y, con mucho, menos sensible a longitudes de onda superiores.

KREPS[12] estudió la respuesta relativa de «piel caucasiana normal» a radiación monocromática, y encontró que variaba marcadamente con la longitud de onda de la radiación.

La producción de eritema y la producción posterior de pigmento melánico existen ambos a una longitud de onda máxima de 296,7 µm, y disminuye en factores de 10 a cada una de las siguientes longitudes de onda: 307, 314, 330 y 340 µm.

Existen ligeras diferencias en las definiciones de MED. Según una definición, es la cantidad de energía procedente de cualquier fuente requerida para producir una reacción de enrojecimiento perceptible de la piel. ANDERSON[13] lo definió como el tiempo en segundos requerido por una lámpara ultravioleta para producir una zona de eritema que se desarrolla después de seis horas y aún continúa visible después de veinticuatro horas. BLUM y TERUS[14] definen MED como la cantidad de radiación electromagnética requerida por unidad de superficie para producir un eritema perceptible en un tiempo especificado después de la exposición. Actualmente, se puede definir MED como el tiempo de exposición a cualquier fuente determinada de UV (sol o lámparas UV) requerida para producir un eritema que se desarrolla después de seis horas y aún es visible después de veinticuatro.

La cuantificación energética de la radiación productora de quemadura solar propuesta por LUCKIESH se ilustra en la tabla 15.1, en la cual el grado de la quemadura solar resultante de diferentes tiempos de exposición se relaciona con la intensidad de flujo eritematoso y la dosis mínima de eritema (MED).

La duración de tiempo requerido para producir el eritema mínimo perceptible y, por tanto, 1 MED, depende tanto de la cantidad de energía emitida por la fuente de radiación, como de la respuesta de la piel de un individuo dado a la luz solar, que a su vez dependerá de su pigmentación. El tiempo requerido para producir un MED es menor en individuos de piel clara que en los de piel oscura. El MED para un negro de piel oscura se ha publicado que es de aproximadamente 33 veces mayor que para un caucasiano de tez clara.

Las reacciones a la exposición de la luz solar también varían con la estación y el momento del día. Por ejemplo, al nivel del mar, la energía ultravioleta de la radiación solar es superior entre diez y catorce horas a mediados del verano, con un máximo de energía UV-B que cae sobre la piel al mediodía. Por la mañana temprano o al anochecer, cuando la luz solar cae sobre la piel en un ángulo inferior, la intensidad de la energía solar es considerablemente más baja y es más improbable que se produzca quemadura solar.

Tabla 15.1. Cuantificación energética de radiación productora de quemadura solar.

Grado de eritema	Exposición (min)	E-viton (s cm⁻²)	Valor MED
Eritema mínimo perceptible	20	2500	1,0
Eritema intenso	50	6250	2,5
Quemadura solar dolorosa	100	12 500	5,0
Quemadura solar con ampollas	200	25 000	10,0

Los diferentes tiempos de exposición requeridos para producir varios grados de quemaduras solares en el promedio caucasiano no protegido y no bronceado pueden verse en la tabla 15.2, que también ilustra sobre las diferencias en exposiciones para producir los mismos efectos a diferentes latitudes. El tiempo de exposición para producir quemaduras solares puede ser considerablemente reducido por reflejo de radiación ultravioleta adicional procedente de nieve y arena de la playa.

Mecanismo protector de la piel

Los dos factores responsables principales de la protección natural de la piel frente a quemaduras solares son el espesor del estrato córneo y la pigmentación de la piel.

Tabla 15.2. Tiempos de exposición para varios grados de quemaduras solares[15]

Grado de quemadura	Valor MED	Duración de exposición (min) New Jersey (lat. 40 °N)	Florida (lat. 25 °N)
Eritema mínimo	1	21	10
Eritema intenso	2	42	25
Quemadura solar dolorosa	4	50	50
Quemadura solar con ampollas	8	165	120

Varios autores que han investigado la naturaleza del mecanismo protector de la piel han demostrado que la radiación solar aumenta la velocidad mitótica de las células epidérmicas, originando un engrosamiento del estrato córneo en el transcurso de cuatro a siete días y, de este modo, hacen lo más impermeable el paso de la radiación eritemógena.

Cierto grado de protección a quemadura solar se proporciona por un incremento en el contenido de melanina de la epidermis. Los gránulos de melanina que se forman en las células de la capa basal de la piel a consecuencia de la acción de la radiación UV-B emigran hacia arriba en dirección al estrato córneo y a la superficie de la piel, donde se piensa que son oxidados por la radiación de la zona UV-A. Estos gránulos se desprenden finalmente durante la descamación, ocasionando a la piel su pérdida de inmunidad a las quemaduras solares.

Los efectos dolorosos posteriores de la radiación solar sobre la piel no protegida, que tan frecuentemente siguen a un baño de sol, normalmente pueden prevenirse con una exposición gradual. La exposición inicial (permitida según la sensibilidad del individuo en concreto) no debe exceder de uno a quince minutos, y debe aumentarse progresivamente, siendo el aumento diario en la exposición del orden del 40 por 100 respecto al día anterior. Esto garantizará el desarrollo de una inmunidad completa a las quemaduras solares al cabo de diez a doce días. La máxima pigmentación se puede alcanzar después de más de cien horas de exposición.

HAIS y ZENISEK [16] han sugerido que el ácido urocánico presente en el estrato córneo, en proporción del 0,6 por 100, puede actuar como un agente filtro fisiológico natural, al absorber la radiación ultravioleta del intervalo 300-325 μm. Su elución de la piel durante el baño explica el incremento de sensibilidad de la piel a la quemadura solar.

ROTTIER [11] propuso una clasificación arbitraria de las personas en tres grupos según su reacción a la radiación solar.

Grupo 1: «Los insensibles» con buena habituación y pigmentación.

Grupo 2: «Los sensibles» con mala habituación y sin pigmentación.

Grupo 3: «Los enfermos» con reacción cutánea patológica a la radiación solar.

Indicó que los holandeses pertenecientes al Grupo 1 pueden recibir 1-3 MED 306 de una a tres horas en una primera exposición del torso al sol de verano. Esto no daña su piel. La repetición de tales dosis en los días siguientes producirá gradualmente un bronceado marrón-rojizo. Los individuos, después de una semana de exposición, toleran fácilmente de ocho a diez horas de radiación solar por día, incluso en latitudes mediterráneas.

Los individuos del Grupo 2 pueden recibir 4-10 MED 306 en una primera exposición de una hora. Esto puede causar una quemadura solar desagradable por la tarde. Los individuos de este grupo nunca deben exponerse al sol durante períodos de tiempo superiores a los del primer grupo, y se ponen rojos como langostas sin obtener mucho bronceado.

Los individuos insensibles no requieren un alto factor de filtro y, para conseguir bronceado, necesitarán un eritema bastante intenso. Como filtros solares utilizarán normalmente un aceite que no filtre la longitud de onda ultravioleta corta. Por otro lado, los individuos sensibles necesitarán protección real frente a los rayos ultravioleta, con el fin de resistir exposiciones más prolongadas sin ninguna quemadura solar desagradable.

Una clasificación más moderada de los tipos de piel y las características de los productos filtros solares para su protección se dará posteriormente (pág. 269).

PREPARADOS CON FILTROS SOLARES Y BRONCEADORES

Introducción

La finalidad de los preparados filtros solares y bronceadores es prevenir o disminuir los efectos perjudiciales de la radiación solar o colaborar en el bronceamiento de la piel sin ningún efecto doloroso.

Clasificación filtros solares según su aplicación

Según la intencionalidad de su aplicación, los filtros solares se pueden clasificar de la forma siguiente.

1. Los agentes preventivos de quemadura solar se definen como filtros solares que absorben el 95 por 100 o más de la radiación ultravioleta dentro de longitudes de onda 290-320 μm.

2. Los agentes bronceadores al sol se definen como filtros solares que absorben al menos el 85 por 100 de la radiación ultravioleta dentro del intervalo de longitudes de onda 290 a 320 μm, pero transmiten radiación ultravioleta de longitudes de onda superiores a los 320 μm y producen un ligero bronceado transitorio. Estos agentes producirán cierto eritema, pero sin dolor.

Los filtros solares de estas dos categorías son filtros solares químicos que absorben una zona específica de radiación ultravioleta. En alguna circunstancia, los mismos filtros solares se pueden emplear en ambos tipos de productos, pero a concentraciones diferentes (menores en un producto bronceador solar).

3. Agentes bloqueantes solares opacos, cuyo fin es suministrar la máxima protección en forma de una barrera física. Los agentes que con más frecuencia se utilizan en este grupo son dióxido de titanio y óxido de zinc. El dióxido de titanio refleja y dispersa prácticamente toda radiación en las zonas ultravioleta y visible (290-777 μm), de modo que evita o minimiza tanto la quemadura solar como el bronceado.

Sin embargo, se debe destacar que los agentes bloqueantes solares opacos basados en sustancias inorgánicas no son los únicos compuestos que pretenden conferir la máxima protección frente a la radiación solar. «Supershade 15», un producto de Plough Corporation que contiene una asociación del 7 por 100 del éster del ácido octil-dimetil-p-aminobenzoico y el 3 por 100 de oxibenzona, se declara tener un factor de protección solar de 15 (pág. 269), y proporcionar una protección completa frente a UV-B. También pretende que con su uso regular puede prevenir el cáncer cutáneo.

Otros productos que serán mencionados en este capítulo son los preparados paliativos y simulados. Los paliativos se destinan a aliviar el dolor y la irritación resultantes de una exposición excesiva al sol; muchos de ellos se adquieren en farmacias. Los preparados simulados se destinan para aquellos que desean mostrar una piel morena en un tiempo mínimo y con el menor dolor o trastorno posibles. Son preparados que esencialmente broncean la piel o promueven la síntesis de sustancias melanoides en la piel.

Agentes filtros solares

Los filtros solares, bien dispersan con eficacia la luz incidente o absorben la porción eritemógena de la energía radiante del sol. Las sustancias pulverizadas opacas, cuando se aplican en la piel en estado seco o incorporadas en vehículos adecuados, se utilizan para dispersar la radiación ultravioleta que incide sobre ellos. Como se indicó en Polvos faciales, en el Capítulo 18, el óxido de zinc es el más eficaz de tales polvos y es superior al dióxido de titanio en este aspecto. Otros polvos que se emplean para este fin, no obstante su ínfima eficacia, son caolín, carbonato cálcico, óxido de magnesio, talco, etc. Evidentemente, el tamaño de las partículas del polvo empleado es un factor de considerable importancia en tales preparados.

A pesar de que los polvos de este tipo se clasifican muy bajos en las ventas de preparados antiquemadura solar, cuando se aplican como una segunda línea de defensa sobre una base adecuada de filtro solar, suelen presentar posibilidades dispersantes de la radiación.

El tipo más importante de filtros solares es el que actúa absorbiendo la radiación eritemógena ultravioleta. Las propiedades imprescindibles en un filtro solar son:

1. Deben ser eficaces en absorber la radiación eritemógena en el inervalo de 290-320 μm sin descomposición que pueda reducir su eficacia u originar compuestos tóxicos o irritantes.

2. Deben permitir la transmisión total en el intervalo 300-400 μm para permitir el máximo efecto bronceante.

3. No deben ser volátiles y deben ser resistentes al agua y al sudor.

4. Deben poseer características adecuadas de solubilidad para hacer posible la formulación de un vehículo cosmético adecuado para adaptarse a la cantidad requerida de filtro solar.

5. Deben ser inodoros o al menos suficientemente suaves para ser aceptados por el usuario y satisfactorios en otras características físicas relacionadas, tal como pegajosidad, etc.

6. No deben ser tóxicos, irritantes, ni sensibilizantes.

7. Deben ser capaces de retener su propiedad protectora durante varias horas.

8. Deben ser estables en las condiciones de uso.

9. No deben manchar la ropa.

Son importantes la ausencia de toxicidad y la aceptabilidad dermatológica, porque, como ha destacado DRAIZE[17], «los filtros solares son únicos como cosméticos, pues en su modo de usarse pueden exigir aplicaciones múltiples y extensas diarias a una gran superficie del cuerpo y, además, se aplican a piel ya dañada por quemaduras del sol o del viento». Más aún, se utilizan en personas de todos los grupos de edades y en diferentes estados de salud.

Posteriormente, DRAIZE indicó que los ensayos farmacológicos y toxicológicos deben establecer un margen de seguridad de ocho veces, y estos requieren estudios de toxicidades dérmicas agudas y subagudas, y estudios de sensibilización potencial.

Durante la Segunda Guerra Mundial se realizaron investigaciones sistemáticas con varias sustancias apropiadas para proporcionar protección a soldados combatientes frente a quemaduras solares en países tropicales y a aviadores derribados sobre islas tropicales. Esto condujo a la introducción de muchas nuevas sustancias orgánicas, cada una de las cuales se ha seleccionado en cuanto a eficacia y toxicidad.

KLARMANN[18] recopiló una extensa lista de filtros solares. Incluye las siguientes sustancias:

Acido *para*-aminobenzoico y sus derivados (ésteres de etilo, isobulito, glicerilo; ácido *para*-dimetilbenzoico).

Antranilatos (p. ej., *orto*-aminobenzoatos, ésteres de metilo, mentilo, fenilo, bencilo, feniletilo, linalilo, terpenilo y ciclohexenilo).

Salicilatos (ésteres de amilo, fenilo, bencilo, mentilo, glicerilo y dipropilen glicol).

Derivados de ácido cinámico (ésteres de mentilo y bencilo; alfafenil cinamonitrilo; piruvato de butil cinamoilo).

Derivados del ácido dihidroxicinámico (umbeliferona, metilumbeliferona, metilacetato-umbeliferona).

Derivados del ácido trihidroxicinámico (esculetina, metilesculetina, dafnetina y los glucósidos esculina y dafnina).

Hidrocarburos (difenilbutadieno, estilbeno).

Dibenzalacetona y benzalacetofenona.

Naftosulfonatos (sales sódicas de ácidos 2-naftol-3,6-disulfónico y 2-naftol-6,8-disulfónico).

Acido dihidroxinaftoico y sus sales.

Orto y *para*-hidroxibifenilsulfonatos.

Derivados de cumarinas (7-hidroxi, 7-metil, 3-fenil).

Azoles (2-acetil-3-bromoindazol, fenil benzoxazol, metil naftoxazol, varios aril benzotiazoles).

Sales de quinina (bisulfato, sulfato, cloruro, oleato, tanato).

Derivados de quinolina (sales de 8-hidroxiquinolina, 2-fenilquinolina).

Acidos úrico y violúrico.

Acido tánico y sus derivados (p. ej., hexaetileter).

Hidroquinona.

KLARMANN destacó que el isomerismo desempeña un papel importante en la determinación de la capacidad absorbente, e ilustró este hecho con curvas de oscurecimiento (absorción) para los ácidos *orto*-, *meta*- y *para*-aminobenzoico, que indicaron la superioridad del isómero *para* sobre los isómeros *orto* y *meta*. Como contraste, el ácido *orto*-hidroxibenzoico (ácido salicílico) tiene un valor elevado de absorción de la radiación eritemógena, mientras que el ácido *para*-hidroxibenzoico prácticamente no tiene ninguno.

En experimentos sobre preparados protectores de la piel para la prevención de quemaduras llevados a cabo en nombre de las Fuerzas Armadas Aéreas de EE. UU., se han investigado una gran cantidad de productos[19]. Se pensó que, puesto que los hombres abandonados en balsas salvavidas o en el desierto podían estar sujetos a una exposición solar muy intensa sin posibilidad de refugio, y en condiciones de temperaturas muy elevadas o muy bajas así como a espumas y olas, era esencial que las sustancias seleccionadas proporcionaran protección eficaz, fueran estables a temperaturas heladas y tropicales, y carecieran de enranciamiento, no fueran irritantes, ni tóxicas y sí resitentes al agua. Aunque los requerimientos de tales sustancias eran sumamente estrictos y probablemente en general no se encuentran en el caso de preparados de tocador, los resultados obtenidos de esta investigación señalan a un número de sustancias que son de valor muy categórico. Para uso de las Fuerzas de EE. UU., los filtros solares requieren demostrar una absorción del 99 por 100 a 297 μm, con una película de 0,001 pulgadas de espesor.

Los agentes filtrantes ensayados incluyeron dióxido de titanio, óxido de zinc, fenil salicilato, vaselina amarilla, vaselina ámbar, ungüento de óxido de zinc, lociones conteniendo salicilato de mentilo, un preparado solar patentado, vaselina veterinaria roja oscura y otros varios tipos de vaselina. Los diferentes tipos de bases incluyeron emulsiones agua-aceite de lanolina y vaselina, crema base evanescente y base de vaselina.

Una vaselina veterinaria roja oscura (Standard Oil Co., New Jersey) fue bastante opaca a la energía eritemógena, y su uso aislado proporcionó protección completa a la piel bajo una exposición equivalente a veinte horas de la radiación solar más fuerte medida durante un período de cuatro años en Cleveland. Este compuesto demostró no ser irritante y adherirse firmemente a la piel. También se halló que el fenil salicilato (salol) es un filtro solar excelente cuando se usa a una concentración de 10 por 100 en una base adecuada, tal como vaselina, particularmente en una vaselina que posee propiedades de filtro solar eritemógena por sí misma. Los experimentos demuestran que el fenil salicilato no es tóxico. También el óxido de zinc demostró ser de valor categórico en la prevención de quemaduras solares, pero no asociado a fenil salicilato, con el cual los resultados no eran tan buenos cuando se añadía óxido de zinc. El dióxido de titanio no demostró ser un protector muy fiable juzgado en una muestra que lo contenía al 20 por 100 en vaselina amarilla. La vaselina amarilla demostró poseer propiedades filtrantes solares seguras frente a la energía ultravioleta a longitudes de onda 296,7 y 302,2 μm, mucho más que las que posee la vaselina blanca.

En la práctica, de la gran gama de compuestos que poseen características de absorción satisfactorias que han sido repetidamente enumeradas en la literatura, los filtros solares se han limitado a *p*-aminobenzoatos, *p*-dialquilaminobenzoatos, salicilatos y cinamatos y, con frecuencia, se han empleado mezclas de estos compuestos. Una asociación de cinamato de bencilo y salicilato de bencilo en una base de emulsión se utilizó en el primer preparado filtro solar comercializado en USA en 1928.

Varios productos patentados se han basado en el salicilato de mentilo. A diferencia de algunos salicilatos, el éster mentílico del ácido salicílico es no irritante, inodoro y actúa inicialmente como un filtro solar satisfactorio a concentraciones aproximadamente del 10 por 100. Sin embargo, como ya indicó DE NAVARRE[20], el salicilato de mentilo experimenta alteración química al exponerse a la luz, con el resultado que sus propiedades filtrantes solares disminuyen considerablemente. El antranilato de mentilo, comercializado por Givaudan bajo una denominación patentada, demostró proporcionar máxima eficacia a una concentración de aproximadamente el 4 por 100.

Otros preparados filtros solares patentados incluyen «Solprotex», de Firmenich, «Prosolal 58», de Dragoco, el «Antivirays», de A. Boake Roberts, y el «Giv-tan F», de Givaudan. Al «Giv-Tan F», que es 2-etoxietil-p-metoxicinamato, le atribuyeron los fabricantes tener un índice solar de 14,4 (véase Tabla 15.6); es del mismo orden etil-p-dimetilaminobenzoato, que tiene un índice de 14,8.

Los cinco agentes filtros solares siguientes fueron recomendados por *US Departament of Health, Education and Welfare* (Departamento de Salud, Educación y Bienestar de USA)[21] para incorporar en «una base, tal como aceite mineral, *cold cream* o alcohol etílico» a las concentraciones determinadas:

	por ciento
Cycloform (isobutilo, p-aminobenzoato)	5,0
Propilen glicol, p-aminobenzoato	4,0
Monoglicerilo, p-aminobenzoato	2,5
Digaloilo, trioleato	5,0
Bencilo, salicilato y bencilo, cinamato (un 2 por 100 de cada uno)	4,0

GIESE, CHRISTENSEN y JEPPSON[22] hicieron una lista con los coeficientes de extinción a 297 μm de varios filtros solares, junto con algunas de sus propiedades físicas (Tabla 15.3).

PERINCH y GALLAGHER[23] examinaron el espectro de transmisión de varios filtros solares, y encontraron las siguientes sustancias filtrantes solares eficaces:

Etilo, p-dimetilaminobenzoato.
Isobutilo, p-aminobenzoato.
Cumarina.
8-Metoxicumarina.
5,7-dihidroxi-4-metilcumarina.
6-Aminocumarina.
Umbeliferona.
Bencil-β-metil-umbeliferona.
Bencilacetofenona.

Algunos otros compuestos que se presentan como eficaces filtros solares han sido expuestos en especificaciones de patentes.

Una patente[24] preconiza que la protección frente al eritema se obtiene con la aplicación sobre la piel de hidrazonas de *orto*- y *para*-aminobenzaldehídos y de *orto*- y *para*-aminoacetofenonas. Los aminocinamatos acetilados se han presentado como filtros solares efectivos y estables en otra patente[25].

Tabla 15.3. Filtros solares —Coeficientes de extinción a 297 μm^{22}

Compuesto	Estado	Disolvente	Peso molecular	Coeficiente extinción	Concentración (por ciento)
Etilo, p-dimetilaminobenzoato	Sólido	Alcohol	194,13	27 000 / 27 300	1×10^{-4}
Etilo, p-aminobenzoato	Sólido	Alcohol	165,19	21 750 / 21 450	2×10^{-4}
Isobutilo, p-aminobenzoato	Sólido	Alcohol	193,13	23 200 / 22 800	2×10^{-4}
Mentilo, antranilato	Líquido	Alcohol	275,374	941 / 956	5×10^{-4}
Homomentilo, salicilato	Líquido	Alcohol	390,38	6720 / 6720	$2,5 \times 10^{-4}$
Fenilo, salicilato	Sólido	Alcohol	214,08	3850 / 3900	5×10^{-4}
Mentilo, salicilato	Líquido	Alcohol	276,19	4540 / 4600	5×10^{-4}
Amilo, salicilato	Líquido	Alcohol	208,12	4150 / 3970	5×10^{-4}
Isoamilo, salicilato	Líquido	Alcohol	208,12	348 / 381	5×10^{-4}
Bencilo, salicilato	Líquido	Alcohol	228,13	4060 / 4200	1×10^{-4}
Cinámico, ácido	Sólido	Alcohol	148,06	705 / 693	1×10^{-3}
Bencilo, cinamato	Sólido	Alcohol	238,11	1908 / 1979	1×10^{-4}
Homomentilo, cinamato	Líquido	Alcohol	300,32	505 / 530	5×10^{-4}
β-Metilo, umbeliferona	Sólido	Alcohol	176,066	8510 / 8560	5×10^{-4}
2-Naftol-6-sulfónico, ácido	Sólido	Agua	304,28	3310 / 3240	5×10^{-3}
2-Naftol-8-sulfónico, ácido	Sólido	Agua	304,28	2010 / 1830	1×10^{-3}

3-Hidroxi-2-naftoico, ácido	Sólido	Alcohol	188,17	3470 3330	5×10^{-4}
Acetanilida	Sólido	Alcohol	135,08	162	1×10^{-1}
Violúrico, ácido	Sólido	Alcohol	157,05	4800 4700	1×10^{-3}
Bencilacetofenona	Sólido	Alcohol	208,196	24 200 23 900	1×10^{-4}
Quinina, sulfato	Sólido	Alcohol	548,39	3500 3500	4×10^{-4}

Otras dos patentes cubren el uso de compuestos organosilicona con propiedades de filtros solares. No son fáciles de eliminar por lavado de la piel. Un ejemplo de tales compuestos es un producto reacción de carbetoxietiltrietoxisilano con ácido *p*-aminobenzoico, que absorbe la luz en el intervalo 260-310 μm[26].

Otro ejemplo[27] de un compuesto organosilicona activo en la absorción ultravioleta es uno producido por reacción de etil-*p*-(N-butilamino) benzoato con gamma aminopropiltrietoxisilano. Se afirma que el compuesto resultante absorbe la luz en la región de 240-330 μm.

En la figura 15.3 se reproduce el espectro de transmisión obtenido por PERNICH y GALLAGHER para *p*-dimetilaminobenzoato de etilo.

STAMBOVSKY[28] expresó la opinión de que ésteres del ácido *para*-aminobenzoico a concentraciones comparables poseían la capacidad más elevada de absorción de todas las sutancias químicas disponibles en aquel tiempo. Manifestó que de los veintisiete productos bronceadores promocionados activamente en el mercado de USA en 1955, diecinueve empleaban derivados de ácido aminobenzoico o ácido salicílico.

También se han patentado[29] composiciones filtros solares que contienen ésteres del ácido *p*-dimetilaminobenzoico con alcoholes monohídricos de C_5-C_{18}. La idoneidad de los filtros solares para aplicación comercial se determina por su eficacia de filtro solar, solubilidad y estabilidad en las formulaciones dadas. Se indica que los ésteres superiores del ácido *p*-dimetilaminobenzoico con propiedades de filtro solar de absorción ultravioleta son superiores a los alquil ésteres inferiores tanto del ácido *p*-aminobenzoico, como del ácido dimetilaminobenzoico.

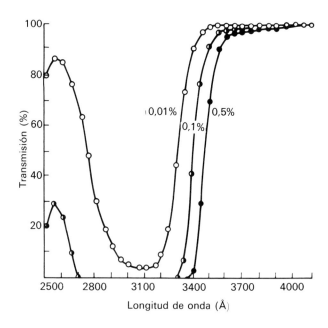

Fig. 15.3. Expectro de transmisión de capas de 0,5 cm de concentraciones diferentes de *p*-dimetilaminobenzoato de etilo (en alcohol).

En general, los ésteres del ácido *p*-dimetilaminobenzoico son filtros solares más eficaces que los ésteres del ácido *p*-aminobenzoico y superiores a éstos en relación con la estabilidad, almacenamiento y uso. También son menos reactivos cuando se incorporan en las formulaciones cosméticas de tipo usual.

Por lo que concierne a los ésteres del ácido *p*-dimetilaminobenzoico, los ésteres inferiores son apreciablemente solubles en agua, pero insolubles en aceites, y como resultado de esto se eliminan fácilmente de la piel durante el baño o por el sudor. Incrementando el peso molecular, los ésteres se transforman en progresivamente menos susceptibles a la eliminación con agua; así confieren una duración más prolongada y una protección más eficaz frente al eritema.

Los alquil ésteres superiores (p. ej., ésteres amilo, hexilo, heptilo y octilo) del ácido *p*-dimetilaminobenzoico son líquidos oleosos de los cuales se afirma que forman películas continuas y adherentes que no son fáciles de eliminar con agua, ejercicio, abrasión o lavado. Se afirma que sus soluciones en aceites mineral, vegetal y animal se mantienen completamente homogéneas en el almacenamiento durante períodos de tiempo prolongados.

Composiciones filtros solares bastante estables a la radiación actínica, que no son fácilmente eliminados de la piel, han sido reivindicados por la GAF Corporation. Como filtros solares activos, estas composiciones emplean compuestos obtenidos condensando un benzaldehído con una ceto ó tioceto hidrazina. Los compuestos específicamente reivindicados son:

$$\text{Cl} - \overset{H}{\underset{C}{\bigcirc}} - \overset{|}{C} - N - NHC\overset{O}{\underset{NH_2}{\diagdown}} \quad y \quad Cl - \overset{H}{\underset{}{\bigcirc}} - \overset{|}{C} - N - NHC\overset{S}{\underset{NH_2}{\diagdown}}$$

Estos filtros solares se pueden usar asociados a aditivos convencionales.

La selección de una base apropiada que no sea fácilmente eliminada de la piel y, por tanto, garantice un período prolongado de protección frente a quemaduras solares, ha sido el objeto de una patente concedida a Boots Pure Drug Co[30]. Las composiciones patentadas contienen un filtro solar, preferentemente *p*-dimetilaminobenzoato de etilo, en un diluyente o portador cosméticamente aceptable que contiene no menos del 5 por 100 del aceite de ricino.

Sustancias filtros solares poliméricas

Todos los compuestos convencionalmente utilizados como filtros solares poseen relativamente bajo peso molecular y muchos de ellos son eliminados bastante rápidamente de la piel en contacto con agua, necesitándose aplicaciones posteriores si se continúa necesitando protección frente al eritema. Un intento para evitar la necesidad de reaplicaciones ha conducido al desarrollo de filtros solares poliméricos insolubles en agua pero solubles en álcalis.

Las formulaciones descritas en una patente de National Starch and Chemical Corporation[31] contienen al menos un 1 por 100 de un filtro solar polimérico soluble en álcalis absorbente UV en un vehículo apropiado. El polímero en cuestión se produce a partir de al menos dos comonómeros esenciales:

1. Un compuesto etilénicamente insaturado capaz de absorber la radiación ultravioleta de la zona eritemógena, pero que transmita la radiación que produce el bronceado (representados como ejemplo por ciertos acrilatos, metacrilatos y benzoatos sustituidos, así como algunos éteres de 2,4-dihidroxibenzofenona, 2,2,4-trihidroxibenzofenona y éteres derivados de benzotriazol).

2. Un comonómero ácido especificado como un ácido carboxílico etilénicamente insaturado que contiene al menos un grupo carboxilo libre (p. ej., ácido acrílico, ácido metacrílico, ácido itacónico, ácido crotónico, etc.).

Comparados con filtros solares no poliméricos, los filtros solares poliméricos publicados en la patente son muy resistentes a la eliminación con agua corriente o marina. Debido a sus grupos carboxilos libres, sin embargo, pueden eliminarse bien de la piel, simplemente aplicando una solución acuosa alcalina diluida y débil, tal como agua y jabón, que transforma los polímeros insolubles en agua en sus sales alcalinas solubles en agua y son fácilmente eliminables.

Varias patentes más recientes relacionadas con filtros solares o composiciones filtros solares son substantivas para la piel y resistentes al agua y al sudor, y, por tanto, proporcionan una protección más prolongada. Un ejemplo de un compuesto con tales propiedades mencionado en una patente[32] es un filtro solar que comprende una solución al 50 por 100 en peso, en isopropanol, de un polímero producido por el 4-(3-acriloxi-2-hidroxipropil) éter de 2-(2,4-dihidroxifenil) benzotriazol, vinilacetato y maleato ácido etílico.

Otro agente activo es una composición filtro solar, con una elevada absorción de radiación ultravioleta y capaz de depositar una película continua substantiva a la piel, es un concentrado fluorescente obtenido de petróleo verde oscuro o rojo[33]. Además, el principio activo de otra patente[34] fue el ácido 2-hidroxi-4-metoxibenzofenona-5-sulfónico.

También se ha publicado que las composiciones filtros solares contienen como agentes activos sales de sulfonio altamente substantivas[35], tales como bromuro de *para*-nitrobenzamida propildodecilmetil sulfonio. Estas se citan por tener cotas de absorción destacadas dentro del intervalo de longitud de onda de 250 y 400 μm, que es más amplio que los de la mayoría de los filtros solares disponibles comercialmente, y además se adhieren bien a la piel.

Otra patente publica composiciones que contienen filtros solares con cotas de absorción entre 280 y 320 μm utilizados en vehículo cosméticamente aceptables en asociación con una resina poliamida soluble en alcohol; estas son capaces de formar películas protectoras, substantivas a la piel y resistentes al agua y al sudor[36].

Tipos de piel y recomendaciones para la selección de filtros solares: El factor protector del sol

El grado con que un producto filtro solar protege de las quemaduras solares y otros efectos dañinos de la exposición a la radiación solar varía con el tipo de piel individual. Un sistema de clasificación para productos filtrantes solares[37] comprende cinco denominaciones de categoría de productos (PCD, *product category designations*) para satisfacer los requerimientos de consumidores con tipos diferentes de piel.

Los individuos se pueden clasificar en seis grupos según el tipo de piel e historial de bronceado:

1. Siempre se quema fácilmente; nunca se broncea (sensible).
2. Siempre se quema fácilmente; se broncea mínimamente (sensible).
3. Se quema moderadamente; se broncea gradualmente (moreno ligero) (normal).
4. Se quema mínimamente; siempre se broncea bien (moreno moderado) (normal).
5. Apenas se quema; se broncea ampliamente (moreno oscuro) (insensible).
6. Nunca se quema; profundamente pigmentado (insensible).

El sistema del «factor de protección solar» (SPF) (SPF, *sun protection factor*) ha sido desarrollado por Plough Corporation para definir la eficacia relativa de agentes filtros solares para proteger la piel. Posteriormente fue recomendado por Grupo OTC *(Over-the-Counter Panel)*, de la Administración de Alimentos y Medicamentos de los EE. UU. (US, *Food and Drug Administration*), como medio de identificar numéricamente la eficacia de varios productos filtros solares y proporcionar a los consumidores una guía de los productos adecuados para tipos particulares de piel. El SPF se ha definido como la relación:

$$\left(\begin{array}{l}\text{Energía ultravioleta requerida}\\ \text{para producir una dosis de}\\ \text{eritema mínima (MED) sobre}\\ \text{piel protegida}\end{array}\right) \Big/ \left(\begin{array}{l}\text{Energía ultravioleta requerida}\\ \text{para producir un MED sobre}\\ \text{piel no protegida}\end{array}\right)$$

(MED, *minimal erythema dose*)

o como relación entre la exposición a rayos ultravioleta requerida para producir un eritema mínimamente perceptible sobre la piel protegida y la exposición que produciría el mismo eritema sobre la piel no protegida. La definición formal de SPF por el «OTC Panel» fue:

$$\text{Valor de SPF} = \frac{\text{MED(PS)}}{\text{MED(US)}}$$

(PS, *protected skin;* US, *unprotected skin*)

donde MED(PS) es la dosis de eritema mínimo para piel protegida después de la aplicación de 2 mg cm^{-2} ó 2 μl cm^{-2} de la formulación final del producto de filtro solar, y MED(US) es la dosis de eritema mínima para piel no protegida, esto es, la piel a la cual no se ha aplicado producto filtro solar. El SPF será mayor cuanto mayor sea la protección que pueda conferir el filtro solar.

El «OTC Panel» ha propuesto que todo producto filtro solar debe ser valorado para el consumidor según el grado de protección que pueda proporcionar; los números de valoración varían de dos a ocho. Los productos con una valoración de ocho proporcionarán la máxima protección a los individuos que siempre se queman con facilidad y nunca se broncean, mientras que los productos con una valoración de dos serán apropiados para los que apenas se queman y se broncean ampliamente. Por tanto, para los grupos de tipos de piel listados anteriormente se recomiendan los productos filtros solares con los siguientes SPF:

Tipo de piel	SPF
1	8 o más
2	6-7
3	4-5
4	2-3
5	2
6	no se indica ninguno

Las denominaciones de categorías de productos recomendadas al consumidor para seleccionar los tipos de filtros solares que proporcionan varios SPF son los siguientes:

PCD 1: Producto de Mínima Protección Solar — Proporciona un valor SPF desde dos hasta inferior a cuatro y ofrece la menor protección, aunque permite el bronceamiento.

PCD 2: Producto de Moderada Protección Solar — Proporciona un valor SPF desde cuatro hasta inferior a seis, y ofrece protección moderada a quemadura solar, aunque permite algún bronceamiento.

PCD 3: Producto de Extra Protección Solar — Proporciona un valor SPF desde seis hasta inferior a ocho, y ofrece extra protección a quemaduras solares, y permite un bronceamiento limitado.

PCD 4: Producto de Máxima Protección Solar — Proporciona un valor SPF desde ocho hasta inferior a quince, y ofrece la máxima protección a quemaduras solares, permitiendo escaso o ningún bronceado.

PCD 5: Producto de Ultra Protección Solar — Proporciona un valor SPF desde quince o superior, y ofrece la mayor protección a quemaduras solares, no permitiendo el bronceamiento.

(PCD, *product category designation*)

Se ha destacado que algunas personas, cuando utilizan por primera vez esta escala, pueden juzgar erróneamente la reactividad de la piel a la radiación solar. También se ha mencionado que el calor y la humedad elevados, el sudor y la natación pueden disminuir el valor SPF en cualquier momento para un individuo.

En términos prácticos, un individuo que generalmente enrojece al sol después de veinte minutos de exposición puede permanecer al sol durante ciento veinte minutos si se aplica un filtro solar de protección extra (SPF 6), esto es veinte minutos x 6, siempre que el producto no se elimine por lavado o sea desprendido por el sudor. Un producto en la categoría máxima protección (es decir, SPF 8) protegerá a persona media que sufra quemadura solar en cuarenta minutos o expuesta a la radiación solar en horas de quemaduras peligrosas entre 10.000 y 14.000, durante 40 × 8 = 320 minutos. Sin embargo, una vez que la piel se ha acostumbrado al sol (ha desarrollado la protección por medio de la pigmentación), se prolonga el período de autoprotección del individuo, y, puesto que el riesgo de quemadura solar disminuye, puede gradualmente sustituir un producto con PCD alto por un producto con un PCD más bajo.

Individuos muy sensibles que necesitan protección principalmente frente a la radiación solar se les recomienda usar un producto de la categoría de «ultra protección» (SPF 15 o superior).

Para guía de consumidores, «OTC Panel» ha recomendado las siguientes declaraciones de etiquetado que se han de situar de modo destacado en los paneles principales de los expositores:

1. Para productos de mínima protección solar (SPF 2): «permanecer al sol dos veces más que antes sin quemadura solar».

2. Para productos de moderada protección solar (SPF 4): «permanecer al sol cuatro veces más que antes sin quemadura solar».

3. Para productos de media protección solar (SPF 6): «permanecer al sol seis veces más que antes sin quemadura solar».

4. Para productos de máxima protección solar (SPF 8): «permanecer al sol ocho veces más que antes sin quemadura solar».

5. Para productos de ultra protección solar (SPF 15): «permanecer al sol quince veces más que antes sin quemadura solar».

Clasificación de productos según seguridad o eficacia

La «OTC Panel» ha clasificado los ingredientes activos filtros solares en tres categorías (Tabla 15.4). A los productos de la Categoría I generalmente se les reconoce como seguros y eficaces. A los productos de la Categoría II generalmente no se les reconoce como seguros o eficaces, y están mal denominados. Los datos relacionados a los productos de la Categoría III aún no son suficientes para permitir su clasificación final. Se ha recomendado un período de dos años para completar los estudios que autoricen a los productos clasificados en Categoría III para ser incluidos en la Categoría I.

Tabla 15.4. Clasificación de ingredientes filtros solares: «FDA OTC Panel» EE. UU.

I SEGURO, EFECTIVO

Compuesto	Límite dosis (%)
p-Aminobenzoico, ácido	5-15
2-Etoxietil-p-metoxi, cinamato (Cinoxato)	1-3
Dietanolamina-p-metoxi, cinamato	8-10
Digaloilo, trioleato	1-5
2,2-dihidroxi-4-metoxibenzofenona (Dioxibenzona)	3
Etil-4-bis-(hidroxipropil)aminobenzoato	1-5
2-Etilhexil-2-ciano-3,3-difenilo, acrilato	7-10
Etilhexil-p-metoxi, cinamato	2-7,5
2-Etilhexilo, salicilato	3-5
Glicerilo, aminobenzoato	2-3
3,3,5-Trimetilciclohexilo, salicilato (Homosalato)	4-15
Lawsona con dihidroxiacetona { Lawsona	0,25
{ DHA	3,0
Metilo, antranilato	3,5-5
2-Hidroxi-4-metoxi benzofenona (Oxibenzona)	2-6
Amil-p-dimetilamino, benzoato (Padimato A)	1-5
2-Etilhexil-p-dimetilamino, benzoato (Padimato O)	1,4-8
2-Fenilbenzimidazol-5-sulfónico, ácido	1-4
Petróleo rojo	30-100
2-Hidroxi-4-metoxibenzofenona-5-sulfónico, ácido (Sulisobenzona)	5-10
Titanio, dióxido	2-25
Trietanolamina, salicilato	5-12

II NO SEGURO, NO EFICAZ

2-Etilhexil-4-fenilbenzofenona-2'-carboxílico, ácido
3-(4-Metilbenciliden)-alcanfor
Sodio, 3,4-dimetilfenil glioxilato

III NO CALIFICADOS

Alantoína asociada con ácido aminobenzoico
5-(3,3-Dimetil-2-norborniliden)-3-penten-2-ona
Dipropilen glicol, salicilato

En Europa, la tercera enmienda propuesta (1981) a la Directiva de Cosméticos de la CEE ha emitido una lista de seis agentes filtros solares que pueden estar incorporados en productos cosméticos, y otros treinta y seis agentes filtros solares que provisionalmente pueden incorporarse en productos cosméticos. Estos se dan en la tabla 15.5.

Tabla 15.5. Clasificación de ingredientes filtros solares: Directiva de Cosméticos de la CEE (Enmienda propuesta)

Compuesto	Límite dosis (%)
AGENTES FILTROS SOLARES QUE PUEDEN CONTENER LOS PRODUCTOS COSMETICOS	
p-Aminobenzoico, ácido	5
3-(4-Trimetilamoniobenciliden) alcanfor, metosulfato	6

Tabla 15.5   Clasificación de ingredientes filtros solares: Directiva de Cosméticos de la CEE (Enmienda propuesta) *(continuación)*

Compuesto	Límite dosis (%)
Homomentilo, salicilato (3,3,5-trimetilciclohexilo, salicilato)	10
Fenilo, salicilato	4
2-Hidroxi-4-metoxibenzofenona	10
2-Amino-6-hidroxipurina (guanina)	2

AGENTES FILTROS SOLARES QUE PROVISIONALMENTE PUEDEN CONTENER LOS PRODUCTOS COSMETICOS

N-propoxilado, etil-*p*-aminobenzoato	5
Etoxilado, etil-*p*-aminobenzoato	10
Amilo, *p*-dimetilaminobenzoato	5
Glicerilo, *p*-aminobenzoato	5
2-Etilhexilo, *p*-dimetilaminobenzoato	8
2-Etilhexilo, salicilato	5
Benzoilo, salicilato	7
3,3,5-Trimetilciclohexil-N-acetilantranilato (homomentil-N-acetilo, antranilato)	2
Potasio, cinamato	2
p-Metoxicinámico, ácido, sales (potasio y dietanolamina)	8 (expr. como ácido)
Propilo, *p*-metoxicinamato	3
Salicílico, ácido, sales (potasio y trietanolamina) *	5
Iso-amilo, *p*-metoxicinamato	10
2-Etilhexilo, *p*-metoxicinamato	10
2-Etoxietilo, *p*-metoxicinamato	5
Digaloilo, trioleato	4
2,2',4,4'-Tetrahidroxibenzofenona	10
2-Hidroxi-4-metoxi-4'-metilbenzofenona	4
2-Hidroxi-4-metoxibenzofenona-5-sulfónico, ácido y sal sódica	5 (expr. como ácido)
2-Etilhexil-4'-fenilbenzofenona-2-carboxilato	10
2-Fenilbenzimidazol-5-sulfónico, ácido y sus sales de potasio y sodio	8 (expr. como ácido)
β-Imidazol-4(5)-acrílico, ácido y su etil éster	5 (expr. como ácido)
2-Fenil-5-metilbenzoxazol	4
Sodio, 3,4-dimetoxigenilglioxilato	5
Dianisoilmetano	6
5-(3,3-Dimetil-2-norborniliden)-3-perten-2-ona	3
3-(3-Sulfobenciliden) alcanfor	6
3-(4'-Metilbenciliden)-d,1-alcanfor	6
3-Benciliden-d,1-alcanfor	6
Metoxibenciliden cianoacético, ácido y su n-hexil éster	5
4-Isopropildibenzoilmetano	5
p-Isopropilbencilo, salicilato	4
Ciclohexil-*p*-metoxicinamato	1
2-(*p*-toluil)-benzoxazol	10
ter-Bultil-4-metoxi-4-dibenzoilmetano	5

* El pH del producto final no debe ser tal que se libere ácido. No usar en niños menores de tres años.

Evaluación de preparados con filtros solares

Cuando se formulan preparados filtros solares es necesario garantizar tanto la eficacia del filtro solar como la de los productos prototipos. Esto se realiza examinando sus características de absorción espectrofotométrica en términos de concentración, espesor del líquido a través del cual pasa la radiación, y la longitud de onda. Las características de absorción pueden expresarse como porcentaje de la radiación incidente absorbida o transmitida, o como densidad óptica. La última citada es el logaritmo de la relación entre intensidades de la radiación antes y después del paso a través de la solución. Tiene la ventaja de que es directamente proporcional a la concentración y al espesor de la sustancia; por tanto el cálculo es sencillo. La característica de absorción de una sustancia química frecuentemente se expresa como el coeficiente de extinción molar, por ejemplo, la densidad óptica calculada de una capa de 1 cm de una solución molar, o el coeficiente de extinción específico; por ejemplo, la densidada óptica calculada de una capa de 1 cm de una solución al 1 por 100.

No obstante, STAMBOVSKY[38], cuando expone las causas técnicas del fracaso comercial de preparaciones bronceadoras en el mercado de EE. UU., advierte el riesgo de confiar demasiado en el dato espectrométrico de agentes filtros solares en la selección, y sugiere que su valor se limite al examen inicial cualitativo.

KUMLER y DANIELS[39] construyeron una curva de quemadura solar para la cual las ordenadas eran los productos de las ordenadas de la curva de radiación solar y una curva eritemógena derivada del dato experimental. Esta curva varía desde 296 a 326 μm con un máximo en 308 μm. Según sus puntos de vista, un compuesto tenía que cumplir dos condiciones para ser considerado como filtro solar efectivo. En primer lugar, tenía que superponerse sobre la curva quemadura solar completa. En segundo lugar, tenía que poseer propiedades de eievada absorción a 308 μm. Esta última clasificación fue más tarde propuesta por KULMER[40] como la base de un método sencillo y rápido para la evaluación relativa de filtros solares. Midió la densidad óptica de soluciones al 0,1 por 100 en una célula de sílice de 0,1 a 308 μm y transformó los resultados en un índice de filtro solar (SI, *sunscreen index*) que se corresponde con la DO de una solución al 1 por 100 en una célula de 1 mm. En la tabla 15.6 se clasifican cuarenta y cinco compuestos en orden decreciente de eficacia filtrante solar, encabezados por *p*-dimetilaminobenzoato de etilo.

Si se conocen las características de absorción de la sustancia seleccionada, se puede calcular la concentración requerida en un producto para producir los efectos deseados, teniendo en cuenta el posible espesor de la película a ser aplicada.

Espesor de la película

Por supuesto, el espesor de la película puede ser estimado fácilmente midiendo el área cubierta por una cantidad conocida de la preparación aplicada de una manera práctica.

BERGWEIN[41] consideró, cuando se trata con preparaciones filtros solares en forma de ungüentos grasos, que el espesor debería encontrarse en el intervalo 0,007-0,01 mm, y en el caso de preparaciones oleosas y acuosas, en el intervalo 0,005-0,007 mm.

Esto condujo a otro concepto, el de un espesor crítico de capa, que fue propuesto por MASCH[42] para proporcionar una indicación del espesor de la película protectora que garantiza un 90 por 100 de absorción para la preparación bronceadora. El espesor crítico de capa puede reducirse para cualquier longitud de onda, pero preferentemente se hace para la longitud de onda correspondiente a la máxima radiación eritemógena, según la ecuación $S = 10/E$, donde S es el espesor crítico de capa en μm y E es el coeficiente de extinción para una solución al 0,1 por 100 en una célula de 1 cm.

Se ha citado la especificación del Ejército de EE. UU. del 99 por 100 de absorción a 297 μm para una película de espesor de 0,001 μm; los filtros solares comerciales normales suelen estar apreciablemente por debajo de esta especificación, y transmiten el 15-20 por 100 de la radiación eritemógena.

KREPS[43], que publicó un método espectrofotométrico de valoración de la protección eritemógena y las propiedades bronceadoras de preparados bronceadores, dio resultados para seis productos comerciales que, indicó, transmitían entre el 1 y el 17 por 100 de energía eritemógena y del 63 al 85 por 100 de energía bronceadora.

STAMBOVSKY[44], que estudió exhaustivamente los requerimientos de los preparados bronceadores filtros solares ultravioletas comerciales, sugirió que, para individuos de tolerancia media ultravioleta, una película bronceadora no debe transmitir más del 20 por 100 de radiación solar eritemógena, mientras que para productos de tipo terapéutico indicó una transmisión de no más del 5 por 100.

Habiéndose establecido la probabilidad de la eficacia de filtros solares *in vitro*, la próxima fase es verificar su toxicidad y aceptabilidad dermatológica antes de proceder al estudio *in vivo*.

Evaluación *in vivo*

Es práctica general en el estudio *in vivo* usar una lámpara artificial de rayos solares con un filtro, y ensayar una porción del cuerpo que generalmente no esté expuesta al sol, y así conserva su sensibilidad a la radiación eritemógena. Es típico el método de STAMBOVSKY[45]. El filtro usado es prácticamente impermeable a la radiación por debajo de 280 μm; a 295 μm transmite el 50 por 100, y a 300 μm, el 72 por 100 de la radiación incidente.

La primera fase de la evaluación es un calibrado para determinar el tiempo requerido para producir el eritema mínimo perceptible con la lámpara a una distancia dada de la piel sin broncear, ni tratada. Con una lámpara de 500 W a 12 pulgadas (305 μm) de la piel, es habitual un minuto. Se trazan en la superficie interna del antebrazo, en un ensayo típico, varios sectores de media pulgada con tiras de cinta adhesiva, y se numeran. El primer sector, con los demás cubiertos, se expone a la lámpara durante una unidad de tiempo, es decir, treinta segundos. Después se expone otro sector, junto con el primero, durante otro período de tiempo. Esto se repite hasta que todos los sectores se han expuesto durante períodos sucesivos y crecientes. Las lecturas se toman después de unas diez a doce horas de la hora en que comenzó el ensayo del filtro solar en particular.

En la segunda fase de la investigación, el producto a ensayar se aplica al otro brazo, que se divide en sectores y se expone de forma similar a la anterior, excepto que ahora la piel está protegida y las unidades de exposición serán de dos a tres veces como duración. Después de diez a doce horas, se puede observar

Tabla 15.6. Indice de filtro solar (SI) basado en la densidad óptica, de una solución al 1 por 100 a 308 μm

Compuesto	SI
Etilo, *p*-dimetilaminobenzoato	14,8
Etilo, *p*-aminobenzoato	9,6
Isobutilo, *p*-aminobenzoato	9,2
Propilo, *p*-aminobenzato	9,0
n-Butilo, *p*-aminobenzoato	8,0
β-Metil umbeliferona	7,7
p-Aminobenzoico, ácido	7,4
Dihidroacético, ácido	7,0
3-Carboxicumarina	6,6
Bencilidin alcanfor	6,6
Heliotropina	6,5
Umbeliferonacético, ácido	6,0
Salicílico, ácido	4,3
Sodio, *p*-aminosalicílico	4,3
Mentilo, salicilato	4,0
Salicilamida	3,9
Metilendisalicílico, ácido	3,0
3-Carboxicumarina	3,0
Tiosalicílico, ácido	2,7
Brightener W/450	2,7
p-Hidroxiantranílico, ácido	2,6
Sodio, salicilato	2,4
Digaloiltrioleato	2,3
α-Resorcílico, ácido	2,2
Salicilaldehído	2,2
p-Aminosalicílico, ácido	1,9
Dipropilen gliclol, esalicilato	1,9
Piribenzamina	1,8
Pirianisamina, maleato	1,7
Sodio, gentisato	1,7
Fluorescente, blanco	1,6
Etanolamida del ácido gentísico	1,5
Etilo, galato	1,4
Sodio, sulfadiazina	1,2
Etilo, vanillato	1,1
Sodio, sulfapiridina	0,95
Laurilo, galato	0,85
Totaquina	0,80
Barbitúrico, ácido	0,19
Clorofila	0,15
Amberlite IR-4-B	0,15
Salicílico, alcohol	0,05
Anísico, ácido	0,01
Uvitex RBS	0,01
Uvitex RS	0,005

que el sector muestra eritema mínimo, y una comparación de los tiempos de exposición para el mismo efecto con el producto ensayado y sin él indicará el factor por el cual el filtro solar puede aumentar la exposición de seguridad. Varios de tales ensayos con alguna sustancia dada incrementará la seguridad de determinación de su eficacia protectora.

No obstante, no se debe olvidar que no existe una completa analogía entre la radiación eritematosa del sol y la de las lámparas de cuarzo y mercurio. Un factor importante de falta de similitud es la existencia en la radiación solar de energía infrarroja, que provoca hiperemia de la piel; ésta, a su vez, produce una respuesta eritemógena más intensa que la que se produciría en una piel no hiperémica. Precalentando la piel con una lámpara de infrarrojos para inducir hiperemia se ocasionaría un aumento del 33 por 100 de su sensibilidad a radiación ultravioleta.

Todos los ensayos descritos son bastante prolongados, y suponen exposiciónes intensas de la piel de sujetos humanos a radiación y períodos largos para hacer las observaciones. Esto dificulta en cierto grado el trabajo de desarrollo.

Un método desarrollado por MASTER et al.[46], usando técnicas de película fina, afirma permitir la valoración de filtros solares por medio de medidas de transmisión sin dilución, usando los filtros solares, bien aisladamente sobre placa de cuarzo, o aplicados a porciones de piel humana extirpadas. Para obtener una medición más precisa de la radiación total que pasa a través de la piel, se utilizó un espectrofotómetro Cary ajustado con esferas integrantes en lugar del monocromador de arco xenón, que sólo mide aquella porción de la radiación que no se dispersa.

Por lo que a la evaluación de filtros solares *in vivo* se refiere, actualmente parece probable que el procedimiento de evaluación basado en el sistema de valor de SPF, introducido por Plough Corporation y mencionado con anterioridad, podría convertirse en el procedimiento estándar para el ensayo de la eficacia de los filtros solares. La ventaja adicional de este sistema, como ya se ha mostrado, es que se puede correlacionar con denominaciones de categoría de productos propuestos para ayudar a los consumidores a seleccionar los preparados con filtros solares más adecuados a sus tipos particulares de piel.

Determinación de SPF

El procedimiento de ensayo recomendado por «OTC Panel» de la FDA[37] para determinación del Factor de Protección Solar (SPF, *Sun Protection Factor*) de un preparado filtro solar después de radiación UV-B y UV-A de la piel, incluye el uso de una solución de homosalato especificada y estándar, para garantizar una evaluación uniforme de los preparados filtros solares por los diferentes laboratorios. Los sujetos del ensayo se exponen a la radiación solar o preferiblemente a un arco xenón como fuente preferente de luz artificial.

Entre las ventajas reivindicadas para el uso del arco xenón en análisis *in vivo* están:

1. Su espectro continuo de emisión simula al del sol en la región ultravioleta, con un valor comparable en el intervalo 290-400 μm.

2. Proporciona un espectro constante a un ángulo constante con valor elevado, y el espectro es estable cuando se utiliza durante un período de tiempo prolongado.

Entre las desventajas que se presentan del uso de un arco xenón están:

1. El espectro solar completo «es bajo en longitudes de onas visibles e infrarrojas».
2. «Su uso dura mucho si únicamente se irradia un lugar de ensayo al mismo tiempo.»

Las ventajas ofrecidas por la exposición de sujetos de ensayo a la radiación solar incluyen:

1. Las condiciones de ensayo se aproximan más a las condiciones reales en que se utilizan los preparados filtros solares.
2. Los sujetos del ensayo se exponen simultáneamente al espectro solar completo, al calor y a la humedad.
3. Varios preparados filtros solares se pueden ensayar simultáneamente.

Sin embargo, estas ventajas pueden ser compensadas por condiciones variables atmosféricas, distinta intensidad de radiación y sudoración variable inducida por calor y cambios en el ángulo del sol con la superficie corporal. A pesar de estas variables pueden presentarse dificultades en la determinación de la exposición eritemógena total, pero pueden superarse satisfactoriamente con el empleo de un radiómetro registrador, tal como el medidor de Robertson-Berger (R & B), que es capaz de monitorizar y reproducir exposiciones eritemógenas solares.

Al aparato de medida R & B se le atribuye registrar una medida de la cantidad acumulada de radiación ultravioleta que atraviesa sus filtros y fotosensores después de cada intervalo de treinta minutos. Una cantidad de aproximadamente 400 se estima que produce 1 MED sobre piel caucasiana «típica».

Otros radiómetros registradores utilizados permiten la medida continua de la intensidad solar en julios m^{-2}.

Cuando se utiliza la radiación solar natural para ensayar la eficacia de filtros solares, la exposición de los sujetos al sol debe completarse durante un período de exposición continuo incluso a pesar de que la exposición de diferentes individuos no pueda realizarse el mismo día. Para todos los ensayos, la exposición solar de todos los sujetos debe completarse en dos semanas, y debe realizarse en la misma ubicación geográfica. La intensidad solar durante cada exposición debe medirse continuamente con un aparato de medida R & B u otro radiómetro registrador y registrarse en julios m^{-2} o en medidas R-B.

Según «OTC Panel», 6×10^6 julios m^{-2} medidos por radiómetro registrador producirán 1 MED en individuos con piel del tipo 1 y 2 cuando se leen después de dieciséis a veinticuatro horas.

Si se utiliza el aparato de medida registrador R-B, 400 unidades equivalen a 1 MED en sujetos de tipo de piel 3 y pueden esperarse MED inferiores a 200 unidades para sujetos de tipo de piel 1.

Cuando se utiliza un simulador solar, tal como la lámpara de arco xenón, las unidades de medida utilizadas para obtener un MED para el cálculo del valor de SPF vendrán dadas en unidades de tiempo, generalmente segundos.

Independientemente de la fuente de radiación empleada, pueden surgir diferencias en la interpretación de los resultados del ensayo *in vivo*, a causa de que la misma dosis de radiación ultravioleta producirá intensidades diferentes de eritema en personas diferentes. Esto hará necesario la determinación del MED para cada sujeto, independientemente de la fuente de radiación.

Grupos de ensayo. Sólo se seleccionarán individuos de piel clara de tipos de piel I, II y III previamente definidos, y se utilizará un grupo de, al menos, veinte sujetos en cada uno. El tamaño del grupo procede del hecho (entre otros) de que el ensayo del MED se hace en incrementos del 25 por 100 de exposición que están razonablemente próximos a desviaciones estándares observadas en los resultados de los ensayos; el error estándar no excederá del ± 5 por 100. Cada sujeto de ensayo debe examinarse por la presencia de bronceado, quemadura solar o cualquier lesión dérmica. El área del ensayo es la espalda de sujetos entre la línea del cinturón y la paletilla del hombro, y debe delimitarse con tinta y subdividirse como mínimo en tres subáreas de ensayo de al menos 1 cm^2. Generalmente, para cada análisis se emplean de cuatro a cinco subzonas.

Ambos ensayos de preparados filtros solares y el preparado estándar filtro solar se aplican a las zonas de ensayo en cantidades 2 mg cm^{-2} o 2 μl cm^{-2}, para garantizar el uso de una película estándar.

Se administra una serie de exposiciones a la piel sin tratar y no protegida, para determinar el MED inherente al sujeto del ensayo; los intervalos de tiempo empleados son series geométricas representadas por $(1,25)^n$, en que cada intervalo de tiempo de exposición es un 25 por 100 mayor que el anterior.

Generalmente, las zonas de ensayo protegidas (preparadas con filtros solares stándar o ensayo) se exponen a la radiación ultravioleta al día siguiente. Las series exactas de exposiciones que serán dadas se determinan por el MED de la piel no protegida. Un ejemplo citado en el Registro Federal (*Federal Register*) ilustra este punto. La idea es proporcionar una serie de exposiciones en que los tiempos de exposición más cortos no producen efectos sobre la piel, mientras que los tiempos de exposición más prolongados en las dieciséis a veinticuatro horas después producen zonas de exposición con ligero y moderado enrojecimiento.

El SPF del producto ensayado se calcula después a partir del intervalo de tiempo de exposición requerido para producir el MED de la piel protegida y a partir del lapso de exposición requerido para producir el MED de la piel no protegida (zona de control).

Resistencia al agua y al sudor de filtros solares

También la eficacia de los preparados filtros solares depende de su capacidad para formar películas sustantivas en la piel, que sean resistentes a ser eliminadas por agua o sudor. Por consiguiente, es apropiado incluir en la valoración de los preparados filtros solares ensayos que garanticen su resistencia al agua y al sudor.

El *OTC Panel* recomienda el uso de una fuente de radiación artificial en tales ensayos debido a ciertas dificultades que se encuentran cuando los sujetos del ensayo se exponen a la radiación solar, por ejemplo carencia de protección de piel no tratada de los sujetos de ensayo frente a quemadura solar o la dificultad en determinar la cantidad de la radiación solar que llega a la piel cuando está sumergida.

Un período de sudoración copiosa de treinta minutos, en condiciones ambientales controladas, se considera un ensayo apropiado para determinar la resitencia al sudor y hacer declaraciones de sustantividad para un preparado filtro solar. Se autoriza tal declaración si el preparado filtro solar en ensayo mantiene su PCD (denominación de la categoría del producto) original después del ensayo. La declaración «resiste a la eliminación por el sudor» también es apropiada si el producto demuestra ser resistente al agua, puesto que la inmersión es un ensayo más duro que el del sudor.

Los ensayos de resistencia e impermeabilidad al agua son más fácilmente realizables y reproducibles si se efectúan en una piscina cubierta. El ensayo para determinar la resistencia al agua de un preparado filtro solar se realiza después de cuarenta minutos de actividad moderada en el agua, y el ensayo de la declaración que un producto dado es impermeable al agua después de ochenta minutos de actividad moderada.

Puesto que los filtros solares se disuelven más lentamente en el agua del mar que en agua dulce, debido a su contenido salino, la piscina cubierta debe contener agua dulce.

Eficacia de los filtros solares

La eficacia de un preparado filtro solar depende de la cantidad de radiación solar nociva (eritemógena) que es capaz de absorber y, por tanto, depende del intervalo de absorción del filtro solar activo, su pico de absorción, concentración empleada, sustantividad a la piel y su resitencia al agua y al sudor, y también de la naturaleza del disolvente empleado y otros constituyentes presentes.

La absorbencia molar de un filtro solar en los intervalos eritemógenos y fotosensibilización del espectro ultravioleta también pueden utilizarse como un criterio de la eficacia realtiva de un agente filtro solar. Cuanto mayor es su valor a una longitud de onda específica, mayor es la capacidad del agente filtro solar para absorber la radiación ultravioleta a esa longitud de onda. La eficacia de los filtros solares con absorbancia molar baja pueden incrementarse aumentando la concentración del ingrediente activo en la preparación.

Otros factores que pueden influir en la eficacia de una preparación filtro solar son:

a) pH;
b) sistema disolvente empleado;
c) espesor de la película residual sobre la piel;
d) estabilidad del producto durante el tiempo que se emplea.

Un cambio en el pH, por ejemplo un incremento en la concentración del ion H^+, cambiará la relación de las fracciones ionizadas y no ionizadas del agente filtro solar y ocasionará un cambio en el intervalo de absorción (y pico de absorción) alejado del intervalo eritemógeno de 290-320 μm con una consiguiente reducción en la eficacia[47].

En prácticamente todos los absorbentes aromáticos ultravioletas, la adición de disolventes también puede producir un cambio en su intervalo de absorción. Así, el pico de absorción del ácido p-aminobenzoico en isopropanol al 100 por

100 se desplazó desde 287a 267,5 μm en agua al 100 por 100[48]. El aceite mineral es otro ejemplo de un medio que puede producir un cambio del intervalo de absorción de filtros solares a una longitud de onda inferior. Por tanto, el cambio de disolvente puede afectar adversamente a la protección dada por el agente filtro solar.

Por otro lado, el palmitato de 2-etilhexilo es muy estable a la radiación ultravioleta y prácticamente no tiene efecto sobre el pico de absorción.

Formulación de filtros solares

La investigación en las líneas ya descritas en este capítulo establecerá el tipo y la cantidad de sustancia activa necesarias para crear un producto adecuado, y la formulación consiste mayormente en seleccionar un vehículo adecuado. Los filtros solares pueden presentarse en casi todas las formas de productos que pueden aplicarse a la piel produciendo película continua, variando desde lociones acuosas o alcohólicas y pasando por productos en emulsión líquida o semisólida hasta preparaciones lípidas no acuosas. También se incluyen geles y aerosoles.

Los puntos que se deben considerar al elaborar la fórmula son:

1. Comodidad de uso, recordando que el producto con frecuencia se utilizará al aire libre, se llevará a la playa y se colocará en superficies irregulares, que influirán en el tipo de producto, envase y cierre.

2. El filtro solar debe presentarse en cantidad suficiente para ser eficaz (véase al principio de este capítulo).

3. El filtro solar y el vehículo deben ser compatibles. Desde el punto de vista del producto, el filtro solar puede disolverse tanto en la fase acuosa, como en la no acuosa, pero se debe recordar que, al usarlos, el agua y el alcohol se evaporarán del producto dejando el filtro solar disuelto o dispersado en la porción no volátil de la crema, que por sí misma puede contribuir a la actividad del filtro solar, o en los lípidos de la superficie cutánea.

4. Se deben considerar las propiedades deseables en la película de sustancias no volátiles depositadas en la piel. Probablemente no es necesario ni deseable que el filtro solar penetre en la piel, de este modo no hay especial necesidad de sustancias de fácil absorción, excepto en la medida en que se requiera cierta absorbencia, de modo que el producto pueda contribuir a mantener la piel flexible. La selección entre lípidos de varios tipos y sustancias hidrófilas, tales como glicerina o sorbitol, la realiza el fabricante, y se basa en factores tales como el grado de grasa, pegajosidad o humedad requeridas, recordando que el producto puede aplicarse sobre playas arenosas, o puede requerirse que se adhiera a la piel durante el baño, o puede entrar en contacto con los vestidos.

Con estos puntos a la vista, el formulador debe ser capaz de seleccionar las fórmulas dadas en otras partes de este libro. A continuación se dan algunas fórmulas que han sido recomendadas, e ilustran puntos y tipos particulares de preparación.

Loción, esencialmente acuosa, con una pequeña cantidad de espesante[49] (1)

	por ciento
Filtrosol B	7,0
Metil celulosa	0,5
Glicerina	2,0
Alcohol etílico	10,0
Agua	80,5
Perfume	*c.s.*

Loción, esecialmente alcohólica, con alcohol oleílico como lípido residual[50] (2)

	por ciento
Giv-tan F	1,5
Alcohol etílico (desnaturalizado)	65, 0
Alcohol oleilico	10,0
Agua	23,5
Perfume	*c.s.*

Loción filtro solar transparente[51] (3)

	por ciento
Isobutilo, *p*-benzoato	5,0
Tween 20	9,0
Alcohol SD-40	45,0
Agua	41,0

El ejemplo 4 es una loción hidroalcohólica espesada con una pequeña cantidad de alcohol hexadecílico al que se le considera un vehículo apropiado para bronceadores oleosos, puesto que relativamente no es graso ni pegajoso después de su aplicación a la piel[52].

(4)

	por ciento
Isobutilo, *p*-aminobenzoato	1,9
Alcohol hexadecílico	4,7
Alcohol isopropílico	52,6
Agua	40,3
Carbopol 934	0,5
Di-isopropanolamida hasta pH 6,0	*c.s.*

Loción alcohólica conteniendo silicona como vehículo residual[53] (5)

	por ciento
Agente filtro solar	1,0
L-43 Silicone (Union Carbide)	5,0
Alcohol etílico	94,0
Perfume	*c.s.*

Gel con residuo hidrófilo[54] (6)

	por ciento
Filtro solar (soluble en agua)	5,0
1,2,6-Hexanotriol	15,0
Agua destilada	80,0
Además:	
Carbopol 934	0,1
Sódico, hidróxido al 10 por 100	0,42

Gel conteniendo aceite mineral y elevada proporción de derivado
(lanolina) no iónico[55]

(7)

por ciento

Filtrosol A. 1000 (Schimmel)	2,0
Crodafos N.3 neutro	6,80
Volpo N.3	4,06
Volpo N.5	2,72
2-Etil-1,3-hexanodiol	3,42
Aceite mineral visc. 65/70	13,0
Agua destilada	68,0
Perfume, conservante	c.s.

Producto oleoso conteniendo una mezcla de aceite vegetal y mineral[54]

(8)

por ciento

Filtrosol A. 1000	3,0
Lantrol	2,0
Isopropilo, miristato	12,0
Aceite de oliva	13,0
Aceite mineral	70,0

Aceite no graso basado en palmitato de isopropilo y silicona[53]

(9)

por ciento

Filtro solar (soluble en aceite)	1,0
Silicone fluid L-45 (100 cS)	10,0
Isopropilo, palmitato	89,0

Emulsión agua-aceite con un filtro solar liposoluble[54]

(10)

por ciento

Filtro solar (liposoluble)	3,0
Aceite mineral	34,0
Atlas G-1425	2,0
Avitex ML	5,0
Cera de abejas	2,0
Isopropilo, miristato	0,5
Vaselina	7,5
Agua	46,0

Emulsión aceite-agua con bajo contenido en aceite de carácter no graso[50]

(11)

por ciento

Giv-tan F	1,5
Dietilen glicol, monoestearato	2,0
Acido esteárico	3,5
Alcohol cetílico	0,4
Isopropilo, miristato	4,0
Trietanolamina	1,0
Trietanolamina, lauril sulfato	0,75
Agua	86,85
Perfume, conservante	c.s.

Crema con un contenido moderado de aceite, principalmente mineral[55]

(12)

por ciento

A.	Giv-tan F	2,0
	Glicerilo, monoestearato (autoemulsionable)	
	(jabón al 5 por 100)	7,0
	Cera de esperma de ballena	2,0
	Aceite mineral	20,0
	Acido esteárico (triple prensado)	2,0
	Polychol 5	1,0

B. Agua   63,8
    Glicerina   2,0
    Conservante   0,2

C. Perfume   *c.s.*

Procedimiento: Añadir *B* a *A* a 70 OC. Agitar hasta que la crema se haya enfriado a 40 °C.

Crema evanescente de bajo contenido oleoso conteniendo Veegum [49]	(13)
	por ciento
Filtrosol A	5,00
Acido esteárico	6,00
Alcohol cetílico	0,50
Veegum	2,28
Agua	85,42
Bórax	0,50
Potásico, hidróxido	0,30
Perfume, conservante	*c.s.*

A los productos básicos débiles se les atribuye estimular el bronceado.

Crema aceite-agua con un contenido de aceite moderado de carácter mixto		(14)
		por ciento
Filtro solar, etc.		*c.s.*
Glicerilo, monoestearato (autoemulsionable)		16,0
Alcohol cetílico		1,0
Aceite mineral		10,0
Aceite de sésamo		10,0
Glicerina		7,0
Agua	hasta	100,0
Antioxidante, conservante, perfume		*c.s.*

Crema agua-aceite con una relación aceite-agua similar al ejemplo 14		(15)
		por ciento
Etilo, *p*-dietilaminobenzoato		1,0
Aceite mineral		9,0
Ozoquerita		2,0
Cera microcristalina		1,0
Cera parafina		5,0
Vaselina		2,0
Lanolina		3,0
Isopropilo, miristato		10,0
Arlacel 83		1,5
Glicerina		5,0
Conservante, perfume		*c.s.*
Agua	hasta	100,0

Los ejemplos 16 y 17 son cremas que contienen alúmina coloidal, a la que se le ha atribuido aumentar la resistencia al agua de preparados bronceadores. Como con los ejemplos 14 y 15, uno es agua-aceite y el otro es aceite-agua, pero en este caso la diferencia se debe al uso de distintos emulsionantes y a diferentes cantidades de aceite [56].

		(16) por ciento	(17) por ciento
A.	2-Etilhexilo, salicilato	5,0	5,0
	Aceite mineral	30,0	10,0
	Myverol 18-71	10,0	—
	Acido esteárico	2,2	—
	Tween 80	—	3,5
	Span 80	—	1,5
	Conservante	0,2	0,2
B.	Baymal	3,5	5,6
	Agua	49,1	74,2

Los ejemplos 18 y 19 son aceites aerosoles filtros solares. El ejemplo 18[54] se basa en aceite mineral, mientras el ejemplo 19[53], en alcohol, y contiene silicona y no es graso.

	(18) por ciento
Filtrosol A 1000	3,0
Aceite mineral	75,0
Eutanol G	8,0
Lantrol	2,0
Isopropilo, miristato	12,0
Perfume	c.s.
Concentrado	40
Propulsores 11/12 (50:50)	60

	(19) por ciento
Agente filtro solar	5,0
Isopropilo, miristato	25,0
L-43 Silicone	5,0
Perfume, aceite	1,25
Lanolina, aceite	2,5
Mentol racémico USP	0,25
Alcohol absoluto	61,0
Concentrado	20,0
Propulsores 11/12 (75:25)	80,0

Espuma ruptura rápida aerosol, sustancialmente no grasa[53]	(20) por ciento
Acido mirístico	1,3
Acido esteárico	5,0
Alcohol cetílico	0,5
Isopropilo, miristato	1,3
Glicerina USP	5,0
Agente filtro solar	1,0
L-43 Silicone fluid	1,0
Trietanolamina	3,0
Agua destilada	80,6
Alcohol bencílico	1,0
Perfume oleoso	0,3

*Producto aerosol que combina actividad del filtro solar
con repelencia de insectos* [55]

	(21)
	por ciento
Dipropilen glicol, monosalicilato	4,0
Polawax A.31	3,0
Alcohol etílico 74 OP	47,0
Agua destilada	31,0
Ucon lubricant 50 HB 660	5,0
Dimetilo, ftalato	10,0
Perfume	*c.s.*
Concentrado	92,0
Propulsores 12/14 (20 : 80)	8,0

Perfumes. La exposición al sol produce invariablemente un aumento de la sensibilidad de la piel, debido a la liberación de histamina. Es bien conocido el efecto irritante de muchos aceites esenciales, y otros componentes de perfume, y probablemente se intensifica en estas condiciones. Por esto, es esencial tener mucho cuidado en la selección de ingredientes y, así, mantener el perfume a una baja concentración, preferentemente alrededor del 0,2 por 100.

Filtros solares fuertes

Existen preparados en el mercado cuyo objetivo es inhibir completamente la pigmentación. Esta clase de productos también incluye preparados que se aplican a la piel con el único objeto de proporcionar una barrera mecánica a la radiación solar, tal como loción de calamina o maquillaje denso. Se han realizado numerosos intentos para desarrollar productos cosméticos que puedan inhibir la formación de pecas, y toda lesión cutánea resultante de la exposición a la radiación solar u otra fuente de radiación ultravioleta. Como otros preparados filtros solares, se dispone de estos productos comercialmente en forma de crema, loción o espuma aerosol. Entre los compuestos que se han propuesto para ser incluidos en tales productos, por sus propiedades filtrantes solares, se han mencionado los siguientes:

En cremas:

2-hidroxi-4-metoxi-4′-metilbenzofenona (Uvistat).
1 por 100 de 3-benzoil-4-hidroxi-6-metoxibenzofenona.
3-15 por 100 del ácido *p*-aminobenzoico.
5-10 por 100 de esculina.
10 por 100 de salol en vaselina amarilla.
10 por 100 de salicilato de metilo en un ungüento base.

En lociones:

10-15 por 100 de ácido *p*-aminobenzoico en alcohol al 70 por 100.
5-10 por 100 de ácido tánico en alcohol al 25-30 por 100.

PREPARACIONES PALIATIVAS

Los preparados para alivio de quemaduras solares se pueden formular sobre la base de loción de calamina u otras preparaciones de zinc.

Con respecto a esto, los fabricantes deben tener en cuenta que las «quemaduras» solares son bastante capaces de producir exactamente la misma lesión que las quemaduras de vapor, y existe aún el riesgo consiguiente de infección por bacterias y absorción de las proteínas lesionadas. Por eso, estas preparaciones deben ser antisépticas.

Loción tipo calamina	(22)
	por ciento
Calamina coloidal	20,0
Glicerina	5,0
Agua	75,0
Antiséptico	*c.s.*

NADKARNI y ZOPF[57] sugirieron la siguiente loción mejorada de calamina:

	(23)
Zinc, óxido	8,0 g
Calamina preparada	8,0 g
Polietilen gligol 400	8,0 cm³
Polietilen glicol 400, monoestearato	3,0 g
Agua de cal	60,0 cm³
Agua	hasta 100,0 cm³

Las leches de estearato de trietanolamina también son calmantes:

	(24)
	por ciento
Trietanolamina, monoestearato	4,80
Parafina líquida	10,00
Agua	85,20
Antiséptico	*c.s.*

Si se desea, se puede añadir a esta mezcla un 10 por 100 de calamina coloidal, que se prepara calentando el estearato y aceite a 70 °C, y añadiendo el agua a la misma temperatura, o preferentemente preparando el estearato de trietanolamina *in situ*. La selección de un antiséptico adecuado se hace de preferencia individualmente; muchos de los bifenoles clorados (véase Capítulo 35) son buenos germicidas y no son irritantes, y son innocuos en concentraciones ordinarias. Para zonas quemadas graves, se indica la inclusión de un anestésico local o analgésico, aunque se deben seleccionar cuidadosamente a la vista de los peligros de la absorción. MONASH[58] estudió la anestesia tópica de la piel intacta utilizando seis preparaciones diferentes en base o ungüento alcohólica, hidrofila y vehículos de petrolato. Una solución alcohólica al 2 por 100 actúa en cuarenta y cinco a sesenta minutos, mientras que un 5 por 100 de concentración de ingredientes activos en los dos ungüentos produce la antestesia tópica en sesenta a noventa minutos. El ungüento hidrófilo actúa más rápidamente que la base petrolato. Los efectos duran de dos a cuatro horas. La eliminación de diez a quince capas de células utilizando cinta adhesiva reduce el período de anestesia entre uno y cuatro minutos. El autor sugirió que el mecanismo de penetración a través de la piel intacta era la vía de los folículos, extendiéndose a través de las paredes del folículo adyacente o justo debajo del nivel inferior de la barrera externa y, de ahí, a través de la mucosa del estrato hasta alcanzar las porciones papilares de la dermis. Se dispone de productos aerosol, loción y crema que contienen benzocaína y el germicida triclosan[59]. El tratamiento de una quemadura grave debe realizarse bajo supervisión médica.

En general, no deben utilizarse preparados grasos en el tratamiento de quemaduras solares. Sólo retienen el calor de la quemadura y evitan el uso de un antiséptico capaz de mezclarse con las secreciones, y prevenir la infección bacteriana.

Todas estas preparaciones deben ser ya soluciones acuosas o emulsiones aceite-agua que sean capaces de ejercer tanto un efecto protector como refrescante.

PREPARADOS BRONCEADORES ARTIFICIALES

Colorantes

El incremento del color del bronceado puede considerarse ya como funcional para prevenir las lesiones cutáneas por absorción de radiaciones eritemógenas, o como cosmética, para indicar la salud y el bienestar del sujeto. En ambos casos, el efecto puede obtenerse mediante el uso de sustancias colorantes. Desde tiempos antiguos se han utilizado sustancias tales como jugo de nuez. Sin embargo, se han recomendado colorantes hidrosolubles que se corren con la lluvia o la humedad, y también colorantes liposolubles. Se puede obtener un producto vegetal por extracción de una mezcla de orchilla y alheña con diez partes de aceite caliente de oliva desodorizado, ajustando la proporción de materias colorantes vegetales para dar los tonos deseados.

Una práctica más moderna es usar colorantes liposolubles adecuados en sustancias lípidas menos grasientas.

También se pueden utilizar polvos faciales fuertemente pigmentados o modificaciones de la «media femenina cosmética». Se pueden obtener excelentes efectos conjuntamente con tonos adecuados de maquillaje.

Sustancias sistémicas

Ninguno de los filtros solares mencionados anteriormente es capaz de aumentar la velocidad de bronceado de la piel, a pesar de que, si es seguro en su uso, tal producto obviamente podría representar un mercado importante.

En 1947, FAHMY y ABU-SHADY[60] aislaron los principios activos de la planta *Ammi Majus* (Linn.), conocida en la medicina folklórica antigua practicada en

Egipto para regenerar la pigmentación en piel afectada de vitiligo. Posterior-mente se ha demostrado que administrando oralmente o aplicando tópicamente estos extractos podría efectuarse la repigmentación después de exponer la piel a la radiación solar.

Entre estos compuestos, que poseen propiedades fotosensibilizadoras, están los alcoxipsoralenos y metoxsaleno (8-metoxipsoraleno), ambos investigados ampliamente en el tratamiento del vitiligo, y también como posible preparado cosmético bronceador.

SULBERGER y LERNER[61], en un informe a AMA Comité de Cosméticos, revisaron la introducción de fármacos administrados oralmente (psoralenos) propuestos para acentuar el bronceado. Informaron que estaban lejos de resolver los problemas asociados con el uso de los oxipsoralenos para curar el vitiligo, y la repigmentación cosmética satisfactoria se obtenía en sólo uno de siete pacientes tratados. La aplicación local, probablemente el método de empleo de mayor estimulación pigmentaria, ocasiona edema, eritema, ampollas y dolor graves cuando la piel se somete a la radiación ultravioleta natural o artificial.

Se dice que el incremento de pigmentación se produce después de ingerir 10-20 mg de metoxsaleno cuando la piel se expone a la radiación solar durante dos a cuatro horas.

DANIELS, HOPKINS y FITZPATRICK[62] realizaron un ensayo clínico usando 106 sujetos para garantizar la eficacia de una dosis diaria de 10 mg de metoxsaleno en la producción de bronceado de la piel. Se demostró que estos resultados no diferenciaban entre las tabletas de metoxsaleno y una tableta placebo. Como consecuencia, STEGMAIER[63] administró 20 mg de dosis diaria de metoxsaleno utilizando un placebo lactosa como control. Concluyó que esta sustancia ingerida en suficiente dosis incrementaba el bronceado (un 98 por 100 de nivel de confian-za), y disminuía la quemadura solar (un 90 por 100 de nivel de confianza).

Una tableta de promoción de bronceado se introdujo en el mercado de EE. UU. con el nombre de TAN-IF-IC con 8-metoxipsoraleno como principio activo. Otros componentes de la tableta eran vitaminas cuidadosamente equili-bradas para garantizar la presencia de tirosina, cobre y algo del grupo vitamíni-co B. Después de la ingestión, la exposición al sol producía, al cabo de algunos días, un bronceado que era a veces equivalente al bronceado previamente conseguido con una exposición total en verano. Además, se afirmó que protegía la piel al acelerar la producción de cuerpos de melanina, aumentar la pigmenta-ción actuando en el modo normal de protección a la quemadura solar. Se reivindicó como el único agente oral de bronceamiento y protector solar, pero fue retirado posteriormente.

Dihidroxiacetona (1,3-dihidroxi-2-propanona)

En 1959, apareció en el mercado de EE. UU. una loción para después del afeitado incolora que reivindicaba producir un bronceamiento gradual de la piel: el efecto aparecía al cabo de las seis horas de aplicación. El estudio de este producto demostró que el coloramiento de la piel se limitaba a las capas celulares superiores de la piel. El principio activo utilizado a una concentración hasta el 2,5 por 100 era dihidroxiacetona (DHA).

En 1960, una patente[64] publicada cubría el uso de dihidroxiacetona para bronceamiento de la epidermis humana. Esta patente incluyó ocho precisiones que cubrían lociones, ungüentos y polvos sueltos incorporando dihidroxiacetona a una concentración del 0,2-4,0 por 100.

En los años siguientes, aparecieron numerosas publicaciones, y parece que la reacción implicada se había descrito por primera vez algunos años antes en revistas dedicadas a investigación dental[65-67]. Por eso, este producto es un ejemplo excelente de la fertilización cruzada de un campo de investigación a otro.

Investigaciones más detalladas[68, 69] demostraron que la DHA reacciona con los grupos amino libres en las proteínas cutáneas y, en particular[70], con el grupo amino libre de la arginina. Se ha sugerido que la DHA existe en isomerismo tautomérico con el gliceraldehído:

$$
\begin{array}{ll}
CH_2 \cdot OH & CH_2 \cdot OH \\
| & | \\
C = O \quad \rightleftharpoons & CH \cdot OH \\
| & | \\
CH_2 \cdot OH & CHO
\end{array}
$$

y que el aldehído experimenta una reacción de tipo Schiff con grupos amino o imina de la queratina formando productos aminoaldehídos que se condensan y polimerizan para formar melanoidinas de color oscuro.

Este esquema de reacción está de acuerdo con el trabajo posterior de LADEN y ZIELINSKI[71], quienes demostraron que la reacción no es específica del DHA, sino que es general para muchas α-dihidroximetil cetonas. Sin embargo, la DHA es uno de los mejores compuestos que producen coloración (véase posteriormente: Eritrulosa).

Aunque existen algunos casos publicados de irritación cutánea en piel normal y anormal por el uso de productos que contienen DHA[68, 72-76], pronto se ha acumulado considerable evidencia para demostrar que la DHA es innocua[72].

Las soluciones acuosas de DHA no se extienden bien, y producen relativamente escaso bronceamiento. Alcoholes y agentes activos tensioactivos incrementan la velocidad aparente de bronceamiento[77]. La reacción disminuye al aumentar el pH; soluciones que tienen un valor de pH superior a 8,0 no producen reacción coloreada.

Una loción bronceadora DHA propuesta por FUHRER[78] se compone de:

	(25) *por ciento*
DHA	4,0
Etanol (al 95 por 100)	28,0
Metilo, *p*-hidroxibenzoato	1,0
Jarabe sorbitol (al 70 por 100)	3,0
Acido bórico polvo	1,0
Alantoína	0,3
Agua destilada	60,7
Perfume	2,0

Una patente de EE. UU.[79] concedida a Plough Inc. cubre el uso de la dihidroxiacetona en asociación con agentes filtros solares, que no contienen grupos amino activos, dentro de un intervalo de pH 2,5-6,0. Estas formulaciones han reivindicadio tener una vida comercial superior a seis meses. Estimulan el bronceado cutáneo y también protegen a la piel de las quemaduras solares.

Asociaciones dihidroxiacetona-juglona o lawsona. FUSARO y RUNGE[80] describieron una mezcla que colorea la piel y, por tanto, la protege frente a las quemaduras solares excesivas. Se compone de una solución al 3 por 100 de dihidroxiacetona en isopropanol al 50 por 100, y también contiene un 0,035 por 100 de juglona o lawsona. El primero es químicamente 5-hidroxi-1,4-naftoquinona y se obtiene a partir de cáscaras de nuez; el segundo es 2-hidroxi-1,4-naftoquinona, procedente de alheña. Por aplicaciones repetidas a la piel, y después que la piel se haya lavado con agua y jabón, esta mezcla produce un color bronceado moreno, el tono del cual se puede determinar por el número de aplicaciones. Se ha asegurado que el color que se produce en la piel absorbe el 95 por 100 de la radiación ultravioleta y el 20 por 100 de la radiación infrarroja que llega a la piel. La protección se confiere a la piel sólo después que se desarrolle el color, y entonces se mantiene por reaplicación de la mezcla a intervalos de dos a siete días. El bronceado natural todavía se puede adquirir después que el producto se ha aplicado a la piel, aunque sólo muy lentamente.

Eritrulosa

Otro compuesto que se ha propuesto en preparados cosméticos como agente bronceador artificial para la piel es el butano-1,3,4-triol-2-ona, $HO \cdot CH_2 \cdot CO \cdot CH(OH) \cdot CH_2OH$, también denominado eritrulosa. Una patente de L'Oreal que cubre su uso[81] establece que la concentración preferente de este compuesto está entre el 0,5 y el 10 por 100 en peso, dependiendo del grado de bronceado de la piel deseado. Según la misma patente, la eritrulosa puede utilizarse en asociación con un absorbente ultravioleta; también pueden estar presentes alcohol y agente tensioactivo para favorecer la penetración en la piel. Pueden presentarse en forma de loción, crema o gel, así como en composiciones envasadas en recipientes a presión. En el ejemplo 26 se ilustra la formulación de un pulverizador alcohólico de eritrulosa para uso en envase de aerosol.

(26)

Concentrado	
Eritrulosa	3 g
Propilen glicol	0,2 g
Alcohol etílico al 99,8 por 100 *c.s.*	100 cm³

Llenado	*partes*
Concentrado	33
Tricloromonofluorometano	33
Diclorodifluorometano	33

REFERENCIAS

1. Keller, P.. *Strahlentherapie*, 1923/24, **16**, 537, 824.
2. Luckiesh, M., *Application of Germicidal, Erythemal and Infra Red Energy*, New York, Van Nostrand, 1946.
3. Lerner, A. B., Denton, C. R. and Fitzpatrick, T. B., *J. invest, Derm.*, 1953, **20**, 299.
4. Piers, F., *Br. J.. Dermatol.*, 1948, **60**, 319.
5. Roffo, A. H., *Bol. Inst. med. Exp. Estud. Trat. Cancer Buenos Aires*, 1933–36.
6. Passey, R. D., *Report at the Annual Meeting of the Yorkshire Council of the British Empire Campaign*, 16 May 1938.
7. Auerbach, H., *Public Health Reports*, 1961, No.76, 345–348.
8. Knox, J. M., Guin, J. and Cockerell, E. G., *J. invest. Derm.*, 1957, **29**, 435.
9. Luckiesh, M. and Taylor, A. H., *Gen. Electr. Rev.*, 1939, **42**, 274.
10. Blum, H. F. and Kirby Smith, J. S., *Science*, 1942, **96**, 203.
11. Rottier, P. B., *J. Soc. cosmet. Chem.*, 1968, **19**, 85.
12. Kreps, S. L., *J. Soc. cosmet. Chem.*, 1963, **14**, 12.
13. Anderson, F. E., *Am. Perfum. Cosmet.*, 1968, **83**(1), 43.
14. Blum, H. F. and Terus, W. S., *Am. J. Physiol.*, 1946, **146**, 107.
15. Fitzpatrick, T. B., Pathak, M. A. and Parrish, J. A., in *Sunlight in Man*, ed. Pathak, M. A. *et al.*, Tokyo, Univ. of Tokyo Press, 1974, p. 751–765.
16. Hais, I. M. and Zenisek, A., *Am. Perfum. Aromat.*, 1959, **74**(3), 26.
17. Draize, J. H., *Arch. Dermatol. Syphilol.* 1951, **64**, 585.
18. Klarmann, E. G., *Am. Perfum. essent. Oil Rev.*, 1949, **54**, 116.
19. Luckiesh, M., Taylor, A. H., Cole, H. N. and Sollmann, T., *J. Am. med. Assoc.*, 1946, **130**, 1.
20. De Navarre, M. G., *Chemistry and Manufacture of Cosmetics*, New York, Van Nostrand, 1941.
21. US Dept of Health, Education and Welfare, *Health Information Series No. 1*, Public Health Service Publication No. 104.
22. Giese, A. C., Christensen, E. and Jepson, J., *J. Am. Pharm. Assoc. Sci. Ed.*, 1950, **39**, 30.
23. Pernich, P. and Gallagher, M., *J. Soc. cosmet. Chem.*, 1950, **2**, 92.
24. US Patent 3 058 886, Van Dyk & Co. Inc., 20 August 1957.
25. US Patent 3 065 144, Van Dyk & Co. Inc., 10 December 1959.
26. US Patent 3 068 152, Union Carbide, 13 November 1958.
27. US Patent 3 068 153, Union Carbide, 13 November 1958.
28. Stambovsky, L., *Drug Cosmet. Ind.*, 1955, **76**, 44.
29. US Patent 3 419 659, GAF Corporation, 31 December 1968.
30. US Patent 3 479 428, Boots Pure Drug Co., 18 November 1969.
31. US Patent 3 403 207, Kreps, S. I. and Ohlsson, E., 24 September 1968.
32. British Patent 1 177 797, Nat. Starch & Chem. Corporation, 14 January 1970
33. US Patent 3 532 788, Colgate-Palmolive Co., 6 October 1970.
34. US Patent 3 670 074, Miles Laboratories, 13 June 1972.
35. US Patent 3 864 474, Colgate-Palmolive Co., 4 February 1975.
36. US Patent 3 895 104, Avon Products Inc., 15 July 1975.
37. *Federal Register*, 1978, **43**(166), 38206.
38. Stambovsky, L., *Perfum. essent. Oil Rec.*, 1958, **49**, 181.
39. Kumler, W. D. and Daniels, F. C., *J. Am. pharm. Assoc. sci. Ed.*, 1948, **37**, 474.
40. Kumler, W. D., *J. Am. pharm. Assoc. sci. Ed.*, 1952, **41**, 492.
41. Bergwein, K., *Dragoco Rep.*, 1964, **6**, 123.
42. Masch, L. W., *J. Soc. cosmet. Chem.*, 1963, **14**, 585.
43. Kreps, S. I., *Proc. sci. Sect. Toilet Goods Assoc.*, 1955, (23), 13.
44. Stambovsky, L., *Perfum. essent. Oil Rec.*, 1958, **49**, 529.
45. Stambovsky, L., *New Jersey J. Pharm.*, 1947, **20**, 18.
46. Master, K. J., Sayre, R. M. and Everett, M. A., *J. Soc. cosmet. Chem.*, 1966, **17**, 581.

47. Torosian, G. and Lemberger, M. A., in *Handbook of Nonprescription Drugs*, 5th edn, Washington, Am. Pharm. Assoc., 1977.
48. Van Dyk & Co. Inc., Technical Bulletin, *Effect of Solvent on Escalol 507*, Belleville, 1978.
49. *Schimmel Brief* No.205, April, 1952.
50. Sindar Corporation literature.
51. Atlas Cosmetic Formulary, *Sunscreen and Fragrance Products*, Wilmington, 1970.
52. Enjay Corporation leaflet.
53. Union Carbide literature.
54. Janistyn, H., *Taschenbuch der Modernen Parfümerie und Kosmetik*, Stuttgart, Wissenschaftliche Verlagsgesellschaft, 1966.
55. Croda information sheet.
56. Du Pont de Nemours.
57. Nadkarni, M. V. and Zopf, L. C., *J. Am. pharm. Assoc. pract. Pharm. Ed.*, 1948, **9**, 212.
58. Monash, S., *Arch. Dermatol.*, 1957, **76**, 752.
59. *Chemist Druggist*, 1981, 3 January, 12.
60. Fahmy, I. R. and Abu-Shady, H., *Q. Pharm. Pharmacol.*, 1947, **20**, 281.
61. Sulzberger, M. B. and Lerner, A. B., *J. Am. med. Assoc.*, 1958, **167**, 2077.
62. Daniels, F., Hopkins, C. E. and Fitzpatrick, T. B., *Arch. Dermatol.*, 1958, **77**, 503.
63. Stegmaier, O. C., *Arch. Dermatol.*, 1959, **79**, 148.
64. US Patent 2 949 403, Andreadis, J. T., 16 August 1960.
65. Deakins, M. L., *J. dent. Res.*, 1941, **20**, 39.
66. Dreizen, S., Green, H. I., Carson, B. C. and Spies, T. D., *J. dent. Res.*, 1949, **28**, 26.
67. Dreizen, S., Gilley, E. J. and Mosny, I. J., *J. dent. Res.*, 1957, **35**, 235.
68. Maibach, H. I. and Kligman, A. M., *Arch. Dermatol.*, 1960, **82**, 505.
69. Flesch, P. and Esoda, E. C. J., *Proc. sci. Sect. Toilet Goods Assoc.*, 1960, (34), 53.
70. Wittgenstein, E. and Berry, H. K., *Science*, 1960, **132**, 894.
71. Laden, K. and Zielinski, R., *J. Soc. cosmet. Chem.*, 1965, **16**, 777.
72. Goldman, L., Barkoff, J., Blaney, D., Nakai, T. and Suskind, R., *J. invest. Derm.*, 1960, **35**, 161.
73. Blau, S., Kanof, N. B. and Simonsen, L., *Arch. Dermatol.*, 1960, **82**, 501.
74. Markson, L. S., *Arch. Dermatol.*, 1960, **81**, 989.
75. Anon., *Pharm. J.*, 1960, **184**, 420.
76. Anon., *Am. Perfum. Aromat.*, 1960, **75**(8), 49.
77. Buchter, J. N., Bandolin, N. and Kanas, F. J., *Am. Perfum. Aromat.*, 1960, **75**(12), 46.
78. Fuhrer, H., *Seifen Öle Fette Wachse*, 1960, **86**, 607.
79. US Patent 3 177 120, Plough Inc., 1 June 1960.
80. Fusaro, R. M., Runge, W. J., Lynch, E. W. and Watson, C. J., *Arch. Dermatol.*, 1966, **93**, 106.
81. British Patent 954 920, L'Oreal, 25 July 1961.

16
Decolorantes o aclaradores de la piel

Es esencial cierto conocimiento de la fisiología y la bioquímica del color de la piel y especialmente de los procesos de pigmentación para juzgar el modo de acción de los agentes decolorantes de la piel. A los lectores se les remite al Capítulo 1 y a varios autores que proporcionan revisión excelente y detallada de este tema [1-8], aunque a continuación se expone un breve resumen de nuestros conocimientos actuales de los procesos en que están involucrados.

Color de la piel

Se combinan tres factores principales para dar el color de la piel. Las células de la dermis y epidermis suministran un fondo natural de color blanco amarillento, el predominio del cual depende en cierto grado del espesor de la piel. Los vasos sanguíneos superficiales de la piel contribuyen a un tono rojo a azul, cuya intensidad depende del número y estado de dilatación de los vasos sanguíneos y su proximidad a la superficie, y el color del grado de oxigenación de la sangre. Sin embargo, con mucho la contribución más importante es la de los pigmentos carotenos y, el más importante de todos, las melaninas marrones a negras que son responsables principales del color de las diferentes razas.

La melanina se sintetiza en células dendríticas conocidas como melanocitos, que se encuentran normalmente en la capa basal de la epidermis. Dentro de los melanocitos, la melanina está ligada a una proteína matriz para formar melanosomas. Los melanocitos transfieren sus melanosomas a los queratinocitos circundantes y, perdiendo su melanina, estas células probablemente emigran hacia zonas superiores a través de la epidermis.

El control de la producción de la melanina se debe tanto al efecto estimulante directo de la luz ultravioleta como a una hormona, la hormona estimulante del melanocito (MSH, *melanocyte stimulatory hormone*), secretada por la glándula pituitaria anterior. Los estrógenos también ejercen un efecto localizado que se evidencia especialmente durante el embarazo.

Parece extraordinario que solamente a finales de la década de los sesenta se comenzase a entender el por qué la piel negroide era negra y la caucasoide blanca. El número de melanocitos es similar en ambas. La piel negra se produce por el incremento de la actividad de los melanocitos asociado con la producción de melanosomas que son mayores que los de la piel blanca. Los melanosomas negroides, generalmente, están dispuestos individualmente en queratinocitos, mientras que los de los caucasoides están usualmente acomplejados. Además, la piel negra suele mostrar gránulos de melanina en zona tan elevada como el estrato córneo, mientras que en los europeos, la melanina raramente se detecta por encima de la capa basal epidérmica, debiéndose, como se sugiere, a su reducción química a una leuco-base que puede reoxidarse por exposición a la luz solar (prebonceado inmediato). Para una revisión excelente de este tema véase HUNTER[8].

ROBERTS[9], que estudió la distribución geográfica y racial de la pigmentación de la piel humana, encontró una estrecha relación con factores geográficos, sugiriendo un papel adaptativo muy importante. Llegó a la conclusión de que la protección de la pigmentación frente a la radiación ultravioleta en áreas donde es intensa, y el aumento de la síntesis de la vitamina D donde es mínima la radiación ultravioleta, proporcionan los papeles selectivos más importantes. También parece que la función protectora de la melanina es doble. En primer lugar, a corto plazo protege las capas más profundas de la dermis de la lesión inmediata por la radiación ultravioleta y, en segundo lugar, a largo plazo proporciona protección frente al cáncer.

WEINER[10], GIBSON[11], YUSA et al.[12] y CURRY[13] describen instrumentos y procedimientos para medir el color de la piel.

Química de la melanina

Las vías metabólicas que conducen a la producción de la melanina han sido descritas por RILEY[14]. Las melaninas son polímeros quinonoides de estructuras no definidas, existiendo dos subdivisiones principales: feomelaninas, pigmentos amarillentos y marrones rojizos que contienen azufre; y eumelaninas, pigmentos negros o marrones insolubles derivados de la polimerización de los productos de oxidación de la tirosina. RILEY expone la evidencia de que están implicados dos tipos de oxidación, es decir, la adición de oxígeno a monofenoles (actividad cresolasa) y la deshidrogenación de difenoles (actividad catecolasa). Ambos procesos forman quinonas intermediarias altamente reactivas que son importantes en el metabolismo de la célula.

En el Capítulo 23 se da una representación esquemática de la secuencia de las reacciones que tienen lugar en la conversión de tirosina a melanina, y el asunto ha sido discutido en profundidad por MASON[15], LERNER y FITZPATRICK[16], LORINCZ[2], FITZPATRICK, BRUNET y KUKITA[17], NICOLAUS y PIATELLI[18], y SEIJI, BILECK y FITZPATRICK[19], sin olvidar el primer trabajo pionero de RAPER y sus colaboradores[20].

Mecanismo de despigmentación

Se puede interferir el proceso involucrado en la producción y transferencia de los gránulos de pigmento, y BLEEHEN[21] ha resumido los posibles mecanismos de acción de los compuestos que pueden realizarlo. Los compuestos pueden:

destruir selectivamente los melanocitos;
inhibir la formación de melanosomas y alterar su estructura;
inhibir la biosíntesis de la tirosinasa;
inhibir la formación de melanina;
interferir con la transferencia de melanosomas;
tener un efecto químico en la melanina o incrementar la degradación de melanosomas en queratinocitos.

Varios fenoles sustituidos han demostrado tener un efecto específico melano-citotóxico: 4-isopropilcatecol, etc. (BLEEHEN *et al.*[22, 23]); hidroxianisol (RILEY[24]); hidroquinona monoetil éter (FRENK y OTT[25]). La hidroquinona produce efectos tóxicos similares en la función de los melanocitos afectando no sólo a la formación, melanización y degradación de melanosomas, sino que también produce disruptura de las membranas citoplasmáticas. Estudios sobre hidroquinona monometil éter y 4-isopropilcatecol[23, 24] sugieren que estos compuestos se convierten por la tirosinasa en productos de oxidación de elevada toxicidad, probablemente como radicales libres, que después inician una cadena de reacciones de peroxidación de lípidos con consiguiente lesión irreversible a membranas lipoproteicas del melanocito, produciendo la muerte de la célula.

Productos aclaradores de la piel

Lo expuesto anteriormente sugiere dos caminos para aclarar el color de la piel por reducción de la pigmentación: decolorar la melanina ya formada y prevenir que se forme nueva melanina. La práctica de la cosmética actual, generalmente, logra ambos objetivos en grado variado.

La piel negra difiere de la blanca en tener cantidades sustanciales de pigmento de melanina en la capa córnea externa; ésta puede ser decolorada bien por oxidación con, por ejemplo, peróxido de hidrógeno, o con más frecuencia químicamente reducida a su forma leuco, que es incolora, utilizando, por ejemplo, hidroquinona.

La capa epidérmica será lentamente reemplazada por un proceso natural de queratinización. La forma leuco o reducida de melanina es susceptible de reoxidación por radiación ultravioleta y, por esto, la presencia de un agente filtro solar es muy deseable en una preparación tópica para aclarar la piel. La formación de nueva melanina en las capas basales de la piel se puede inhibir aplicando un agente apropiado, con el resultado de que la epidermis nuevamente regenerada tiene un contenido inferior de pigmento y, por ello, es de color más claro.

La evaluación científica de la efectividad de preparaciones aclarantes de la piel es compleja y al lector se le remite al trabajo de CURRY[13].

Agentes aclaradores de la piel y formulaciones

Agentes opacos cubrientes

Se puede lograr un cambio notable temporal del color de la piel con adecuados productos de maquillaje y, por ello, se debe mencionar aquí. Los productos más efectivos se deben comercializar, de modo especial, como recubridores de manchas para ocultar imperfecciones del color de la piel para ser utilizados debajo del maquillaje normal. En un sentido amplio, se pueden usar maquillajes normales con contenido más elevado que el medio de pigmentos blancos o pálidos, tales como dióxido de titanio, óxido de zinc, talco, caolín y pigmentos de bismuto. Estos se estudian más detalladamente en otras partes de este libro.

Agentes oxidantes

En el pasado, se han limitado el uso de las cremas que contienen peróxido de hidrógeno como decolorantes de la piel.

Una serie de patentes obtenidas por FELLOWS[26] reivindica un producto presentado con dos soluciones; una contiene hidroquinona monobencil éter, un disolvente no irritante como acetato de octilo, y la otra es una solución de hipoclorito sódico. Se mezclan las dos soluciones antes de usar y se declara que la mezcla es estable durante una semana.

Compuestos de mercurio

La primera sustancia activa utilizada durante muchos años fue cierta forma de sal de mercurio. Se han utilizado óxido de mercurio rojo y cloruro mercurioso, pero el cloruro mercúrico y el mercurio amoniacal proporcionan los preparados más efectivos.

Generalmente, el cloruro mercúrico se utiliza en forma de loción, pero, debido a que genera ácido clorhídrico cuando la sal reacciona con la piel, produce descamación de la epidermis. El mercurio amoniacal, $NH_2.HgCl$, no produce el mismo grado de exfoliación de la piel. Se cree que el mercurio amoniacal inhibe la tirosinasa, posiblemente al sustituir al cobre que se requiere para la acción de la tirosinasa, pero siempre han existido dudas sobre su toxicidad potencial, a pesar de las afirmaciones de los fabricantes de que las reclamaciones son del orden de una por cien mil de las ventas[27]. En Gran Bretaña, el mercurio amoniacal aparece en la lista de venenos y sustancias tóxicas que sólo pueden dispensarse por farmacéuticos, y en todo caso con etiqueta de prescripción que incluye referencias a su toxicidad. Además, la legislación de Gran Bretaña *UK Cosmetic Product Regulations* 1978[28] prohíbe el uso de compuestos de mercurio (diferentes de las excepciones especificadas) en cosméticos. A esto se añade una prohibición similar en la CEE, donde los compuestos de mercurio se citan en el Anexo II, lista de sustancias prohibidas, en las Directivas de Cosméticos de la CEE[29]. Como consecuencia de un estudio de los riesgos potenciales de los compuestos de mercurio aplicados tópicamente, la *Food and Drug Amninistration* de los EEUU publicó una declaración política[30] que regulaba que no existía justificación en el uso de mercurio en los preparados de decolorantes de la piel, por los riesgos conocidos del mercurio y su cuestionable efectividad.

MARZULLI y BROWN[31] encontraron penetración significativa del mercurio en la piel ([203]Hg marcado) procedente de cremas decolorantes de la piel que contenían un 1 por 100 y un 3 por 100 de mercurio amoniacal. Todos los individuos mostraron síntomas concortantes con el hidrargirismo. Estos autores llegaron a la conclusión de que «aunque la penetración es extremadamente baja, puede alcanzar niveles significativos durante un largo período sin excreción».

BARR, WOODGER y REES[32] informaron de la evidencia de lesiones renales en mujeres jóvenes y sanas africanas usando cremas decolorantes que contenían mercurio, algunas de las cuales contenía un 5-10 por 100 de cloruro mercurio amoniacal.

En un contexto moderno, el mercurio amoniacal difícilmente se puede considerar como sustancia adecuada para ser usada en un producto cosmético que se aplique de modo regular, día tras día, a pesar de su existencia en fórmulas en la farmacopea.

Hidroquinona

Actualmente, la sustancia preferida para ser usada en preparados para decoloración de la piel es la hidroquinona, que según publicación de SPENCER[33] es efectiva al 1,5-2 por 100 en cremas evanescentes, produciendo un aclaramiento temporal del color de la piel. SPENCER encontró que una concentración del 5 por 100 era responsable de enrojecimiento y quemaduras. No se encontró sensibilización alguna. La acción decolorante es débil y sólo se hace ostensible después de la aplicación durante algunas semanas o incluso meses. Su acción desaparece cuando se deja de usar el producto. A pesar de las experiencias de SPENCER, la concentración del 5 por 100 ha sido utilizada comúnmente, y algunos preparados contienen un 8-10 por 100. Sin embargo, la Directiva de CEE de 1976[29] y la *Cosmetic Productions Regulatios* 1978 (Gran Bretaña)[28] limitan la concentración permitida al 2 por 100 con requerimientos específicos de etiquetado.

Según un grupo de expertos médicos[34] *Food and Drug Administration* de EEUU, la hidroquinona «se ha encontrado que es segura y efectiva» (para aclarar la piel). Sin embargo, el grupo recomendó que todos estos productos deben llevar una etiqueta de precaución por el hecho de que la exposición a la radiación solar puede invertir rápidamente el efecto decolorante.

OETTEL[35] observó en 1936 que cuando se alimentaban con hidroquinona a los gatos de pelo negro, sus pelos se volvían grises al cabo de seis a ocho semanas. Sin embargo, el efecto de despigmentación de la hidroquinona en la piel del hombre se descubrió por casualidad. Se encontró que una crema filtro solar que la contenía era adquirida principalmente por su efecto decolorante[36]. SPENCER[37] y FITZPATRICK *et al.*[38] han atestiguado la efectividad de la hidroquinona como agente despigmentador de la piel humana.

El mecanismo de acción de la hidroquinona fue estudiado por DENTON, LERNER y FITZPATRICK[39], quienes encontraron que se podía inhibir totalmente la oxidación enzimática de la tirosina a 3,4-dihidroxifenilalanina (dopa). Por otra parte, IIJIMA y WATANABE[40] hallaron que la hidroquinona inhibe la reacción histoquímica de la dopa y postularon su acción directa sobre la tirosinasa.

La hidroquinona es una sustancia cristalina blanca, de punto de fusión 170-1 °C, soluble en agua (1 : 14), muy soluble en alcohol y éter. Las soluciones se oscurecen al exponerse al aire como consecuencia de la oxidación, y debe estabilizarse. La oxidación es muy rápida si la solución es alcalina.

En las formulaciones, los estabilizadores usuales son sulfito o bisulfito sódicos con la adición de un poco de ácido ascórbico. Las composiciones deben ser preferentemente ligeramente ácidas (pH 4-6). El equipo de fabricación debe ser de acero inoxidable o vitrificado para evitar la decoloración, y también se debe minimizar el contacto con el aire.

Dos fórmulas publicadas hace muchos años por Goldschmidt Chemical Corporation aún suministran buenos productos básicos:

Crema decoloradora de hidroquinona[41]	(1)
	por ciento
Lexemul AS	15,0
Lexate TA	6,0
Alcohol estearílico	3,0
Aceite de silicona	1,0
Propil paraben	0,1
Agua, desionizada	67,8
Propilen glicol	5,0
Hidroquinona	2,0
Sodio, metabisulfito	0,05
Acido ascórbico	0,05

Loción de hidroquinona[41]	(2)
	por ciento
Lexemul AS	5,0
Aceite mineral, ligero N. F.	2,5
Isopropilo, miristato	2,5
Alcohol cetílico	1,0
Brij 35	0,9
Agua desionizada	79,85
Propilen glicol	5,0
Sodio, lauril sulfato al 30 por 100	0,9
Sodio, metabisulfito	0,15
Acido ascórbico	0,1
Hidroquinona	2,0
Acido cítrico	0,1

Procedimiento: Añadir la fase oleosa a la fase acuosa a 75-80 °C con agitación rápida. Cuando se ha formado una emulsión fina pasar a agitación lenta. Enfriar agitando, y a 55-60 °C, según el orden que se indica, metabisulfito sódico, ácido ascórbico, hidroquinona y ácido cítrico. Perfumar a 40 °C; el perfume no debe reaccionar con hidroquinona o bisulfito.

SHEVLIN[42] publicó la siguiente fórmula para una loción de viscosidad media que actúa tanto como loción filtro solar, como decolorante y aclarador del tono de la piel.

Loción decolorante aceite-agua para piel negra[42]   (3)

	por ciento
Veegum K	1,5
Titanio, dióxido	0,2
Alcohol cetílico	1,8
Polychol 5	0,6
Glicerina	5,0
Uvinul D50	1,0
Sodio, miristil sulfato	1,0
Hidroquinona	3,0
Perfume	1,0
Sodio, metabisulfito	0,2
Aluminio, clorhidroxialantoinato	0,2
Agua	hasta 100,0

Una crema suave con un ablandamiento seco puede formularse como sigue:

Crema decolorante cutánea[43]   (4)

		por ciento
A.	Arlacel 165	8,0
	Crodamol CSP	8,0
	Líquido base CB.3929	4,0
	Crodalan IPL	2,0
	Polychol 15	3,0
	Alcohol cetílico	1,0
	Nipasol M	0,05
B.	Propilen glicol	5,0
	Kelzan	2,0
	Nipagin M	0,15
	Agua desionizada	64,4
C.	Sodio, metabisulfito	0,1
	Acido ascórbico	0,1
	Hidroquinona	2,0
	Perfume	0,2 ó c.s.

Procedimiento: Calentar *A* a 72 °C, dispersar el Kelzan en *B* y calentar a 70 °C. Añadir *A* a *B* agitando hasta obtener emulsión. Enfriar con agitación, añadiendo metabisulfito sódico, ácido ascórbico y, después, hidroquinona a 55-50 °C. Añadir el perfume a aproximadamente 40 °C. Ajustar el valor pH si es necesario a 5,0-5,5 con ácido cítrico.

La composición del ejemplo 5 proporciona una protección adicional frente la exposición de la radiación solar.

Crema decolorante cutánea[43]   (5)

		por ciento
A.	Arlacel 165	6,0
	Estol 1461	6,0
	Isopropilo, palmitato	2,0
	Alcohol cetoestearílico	3,0

	Silicone fluid DC.200/350 cS	1,0
	Crodamol CSP	3,0
	Tiona G	0,2
	Nipasol M	0,1
	Aduvex 2211	0,2
B.	Propilen glicol	5,0
	Alantoína	0,2
	Empicol LZ polvo	0,3
	Agua desionizada	70,55
C.	Sodio, metabisulfito	0,15
	Acido ascórbico	0,1
	Hidroquinona	2,0
	Perfume	0,2 ó c.s.

Procedimiento: Como el descrito en el ejemplo 4.

En 1974, KLIGMAN obtuvo una patente[44] proponiendo composiciones sinérgicas para la despigmentación de la piel conteniendo una mezcla de hidroquinona, ácido retinoico y un corticosteroide, por ejemplo dexametasona. Posteriormente, KLIGMAN y WILLIS[45] demostraron que una composición que contenía vitamina A, ácido (tretinoin), hidroquinona y un corticosteroide podía provocar la pérdida total de la melanina de la piel normal negra y era altamente beneficiosa en afecciones de hiperpigmentación, especialmente melasma, pecas y exceso de pigmentación después de inflamación. Cada uno de estos tres componentes era esencial para la efectividad, y se expuso su participación relativa en el proceso de despigmentación. MILLS y KLIGMAN[46] publicaron posteriores experiencias clínicas con la crema reproducida en ejemplo 6. La piel negra e hiperpigmentada se decolora mucho más rápidamente que la piel blanca, lo que hace a esta composición especialmente útil para el tratamiento de las afecciones de hiperpigmentación.

	(6) *por ciento*
Tretinoin	0,1
Hidroquinona	5,0
Dexametasona	0,1
Ungüento hidrófilo USP	hasta 100,0

BLEEHEN[21] publicó el uso satisfactorio clínico de una composición similar:

	(7) *por ciento*
Hidroquinona	5,0
Hidrocortisona B.P	1,0
Acido retinoico	0,1
Hidroxitolueno butilado	0,05
Polietilen glicol 300	47,0
Alcohol metílico 74 o.p.	hasta 100,0

Bristol-Myers Co. obtuvo una patente[47] para una composición sinérgica para la decoloración de la piel que contiene hidroquinona o un éter de la misma, un agente exfoliante e irritante de la piel y un corticosteroide antiinflamatorio, por ejemplo ácido retinoico y fluorometolona, en una base de crema evanescente.

En 1945, a Schering Corporation se le concedieron dos patentes[48,49] para preparados filtros solares basados en hidroquinona estabilizada con ácido levoascórbico en una base de crema evanescente. En 1973, Reckitt y Colman Products patentó[50] un producto decolorante cutáneo que contenía hidroquinona en, por ejemplo, glicerina; y Unilever Ltd obtuvo una patente [51] para un producto que contenía hidroquinona, palmitato de ascorbilo y 2,2', 4,4'-tetrahidroxibenzofenona. En 1979, a Helena Rubinstein se le otorgó una patente[52] por una composición basada en hidroquinona estabilizada en una base hidratante que también contiene un agente filtro solar (p-dimetilaminobenzoato de amilo).

Hidroquinona monometil y monoetil éter

La hidroquinona monoetil éter (usualmente denominada hidroxianisol en la literatura clínica) ha sido ampliamente estudiada por RILEY[24,53] cuyo trabajo ha sido revisado útilmente por HEMSWORTH[54]. BRUN[55] publicó que era un agente despigmentante cutáneo más rápido que el monobencil éter, mientras que SIDI, BOURGEOIS-SPINASSE y PLANAT[56] experimentaron lo contrario.

Hidroquinona monoetil éter es un agente despigmentante potente[54], y su mecanismo de acción ha sido estudiado por FRECK[57] y FRENK y OTT[58]. El tratamiento prolongado con el monoetil éter ocasiona despigmentación irreversible comparable a la observada en el hombre después del uso de monobencil éter[54]. Lo imprevisible de sus efectos a largo plazo ha disuadido su uso como decolorante de la piel.

Aunque no se ha publicado ningún efecto secundario del uso de monometil éter, los efectos indeseables tanto del monoetil como del monobencil éter no hacen recomendable su empleo general.

Hidroquinona monobencil éter

La actividad despigmentadora de la piel del hidroquinona monobencil éter fue publicada por primera vez por OLIVER, SCHWARTZ y WARREN[59] como una enfermedad laboral de los trabajadores de la goma. Esta actividad fue confirmada, especialmente, por DENTON, LERNER y FITZPATRICK[39], DORSEY[60], SIDI, BOURGEOIS-SPINASSE y PLANAT[56], BECKER y SPENCER[61] y MOSHER, PARRISH y FITZPATRICK[62].

CALNAN[63] publicó investigaciones en Africa del Sur donde los preparados decolorantes cutáneos son muy extensamente utilizados; DOGLIOTTI et al.[64] encontraron un incremento agudo en el número de casos de leuco-melanodermosis atribuibles a las cremas decolorantes de la piel consecuencia del cambio de formulación de mercurio amoniacal a hidroquinona monobencil éter (2 por 100), al que frecuentemente se añadía ácido salicílico (2 por 100); BENTLEY-

PHILIPS y BAYLES[65] establecieron que la hidroquinona es mucho más segura que el monobencil éter, que todavía no ha sido prohibido en Africa del Sur.

Los resultados imprevisibles obtenidos con este compuesto, su tendencia a causar dermatitis, sensibilización y, a veces, despigmentación irreversible, excluyen su uso general. Tanto la Directiva de la CEE 1976[29] como *Cosmetic Products Regulations* de Gran Bretaña 1978[28] prohiben el empleo de hidroquinona monobencil éter en cosméticos.

Anteriormente se mencionó una serie de patentes concedidas a FELLOWS[26] para un preparado decolorante cutáneo que contenía hidroquinona monobencil éter y un agente oxidante.

Catecol y sus derivados

Extensos ensayos *screening* realizados por CHAVIN y SCHLESINGER[66, 67] demostraron que el catecol y algunos de sus derivados ocasionaban la destrucción de las células pigmentadas aunque con un efecto inferior al de la hidroquinona.

BLEEHEN *et al.*[22] investigaron treinta y tres compuestos, incluyendo catecol y sus derivados, y encontraron que el 4-isopropil-catecol era el agente más potente despigmentante. Sin embargo, concentraciones del 3 por 100 o superiores mostraron ser irritantes para la piel y ser un sensibilizante[21].

También 4-terc-butil-catecol puede ocasionar la despigmentación de la piel en el hombre[54, 68].

Una patente[69] cubre el empleo de catecol, catecol metil- y carboxi-sustituido en una composición filtros solares. Otra patente[70] reivindica una composición despigmentadora que contiene un catecol sustituido en la posición 4, por ejemplo 4-isopropil-catecol.

Acido ascórbico y sus derivados

El mismo ácido ascórbico ha sido incluido en listas[21] como un componente activo de preparados decolorantes de la piel, pero su empleo se limita normalmente al de un estabilizador antioxidante en productos basados en hidroquinona, donde ayuda a la inhibición del oscurecimiento marrón de las cremas.

ROVESTI[71] publicó el uso satisfactorio de cremas que contenían un 3 por 100 y un 5 por 100 de oleato de ascorbilo para decolorar las pecas en la piel humana, proporcionando también una mejora marcada en las características de la piel, que se vuelve más flexible y suave.

TAKASHIMA *et al.*[72] revisaron la química de varios ésteres del ácido ascórbico y estudiaron la estabilidad de algunos cuando se incorporaban a cremas cosméticas. Una en particular, la sal magnésica del ácido ascórbico-3-fosfato, demostró tener un efecto decolorante sobre la pigmentación de la piel humana y ser útil en la práctica clínica.

Una patente[51] describió el empleo de una composición que contenía hidroquinona, palmitato de ascorbilo y 2,2', 4,4'-tetrahidroxibenzofenona para la decoloración de la piel.

Otras sustancias despigmentadoras

CHAVIN y SCHLESINGER[66, 67] hallaron que, entre otras sustancias, varias mercapto-aminas eran potentes agentes despigmentadores de la carpa negra. Dos de estas, 2-mercaptoetilamina clorhidrato y N-(2-mercaptoetil)-dimetilamina clorhidrato, eran potentes agentes despigmentadores cuando se aplicaban a la piel de cobayas negras[73]. Sin embargo, ambas son muy malolientes y, por ello, no son aplicables en el hombre. Véase también BLEEHEN et al.[22] y FRENK[57]. El uso de mercapto-aminas ha sido patentado por SCHERICO[74] y por MARLY[75].

Un método para el tratamiento de la hiperpigmentación, descrito en una patente de EE. UU. concedida a Schering Corporation, se basa en la aplicación tópica a la zona afectada de una a cuatro veces diarias de un preparado que contiene entre el 0,1 y el 10 por 100 de bien ácido p-aminobencensulfónico o sus sales metálicas alcalinas o alcalinoterreas. Se asegura que tal tratamiento conduce a la despigmentación de zonas muy localizadas. La especificación de la patente contiene varios ejemplos de fórmulas.

Una patente concedida a Lever Brothers (USA)[77] reivindica una composición para la simultánea despigmentación y protección de los rayos solares, conteniendo un 0,2-10 por 100 de niacina y un 0,1-10 por 100 de ácido urocánico. Una patente similar se concedió a Unilever Ltd (Gran Bretaña)[78].

Medios naturales

Efectos limitados de decoloración de la piel se pueden lograr con sustancias naturales que han sido utilizadas durante siglos y que son útiles para decolorar el tono de la piel quemada por el sol y las pecas. Entre las sustancias usadas, están el jugo de pepino, jugo de agua de cal y limón, mantequilla, fresas trituradas y mostaza fresca. Algunos preparados interesantes han sido descritos por BUCHMAN[79] y MAXWELL-HUDSON[80].

REFERENCIAS

1. Masson, P., in *The Biology of Melanomas*, ed. Mineor, R. W. and Gordon, M., Vol. 4, New York, NY Academy of Sciences, 1948, p. 15.
2. Lorincz, A. L., in *The Physiology and Biochemistry of Skin*, ed. Rothman, S., Chicago, University of Chicago Press, 1954.
3. Montagna, W. and Hu, F., *Advances in Biology of Skin*, 8, *The Pigmentary System*, Oxford, Pergamon, 1958.
4. Montagna, W., *The Structure and Function of the Skin*, 2nd edn, New York/London, Academic Press, 1962.
5. Jarret, A., *Science and the Skin*, London, English Universities Press, 1964.
6. Fitzpatrick, T. B., Miyamoto, M. and Ishikawa, K., *Arch. Dermatol.*, 1967, **96**, 305.
7. Van Abbe, N. J., Spearman, R. I. C. and Jarrett, A., *Pharmaceutical and Cosmetic Products for Topical Administration*, London, Heinemann Medical, 1969.
8. Hunter, J. A. A., *J. Soc. cosmet. Chem.*, 1977, **28**, 62.

9. Roberts, D. F., *J. Soc. cosmet. Chem.*, 1977, **28**, 329.
10. Weiner, J. S., *Man*, 1951, **51**, 152.
11. Gibson, I. M., *J. Soc. cosmet. Chem.*, 1971, **22**, 725.
12. Yuasa, S., Morita, K. and Kaneko A., *J. Soc. cosmet. Chem. Japan*, 1976, **10**(1/2), 34, through *Cosmet. Toiletries*, 1977, **92**(4), 68.
13. Curry, K. V., *J. Soc. cosmet. Chem.*, 1974, **25**, 339.
14. Riley, P. A., *J. Soc. cosmet. Chem.*, 1977, **28**, 395.
15. Mason, H., *J. Biol. Chem.*, 1948, **172**, 83.
16. Lerner, A. B. and Fitzpatrick, T. B., *Physiol. Rev.*, 1950, **30**, 91.
17. Fitzpatrick, T. B., Brunet, P. and Kukita, A. in *The Biology of Hair Growth*, ed. Montagna, W. and Ellis, R. A., New York, Academic Press, 1958.
18. Nicolaus, R. A. and Piatelli, M., *J. Polymer Sci.*, 1962, **58**, 1133.
19. Seiji, M., Bileck, M. S. C. and Fitzpatrick, T. B. *Ann. N.Y. Acad. Sci.*, 1963, **100**(Part II), 15 February, 497.
20. Raper, H. S. and Wormall, A., *Biochem. J.*, 1925, **19**, 84. Raper H. S., *ibid.*, 1926, **20**, 735; 1927, **21**, 89. Duliere, W. L. and Raper, H. S., *ibid.*, 1930, **24**, 239. Heard, R. D. H. and Raper, H. S., *ibid.*, 1937, **31**, 2155.
21. Bleehen, S. S., *J. Soc. cosmet. Chem.*, 1977, **28**, 407.
22. Bleehen, S. S., Pathak, M. A., Hori, Y. and Fitzpatrick, T. B., *J. invest. Dermatol.*, 1968, **50**, 103.
23. Bleehen, S. S., in Riley, V., *Pigment Cell*, 1976, **2**, 108, Karger, Basel.
24. Riley, P. A., *J. Pathol.*, 1969, **97**, 185. Riley, P. A., *J. Pathol.*, 1969, **97**, 193.
25. Frenk, E. and Ott, F., *J. invest. Dermatol.*, 1971, **56**, 287.
26. British Patent 856 431, Fellows, W., 14 December 1960. British Patent 965 869, Fellows, W., 6 February 1963. Canadian Patent 610 726, Fellows, W., 21 February 1957. US Patent 3 060 097, Fellows, W., 15 March 1957.
27. Nealon, D. F., *Proc. Sci. Sect. Toilet Goods Assoc.*, 1944, (1), 7.
28. The Cosmetic Products Regulations 1978. Statutory Instrument 1978, No. 1354, London, HMSO.
29. EEC Directive 76/768/EEC, *Off. J. European Communities*, 1976, **19** (L262).
30. *Federal Register*, 30 June 1972, 37 F. R. 12967.
31. Marzulli, F. N. and Brown, D. W. C., *J. Soc. cosmet. Chem.*, 1972, **23**, 875.
32. Barr, R. R., Woodger, B. A. and Rees, P., *Am. J. clin. Pathol.*, 1972, **53**, 723.
33. Spencer, M. C., *Arch. Dermatol.*, 1961, **84**, 131.
34. Anon., *Soap, Cosmet. chem. Spec.*, 1978, **54**(12), 20.
35. Oettel, H., *Arch. exp. Pathol. Pharmacol.*, 1936, **183**, 319.
36. Arndt, K. A. and Fitzpatrick, T. B., *J. Am. med. Assoc.*, 1965, **194**, 962.
37. Spencer, M. C., *J. Am. med. Assoc.*, 1965, **194**, 114.
38. Fitzpatrick, T. B., Arndt, K. A., El-Mofty, A. M. and Pathak, M. A., *Arch. Dermatol.*, 1966, **93**, 589.
39. Denton, C. R., Lerner, A. B. and Fitzpatrick, T. B., *J. invest. Dermatol.*, 1952, **18**, 119.
40. Iijima, S. and Watanabe, K., *J. invest. Dermatol.*, 1957, **28**, 1.
41. Up-dated formula from Goldschmidt Chemical, Division of Wilson Pharmaceutical & Chemical Corporation, now Inolex Corporation, *Technical Bulletin No. 524*, 1 February 1968.
42. Shevlin, E. J., *Cosmet. Perfum.*, 1974, **89**(4), 41.
43. Private communication, Peter Reeves Creative Workshop, Wareside, Ware, Herts., England.
44. US Patent 3 856 934, Kligman, A. M., 1974.
45. Kligman, A. M. and Willis, I., *Arch. Dermatol.*, 1975, **111**, 40.
46. Mills, O. H. and Kligman, A. M., *J. Soc. cosmet. Chem.*, 1978, **29**, 147.
47. British Patent 1 349 955, Bristol-Myers Co. (USA), 10 April 1974.
48. US Patent 2 376 884, Schering Corporation, 1945.
49. US Patent 2 377 188, Schering Corporation, 1945.
50. British Patent 1 303 566, Reckitt and Colman (UK), 1973.

51. British Patent 1 319 455, Unilever Ltd (UK), 6 June 1973.
52. US Patent 4 136 166, Helena Rubinstein (USA), 1979.
53. Riley, P. A., *J. Pathol.*, 1970, **101**, 163.
54. Hemsworth, B. N., *J. Soc. cosmet. Chem.*, 1973, **24**, 727.
55. Brun, R., *Parfüm Kosmet.*, 1962, **43**, 44.
56. Sidi, E., Bourgeois-Spinasse, J. and Planat, P., *Presse Méd.*, 1961, **69**, 2369.
57. Frenk, E., *Bull. Soc. Fr. Dermatol. Syphiligr.*, 1971, **78**, 153.
58. Frenk, E. and Ott, F., *J. invest. Dermatol.*, 1971, **56**, 287.
59. Oliver, E. A., Schwartz, L. and Warren. L. H., *Arch. Dermatol.*, 1940 **42**, 993.
60. Dorsey, C. S., *Arch. Dermatol.*, 1960, **81**, 245.
61. Becker S. W. and Spencer M. C.: Evaluation of monobenzone, *J. Am. med. Assoc.*, 1962, **180**, 279.
62. Mosher, D. B., Parrish, J. A. and Fitzpatrick, T. B., *Br. J. Dermatol.*, 1977, **97**, 669.
63. Calnan, C. D., *J. Soc. cosmet. Chem.*, 1976, **27**, 491.
64. Dogliotti, M., Caro, I., Hartdegen, R. G. and Whiting, D. A., *S. Afr. med. J.*, 1974, **48**, 1555.
65. Bentley-Philips, B. and Bayles, M. A. H., *S. Afr. med. J.*, 1975, **49**, 1391.
66. Chavin, W. and Schlesinger, W. *Naturwissenschaften*, 1966, **53**, 413.
67. Chavin, W., Schlesinger, W. and Hu, F., *Advances in biology of skin* Vol. 8, Oxford, Pergamon, 1967, p. 421.
68. Gellin, G., Possick, P. A. and Perone, V. B., *J. invest. Dermatol.*, 1970, **55**, 190.
69. British Patent 1 107 072, Scherico Ltd, 24 April 1964.
70. British Patent 1 371 782, Maibach, H. (USA), 30 October 1974.
71. Rovesti, P., *Soap Perfum. Cosmet.*, 1968, **41**, 672.
72. Takashima, H., Nomura, H., Imai, Y. and Mima, H., *Am. Perfum. Cosmet.*, 1971, **86**(7), 29.
73. Frenk, E., Pathak, M. A., Szabo, G. and Fitzpatrick, T. B., *Arch. Dermatol.*, 1968, **97**, 465.
74. British Patent 1 107 071, Scherico Ltd, 24 April 1964.
75. Belgian Patent 513 023, Soc. Belge de l'Azote et des Produits Chimiques du Marly, SA, 16 November 1952.
76. US Patent 3 517 105, Schering Corporation, 23 June 1970.
77. US Patent 3 937 810, Lever Brothers (USA), 1976.
78. British Patent 1 370 236, Unilever Ltd (UK), 16 October 1974.
79. Buchman, D. D., *Feed Your Face*, London, Duckworth, 1973.
80. Maxwell-Hudson, C., *The Natural Beauty Book*, London, Macdonald and Jane's, 1976, p. 126.

17

Mascarillas y máscaras faciales

Introducción

El uso de mascarillas faciales por las mujeres se remonta a la antigüedad cuando a algunas de las tierras empleadas en ellas se les atribuyeron poderes de curación casi milagrosos. Estas preparaciones se aplican al rostro en forma de líquidos o pastas. Después se las deja secar o fijar con objeto de mejorar el aspecto de la piel, al producir un efecto de tirantez transitorio, así como una limpieza de la piel.

Su empleo actual se puede atribuir a la acción asociada psicológica y limpiadora. El efecto caliente y tirante que resulta de su aplicación produce la sensación estimulante de rejuvenecimiento facial, mientras que las arcillas y tierras coloidales y adsorbentes que están presentes en algunas mascarillas adsorben la grasa y suciedad de la piel del rostro. Cuando posteriormente se eliminan del rostro, se eliminan a la vez los detritos y puntos negros de la piel.

Tal preparado deberá poseer las propiedades siguientes:

1. Deberá ser una pasta suave sin partículas arenosas y sin olor «terroso» u otro desagradable.

2. Aplicado al rostro, se deberá secar rápidamente para formar una película adherente sobre la piel, pero esta película podrá ser eliminada posteriormente bien por desprendimiento del rostro, bien por lavado suave sin causar dolor.

3. Deberá producir una sensación definida de tirantez de la piel después de la aplicación.

4. Deberá producir una limpieza significativa de la piel.

5. Deberá ser dermatológicamente innocua y no tóxica.

Existen cinco tipos de sistemas básicos que proporcionan productos que satisfacen las características anteriores. Estos se basan respectivamente en cera, goma, resinas vinílicas, hidrocoloides y tierras.

Sistemas basados en cera

Generalmente las máscaras basadas en cera se componen únicamente de cera parafina de punto de fusión adecuado, o pueden ser mezclas de cera con la

309

adición de un poco de vaselina y sustancias polares, tal como alcoholes cetílico y estearílico. El uso de ceras microcristalinas puede ayudar a la continuidad de una «máscara de cera» apropiada.

Estos productos son sólidos a la temperatura ambiente y para aplicarse tienen que fundirse y extenderse en caliente. Cuando las ceras solidifican, se siente una sensación de tirantez. Como la película cerosa forma una barrera impermeable a la humedad, induce una sudoración abundante que ayuda a fluir a la suciedad e impurezas procedentes de los poros foliculares de la superficie cutánea.

Se puede incluir un poco de látex de goma con las ceras para facilitar la eliminación. Incluso se puede facilitar la aplicación formulando la mezcla de cera de modo que en el estado fundido —algunos grados por encima de la temperatura del cuerpo— el producto es un semisólido tixotrópico. Esto se puede lograr mediante la incorporación de una pequeña cantidad de bentonita organófila. La fórmula siguiente ilustra el uso de esta sustancia:

	(1)
	por ciento
Cera microcristalina	13,0
Parafina cera	60,0
Alcohol cetílico	5,0
Aceite mineral	20,0
Bentone 38	1,4
Alcohol isopropílico	0,6

Sistema basado en goma

También se deben mencionar las mascarillas faciales basadas principalmente en látex de goma. Después de secar, estas mascarillas forman una película continua, elástica e impermeable al agua sobre el rostro. Al interferir la sudoración cutánea normal, la película ocasiona calor que es retenido por la piel con el resultado de una elevación en la temperatura e incremento de la circulación sanguínea. Las máscaras de goma se eliminan de la piel muy fácilmente, por ejemplo, por simple tirón. Después de la eliminación, se observa una ligera hinchazón de la piel. Sin embargo, este efecto es transitorio y desaparece después de que se normalice la respiración cutánea.

El ejemplo 2 ilustra la composición de mascarillas faciales basadas en látex de goma.

	(2)
	por ciento
Emulsión de látex	25
Sorbitol	5
Metilcelulosa (baja viscosidad)	10
Caolín	3
Bórax	1
Agua	56
Conservante	*c.s.*

Sistemas basados en resinas vinílicas

Generalmente, los sistemas de resinas vinílicas se basan en resinas de alcohol polivinílico o acetato de vinilo como formador de la película. El uso de alcohol polivinílico se ilustra en el ejemplo 3.

	(3)
	por ciento
Veegum	0,5
Caolín	0,5
Titanio, dióxido	0,3
PVA	12,0
Propilen glicol	8,0
Etanol	20,0
Agua	58,7

Procedimiento: Disolver el Veegum en el agua con agitación rápida y calentar a 80 °C. Añadir el caolín y dióxido de titanio. Mezclar juntos el PVA y el propilen glicol, calentar a 80 °C, añadir a la mezcla de Veegum y homogeneizar. Enfriar la mezcla a 40 °C, y muy lentamente añadir el alcohol.

La sustancia inorgánica se puede adaptar tanto para absorber sustancia lipófila como hidrófila y utilizando polvos de nilón recubiertos con dióxido de titanio. Fórmulas citadas por TOIDA *et al.*[1] incluyen:

		(4)
		por ciento
Alcohol polivinílico		14,00
Titanio, dióxido-nilón 12 (1 : 7)		3,00
Glicerina		3,50
Conservantes		0,10
Polioxietilen sorbitan, monolaurato (20 EO)		0,50
Agua	hasta	100,00

Sistemas basados en hidrocoloides

Los sistemas basados en hidrocoloides se pueden presentar bien como coloides de elevada viscosidad que después de la aplicación pierden agua y forman una película de gel flexible o bien como geles sólidos que se funden antes de aplicarse al rostro. La sensación de tirantez se produce por la consiguiente contracción del gel por pérdida posterior de humedad. Se puede usar gran variedad de gomas; éstas incluyen goma tragacanto, gelatina, caseína, goma carragenina, carboximetilcelulosa sódica, gomas acacia y guar, así como polivinilpirrolidona y otras muchas. La película se puede plastificar con la inclusión de humectantes tales como glicerina, propilen glicol o sorbitol.

La viscosidad de las máscaras líquidas basadas en hidrocoloides puede variar considerablemente en función del coloide utilizado y su concentración en la mascarilla facial.

Las máscaras basadas en hidrocoloides se prefieren en ocasiones a las máscaras basadas en tierras y arcillas porque son más fáciles de aplicar y porque se secan más rápidamente. Sin embargo, su acción limpiadora es algo inferior porque no contienen suficiente cantidad de sólidos para absorber toda la suciedad.

Se puede obtener un secado más rápido por la incorporación de alcohol etílico como parte disolvente. Esto limita algo la selección de hidrocoloide. Sin embargo, ciertos grados de metilcelulosa, Carbopol 934 (Goodrich Chemical Co.) y polivinilpirrolidona son solubles en soluciones hidroalcohólicas y se pueden utilizar en máscaras alcohólicas.

Las máscaras faciales basadas en sistemas hidrocoloides también pueden contener pequeñas cantidades de sólidos finamente divididos que actúan como opalescentes y a veces facilitan la aplicación. Se pueden utilizar caolín y bentonita, por ejemplo, pero preferentemente en concentraciones que no excedan al 5 por 100, puesto que, si se añaden muchas partículas, se podría formar una película discontinua que carece de fuerza mecánica.

Generalmente, la preparación de tales mascarillas faciales se utiliza según las líneas que siguen. El conservante se disuelve en la cantidad apropiada de agua, y se añade el humectante con agitación. Después se espolvorea el hidrocoloide con lenta agitación continua para evitar la formación de grumos que son difíciles de dispersar, si es necesario con calentamiento para favorecer la disolución. Cuando se ha completado la dispersión, y las partículas del hidrocoloide comienzan a hincharse, es usual reducir la velocidad de agitación, tanto para evitar aireación indebida, como la retención de burbujas de aire en la solución viscosa o gel.

JANISTYN[2] dio la fórmula siguiente para una máscara *gelanthum* que contiene gelatina y tragacanto:

	(5) por ciento
Goma tragacanto (óptima)	2,2
Glicerina	2,5
Gelatina (blanca)	2,3
Agua	90,5
Zinc, óxido	2,5

Para una «máscara gelanthum con miel», JANISTYN sugirió la sustitución de aproximadamente 4,5 partes de agua en la fórmula anterior por miel. También dio una fórmula para una máscara basada en caseína.

	(6) partes
Caseína (óptima calidad)	20,0
Bórax (pulverizado)	0,5
Glicerina	5,0
Agua (destilada)	100,0
Ester propílico del ácido *p*-hidroxibenzoico	0,1

Procedimiento: Humedecer la caseína con la glicerina y disolver en la solución acuosa de bórax (que también contiene el conservante) con la ayuda de calor.

WINTER[3] sugirió la composición siguiente para una máscara facial:

	(7) partes
Gelatina	10,00
Agua	50,00
Alcanfor (disuelto en un poco de alcohol)	0,05
Zinc, óxido	3,00
Caolín	5,00
Titanio, dióxido	2,00

Procedimiento: Primero humedecer la goma con glicerina, después añadir la gelatina y el agua, aumentando la temperatura. (Los sólidos deberán mezclarse en la solución caliente y su dispersión se facilita humedeciéndolos primero con una gota de glicerina o de agente tensioactivo.)

Las preparaciones dadas en los ejemplos 6 y 7 se calientan antes de usar, y se aplican en estado caliente.

El uso de alcohol como parte disolvente se muestra en el ejemplo 8.

	(8) por ciento
Carbopol 940	2,0
Agua	42,0
Alcohol	50,0
Glicerina	2,0
Di-isopropanolamina	4,0

El uso de polivinilpirrolidona en máscaras faciales se ilustra por una fórmula modelo citada de un boletín técnico[4]:

	(9) por ciento
PVP K-15	3,0
Metilcelulosa (baja viscosidad)	9,0
Glicerina	7,5
Agua	80,5
Opacificantes insolubles, perfumes, conservante	*c.s.*

Sistemas basados en tierras (Máscaras arcillosas)

Con frecuencia a los sistemas basados en tierras se les denomina máscaras de pasta. Incluyen máscaras faciales arcillosas y las mascarillas denominadas de lodo, y generalmente contienen un elevado porcentaje de sólidos.

Estos productos pueden presentarse a granel, envasados en bolsitas, para mezclar con agua cuando se requiera, o pueden presentarse ya mezclados y listos para su uso. En el último caso, es aconsejable preesterilizar utilizando calor u óxido de etileno, e incorporar un conservante adecuado, pues muchas de las tierras naturales están muy contaminadas con microorganismos.

Conforme la máscara se seca sobre el rostro, se endurece y contrae, dando la sensación de astringencia mecánica. Presencia de arcillas adsorbentes, tal como bentonita, produce un efecto limpiador genuino, particularmente sobre pieles muy grasas.

Se pueden utilizar arcillas chinas, caolín coloidal, tierra de diatomeas, bentonita, etc., como sustancias «arcillosas»; la selección depende en parte del criterio que se proponga para aplicar el producto terminado.

Si el color de galactita o bentonita es considerado discutible, difícilmente se puede ajustar mezclando con caolín y la adición de óxido de zinc o dióxido de titanio.

La *bentonita* es una arcilla coloidal derivada de cenizas volcánicas halladas en ciertas zonas de los EE. UU., que se caracteriza por su fuerte afinidad para el agua y sus propiedades tixotrópicas. Ciertas bentonitas absorberán hasta quince veces su volumen en agua; esta propiedad se aumenta considerablemente con la adición de una pequeña cantidad de óxido de magnesio, o algunas otras sustancias que poseen un pH similar.

Las amplias variaciones en los análisis de bentonitas publicadas en la literatura[5] derivan de las diferencias considerables en lechos diferentes en la formación del Benton e incluso en estratos diferentes de los mismos lechos.

La consistencia de los geles de bentonina varían con la concentración y está influenciada considerablemente por el pH de los geles. Según GRIFFON[6], un gel que contiene un 6 por 100 de bentonita tiene la consistencia de la glicerina, mientras que un gel del 20 por 100 tiene la consistencia de la lanolina.

Se han descrito los geles de bentonita como suavizantes para la piel[7] y se les ha atribuido ser valiosos en el tratamiento de eczema, abcesos, llagas y heridas[8]. Se han utilizado en varias preparaciones dermatológicas[9-11].

En el Capítulo 18 se describe la naturaleza del caolín y su purificación para una calidad adecuada para fines cosméticos. Este tipo de caolín purificado electrolíticamente es asimismo adecuado para usar en mascarillas faciales debido a su calidad de pureza, suavidad, adsorcion de humedad y facilidad de extender.

Los hidrocoloides tales como las gomas de carragenina se pueden añadir para estabilizar la suspensión de sólidos contribuyendo, además, a la fuerza mecánica de la película seca. También se pueden añadir plastificantes tal como glicerina. Se pueden conseguir atributos especiales incorporando ingredientes adicionales tales como azufre (véase Capítulo 9), astringentes, agentes decolorantes, ácidos, etc.

Las fórmulas siguientes ilustran este tipo de producto:

Máscaras de todo uso		(10)
		por ciento
Caolín		35,0
Bentonita		5,0
Alcohol cetílico		2,0
Sodio, lauril sulfato		0,1
Glicerina		10,0
Nipagin M		0,1
Perfume		*c.s.*
Agua	hasta	100,0

(11)

	por ciento
Glicerilo, monoestearato	3,0
Aceite de lanolina	2,0
Sodio, lauril sulfato	2,0
Veegum	8,0
Caolín	10,0
Propilen glicol	7,0
Titanio, dióxido	4,0
Etanol	6,0
Isopropilo, miristato	2,0
Agua	56,0

(12)

	por ciento
Agua	78,7
Nipagin M	0,2
Nipagin P	0,1
Titanio, dióxido	1,0
Arlacel 83	0,2
Tween 60	0,3
Caolín	9,5

Procedimiento: La emulsión crema se forma a 80 °C con la mitad del contenido de agua. El caolín se dispersa en el agua remanente, calentada a 80 °C y se añade a la emulsión.

WINTER[3] da dos formulaciones siguientes de mascarillas faciales para pieles secas y grasas respectivamente:

Mascarilla facial para piel seca	(13)
	partes
Caolín	80,0
Almidón	10,0
Cold cream	20,0
Alcohol cetílico	2,0
Aceite hidrófilo	5,0
Agua, agua bórica o infusiones	*c.s.*

Procedimiento: Fundir *cold cream* y alcohol cetílico en agua caliente. Inmediatamente añadir aceite, polvos y después el agua u otra sustancia acuosa.

Mascarilla facial para piel grasa	(14)
	partes
Caolín	80,0
Magnesio, carbonato	15,0
Almidón	5,0
Goma tragacanto (pulverizada)	1,0
Agua	*c.s.*

Una máscara facial denominada «oxigenada», basada en caolín y citada por BERGWEIN[12], tiene la composición siguiente:

(15)
partes

Caolín coloidal	800
Acido salicílico	20
Aluminio, lactato	5
Magnesio, peróxido	200

Las máscaras «oxigenadas» se han recomendado para aplicar sobre piel grasa, piel cetrina o piel con manchas. Sin embargo, debido a que su uso puede causar irritación de la piel sensible, se debe realizar un ensayo preliminar en una zona pequeña de la piel.

Preparados antiarrugas

Generalmente, las mascarillas faciales se dejan en el rostro durante aproximadamente seis a veinticinco minutos, para permitir que la mayor cantidad del agua se evapore y la película resultante se contraiga y endurezca.

Los preparados denominados antiarrugas que aparecieron en el mercado a principio de la década de los sesenta se basaban en seroalbúmina bovina, y forman una máscara «invisible» sobre la piel. Se mantienen en contacto con la piel facial durante aproximadamente seis a ocho horas, esto es, durante el período de tiempo durante el cual se mantienen activas, y posteriormente se eliminan por lavado.

En la elaboración de albúminabovina se añade citrato sódico a la sangre fresca para evitar su coagulación, y se centrifuga para eliminar las células sanguíneas. Posteriormente, el anticoagulante se neutraliza y el suero es desfibrinizado y secado por atomización. El producto resultante es claro en color y completamente soluble en agua; su contenido en albúmina es aproximadamente del 80-95 por 100. La albúmina bovina se dispone de varios orígenes en tres formas: como solución estéril al 15 por 100 que contiene un conservante adecuado y preparado para la aplicacion inmediata sin dilución; como una solución al 30 por 100 para diluirse en un volumen idéntico de agua antes de usarla; y también en forma de un polvo secado por liofilización que se reconstituye con agua antes de utilizarse. El efecto suavizante que sigue a la aplicación de estas preparaciones debería parecer puramente físico implicando el «relleno» de las arrugas faciales y la formación de una película oclusiva impermeable que estira la piel. El tiempo que este efecto dura dependerá en gran parte de cuanto se usan los músculos faciales. Esto ha sido claramente demostrado por las investigaciones llevadas a cabo por KLIGMAN y PAPA[13].

Si el suero bovino fue la base de la mayoría de las preparaciones originales, no parece haber buenas razones para no experimentar a partir de otras formas de albúminas tales como clara de huevo o incluso caseína para obtener resultados similares.

De hecho, una composición suavizante de arrugas publicada en una patente americana[14] contiene proteínas obtenidas del suero de la leche de vaca, es decir, α-lactalbúmina y algo de β-lactoglobulina. La película producida con esta composición pretende ser efectiva durante aproximadamente cuatro horas, y puede reactivarse humedeciéndola con un poco de agua. Ambas proteínas componentes están desnaturalizadas, son hidrosolubles, están presentes en la composición acuosa en una relación de 4 : 1 y pueden constituir el 10-30 por 100 del peso de la composición total. El agua puede estar presente dentro del intervalo del 70-90 por 100 del peso, junto con un 2-4 por 100 del peso (de la composición) de un plastificante no tóxico, tal como glicerina, propilen glicol, para aumentar la flexibilidad de las películas secas. También debe ser incluido un conservante; debería ser tanto bacteriostático, como fungiostático y no deberá precipitar la lactoalbúmina o la lactoglobulina. El pH de la preparación final se mantiene dentro del intervalo de 5-7.

Aparte de la capacidad de reactivar las películas producidas, otras ventajas publicadas para este preparado son que cuando se seca no produce un aspecto brillante, que no forma escamas después de secar y no se requiere para encubrir la película.

REFERENCIAS

1. Toida, H., Ishizaka, T. and Koishi, M., *Cosmet. Toiletries*, 1979, **94**(12), 33.
2. Janistyn, H., *Soap Perfum. Cosmet.*, 1937, **10**, 405.
3. Winter, F., *Alchimist (Boechut)*, 1947, **1**, 228.
4. General Aniline and Film Corporation, *PVP Formulary*, X-200/3, p. 16.
5. Ewing, C. O., Politi, F. W. and Shackelford, C. H., *J. Am. Pharm. Assoc. sci. Ed.*, 1945, **34**, 129.
6. Griffon, H., *J. Pharm. Chim. Paris*, 1938, **27**, 159.
7. Kulchar, G. V., *Arch. Dermatol. Syphilol.*, 1941, **44**, 43.
8. Davis, C. W., Vacher, H. C. and Conley, J. E., *Bentonite, Its Properties, Mining, Preparation and Utilisation*, US Dept Interior, Bureau of Mines, Washington DC, 1940.
9. Fantus, B. and Dyniewicz, J. M., *J. Am. Pharm. Assoc. sci. Ed.*, 1938, **27**, 878.
10. Fantus, B. and Dyniewicz, J. M., *J. Am. Pharm. Assoc. sci. Ed.*, 1939, **28**, 548.
11. Hibbard, D. G. and Freeman, L. G., *J. Am Pharm. Assoc. pract. Ed.*, 1941, **2**, 78.
12. Bergwein, K., *Seifen Öle Fette Wachse*, 1967, **93**, 555.
13. Kligman, A. M. and Papa, C. M., *J. Soc. cosmet. Chem.*, 1965, **16**, 557.
14. US Patent 3 364 118, The Borden Co., 16 January 1968.

18

Polvos
y maquillaje facial

POLVOS FACIALES

Función y propiedades

La función del polvo facial es proporcionar una terminación suave a la piel, enmascarando imperfecciones visibles menores y todo brillo debido a la humedad o grasa de la sudoración o preparaciones utilizadas sobre la piel. El objeto parece ser que la piel aparezca agradable al tacto. El grado de opacidad del polvo puede variar desde opaco y mate, como por ejemplo un maquillaje de payaso, a casi transparente, que tendrá un tipo de brillo debido a los propios polvos. No se favorece ningún extremo, pero entre estos límites se balancea periódicamente el péndulo de la moda. Cualquiera que sea la terminación, debe poseer propiedades razonablemente duraderas para evitar la necesidad de reempolvamientos frecuentes, esto es, debe adherirse a la piel, y ser razonablemente resistente a las mezclas de las secreciones de la piel. Finalmente, deberá servir como vehículo para diseminar un olor agradable durante el contacto íntimo de las partículas cargadas con perfume con una superficie caliente y relativamente grande.

Ninguna sustancia simple posee todas las propiedades deseadas —polvo cubriente, absorbancia, deslizamiento, adherencia y lozanía—, pues un polvo facial moderno es una mezcla de varios constituyentes cada uno de ellos seleccionado por alguna cualidad específica. Se consideran en este capítulo las variadas propiedades de algunos de los ingredientes principales, clasificados según sus diferentes contribuciones funcionales al polvo base. Estas propiedades se incluyen en la sección de polvos faciales principalmente por razones históricas. La popularidad de los polvos ha declinado considerablemente en años recientes a favor de los polvos compactos, maquillajes base y maquillajes líquidos. Sin embargo, las sustancias y principios utilizados son igualmente aplicables a estos productos y, por ello, un estudio cuidadoso de las secciones siguientes beneficiará al formulador en su trabajo sobre productos más elaborados.

Polvos cubrientes

El polvo bien cubriente es atributo muy deseable de polvos faciales, pues su objeto es encubrir los diferentes defectos de la piel facial, incluyendo cicatrices, manchas, poros dilatados y brillo excesivo.

El dióxido de titanio, el óxido de zinc, el caolín y el óxido de magnesio son las sustancias utilizadas para mejorar el poder cubriente de los polvos faciales.

Dióxido de titanio

El dióxido de titanio tiene poder cubriente considerablemente superior *per se* al del óxido de zinc, aproximadamente 1,6 veces que el último en aire, y aproximadamente 2,9 veces del último en vaselina. Sobre una piel grasa y húmeda, su poder cubriente relativo al óxido de zinc es probablemente del orden de 2,5 veces. El dióxido de titanio no es astringente, pero es fisiológicamente inerte, y puede ser, en casos raros de alergia a compuestos de zinc o en casos de piel seca, preferido al óxido de zinc. Sin embargo, sus propiedades protectoras solares son inferiores a las del óxido de zinc.

En ocasiones, las dificultades encontradas mezclando el óxido de zinc con otros constituyentes del polvo pueden superarse utilizándolo en asociación con el óxido de zinc.

Oxido de zinc

El óxido de zinc es el otro óxido metálico que frecuentemente se emplea en polvos faciales para acentuar su poder cubriente. También es astringente y antiséptico leve y tiene propiedades suavizantes. Por la última propiedad se ha utilizado en la terapéutica de irritaciones cutáneas leves. Se ha considerado que proporciona poder cubriente satisfactorio en formulaciones de polvos a una concentración del 15-25 por 100.

Durante mucho tiempo, la medida del poder cubriente de un pigmento ha estado sujeta a controversia, ya que al variar las condiciones del ensayo se pueden obtener valores muy diferentes.

GRADY [1], que investigó las características del óxido de zinc cuando se utiliza en polvos faciales, también calculó el poder cubriente de varios ingredientes de polvo facial a partir de los índices de refracción de los pigmentos y de varios medios en que se utilizan para cosméticos. Los valores obtenidos se enumeran en la tabla 18.1. Se observará que en la tabla el poder cubriente del óxido de zinc en cada medio se ha valorado arbitrariamente como 100; en realidad, disminuye progresivamente desde 100 a 37 a 21 cuando el óxido de zinc se coloca en el aire, agua y petrolato respectivamente.

Además del medio que rodea al pigmento, es necesario considerar el tamaño de la partícula. Obviamente, una reducción en el tamaño de la partícula permitirá extender la sustancia en capas más finas y así proporcionar una cobertura física incrementada. En general, al mismo tiempo, la reducción en el tamaño de la partícula se acompaña de un aumento de dispersión de luz, así se incrementa la opacidad del polvo y, por tanto, el poder cubriente óptico.

Tabla 18.1. Poder cubriente calculado de pigmentos

Pigmento	Índice refracción	Poder cubriente relativo		
		En aire (n = 1,00)	En agua (n = 1,33)	En petrolato (n = 1,475)
(TiO)$_2$	2,52	166	232	292
Zinc, óxido	2,008	100	100	100
Yeso	1,658	55	29	15
Talco	1,589	46	19	6

Sin embargo, existe un límite y una curva para la transmisión de luz para el óxido de zinc en agua, publicados por GRADY (Fig. 18.1), que muestra un agudo aumento de la transmisión (esto es, disminuye en opacidad) por debajo de 0,25 μm cuando las partículas llegan a ser pequeñas en comparación con la longitud de onda de la luz.

También debe tenerse presente que el poder cubriente de un polvo facial disminuirá conforme absorbe humedad y sebo de la piel. Sin embargo, en las mismas condiciones, los pigmentos con alto índice de refracción perderán proporcionalmente menos opacidad que sustancias con bajo índice de refracción, como se muestra en la tabla 18.2. Esto una vez más potencia la conveniencia de utilizar sustancias de alto índice de refracción en polvos faciales.

Tabla 18.2. Poder cubriente relativo retenido después de humedecer el pigmento seco

Pigmento	Con agua (por ciento)	Con petrolato (por ciento)
TiO$_2$	51	37
Zinc, óxido	37	21
Yeso	20	5
Talco	15	3

También GRADY atrajo la atención de la acción filtro solar del óxido de zinc que elimina los rayos ultravioleta más agudamente que ningún otro pigmento blanco utilizado en polvos faciales. Por tanto, consideró que el óxido de zinc, y en un grado inferior el dióxido de titanio, deben ser útiles en la prevención de quemadura solar. Las características de la transmisión ultravioleta de varios pigmentos se enumeran en la tabla 18.3.

Es interesante observar que en los experimentos realizados por LUCKIESH et al.[2] por cuenta del Ejército de las Fuerzas Aéreas de EE. UU. en diciembre de 1942 sobre las capas cutáneas protectoras para la prevención de quemadura solar, el óxido de zinc resultó ser de valor determinado en la prevención de quemadura solar mientras que el dióxido de titanio no resultó ser un protector muy fiable considerado en una muestra que contenía un 20 por 100 de esta

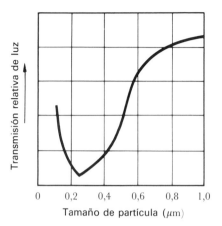

Fig. 18.1. Curva de calibración que relaciona el tamaño de partícula a la transmisión relativa de luz[1].

sustancia en petrolato. Además de dióxido de titanio y óxido de zinc, algunos grados de caolín tienen un buen poder cubriente.

Varios artículos publicados han buscado correlacionar el peso de varios constituyentes de polvos faciales con sus propiedades cubrientes u opacidades. Sin embargo, no es el peso el que interesa al cosmetólogo, sino el volumen, tanto más cuanto que una mujer sumerge su borla en un polvo y extrae un volumen que depende parcialmente de las propiedades adherentes del polvo, del tamaño y tipo de borla de polvos empleados y de la profundidad y presión con que la borla se aplica al envase del polvo facial.

Tabla 18.3. Características de la transmisión ultravioleta de pigmentos[1]

Pigmento	*Porcentaje de las longitudes de onda transmitida*					
	435,8 nm	*404,7 nm*	*365,5 nm*	*334,2 nm*	*313,1 nm*	*302,3 nm*
Zinc, óxido	46	40	0	0	0	0
TiO_2	35	32	18	6	0,5	0
Caolín	63	61	59	57	55	54
Yeso	87	86	84	82	80	79
Talco	90	90	90	89	88	87

Para obtener una idea muy aproximada del grado medio relativo de opacidad que predomina en sustancias cosméticas, se determinaron las opacidades del talco, caolín, estearato de magnesio, almidón, dióxido de titanio, óxido de zinc y estearato de zinc aplicando estas sustancias por medio de una borla de polvo facial de plumón de cisne a zonas similares de papel de terciopelo negro. La blancura u opacidad producidas sobre la suave superficie adherente negra fue *a*) estimada visualmente y *b*) registrada fotoeléctricamente. Para las sustancias empleadas, la única especificación del tamaño de la partícula fue que debían pasar completamente a través de un tamiz de malla de 200. El orden de opacidad (empezando por el menos opaco) resultó ser el siguiente:

Talco
Almidón de arroz
Magnesio, estearato
Yeso (ligero, precipitado)
Zinc, estearato
Caolín
Zinc, óxido
Titanio, dióxido

De lo que ya se ha dicho es evidente que, para obtener una comparación verdadera entre las propiedades relativas cubrientes de varios constituyentes de polvo facial, sería necesario separar fracciones de similar tamaño de partícula de cada consituyente, y someterlos a ensayos exactos. Sin embargo, las condiciones de tal análisis, aunque más exactas científicamente, podrían ser tan diferentes de las condiciones que rigen en la formulación de polvo facial como para tener poco valor práctico real. Las opacidades de varias fórmulas de polvo facial terminado pueden ensayarse aproximadamente por el método anterior. Siempre se debe recordar que el criterio de efectividad de un polvo facial respecto de su absorción acuosa, absorción grasa y propiedades cubrientes u opacidad se juzga por el intervalo transcurrido entre empolvamiento y reempolvamiento del rostro; y que una mujer juzga esto por la prueba del brillo, que es un fenómeno complejo no relacionado con ningún ensayo científico y que con frecuencia depende de una piel femenina, tipo de crema base utilizada y ocupación. Estos hechos deben ser adecuadamente considerados por pruebas de consumidor, realizadas adecuadamente y estadísticamente evaluadas. Tales pruebas de consumidor deben verificarse científicamente, pues pruebas mal concebidas se hacen para probar todo y con frecuencia no prueban nada.

Absorbancia

La segunda función importante de los polvos faciales es eliminar el brillo cutáneo en ciertas zonas faciales absorbiendo secreciones sebáceas y sudor. El requerimiento principal de una sustancia para este propósito es una elevada capacidad absorbente. Los componentes faciales que confieren esta propiedad son caolín coloidal, almidón, yeso precipitado y carbonato de magnesio.

Las propiedades absorbentes del agua de los polvos faciales o constituyentes de polvos faciales pueden determinarse por el método de Hewitt[3], en el cual un peso conocido del polvo se agita con exceso de agua, y se filtra bajo una presión estándar a través de un embudo de Buchner hasta que no salga más agua. Después el polvo húmedo se transfiere a un frasco tarado, de pesada y cerrado, y se determina el incremento en el peso. Métodos que implican la adición del agua de una bureta, hasta que el polvo llega a ser semilíquido, presentan el inconveniente de que observadores diferentes no obtienen resultados concordantes, y el punto final no se determina fácilmente.

La absorción acuosa de ningún modo es la característica principal que se requiere en un polvo; también debe ser absorbente para la grasa. Si un rostro tiene tendencia a la sequedad, habitualmente se emplea una base más grasa. Un polvo, que no sea absorbente de grasa, mostrará la nariz o el rostro tan brillante que necesitará reempolvamiento. Los constituyentes de elevada opacidad, tales como óxidos de zinc y titanio, tienden a enmascarar la grasa, mientras que el almidón, los yesos y el caolín sólo absorben cierta cantidad de grasa.

Caolín coloidal

El caolín, un silicato de aluminio hidratado, es un compuesto de origen natural. Según HALPERN *et al.*[4], el caolín no es un mineral primario, sino un término genérico que se aplica a varios silicatos de aluminio hidratados. Sin embargo, no todos los silicatos de aluminio se pueden denominar caolín. Basándose en rayos X y estudios físicos, ROSS y KERR[5] establecieron que tres grupos diferentes de arcillas son clasificadas como caolín. Estas arcillas (caolinita, nacrita y dickita) tienen esencialmente la misma fórmula $(Al_2O_3 \cdot 2SiO_2 \cdot 2H_2O)$. Se deben utilizar para polvos faciales grados de caolín purificados de color claro y exentos de arenisca e impurezas hidrosolubles; el más adecuado es el caolín electrolíticamente purificado. El caolín de China ordinario se obtiene por levigación, y se diferencia fácilmente al microscopio de mica, cuarzo y feldespato. Los grados farmacéuticos de caolín se obtienen por un proceso peptizante en el cual la arcilla se suspende en agua conteniendo un electrólito adecuado (por ejemplo pirofosfato sódico) que confiere una carga eléctrica al caolín y mantiene en suspensión las partículas más finas. La eliminación de la suspensión de partículas finas, seguida por la eliminación de la carga eléctrica (por adición de otro electrólito o por medio de un campo eléctrico), produce las formas más puras de caolín. Un grado tal se conoce como Osmocaolín.

El caolín coloidal se utiliza en polvos faciales principalmente por su gran capacidad de absorción de humedad que le permite absorber el sudor. Tiene también buen poder cubriente, excelentes propiedades resistentes a la grasa e imparte superiores propiedades de adhesión cutánea al producto terminado que el talco. Su relativamente elevada densidad le hace una sustancia útil para controlar las propiedades a granel de los polvos en los que se utiliza. También colabora a reducir el brillo del talco que está presente. Sin embargo, carece de deslizamiento y tiende a ser algo áspero. Por tanto, su proporción en polvos faciales no debe exceder al 30 por 100.

Almidón y almidones modificados

En otro tiempo, el almidón de arroz se utilizó casi exclusivamente como base de las fórmulas de polvos faciales por sus excelentes propiedades absorbentes, buen poder cubriente y suavidad que imparte a la piel. La última propiedad está estrechamente relacionada con su pequeño tamaño de partícula; el diámetro medio de los gránulos de almidón de arroz es 3-8 μm. Sin embargo, surgieron objeciones al uso de almidón por su tendencia a endurecerse cuando se expone a

una atmósfera húmeda o en presencia de excesivas secreciones cutáneas. McDonough[6] afirmó que forma fácilmente una pasta pegajosa cuando se endurece,
taponando los poros y, cuando está húmedo, es un nutriente ideal para las
bacterias. Además recubre el tallo del pelo y así acentúa el pelo velloso, en otra
situación no perceptible, sobre el rostro femenino. También se ha afirmado que
por la tendencia del almidón a favorecer el crecimiento bacteriano, podría
originar irritación cutánea cuando está en contacto con la piel durante cierto
tiempo. Estas afirmaciones condujeron finalmente a la sustitución del almidón
de arroz por talco como elemento base en polvos faciales. Sin embargo, se debe
comentar que cuando se requiere cierto grado de lozanía, existen pocas sustancias que puedan superar al almidón.

En muchos casos, la descomposición se puede reducir con la adición de
perfume; la mención de los poros taponados no se refiere a poros, sino a la salida
de los folículos pilosos. (Los poros de salida no son visibles en examen ordinario.)
No existe prueba de que el almidón pueda causar taponamiento de tales orificios
de salida.

Se han desarrollado para las industrias cosméticas grados especiales de almidón tratado que no se hinchan o se aglutinan en presencia de humedad. Por
ejemplo, polvos de almidón ANM (Neckar-Chemie, GmbH) son éteres de almidón que se producen reaccionando los grupos hidroxilos de la molécula de
almidón con tetrametilolacetilendiurea. A estas sustancias se les atribuye tener
un buen deslizamiento, buenas propiedades adherentes y poder cubriente y una
elevada capacidad absorbente de agua y aceite. Son químicamente inertes y,
además, se afirma que tienen ciertas propiedades bactericidas a causa de su
pequeño contenido de formaldehído. Al arroz ANM grado «K», a diferencia del
almidón de arroz no tratado, se le atribuye no hincharse en presencia de
humedad o sudor y no originar poros dilatados y descomposición bacteriana.
Como en el caso del almidón de arroz no tratado, se afirma que confiere a la piel
una lozanía similar al melocotón y es superior al talco en términos de poder
cubriente.

Celulosa microcristalina (Avicel)

El Avicel es una celulosa microcristalina de FMC Corporation.

Es interesante destacar con relación a esto que en 1966 se lanzó un polvo,
diferente a polvos faciales convencionales compuestos de talco o almidón, que
demostró contener celulosa microporosa derivada del centro del grano de maíz,
con un valor de absorción oleosa muchas veces superior a la de otros polvos.

Carbonato cálcico precipitado

El yeso precipitado es aún otra sustancia que se ha utilizado en polvos
faciales por sus excelentes características absorbentes. Como el caolín, también
se utiliza para eliminar algo del brillo inherente al talco. Sin embargo, tiene un
efecto deteriorador del deslizamiento del producto y tiende a impartir una
sensación indeseable de sequedad. Como consecuencia (a no ser que sea uno de

los grados disponibles especiales) no se deberá utilizar en formulaciones de polvos faciales en cantidades superiores al 15 por 100.

Los grados especiales de yeso precipitado son muy puros y exactamente equilibrados para evitar asperezas. Poseen buena absorción y propiedades resistentes a la grasa y se presentan en densidades diferentes, dependiendo de la finalidad a que se destinen. Cuando se utilizan tales grados, es posible emplear cantidades considerablemente superiores a las especificadas anteriormente. También se dispone de un grado especialmente tratado de yeso precipitado que se afirma no ser afectado, en términos de su poder absorbente, por aceites y grasa, y que no reseca la piel y se reivindica ser especialmente adhesivo. Estas sustancias están garantizadas respecto a la especificación de USP en cuanto plomo, arsénico, etc.

Carbonato magnésico

El carbonato magnésico es un constituyente, con elevada absorbancia, de formulaciones de polvos faciales. Su poder absorbente es aproximadamente tres veces superior al del yeso precipitado y su tendencia a secar la piel es correspondientemente superior. El carbonato magnésico confiere esponjosidad a los polvos faciales y ayuda a evitar el «apelotonamiento». El carbonato magnésico ligero es la sustancia preferida para incorporar y madurar el perfume seleccionado. Es posteriormente mezclado con la masa de polvo; el 5 por 100 de carbonato magnésico es suficiente para este fin.

Plásticos

Se han desarrollado bases de polvo fabricados de plásticos para aplicar en la piel. Estos polvos se disponen a la manera de partículas sólidas esféricas y en la forma de una espuma pulverizada. Un ejemplo de esta última es el «Oracid» —una espuma rígida de urea formaldehído—. Las tablas 18.4 y 18.5[7] muestran las capacidades de absorción oleosa y acuosa de varias bases de polvo, incluyen-

Tabla 18.4. Capacidades de absorción oleosa de bases de polvo[7]

Sustancia	Absorción de aceite (ml por g de sustancia)	Tiempo de saturación (min)
Oracid (espuma urea-formaldehído)	11,11	15
Aerosil	6,00	15
Magnesio, carbonato	5,40	15
Kieselguhr	2,80	15
Magnesio, óxido	3,30	15
Caolín	2,70	15
Talco	2,50	15
Almidón de arroz	2,10	15
Zinc, estearato	0,40	15

Tabla 18.5. **Capacidades de absorción acuosa de bases de polvo**[7]

Sustancia	Absorción de agua (ml por g de sustancia)	Tiempo de saturación (min)
Oracid (espuma urea-formaldehído)	16,60	30
Aerosil	8,70	45
Magnesio, carbonato	4,03	28
Kieselguhr	3,20	12
Magnesio, óxido	2,60	20
Titanio, dióxido	2,30	30
Caolín	1,50	5
Talco	1,40	10
Zinc, óxido	1,10	18
Almidón de arroz	0,75	15
Zinc, estearato	0,05	120

do oracid, en términos de mililitros absorbidos y tiempo necesario para el valor de la saturación que se alcanza.

Se ha descrito en una patente de EEUU[8] el uso de polietileno finamente dividido, muy cristalino, de elevada densidad, como sustituto del talco en polvos cosméticos. Los preparados que contienen polietileno se afirma no ser irritantes y tener buena adherencia, poder cubriente y absorbancia. El tamaño medio de partícula del polietileno utilizado en polvos cosméticos preferentemente no debe ser superior a 44 μm. Para composiciones coloreadas, por ejemplo colorete en polvo, el colorante debe ser preferentemente incorporado en el polímero fundido, mejor que mezclado con los constituyentes polvos secos.

Se han reivindicado en una patente británica[9] preparaciones de polvo cosmético en formas sólida, líquida y suspensión basadas en poliésteres polímeros finamente divididos. Se afirma que estas preparaciones se extienden con facilidad y se adhieren tenazmente a la piel, dando un acabado mate aterciopelado. Los polímeros empleados son poliésteres polímeros lineales de elevado peso molecular, tal como polietilen tereftalato e isoftalatos o un copolímero de estos dos monómeros, con un tamaño medio de partícula preferentemente de 1-10 μm. Preparados en polvos cosméticos basados en mezclas de estas partículas polímeras también contienen preferentemente uno o más aditivos habituales de polvos cosméticos, tales como talco, caolín, óxido de zinc, jabones metálicos, para mejorar las características de extensión, deslizamiento, adherencia y capacidad absorbente de secreciones oleosas y sudor.

Las microsferas de poliestireno son un ejemplo reciente de sustancias polímeras desarrolladas para uso en polvos cosméticos[10].

Deslizamiento

El deslizamiento es la cualidad de fácil extensión y aplicación del polvo para proporcionar una sensación de suavidad característica sobre la piel.

El deslizamiento lo imparte principalmente el talco y también jabones metálicos, tal como estearato de zinc y, en menor grado, almidón.

Talco

El talco es un silicato magnésico hidratado al cual se le ha asignado la fórmula $3MgO \cdot 4SiO_2 \cdot H_2O$. De hecho, parece variar la relación magnesio-silicio.

El talco se obtiene en Italia, Francia, Noruega, India, España, EE. UU., Australia, China, Egipto y Japón. De éstos, el italiano, francés, americano, australiano y algunos indios y chinos pueden utilizarse para polvos faciales y polvos compactos. La molienda del talco en bruto es un parámetro importante en la determinación de su idoneidad para productos de maquillaje. El talco debe ser muy blanco y brillante para originar productos que cubran la amplia gama demandada por el consumidor moderno, y esto únicamente se puede lograr teniendo el correcto proceso de molienda. Los productos pueden siempre «convertir mate» con el uso de colorantes, pero para producir un producto «brillante», en primer lugar el talco debe ser brillante. Este fenómeno no puede lograrse mediante el uso de otras sustancias. Incluso se pueden tener para usar dos tipos diferentes de talco para cubrir todos los productos, por ejemplo un grado para productos de maquillaje y otro grado más barato para polvos de talco, etc. Sea cual fuere el origen del talco, debe estar exento de asbestos o «sustancia anfibol», y debe tenerse cuidado con sustancias de grado inferior, pues el talco de ciertos países puede contener esporas tetánicas. En tales casos, es esencial que el talco sea adecuadamente esterilizado (véase también Capítulo 8).

El talco es el componente principal de los polvos faciales, y en productos de alta calidad puede utilizarse en cantidades superiores al 70 por 100 o más. Su principal función en tales polvos es impartir deslizamiento y buena adherencia. Sin embargo, el poder cubriente y la capacidad absorbente de humedad del talco son bajos y, por consiguiente, debe asociarse con otros polvos para modificar estas deficiencias. Aparte de su uso en polvos faciales, por supuesto, el talco se utiliza en polvos de talco, polvos para bebés y barras antiperspirantes; todos ellos se estudian en sus secciones apropiadas (Capítulos 7, 8 y 10).

La forma física más adecuada de talco para uso en cosméticos es la variedad laminada, cuyas plaquetas planas se deslizan unas sobre otras fácilmente, y así se explican las características de elevado deslizamiento del producto.

En los EE. UU., los baremos de la Asociación de Fabricantes de Cosméticos, Productos de Tocador y Fragancias (*Cosmetic, Toiletries and Fragance Association*) estipulan que el talco debe estar exento de impurezas tales como carbonatos e hierro hidrosolubles y ser neutro al papel de tornasol; así se previene toda alteración de color y perfume en el producto terminado. A fin de garantizar la aplicación de una película suave y uniforme, el talco utilizado también debe estar exento de cualquier partícula arenosa y motitas brillantes de mica, y la masa debe pasar por un tamiz de malla estándar 200. Debe también estar exento de asbestos; este requisito se recalca en las normas OSHA de EE. UU. referentes a sustancias que contienen asbesto. GREXA y PARMENTIER[11] dan una revisión de propiedades y especificaciones.

Adherencia

La adherencia es otra propiedad importante de los constituyentes de polvos faciales, que determina cómo el polvo se sujeta al rostro.

La propiedad de adherencia se imparte a los polvos faciales por la inclusión de talco y algunos jabones metálicos insolubles en agua del ácido esteárico, tales como estearatos de zinc y magnesio. Los últimos se utilizan en polvos faciales en cantidades que varían entre el 3 y el 10 por 100. Además de aumentar la adherencia del polvo a la piel, también proporcionan suavidad y esponjosidad al producto terminado, y además dotan a los polvos de algunas características de repelencia al agua.

También la adherencia de los polvos a la piel se puede mejorar con la incorporación de ciertos emolientes, tales como alcoholes cetílico y estearílico y monoestearato de glicerilo, usualmente en cantidades que varían entre el 0,5 y el 1,5 por 100.

Varios preparados patentados se han comercializado periódicamente, teniendo como su objetivo el perfeccionamiento de la adherencia de los polvos faciales. Una patente británica[12] describe el uso de sales de zinc o magnesio de ácidos grasos que contienen un número impar de átomos de carbono, por ejemplo ácido undecílico; tal base se emplea en una concentración del 5-10 por 100 en el polvo terminado. Muchos fabricantes prefieren corregir toda carencia de adherencia en sus productos bien incrementando la cantidad de estearatos de zinc o magnesio incorporados, o incluyendo en el polvo la mezcla del 2 por 100 de vaselina, aceite mineral o alcohol cetílico. Variaciones adicionales se pueden realizar utilizando aceite mineral encapsulado, especialmente cuando se está intentando producir un polvo muy ligero esponjoso y, sin embargo, lograr buena adherencia.

Entre otras sustancias que se han sugerido, se deben mencionar las fabricadas de miraguano pulverizado, propuesto por VARMA[13] como un ingrediente potencial de polvo facial. A las bases de polvo fabricadas de plásticos, a las que nos hemos referido anteriormente, también se les atribuye aumentar la adherencia.

Sílice y silicatos pulverizados

La sílice pura muy finamente dividida ha sido introducida con fines cosméticos, por ejemplo, Neosyl (Crosfield) y Aerosil (Degussa). Se indica que el uso de esta sustancia evita la necesidad de estearatos de zinc y magnesio. La adición del 10 por 100 a una mezcla ordinaria de polvo ejerce un marcado efecto en el incremento de su esponjosidad. Hasta un 20 por 100 se puede utilizar en un polvo facial o un 30 por 100 o más en polvos de talco o bebés. La incorporación de una pequeña cantidad de cualquier sílice ultrapurificado es muy eficaz como agente antiaglutinante en polvos corporales.

Además de la sílice, también se puede incorporar en polvos faciales un número de silicatos sintéticos ultrapurificados que tienen elevadas propiedades absorbentes de aceite y agua.

Luminosidad

Las sustancias principalmente utilizadas para impartir luminosidad, cuyo requerimiento puede variar según la moda, son yeso, almidón de arroz y almidón preparado. Estos se han descrito anteriormente.

Seda pulverizada

Una materia prima para polvos faciales (y otros preparados cosméticos) es la seda pulverizada que, aparte de las particulares y deseables propiedades que pueda tener, proporciona oportunidades a las agencias de publicidad para producir entusiasta literatura impresa.

Una patente británica[14] describe un proceso para su fabricación. Se han concedido dos patentes posteriores[15, 16] que tratan respectivamente con una técnica para seda pulverizada para producir polvo de seda, y un método para descomponer seda por ebullición sucesivamente en ácidos sulfúrico y bórico.

También la seda pulverizada se ha tratado en *Schimmel Brief*[17], donde se indica que la seda en bruto consta de fibroína, una fibra proteica, cubierta con una capa de sustancia gomosa denominada sericina. Esta se compone principalmente de sustancias albuminoides con pequeñas cantidades de ácidos grasos, resinas y sustancia colorante. Por tanto, a la seda primero se le elimina la goma por el proceso convencional utilizado en la industria textil, y posteriormente se trata con ácido o álcali a fin de provocar una hidrólisis parcial de las moléculas de proteínas. En una fase apropiada se lava, se deseca y, finalmente, se reduce el polvo impalpable por molienda.

Se ha afirmado[18] que las características físicas del polvo de seda la hacen muy adecuada para servir como ingrediente de polvos faciales, que se extiende con facilidad y se adhiere tenazmente a la piel, produciendo una terminación mate aterciopelada, que posee muy elevado poder absorbente, ya que absorbe tres veces su volumen en agua, y aún retiene el aspecto de polvo. No se recomienda la adición de grandes cantidades de sustancias tales como caolín o yeso, pues se afirma que tienden a hacer el producto final demasiado denso y compacto.

Color

Tanto pigmentos inorgánicos y orgánicos, como lacas orgánicas, se han utilizado para conferir color a los polvos faciales. Se deben evitar los colorantes hidrosolubles o liposolubles por el peligro al exudado de color después de la aplicación debido a la solubilización por secreciones lipídicas y sudor. Los pigmentos inorgánicos incluyen óxidos de hierro naturales y sintéticos que dan amarillos, rojos, marrones y negro; ultramarinos que dan verde y azul, e hidrato de cromo y óxido de cromo que dan verde.

Dentro de la CEE, todos los colorantes utilizados en productos cosméticos, con sus límites de pureza, se rigen por la Directiva de Cosméticos 1976[19]. En los EEUU, la Administración de Alimentos y Medicamentos (*Food and Drug Administration*) controla el uso de colorantes en cosméticos, pero sólo específica límites de pureza para colorantes orgánicos. Sin embargo, se reconoce que los pigmentos inorgánicos deben fabricarse según «estándar certificado», que habitualmente se refiere al contenido de metales pesados, y la Asociación de Fabricantes de Cosméticos, Productos de Tocador y Perfumes (*Cosmetic, Toiletries and Fragrance Association*) ha publicado baremos para estas sustancias, por ejemplo óxidos de hierro, que están en línea con los estándares de la Administración de Alimentos y Medicamentos.

Existe una actividad considerable por parte de la Administración de Alimentos y Medicamentos de los EE. UU. en la regulación de las sustancias a utilizar en, *inter alia*, preparados de tocador. Esto implica no sólo las bien conocidas gamas de colorantes FD & C, D & C y D & C (Ext.), sino también muchas sustancias inorgánicas, tanto coloreadas como incoloras, que se han mencionado anteriormente, bien como aditivos (colorantes) o como sustancias fundamentales. El uso actual se permite según la consideración de la FDA de las aplicaciones para las sustancias que se hallan específicamente en la lista permitida.

A causa de los diferentes números y denominaciones registrados para varias sustancias colorantes, las legislaciones locales —como por ejemplo el exclusivo uso de sustancias colorantes certificadas por la FDA de los EE. UU.— y las diferentes opiniones entre las propias firmas sobre qué combinación de colores proporciona sus «particulares» tostado, melocotón, tango, etc., no han intentado hacer una lista de las diversas sustancias colorantes disponibles. Se puede obtener información útil consultando *US Colour Regulations and the Colour Index*[20] (véase también *Harry's Cosmetic Materials*[21], en donde se dedican noventa páginas a enumerar las propiedades de estas sustancias colorantes). A partir de una descripción de sus solubilidades, etc., será posible excluir un número de estos colorantes; de los remanentes pertenecientes a la deseada clasificación de color, se encontrará un número que se puede adquirir de composición similar en otros países[22], pero, en todo caso, sin la garantía de los límites de varias impurezas metálicas y otras. Con frecuencia, la labor del formulador se simplifica consultando a fabricantes de colorantes que fácilmente aconsejarán sobre sustancias colorantes, óxidos y tierras adecuados y también en relación a proporciones de varias reproducciones del color que se requieran. Se disponen preparadas mezclas adecuadas de colores conforme a legislaciones locales y son valiosas para evaluarlas en la propia formulación antes de dedicar demasiado tiempo a la mezcla de colores. La coloración de los polvos faciales ha sido discutida por ANSTEAD[23].

Generalmente, la selección de color es una cuestión de gusto. En otro tiempo, se consideró que los tonos «naturales» (rosa claro) eran adecuados para rubias y los tonos «tostados» (más amarillo-crema) para morenas. Posteriormente, quizás a causa de una exposición mayor fuera del hogar, se comprendió que el color de la piel natural tiende más a un color crema, y que el antiguo «natural» ahora corresponde a sólo pocos cutis que por razón de su piel transparente tienden de modo natural al azul. Por el contrario, los cutis colorados pueden suavizarse con polvos verdes azulinos pálidos. La mayoría de las gamas de colores actuales se basan en una gama crema-amarillo-moreno.

Tanto como el mismo cutis real, toda la variedad de colores de cabellos y vestidos afectan al color aparente que probablemente justifica la demanda de multitud de colores (véase también el Capítulo 20).

Es aconsejable mantener formulaciones de colores tan simples como sea posible de modo que sea más fácil la comparación con partidas nuevas. El efecto del color producido por un polvo aplicado a la piel dependerá *inter alia* de la opacidad tanto de los pigmentos coloreados como blancos, su tamaño de partícula, grado de dispersión, espesor de la película aplicada y color de la piel.

El color de la película fina de pigmento (el color de fondo) puede ser diferente del efecto de color dado por el polvo examinado a granel (tono de la masa). Así pues, es importante que el formulador compruebe el comportamiento del producto aplicado a la piel[24].

Perfume

No se debe acentuar excesivamente la importancia del perfume en la propaganda del producto. Habitualmente los polvos se perfuman muy ligeramente. El olor del polvo facial debe ser aromático y agradable, y hoy se muestra preferencia por un perfume floral o «bouquet» sintético. A menos que el fabricante tenga mucha experiencia en fabricación de perfume, lo mejor es dejarse aconsejar al adquirir el perfume por un fabricante reputado perfumista.

La compatibilidad del perfume con otros constituyentes del producto debe comprobarse cuidadosamente. Por ejemplo, el talco habitualmente contiene un poco de cal, magnesia o hierro libres que pueden afectar negativamente al perfume dependiendo de la cantidad presente de estas sustancias. El perfume también puede ser afectado por yeso precipitado, caolín, carbonato magnésico o estearato metálico, si éstos contienen impurezas, o sin duda por alguno de los pigmentos utilizados al colocar los polvos. Finalmente, se debe recordar que el perfume que se desprende de un polvo es diferente al de, por ejemplo, una solución alcohólica, particularmente en el caso de «bouquet» floral, y se deben verificar sobre el producto terminado ciertos ensayos de aceptación del perfume.

Formulación

El químico familiarizado con las propiedades y funciones de los variados constituyentes de polvos y con las fuentes de suministro no tendrá dificultad para formular un producto satisfactorio. Sin embargo, recibirá detalles del tipo de mercado a que se destina el producto, historia de la publicidad utilizada y propiedades a destacar. Entonces, será capaz de juzgar las proporciones de qué constituyentes ha de usar y qué sustancias se deben evitar a fin de producir una fórmula adecuada. Así, para polvos con un buen poder cubriente utilizará una elevada proporción de óxido de zinc o de dióxido de titanio; para aumentar la absorbancia, la proporción de carbonato magnésico puede aumentarse a expensas del talco, y cuando se necesita un polvo con buena adherencia se incrementa la cantidad de estearato de zinc o magnesio.

Se pueden hacer constar las múltiples variaciones en fórmulas, muchas de las cuales, en condiciones de laboratorio, muestran ligeras diferencias respecto a opacidad, deslizamiento, absorbencia, resistencia al agua y a la grasa, etc., pero la experiencia demuestra que muchas de estas variaciones se detectan por la mujer tipo medio en condiciones normales de uso. Las siguientes fórmulas son ejemplos de tipos de polvo facial; sus variaciones son destacadas para ser detectadas.

El polvo dado en el ejemplo 1 es muy transparente, esto es, un polvo «luminoso», y lo prefieren personas que desean impartir algo de color y lozanía al rostro sin que parezca «maquillaje». Si se desea, el almidón se puede sustituir por yeso precipitado:

	(1)
	por ciento
Talco	80,0
Zinc, óxido	5,0
Zinc, estearato	5,0
Almidón de arroz	10,0
Perfume, colorante	*c.s.*

El ejemplo 2 tiene elevada opacidad y da una terminación mate bien definida que tiende a ocultar defectos menores cutáneos. Es más popular entre ciertas personas que gustan tener un aspecto empolvado definido sin estar empolvadas excesivamente.

	(2)
	por ciento
Talco	30,0
Zinc, óxido	24,0
Zinc, estearato	6,0
Yeso precipitado	40,0
Perfume, colorante	*c.s.*

Entre estos dos tipos de polvo, existen múltiples variaciones populares tales como las siguientes:

	(3)
	por ciento
Talco	65,0
Yeso precipitado	10,0
Zinc, óxido	20,0
Zinc, estearato	5,0
Perfume, colorante	*c.s.*

	(4)
	por ciento
Talco	60,0
Caolín	20,0
Zinc, óxido	15,0
Zinc, estearato	5,0
Perfume, colorante	*c.s.*

Como se indicó anteriormente, el almidón y el yeso precipitado tienden a impartir lozanía; el ejemplo 5 es un polvo de peso medio, esto es opacidad o cobertura y tersura medios.

	(5)
	por ciento
Talco	50,0
Almidón de arroz	15,0
Yeso precipitado	15,0
Zinc, óxido	15,0
Zinc, estearato	5,0

Si se desea obtener una cobertura máxima y continuar manteniendo un alto contenido de talco, se puede lograr sustituyendo el óxido de zinc en alguna de estas fórmulas por aproximadamente un cuarto de su peso de dióxido de titanio.

La fórmula siguiente se prepara a partir de yeso precipitado y se incorpora una elevada proporción de estearato de zinc. Para proporcionar cierta resistencia a la grasa, se emplean caolín y dióxido de titanio.

	(6)
	por ciento
Yeso base impermeable al agua	50,0
Zinc o magnesio, estearato	10,0
Caolín	20,0
Titanio, dióxido	6,0
Talco	14,0
Perfume, colorante	*c.s.*

JANNAWAY[25] manifiesta que la fórmula siguiente proporciona un buen polvo medio, caracterizado por excelente deslizamiento, absorbancia, cobertura adecuada, buena sensación aterciopelada y un perfeccionamiento indefinido en tono mate, etc., que se atribuye al almidón de arroz:

	(7)
	por ciento
Zinc, óxido	16,0
Talco	37,0
Zinc, estearato	5,0
Yeso precipitado (ligero)	18,0
Almidón de arroz	8,0
Caolín (mejor calidad cosmética)	16,0

WINTER[26] describió un tipo esencial de «polvo graso» que afirmó ser mucho más preferido por personas aquejadas de una piel áspera o seca:

	(8)
	partes
Vaselina	50
Cera de abejas blanca	40
Vaselina	40
Estearina	20
Glicerilo, monoestearato	75

Procedimiento: Fundir juntas las anteriores sustancias grasas y añadir, mientras se agita constantemente, quinientas partes de agua caliente. Continuar agitando hasta que se forme la emulsión, después añadir mil partes de talco. Amasar, dejar secar, deshacer hasta polvo, pasar por un tamiz y perfumar.

KEITHLER[27] y HILFER[28] dan otras formulaciones.

La tendencia actual con polvo facial es aplicarlo sobre base para lograr efectos especiales, por ejemplo, mate o brillo. La fórmula completa siguiente ilustra un ligero efecto brillante:

(9)

por ciento

Talco	77,00
Zinc, estearato	5,00
Zinc, óxido	2,00
Caolín	5,00
Mica	10,00
Rojo, hierro, óxido	0,36
Amarillo, hierro, óxido	0,36
Negro, hierro, óxido	0,03
Perfume	0,25

Fabricación

Generalmente la mezcla de los ingredientes de polvos faciales se realiza en un mezclador horizontal con un agitador helicoidal. Si se utilizan lacas, se pueden mezclar con una pequeña cantidad de uno de los constituyentes, talco, yeso, óxido de zinc, y el concentrado de color así formado se mezcla con la masa principal. Si han de utilizarse colorantes hidrosolubles o solubles en alcohol, mejor se usan pulverizados sobre la mezcla o, como modo alternativo, sobre uno de los constituyentes que posea buena absorbancia, tal como yeso, caolín o carbonato de magnesio, siendo después secado y mezclado con la masa principal.

Se dispone de máquinas que mezclan, tamizan y pulverizan el perfume automáticamente. Un buen método sería añadir el perfume mediante bomba dosificadora que se alimenta por un tubo con una multitud de pequeños agujeros ajustados a lo largo de la zona superior del mezclador (p. ej., sobre carbonato de magnesio o yeso en el mezclador de banda) antes de mezclar con el resto del polvo.

Debe evitarse el uso de colorantes hidrosolubles o liposolubles en un polvo facial, pues conducen a rayas, manchas y tintes de la piel cuando se aplican sobre maquillajes normales. CHILSON[28] ha llamado la atención sobre el método de mezclado del molino de bolas, que evita la realización de una base de color. Todos los ingredientes, incluyendo colorante y perfume, se muelen juntos en un molino de bolas durante seis horas, se descarga y después se tamiza. Indica que tal molino proporciona un producto excelente y se emplea ampliamente con preferencia a los mezcladores. Sin embargo, este método es demasiado lento para producciones de grandes escalas. Los micropulverizadores son de creciente empleo, pues la sustancia obtenida está finamente pulverizada y mezclada uniformemente, y sólo se requiere un premezclado grosero. También se pueden utilizar otros pulverizadores diferentes, tal como desintegradores, molino de martillos, molinos de fricción, etc.

Los molinos de disco-espigas dan buenos resultados, especialmente con relación a la dispersión del colorante, siempre que se le someta a un premezclado tosco. Tales molinos son con frecuencia aplicados junto con un tamizador de turbina.

El proceso de aire rotatorio empleado por Coty Inc. es descrito brevemente por DE NAVARRE[30] como sigue:

> «... El aire purificado y frío, a gran presión (100 psi; 700 kPa), se inyecta en flujo continuo a una cámara cerrada de forma bidón. Este bidón o molino se denomina micronizador por reducir las partículas al tamaño de micras (μm). La velocidad de flujo de aire, el modo que se dirige, y la forma propia de la cámara, provocan que el aire gire en esta cámara a velocidades algo superiores a 1.000 mph. En este superciclón, todos los ingredientes son proyectados unos contra otros hasta reducirlos a tamaño y esponjosidad deseados. Cuando se alcanza esto, tales partículas suben por una salida central, mientras que a las partículas más pesadas se les obliga a permanecer. Se dice que el tamaño de partícula se seleccionó después de numerosos experimentos; demuestra ser el mejor para el aspecto, efecto y adhesividad de un polvo facial.»

Aparte de este proceso, existen varios métodos físicos para preparación de polvos de una gama deseada de tamaño de partícula. Estos dependen de la levigación por medio de aire o agua. El control de tales fracciones separadas puede realizarse por examen al microscopio de las fracciones, pero este método implica la inspección visual o microfotográfica de un número muy grande de campos en el microscopio y es tedioso. También se han sugerido varios ensayos de sedimentación, algunos basados en el paso de un haz luminoso a través de la columna de sedimentación a una célula fotoeléctrica. Uno de los métodos más sencillos para el cosmetólogo es el basado en los principios de la Ley de Stockes, descrito por HINKLEY[31]. Una variación útil es el método de Andreason en el que volúmenes de la suspensión, después de tiempos definidos de sedimentación (calculado a partir de la Ley de Stockes), se pipetean en una cápsula tarada, se evapora a sequedad y se pesa. También son ampliamente utilizados varios métodos de permeabilidad al aire.

El método más moderno de análisis del tamaño de la partícula aplicable a polvos cosméticos implica el uso del contador Coulter. Una publicación relacionada con el tema fue presentada por WOOD y LINES[32].

Habitualmente el envasado se realiza por equipos automáticos de llenado al vacío, que minimizan la formación de polvo.

Al seleccionar las cajas de polvo se debe tener la precaución de ver que están preparadas con un pegamento inodoro, pues de otro modo la fragancia del polvo se estropeará durante el almacenamiento.

POLVO COMPACTO

Por ser cómodos de usar, los polvos compactos gozan de amplia popularidad. Actualmente se preparan bien por un proceso de compresión húmeda o por compresión seca. Ha caído en desuso el proceso de moldeado utilizado originalmente, que requería el uso de yeso.

En el proceso húmedo, el polvo, íntimamente mezclado con un agente de aglutinación adecuado, se muele hasta la plasticidad requerida, se comprime en envases adecuados, generalmente «godets» metálicos, y se deseca durante el período necesario por una corriente de aire caliente. En el proceso seco, la masa se somete a compresión sin humedecerse en grado alguno. Este proceso, aunque difícil de realizar de modo satisfactorio al principio, es probablemente el mejor para utilizarse en la fabricación de compactos a gran escala, pues pueden quedar adheridos íntimamente una vez que se han determinado los adecuados factores de trabajo y mezcla. Las máquinas compresoras suministradas para la fabricación de polvos compactos pueden ser de tipo hidráulico o mecánico, variando en tamaño, presiones de trabajo y producción. Varían desde compresores operados con pie produciendo un compacto cada vez a compresores completamente automáticos que pueden producir hasta sesenta unidades por minuto.

Las exigencias de buen poder cubriente, adherencia y uniformidad en composiciones mencionadas con respecto a polvos faciales convencionales también se aplican a polvos compactos. Además, el último será fácil de eliminar del compacto para ser aplicado por medio de una borla de polvos sin deshacerse ni romperse durante la manipulación; este requisito se cumple proporcionando propiedades aglutinantes adecuadas a la mezcla de polvo a comprimir. Más aún, los polvos utilizados en compactos deben fluir con facilidad de manera que no se adhieran a los punzones, ni a las matrices, durante la compresión; de otra forma, se formarán bolsas de aire que originarán una compresión irregular y ocasionaría la rotura de los compactos. Considerando lo que antecede, se puede observar que uno de los objetivos principales durante la fabricación de polvos compactos es garantizar que las pastillas compactadas sean de densidad uniforme.

La diferencia fundamental entre polvos sueltos y polvos compactos estriba en sus propiedades aglutinantes. Si éstas son inadecuadas, las pastillas se desintegran fácilmente después de la compresión. Si son excesivas, la pastilla formará grumos y resultará grasienta al aplicar. Por tanto, son esenciales satisfactorias propiedades de aglutinación para una compresión sin problemas, y la producción de pastillas de buenas calidades en los largos períodos de fabricación.

También el proceso real de compresión afecta al tono del producto, constituyendo un problema para el control de la calidad. En realidad, si se prevén grandes volúmenes, siempre es mejor realizar una prueba grande de fabricación que partir del ensayo de laboratorio en plena escala de producción.

La composición de polvos compactos es, generalmente, muy similar a la de polvos sueltos. Las diferencias que existen surgen de la necesidad de cumplir el requerimiento de mayor cohesión, y son ampliamente evidentes en términos de porcentajes de algunos de los componentes presentes. En polvos compactos, el caolín coloidal, el óxido de zinc y los estearatos metálicos habitualmente están presentes en una proporción superior que en los polvos faciales sueltos y, en ocasiones, el almidón se incorpora para facilitar la compresión. Si los polvos no están suficientemente aglutinados, requerirán la adición de un agente aglutinante para mejorar su cohesión, de modo que a lo largo de la compresión se produzca una pastilla consistente. Se pueden utilizar agentes aglutinantes hidrosolubles e insolubles en agua. Los primeros son gomas naturales y sintéticas que se utilizan en cantidades comprendidas entre el 0,1 por 100 a aproximadamente el 3 por 100 en peso del producto, y usualmente se mezclan con los polvos componentes en forma de solución acuosa al 5-10 por 100. Un agente aglutinante muy adecuado para esta finalidad es la carboximetilcelulosa de baja viscosidad. Generalmente, se añade una pequeña cantidad de un humectante a las soluciones. Si se emplea un agente aglutinante insoluble en agua, por ejemplo monoestearato de glicerilo, alcoholes cetílico o estearílico, ésteres isopropílico de ácidos grasos, lanolina y sus derivados u ozoquerita, cera de parafina y ceras microcristalinas, es preferible utilizarlo en forma de emulsión aceite-agua de modo que se distribuya uniformemente por todo el producto.

En el proceso de compactación seco, es habitual emplear estearatos de zinc o magnesio en concentraciones del 5-15 por 100 en peso, así como un lubrificante, tal como aceite mineral en proporciones similares.

Considerables cambios han tenido lugar en la formulación en los últimos cuarenta años; así, en 1932 WINTER[33] recomendaba un compuesto de amonio-estearina-almidón que contenía petrolato blanco, amoniaco, almidón y estearina (ejemplo 10) para la fabricación de polvo compacto y colorete.

	(10)
Estearina	100 g
Petrolato blanco	20 g
Amonio, hidróxido, solución, 0,97 p. ej.	50 cm³
Almidón de arroz o maíz	250 g

Procedimiento: Fundir juntos estearina y petrolato. Añadir la solución de hidróxido amónico y agitar enérgicamente mientras se calienta. Añadir el almidón a la mezcla caliente con fuerte agitación (durante la adición, se formarán grandes grumos con el polvo de almidón; con agitación y presión fuertes, éstos se destruyen y se mezclan con el almidón). Tratar la masa desmenuzada resultante en un mortero, y después pasar por un tamiz de malla 70-80. Enfriar bien antes de tamizar.

Este compuesto se añade en una proporción del 13-15 por 100 al polvo base, junto con la sustancia colorante, y la mezcla se somete a compresión. Se indica que tal compresión no debe realizarse de modo instantáneo, sino incrementando gradualmente la presión. Experimentos han confirmado totalmente esta opinión. A menos que se dé algo de tiempo para que el aire se desprenda gradualmente, queda atrapado en el compacto con consecuencias desastrosas.

Como se indicó anteriormente, el almidón de arroz se utiliza en la fabricación de polvos compactos para facilitar la compresión de los polvos. Sin embargo, ha existido cierta controversia en relación con la máxima proporción tolerable de almidón en un compacto. Por un lado, se expresaron opiniones en el sentido de que el contenido de almidón debía ser bajo, por otro lado, existe una tendencia a producir pastillas duras y hacer más difícil la eliminación de polvo cuando se aplica la borla[34]. Una fórmula citada incluía sólo un 2,5 por 100 de almidón de arroz[35]. Por otro lado, WINTER consideró que el almidón actúa como un buen agente aglutinante, y recomendó una base que contenía aproximadamente un 13 por 100 de almidón[33]. Aún en otro artículo se consideró que hasta un 20 por 100 de almidón era útil en la aglutinación de un compacto[36].

WINTER sugirió la mezcla de polvo base dada en el ejemplo 11, a la cual se añade un 13-15 por 100 de estearina-almidón y las sustancias colorantes necesarias. El agua se añade para producir una masa pastosa que se seca, muele y pasa por un tamiz de malla 120, y la masa se comprime en una caja metálica adecuada o «godet».

	(11)
	por ciento
Talco	26,6
Caolín	56,7
Zinc, óxido	3,3
Almidón de arroz	13,3

Los modernos procedimientos de fabricación y las actuales composiciones varían apreciablemente de las que se acaban de describir. En el caso del proceso húmedo, todo colorante que se use se muele primero con los constituyentes del polvo y la mezcla resultante se pasa a través de un tamiz. Después el polvo se humedece con la solución o emulsión aglutinante y se incorpora el perfume. Tras la mezcla total, ésta se tamiza una vez más, por ejemplo por un tamiz de malla 60. El producto se deseca después en una zona a temperatura ambiente o por aire caliente, con tal que la temperatura utilizada no exceda a aquella a la cual se volatiliza el perfume. Posteriormente el producto se comprime y se coloca en envases apropiados.

El ejemplo 12 da una fórmula a la que es aplicable el proceso de compresión húmeda.

	(12)
	por ciento
Caolín	20,0
Zinc, óxido	15,0
Yeso precipitado	25,0
Talco	32,0
Aglutinante de compactos (p. ej. jabón)	8,0
Perfume, colorante	*c.s.*

El segundo de los dos procesos modernos de compactación, esto es, el método de compresión seca, es particularmente adecuado para la producción masiva, aunque necesita el uso de presiones más elevadas que las que se emplean en el proceso de compresión húmeda. Se ha descrito con cierto detalle en una patente de EE. UU.[37] la fabricación de una pastilla de polvo facial compactada por el proceso de compresión seca. En un ejemplo incluido en esta patente se dieron la composición y el procedimiento siguientes:

	(13)
	por ciento
Talco	61,25
Sodio, lauril sulfato	0,75
Titanio, dióxido	7,50
Zinc, estearato	11,25
Pigmentos inorgánicos	1,00
Aceite mineral	4,50
Esperma de ballena	3,00
Alcohol cetílico	1,50
Lanolina	1,00
Glicerina	7,50
Hexaclorofeno	0,25

Alquildimetibencilamonio, cloruro al 50 por 100	0,20
Metilo, *p*-hidroxibenzoato	0,09
Propilo, *p*-hidroxibenzoato	0,09
Perfume	0,12

Procedimiento: Primero se mezclan juntos talco, lauril sulfato sódico, dióxido de titanio, estearato de zinc y pigmentos inorgánicos en un mezclador helicoidal durante aproximadamente una hora. Posteriormente se añaden al mezclador hexaclorofeno, base de amonio cuaternario y conservantes completamente premezclados, y el resultado se mezcla durante aproximadamente dos horas, antes de pasar por un micropulverizador que utiliza un filtro núm. 0,013. No se debe permitir que se alcance una temperatura de las sustancias por encima de los 10 °C de la temperatura ambiente durante esta operación. Después de enfriar, la mezcla de polvo se vuelve a pasar a través del micropulverizador. Se mezclan calentando hasta fundir en líquido aceite mineral, esperma de ballena, lanolina y glicerina, después se pulverizan en el lote seco que se mezcla en el mezclador helicoidal durante una media hora más. El lote se pasa a través de un quebrantador y una vez de nuevo a través de un pulverizador, utilizando un filtro de 3/16 pulgadas y tomando las mismas precauciones con la temperatura que anteriormente. Una vez frío, el polvo se pasa por el micropulverizador utilizando un filtro núm. 0,027 y, finalmente, frío una vez más, se pasa por filtro de malla 40, asegurándose de que no se genera calor durante este tamizado final. El material resultante se dosifica en envases y se aplica a presión, por ejemplo 40-50 psi (300 kPa), para transformar el polvo en pastilla. Habitualmente se aconseja mantener los polvos durante varios días en una atmósfera de humedad adecuada antes de comprimirlos para facilitar el desprendimiento de cualquier aire atrapado, y garantizar que la mezcla de polvo no estará excesivamente seca cuando se comprima. Durante el proceso de compresión seca, es usual aplicar una pequeña presión inicial para desalojar el aire y así evitar la formación de burbujas en las pastillas de polvo. Posteriormente, la presión se incrementa gradualmente hasta 150 psi o incluso más (1.000 + kPa) antes de que el punzón se elimine de la superficie de la pastilla. Sin embargo, con formulación y preparación cuidadosas del polvo es posible comprimir las pastillas con presiones directas de hasta 600 psi (4 MPa) y producciones próximas a las dos mil unidades por hora.

MAQUILLAJE EN PASTILLAS

Las pastillas de maquillaje modernas tienen origen en las pinturas de grasas del teatro, y han adquirido popularidad debido a su fácil aplicación, estabilidad y también porque se puede aplicar más producto al rostro y, por tanto, se pueden lograr tonos y efectos más intensos. Como en el caso de los polvos compactos, la pastilla de maquillaje también se fabrica con talco, caolín, óxido de zinc y yeso precipitado, pero además, contiene pigmentos inorgánicos, tales como dióxido de titanio y óxidos de hierro. También se incorporan humectantes tales como sorbitol o propilen glicol, junto con otros aditivos tales como sesquioleato de sorbitan, lanolina o aceite mineral y perfume. Los humectantes y otros constituyentes líquidos usualmente se mezclan y se pulverizan sobre los constituyentes del polvo, mientras que éstos se mezclan en el mezclador helicoidal. La mezcla resultante se granula y, finalmente, se comprime.

Patentes[38, 39] concedidas en la década de los treinta reivindicaron un producto en forma de pastilla que, cuando se aplicaba al rostro utilizando una esponja húmeda, se secaba para formar una película de polvo coherente e hidrófoba. La ventaja de este producto es que no se requiere una crema base y que el maquillaje se puede retocar de modo rápido y cómodo.

Una patente de MAX FACTOR[40] describe un maquillaje seco en forma de pastilla que se puede aplicar con borlas o esponjas húmedas. La pastilla contiene ingredientes oleosos y cerosos (0,8-24 por 100), un agente dispersante hidrosoluble (1-13 por 100) e inertes (35-80 por 100) y pigmentos (12-50 por 100) cuyas partículas se recubren con los aceites y ceras para hacerlos hidrófobos. El maquillaje se prepara incorporando los inertes (talco, yeso) y los pigmentos (óxidos de zinc, titanio y hierro) a los aceites y ceras dispersadas en agua, secando la mezcla así formada, pulverizando el producto y comprimiéndolo en forma de pastilla.

Los productos fabricados con este tipo de fórmula se pueden preparar sin secado utilizando una elevada relación de polvo a emulsión, por ejemplo aproximadamente 12 a 1, y mezclando con un mezclador de Beken Planetex o Duplex. La operación de mezcla dura entre treinta y sesenta minutos, y la mezcla se comprime después de granular por tamiz fino.

La fórmula siguiente se puede fabricar de esta manera:

	(14)	
	partes	
Polvo base (perfumado)	100	
Emulsión:		
Acido esteárico	34,5	
Aceite mineral	21,5	8,5
Trietanolamina	10,5	
Agua	33,5	

Para tonos intensos con buena cobertura, el óxido de zinc se puede sustituir por dióxido de titanio (esto también proporciona mejores características de compresión):

	(15)
	por ciento
Mezcla colorante:	
Talco	89,75
Titanio, dióxido	9,00
Amarillo, hierro, óxido	0,75
Rojo, hierro, óxido	0,40
Negro, hierro, óxido	0,10
Base:	
Acido esteárico	15,0
Lanolina acetilada	3,0
Alcohol estearílico	3,0
Glicerilo, monoestearato (autoemulsionable)	2,2
Aceite de ricino sulfonado	1,2
Trietanolamina	3,0
Aceite mineral	35,0
Polietilen glicol	10,0
Agua	27,6
Relación composición:	
Base	20,0
Mezcla colorante	79,8
Perfume	0,2

La compresión de este producto puede ser tan rápida como en polvos compactos, aunque es importante verificar que existe una dispersión coherente de la base en la mezcla de color durante toda la duración de la fabricación.

Una fórmula prototipo de pastillas de maquillaje sugerida en un formulario cosmético de Atlas Industries[41] tiene la composición dada en el ejemplo 16:

	(16)
Mezcla pigmentos:	*por ciento*
Talco	60,0
Caolín	20,0
Zinc, óxido	10,0
Titanio, dióxido	5,0
Calcio, carbonato, ligero	5,0
Colores, hierro, óxido	*c.s.*
Fórmula completa:	
Mezcla pigmentos	81,0
Arlex (sorbitol)	4,1
Propilen glicol	2,4
Arlacel C (sorbitan, sesquileato)	9,7
Aceite mineral o lanolina	2,4
Perfume, conservante	*c.s.*

Procedimiento: Mezclar Arlex (sorbitol) con propilen glicol y conservante y pulverizar esta mezcla en el polvo mientras se mezcla en un mezclador de masa. Mezclar Arlex C y aceite mineral. Si se usa lanolina, mezclar la lanolina con el Arlacel C. Añadir el perfume y pulverizar sobre la masa pulvurulenta que se está agitando en el mezclador sigma. Transferir a un granulador de comprimidos de Fritzpatrick o a una máquina equivalente. Después de la granulación, la masa está preparada para ser procesada y comprimida. Se emplea el mismo procedimiento que en el caso de polvos compactos; esto es, la aplicación inicial de una presión relativamente baja (aproximadamente de 25-50 psi; 250 kPa) para eliminar el aire, seguida de la aplicación de una presión superior a 100-150 psi o más (1.000 + kPa).

Aplicación de maquillaje pastilla

MAURICE SEIDERMAN, un pionero del maquillaje en la industria cinematográfica, recomendó la aplicación de maquillaje pastilla de la manera siguiente: «Para aplicar el maquillaje pastilla correctamente, humedecer y estrujar una esponja y friccionar ligeramente sobre el rostro. Extender suavemente el maquillaje pastilla en el rostro, y antes de secar, mezclar con el colorete. Exprimir cuidadosamente toda el agua de la esponja, y friccionar ligeramente sobre el rostro hasta que se seque el maquillaje». MACIAS-SARRIA[42] añade que las personas a las que no les gusta un maquillaje espeso deben eliminar el exceso de agua con una toalla seca o con un «tissue» facial.

Se dice que el maquillaje pastilla es satisfactorio para mujeres jóvenes; en el caso de personas de cierta edad, e incluso en personas más jóvenes que padecen de piel seca, resultó ser bastante desecante. Para abastecer este mercado, y para seguir con la tendencia general hacia maquillajes más grasos, como se ilustra por muchas cremas base, y posiblemente también con la idea de sacar provecho del tipo sencillo de recipiente en el que se envasa la pastilla de maquillaje compacto, se ha comercializado un tipo de compacto graso que contiene pigmentos de gran poder cubriente en una base cerosa.

Tales productos parecen ser vertidos en lugar de ser comprimidos del modo usual. Se pueden incorporar agentes humectantes, de modo que estos productos se puedan eliminar con una esponja húmeda; como alternativa, se pueden utilizar aceites de siliconas para mejorar las características de extensión y hacer el producto adecuado para la aplicación con las yemas de los dedos.

MAQUILLAJE CREMA

Las preparaciones de maquillaje base en forma de crema son esencialmente suspensiones de pigmentos en una loción emulsificada. Generalmente, la incorporación del pigmento se realiza a aproximadamente 50-55 °C, mientras que la emulsión se enfría lentamente con agitación. JANISTYN citó la fórmula siguiente para un maquillaje crema[43].

	(17) partes
Glicerilo, mono- y diestearato (puro)	2,0
PEG 400, monoestearato	1,0
Acido esteárico	11,5
Alcohol cetílico	0,5
Isopropilo, miristato o palmitato	2,0
Propilen glicol	12,0
Sorbitol jarabe	2,5
Conservante	0,1
Titanio, dióxido	2,2
Talco	8,0
Pigmentos colorantes	1,0
Agua	57,4

Habitualmente, la suspensión se homogeneiza y se muele.

POLVO LIQUIDO

Los denominados «polvos líquidos» se han utilizado en ocasiones como base para polvo ordinario o para reemplazar tal polvo en uso de noche, bailes u ocasiones similares. También han incluido un producto teatral, «blanco húmedo», que fue utilizado para blanquear el cuello y los brazos. Sus componentes básicos eran óxido de zinc y oxicloruro, subnitrato y carbonato de bismuto incorporados en un líquido compuesto de una mezcla de glicerina y agua en proporciones variables. Se utilizaba glicerina en cantidades de hasta un 30 por 100 y, con frecuencia, el agua se sustituía por agua de rosas u otras aguas perfumadas; algunas veces, también, el almidón se utiliza para suspender los constituyentes más espesos. Para preparar el «blanco húmedo» se mezclaban los polvos constituyentes y se añadía glicerina. También se podían incorporar tensioactivos para coadyuvar en la dispersión de los polvos.

Una fórmula de «blanco húmedo» sobre estos principios, citada por Poucher[44], se da en el ejemplo 18.

	(18)
	por ciento
Bismuto, subnitrato	5,0
Almidón	5,0
Zinc, óxido	10,0
Glicerina	15,0
Agua de rosa	65,0

Otras fórmulas más modernas omiten la sal de bismuto y almidón, y emplean más pigmentos, inertes y sustancias colorantes para simular varios tonos de color carne. Los ejemplos 19 y 20 servirán como base para ensayos:

	(19)
	por ciento
Zinc, óxido	3,0
Yeso (precipitado)	15,0
Caolín	2,0
Sustancia colorante	*c.s.*
Glicerina	15,0
Agua	65,0
Conservante, perfume	*c.s.*

	(20)
	por ciento
Zinc, óxido	10,0
Titanio, óxido	10,0
Talco	10,0
Sustancia colorante	*c.s.*
Goma tragacanto (solución al 0,5 por 100)	25,0
Glicerina	15,0
Agua	30,0
Conservante, perfume	*c.s.*

Janistyn[43] citó una formulación de un polvo líquido de la siguiente composición:

	(21)
	por ciento
Sodio, carragenato (viscosidad media o alta)	2,0
Alcohol *n*-propílico	2,0
Propilen glicol	5,0
Agua	68,5
Veegum HV	0,5
Talco	10,0
Magnesio, carbonato	4,0
Titanio, dióxido	1,0
Pigmentos colorantes	7,0
Perfume	*c.s.*

Procedimiento: Humedecer el carraginato con alcohol propílico, y después disolverlo en la mezcla de propilen glicol-agua. Después se dispersa el Veegum en la solución, seguido de la adición de pigmentos mezclados.

Medias cosméticas

Este tipo de maquillaje acuoso fue utilizado durante la Segunda Guerra Mundial como un maquillaje de piernas o medias cosméticas líquidas. El requerimiento era que la apariencia de una pierna tratada debía ser muy similar a una pierna cubierta de una media normal. Era esencial que la preparación no debía desaparecer por la lluvia ni eliminarse al vestirse; no obstante, debía ser fácilmente limpiable con jabón y agua.

Una fórmula básica para elaborar una «media cosmética» líquida se da en el ejemplo [22]:

	(22) *por ciento*
Zinc, óxido	6,0
Yeso (precipitado)	16,0
Metilcelulosa	0,5
Glicerina	16,0
Agua	61,5
Sustancia colorante, conservante, perfume	*c.s.*

Se puede obtener mayor opacidad en el maquillaje final incrementando la proporción de óxido de zinc e incluyendo dióxido de titanio, pero obviamente no es deseable un efecto artificial. Se puede incluir un poco de alcohol a fin de acelerar el desecado; la viscosidad se puede modificar mediante el uso de metilcelulosa de distintos grados de viscosidad, u otra sustancia celulósica formadora de películas; como alternativa, se pueden incluir alginatos o mucílagos de gomas, pero se debe tener cuidado de que la preparación final no sea pegajosa.

Para incrementar el tiempo durante el cual el polvo pigmentado se mantiene en suspensión (después de agitar) mientras la preparación se aplica a las piernas, se puede incorporar un porcentaje bajo de bentonita u otras arcillas similares.

Es deseable una cierta cantidad de glicerina o sustancia similar no volátil y formadora de base, ya que esto mejora la adherencia de la película de polvo a la pierna.

Generalmente, las sustancias colorantes se componen de mezclas de pigmentos innocuos amarillo, rojo y pardo según el tono deseado; además se pueden incluir algunos colorantes solubles para producir un ligero efecto colorante sobre la pierna y también minimizar la apariencia de separación entre la fase acuosa y polvo en el envase.

La fórmula siguiente se publicó en el *American Perfumer* [45]:

	(23) *por ciento*
Zinc, estearato	2,0
Titanio, dióxido	3,5
Gel de silicato de aluminio-magnesio coloidal (Veegum)	20,0
Alcohol isopropílico	6,0

Ocre	0,5
Oxido amarillo	2,5
Oxido rojo	2,5
Propilen glicol	1,0
Metilcelulosa (grado viscosidad 1.500)	0,5
Agua, perfume, conservante	hasta 100,0

MAQUILLAJE LIQUIDO

El maquillaje líquido de uso cosmético es otro desarrollo del polvo humedecido que se compone fundamentalmente de pigmentos dispersados en una base viscosa.

Las primitivas preparaciones de maquillaje líquido eran suspensiones de pigmentos en una solución hidroalcohólica, que requería agitación enérgica antes de usarse para garantizar la distribución uniforme del producto durante la aplicación.

El problema básico en la preparación de productos más elegantes de este tipo es prevenir la sedimentación de los pigmentos componentes dispersándolos en una base hidrocoloidal o en una emulsión líquida. Los hidrocoloides utilizados para espesar las preparaciones se pueden seleccionar de derivados de celulosa, carraginatos, Carbopol 934 ó 941, Veegum y otros.

Los pigmentos utilizados en preparaciones de maquillaje líquido son los componentes habituales de bases de polvo, tales como talco, caolín, óxido de zinc, dióxido de titanio, carbonato de calcio o magnesio y otros.

En productos emulsificados, las materias primas utilizadas incluyen monoestearato de propilen glicol, monoestearato de glicerilo, alcoholes grasos tales como alcoholes cetílico u oleílico, miristato de isopropilo, lanolina y sus derivados, polietilen glicoles, humectantes y otros; en general, se parecen al maquillaje crema descrito antes en el ejemplo 17.

Una fórmula de maquillaje líquido citada por SHANSKY[46] se da en el ejemplo 24. Se puede ajustar la viscosidad variando la cantidad de goma o bentonita.

	(24) por ciento
Propilen glicol	4,40
Polietilen glicol 400, monoestearato	1,92
Conservante	0,32
Goma tragacanto (solución al 0,175 por 100)	76,68
Bentonita	0,96
Aceite blanco	1,20
Alcohol oleílico	6,72
Acido esteárico	4,20
Trietanolamina	1,92
Perfume	c.s.
Titanio, dióxido más pigmentos pulvurulentos	c.s.

Generalmente, los pigmentos y el dióxido de titanio se encuentran en la fórmula en una concentración del 5-10 por 100, como en el ejemplo 25 (la cantidad real dependerá del tono deseado).

	(25)
	por ciento
Isopropilo, lanolato	3,50
Isopropilo, miristato	4,20
Escualeno	1,40
Purcellin oil	2,10
Aceite mineral	12,80
Sorbitan, oleato	1,00
Veegum (solución al 5 por 100)	30,00
Propilen glicol	8,00
CMC (solución al 1 por 100)	20,60
Polioxietilen (20) sorbitan, mono-oleato	4,00
Agua	6,04
Titanio, dióxido	4,60
Amarillo, hierro, óxido	0,56
Rojo, hierro, óxido	0,55
Negro, hierro, óxido	0,10
Perfume	0,25
Conservante	0,30

MAQUILLAJE BARRA

Los productos maquillaje líquido son con mucho los más aceptados como maquillajes faciales, debido principalmente a su aplicación suave que satisface al estilo moderno y su comodidad de uso (frasco o tubo). Sin embargo, existe una pequeña pero significativa proporción del mercado que prefiere un maquillaje más denso. Esto ha conducido al desarrollo del maquillaje barra, que en esencia es una dispersión de pigmentos en una base de cera. Una fórmula típica es la mostrada en el ejemplo 26.

	(26)
	por ciento
Aceite mineral	47,65
Cera de parafina	3,50
Cera abejas	1,50
Cera carnauba	4,00
Caolín	9,00
Titanio, dióxido	30,00
Amarillo, hierro, óxido	2,50
Rojo, hierro, óxido	1,50
Negro, hierro, óxido	0,30
Perfume	0,05

Procedimiento: Mezclar juntos los aceites y las ceras y calentar hasta que se obtenga una solución transparente. Mezclar gradualmente los colorantes y pigmentos con un mezclador de tipo Silverson de alta velocidad. Se debe examinar el punto de tono, dispersión y solidificación con antelación al vertido en envases adecuados.

Este concepto de barra se puede extender más allá para dar el producto de cobertura de marcas de nacimiento y manchas. El producto se pigmenta intensamente y se aplica como una barra de labios.

	(27) por ciento
Alcoholes de lanolina	2,8
Cera ozoquerita	8,0
Cera de parafina	6,0
Aceite mineral	20,2
Isopropilo, miristato	10,0
Lanolina	2,8
Titanio, dióxido	36,8
Caolín	8,0
Amarillo, hierro, óxido	2,5
Negro, hierro, óxido	0,6
Rojo, hierro, óxido	2,0
Perfume	0,3

REFERENCIAS

1. Grady, L. D., *J. Soc. cosmet. Chem.*, 1947, **1**, 17.
2. Luckiesh, M., Taylor, A. H., Cole, H. N. and Sollman, T., *J. Am. med. Assoc.*, 1946, **130**, 1.
3. Hewitt, M. L., *Perfum. essent. Oil Rec.*, 1943, **34**, 35.
4. Halpern, A., Powers, J. V. and Bradney, C. H., *Proc. sci. Sect. Toilet Goods Assoc.*, 1950, (14), 4.
5. Ross, C. F. and Kerr, P. F., *US Geolog. Surv. Prof. Paper No. 165E*, 1934, p. 152.
6. McDonough, E. C., *Truth about Cosmetics*, New York, Drug Cosmetic Industry, 1937, p. 110.
7. Baumann, H., *Parfüm. Kosmet.*, 1959, **40**, 287.
8. US Patent 3 196 079, Phillips Petroleum, July 1965.
9. British Patent 1 093 108, ICI, November 1967.
10. Smith, R. L., *Manuf. Chem.*, 1967, **38**, (12), 35.
11. Grexa, R. W. and Parmentier, C. J., *Cosmet. Toiletries*, 1979, **94** (2), 29.
12. British Patent 433 142, IG Farbenindustrie, 1935.
13. Varma, K. C., *Soap Perfum. Cosmet.*, 1953, **27**, 505.
14. British Patent 482 269, Lawson, R. W., 1938.
15. British Patent 519 544, Brocklehurst Whiston Amalg. Ltd, 1940.
16. British Patent 555 044, Phelps, S. G., 1943.
17. *Schimmel Briefs*, 1948 (August), No. 161.
18. Morelle, J., *Parfum. Mod.*, 1947, (4), 29.
19. EEC Cosmetic Directive, 27 July 1976, 76/768/EEC.
20. *Colour Index*, 3rd edn, Bradford, Society of Dyers and Colourists, 1971.
21. Harry, R. G., *Cosmetic Materials*, London, Leonard Hill, 1962, Appendix III.
22. Carrière, G. and Luft, G., *Soap Perfum. Cosmet.*, 1966, **39**, 29.
23. Anstead, D. F., *J. Soc. cosmet. Chem.*, 1959, **10**, 1.
24. Russ, J., *Cosmet. Toiletries*, 1981, **96**(4), 25.
25. Jannaway, S. P., *Alchimist (Boechut)*, 1948, **2**, 20.
26. Winter, F., *Alchimist (Boechut)*, 1947, **1**, 188.
27. Keithler, W. R., *Drug Cosmet. Ind.*, 1955, **76**, 40.
28. Hilfer, H., *Drug Cosmet. Ind.*, 1953, **73**, 466.
29. Chilson, F., *Modern Cosmetics*, 1st edn, New York, Drug Cosmet. Ind., 1934, p. 68.
30. DeNavarre, M. G., *The Chemistry and Manufacture of Cosmetics*, New York, Van Nostrand, 1941, p. 361.
31. Hinkley, W. O., *Ind. Eng. Chem. anal. Ed.*, 1942, **14**, 10.
32. Wood, W. M. and Lines, R. W., *J. Soc. cosmet. Chem.*, 1966, **17**, 197.

33. Winter, F., *Handbuch der gesamten Parfümerie und Kosmetik*, 2nd edn, Vienna, Springer, 1932, pp. 615–620.
34. *Perfum. essent. Oil Rec.*, 1930, **21,** 9.
35. *Perfum. essent. Oil Rec.*, 1932, **23,** 362.
36. *Perfum. essent. Oil Rec.*, 1932, **23,** 203.
37. US Patent 3 296 078, Kay, M. and Amsterdam, M. J., August 1958.
38. US Patent 2 034 697, Max Factor & Co., 1936.
39. US Patent 2 101 843, Max Factor & Co., 1937.
40. British Patent 501 732, Max Factor & Co., 1939.
41. Atlas Powder Co., *Drug and Cosmetic Emulsions*, 1946, p. 29.
42. Macias-Sarria, J., *Am. Perfum.*, 1944, **46**(12), 48.
43. Janistyn, H., *Taschenbuch der modernen Parfümerie und Kosmetik*, Stuttgart, Wissenschaftliche Verlagsgesellschaft, 1966, p. 614.
44. Poucher, W. A., *Perfumes Cosmetics and Soaps*, Vol. 3, London, Chapman and Hall, 1950, p. 191.
45. *Am. Perfum. Essent. Oil Rev.*, 1945, **47**(6), 37.
46. Shansky, A., *Am. Perfum. Essent. Oil Rev.*, 1964, **79,** (10), 53.

19

Preparaciones de maquillaje coloreadas

BARRAS DE LABIOS

Introducción

Las barras de labios, cosméticos de labios moldeados en barras, son esencialmente dispersiones de sustancia colorante en una base compuesta de una mezcla adecuada de aceites, grasas y ceras.

Las barras de labios se utilizan para impartir un color atractivo a los labios acentuando sus rasgos buenos y enmascarando cualquier imperfección. Con su aplicación los labios estrechos y mal perfilados se pueden ensanchar, y los labios sensuales y anchos se hacen parecer más estrechos. En realidad, si se aplican inteligentemente son capaces de modificar completamente las características faciales aparentes.

Puesto que los labios se consideran más seductores cuando poseen una apariencia ligeramente húmeda, esto siempre se logra con el uso de una base grasa que también ejerce una acción emoliente.

No hay duda de que el amplio uso de barra de labios entre las mujeres ha conducido a una reducción de labios agrietados y cortados, las fisuras de los cuales siempre son propensas a la infección bacteriana. Además, como en el caso de muchos otros cosméticos, ejerce un efecto psicológico difícil de evaluar e induce a una sensación de bienestar.

Características requeridas en una barra de labios

Una buena barra de labios debe tener las características siguientes:

1. Debe poseer una apariencia atractiva, esto es, una superficie lisa, de color uniforme, libre de defectos, tales como agujeros o arenillas debidos al colorante o agregados de cristales. Esto debe mantenerse durante su vida y uso; no debe exudar aceite, desarrollar eflorescencia, formar escamas, endurecerse, ablandarse, desmoronarse ni hacerse frágil en el intervalo de temperaturas probables que experimenta.

351

2.   Debe ser innocuo, tanto dermatológicamente, como si se ingiere.

3.   Debe ser fácil de aplicar, dejando una película sobre los labios que no sea ni excesivamente grasa, ni demasiado seca, esto es, razonablemente permanente pero capaz de eliminarse intencionadamente y que tenga color estable.

Es comprensible que un sistema de sustancia colorante dispersada en un medio graso plástico sea el más idóneo para satisfacer los requerimientos anteriores.

Ingredientes de barras de labios

Sustancias colorantes

El color de una barra de labios es una de las características de venta, pero es una de las que sólo se puede tratar en términos generales, puesto que los tonos exactos los dictamina la efímera moda. Es habitual que el color contenga en cierto grado rojo, y esto conduce a tonos que varían entre amarillo-naranja y púrpura-azul, aunque incluso no son desconocidos los verdes. La intensidad y opacidad del color también son variables y durante largos períodos de tiempo la tendencia de la moda fue hacia un aspecto «no maquillado», y se ha visto la base de barra de labios incolora de brillo vivo bajo la denominación «brillo de labios». También se conoce el «destello de labio», que contiene sustancias perladas, y ocasionalmente se presentan barras con cierto grado de brillo dorado o plateado logrado con el empleo de metal finamente dividido (aluminio coloreado). Sin embargo, el objeto principal en este capítulo versará sobre los tonos rojos convencionales dominantes, puesto que estos aplican los principios básicos de la formulación de barra de labios.

El color se imparte a los labios de dos maneras: a) mediante coloración de la piel, lo cual requiere un tinte en solución, capaz de penetrar la superficie externa de los labios; b) cubriéndo los labios con una capa coloreada que sirve para ocultar cualquier aspereza de la superficie, y proporciona una apariencia lisa. Este segundo requisito se satisface con colores y pigmentos insolubles que hacen a la película más o menos opaca.

Las proporciones típicas para los colores en una barra de labios son las siguiente:

	por ciento
Tintes colorantes (bromo-ácidos)	½-3
Pigmentos liposolubles	2
Pigmento insoluble	8-10
Titanio, dióxido	1-4

Tintes colorantes.   Los tintes colorantes más ampliamente utilizados son la eosina hidrosolubles y otros derivados halogenados de fluoresceína que generalmente se les conoce colectivamente como «bromoácidos», un término originalmente aplicado a eosina ácida, tetrabromofluoresceína.

La *eosina*, también conocida como D&C Rojo núm. 21, es un compuesto naranja insoluble que se transforma en una sal roja intensa cuando el valor del pH es superior a 4. Cuando se aplica a los labios en forma ácida, produce un color rojo relativamente indeleble al neutralizarse con el tejido labial.

Se pueden utilizar otras fluoresceínas halogenadas para proporcionar diferentes tintes colorantes, y grados variables indelebles. Así, el D&C Rojo núm. 27 (tetraclorotetrabromofluoresceína) produce un color rojo azulado brillante y el D&C Naranja núm. 5 (dibromofluoresceína) un rojo amarillento, que con frecuencia se utiliza junto con el D&C Rojo núm. 21. El D&C Naranja núm. 10 (diyodofluoresceína) es otro derivado utilizado con frecuencia.

Desafortunadamente, la eosina y algunos de sus derivados pueden originar sensibilización o fotosensibilización, conduciendo a quielitis (inflamación de la porción roja de los labios) o a reacciones alérgicas más generales. Si no está claro, esto se debe al bromoácido *per se* o a impurezas contenidas en él o incluso al perfume de la barra de labios, aunque el hecho de que suceda en una pequeña proporción de usuarios de barras de labios (unido a que la piel de los labios está exenta de capa córnea, y que existe posibilidad de ingerir la barra de labios) ha centrado la atención en lo colorantes permitidos. Los EE. UU. y los países de la CEE han definido listas de colorantes permitidos, pero éstas no siempre coinciden. Así, por ejemplo, el FD&C Rojo núm. 2 está actualmente prohibido en los EE. UU., mientras que está permitido en la CEE. La situación incluso resulta mucho más confusa cuando las directivas de la CEE están en desacuerdo con las leyes locales. Por ejemplo, el D&C Naranja núm. 5 ha estado prohibido durante algún tiempo en Alemania, pero permitido para productos para membranas mucosas por las Directivas Cosméticas de la CEE. Dicho sea de paso, el D&C Naranja núm. 5 está permitido en los EE. UU. con ciertas restricciones (véase más adelante). Por esta razón, los formuladores deben comprobar muy cuidadosamente al determinar el uso de diferentes colorantes en los países en particular en que se van a vender los productos de labios. En la tabla 19.1, se da una breve recopilación de la situación de los colorantes más habituales para uso en los EE. UU. y CEE.

Tabla 19.1. Situación de sustancias colorantes para barras de labios en CEE y EE. UU.

Núm. de índice de Color	Denominación común	Situación en las Directivas Cosméticas CEE	Situación en FDA, EE. UU.
12 085	D&C Rojo 36	Permitido: Anexo III, 2.ª Parte	Lista provisional 31 ene. 81; permitido en productos de labios al 3 por 100
15 585	D&C Rojo 8 (Na)	Permitido: Anexo III, 2.ª Parte	Lista provisional 31 ene. 81; permitido en productos de labios al 3 por 100
15 630	D&C Rojo 10 (Na)		
15 630 (Ca)	D&C Rojo 11 (Ca)	Permitido: Anexo III, 2.ª Parte	Eliminado lista 13 dic. 77; contiene β-naftilamina
15 630 (Ba)	D&C Rojo 12 (Ba)		
15 630 (Sr)	D&C Rojo 13 (Sr)		
15 850	D&C Rojo 7 (Ca)	Permitido: Anexo III, 2.ª Parte	Lista provisional 31 ene. 81; para ingestión y uso externo

Tabla 19.1.   Situación de sustancias colorantes para barras de labios en CEE y EE. UU. *(continuación)*

Núm. de índice de Color	*Denominación común*	*Situación en las Directivas Cosméticas CEE*	*Situación en FDA, EE. UU.*
16 185	FC&C Rojo 2	Permitido: Anexo III, 2.ª Parte	Eliminado lista 2 dic. 76
45 170	D&C Rojo 19	Permitido: Anexo III, 2.ª Parte	Lista provisional 31 ene. 81; permitido en productos de labios al 1,3 por 100 máx.
15 880	D&C Rojo 34	Permitido: Anexo III, 2.ª Parte	Lista definitiva para uso externo
45 370	D&C Naranja 5	Permitido: Anexo III, 2.ª Parte	Lista provisional 31 ene. 81; permitido en barras de labios al 6 por 100
45 380	D&C Rojo 21	Permitido: Anexo III, 2.ª Parte	Lista provisional 31 ene. 81 para ingestión y uso externo
45 410	D&C Rojo 27	Permitido: Anexo III, 2.ª Parte	Lista provisional 31 ene. 81; para ingestión y uso externo
45 425	D&C Naranja 10	Permitido: Anexo III, 2.ª Parte	Lista provisional 31 ene. 81; para sólo uso externo
45 430	FD&C Rojo 3	Permitido: Anexo III, 2.ª Parte	Lista provisional 31 ene. 81; para ingestión y uso externo
77 491	Hierro, óxido	Permitido: Anexo III, 2.ª Parte	Lista provisional para uso ingestión-externo y zona ocular
12 075	D&C Naranja 17	Permitido: Anexo III, 2.ª Parte	Lista provisional 31 ene. 81; permitido para productos de labios al 5 por 100 máx.
15 510	D&C Naranja 4	Permitido: Anexo III, 2.ª Parte	Lista definitiva para uso externo
15 985	FD&Amarillo 6	Permitido: Anexo III, 2.ª Parte	Lista provisional 31 ene. 81 para ingestión y uso externo
19 140	FD&C Amarillo 5	Permitido: Anexo III, 2.ª Parte	Lista provisional 31 ene. 81 para ingestión y uso externo
77 891	Titanio, dióxido	Permitido: Anexo III, 2.ª Parte	Lista definitiva para uso ingestión-externo y zona ocular
26 100	D&C Rojo 17	Provisionalmente permitido: Anexo IV, 2.ª Parte	Lista definitiva para uso externo
77 163	Bismuto, oxicloruro	Provisionalmente permitido: Anexo IV, 2.ª Parte	Lista definitiva para uso ingestión-externo y zona ocular.
15 585 (Ba)	D&C Rojo 9 (Ba)	Provisionalmente permitido: Anexo IV, 2.ª Parte	Lista provisional 31 ene. 81; permitido en productos de labios al 3 por 100 máx.
15 800	D&C Rojo 31	Provisionalmente permitido: Anexo IV, 2.ª Parte	Lista definitiva

Se pueden encontrar dificultades cuando se utilizan colorantes bromoácidos para obtener dispersiones totalmente homogéneas de estos colores en la masa de barra de labios, y esto puede originar variaciones de tonos en las barras de labios. Se han publicado[1] composiciones recientes cuyo objeto es superar estas dificultades, y garantizar que los colores de las barras de labios vendidas son idénticos a los que confieren a la piel. Estas composiciones comprenden sales aminas de colorantes bromoácidos y sustancias grasas que son disolventes al menos parciales de tales componentes. Las aminas empleadas en la preparación de estas composiciones se seleccionaron de las monoaminas no aromáticas primarias, secundarias o terciarias, en las que los grupos unidos al átomo de nitrógeno contienen a lo sumo 6 átomos de carbono. Algunas de estas pueden contener radicales hidroxilos, otros pueden ser compuestos heterocíclicos. Citadas especialmente en las reivindicaciones de patentes han sido trietanolamina, dietanolamina, 2-amino-2-metilpropanodiol-1,3, monisorpropanolamina, trihidroximetilaminometano, diglicolamina y morfolina.

Para preparar estas composiciones se dispersan los bromoácidos en una sustancia grasa, preferentemente lecitina de soja, y la amina se añade con mezcladora. La mezcla resultante se puede opcionalmente calentar, y se deja enfriar. Las sales de aminas de los colorantes bromoácidos se disuelven después de una mezcla de ceras (por ejemplo, cera de carnauba, cera de abejas y ozoquerita) y aceites (por ejemplo, derivados de lanolina y vaselina).

Los colorantes sin eosina publicados por WILMSMANN[2] son un desarrollo interesante a la vista de las restricciones aplicadas a algunos derivados de la fluoresceína. Se reivindica que los colorantes hidrosolubles FD&C y D&C, que son ineficaces en barras de labios, cuando se transforman a la forma sulfoácida libre se convierten en insolubles en agua, lipofílicos y adecuados para utilizarse como tintes colorantes en barras de labios, cubriendo una amplia gama de color.

Pigmentos. Se utilizan para intensificación y variaciones del color tanto pigmentos inorgánicos como orgánicos y lacas metálicas. Cuando se seleccionan lacas, se deben tener presentes la posibilidad de reacción con la base, por ejemplo formación de jabón con el ácido graso libre.

Dióxido de titanio. Con frecuencia se utiliza a concentraciones de hasta un 4 por 100 y es el pigmento blanco más efectivo para obtener tonos rosas y conferir opacidad a la película sobre los labios. Sin embargo, el uso de dióxido de titanio requiere gran cuidado en el grado de sustancia seleccionada (anatasa o rutilo) y el tratamiento superficial que ha recibido para hacerle lipófilo, y también en el método de incorporación, si se van a evitar los problemas inesperados tales como exudación oleosa, rayas, falta de brillo y textura tosca.

Dos colores, el D&C, D&C Rojo núm. 36 y el D&C Naranja núm. 17, son tan insolubles tanto en agua como en aceite que se pueden considerar como pigmentos, aunque no estén en forma de lacas metálicas. Análogamente, la cantidad de colorante utilizado con frecuencia excede la solubilidad en la base y la porción insoluble actuará como un pigmento.

Las *lacas* de muchos de los colores D&C con metales, tales como aluminio, bario, calcio y estroncio, son pigmentos potenciales para barras de labios. Sin embargo, algunas lacas de estroncio y circonio se evitan en la mayoría de los países de la CEE, ya que están prohibidas. Generalmente, no se seleccionan lacas de aluminio debido a su carencia de opacidad, pero esta propiedad característica podría sugerir su uso en barras de labios transparentes.

Las lacas siguientes están consideradas como los colorantes más útiles en barras de labios:

Lacas calcio de D&C Rojos núms. 7, 31 y 34.

Lacas bario de D&C Rojo núm. 9 y D&C Naranja núm. 17.
Lacas aluminio de D&C Rojos núms. 2, 3 y 19 y FD&C Amarillos nums. 5 y 6.

Cuando el colorante D&C de partida está sujeto a restricciones, del mismo modo también se restringen las lacas.

Como se ha indicado anteriormente, los pigmentos y lacas se utilizan a concentraciones entre el 8 y el 10 por 100 o quizás en intervalo mayor, es decir, un 5-15 por 100.

Barras de labios iridiscente utilizan mica recubierta con dióxido de titanio u oxicloruro de bismuto a concentraciones hasta del 20 por 100, dependiendo del efecto deseado.

Base

Aparte del color, la calidad de la barra de labios durante la fabricación, almacenamiento y uso estará determinada en su mayor parte por la composición de la base grasa. Esta calidad depende en gran parte de la reología de la mezcla a varias temperaturas. Por ejemplo, durante la fabricación (generalmente mientras está caliente) debe ser posible moler y triturar la masa y verter y moldear mientras retiene los colorantes insolubles igualmente dispersados sin sedimentación. En los moldes debe quedar fijada una buena superficie y adecuadas propiedades de desprendimiento. Durante su vida y uso, la barra debe conservarse rígida y estable y, en general, en buenas condiciones. En uso, la barra debe reblandecerse suficientemente en contacto con los labios y ser suficientemente tixotrópica para extenderse sobre los labios a fin de formar una película adherente que no manche ni, idealmente, se transfiera a copas o vasos.

Disolventes de colorantes. A pesar de que todos los ingredientes de la base deben contribuir a las propiedades físicas y reológicas, existe el requerimiento adicional de que cierta parte de la base debe actuar como el disolvente necesario para el colorante. Muchas de las sustancias grasas normales que se consideran para ser utilizadas en la base son demasiado no-polares para disolver los colorantes, y es conveniente considerar en primer lugar aquellos ingredientes que tienen propiedades disolventes para eosina y que deben constituir cierta parte de la base.

La tabla 19.2 detalla la solubilidad de la eosina en un número de sustancias grasas o lipofilas, pero no todas ellas pueden incluirse en barras de labios y sirve como punto de partida para considerar este tipo de sustancias. En términos generales, los aceites vegetales tienen el mayor poder disolvente para eosina, pero adolecen de propiedades de degradación. Los aceites minerales son más estables, pero tienen propiedades más pobres como disolventes.

El *aceite de ricino* es una sustancia tradicional para disolver bromoácido, y posee esta propiedad gracias a su elevado contenido de ácido ricinoleico (hidroxioleico), que es único entre los aceites naturales. Sus restantes propiedades comprenden elevada viscosidad, incluso cuando está caliente, que retarda la sedimentación del pigmento y el carácter graso que aporta brillo y emoliencia, aunque una cantidad excesivamente alta ocasiona resistencia al deslizamiento durante la aplicación y una película grasienta desagradable. Se ha utilizado hasta un 50 por 100, pero probablemente una cantidad más adecuada es aproximadamente un 25 por 100. Los inconvenientes del aceite de ricino incluyen sabor desagradable y enranciamiento potencial.

Los *alcoholes grasos*, cuatro de los cuales se incluyen en la tabla 19.2, pueden considerarse con cierto poder disolvente para los colorantes. Algunos de los citados (laurilo—C_{12}, miristilo—C_{14}, estearilo—C_{18}, oleilo—C_{18} insaturado o cetilo—C_{16}) se podrían utilizar según la contribución de consistencia que se requiera. No obstante, se dispone de isómeros sintéticos del alcohol cetílico, tal como el alcohol hexadecílico fabricado por Enjay Chemical Co., que realmente es el alcohol β-hexildecílico. Se considera que el alcohol hexadecílico es un buen disolvente para colorantes bromoácidos, y que las barras de labios que lo contienen se pueden aplicar con escasa resistencia al deslizamiento y no exuda, ni mancha, y su presencia disminuye toda tendencia al desarrollo de un sabor desagradable durante el almacenamiento.

Tabla 19.2. Solubilidad de eosina en varios disolventes[3]

Disolvente	Eosina en solución 20 °C (porcentaje aprox.)
Polietilen glicol 4000	12,0
Polietilen glicol 1500	10,0
Polietilen glicol 400	10,0
Hexaetilen glicol	9,0
Fenil etil alcohol	8,0
Diacetona alcohol	6,5
Alcohol bencílico	6,0
Tetraetilen glicol	5,7
Hidroxicitronelal	4,5
Citral	4,5
Trietilen glicol	4,0
Acetona	3,5-4,0
Difenil cetona	3,5-4,0
Difenilen glicol	2,5
Terpineol	1,9
Etileno, ricinoleato	1,9
Ciclohexanol	1,6
Etil, ricinoleato acetato	1,4
Alcohol oleico	1,0
Etilen glicol	1,0
Alcohol láurico	0,75
Alcohol mirístico	0,57
Alcohol estearílico	0,5
Glicol, oleato acetato	0,4
Manteca de cacao	0,35
Acido láurico	0,3
Acido mirístico	0,3
Cetil, acetato	0,3
Etil, oleato	0,3
Aceite de ricino	0,2-1,7
Etilo, estearato	0,2
Glicol, oleato	0,1

Tabla 19.3. Solubilidad de eosina en varios compuestos

Compuesto	Solubilidad (porcentaje a 20 °C)
Isopropilo, miristato	0,2
Alcohol oleico	1,0
Dietilo, sebacato	1,3
Di-isopropilo, adipato	1,4
Propilen glicol	1,6

Se han propuesto *ésteres* de varios tipos, incluyendo alquil ésteres de ácidos grasos y ácidos dibásicos, tales como adípico y sebácico, ésteres de ácido de cadena corta de alcoholes grasos, mono-, di- y mezclas de ésteres del glicol o glicerina. No tienen otras virtudes específicas que ser líquidos lipofílicos poco grasientos que proporcionan efectos lubricantes y emolientes con ciertas propiedades disolventes del colorante (véanse Tablas 19.2. y 19.3). Si se utilizan en exceso, la barra puede exudar.

Los *glicoles* con dos grupos hidroxilos son más polares que, por ejemplo, los alcoholes grasos y cabe esperar que sean mejores disolventes del colorante; la tabla 19.2 demuestra que esto es así. Sin embargo, los glicoles no son particularmente miscibles con sustancias grasas y son de escasa importancia.

Los *polietilen glicoles* («Carbowaxes») también tienen buen poder disolvente de colorantes (véase Tabla 19.2). El poder disolvente se correlaciona en cierto grado con la solubilidad en agua, y esto es una desventaja. Sin embargo, correctamente seleccionados, estas sustancias parecen tener posibilidades considerables en la formulación de barra de labios.

Las *monoalcanolamidas*, por ejemplo, Loramine Wax 101 [4], se ha considerado que tienen buenas propiedades disolventes del colorante y poseen la ventaja de no presentar acción sobre los materiales plásticos del estuche de la barra de labios. Se sugiere que el colorante puede disolverse previamente en Loramine Wax y conservarse como un concentrado más cómodo de verter cuando se requiera.

Otros disolventes propuestos para bromoácidos coprenden Polychol 5 y Volpo núm. 3 (Croda Ltd); el Polychol 5 es un derivado de óxido de etileno de alcoholes de lanolina, mientras que el Volpo núm. 3 es un polioxietilen oleil éter. Ambos compuestos son compatibles con alcohol oleico (por ejemplo, Novol) y aceite de ricino, y se pueden utilizar en asociación como una mezcla disolvente de bromoácido constituida, por ejemplo, de

	partes por peso
Polychol 5 o Volpo núm. 3	10-20
Alcohol oleico	20-10
Aceite de ricino	40

para solubilizar de una a tres partes en peso de colorantes de bromoácidos.

Actualmente, los agentes humectantes, utilizados antiguamente en cierto grado para «solubilizar» el colorante, no tienen aplicación en barras de labios.

Otros ingredientes de la base. Se puede observar que pocos de los ingredientes citados hasta ahora tienen puntos de fusión altos o de dureza que se requieren para proporcionar propiedades satisfactorias de moldeo, esto es, rápida fijación, y fácil desprendimiento con una superficie brillante y una barra rígida. Esta función es generalmente cumplimentada con la inclusión de ceras o sustancias similares a ellas[5]. GOUVEA[6] recalcó la importancia del punto de fusión como criterio, y logró las características deseadas de fusión trabajando con un «equivalente de carnauba».

La *cera de carnauba* es una cera vegetal muy dura utilizada para elevar el punto de fusión, confiriendo rigidez y dureza y proporcionando propiedades de contracción en el proceso de moldeo.

La *candelilla* es otra cera vegetal dura que proporciona las mismas funciones que la cera de carnauba, pero tiene un punto de fusión más bajo y es menos quebradiza.

Las *ceras amorfas hidrocarburos* en aceite mineral, por ejemplo, cera ozoquerita, proporciona una textura de fibra corta al producto.

Ceras derivadas del petróleo, por ejemplo cera microcristalina, también se utilizan para modificar la reología del producto.

La *cera de abejas* es el agente endurecedor tradicional del aceite de ricino, pero puede dar un efecto granuloso y mate si se utiliza en grandes cantidades.

En la *manteca de cacao* se podría pensar como sustancia ideal, debido a su definido punto de fusión justo por debajo de la temperatura del cuerpo humano, que lo hace así útil en otros productos. Sin embargo, no se puede utilizar aisladamente, pues no posee todas las propiedades requeridas, y, utilizada en grandes cantidades, podría causar que la barra presentase «eflorescencias».

Otras sustancias más o menos similares a las ceras son los aceites vegetales hidrogenados, que son más sólidos y menos propensos al enranciamiento que los aceites no endurecidos. De interés particular es el aceite de ricino hidrogenado, que, además de las propiedades similares a las ceras, aún conserva propiedades disolventes de la eosina. Se podrían encontrar otras sustancias más blandas para utilizarse en la fabricación de barra de labios.

La *lanolina* y *bases de absorción de lanolina* son ingredientes muy útiles hasta aproximadamente un 10 por 100 en virtud de sus propiedades emolientes. Se considera que poseen propiedades disolventes de eosina y actúan como agentes aglutinantes para los demás ingredientes, tendiendo a minimizar el exudado y la ruptura de la barra, y actuando como plastificantes. En particular, las bases de absorción se recomiendan para mejorar el brillo de los labios.

La *vaselina* y los *aceites de parafina* más viscosos se pueden utilizar para ajustar la consistencia, actúan como lubricantes y mejoran las propiedades de extensión. Grandes cantidades tienden a deteriorar las propiedades de adhesión y pueden dificultar la mezcla si están presentes excesivas sustancias polares, tal como aceite de ricino.

La *lecitina* es otro posible componente que actúa con agente dispersante de pigmentos, además de facilitar la aplicación de la barra de labios y mejorar la adhesión a los labios.

Ceras silicona se incluyen en composiciones mejoradas de barras de labios publicadas por Dow Corning[7]. Estas comprenden esencialmente una cera (de la cual al menos el 15 por 100 por peso es una cera silicona), un disolvente del cosmético y un agente colorante. Los compuestos de cera silicona preferidos comprenden copolímeros bloque de organosilicona, copolímeros de hidrocarburo silicona y copolímeros de silfenileno.

Las ceras silicona son muy insolubles en agua, etanol y grasas y aceites orgánicos, y las composiciones que las contienen mejoran la viscosidad, la estabilidad y un punto de fusión más definido. Se dice que son superiores a composiciones sin cera silicona, conservando sus formas más todas las propiedades de la cera silicona en un intervalo más amplio de temperatura. También se afirma que tienen buena estabilidad durante su vida comercial.

De la descripción que antecede de las propiedades de las varias sustancias, se puede observar que ni una, ni dos sustancias son idóneas para proporcionar todas las propiedades y cualidades exigidas en una barra de labios; esto sirve para explicar la casi invariable complejidad de las fórmulas de barras de labios, que se evidencia en los ejemplos dados posteriormente.

Perfumes

Atención especial se debe prestar a la selección del perfume, que se utiliza frecuentemente en cantidades relativamente elevadas (un 2-4 por 100), desde el punto de vista de la aceptabilidad del consumidor y su carencia de irritabilidad. El perfumado de las barras de labios fue tratado por Vasic[8] y también fue el tema de un artículo de *Dragoco Report*[9].

Los perfumes seleccionados deben enmascarar la nota de olor graso de la base y no ser irritantes para los labios. Puesto que es probable que el consumidor perciba el perfume tanto en la boca, como en la nariz, debe considerarse el sabor así como el olor. Los perfumes deben ser estables y compatibles con los demás constituyentes de la base de la barra de labios.

Los perfumes preferidos son de tipo floral o sofisticado suaves sin predominio de un único aceite esencial. Frecuentemente se utilizan alcoholes y ésteres de rosa, así como otros aceites esenciales, preferentemente desterpenados, tales como anís, canela, clavo, limón, naranja y mandarina, a pesar de que los sabores de frutas determinadas no presentan gran aceptación cuando se ensayan en barras de labios. No se consideran componentes apropiados de perfumes de barra de labios los aceites de geranio, pachulí y semillas pequeñas *(petitgrain)*.

Ejemplos de formulaciones

Los ejemplos siguientes ilustran algunas de las muchas formulaciones de barras de labios existentes:

	(1) *partes*
Loramine O.M.101	20,0
Lanolina	10,0
Mantea de cacao	5,5
Cera de abeja refinada	4,0

Ozoquerita	18,0
Cera carnauba	4,2
Alcohol oleico	7,0
Aceite mineral (alta viscosidad)	29,3
Perfume	2,0 o *c.s.*
Laca insoluble	10,0 o *c.s.*
Bromoácido (o sal eosina)	2,0

(Citada en *Loramine Wax O.M. 101*, Dutton y Reinisch)

El uso de siliconas en formulaciones bases de barras de labios es ilustrado por el ejemplo 2.

	(2) *por ciento*
Aceite de ricino o disolventes de bromoácido	30,0
Aceite mineral	15,0
Cera de abejas	15,0
Parafina	10,0
Cera Carnauba	10,0
Cera ceresina	10,0
Unión Carbide L-45 Silicone Fluid (1000 cS)	10,0
Compuesto perfume sabor	*c.s.*

(*Union Carbide Bulletin* CSB 45-176, Fórmula C-106)

En los ejemplos 3 y 4 se dan dos fórmulas de base de barras de labios que contienen alcohol hexadecílico como disolvente de bromoácido, según boletines técnicos de Enjay Chemical Co.

	(3) *por ciento*
Alcohol hexadecílico	26,0
Aceite de ricino	20,0
Propilen glicol, monolaurato	15,0
Lanolina anhídrida	2,0
Ceraphyl 28	5,0
Cera candelilla	32,0

Procedimiento: Calentar los ingredientes juntos hasta fundir. Añadir siete partes del pigmento a noventa y dos partes de base y pasar la mezcla resultante por molino caliente. Añadir una parte de perfume y pasar la mezcla final a los moldes.

	(4) *por ciento*
Alcohol hexadecílico	44,0
Butilo, estearato	2,0
Isopropilo, palmitato	3,5
Lanolina anhídrida	7,0
Petrolato	12,0
Cera candelilla	11,0
Cera carnauba	11,0
Acido esteárico, triple prensado	8,0
Alcohol cetílico	1,5
Acido nordihidroguayarético (antioxidante)	0,02
Acido cítrico	0,006

Las fórmulas de barras de labios que utilizan productos Dehydag (ejemplos 5 y 8) han sido sugeridas por Henkel.

	(5) por ciento
Alcohol estearílico	7,00
Cera de abejas (decolorada)	7,00
Acido esteárico	1,75
Cera parafina	12,25
Lanolina anhídrida	2,80
Cera carnauba	2,80
Aceite mineral blanco	1,40
Comperlan HS	20,00
Eutanol G	45,00
In addition:	
Bromoácido	1,50
Pigmento coloreado	6,00

Procedimiento: Disolver el bromoácido en Comperlan HS al baño maría a aproximadamente 95 °C. Mezclar o disolver el color pigmento en Eutanol G. Fundir las restantes sustancias grasas y cerosas al baño maría y añadir los dos compuestos mencionados anteriormente. Pasar la mezcla terminada a través de un molino de rodillos hasta obtener un líquido, y finalmente verter en lo moldes. Después las barras terminadas se pasan rápidamente por una llama pequeña.

	(6) por ciento
HD-Eutanol	20,0
Aceite de ricino	24,8
Cera de abejas (blanqueadas)	5,0
Cera Carnauba	8,0
Cera ozoquerita (70-72 °C)	11,0
Cera candelilla	3,0
Lanolina anhídrida	8,0
Parafina líquida	13,0
Bromoácido	0,2
Color pigmento	7,0
Antioxidante, perfume	*c.s.*

	(7) por ciento
Eutanol LST	10,0
Aceite de ricino	47,0
Alcohol cetílico	1,5
Cera de abejas (blanqueada)	5,0
Cera candelilla	12,0
Lanolina anhídrida	13,0
Bromoácido	0,2
Color pigmento	11,3
Antioxidante, perfume	*c.s.*

	(8) por ciento
Eutanol LST	20,0
HD-Eutanol	14,0
Alcohol cetílico	5,0

Aceite de ricino	20,0
Cera de abeja (blanqueada)	6,0
Lanolina anhídrida	14,0
Cera ozoquerita (70-72 °C)	15,0
Cera carnauba	5,0
Bromoácido	1,0
Antioxidante, perfume	*c.s.*

Procedimiento: Disolver el bromoácido en la mezcla de HD-Eutanol y Eutanol LST a 80 °C. Fundir las sustancias grasas restantes al baño maría, añadir los pigmentos apropiados y añadir la mezcla total a la solución de bromoácido. Añadir el perfume y antioxidante a 60 °C. Pasar la masa preparada dos o tres veces a través de un molino de rodillos, después refundir y verter en moldes a 80 °C. Para barras de labios sin pigmentos, no es necesario pasar por molino de rodillos.

Una fórmula de barra de labios de color intenso publicada por Croda incluye polioxietil oleil éter, Volpo núm. 3 (Croda) como disolvente de bromoácido, utilizado junto con alcohol oleico y aceite de ricino (ejemplo 9). Se afirma que la barra de labios resultante posee propiedades de gran brillo (sin reflejo), plasticidad y moldeo. Además, indica que la asociación de Volpo núm. 3 y Novol en la barra proporciona acción dispersante del pigmento y ayuda a evitar el rayado del dióxio de titanio.

	(9)
	por ciento
Volpo núm. 3	10-20
Colorantes bromoácidos	1-3
Novol	20-10
Aceite del ricino	40
Cera candelilla	10
Cera carnauba	10
Perfume	*c.s.*
Pigmentos insolubles y lacas	*c.s.*

Procedimiento: Disolver el bromoácido en el Volpo núm. 3 calentando para facilitar la disolución; añadir el alcohol oleico a la solución resultante, que se mantiene transparente. Después, añadir el aceite de ricino y las ceras a una temperatura elevada; se afirma que el bromoácido no precipitará. Añadir los pigmentos y pasar la masa por molino de rodillos.

Croda también ha desarrollado una serie de ceras sintéticas conocidas como Syncrowaxes, que se pueden utilizar en lugar de ceras de origen natural en cosméticos basados en barras y pomadas. Tres fórmulas de barras de labios se dan a continuación:

	(10) *por ciento*	(11) *por ciento*	(12) *por ciento*
Cera parafina 145	—	3,0	—
Syncrowax HRC	5,0	—	5,0
Cera parafina 125/130	—	—	13,0
Syncrowax PRCL (o ERLC)	6,0	6,0	7,5

Syncrowax HGLX	9,0	6,0	7,5
Aceite de ricino	54,4	66,1	57,2
Crodamol IPP	15,0	6,3	—
Aceite mineral	—	—	5,0
Timica brillant gold	—	10,0	—
BHT	0,1	0,1	0,1
Perfume	0,5	0,5	0,5
Mezcla colorante (en aceite de ricino)	10,0	2,0	4,2

(Citado en *Syncrowaxes in Cosmetics*, Croda Chemicals Ltd.)

Procedimiento: Fundir ceras y aceites y calentar a 85 °C. Separar de la fuente calorífica; añadir mezclas colorantes, Timica y conservante. Recalentar agitando hasta 70 °C. Eliminar el aire al baño maría a 80 °C durante veinte a treinta minutos. Añadir el perfume. Verter en un molde ligeramente caliente. Dejar solidificar.

También se ha afirmado que una barra más blanda con menos costo se puede producir sustituyendo algo del PRCL o HGLC con HRC. El Crodamol IPP se debe sustituir por Crodamol OP o Crodamol ML cuando el producto final se envasa en poliestireno.

El ejemplo 13 es una barra de labios basada en un tipo de monoestearato de glicerilo no autoemulsionable (Tegin 515).

	(13) *por ciento*
Tegin 515	42,0
Aceite de ricino	36,0
Bromoácido	5,0
Aceite mineral	6,0
Vaselina blanca	4,0
Cera carnauba	4,0
Lanolina	3,0

(Citado en *Emulsifiers*, Goldschmidt Chemical Corp.)

Otra fórmula de barra de labios intensamente coloreada sugerida por Croda contiene:

	(14) *por ciento*
Polychol 5	20,0
Novol	20,0
Cera candelilla (68-70 °C)	10,0
Cera carnauba (85 °C)	10,0
Aceite de ricino	40,0

In addition:

Colorantes indelebles	1-3

Las fórmulas de barra de labios propuestas por FISHBACH[10] contienen:

	(15) Barra de labios intensamente coloreada por ciento	(16) Barra de labios cremosa por ciento
Aceite de ricino	60,0	65,0
Lanolina	5,0	10,0
Isopropilo, miristato	—	5,0
Propilen glicol, monorricinoleato	10,0	—
Propilen glicol 400	5,0	—
Cera de abejas	7,0	7,0
Cera candelilla	7,0	7,0
Cera carnauba	3,0	3,0
Ozoquerita	3,0	3,0
In addition:		
Propilo, ácido *p*-hidroxibenzoico, éster	0,2	0,2
Bromoácidos	3,0	3,0
Lacas coloreadas y pigmentos	12,0	12,0

Fabricación de barras de labios

La fabricación de barra de labios no es ciertamente una operación sencilla. El método empleado dependerá en cierta medida de la formulación y de la planta disponible.

En general, la fabricación de barras de labios consta de tres fases: *a)* preparación de las mezclas de componentes, es decir, mezcla de aceites, dispersión del colorante y mezcla de ceras; *b)* mezcla de estos intermedios para formar la masa de barra de labios; *c)* moldeado de la masa de barras de labios en barras.

Preparación y mezcla

Los colorantes, es decir, los bromoácidos, pigmentos y lacas, pueden ser: *a)* mezclados separadamente con constituyentes apropiados de la mezcla base o *b)* dispersados en la base barra de labios total, procedimiento que es raramente empleado, excepto cuando se utiliza una base completa con nombre comercial.

La finalidad de la operación es producir una dispersión de colorantes completa y homogénea conducente a la preparación de una barra lisa. Aunque generalmente los colorantes utilizados se reciben en forma finamente pulverizada, sin embargo tienden a ser difíciles de humedecer con la mezcla grasa, y es necesario emplear algún tipo de proceso de molienda o trituración. Se han utilizado variedad de tipos de molinos —molino de bolas, molino de arena, molino de rodillos, molino de cuchillas o muelas y otros—. Es deseable que la porción de la base utilizada sea plástica semisólida durante la molienda y, en ocasiones, puede ser necesario moler en condiciones calientes.

Los colorantes solubles se mezclan primero con las sustancias disolventes del colorante, empleando calor si fuese necesario para garantizar la disolución. Si la disolución es completa, esta porción se deja a un lado, mientras se dispersan los pigmentos, pero si no, la mezcla de colorante debe molerse en algún momento con la dispersión de pigmentos.

En la preparación de la dispersión de pigmentos, primero se muelen los colorantes con aquellos constituyentes más idóneos para humedecerlos, por ejemplo, lanolina, compuestos de poliglicol o similares, y sólo más tarde se añaden las sustancias totalmente apolares.

El resto de las sustancias de la base, por ejemplo, las ceras de elevado punto de fusión que no han sido utilizadas en mezclas de colorantes o pigmentos, se funden y se mezclan juntos y después se mezclan con los demás. Con el fin de asegurar una mezcla intensa, es deseable una operación última de molienda.

JAKOVICS[11] sugirió que el proceso en vacío de la fusión de la barra de labios facilita la dispersión de pigmentos por eliminación de la película del gas adsorbido sobre las partículas de pigmento, que de otra manera actúa como barrera y ocasiona una humectación incompleta. En otra parte se ha establecido que, por ejemplo, la vaselina disuelve el 10 por 100 de aire en volumen a 90 °C, pero sólo el 5 por 100 a 20 °C. Por esta razón, si la mezcla ha sido mantenida a alta temperatura y se ha dejado que absorba su cantidad completa de aire, y después se enfría, al aire no se desprende hasta que la viscosidad de la masa sea excesivamente elevada para dejar que se desprenda completamente, y puede acumularse alrededor de las partículas de pigmento, desplazando al aire y dando el efecto de una humectación incompleta.

La fabricación de barras de labios, por tanto, debería realizarse a la temperatura más baja posible para el proceso, y es muy deseable que cuando la mezcla sea total se transfiera a un recipiente con camisa cerrado, en el cual se puede mantener líquido, y provisto de agitación ligera mientras se aplica el suficiente vacío para eliminar todo el aire ocluido. Cuando se ha eliminado el aire, se corta el vacío, se agita la masa, se añade el perfume y se mezcla completamente.

En este momento, la masa está lista para ser moldeada inmediatamente o puede dejarse en bloques que se almacenan y se moldean cuando se requiera.

La fabricación de barras de labios en planta moderna también ha sido tratada por DALEY[12]. En uno de los dos métodos descritos, la mezcla de cera se prepara y se almacena en un estado fundido, mientras que todos los constituyentes oleosos se dosifican en un tanque de almacenamiento provisto de un mezclador adecuado. Una parte de la mezcla de aceite se combina después con pigmentos secos en una caldera de premezclado conectada a un molino de arena, y la suspensión resultante se pasa por el molino de arena a la caldera con vapor provista de mezclador y bomba combinados. El resto de la mezcla de aceite se pasa posteriormente por la caldera de premezcla y molino de arena para eliminar todo colorante residual.

La mezcla de ceras se dosifica en la caldera con vapor y se mezcla completamente con los otros constituyentes. La base resultante se ensaya en cuanto al tono, perfume y sabor añadidos, y la masa se bombea a las bandejas, utilizando el mezclador como bomba.

Moldeado

Cuando se requiere, la masa de barra de labios se refunde suavemente en una caldera pequeña provista con camisa de vapor y se agita lentamente durante aproximadamente treinta minutos, con el fin de dejar escapar todo aire atrapado a la parte superior y de este modo evitar agujeros en el producto terminado. La masa fundida después se vierte en moldes para darles forma.

Generalmente, los moldes se llenan con exceso para evitar la formación de una depresión en el centro de la barra. Después se dejan reposar para que se solidifique este exceso, se raspa éste y el mode se enfría a continuación cuidadosamente para permitir que se fije la masa sin sobreenfriamiento que retrase la eliminación de la barra de los moldes.

Los moldes se fabrican de bronce y aluminio. Pueden ser del tipo de separación vertical (con una separación descendente central para permitir la eliminación fácil de las barras) o del tipo de expulsión automático. Se precisa un armario de enfriamiento con los moldes de separación. Se indica que un aparato de precalentamiento es útil, ya que los moldes pueden así calentarse a una temperatura de aproximadamente 40 °C antes de llenarse con la masa de barra de labios; de este modo se evitan «marcas de vertido» que de otra manera podrían ser visibles en la barra moldeada. Con el molde de expulsión automático con camisa de agua no es necesario un armario de enfriamiento. La camisa se llena con agua caliente antes de verter la masa de barra de labios, y después se introduce agua fría y se mantiene fluyendo para enfriar la masa de barra de labios. Cuando se ha enfriado, los moldes se abren y las barras son expulsadas automáticamente o con los dedos cubiertos de dediles de goma.

Se ha indicado que ningún tipo de molde de expulsión automática (tanto de aire frío como de agua fría) producen una buena barra de forma de «bala», porque deja pequeños anillos o estrías próximos a la extremidad de la barra ocasionados por el grosor de los bordes metálicos del émbolo de expulsión. Se considera que tales moldes son mejores para barra de forma de cono. Después del moldeado, las barras deberán almacenarse durante aproximadamente una semana antes de colocarse en los estuches de barra de labios, después se someten al proceso conocido como «flameado», en el cual la barra de labios se pasa rápidamente por una pequeña llama de gas para fundir la capa exterior, con el fin de eliminar toda mancha superficial y producir una superficie brillante, lisa y satinada. En las grandes plantas, el procedimiento está totalmente mecanizado.

Se ha propuesto un aparato pulidor para productos fundibles tales como barras de labios en una patente británica[13] y se ha descrito en otra[14] un proceso para la fabricación de barras de labios multicoloreadas. DWECK y BURNHAM[15] han realizado una comparación entre moldeamientos con separación y expulsión automático.

Para superar el problema de mantener existencias y mezclas de sustancias variadas se puede adquirir una base de labios ya mezclada de firmas proveedoras. Esta tiene poder disolvente adecuado para colorantes eosina y sólo es necesario disolver los colorantes, moler con los pigmentos, fundir, añadir el perfume y moldear.

Barras de labios transparentes

En una patente EE. UU. publicada en 1964[4] y concedida a Yardley de Londres, se describe una barra de labios que no contiene ningún pigmento ni lacas opacas e insolubles, pero, en cambio, utiliza colorantes solubles o solubilizados. Esto permite a la luz brillar a través de ella, proporcionando destello. La acción colorante de estos colores se incrementa con el uso de disolventes adecuados, tales como monoalquilolamida de mezcla ácidos grasos (Loramine OM-101) o dipropilen glicol metil éter.

Los tintes solubles en agua se pueden utilizar para efecto colorante adicional o en lugar de los tintes oleosolubles. La compatibilidad de tales tintes con el vehículo se puede mejorar utilizando alcoholes inferiores anhídridos, tales como etanol o isopropanol como cosolventes. Si se utilizan en cantidades entre el 2 y el 10 por 100 se les atribuye a estos alcoholes controlar la sinéresis, con lo cual mejoran la estabilidad de la barra de labios.

Para el moldeado de barra de labios publicado en la patente se utilizan resinas poliamidas con un peso molecular comprendido entre 2000 a 10 000 o preferentemente una mezcla de una resina poliamida sólida de peso molecular de 2000-10 000 junto con una pequeña proporción de una resina poliamida líquida de peso molecular de 600-800 para dar una barra sólida. Representativas de estas resinas son las Versamids de General Mills Inc. o las Omamids de Olin Mathieson Chemical Corporation.

Para garantizar que las barras resultantes no son quebradizas, estas sustancias se utilizan con agentes ablandantes, tales como los alcoholes alifáticos inferiores en asociación con otros disolventes poliamidas, tales como ésteres de ácidos grasos, por ejemplo, el glicol éster de ácidos grasos superiores, particularmente aquellos entre C_{12} y C_{18}. En este sentido se hace mención especial de propilen glicol monolaurato, polietilen glicol (400) monolaurato, aceite de ricino, lauril lactato y alcoholes grasos. Cuatro formulaciones se dan en la patente para ilustrar las barras de labios transparentes. En uno de los ejemplos, la composición de la barra de labios es la siguiente:

	(17)
	por ciento
Resina poliamida (PM medio 8000)	20,0
Resina poliamida (PM medio 600-800)	5,0
Propilen glicol, monolaurato	28,0
Aceite de ricino	12,6
D&C Rojo 21	0,3
Alcoholes de lanolina	8,0
Dipropilen glicol metil éter	10,0
Alcoholes de lanolina etoxilados (5 mol Et$_2$O)	10,1
Isopropanol anhídrido	5,0
Perfume	1,0

Pomadas de labios

La pomada de labios se utiliza no para decorar, sino para proteger frente a exposiciones al frío, en invierno o condiciones árticas. El requerimiento es simplemente de una película en los labios bastante sustancial, flexible, adherente, resistente a la humedad, y no hay necesidad de colorantes y, por tanto, de ninguna sustancia disolvente del color. La base se puede fabricar en gran parte de aceites, geles y ceras minerales, pero es necesario incluir una proporción de una sustancia hidrófila para favorecer la adherencia, mezcla de perfume y propiedades generales. En algunos casos se puede añadir una pequeña cantidad de antiséptico y, a veces, algunos usuarios prefieren una pomada coloreada en cuyo caso se proporciona el color mediante una pequeña cantidad de colorante liposoluble o laca dispersada no necesariamente de un tipo colorante. En los ejemplos 18 y 19 se dan fórmulas de bases adecuadas.

	(18)
	por ciento
Parafina	30,0
Vaselina blanca	35,0
Aceite técnico blanco	20,0
Cera de abejas	15,0

	(19)
	por ciento
Alcohol cetílico	5,0
HD-Eutanol	30,0
Cera de abejas, blanca	25,0
Parafina cera, a 52 °C	15,0
Parafina líquida	25,0

Una pomada protectora de labios de un boletín de Union Carbide (fórmula C-105) se hace como sigue:

		(20)
		partes
A.	Aceite mineral	25,0
	Petróleo	7,0
	Cera ceresina	24,0
	Cera de abejas	7,0
	Atlas G-2859	3,5
	Tween 60	0,5
	Unión Carbide L-45 Silicone Fluid (1000 cS)	5,0
B.	Agua	28,0
	Conservante	*c.s.*
C.	Perfume	*c.s.*

Procedimiento: Calentar *A* a 65 °C; calentar *B* a 70 °C y añadir a *A* con agitación. Continuar agitando y añadir el perfume a 50 °C. Verter en moldes calientes.

Una pomada de labios, que se utiliza como un artículo decorativo, se conoce en los últimos años como brillo de labios. Este artículo popular puede aplicarse a los labios sin otro maquillaje o sobre la barra de labios normal. Las preparaciones de brillo de labios toman la forma de una barra o una pomada de aplicación digital, o un líquido de aplicación con *roll-ons* o pincel. También estas composiciones pueden contener un pigmento perlado para conferir un resplandor transparente junto al brillo normal.

Brillo de labios aplicado con dedos   (21)

	por ciento
Syncrowax HRC	5,0
Syncrowax HGLC	5,0
Tímica seda blanca	8,0
Fluilan	8,0
Parafina líquida	74,0
Perfume, antioxidante	*c.s.*

(Citada en *Syncrowaxes in Cosmetics*, Croda Chemicals Ltd.)

Procedimiento: Fundir las ceras. Añadir Fluidan y parafina líquida. Dispersar la Tímica a baja velocidad de agitación y eliminar el aire a 65 °C en baño de agua. Verter a 50 °C.

Brillo de labios líquido   (22)

	por ciento
Polibuteno	30,0
Aceite lanolina	20,0
Aceite mineral	24,8
Alcohol oleico	25,0
Sacarina	0,2
Perfume, antioxidante	*c.s.*

Barras de labios líquidas

Además de las barras de labios convencionales, también se han propuesto otros métodos para aplicar el color a los labios. Han sido concedidas varias patentes que tratan, por ejemplo, con aplicador de pintura de labios o de pasta, pincel aplicador de barra de labios y otros[16-18]. En 1959, se introdujo en los EE. UU.[19] una barra de labios *roll-ball*.

Las barras de labios líquidas se han desarrollado con el objeto de proporcionar películas más permanentes que las que se pueden obtener con barras de labios convencionales. Estas barras de labios líquidas constan de soluciones alcohólicas de colorantes solubles en alcohol, resinas formadoras de películas adecuadas y plastificantes. El disolvente empleado es el alcohol etílico; las formadoras de la película incluyen etil celulosa, alcoholes polivinílicos, y acetato de polivinilo y, como plastificantes, se han utilizado citrato de trietilo, acetato de dioctilo, abietato de metilo o polietilen glicoles. Los colorantes empleados son fluoresceínas halogenadas solubles en alcohol y también otros colorantes solubles en el mismo.

Los colorantes y perfumes se disuelven en el alcohol antes de combinarlos con el formador de película y otros constituyentes de la preparación. Después se filtra la solución resultante. El inconveniente asociado con el uso de estas preparaciones alcohólicas es el «picor» producido en los labios en la aplicación. También se puede producir excesiva sequedad de los labios. Las personas afectadas de esta manera deberán interrumpir el uso de estas preparaciones, aplicar ocasionalmente una solución de glicerina acuosa al 40 por 100 y utilizar una pomada emoliente para labios.

La fabricación de barras de labios líquidas basadas en etil celulosa se cubre por una patente[20] de la cual se citan los siguientes ejemplos ilustrativos:

	(23)
	por ciento
Etil celulosa	3,1
Alcohol etílico	68,4
Eter petróleo	20,0
Metilo, abietato, hidrogenado	7,5
Rodamina	1,0

	(24)
	por ciento
Etil celulosa	3,06
Goma laca descerada, decolorada	4,94
Alcohol etílico	65,00
Eter petróleo	14,66
Metilo, abietato, hidrogenado	12,00
Fuchsina	0,30
Sacarina	0,04

Según la patente citada, se pueden añadir agentes accesorios tales como perfumes, conservantes, antioxidantes, etc. Las preparaciones son preferentemente incoloras y transparentes y tienen una viscosidad que oscila entre 3 y 500 cP, mientras que los mejores resultados se obtienen en un intervalo entre 20 y 50 cP.

Otra formulación de barra de labios propuesta por JANISTYN[21] tiene la composición siguiente:

	(25)
	por ciento
Etil celulosa	1,0
PVA (viscosidad alta)	3,0
Trietilo, citrato	1,0
Lanolina soluble en alcohol	0,5
PEG 400	1,0
Alcohol isopropílico, puro	40,0
Colorantes bromoácidos	3,0
Saborizante	0,5
Etanol	50,0

COLORETE

Introducción

El colorete es uno de los tipos más antiguos de preparados de maquillaje utilizado para aplicar color a las mejillas. Los Hititas utilizaron cinabrio para este fin, los antiguos griegos colorearon sus mejillas con una raíz, y se sabe que los romanos usaban un alga marina para dar un color rosado a las mejillas pálidas.

En tiempos isabelinos, se utilizaron rojo ocre, bermellón y cochinilla como colorete, así como extractos de sándalo y palo de brasil. Aún la cochinilla se utilizó como sustancia estándar para colorete en el siglo dieciocho. A finales del siglo diecinueve y principios del veinte, fue popular el colorete líquido fabricado con amoníaco y carmín, mientras que en coloretes teatrales utilizaron ampliamente el pigmento rojo cartamina y la laca colorante de aluminio obtenido del Palo de Brasil para realizar el color facial de los actores bajo el brillo de las luces del escenario.

A principios de los años 1920, los coloretes líquidos todavía se componían de carmín y amoníaco, mientras que los coloretes grasos estaban compuestos de carmín disperso en una base de sebo y ceresina. También se disponía de colorete seco, preparado mezclando solución de carmín y eosina con piedra pomez, yeso y goma arábiga. Otra preparación empleó aloxana en una base de cera. A principios del siglo veinte, el precursor del colorete compacto fue un librillo de hojas finas de papel recubiertas con varios tonos de polvo blanco y rojo, que se desprendían y frotaban en las mejillas.

Tales eran los caprichos de la industria cosmética que con la denominación «colorete» han quedado anticuados y desfasados. En la actualidad, la descripción más moderna usual en boga es rubor *(blusher)*, pero, en términos de formulación básica, los dos son sinónimos y, con objeto de continuidad, continuaremos con la denominación más antigua. Si se tiene que hacer una distinción entre los dos términos, se podría decir que un colorete produce un color rojo brillante, mientras que un *blusher* origina un efecto más mate y más moreno. Se dispone de preparados en formas líquida, crema y sólida, de las cuales la más popular es el polvo compacto o colorete seco.

Colorete seco (colorete compacto)

El colorete compacto difiere de un polvo compacto ordinario en que está más intensamente coloreado. Las propiedades deseables de los coloretes compactos son, por tanto, prácticamente idénticas a las de los polvos compactos ordinarios (Capítulo 18). El producto terminado debe ser suave y exento de arenillas y ha de ser fácil de aplicar; debe tener buena adherencia a la piel y buen poder cubriente. Sin embargo, además, ya que estos productos están intensamente coloreados y pueden resultar llamativos si no están adecuadamente mezclados, es esencial que los colores componentes se distribuyan uniformemente de modo completo en el producto. Se debe tener también cuidado de garantizar que todos los componentes impartan una opacidad deseable y se utilicen cantidades moderadas a fin de que no tenga efecto perjudicial en la apariencia del producto; en consecuencia, el óxido de zinc se utiliza en coloretes compactos a concentraciones más bajas que en polvos compactos ordinarios. Limitaciones similares se aplican a componentes tales como caolín, que en virtud de su naturaleza higroscópica son responsables de producir rayas de color en tiempo húmedo.

De este modo, los coloretes compactos pueden fabricarse ampliamente en las líneas expuestas para polvos compactos en el Capítulo 18. Además, se incluyen fases de pulverización y comparación de tono en la fabricación de coloretes compactos. Las materias primas componentes deben estar finamente pulverizadas para facilitar sus mezclas íntimas como prerrequisito para distribución uniforme de los colores componentes. Por tanto, los constituyentes se mezclan íntimamente y se muelen en molinos de martillos o molinos de rozamiento, y no sólo se mixturan en mezcladores coloidales. Esta operación se realiza en ausencia de grandes cantidades de líquidos, a pesar de que la presencia de un poco de agua o aceite asegura una mejor distribución del color. El aglutinante se pulveriza, mientras que los polvos se mezclan o bien se incorporan en forma seca.

Las materias primas que se utilizan en la fabricación de coloretes compactos son talco, caolín, yeso precipitado, carbonato de magnesio, dióxido de titanio, estearato de zinc, óxidos inorgánicos, colorantes autorizados y perfumes. El óxido de zinc, que se utiliza para incrementar la adherencia del colorete, confiere opacidad al producto y es generalmente empleado en cantidades comprendidas entre el 5 y el 10 por 100.

El dióxido de titanio tiene un poder cubriente apreciablemente superior al óxido de zinc y también da más brillo y tonos de color más estables.

Asimismo los estearatos metálicos son componentes esenciales de coloretes compactos y mejoran la adherencia de los productos a la piel. En la actualidad se utilizan ampliamente como aglutinantes secos para coloretes compactos. Las cantidades empleadas varían entre el 4 y el 10 por 100.

Formulación de colorete compacto

Formulaciones típicas de coloretes compactos se dan en los ejemplos 26 y 27:

	(26) *por ciento*
Talco	48
Caolín	16
Zinc, estearato	6
Zinc, óxido	5
Magnesio, carbonato	5
Almidón de arroz	10
Titanio, dióxido	4
Colorantes	6

	(27) *por ciento*
Talco	67,5
Zinc, estearato	5,0
Titanio, dióxido	4,0
Rojo, hierro, óxido	11,5
Negro, hierro, óxido	0,3
D&C Rojo 9-laca de bario	0,2
Mica recubierta de dióxido de titanio	6,8
Perfume	0,2
Base	4,5

Base:	
Cera de abejas	12,00
Lanolina	2,00
Aceite mineral	86,00

La proporción de sustancia colorante puede variar desde un $1\frac{1}{2}$ por 100 en el caso de tonos más claros, hasta aproximadamente un 6 por 100 con los tonos más oscuros.

Las lacas colorantes son los pigmentos más ampliamente utilizados debido a que proporcionan amplia gama de tonos; por otra parte, los tintes hidrosolubles y liposolubles no son adecuados como colorantes en coloretes compactos.

Para tonos rojos medios, KEITHLER[22] sugirió la siguiente mezcla de pigmentos:

	partes
Laca Na D&C Roja núm. 8	2,2
Laca Al D&C Roja núm. 19	2,0
Laca Na D&C Roja núm. 10	2,0
Laca Ca D&C Roja núm. 11	1,1
Laca Ca D&C Roja núm. 34	0,7

Los D&C Rojo núms. 10 y 11 actualmente no están permitidos, pero se pueden reemplazar por D&C Rojo núm. 9 —laca de bario.

Se pueden emplear una variedad de agentes aglutinantes, como ya se ha mencionado con relación con polvos compactos. Por ejemplo, WINTER[23] ha sugerido como agente aglutinante el 13-15 por 100 de una mezcla de almidón-estearina; como alternativa se puede utilizar una mezcla de jabón-aceite de aproximadamente un 3 por 100 de estearato sódico o estearato de trietanolamina y un 2 por 100 de aceite. Sin embargo, los coloretes compactos con incorporación de aglutinantes hidrosolubles pueden correrse con el agua. Como consecuencia, se prefieren los aglutinantes repelentes al agua y, en particular, estearatos metálicos secos. Si se utilizan los últimos, será necesario emplear presiones más elevadas durante la compresión de los polvos.

La igualación de tonos se puede realizar en un mezclador helicoidal con tal que las mezclas de color sean ya preparadas en varias concentraciones.

En coloretes compactos, el polvo se comprime en *godets* siendo sometidos a presión gradualmente creciente.

Colorete basado en ceras

Los coloretes basados en ceras son similares en muchos aspectos a la barras de labios. Las fórmulas para bases son semejantes al tipo más seco de barra de labios; el tono es generalmente similar, aunque con frecuencia de mayor diámetro (aproximadamente 2 cm), y los colores suelen ser de tonos rojos o rosa, aunque también se utilizan ocres y morenos e incluso blanco para disimular las líneas del rostro, cuando los productos se conocen como *gleamer*. El uso de colores colorantes del tipo bromoácido no es aconsejable, debido a la posibilidad de inducir a dermatitis de eosina con la mayor exposición a la luz, y esto se traduce en innecesaria inclusión de toda sustancia específica por sus propiedades disolventes de eosina.

Los siguientes son ejemplos de fórmulas para coloretes basados en ceras:

	(28) por ciento
Cera candelilla	8,6
Cera carnauba	5,4
Cera de abejas	4,0
Aceite mineral	17,0
Lanolina	2,0
Isopropilo, miristato	33,0
Pigmentos inorgánicos y lacas colorantes	30,0

	(29) por ciento
Cera carnauba	10,0
Cera parafina	2,5
Cera ozoquerita	5,0
Petrolato	4,0
Aceite mineral	68,5
Titanio, dióxido	1,9
Rojo, hierro, óxido	1,0
Bismuto, oxicloruro	7,0
Perfume	0,1

Colorete crema

Se dispone de dos tipos de colorete en crema: productos anhídridos y productos emulsionados.

Colorete crema no acuoso

Aunque los coloretes crema son más difíciles de aplicar que los coloretes compactos, su uso da mejores resultados, aunque no existe una línea evidente de demarcación cuando se aplican correctamente. Esto da un efecto más natural.

Un colorete crema anhídrido efectivo puede prepararse según la fórmula siguiente:

	(30) por ciento
Vaselina	70,0
Caolín	30,0
Colorante, perfume	c.s.

Procedimiento: Moler los colorantes con el polvo constituyente, y después moler esto en la base grasa caliente; como alternativa, mezclar todos los ingredientes y moler en un molino de ungüentos en caliente.

Se afirma que el alcohol hexadecílico imparte un tacto suave y terso a la piel durante su aplicación y uso, y también facilita la extensión de un colorete en crema en el que está presente. Cierto colorete anhídrido puede prepararse, por ejemplo, con la composición dada en el ejemplo 31[24]:

	(31)
	por ciento
*Alcohol hexadecílico	27,0
Aceite mineral ligero	23,0
Talco	10,0
Ozoquerita	10,0
Cera carnauba	6,0
Titanio, dióxido	20,0
Laca D&C Roja núm. 9	3,0
Perfume	0,5

* Enjay Chemical Co.

Procedimiento: Fundir las ceras constituyentes y mezclarlas con los constituyentes restantes; pasar por un molino de rodillos y verter en los envases.

De las fórmulas siguientes para coloretes en crema seleccionados de la literatura técnica, THOMSSEN [25] da el ejemplo 32:

	(32)
	por ciento
Cera de abeja blanca	5,0
Acido esteárico	7,0
Alcohol cetílico	3,5
Vaselina (fibra corta)	77,0
Aceite mineral	7,5
Colorantes	*c.s.*

	(33)
	por ciento
Eutanol G	25,0
Aceite de ricino	45,0
Parafina líquida	4,0
Cera de abejas, blanca	2,0
Ozoquerita 70-72 °C	5,0
Cera carnauba	6,0
Cera candelilla	5,0
Pigmentos colorantes	8,0
Antioxidante, perfume	*c.s.*

(Citado en *Cosmetic Preparations based on Dehydag Products*, Henkel.)

Emulsiones

Los productos emulsionados son de tipo *cold cream* o de crema evanescente.
Una forma emulsionada de colorete crema de tipo *cold cream* puede prepararse por la interreacción de cera de abejas con una solución acuosa de bórax:

	(34)
	por ciento
Lanolina	5,0
Manteca de cacao	5,0

Cera de abejas	14,0
Parafina líquida	30,0
Alcohol cetílico	1,0
Agua	44,2
Bórax	0,8
Colorante	c.s.

Procedimiento: Dispersar la base de color finamente pulverizada con las grasas fundidas, añadir la solución acuosa caliente de bórax a aproximadamente 75 °C (tanto las grasas como el agua están a la misma temperatura para evitar la cristalización), mezclar bien y, finalmente, moler.

El colorete crema dado en el ejemplo 35 es del tipo agua-aceite, siendo el emulsionante Arlacel C (sesquioleato de sorbitan). Se afirma[26] que esta fórmula proporciona un producto que es suave y cremoso, y posee excelentes propiedades de extensibilidad. Debido a esto el tipo agua-aceite tiene menos tendencia a desecarse que las cremas emulsionadas del tipo aceite-agua.

Fase oleosa	(35) *por ciento*
Arlacel C	2,0
Lanolina (anhídrida)	2,0
Aceite mineral 65/75	16,0
Petrolato	30,0
Conservante	c.s.
Fase acuosa	
*Rojo brillante C-10-013	10,0
Arlex	5,0
Agua	35,0
Perfume	c.s.
* Ansbacher	

El colorete crema del tipo de crema evanescente puede prepararse como en el ejemplo 36:

	(36) *por ciento*
Acido esteárico	15,00
Agua	76,32
Potasio, hidróxido	0,50
Sodio, hidróxido	0,18
Glicerina	8,00
Colorante, conservante	c.s.

Si se utilizan colorantes hidrosolubles en estos productos en emulsión, se pueden disolver en la porción del agua o bien en la glicerina, y se añaden a la masa principal de la crema después de la saponificación de la manera habitual (véase cremas evanescentes, Capítulo 4).

En el ejemplo 37, el estearato de diglicol se emplea como agente emulsionante:

(37)
por ciento

Diglicol, estearato	20,0
Agua	70,0
Glicerina	10,0
Colorante hidrosoluble	*c.s.* (desde 0,6 hasta 1,0)
Conservante	*c.s.*

La dificultad en todos estos casos donde se introduce un colorante hidrosoluble es evitar la evaporación, que conduce a un oscurecimiento de la superficie de la crema debido a la concentración del colorante. Cuando se utilizan tales colorantes, es necesario incorporar suficientes componentes higroscópicos, tales como glicerina, glicoles, etc; el *d*-sorbitol podría ofrecer características interesantes para este propósito, pues posee un intervalo humectante más estrecho que la glicerina, esto es, absorbe menos humedad en una atmósfera húmeda, aunque se mantiene mejor en un medio seco. Una mejoría adicional podría ser el envasado de tales productos en un tubo cerrado herméticamente.

Sin embargo, en general, la mayoría de los colorantes empleados en un colorete crema son lacas insolubles, aunque a veces se utilicen colorantes oleosos. En el tipo de crema evanescente, sin embargo, estas lacas pueden suplirse, si se desea, por colorantes fluresceína cuando, como se expuso anteriormente, es necesario incorporar un disolvente no volátil.

Un nuevo ejemplo de un tipo de crema evanescente de colorete, dado por Janistyn[27], tiene la composición siguiente:

(38)
por ciento

Alcohol cetílico	2,00
Estearina	18,00
Propilen glicol	4,00
Isopropilo, miristato	8,00
Carbowax 4000	4,00
Potasio, hidróxido	0,70
Agua	54,65
Perfume	0,50
Conservante	0,15
Lacas	8,00

Colorete líquido

Los coloretes líquidos parecen mantener un grado de aceptación y se afirma que producen resultados extraordinariamente buenos cuando se aplican por especialistas. La dificultad de su aplicación se supera por un pequeño aplique ajustado al cuello del envase, siendo el colorete fácilmente transferido por atracción capilar a labios o mejillas.

Los requerimientos esenciales de cualquier preparación son que tenga suficiente viscosidad para permitir aplicación fácil y uniforme y que se seque rápidamente.

Los preparados acuosos se elaboran disolviendo la cantidad requerida de un colorante hidrosoluble apropiado, añadiendo un espesante goma o sintético para aumentar la viscosidad de la solución e incluyendo una pequeña concentración de un agente humectante adecuado para favorecer la fácil extensibilidad. Si se desea, se puede incluir un poco de glicerina. En el ejemplo 39, la metilcelulosa se puede sustituir por un 0,4 por 100 de goma tragacanto.

		(39)
		por ciento
Metilcelulosa		2-0
Agente humectante		0,1-0,2
Agua	hasta	100,0
Rojo hidrosoluble, conservante		*c.s.*

Otro preparado tiene la composición siguiente:

		(40)
		por ciento
Sodio, alginato		0,45
Calcio, citrato		0,13
Agente humectante (aceptado dermatológicamente)		0,1-0,2
Agua	hasta	100,0
Rojo hidrosoluble, conservante		*c.s.*

Procedimiento: Disolver el alginato sódico, colorante y agente humectante en aproximadamente dos terceras partes del agua, formar una suspensión de citrato cálcico en la otra tercera parte, y añadir a la solución de alginato tan pronto como se presente el espesamiento al reposar. La viscosidad se pude alterar a voluntad, variando la concentración del alginato y citrato cálcico.

A fin de reducir el tiempo de secado, se puede añadir un 10-20 por 100 de alcohol o más a los mucílagos de gomas, aunque concentraciones altas no se deben utilizar con productos de alginato, pues se puede originar precipitación.

Las preparaciones que se han mencionado anteriormente en relación con barras de labios líquidas también pueden servir como colorete líquido, que constan de un colorante adecuado soluble en alcohol disuelto en una solución alcohólica de etilcelulosa o resina soluble en alcohol, con un plastificante para obtener la película flexible requerida. Por supuesto, no es necesario un agente humectante, y mediante el uso de colorantes adecuados se obtienen preparaciones más permanentes que con mezclas acuosas. Puesto que la evaporación del alcohol producirá un aumento en la viscosidad del producto, es particularmente importante que los envases estén provistos de un aplicador bien ajustado o enroscado en el cuello del envase, estando el conjunto incluido en un tapón de rosca. De este modo se obtiene una aplicación rápida y uniforme con el mínimo cuidado y el menor riesgo posible de manchar las manos del usuario con barniz rojo pegajoso.

La película de colorete resultante se elimina fácilmente con un poco de alcohol, para lo cual se puede añadir, si se desea, una pequeña cantidad de un disolvente de relativamente alta ebullición para evitar la evaporación demasiado rápida del eliminador del colorete.

Las preparaciones del tipo que se acaba de describir se ilustran mediante la fórmula siguiente:

$$(41)$$

	por ciento
Tintura de estoraque, al 5 por 100	38,0
Alcohol, al 95 por 100	60,0
Aceite de ricino	2,0
Extracto rojo soluble	*c.s.*

Las soluciones anteriores se preparan por mezcla simple. Las proporciones de sustancia constituyentes de la película, plastificante y colorante se pueden alterar para satisfacer requisitos particulares.

MAQUILLAJE DE OJOS

Introducción

Asimismo, los maquillajes de ojos también se han utilizado durante miles de años. El maquillaje de ojos adoptado y usado por las mujeres de muchas civilizaciones antiguas fue un colorante negro, kohl, basado en trisulfuro de antimonio. Además del kohl, las egipcias utilizaron malaquita para conferir un color verde, mientras que las indias colorearon sus párpados con «tsocco», que tiene una base de antimonio. Las mujeres chinas y japonesas utilizaron quina para maquillar los ojos, y las mujeres fenicias alargaron sus cejas con una pasta negra compuesta de goma arábiga, almizcle, ébano e insectos negros pulverizados.

También los ojos grandes se consideraron un símbolo de belleza y, fue práctica habitual de las mujeres de estas civilizaciones antiguas hacer que sus ojos pareciesen más grandes y más brillantes.

Los preparados de ojos actuales incluyen rímel, sombras de ojos y lápices de cejas; todos ellos se deben aplicar escasa y correctamente, si no se estropea el efecto.

Estas preparaciones se expondrán a continuación bajo el correspondiente encabezamiento.

Rímel (Cosmético de pestañas)

«... Pronto las mujeres egipcias descubrieron que untando los párpados con ungüentos y estibio (esto es, antimonio pulverizado) no sólo aliviaban el dolor de los ojos, y los descansaba, sino que aumentaba la belleza natural de sus rostros.

Se acentuaba la blancura del blanco de los ojos gracias a los párpados oscurecidos, y las grandes pupilas oscuras parecían como pozos negros en medio de ellos, siendo el efecto total muy llamativo...»

(*Dwellers of the Nile*, Sir Wallis Budge)

El rímel es una preparación negra pigmentada aplicable a las pestañas o cejas para embellecer los ojos. Se ha afirmado que aplicando correctamente rímel para oscurecer las pestañas y aumentar su longitud aparente, se incrementa el brillo y la expresividad de los ojos.

El rímel se comercializa en formas de pastilla (bloque), crema y líquido, y debe poseer las características siguientes:

1. Debe ser susceptible de una aplicación fácil y uniforme.
2. No debe tener tendencia a correrse y, por ello, emborronarse.
3. No debe endurecerse, ocasionando que las pestañas se peguen.
4. No debe secar demasiado rápidamente por interferir con la uniformidad de la aplicación, pero, no obstante, debe secarse bastante pronto, y ser razonablemente permanente una vez aplicado.
5. No debe ser tóxico, ni irritante.

En el Acta de Alimentos, Medicamentos y Cosméticos de EE. UU. está prohibido el uso de colorantes de alquitrán de hulla en preparados de aplicación en el área de los ojos, aun cuando aquellos colorantes se hayan certificado para uso en cosméticos. La zona de los ojos se define como «el área delimitada por los surcos supraorbital e infraorbital, incluyendo cejas, piel de debajo de las cejas, párpados, pestañas, saco conjuntivo del ojo, globo del ojo y el tejido blando aerolar situado dentro del perímetro del surco infraorbital». Así definida, la «zona prohibida» se extiende desde la parte superior de la cuenca del ojo hasta la zona superior del pómulo.

Así, en los EE. UU. sólo se pueden emplear en preparados de maquillaje de ojos los colorantes naturales, esto es, colorantes vegetales y pigmentos inorgánicos y lacas (generalmente, pigmentos negros y marrones oscuro), con la exigencia de que estos están en un estado altamente purificado.

Los colorantes vegetales puros que se pueden utilizar incluyen clorofila, excepto la calidad que contiene cobre. Lo mismo se aplica a colorantes minerales y tierra, pero, en los EE. UU., a los proveedores se les exige garantizar la ausencia de ciertas impurezas de sus productos; su contenido de arsénico no debe exceder de dos partes por millón.

Actualmente, los pigmentos negros utilizados en preparados de maquillaje de ojos están restringidos a óxido de hierro negro (Fe_3O_4). En ocasiones, éste se utiliza en asociación con azul ultramar para impartir tonos negro-azulados.

Tierras de sombra (ocres marrones), sierra quemada (una mezcla de óxido de hierro hidratado $Fe_2O_3 \cdot H_2O$ con algo de óxido mangánico) y óxidos marrones sintéticos se han utilizado para tonos marrones, y ocres amarillos para tonos amarillos. Para tonos azulados, se emplea azul liposoluble, mientras que para tonos verdes se han utilizado óxidos de cromo, y para tonos rojos, carmín, la laca de aluminio de cochinilla. Sólo se pueden utilizar las sales de cobalto si son insolubles y no reaccionarán con otros ingredientes de la preparación para formar compuestos de cobalto solubles. Finalmente, metales pulverizados, tales como plata y aluminio, han sido ampliamente empleados en sombras de ojos y se pueden utilizar si se componen únicamente del metal puro. Si presentan un contenido apreciable de cobre, se consideran nocivos. En ocasiones se pueden incluir también pigmentos blancos, tales como dióxido de titanio y óxido de zinc, para tonos claros.

Los colorantes que se pueden utilizar según la CEE para productos de membranas mucosas (incluyendo productos de ojos) se relacionan en el Anexo III, Parte 2.ª, de la Directiva de Cosméticos de CEE. Una lista de colorantes provisionalmente aprobada se detalla en Anexo IV, Parte 2.ª. Ambas listas contienen colorantes de alquitrán de hulla, de modo que el formulador debe tener cuidado al considerar las asociaciones de color a utilizar en determinados países, especialmente para su importación en los EE. UU.

Rímel pastilla (bloque)

El rímel pastilla mantiene una forma muy común de producto, aunque durante la década de los sesenta ganaron popularidad cremas suaves o preparados líquidos con el desarrollo de envases-aplicadores especiales con un cepillo como parte del tapón a rosca.

Los tipos más primitivos de rímel estaban basados en una mezcla de jabón y negro de carbon con la suficiente agua añadida para producir una pasta espesa que se secaba, y después prensaba en pastillas.

Estos podían ser aplicados directamente y eran bastante permanentes, pero, puesto que contenían una base soluble en agua, las lágrimas e incluso la lluvia fuerte eran capaces de producir rayas y churretes negros. Más aún, una traza de base de jabón producía irritación grave. Los jabones sódicos de coco y de aceite de palma utilizados originalmente en estas preparaciones fueron con el tiempo sustituidos por jabones de trietanolamina menos alcalinos y, por consiguiente, menos irritantes, por ejemplo al estearato de trietanolamina. Según JEWEL[28], estos productos se componen esencialmente de un jabón (generalmente, estearato de trietanolamina), modificada su consistencia con aceites, ceras y colorantes. Las pastillas actuales pueden fabricarse fundiendo juntas las sustancias cerosas, añadiendo el colorante y mezclándolos completamente hasta obtener una distribución uniforme. Después, la mezcla resultante se enfría y se trabaja en un molino de rodillos caliente. Posteriormente, es refundido en una caldera y se moldea en pastillas. Se ha citado una fórmula (ejemplo 42) que se afirma ser muy similar a una gran mayoría de los preparados de rímel bloque vendidos en los EE. UU.

	(42)
	partes
Acido esteárico	27,0
Trietanolamina	12,0
Cera de abejas	30,0
Cera carnauba	50,0
Colorante (negro de huesos)	25,0

Otras fórmulas de rímel pastilla citadas en la literatura técnica son las siguientes:

	(43) *por ciento*
Trietanolamina, estearato	40,0
Parafina	30,0
Cera de abejas	12,0
Lanolina anhídrida	5,0
Negro de humo	13,0

	(44) *por ciento*
Glicerilo, monoestearato	60,0
Parafina	15,0
Cera carnauba	7,0
Lanolina	8,0
Negro de humo	10,0

Procedimiento: Se funden los diversos componentes, se mezclan y después se moldean o se extruyen en la forma apropiada o después de mezclar se pueden moler y pasar a través de un *plodder* caliente, después del cual la cinta de rímel se corta en las longitudes deseadas.

Fórmula de rímel pastilla conteniendo silicona fluida[30]	(45) *por ciento*
Trietanolamina, estearato	50,0
Cera carnauba	24,0
Parafina cera (Pf 45 °C)	12,5
Lanolina anhídrida	4,5
*Silicone Fluid L-43	5,0
Negro carbón	3,8
Propilo, *p*-hidroxibenzoato	0,2

* Union Carbide

Con la desautorización del negro carbón en los EE. UU. aun cuando se permita por la legislación de la CEE, la sustancia escasea. Se puede sustituir en la mayoría de las formulaciones por óxido de hierro negro o con combinaciones azul ultramar y óxido de hierro negro.

Rímel crema

El rímel crema se puede preparar moliendo el pigmento en una base de crema evanescente o mediante el uso de un colorante liposoluble adecuado, pero en tales casos, con frecuencia, es necesario incluir un agente humectante adecuado para disminuir la tensión superficial; en caso contrario, el colorante no se adhiere al cepillo aplicador. El pigmento coloreado se puede incorporar a la base inmediatamente después de que se haya completado la emulsión. La agitación es continua mientras el producto se enfrían, dejando desprender todo el aire atrapado. Después el producto se vierte en los tubos.

Como alternativa, una base previamente preparada se funde con el fin de incorporar el pigmento.

Un rímel crema fiable que no se seca en el tubo y que se adhiere bien a las pestañas, se puede fabricar según RICHARDSON[31], con la fórmula dada en el ejemplo 46. Como equivalente moderno de esta fórmula se podría utilizar un hidrocoloide sintético, tal como hidroxietilcelulosa, para sustituir las semillas de membrillo.

	(46)
	por ciento
Mucílago de semillas de membrillo	35,0
Jarabe de azúcar	35,0
Goma arábiga	7,5
Negro marfil (tierras de sombra)	22,5

Procedimiento: Moler la goma y el negro marfil (o tierra de sombra, etc.) con el jarabe (tres partes de azúcar para dos de agua, y después se añade el mucílago que contiene un conservante, tal como *p*-hidroxibenzoato de metilo.

Se citan formas más modernas de rímel crema en los ejemplos 47[31] y 48[32], y también el ejemplo 49[24] al que se atribuye dar una aplicación uniforme sobre las pestañas estando libre de la tendencia a correrse o enducerecerse, y también tiene buenas propiedades de comportamiento.

	(47)
	por ciento
Polietilen glicol 400, estearato	10,0
Diglicol, estearato	8,0
Lanolina	3,0
Alcohol estearílico	13,0
Isopropilo, palmitato	2,0
Trietanolamina, laurilsulfato	1,5
Agua	54,5
Colorante	8,0

	(48)
	por ciento
Trietanolamina, estearato	45,0
Cera carnauba	15,0
Glicerilo, monoestearato	5,0
Lanolina anhídrida	10,0
Cera de abejas sin blanquear	5,0
Negro humo	20,0

	(49)
	por ciento
Alcohol hexadecílico	7,3
Propilen glicol	9,1
Acido esteárico	11,2
Glicerilo, monoestearato	4,5
Trietanolamina	3,6
Azul ultramar	9,1
Metilo, *p*-hidroxibenzoato	0,2
Agua	55,0

Otra formulación de rímel crema incluye entre sus componentes una silicona fluida[33]; ésta se aplica fácilmente, da cobertura suave y proporciona protección frente a la humedad:

		(50) *por ciento*
A.	Acido esteárico triple prensado	9,1
	Petrolato Pf 43 °C	5,5
	Aceite mineral 65/75	4,1
	Silicone Fluid L-43	5,0
B.	Trietanolamina	2,75
	Agua	64,45
	Pigmentos	9,1

Procedimientos: Fundir *A* y calentar a 60 °C. En un recipiente separado, calentar *B* a la misma temperatura. Añadir *B* a *A* mientras se agita. Incorporar la mezcla combinada de los pigmentos.

Preparados grasos, más resistentes a la eliminación, se pueden fabricar incorporando el pigmento o colorante, aproximadamente un 10 por 100, a una base grasa, que se calienta ligeramente para aplicar con un pincel aplicador fino (ejemplos 51 y 52).

	(51) *por ciento*
Cera de abejas	4,0
Esperma de ballena	4,0
Alcohol cetílico	2,0
Manteca de cacao	6,0
Vaselina	64,0
Azul liposoluble	20,0
Conservante	*c.s.*

	(52) *por ciento*
Manteca de cacao (inodora)	5,0
Vaselina	50,0
Parafina cera (no cristalizable)	5,0
Negro de humo	40,0

Procedimiento: Fundir y mezclar.

El desarrollo de los modernos cepillos y aplicadores ha conducido a la introducción de rímeles especiales tipo crema. Por ejemplo, actualmente son muy populares los rímeles resistentes al agua, y existe una variedad de aplicadores disponibles que permiten la separación de las pestañas y el revestimiento uniforme con el producto sin espesarse.

Rímel típico resistente al agua	(53)
	por ciento
Isoparafinas	54,7
Cera ozoquerita	18,0
Cera carnauba	2,5
Aluminio, estearato	2,0
Isopropilo, miristato	2,5
Aceite mineral	0,5
Caolín	12,8
Negro, hierro, óxido	5,8
Amarillo, hierro, óxido	1,2

En algunas formulaciones, las propiedades gelificantes del estearato de aluminio se suplementan con otras sustancias, tal como bentona. Las propiedades de resistencia al agua se pueden mejorar con la adición de sustancias de tipo polímero, tales como polietileno o polibuteno. También se pueden añadir pequeñas fibras de rayón o nilón a la fórmula para producir sensación de alargamiento y espesamiento de las pestañas.

Rímel líquido

Satisfactorias fórmulas líquidas fueron muy utilizadas, pero no lograron amplia aceptación del consumidor hasta la llegada de los envases especiales cilíndricos con un cepillo de pequeño diámetro integrado en la tapa a rosca. Este aplicador aumenta la comodidad del producto líquido de rápido secado y también es cómodo para llevar en el bolso.

Las primeras preparaciones se elaboraban suspendiendo el pigmento en un mucílago, como en el ejemplo 54:

	(54)
	por ciento
Goma tragacanto	0,2
Alcohol	8,0
Agua	83,8
Negro, de humo	8,0
Conservante	*c.s.*

No obstante, las preparaciones de este tipo no fueron muy populares, debido a que tienden a ser pegajosas y, al ser solubles en agua, propenden a correrse.

Con el fin de superar estos inconvenientes, los preparados más modernos usan una solución alcohólica de una resina en la que se suspende negro carbón. En estas fórmulas, es frecuente incluir un poco de aceite de ricino. Estas se secan rápidamente, produciendo un color semipermanente y resistente al agua, pero son irritantes si caen dentro del ojo. Estos preparados se ilustran con el ejemplo siguiente:

	(55)
	por ciento
Colofonía (solución alcohólica al 10 por 100)	3,0
Aceite de ricino	3,0
Alcohol etílico	84,0
Negro humo	10,0

Si se desea, otras resinas o etil celulosa pueden sustituir a la colofonía. Es mejor evitar el uso de alcohol metilado desnaturalizado en estas preparaciones, ya que tiende a irritar.

Sombra de ojos

Las sombras de ojos se comercializan en una variedad de tonos, tales como marrón, verde, azul y otros. Se aplican sobre los párpados con el fin de producir un fondo atractivo de aspecto «húmedo» a los ojos. Esto algunas veces resalta especialmente para uso de noche bajo luces eléctricas, incluyendo partículas finas metálicas destellantes para producir un efecto «plata» u «oro». Con esta finalidad se pueden utilizar panes de oro, polvo de bronce y aluminio pulverizado. También se pueden emplear varios pigmentos perlados, por ejemplo aquellos que se basan en oxicloruro de bismuto o mica recubierta con dióxido de titanio. Se disponen preparados de sombras de ojos para, por ejemplo:

a) como cremas anhídras de tipo fluidificante o emulsionado;
b) en forma de emulsiones;
c) como sombra de ojos barra;
d) en forma de suspensiones o dispersiones líquidas;
e) como polvos compactos.

Han sido muy populares la crema anhidra y la sombra en barra, pero en la actualidad las sombras en polvos compactos son las dominantes en el mercado.

Sombra de ojos crema

La sombra de ojos crema se puede fabricar mezclando primero todos los colorantes seleccionados y, si se requieren tonos pasteles, incluyendo también en la mezcla un pigmento blanco (tal como óxido de zinc o dióxido de titanio), mezclándose estos pigmentos con petrolato en un molino de rodillos. Después, esta masa se agita en la mezcla de los constituyentes grasos y cerosos que se utilizan en la preparación, que se han mezclado previamente fundiéndolos todos juntos en una caldera. Después de agitar hasta uniformidad, el producto se vierte en envases adecuados, mientras se mantiene en forma líquida. Como alternativa, los pigmentos en forma de polvo se pueden agitar directamente en la masa fundida de grasas y ceras, y pasarlos por un molino de rodillos para asegurar la distribución total de los colorantes y eliminar cualquier grumo de la formulación que, de otro modo, ocasionaría rayas durante la aplicación. Una segunda operación de mezcla se puede seguir antes de verter el producto en los envases. Como en el caso del rímel, la sombra base debe ser susceptible de una aplicación cómoda y uniforme. También debe ser resistente al agua para evitar que se corra. En ocasiones, con el fin de facilitar el llenado líquido del producto en los envases, se requiere que éste se mantenga caliente en caldera provista de camisa de vapor y, si es necesario, se agita suavemente para evitar la sedimentación de cualquiera de los pigmentos pesados.

Las sombras cremas de tipo anhídro pueden contener, por ejemplo, manteca de cacao, como en las fórmulas siguientes:

	(56) *por ciento*
Manteca de cacao (inodora)	2,0
Cera de abejas	3,0
Esperma de ballena	5,0
Lanolina	5,0
Vaselina	55,0
Zinc, óxido	30,0
Laca cosmética, conservante	*c.s.*

	(57) *por ciento*
Vaselina	75,0
Manteca de cacao (inodora)	8,0
Lanolina	7,0
Alcohol cetílico	3,0
Parafina cera (no cristalizable)	7,0
Laca cosmética, conservante	*c.s.*

Una fórmula aportada por MILLER[34] contiene:

	(58) *por ciento*
Cera de abejas blanqueada	4,5
Esperma de ballena	9,5
Lanolina, base de absorción	13,0
Parafina de bajo punto de fusión	73,0

Procedimiento: Mezclar ochenta y cinco partes de esta base con, por ejemplo, doce partes de dióxido de titanio y tres de un pigmento mineral o tierra.

Para obtener un tono gris, MILLER[34] sugirió una mezcla de una parte de azul ultramar, una parte de negro humo y dos partes de dióxido de titanio: para un tono marrón, una mezcla de tres partes de tierra de sombra y una parte de dióxido de titanio. Aconsejó calentar los colorantes con la mezcla de grasas y ceras (ejemplo 58) y pasarlos por un molino de rodillos. Otra fórmula de sombra crema propuesta por el mismo autor contiene:

	(59) *por ciento*
Vaselina blanca	59,0
Glicerilo, monoestearato	17,0
Lanolina	4,0
Cera de abejas	8,0
Cera candelilla	4,0
Pigmento	8,0

Las sombras cremas de tipo emulsión se producen mezclando pigmentos adecuados en una emulsión y distribuyéndolos uniformemente por toda la base. Los productos se vierten al enfriarse en los envases. Para tales preparados se pueden usar las emulsiones basadas en estearato de trietanolamina (ejemplo 60).

	(60)
	por ciento
Acido esteárico	1,5
Glicerilo, monoestearato	1,5
Lanolina	4,0
Isopropilo, miristato	5,0
Veegum (solución al 5 por 100)	30,0
Trietanolamina	0,75
Agua	38,25
Propilen glicol	4,0
Azul ultramar	4,5
Negro, hierro, óxido	1,2
Cromo, hidrato	0,8
Mica recubierta con dióxido de titanio	8,5

Originalmente, las cremas anhidras y los productos en emulsión fueron proyectados para aplicarse con las puntas de los dedos. Sin embargo, la tendencia actual es utilizar aplicadores especiales, y el más popular de éstos es una punta de esponja. Como en el envase del rímel, va unida a una varilla de plástico que es habitualmente parte integrante del cierre del envase. Este puede ser de polietileno o bien de PVC, y es importante que se obtenga un buen cierre con la tapa y el envase para evitar desecación del producto, especialmente en productos de emulsión.

Sombras de ojos en barra

En realidad, las barras contienen una elevada proporción de ceras, tales como ceresina, ozoquerita o carnauba. Una sombra en barra sugerida por WETTERHAHN[35] contiene:

	(61)
	por ciento
Aceite de ricino	43
Aceite mineral 75/85	6
Aceite de algodón hidrogenado	5
Ceresina blanca Pf 76 °C	26
Cera carnauba	4
Titanio, dióxido	8
Ocre, hierro, óxido	4
Siena, hierro, óxido	4

Croda (en *Syncrowaxes in Cosmetics*) ha sugerido la fórmula siguiente:

	(62) por ciento
Syncrowax HGLC	15,0
Syncrowax HRC	5,0
Aceite mineral	35,2
Liquid Base CB3896	15,0
PVP	0,8
Colorante	9,0
Tímica destellante	20,0

Procedimiento: Fundir las ceras a 85-90 °C. Añadir líquido base y aceite mineral. Mantener la temperatura a 80 °C. Moler PVP y pigmentos en la fase de cera fundida. Dispersar la Timica con agitación lenta, dejar desairear y llenar.

Sombras de ojos en polvos compactos

Las sombras de ojos en polvos compactos se pueden considerar como coloretes compactos con sistemas diferentes de colorante. En general, contienen concentraciones de colorantes superiores a los productos coloretes, y esto ha de tenerse en cuenta cuando se fabrican los productos. Por ejemplo, con productos que contienen altas concentraciones de una sustancia iridescente, tal como mica recubierta con dióxido de titanio, se debe cuidar que, en la dispersión del producto, las laminillas no sean destruidas por los molinos de martillos. Generalmente, el producto se aplica mediante una varilla de plástico con la punta de esponja, aunque es habitual la aplicación con las yemas de los dedos, peculiaridad que se debe recordar cuando se está determinando la dureza del producto durante su fabricación.

A continuación se dan fórmulas típicas que ilustran un tono mate (ejemplo 63) y un tono altamente iridescente (ejemplo 64).

	(63) por ciento	(64) por ciento
Talco	82,5	41,7
Zinc, estearato	6,0	7,0
Azul ultramar	5,4	—
Negro, hierro, óxido	0,1	—
Cromo, hidrato	2,0	—
Amarillo, hierro, óxido	—	2,0
Mica recubierta con dióxido de titanio	—	40,0
Base (véase el ejemplo 27 anterior)	4,0	9,3

Sombra de ojos líquida

Las sombras de ojos líquidas adoptan la forma bien de una suspensión líquida o de una dispersión líquida. En el primer caso, los pigmentos se suspenden en una mezcla de aceites, pero generalmente se sedimentan y deben agitarse antes de usarse. Las dispersiones líquidas se preparan, por ejemplo, a partir de soluciones diluidas de alcohol en agua espesada con una goma sintética, tal como metilcelulosa, adecuadamente conservada con conservante y que contiene un agente humectante en el cual se dispersan los pigmentos. Sin embargo, las sombras de ojos líquidas no son muy populares.

Delineadores de ojos

Los delineadores de ojos son preparados para utilizarlos sobre los párpados, particularmente los superiores, cerca de las pestañas, y ayudar a acentuar la expresividad de los ojos. Se presentan en forma líquida, pastilla y lápiz. La forma en polvos compactos es similar en composición al rímel en pastilla. Como ejemplo de un delineador seco de ojos, FISHBACH[10] citó la siguiente composición:

(65)

	por ciento
Aceite mineral	5
Colorante	30
Titanio, dióxido	5
Talco	60

Los delineadores líquidos de ojos pueden utilizarse para aplicar color a los tejidos que los rodean. Usualmente, el color marrón se considera un buen color para usar durante el día.

Un delineador líquido de ojos citado en *American Perfumer and Cosmetics*[36] contiene:

(66)

	por ciento
Agua	40,00
Methocel HG 60-50V	1,00
Veegum	1,00
Goma laca	1,08
Acido oleico	0,50
Trietanolamina	0,40
Agua	3,02
Pigmento	18,20
Alcohol SD-40	5,00
Agua, conservabnte	hasta 100,00

Una fórmula que apareció en *General Aniline Guide to Cosmetics* contiene:

(67)

	por ciento
Veegum (Vanderbilt)	2,5
PVP K-30	2,0
Agua	85,5
Pigmento	10,0
Conservante	c.s.

Lápices de cejas

Los lápices de cejas pueden ser bien un tipo lápiz pastel cera pigmentado en negro o bien en marrón, en los que los pigmentos están presentes en una concentración superior que en preparados sombras de ojos crema, o bien pueden estar en forma de lápiz de ojos extruido similar a un lápiz de plomo ordinario, en el cual una formulación de tipo lápiz pastel se encierra en un molde de madera. En esta última forma son aún más fáciles de aplicar que el tipo barra. Los lápices de cejas se utilizan bien para acentuar la línea de las cejas, o bien para modificar su perfil después de depilar con pinzas. El pigmento se dispersa en una base de cera del tipo de barra de labios, en que la proporción de cera de abejas u otro constituyente de elevado punto de fusión puede opcionalmente incrementarse para producir lápiz algo más consistente. No obstante, tales barras deben ser de aplicación fácil y uniforme, y no deben ser quebradizas.

	(68)
	por ciento
Aceite de ricino hidrogenado	46,0
Aceite de algodón hidrogenado	12,0
Manteca de cacao (inodora)	8,0
Aceite de ricino	8,0
Lanolina, base de absorción	17,0
Negro, hierro, óxido	9,0

Si se desea una barra de color marrón, el óxido de hierro negro puede reemplazarse parcialmente con versiones rojas y amarillas.

Una fórmula de lápiz de cejas citada en la literatura se compone de:

	(69)
	por ciento
Ozoquerita (Pf 70-75 °C)	45,0
Cera de abejas, sin decolorar	24,0
Manteca de cacao	22,5
Petrolato blanco	6,0
Base de absorción	1,5
Lanolina anhidra	1,0
In addition:	
Colores pigmentos o lacas	10,0
Color liposoluble	1,0

Procedimiento: Agitar los colorantes en la fase grasa fundida y moler hasta uniformidad. Verter el lote en caliente en los moldes.

Dehydag Products (Henkel) han sugerido la fórmula siguiente:

	(70)
	por ciento
Alcohol cetílico	5,0
Cutina GMS	5,0
HD-Eutanol	20,0
Cera de abejas, blanca	2,0
Cera candelilla	6,0

Cera carnauba	6,0
Cera ozoquerita	24,0
Aceite de ricino	20,0
Parafina líquida	2,0
Pigmento colorante	10,0
Antioxidante	*c.s.*

Finalmente, una fórmula sugerida por KEITHLER [22] puede prepararse combinando los siguientes constituyentes:

	(71)
	por ciento
Cera de abejas	21,0
Cera carnauba	5,0
Parafina	29,0
Alcohol cetílico	8,0
Vaselina	18,0
Lanolina	9,0
Pigmentos	10,0

REFERENCIAS

1. British Patent 1 206 542, L'Oreal, 23 September 1970.
2. Wilmsmann, H., *J. Soc. cosmet. Chem.*, 1965, **16**, 105.
3. Anon., *Soap Perfum. Cosmet.*, 1944, December, 924.
4. US Patent 3 148 125, Yardley of London, 8 September 1964.
5. Cadicamo, P. A. and Cadicamo, J. J., *Cosmet. Toiletries*, 1981, **96**(4), 55.
6. Gouvea, M. C. de B. L. F. de, *Cosmet. Toiletries*, 1978, **93**(1), 15.
7. British Patent 1 140 536, Dow Corning, 22 January 1969.
8. Vasic, V., *Manuf. Chem.*, 1958, **29**, 431.
9. *Dragoco Rep.*, 1965, (12), 25.
10. Fishbach, A. L., *J. Soc. cosmet. Chem.*, 1954, **5**, 242.
11. Jakovics, M., *Proc. sci. Sect. Toilet Goods Assoc.*, 1956, (26), 9.
12. Daley, P. D. W., *J. Soc. cosmet. Chem.*, 1968, **19**, 521.
13. British Patent 755 549, Metropolitan Vickers Elec. Co. Ltd, 19 February 1954.
14. British Patent 763 733, Chesa, J. M., 20 October 1953.
15. Dweck, A. and Burnham, C. A. M., *Int. J. cosmet. Sci.*, 1980, **2**, 143.
16. US Patent 2 763 881 , Lip Mate Corp., 23 December 1954.
17. US Patent 2 783 489, Bogoslowsky, B., 28 August 1952.
18. US Patent 2 774 984, Morelle, J. C., 7 June 1956.
19. *Drug Cosmet. Ind.*, 1959, **85**, 327.
20. US Patent 2 230 063, Gordon, M. M., 23 January 1939.
21. Janistyn, H., *Taschenbuch der modernen Parfümerie und Kosmetik*, Stuttgart, Wissenschaftliche Verlagsgesellschaft, 1966, p. 609.
22. Keithler, W. R., *The Formulation of Cosmetics and Cosmetics Specialties*, New York, Drug Cosmetic Industry, 1956.
23. Winter, F., *Handbuch der gesamten Parfümerie und Kosmetik*, 2nd edn, Vienna, Springer, 1932, p. 615.
24. Enjay Chemical Co., *Hexadecyl Alcohol for the Cosmetic Industry*.
25. Thomssen, E. G., *Modern Cosmetics*, 3rd edn, New York, 1947.
26. Atlas Powder Co., *Drug and Cosmetic Emulsions*.
27. Janistyn, H., *Taschenbuch der modernen Parfümerie and Kosmetik*, Stuttgart, Wissenschaftliche Verlagsgesellschaft, 1966, p. 616.
28. Jewel, P. W., *J. Assoc. off. agric. Chem.*, 1945, **28**, 741.

29. Westbrook Lanolin Co., *Lanolin—Formulary of Cosmetic and Toilet Preparations*, Section EP, July, 1965.
30. *Union Carbide Technical Bulletin* CSB 45–177 4/64.
31. Richardson. K. N., *Soap Perfum. Cosmet.*, 1945, **18,** 286.
32. Dragoco, Holzminden, *Cosmetic Products and their Perfuming*, p. 124.
33. *Union Carbide Technical Bulletin* CSB 45–178 4/64.
34. Miller, J., *Seifen Öle Fette Wachse*, 1960, **86,** 510.
35. Wetterhahn, J. and Slade, M., *Cosmetics: Science and Technology*, ed. Sagarin, E., New York, Interscience, 1957, p. 291.
36. Shansky, A., *Am. Perfum. Cosmet.*, 1964, **79**(10), 53.

20

Aplicación de los cosméticos

Introducción

El uso de los preparados cosméticos ha recorrido un largo camino desde los tiempos en que el uso detectable de cualquier cosmético era privativo de actrices o de «mujeres de la vida». Actualmente existen pocas mujeres que renuncien totalmente al uso de alguna forma de maquillaje, aunque el grado de uso varía desde un poco de polvo para reducir el brillo de la nariz, a la aplicación al rostro, que es un trabajo de arte o especialidad al cual aparentemente todos los productos descritos en este libro deben contribuir.

El consejo ofrecido por comentaristas de belleza y en varios libros de texto e instrucciones de uso de fabricantes de cosméticos es capaz de originar confusionismo; y por ello, es valiosa la consulta a los trabajos de KENDALL[1], ANDERSON[2] y YOUNG[3]. En este breve capítulo se ha despojado a la técnica de aplicación de preparados de belleza de todo cuanto no es esencial.

El uso correcto de cosméticos se desglosa en dos partes:

1. *Cuidados de la piel*, que tiene como objeto el mantenimiento de una piel suave, flexible y limpia y la prevención de efectos debidos a causas externas, tales como exposición excesiva al frío, calor, sol, viento, etc.

2. *Decoración* para producir una apariencia agradable, minimizando los defectos faciales de color o contorno y mejorándola, y prestando atención hacia mejores rasgos.

La primera depende en gran medida del tipo y estado de la piel. El poseedor de una piel sana normal es afortunado, porque resistirá muchos tratamientos y situaciones que pueden tener efectos graves en pieles que son definitivamente secas o grasas, y que demandan cuidados y tratamientos particulares. Incluso la piel sana y normal puede variar periódicamente, y necesitar cuidado especial para corregir cualquier desviación de la normalidad.

El segundo punto —la cantidad de decoración cosmética o de maquillaje tolerado— depende principalmente de costumbres sociales que varían con el tiempo y según qué sociedades. La tendencia general durante muchos años se ha dirigido hacia una mayor tolerancia, aunque han existido oscilaciones de corta duración en determinadas clases sociales en exagerar los efectos en varios sentidos; éstas son generalmente de vida efímera, pero son asimiladas, con frecuencia en formas muy modificadas, y contribuyen a la tendencia general.

Cuidados y limpieza de la piel

Se sobreentiende que una piel sana debe ser una piel limpia y, en general, un buen jabón de tocador y agua es la mejor forma de realizar esta limpieza. Un aclarado final con agua fría limpia es una medida excelente para favorecer la circulación y tonificar la piel. Por la noche, esta limpieza debe seguirse con la aplicación de una crema de tipo más o menos graso según la sequedad o grasa natural de la piel.

La crema debe aplicarse con movimientos de masaje apropiados, tanto si se realiza el masaje durante mucho tiempo como si no, pues la fricción incrementa el suministro de sangre a la piel, y el masaje hábil ayuda a mantener la piel flexible. Los fabricantes de cosméticos han preparado gráficos diseñados para mostrar las líneas que se deben seguir en el masaje facial y en la aplicación de cosméticos (véase figura 20.1.).

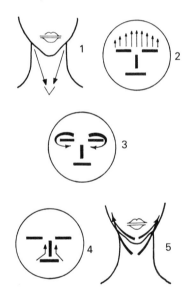

Fig. 20.1.   Masaje facial. (Cortesía de Harriet Hubbard Ayer.)

1. *Para el cuello:* Usar alternativamente ambas manos aplicándolas alrededor del cuello y dar masajes firmes con movimientos descendentes.
2. *Para la frente:* Aplicar masajes suaves ascendentes desde las cejas hacia la línea del pelo con movimientos alternativos de las manos.
3. *Para los ojos:* Trabajando con ambas manos simultáneamente, hacer círculos alrededor de los ojos, terminando con suavidad en el párpado inferior. Siempre se efectúa en la dirección indicada en el esquema.
4. *Para suavizar la «línea de sonrisa»:* Dar masaje con ambas manos con movimientos simétricos ascendentes sobre la «línea de sonrisa», finalizando entre las comisuras de la boca y ventanas de la nariz.
5. *Contra la flojera de la zona inferior del rostro:* Trabajando alternativamente con ambas manos, tomando la línea de la mandíbula entre el segundo y tercer dedos, realizar movimientos ascendentes desde el punto de la barbilla hacia el músculo temporal.

El uso regular de una crema facial formulada de modo adecuado puede prevenir el envejecimiento prematuro (no primario) de la piel debido a causas externas, y retrasar la aparición de arrugas producidas por pérdida de elasticidad epidérmica y humedad subcutánea. Sin embargo, no se puede evitar el envejecimiento natural de la piel debido a procesos metabólicos, ni la formación de arrugas causadas por salud enfermiza, factores psicogénicos, o ciertas enfermedades.

Las arrugas se deben diferenciar de las líneas producidas por emociones, por ejemplo constante fruncimiento del ceño o sonrisas. La cura mejor para éstas es cultivar un estado de ánimo tranquilo.

En el caso de piel excesivamente seca o grasa, puede ser necesario o aconsejable limpiar sin hacer uso del jabón. La selección apropiada de sustancias para pieles secas podría ser leche de belleza o una crema limpiadora más grasa; para pieles grasas, pueden emplearse con ventaja lociones limpiadoras no grasas basadas en álcalis muy débiles, tal como el bicarbonato sódico, o ciertos detergentes carentes de jabón tamponados. Cualquier método que sea adoptado debe realizar una eficaz limpieza, y no deberá dejar residuo alguno de suciedad del día o maquillaje.

Aplicación de cosméticos

Teniendo garantizada una piel limpia en la que trabajar, los elementos esenciales del maquillaje facial incluyen la aplicación de:

a)   Color a las mejillas para proporcionar una apariencia agradable y saludable y, si se necesita, para modificar la forma del rostro.

b)   Polvo para ocultar el brillo o grasa y conferir una lozanía mate a la piel.

c)   Cosméticos en la región de los ojos para realzar su apariencia y llamar la atención a las facciones más atractivas.

d)   Color a los labios, para modificar la forma de la boca, para atraer la atención y, por contraste, realzar la blancura de los dientes y mejorar la sonrisa.

Se observará que todos los objetivos dados son básicamente los atributos naturales de la juventud; el uso pródigo de cosméticos o un alto grado de contraste, puede producir un efecto más formal o «sofisticado».

Un poco de loción cutánea con algo de astringencia o grasa, adecuada a las características de la piel, se debe aplicar inmediatamente después del lavado matutino, utilizando algodón y alisando en las mismas direcciones indicadas para el masaje. Esto debe ir seguido de la aplicación de un hidratante suave para «poner la piel» a punto para el maquillaje. Este no se debe aplicar inmediatamente. La piel parece necesitar un tiempo de aclimatización al día, y si se aplica el maquillaje inmediatamente después de levantarse, raramente resulta satisfactorio o duradero.

Base

Cuando se aplica el maquillaje, la base, con un grado de grasa adecuado a las características de la piel, se aplica primordialmente para proporcionar una base adherente para el colorete (*blusher*) y polvo. Se aplica en las mismas direcciones a las indicadas en la figura 20.1 para el masaje, pero con movimientos de alisamiento más delicados, extendiéndolo bien hacia el cuello,.y más allá si se desea, para evitar cualquier línea de demarcación. También oculta imperfecciones de la piel y le imparte una apariencia suave, uniforme. En caso de piel normal o seca, la base es habitualmente una crema, pero igualmente puede emplearse base líquida y maquillaje compacto. En caso de piel grasa, son más apropiados líquidos no grasos, maquillajes compactos y lociones medicamentosas.

Colorete o «rubor» (*blusher*)

Después viene la aplicación del colorete. El color del colorete seleccionado debe ajustarse al color del rubor natural o al originado por ejercicio. Si se aplica correctamente, puede acentuar los rasgos más atractivos y reducir los que lo son menos. El colorete líquido o crema se aplica en suficiente cantidad a las partes más salientes de los pómulos y se extiende con las yemas de los dedos, aproximadamente en forma triangular. Las concentraciones exactas y la posición de los triángulos dependen de la forma del rostro y de la impresión de longitud y anchura que se desee aparentar. Naturalmente, los bordes de la zona coloreada deben difuminarse por el resto del rostro sin líneas definidas. No obstante, el colorete en polvo se aplica sobre el polvo facial.

Polvos

Los polvos deben aplicarse generosamente con algodón o una borla para polvos limpia, y el exceso se elimina con una brocha suave. Debe ser ligeramente más oscuro que la base y tener un polvo cubriente apropiado al tipo de piel —ligero para piel seca y fuerte para piel grasa—. El tono correcto es aquél que imparte una apariencia de suavidad a la piel, no oclusiva y mate. Debe considerarse la luz, como con todos los cosméticos, bajo la cual se verá el maquillaje; la luz del día exige tonos próximos a los naturales, mientras que para la luz artificial todos los colores deben ser uno o dos tonos más intensos, y se aconseja una aplicación ligeramente más densa. Para obtener un efecto muy transparente, que proporcione apariencia atractiva especialmente para llevar de noche, se pueden utilizar dos polvos de contraste, primero uno suave y después otro más intenso. El mismo efecto se puede lograr con dos tonos de polvos utilizados simultáneamente en la aplicación del colorete, es decir, cuando se cambia la forma aparente del rostro. Aplicando polvos de tonos más oscuros en la parte inferior del rostro, una cara alargada parecerá acortarse. Aplicando polvos de tonos más claros a ambos lados de la línea maxilar, un rostro puntiagudo aparentará mayor anchura.

Maquillaje de ojos

Durante mucho tiempo, el maquillaje ocular se practicó mucho más discretamente por las mujeres europeas o americanas que por sus hermanas orientales;

incluso después de la generalización del maquillaje, los labios se maquillaban mucho más intensamente que los ojos.

Sin embargo, en la actualidad, el péndulo ha oscilado y todas las prácticas de embellecimiento se potenciaron con el uso de cosméticos apropiados fuera del hogar durante el día y en casa por la noche. Así, existen lápices para mejorar y realzar el color y la forma de las cejas, rímel para dar color y alargar las pestañas, sombras para párpados para atraer la atención y darle forma a los párpados, y realzar el color de los ojos, y delineadores de ojos para perfilar y resaltar los propios ojos. Todos ellos se aplican de la forma siguiente.

Lápiz. En primer lugar, las cejas se arreglan depilándolas ligeramente y eliminando los pelos superfluos con pinzas, principalmente a partir de la zona inferior; sin embargo, debe evitarse una línea fina. Después las cejas se prolongan con habilidad hacia las sienes por medio de un lápiz de cejas que debe coincidir con el color natural de las mismas. Con el fin de obtener un resultado definido, se debe utilizar un lápiz afilado. También se puede emplear el lápiz para perfilar los párpados superiores por encima de las pestañas, además de extender la línea ligeramente hacia las sienes.

Rímel. La función del rímel es aumentar el encanto natural de las facciones, oscureciendo las pestañas y aumentando su longitud aparente. Se dice que, con su uso prudente, realza el brillo y expresividad de los ojos.

El rímel es apropiado en forma de compacto o crema, y se emplean técnicas ligeramente diferentes en su aplicación. El rímel compacto se aplica friccionando el cepillo humedecido sobre el compacto hasta que se le transfiere suficiente color y hasta que esté casi seco. Posteriormente se frota suavemente sólo en las pestañas superiores, donde el color se concentra en puntos y pestañas exteriores con el fin de asegurar un efecto natural. Cuando las pestañas están secas se utiliza un cepillo nuevo con el objeto de separarlas.

Durante un tiempo, el rímel crema tenía que aplicarse por medio de los dedos y, por consiguiente, era mucho menos popular que los bloques. Sin embargo, el advenimiento de un aplicador mucho más cómodo, en que el rímel se envasa como crema fluida en un recipiente cilíndrico y se aplica por medio de un cepillo cilíndrico de pequeño diámetro, ha aumentado la popularidad del rímel crema hasta tal punto que es ahora el tipo dominante. El cepillo, cargado con rímel, se saca del tubo y se gira contra el lado externo de las pestañas, realizando la operación alejándose del párpado. El cepillo deposita el rímel y simultáneamente separa las pestañas. El rímel negro es apropiado para pestañas negras o marrón oscuro, mientras que el rímel azul, cuando se aplica a las pestañas de ojos azules o grises, aumenta su tono azulado.

Sombra de ojos. Las sombras de ojos se utilizan para proporcionar más profundidad a los ojos e intensificar su color. Se presentan en formas de crema y barra, o como polvos compactos.

El tono está determinado por el color de los ojos y puede incluir colores que varíen desde negro y azul hasta verde y plata. Las sombras de ojos crema se aplican por encima de las pestañas en el centro de los párpados y se homogenizan con un movimiento de las yemas de los dedos hacia fuera. Generalmente, las sombras compactas de ojos se venden con un aplicador con la punta de esponja y esto se utiliza para transferir el producto compacto a los párpados. También algunas sombras de ojos en polvos pueden aplicarse con el dedo. Para usar durante el día, las sombras de ojos deben aplicarse ligeramente, y para uso nocturno, la aplicación debe ser sólo algo más fuerte. Se está poniendo muy de moda el utilizar dos productos al mismo tiempo. Se aplica un color oscuro (azul, verde o marrón) en el párpado y el producto más claro, «muy luminoso» (blanco o rosa perlados), se aplica entre el párpado y la ceja para fundir y matizar el color natural. Los usuarios de gafas de montura pesada deben abstenerse de un maquillado ocular intenso.

Delineador de ojos. Según las instrucciones publicadas con uno de los muchos preparados delineadores de ojos líquidos, el cepillo proporcionado se sumerge en el líquido, se coge como si fuese un lápiz y, después, se traza la línea deseada con una simple pincelada del cepillo. Las mismas instrucciones también manifiestan que un efecto de ojo engrandecido se puede lograr ensanchando la línea hacia el centro del ojo.

Barra de labios

El último toque del maquillaje, pero en modo alguno el menos importante, es la barra de labios, que se utiliza para proporcionar color, forma y apariencia atractivas a los labios, y también para protegerlos. Inteligentemente utilizado, es capaz de modificar las características aparentes faciales. Por tanto, utilizando una capa de barra de labios más oscura con un tono más suave externo, se pueden ensanchar los labios finos; por otros métodos, se pueden estrechar los labios anchos, y la longitud de los labios puede conseguir mejores proporciones con la forma de la cara.

REFERENCIAS

1. Kendall, E., *Good Looks, Good Grooming*, London, Dent, 1963.
2. Anderson, E., *Be Beautiful*, London, Elek, 1971.
3. Young, D., *ABC of Stage Make-up for Men and Women*, London, French, 1979.

PARTE SEGUNDA

Las uñas y productos para las uñas

21

Las uñas

Biología de las uñas

Estructura

Las uñas[1,2] son láminas translúcidas compuestas de queratina dura, que protegen las superficies superior y terminal de cada uno de los dedos de la mano y del pie. Las láminas están situadas sobre un *lecho ungueal*, al cual aparentemente se hallan fundidas, excepto en la terminación *distal* o extrema, donde existe un borde libre. En la terminación cercana o *proximal* es visible una *lúnula* más clara, y el borde posterior está ligeramente solapado por una zona estrecha de capa córnea de la epidermis, que se conoce como *cutícula*.

Desarrollo y formación

Las uñas comienzan a desarrollarse en el embrión humano en la novena semana a partir de invaginaciones, o *pliegues ungueales*, de la epidermis situadas en la zona superior dorsal de cada dedo, y las uñas están completas en la vigésima semana. Es tema de discusión el cómo se forma exactamente la lámina y continúa su crecimiento. La opinión tradicional es que el lecho no desempeña papel alguno y que la uña se forma únicamente por proliferación de células queratinizadas procedentes de la *matriz proximal*, que comienza en el límite proximal del pliegue, posiblemente implicando un poco la raíz adyacente, y se extiende por debajo de la uña hasta el borde distal de la lúnula (Fig. 21.1*a*). Esta interpretación estuvo sustentada por estudios autorradiográficos en los que se inyectó glicina tritiada en el mono ardilla, un primate con uñas planas muy semejantes a las del hombre[3]. No obstante, experimentos similares en voluntarios humanos han sugerido que el lecho de las uñas presenta cierta actividad[4].

Una segunda opinión[5] es que la uña está formada por tres capas. Las uñas dorsal e intermedia proceden de la matriz tradicional, pero también existe una capa ventral que se forma a partir del lecho distal de la uña hasta la lúnula (Fig. 21.1*b*). Una tercera opinión[5] divide el lecho de la uña en tres zonas, es decir, una matriz fértil proximal, un lecho estéril intermedio y una matriz fértil distal,

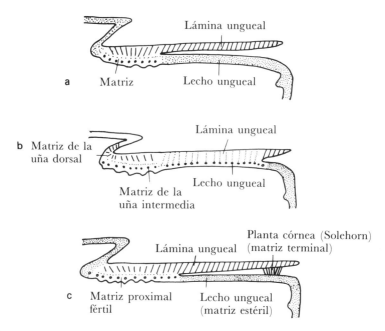

Fig. 21.1. * Posibles métodos de formación de la uña (según SAMMAN [1]).
a. Opinión tradicional: la lámina de la uña se forma únicamente a partir de una matriz sencilla proximal.
b. Hipótesis en que la capa ventral de la lámina de la uña se forma a partir del lecho de la uña.
c. La tercera opinión es que la matriz terminal distal, que está separada de la matriz proximal por la matriz intermedia estéril, aporta algo de sustancia a la parte inferior de la uña.

planta córnea (*solehorn*) que aporta una pequeña cantidad de sustancia a la zona inferior de la uña.

La opinión de SAMMAN [1, 2] es que las tres maneras de formarse la uña se presentan en sujetos normales, pero que la participación de las partes distal e intermedias del lecho son más comunes en condiciones patológicas.

Histología, ultraestructura y composición

La epidermis del lecho de la uña es similar a la de la piel, pero no tiene *stratum lucidum* o *stratum granulosum* ni folículos pilosos o glándulas sudoríparas. Es probable que se traslade hacia delante con el crecimiento de la uña [6]. La epidermis de la matriz es gruesa y se transforma en la sustancia de la lámina que se forma por cambios similares a los de la queratinización en la epidermis superficial [7]. El aspecto de la lúnula probablemente se deba a una combinación de una queratinización incompleta en la lámina de la uña y a un debilitamiento del tejido connectivo en el lecho de la uña [8].

La lámina está constituida por capas compactas y adheridas de células planas que han perdido su núcleo. Las células contienen queratina dura similar a la del pelo (véase Capítulo 23), con un elevado contenido de azufre, principalmente en forma de cisteína, que constituye aproximadamente el 9-12 por 100 del peso de la uña[1, 9]. Las fibrillas de queratina están orientadas paralelamente a la superficie de la uña de un lado a otro[10, 11]. Existe una diferenciación natural entre la uña dorsal, más dura, y la uña intermedia, más flexible. La uña contiene aproximadamente un 7-12 por 100 de humedad[12] y un 0,15-0,76 por 100 de grasa en adultos, y un 1,38 por 100 en bebés[13]. El calcio constituye aproximadamente el 0,02-0,04 por 100 del peso, y no contribuye a su dureza[10, 14, 15]. Incluso esta cantidad puede proceder de su entorno. Se han detectado trazas de otros elementos y se han medido en recortes de uñas[16].

La matriz y el lecho de la uña poseen un rico suministro de sangre procedente de dos arcos arteriales que se encuentran debajo de la lámina de la uña[1, 2].

Velocidad de crecimiento de la uña

Las uñas, a diferencia de los cabellos, crecen continuamente durante toda la vida. LE GROS CLARK y BUXTON[17] midieron la velocidad en escolares y universitarios marcando la uña 2 mm aproximadamente del borde de la lúnula y registrando su desplazamiento progresivo en meses sucesivos. No encontraron diferencias en el intervalo de edades de diecinueve a veintitres años, ni diferencias sexuales, y sólo una pequeña diferencia entre las manos, creciendo la derecha más rapidamente. Sin embargo, había diferencias entre los dedos, creciendo más rápidamente en el tercer dedo y menos en el dedo pequeño. DAWBER[18] confirmó estas observaciones. BEAN[19−22], estudiando su propio dedo pulgar durante treinta años, comprobó alguna disminución seguida de estabilidad. La velocidad de crecimiento de la uña de los dedos de la mano varía entre 0,5 y 1,2 mm por semana[2, 17, 18, 23]. Por término medio, es más elevada en psoriasis[18], onicolisis idiopática[24] y como consecuencia de un proceso inflamatorio, y puede disminuir temporalmente en enfermedades infecciosas, tales como sarampión o paperas[25]. Recuperar completamente la uña de un dedo de la mano hasta aproximadamente cinco meses y medio; las uñas de los pies necesitan de doce a dieciocho meses.

Patología de las uñas

Las anormalidades de estructura y aspecto de las uñas son de muchos tipos y pueden tener muchas causas: genética, infecciosa o ambiental. Al lector se le remite especialmente a SAMMAN[2] para una relación completa de los diversos factores que afectan al crecimiento de la uña y modos en que la afectan. Aquí se exponen brevemente las anormalidades con el propósito de facilitar al cosmetólogo el conocimiento del grado en que cada una de ellas es atribuible a causas traumáticas o infecciones locales diferenciadas de enfermedades subyacentes.

Carencia de uñas

La falta de uñas congénita, *anoniquia*, es rara, y parece estar asociada a otras alteraciones hereditarias. En el *síndrome de uña-rótula (nail patella syndrome)*, la anoniquia del pulgar o defecto de menos de la mitad de la longitud normal, está asociada a la reducción del tamaño o ausencia de las rótulas de la rodilla y a otras anomalías del esqueleto.

Muda de uñas

Las uñas pueden perderse por desprendimiento en la base o por separación del lecho de la uña. La muda puede seguir a enfermedades graves o traumas, o puede ser causada por fármacos. La pérdida más grave con cicatrices sigue a veces a lesiones, circulación defectuosa, líquen plano, epidermolisis ampollosa o erupciones debidas a fármacos.

Onicolisis

Bastante común es la separación de la uña de su lecho, *onicolisis*. Existen numerosas causas, pero no suele encontrarse ninguna. Puede ser resultado de lesión externa, infección fúngica, dermatitis o erupciones debidas a fármacos, o puede estar asociada con psoriasis, defectos de circulación periférica, hipo- o hipertiroidismo u otros trastornos.

De particular interés son los informes que atribuyen su causa a los cosméticos. Se han atribuido a endurecedores de uñas que contienen formaldehído[26], lacas de uñas que contienen fenol[27] y acrílicos dentales polimerizados *in situ* para fortalecer las uñas[28].

Fragilidad

Son comunes las uñas frágiles. Se desconoce la causa exacta, aunque a veces se pueden asociar con deterioros de la circulación periférica, como en la enfermedad de Raynaud, anemia con deficiencia de hierro, defectos congénitos, alopecia difusa o infecciones.

Ciertamente, los factores ambientales son importantes. Las uñas se mantienen flexibles por su contenido de humedad y, especialmente, las uñas finas y largas son sensibles a ambientes muy secos. La frecuente inmersión en agua de las manos es decisiva, y SILVER y CHIEGO[29] opinan que los jabones y detergentes eliminan los lípidos protectores de la queratina.

Se ha achacado también al uso continuo de lacas de uñas y quitaesmaltes[30]. WOOLCOTT[31] investigó las reacciones de veinticinco mujeres de negocios que utilizaban la misma marca comercial de lacas de uñas, y encontró que, aunque casi la mitad de ellas mostraba fragilidad y rotura de uñas, el resto no estaba afectado.

TYSON[32] publicó en 1950 que la ingestión de 7 g de gelatina por día durante tres meses restauraba el aspecto y textura normales de las uñas frágiles de los dedos de la mano, y esto[33-37] ha sido confirmado por otros varios investigadores. En una investigación amplia, MICHAELSON y HUNTSMAN[38] comunicaron que 2 g por día era suficiente para producir un incremento significativo de la dureza en el plazo de un mes en cinco de los siete sujetos sometidos al ensayo. SAMMAN[2] simplemente recomienda evitar la inmersión frecuente en agua y usar por la noche una crema de manos que contenga a partes iguales ungüentos de ácido salicílico (2 por 100) y glicerina de almidón.

Estrías

Las estrías longitudinales son comunes en uñas sanas, y se hacen más patentes con la edad, así como con líquen plano, enfermedad de Darier y defectuosa circulación periférica. Un trastorno no común es la distrofia media, en que la lámina de la uña tiene una hendidura longitudinal, justamente fuera del centro.

Las estrías transversales regulares se pueden presentar como un desarrollo anormal. Depresiones graves, conocidas como líneas de Beau, indican un período de insuficiencia grave sistémica, tales como sarampión, paperas, neumonía o trombosis coronaria, que interfiere el crecimiento de la uña.

Coiloniquia

En la coiloniquia o «uña-cuchara», las uñas son finas, blandas y con depresión en el centro. Generalmente, pero no siempre, el trastorno es el resultado de deficiencias de hierro[39] asociadas a anemias. Existen otras causas, por ejemplo, no es raro en mecánicos[40] de motores, donde quizá se deba a ablandamiento por aceites y jabones.

Quebradizas

Es común en las mujeres el cuarteamiento horizontal de la uña, de modo que algunos trozos se desprenden, y las causas principales probablemente son las repetidas inmersiones en agua y el empleo de lacas y quitaesmaltes.

Picaduras

El picado de las uñas se encuentra en dermatitis e infecciones fúngicas, asociado con alopecia areata y, más comúnmente, en la psoriasis.

Leuconiquia

La leuconiquia es el blanqueamiento completo o parcial de la lámina de la uña. Se presenta muy raramente como anormalidad hereditaria; frecuentemente, quistes epidérmicos están asociados a ella. La leuconiquia parcial es muy común, y se presenta en forma de puntos o estrías transversales blancos. Puede estar asociada con muchos tipos de enfermedades y se encuentra en el envenenamiento crónico con arsénico, pero en los casos punteados, generalmente, no existe causa discernible.

Un aspecto blanco de las uñas no es necesariamente debido a leuconiquia; puede ser resultado de cambios en el lecho, no en la lámina. Tal trastorno ha sido descrito en asociación con cirrosis hepática[41].

Cambios de color

Las uñas presentan cambios de color por una amplia variedad de razones. Las causas externas incluyen tintes capilares u otros, nicotina y medicamentos tales como mercurio, ditranol y ácido pícrico. Los tintes pueden infiltrarse por las lacas de uñas y penetrar en las uñas[42, 43].

La formación anormal o un crecimiento muy lento de la uña puede producir cambios de color. La psoriasis, en particular, entre otras anomalías, produce opalescencia y cambios de color y lo mismo puede suceder en otros trastornos cutáneos.

En el *síndrome de uñas amarillas*, descrito por SAMMAN y WHITE[44], las uñas casi cesan de crecer, y varios meses después se tornan amarillas o verdosas. También se hacen más gruesas y se curvan de lado a lado. El trastorno va acompañado con edemas y alteraciones en el sistema linfático. También se pueden presentar las uñas amarillentas, verdosas o grises cuando disminuye el crecimiento en las personas de edad.

Las infecciones fúngicas y candidiasis que destruyen parcialmente la uña, frecuentemente originan una coloración marrón. La infección por *Pseudomonas aeroginosa* bajo la uña, la mancha de tintes negros o azules.

Los fármacos sistémicos pueden alterar el color de muchas formas. La administración prolongada de tetraciclina puede ocasionalmente amarillear las uñas. La mepacrina las azulea, y la cloroquina produce una pigmentación azul-negruzca de los lechos de las uñas[45].

REFERENCIAS

1. Samman, P. D., *Textbook of Dermatology*, 3rd edn, ed. Rook, A., Wilkinson, D. and Ebling, F. J. G., Oxford, Blackwell, 1979, p. 1642.
2. Samman, P. D., *The Nails in Disease*, 3rd edn, London, Heinemann, 1978.
3. Zaias, N. and Alvarez, J., *J. invest. Dermatol.*, 1968, **57**, 120.
4. Norton, L. A., *J. invest. Dermatol.*, 1971, **56**, 61.
5. Pinkus, F., *Handbuch der Haut und Geschlechtskrankheiten*, ed. Jadassohn, J., Berlin, Springer, 1927, p. 267.
6. Krantz, W., *Dermatol. Z.*, 1932, **64**, 239.
7. Lewin, K., De Wit, S. and Ferrington, R. A., *Br. J. Dermatol.*, 1972, **86**, 555.
8. Lewin, K., *Br J. Dermatol.*, 1965, **77**, 421.
9. Block, R. J., *J. biol. Chem.*, 1939, **128**, 181.
10. Forslind, B., *Acta Derm-Venereol.*, 1970, **50**, 161.
11. Forslind, B. and Thyresson, N., *Arch. Dermatol. Forsch.*, 1975, **251**, 199.
12. Silver, H. and Chiego, B., *J. invest. Dermatol.*, 1940, **3**, 133.
13. Langecher, H., *Hoppe Seylers Z. Physiol. Chem.*, 1921, **115**, 38.
14. Robson, J. R. K. and Brooks, G. J., *Clin. Chim. Acta*, 1974, **55**, 255.
15. Vellar, O. D., *Am. J. clin. Nutr.*, 1970, **23**, 1271.
16. Harrison, W. W. and Clemena, G. G., *Clin. Chim. Acta*, 1972, **36**, 485.

17. Le Gros Clark, W. E. and Buxton, L. H. D., *Br. J. Dermatol.*, 1938, **50**, 221.
18. Dawber, R., *Br. J. Dermatol.*, 1970, **82**, 454.
19. Bean, W. B., *J. invest. Dermtol.*, 1953, **20**, 27.
20. Bean, W. B., *Arch. intern. Med.*, 1963, **111**, 476.
21. Bean, W. B., *Arch. intern. Med.*, 1968, **122**, 359.
22. Bean, W. B., *Arch. intern. Med.*, 1974, **134**, 497.
23. Goodman, H., *Cosmetic Dermatology*, New York, McGraw-Hill, 1936, p. 412.
24. Dawber, R., Samman, P. D. and Bottoms, E., *Br J. Dermatol.*, 1971, **85**, 558.
25. Sibinga, M. S., *Paediatrics*, 1959, **24**, 225.
26. Lazer, P., *Arch. Dermatol.*, 1966, **94**, 446.
27. Dobes, W. L. and Nippert, P. H., *Arch. Dermatol.*, 1944, **49**, 183.
28. Fisher, A. A., Franks, A. and Glick, H., *J. Allergy*, 1957, **28**, 84.
29. Silver, H. and Chiego, B., *J. invest. Dermatol.*, 1942, **5**, 95.
30. Hollander, L., *J. Am med. Assoc.*, 1933, **101**, 259.
31. Woolcott, G. L., *Arch. Dermatol.*, 1940, **41**, 64.
32. Tyson, T. T., *J. invest. Dermatol.*, 1950, **14**, 323.
33. McGavack, T. H., *Antibiot. med. clin. Ther.*, 1957, **4**, IV.
34. Rosenberg, S., Oster, K. A., Kallos, A. and Burroughs, W., *Arch. Dermatol.*, 1957, **76**, 330.
35. Rosenberg, S. and Oster, K. A., *Conn. State med. J.*, 1957, **19**, 171.
36. Schwimmer, M. and Mulinos, M. G., *Antibiot. med. clin. Ther.*, 1957, **4**, 403.
37. Derzavis, J. L. and Mulinos, M. G., *Med. Ann D. C.*, 1961, **30**, 133.
38. Michaelson, J. B. and Huntsman, D. J., *J. Soc. cosmet. Chem.*, 1963, **14**, 443.
39. Comaish, J. S., *Newcastle med. J.*, 1965, **28**, 253.
40. Dawber, R., *Br. J. Dermatol.*, 1974, **91** (Supplement 10), 11.
41. Terry, R., *Lancet*, 1954, **i**, 757.
42. Calnan, C. D., *J. Soc. cosmet. Chem.*, 1967, **18**, 215.
43. Samman, P. D., *J. Soc. cosmet. Chem.*, 1977, **28**, 351.
44. Samman, P. D. and White, W. F., *Br. J. Dermatol.*, 1964, **76**, 53.
45. Tuffanelli, D., Abraham, R. K. and Dubois, E. I., *Arch. Dermatol.*, 1963, **88**, 419.

22

Preparados
de manicura

Un tratamiento completo de manicura comprende varios y diferentes preparados cosméticos relacionados con la limpieza y preparación de la uña y su decoración. Estos serán tratados en el presente capítulo así como, parcialmente, su empleo.

QUITACUTICULAS

Cuando se da forma al borde libre de la uña por medios mecánicos, tales como corte o limado, el siguiente problema es dar forma a la base de la uña. Donde la piel colinda con la uña se cornifica, y las células muertas, junto con el sebo, configuran un apéndice irregular que crece grueso, dentado, y oculta parcialmente la «media luna» o lúnula. Se puede efectuar alguna mejora desprendiendo mecánicamente y empujando hacia atras la cutícula, pero la eliminación del exceso de cutícula no es satisfactoria por corte, y por ello se emplean quitacutículas.

Los quitacutículas se basan principalmente en sustancias alcalinas en forma líquida o crema. Una de las sustancias más efectivas y relativamente económicas es el hidróxido potásico, y esta sustancia, al 2-5 por 100 en solución acuosa o hidroalcohólica, constituye la base de muchos de los preparados primitivos. La incorporación de humectantes tales como glicerina o propilen glicol, a concentraciones del 10-20 por 100, ayuda a contrarrestar la irritación potencial de los hidróxidos alcalinos, y también retarda la evaporación y aumenta la viscosidad. Los efectos últimos se pueden lograr utilizando adecuadas gomas hidrosolubles o hidrocoloides.

Preparados más suaves, pero correspondientemente menos efectivos, se pueden obtener utilizando sales polibásicas alcalinas, tal como fosfato trisódico o pirofosfato tetrasódico, con la posible adición del 2-3 por 100 de lauril sulfato sódico o de trietanolamina.

Ejemplo de una fórmula básica es:

	(1)
	por ciento
Trisódico, fosfato	8,0
Glicerina	12,0
Agua	80,0
Perfume	*c.s.*

Productos aún más suaves incorporan alcanolaminas, tales como mono-etanolamina, isopropanolamina al 8-10 por 100 o trietanolamina al, por ejemplo, 10-12 por 100.

Para mejorar la comodidad en la aplicación de los quitacutículas se han realizado intentos para presentarlos en forma de crema, que también reducen el riesgo potencial de dañar muebles, alfombras, etc. El ejemplo 2 ofrece una fórmula propuesta como básica[1]:

	(2) por ciento
Sorbitan, monopalmitato	2,0
Polialquilen sorbitan, monopalmitato	2,0
Aceite mineral	15,0
Agua	81,0
Quitacutícula	c.s.

Procedimiento: Calentar los tres primeros componentes a 65 °C. Emulsionar a esta temperatura con el agua, excepto una parte de ella, empleada para disolver el quitacutículas, que en este caso no debe ser hidróxido alcalino. Cuando se enfría, mezclar la emulsión y la solución de quitacutícula.

Se tienen que preparar emulsiones especiales para permitir la incorporación de sustancias de elevada alcalinidad. El ejemplo 3 es típico:

	(3) por ciento
Alcohol cetílico	2,5
Alcohol mirístico	3,5
Polietilen (5) lauril éter	1,0
Glicerina	4,0
Potasio, hidróxido	1,6
Agua	87,4

Procedimiento: Los ingredientes solubles en agua se mezclan juntos, se calientan a 75 °C, y después se añaden a la mezcla de alcoholes que también se han calentado a 75 °C. Después la crema resultante se enfría a 45-50 °C y se envasará a esta temperatura.

También se puede utilizar una combinación de fosfato y álcalis cáustico con este tipo de emulsiones crema, aunque la pesencia de fosfato puede afectar drásticamente a la viscosidad del producto final. Sin embargo, esto se puede controlar homogeneizando cuidadosamente la emulsión enfriada.

Se debe tener precaución de envasar tales preparados alcalinos en recipientes de vidrio que se deben cerrar adecuadamente con tapones resistentes a los álcalis tal como tapones de goma o plástico. Aun así, los preparados alcalinos son capaces de atacar al vidrio y precipitar silicatos. Los últimos se pueden enmascarar utilizando envases opacos o previniéndolos, según se reivindica, con la incorporación de oleato potásico o aproximadamente 1 por 100 de la sal tetrasódica del ácido etilendiamintetra-acético. La tendencia actual en la legislación se dirige a los requerimientos de advertencia de precaución en la etiqueta de estos productos, citando la sustancia caústica (p. ej., «Contiene hidróxido sódico»), o especificando el pH del producto.

Ablandadores de la cutícula

Otro tipo de preparado que ha sido empleado es el ablandador de la cutícula en forma de crema, que, por su acción y propiedad emoliente, facilita la eliminación mecánica posterior de la cutícula. Los compuestos de amonio cuaternario son destacables en esta clase de preparados. Su acción de ablandamiento es el resultado de su afinidad por las proteínas y se incrementa al aumentar el peso molecular. Típicas sustancias empleadas al 3-5 por 100 son el cloruro de cetil piridinio y cloruro de estearil dimetil bencil amonio. También ejercen una acción bactericida. La urea se puede añadir para promover el hinchamiento de la queratina y aumentar el ablandamiento de la cutícula, y se mejora la emoliencia con lanolina o miristato de isopropilo. Los espesantes no iónicos, tales como metilcelulosa o hidroxietilcelulosa, incrementan la viscosidad.

LIMPIAUÑAS

Los limpiauñas son soluciones o cremas que se emplean para eliminar manchas de tinta o tabaco, manchas vegetales, etc., de las uñas. Tales manchas pueden exigir oxidación o reducción, dependiendo del tipo de mancha. La oxidación se puede lograr usando peróxido de hidrógeno, de veinte volúmentes, o diluido aproximadamente 1:4 por compuestos de cloro tales como hipocloritos, y los cianuratos, y por perborato sódico, y peróxido de zinc (las dos últimas sustancias se descomponen en solución acuosa). El uso de sulfito con ácidos diluidos es probablemente el método más sencillo para lograr la reducción de tales preparados. Estos se pueden envasar en forma de dos soluciones, una la del agente oxidante o reductor estabilizado, la segunda conteniendo suficiente ácido o álcali para ajustar convenientemente el pH, cuando se mezclan las dos soluciones, haciendo inestable el agente empleado y, por tanto, activo.

Un limpiauñas de una solución citada en la literatura[2] tiene la siguiente composición:

	(4)
	por ciento
Peróxido de hidrógeno (diez vols—3 por 100 p/p)	73,5
Amoníaco (densidad, 0,93)	0,5
Agua de rosas	25,0
Conservante	1,0

Varios preparados quitamanchas se basan en soluciones acuosas o ácidos orgánicos tales como ácidos cítrico o tartárico; también se ha recomendado[3] para tales fines una solución al 4 por 100 de ácido clorhídrico concentrado en agua y glicerina.

Ha aparecido en *Drug and Cosmetic Industry* la siguiente fórmula de un abrasivo quitamanchas de nicotina:

	(5)
	por ciento
Cera de abejas	10,0
Parafina cera	5,0
Aceite mineral	46,0
Piedra pómez, polvo	8,0
Bórax	0,5
Agua	30,0
Perfume	0,5

CREMA DE UÑAS

Las uñas no son porosas en el sentido habitual de la palabra. No presentan poros a través de los cuales «respiren» o absorban «alimento», o que puedan llegar a estar bloqueados por la laca de uñas, por ejemplo. No obstante, tal como se ha expuesto en el capítulo anterior, las uñas pueden hacerse quebradizas por varias causas y es natural desear aplicar alguna preparación para contrarrestar esta fragilidad, que probablemente es debida a la deshidratación.

Una recomendación para mitigar las uñas frágiles fue darles masaje con aceite de oliva después de sumergerlas en un baño de agua caliente. Sin embargo, se afirma que las láminas de uñas no recuperan su consistencia y elasticidad normales hasta después de varias semanas.

Un preparado más práctico es una crema emoliente que contiene un humectante adecuado, tal como uno de los ya descritos en los capítulos anteriores. Las cremas emolientes para usarlas como cremas de uñas se han formulado con una base de absorción lanolina o con emulsiones cera de abeja-bórax. Estas cremas deben aplicarse después de sumergir las manos en agua jabonosa caliente y secándolas completamente, antes de dormir. Este tratamiento se debe realizar, al menos, una vez y, preferentemente , de dos a tres veces por semanas (esto es, en noches alternativas), dependiendo del estado de las uñas. El empleo de dediles o guantes ayuda al tratamiento.

Se han reivindicado ciertas sustancias grasas, en particular colesterol, que parecen ayudar al mantenimiento de la elasticidad natural de la uña. A este respecto, las propiedades emulsionantes agua-aceite del colesterol se deben tener presentes, puesto que pueden ayudar a mantener el grado requerido de humedad en la queratina. Aunque quede mucho por conocer, parece que es valioso el uso de una crema para uñas que contenga aceites en forma emulsionada con agua (y posiblemente incorporando un antiséptico suave).

Cualesquiera de las fórmulas de cremas, *cold-cream*, evanescente, base de maquillaje o todo uso, dados en los varios capítulos de este libro se pueden modificar ligeramente, si fuera necesario, para ser usadas como cremas para uñas frágiles, incluyendo un poco de lanolina u otro emoliente y una cantidad adecuada de humectante.

ENDURECEDORES

El hecho de que las uñas secas tiendan a fracturarse y romperse se relaciona con el deterioro de su apariencia, y la dificultad y frecuente dolor de la manicura. Esto ha conducido al desarrollo de varios productos para fortalecer las uñas y eliminar su fragilidad y sequedad[4].

Se ha reivindicado en patentes de los EE. UU.[5] y Gran Bretaña[6] para eliminar la fragilidad y sequedad de las uñas, contrarrestando el efecto de disolventes existentes en los quitaesmaltes de las uñas y mejorando la adhesión de la laca aplicada inmediatamente, una preparación líquida que se compone de una solución acuosa del 3 por 100 de cloruro de estearil trimetil amonio, 1,5 por 100 de nonilfenolpolioxietilen (10 Et_2O por mol) éter, y 0,2 por 100 de estearato de trietanolamina.

Otras preparaciones de endurecedores de uñas para aumentar la resistencia al agrietamiento, fracturas y laminado se han divulgado en otra patente de EE. UU. Todas son soluciones de sales metálicas astringentes solubles en agua, tales como, por ejemplo, sulfato de aluminio, alumbres de potasio, sodio y amonio, acetato de zinc y cloruro de circonio. El tratamiento consiste en humedecer las uñas por inmersión o pintándolas con una solución acuosa al 1-5 por 100 de una sal metálica y manteniendo las uñas en contacto con la solución durante cinco a diez minutos a temperatura ambiente. Si se sobrepasa la concentración recomendada, se pueden secar y arrugar las puntas de los dedos. Estas composiciones endurecedoras de uñas también contienen preferentemente un 5-20 por 100 de un humectante, tal como glicerina o propilen glicol, para retrasar la evaporación del disolvente acuoso, proporcionar un recubrimiento uniforme y «realzar ligeramente la penetración».

También se reivindica para estas sales un ligero efecto bactericida, que además puede ser incrementado con la inclusión de otras sustancias bactericidas, tal como formaldehído. Un ejemplo de composición endurecedora de uñas contenía:

(6)

		por ciento
Potasio, alumbre		3,0
Glicerina		10,0
Formaldehído		0,01
Mentol		0,001
Agua	hasta	100,000

También se han utilizado resinas de formaldehído parcialmente polimerizadas con agente de enlaces cruzados en composiciones de endurecedores de uñas. No obstante, se debe tener presente una reacción para el componente formaldehído del endurecedor de uñas publicado por LAZER[8], que ocasionó una lesión en la uña incluyendo hemorragia subungueal, decoloración, hiperqueratosis subungueal y sequedad de la piel, y precisó de la administración oral de un esteroide para aliviar el dolor y el edema que le acompañaban. Se tuvo que suspender el uso del preparado para dejar que las uñas y la piel retornasen a su estado normal.

En una patente francesa[9] se sugirió, como composición endurecedora de uñas, el empleo de una solución de dimetilol- o dietilol-tiourea, que también contenía un ácido débil catalizador de la polimerización; en una aplicación de una patente australiana[10] se ha descrito un producto endurecedor de uñas constituido por un derivado innocuo de cisteína disperso en un portador no tóxico.

BLANCO DE UÑAS

Los blancos de uñas son preparados que se usan para proporcionar un borde homogéneo blanco a las uñas. Están basados en un pigmento blanco inerte, tal como óxido de zinc, dióxido de titanio, caolín, talco o sílice coloidal, de los cuales los dos primeros son los mejores. El pigmento constituye el 20-30 por 100 en peso del preparado, que generalmente se presenta como una pasta espesa.

Se prefiere una base grasa para usos generales. El dióxido de titanio se incorpora en el ejemplo siguiente:

	(7)
	por ciento
Dióxido de titanio	38,0
Vaselina	62,0

Este preparado sencillo se fabrica fácilmente moliendo el dióxido de titanio en la vaselina fundida. Según se desee, la vaselina se puede sustituir por varias mezclas de grasas y ceras adecuadas.

Los lápices blancos de uñas han sustituido en gran proporción a las cremas, puesto que son más fáciles de aplicar, menos sucios de uso, y simplemente requieren humedecerse con agua antes de aplicarlos a la superficie inferior del borde libre de la uña, y después se vuelve a tapar el lápiz.

Si se desea se puede utilizar una cera como base:

	(8)
	por ciento
Cera de abejas	55,0
Aceite de algodón hidrogenado	9,0
Manteca de cacao	9,0
Aceite de ricino	8,0
Lanolina, base	9,0
Titanio, dióxido	10,0

Tal base está lista para su uso y no necesita humedecerse antes de su aplicación. El tipo usual, que requiere humedecerse previamente, se prepara amasando caseína o goma arábiga con el pigmento inerte, o suspendiéndolo en un jabón, por ejemplo base de estearato sódico.

La fabricación de lápices blancos es una tarea de firmas espcializadas en la fabricación de lápices ordinarios, y no es objeto del fabricante usual de cosméticos. La consistencia de la base se ajustará de acuerdo con las condiciones operantes de la fábrica y, como consecuencia, cualquier formulación de las que aquí se dan guardarán poco parecido con las que realmente utilizan los fabricantes de lápices.

PULIDORES DE UÑAS

Se deben establecer diferencias entre aquellos pulidores que por acción abrasiva confieren brillo a la superficie de la uña, y un barniz de uñas. Los primeros, a causa de la fricción que se realiza, atraen la sangre a los numerosos capilares del lecho de la uña e, incrementando el suministro de sangre, ejercen cierto ligero efecto estimulante en el crecimiento de la uña. El último, que consiste en el depósito de una película fina de laca celulósica de elvado brillo en la lámina de la uña, ha aumentado enormemente su popularidad, y ha reemplazado a la mayor parte de los tipos de abrasivos, aunque los pulidores abrasivos también se utilizan entre dos capas sucesivas de barniz para aumentar el brillo, a la manera del pulimento francés.

El *pulimento abrasivo* consta de un abrasivo adecuado, finamente pulverizado, que se aplica a la uña, y que después se pule con gamuza de cuero de forma de almohadilla. Los constituyentes principales de tales polvos son óxido estánnico, talco, sílice, caolín, yeso precipitado, etc., siendo el primero un excelente abrasivo, pero bastante más caro que los otros citados.

	(9)
	por ciento
Estánnico, óxido	90,0
Sílice pulverizada	8,0
Butilo, estearato	2,0
Pigmento, perfume	*c.s.*

El estearato de butilo se incluye para hacer menos arenoso el producto y se puede sustituir, si se desea, por ácido oleico. El método de preparación es la simple trituración en mortero o mezcla en molino. Adicionando un agente suspensor, metilcelulosa o tragacanto junto con glicerina, o uno de los glicol éteres, se pueden preparar en forma líquida o comprimir en pasta o lápiz.

Los lápices cerosos pulidores, que incluyen una gran proporción de polvos abrasivos, han reemplazado a los más antiguos tipos de polvos y bloque. Son efectivos y se pueden llevar sin peligro de derramarse.

	(10)
	por ciento
Aceite palma endurecido	22,0
Cera sintética (elevado punto de fusión)	7,0
Estánnico, óxido	71,0

Una barra más suave se puede obtener omitiendo la cera sintética, y preparando una mezcla sencilla del polvo abrasivo con el aceite endurecido.

Como alternativa, se puede emplear una base de colofonia, cera de abejas, ceresina y vaselina, o se puede emplear otra combinación adecuada de ceras.

LACAS DE UÑAS (BARNICES DE UÑAS)

Introducción

El grupo mayor y más importante de preparaciones de manicura es el de lacas o barnices de uñas. Estos nombres dan alguna indicación del progreso de este tipo de preparados a partir de sustancias incoloras transparentes o de color natural rosa pálido, que eran los únicos admitidos en un tiempo, a los tonos vivos y caprichosos actuales admitidos como una parte más esencial de la belleza moderna.

Requerimientos de una laca de uñas

Una laca de uñas debe cumplir los siguientes requisitos:

1. Debe ser innocua a la piel y a las uñas.
2. Debe aplicarse fácil y cómodamente.
3. Debe ser estable durante su almacenamiento en cuanto a la homogeneidad, separación, sedimentación, color e interacción de ingredientes.
4. Debe proporcionar una película con características satisfactorias.

Las características de una película satisfactoria son:

1. Espesor uniforme, que exige una viscosidad satisfactoria de la laca, ni demasiado fina ni demasiado gruesa, y buenas propiedades de fluidez y mojado.
2. Color uniforme que exige un pigmento muy finamente dividido, íntimamente molido y humedecido por el medio.
3. Buen brillo, que implica una superficie lisa y que depende de las propiedades del medio.
4. Buena adhesión a la uña.
5. Flexibilidad suficiente para evitar fragilidad y grietas.
6. Superficie dura, no pegajosa, resistente al impacto y arañazo, que no se adhiera a otras superficies o deje color en tejidos o papeleras.
7. Propiedades satisfactorias de secado; tiempo de secado aproximadamente uno a dos minutos sin desarrollar eflorescencia, aún en atmósferas húmedas.
8. Mantenimiento de estas propiedades aproximadamente durante una semana.

Ingredientes de laca de uñas

En términos prácticos, los principales fundamentos para la fabricación de laca de uñas son una base de laca con propiedades suspensoras y un sistema de color. Estos dos componentes se pueden descomponer en sus constituyentes necesarios, y estos se describen antes de que se exponga la fabricación del producto.

Formadores de película

La sustancia básica formadora de película en las lacas de uñas es la nitrocelulosa, una celulosa nitrada obtenida por reacción de mezclas de ácido nítrico y ácido sulfúrico con algodón. En esta reacción, se puede esterificar la totalidad de los tres grupos alcohólicos del anillo de celulosa. El grado de esterificación o sustitución determina las características intrínsecas de la nitrocelulosa, y el grado de polimerización de la cadena de la celulosa rige la viscosidad del producto. La nitrocelulosa utilizada en las lacas de uñas tiene un grado de sustitución de aproximadamente dos, y es conocida como piroxilín-dinitrocelulosa.

Los grados diferentes de nitrocelulosa se caracterizan por su viscosidad en disolventes orgánicos, por ejemplo, nitrocelulosa 1/2 ó 1/4 segundo, utilizando la nomenclatura de los EE. UU. basada en el método de la bola descendente para determinar la viscosidad. En la práctica, los grados de nitrocelulosa usados en la fabricación de lacas de uñas son aquellos que proporcionan soluciones suficientemente fluidas para permitir una aplicación fácil en las uñas. PEIRANO[11] consideró adecuada una solución de nitrocelulosa 1/2 segundo al 15 por 100, dando una viscosidad en el intervalo 300-400 cP. Similarmente, la nitrocelulosa 1/4 segundo da una viscosidad de aproximadamente 500 cP cuando se disuelve en acetato de n-butilo al 20 por 100.

Las películas producidas por nitrocelulosa son resistentes al agua, duras, fuertes y resistentes a la abrasión. Sin embargo, si se utiliza sólo nitrocelulosa tiene algunos inconvenientes, tales como brillo pobre y tendencia a contraerse y hacerse frágil; la adhesión a la mayor parte de la superficie es solamente moderada. Esto tiene como consecuencia el empleo de resinas modificantes para proporcionar adhesión y mejorar el brillo, y el uso de plastificantes para dar flexibilidad y reducir la contracción. Así, se tiene la gama completa de ingredientes utilizados en las lacas de uñas incluyendo el empleo de disolventes y diluyentes.

Resinas

WING[12] ha señalado que las películas plastificadas de nitrocelulosa no poseen un elevado brillo. Resinas, tales como dámar y resinas alquídicas, que fueron incorporadas por los fabricantes de esmaltes industriales, no se encontraron adecuadas para las lacas de uñas, pues hacían a sus películas más sensibles al agua. Aproximadamente en 1938 se introdujeron las resinas del tipo aril sulfonamida-formaldehído, que proporcionaba buen brillo a las películas barnices de las uñas y mejoraba su resistencia en soluciones de detergentes; desde esa época, tales resinas han sido utilizadas en muchas lacas para impartir brillo, mejorar la adhesión y, frecuentemente, para aumentar la dureza de las películas resultantes.

Ejemplos de dos resinas comerciales disponibles del tipo aril solfonamida-formaldehído son Santolite MHP y Santolite MS al 80 por 100, de las cuales la primera es más dura, mientras que la última produce películas de mayor flexibilidad. Se afirma que ambas resinas imparten un elevado brillo y buenas propiedades de flujo, y también incrementan la dureza de la nitrocelulosa. También se les atribuye aumentar la resistencia a la humedad de las películas de nitrocelulosa y, de este modo, reducir la incidencia de las manchas de agua y blanquear tales películas. Con una relación de nitrocelulosa seca: resina de 2:1, se considera que la permeabilidad de una película queda reducida a la mitad de una película sin modificar de nitrocelulosa del mismo espesor.

Estas resinas son moderadamente estables a la luz y solubles en la mayoría de los disolventes y diluyentes de lacas generalmente utilizados. Sin embargo, se ha destacado que es baja su eliminación de disolvente de alcoholes, distintos a los alcoholes metílico y etílico, y que en las lacas que contienen estas resinas se debe mantener en una mínima cantidad de alcoholes de elevado peso molecular. También se resalta que, a causa de la baja viscosidad de sus soluciones, se pueden usar relativamente grandes cantidades de resinas aril sulfonamida-formaldehído en muchas formulaciones de lacas sin afectar adversamente la facilidad de aplicación de tales formulaciones. Estas resinas, además, tienen la ventaja de hacer posible producir películas de un espesor dado con menos aplicaciones y correspondiente menor pérdida de disolvente, lo que permite economizar el empleo de disolventes costosos si se modifican la fabricación de preparados de lacas de uñas.

Algunos usuarios desarrollan sensibilidad a las resinas aril sulfonamida-formaldehído; tales personas deben utilizar barnices que no incluyan tales resinas.

También se ha sugerido el empleo de otras resinas. Cosmetic Laboratories Inc. ha reivindicado la producción de una película perfeccionada con propiedades de rápido secado aplicando adicionalmente nilón en cantidades de hasta un 4 por 100 de sólido. También se han utilizado resinas maleico-alquídicas a causa de su compatibilidad con nitrocelulosa e incremento en la estabilidad a la luz, dureza y liberación de disolvente. Otras resinas que se pueden investigar incluyen estirenos alquídicos, melamina-formaldehído, urea formaldehído y las acrílicas.

Plastificantes

La nitrocelulosa es excesivamente frágil para ser utilizada por sí misma en lacas, y aún la inclusión de una resina no imparte la necesaria flexibilidad a las películas de laca. Por tanto, se deben incluir plastificantes en las formulaciones de lacas de uñas para asegurar que la película que deja en las uñas, después que los disolventes se han evaporado, se adhiere bien, es flexible y no se descama. En virtud de su elevado punto de ebullición, los plastificantes permanecen en la película después que los disolventes presentes en la formulación se han evaporado y hace las películas más flexibles. Los plastificantes, aún a baja concentración, además, incrementan el brillo de las películas resultantes y mejoran las propiedades de flujo de las lacas.

Existen dos grupos de plastificantes:

a) plastificantes disolventes que, como su nombre indica, son disolventes de la nitrocelulosa;

b) plastificantes no disolventes, también conocidos como ablandadores.

El primer grupo, los miembros de los cuales son verdaderos plastificantes, comprenden principalmente ésteres de elevado peso molecular con puntos de ebullición bastante elevados y baja volatilidad.

El segundo grupo no son disolventes de la nitrocelulosa y no son compatibles con ella. Si se utilizan en ausencia de plastificantes disolventes se formarán gotitas aisladas en la película, una vez que los disolventes se han evaporado. Como consecuencia, se han de utilizar junto con verdaderos plastificantes que las mantengan en solución; bajo tales condiciones impartirán una flexibilidad adicional a la película.

El representante más común de este grupo es el aceite de ricino que, cuando se utiliza en combinación con un plastificante verdadero en la proporción 1:1 a una concentración del 5 por 100 aproximadamente, produce una película muy flexible.

Un buen plastificante debe:

a) ser miscible en todas las proporciones con el disolvente, la nitrocelulosa (aplicado a los plastificantes verdaderos) y las resinas utilizadas;

b) ser dermatológicamente innocuo y libre de propiedades sensiblizantes;

c) tener baja volatilidad;

d) mejorar la flexibilidad y adhesión de la laca;

e) no causar ninguna decoloración del producto terminado, esto es, debe tener moderada buena estabilidad a la luz;

f) ser estable e inodoro, o debe tener olor agradable, puesto que no se evapora, sino que permanece en contacto con la uña.

Siempre que el plastificante cumpla los requerimientos anteriores, los criterios que rigen la selección de un plastificante de lacas de uñas son sus efectos, la viscosidad, la velocidad de secado, flexibilidad, adhesión y brillo. La mención de su estabilidad a la luz está fundamentalmente relacionada con el hecho de que ciertos plastificantes, tales como el fosfato de tricresilo, tienden a amarillear cuando se exponen a la luz, mientras que otros se oscurecen.

La cantidad de plastificante utilizada en lacas de uñas varía desde aproximadamente el 25 al 50 por 100 basado en el peso seco de la nitrocelulosa presente, y depende del grado de flexibilidad requerido. Algunas formulaciones contienen un único plastificante; en otras están presentes dos o más plastificantes entre los cuales el ftalato de dibutilo es uno de los más ampliamente utilizados. Ftalatos, fosfatos, glicolatos de ftalilo, sulfonamidas y citratos constituyen el grupo principal de plastificantes utilizados en barnices de uñas.

Al lector se le remite a una revisión de lacas de uñas de *Manufacturing Chemist*[13] para una lista de plastificantes más comúnmente utilizados en preparaciones de lacas de uñas y para una descripción más detallada de las propiedades de algunos de ellos.

Disolventes

A partir de la lista dada anteriormente de propiedades deseables de la película se observará que las propiedades del disolvente, especialmente las características de evaporación, son de extrema importancia.

Es práctica común ordenar los disolventes por sus puntos de ebullición, que también parecen correlacionarse con las viscosidades de las soluciones resultantes de nitrocelulosa y, por tanto, con las características de extensibilidad.

El procedimiento normal en los libros de texto parece ser el listado de un número de disolventes con sus puntos de ebullición, del cual se espera que el experimentador, seleccione una mezcla adecuada de disolventes de medio, alto y bajo punto de ebullición, que generalmente se diferencian como sigue:

1.   Disolventes de bajo punto de bullición (con puntos de ebullición hasta 100 °C), representados, por ejemplo, por acetona o acetato de etilo.

2.   Disolvente de punto medio de ebullición (100-150 °C), representados por acetato de n-butilo, considerado ser el mejor disolvente completo.

3.   Disolventes de elevado punto de ebullición (por encima de 150 °C), cuyos ejemplos son Cellosolve, Cellosolve acetato, butil Cellosolve, e incluso todos los plastificantes de nitrocelulosa que también son disolventes de ella.

Sin embargo, aunque el punto de ebullición desempeña un cierto papel, el factor real a este respecto es la velocidad de evaporación a temperaturas no superiores a 30 °C. Esto dependerá de varios factores que, por mencionar algunos de ellos, incluyen calor específico, calor latente de evaporación, peso molecular, grado de asociación.

En el caso de lacas de celulosa, en que se emplea una mezcla de disolventes, se debe considerar el efecto de la presión de vapor de los disolventes, la mezcla de uno en los otros y la posible atracción molecular. Incluso esto no elimina en absoluto los complejos y variados factores implicados. Sin embargo, es suficiente para poner de manifiesto las dificultades de una selección puramente teórica.

Con la finalidad de proporcionar algunos factores sencillos aproximados para las velocidades de evaporación de disolventes simples, se han dejado evaporar varios disolventes en condiciones uniformes, y se han comparado los tiempos requeridos para completa evaporación de volúmenes estandarizados con los de una muestra de éter etílico. Los resultados se dan en la tabla 22.1.

La correcta selección de los constituyentes de los disolventes y sus proporciones es muy importante por las razones siguientes:

1.   Disolventes fluidos de bajo punto de ebullición proporcionan la necesaria movilidad para permitir que la laca se extienda fácilmente y se seque con rapidez, pero, si se encuentran en exceso, la laca no humedece la uña y, como consecuencia, se extenderá desigualmente.

2.   Por otra parte, los disolventes de elevada temperatura de ebullición son disolventes más viscosos, dan cuerpo a la laca y dejan tiempo para afinar en la superficie de la uña y fluir en una película uniforme, pero retrasan los tiempos de secado y endurecimiento.

3.   La evaporación excesivamente rápida de la superficie de una película da lugar a floración o eflorescencia, especialmente en atmósfera húmeda.

Tabla. 22.1. Coeficientes de evaporación de disolventes basados en la velocidad de evaporación de un volumen estandarizado de éter etílico

Disolvente	Coeficiente aproximado de evaporación	Intervalo de ebullición (°C)
Eter, etílico (0,72)	1,0	34-35
Eter, petróleo (40-60 °C)	1,3	40-60
Metilo, acetato	2,0	56-59
Acetona	2,1	55-56
Eter, petróleo (60-80 °C)	2,5	60-80
Ciclohexano	4,2	81
Etilo, acetato	4,8	74-79
Metil etil cetona	5,0	79
Tetracloruro de carbono	6,0	77
Alcohol etílico	9,0	78
n-butilo, acetato	12,8	124-128
Amilo, acetato	13,0	137-142
Xilol	13,4	138
Alcohol isopropílico	22,0	80
Alcohol n-butílico	34,0	115-118
Dietilen glicol monometil éter	35,0	134
Dietilen glicol monoetil éter	45,0	135
Etilo, lactato	90,0	150-160

4. La evaporación superficial de una película más gruesa puede originar una superficie seca con una capa subyacente blanda que ocasione la contracción de la película.

5. La evaporación selectiva de una parte de la mezcla de un disolvente cambia la composición del líquido remanente en grado que afecte a las propiedades disolventes, originando una precipitación prematura o parcial de la sustancia sólida, con un efecto final de falta de uniformidad.

Diluyentes

Los diluyentes, aunque realmente no son disolventes de la nitrocelulosa, son disolventes orgánicos con los disolventes de la nitrocelulosa. Se emplean como disolventes de las resinas modificadoras usadas en las lacas, puesto que los disolventes de la nitrocelulosa son costosos. También ayudan a estabilizar la viscosidad de las lacas, pero su principal valor se encuentra en la reducción del costo total de la formulación. Hay tres clases de diluyentes: a) alcoholes, b) hidrocarburos aromáticos y c) hidrocarburos alifáticos.

No obstante, existe un límite para la cantidad de diluyente que puede ser tolerado por una solución de nitrocelulosa, que se refiere por la denominada tolerancia o relación de dilución. Esta se ha definido como la máxima relación diluyente-disolvente que puede ser tolerada por la solución de nitrocelulosa sin ocasionar la precipitación de esta última. Además de la posible separación de la solución por precipitación de la nitrocelulosa, también se debe considerar la cuestión de la viscosidad, que rige la facilidad de aplicación. Las lacas en que la relación disolvente-diluyente se aproxima a la relación de tolerancia presentan una viscosidad superior a las que contienen una una cantidad inferior de diluyente, y presentan dificultades para obtener una película lisa. La relación real de tolerancia para todo sistema disolvente-diluyente se determina valorando volumétricamente un volumen dado de solución de nitrocelulosa con un diluyente hasta que la solución se enturbia.

Se ha resaltado en otro lugar que, en la formulación de lacas, se debe evitar el empleo de un diluyente de elevada temperatura de ebullición con un disolvente de baja temperatura de ebullición para que no se produzca la precipitación de la nitrocelulosa ni «eflorescencia» de la película. En general, cuando se trata de composiciones que contienen mezclas de disolvente y diluyente, la velocidad de evaporación del diluyente debe ser superior a la del disolvente o mezcla de disolvente empleada, pues de otro modo la relación diluyente-disolvente en la película aumentará uniformemente y se excedera eventualmente la relación de tolerancia, provocando la precipitación de la nitrocelulosa en la película. Como resultado, en lugar de la esperada película lisa, transparente y continua, se producirá una película áspera, rugosa y opalescente que carece de propiedades de adherencia.

Los alcoholes, especialmente, alcoholes etílicos, butílicos e isopropílicos, son diluyentes muy eficaces, siendo su relación de tolerancia 9 : 1. El alcohol butílico, con velocidad de evaporación ni demasiado rápida ni lenta, se prefiere al alcohol etílico, más volátil, que puede originar enfriamiento. El alcohol butílico tiende a disminuir la viscosidad de las soluciones de nitrocelulosa. El isopropanol es el más popular de los alcoholes utilizados por su menor costo y más facilidad de suministro.

En los barnices de uñas se utilizan hidrocarburos aromáticos, tales como toluero y xileno. Su relación de tolerancia, 3 : 1, es muy inferior a la que se obtiene con alcoholes; como consecuencia, no son diluyentes tan eficaces. También tienden a aumentar ligeramente la viscosidad de las soluciones de nitrocelulosa y a impartir pobres propiedades de flujo a la película. Para superar estas desventajas se utilizan como diluyentes una mezcla de tolueno e isopropanol.

La selección del disolvente también influye en el brillo de la película producida. Un disolvente de elevada temperatura de ebullición produce una película más brillante que un disolvente de baja temperatura de ebullición. Aún para películas mates se utilizan disolventes y diluyentes muy volátiles, pero se deben tomar precauciones para que no se produzcan «eflorescencias» en la película.

Colores

En la mayoría de las lacas de uñas, se añaden lacas insolubles para obtener el tono adecuado, junto con dióxido de titanio para conferir opalescencia y cremosidad, y producir tonos suaves.

Los colorantes solubles, tales como eritrosina, carmoisina, rodamina, que se utilizaron hace tiempo en las lacas de uñas, se ha hallado que manchan la piel circundante, y se ha abandonado prácticamente su empleo.

En cuanto a las propiedades requeridas que atañen a estos pigmentos, son similares a los requerimientos especificados para los pigmentos utilizados en otros productos cosméticos, esto es, no deben ser tóxicos ni sensibilizantes, ni manchar, insolubles sustancialmente en los disolventes de lacas, libres de cualquier tendencia a exudar, compatibles con otros constituyentes de la laca y estable moderadamente a la luz. También deben ser de muy pequeño tamaño de partículas, libre de partículas arenosas, y tener satisfactorias propiedades dispersantes.

Los colores utilizados en las lacas de uñas deben cumplir la legislación nacional oportuna. En los EE. UU., únicamente se pueden utilizar colores certificados por la Administración de Alimentación y Fármacos *(Food and Drug Administration)* o colores inorgánicos de adecuada pureza. En la Comunidad Europea (CEE), los colores utilizados deben ser tomados de las listas positivas incluidas en la Directiva de Cosméticos de la Comunidad Económica Europea de 1976 y sus enmiendas. En el Capítulo 19, VAN HAM[14] ofrece un resumen de los colores permitidos.

Los pigmentos más extensamente empleados incluyen los colores aceptados siguientes:

D&C Rojo 6	Color Index 15850 Na
D&C Rojo 30	73360
D&C Rojo 36	12085
D&C Rojo 9	15585 : 1
D&C Rojo 7	15850 : 1
FD&C Amarillo 5	19140
FD&C Amarillo 6	15985

Como se ha indicado anteriormente, se ha empleado dióxido de titanio para impartir opacidad y producir tonos pálidos, mientras que los óxidos de hierro se utilizan para producir tonos marrones y bronceados. En lugar de los óxidos de hierro[15] se ha sugerido el uso de lacas de uñas de una gama de pigmentos marrones inertes químicamente derivados de dinitrobenceno. Se les atribuye dar colores más brillantes, tener fuerza tintórea superior al óxido de hierro y ser muy estables a la luz; a causa de su inferior peso específico, tienen menos tendencia a separarse por sedimentación.

Los pigmentos destinados a utilizarse en lacas coloreadas suelen suministrarse en forma de dispersiones. Estas dispersiones se componen disolviendo las «escamas de colorante» *(colour chips)* en disolventes adecuados. Las «escamas de colorante» son mezclas de nitrocelulosa, colorante y disolventes, procesados en un molino de rodillos por operarios especializados para producir partículas sólidas de color que se pueden manipular fácilmente. Siempre que este proceso sea satisfactorio, no es necesario un posterior paso del pigmento por molino de rodillos antes de su incorporación a la laca de uñas. El contenido de pigmento en las lacas de uñas de color varía de unos productos a otros, pero normalmente no excede del 5 por 100. Para mejorar la resistencia de uso práctico, la concentración del pigmento en lacas de uñas no debe ser inferior al 3 por 100.

Pigmentos perlantes (nacarados)

Además de los pigmentos convencionales, las lacas de uñas incluyen sustancias irisdiscentes. La guanina (2-amino-6-hidroxi purina), una sustancia cristalina obtenida de las escamas y el cuerpo de varios peces, ha sido una de las sustancias más frecuentemente sugeridas. En su forma pura no es tóxica, pero existen referencias a que esta sustancia es la causa de la dermatitis originada por las lacas de uñas. Esta sustancia tiene un elevado índice de refracción (1,8) y su brillo y lustre perlados son debidos: a) a la reflexión simultánea de la luz tanto de las capas superiores de sus cristales transparentes, como de los planos de los cristales a diferentes profundidades, y b) a la alineación de los cristales en la misma dirección, hecho posible por su forma y dependiendo del grado de dispersión de los cristales en la laca. La orientación de estos cristales tiene lugar cuando la superficie de la uña se recubre con la laca que contiene el pigmento perlado y se fijan en este alineamieto cuando se seca la película. La esencia de perla natural es comercialmente suministrada en forma de suspensión en una laca nitrocelulosa-acetato de butilo a la concentración del 11 por 100 aproximadamente, y se aplica en lacas transparentes o pigmentadas a la concentración entre el 8 y el 10 por 100.

También se dispone de pigmentos sintéticos perlados; como consecuencia del elevado costo y escasez de la guanina, estos pigmentos han llegado a ser las sustancias más frecuentemente utilizadas. El más popular es el oxicloruro de bismuto. Cristaliza en plaquetas, tiene un elevado índice de refracción y produce un elevado lustre y brillo a bajo costo. No obstante, esta sustancia es más densa que la guanina y esto puede ocasionar problemas de sedimentación en reposo en el producto terminado. El oxicloruro de bismuto se suministra generalmente como suspensiones del 12 por 100 y del 25 por 100 en mezclas de nitrocelulosa-acetato de butilo-tolueno a las cuales se añaden pequeñas cantidades de arcilla coloidal pretratada. Esto proporciona al sistema de suspensión un poder de suspensión adicional para evitar que sedimente el oxicloruro de bismuto. Otra sustancia perlante que gana popularidad creciente es la miel recubierta de dioxido de titanio. Tiene menos densidad que el oxicloruro de bismuto, y, como consecuencia, se puede suspender más fácilmente. Sin embargo, es menos brillante y no tiene el mismo poder cubriente que el oxicloruro de bismuto. Se suministra comercialmente en forma de suspensiones de nitrocelulosa-disolvente, y se prefiere este método de adición a las formulaciones al empleo de polvo seco, que es difícil de dispersar sin el empleo de mezcladores especializados.

Agentes de suspensión

La moderna tendencia a las lacas de uñas altamente pigmentadas y perladas ha conducido a una valoración crítica de la capacidad de las fórmulas de lacas de uñas tradicionales para suspender estas sustancias a elevadas concentraciones. Además, los consumidores han reaccionado contra los productos que presentan sustancias «sedimentadas», y así los sistemas desarrollados para evitar la sedimentación pronto demostraron ser tanto técnicamente superiores, como haber incrementado la aceptación por el consumidor. Las propiedades de suspensión se obtienen creando un sistema tixotrópico con el empleo de arcillas coloidales pretratadas, tal como bencil metil sebo hidrogenado amonio montmorillonita (Bentone 27), dimetil dioctadecil amonio bentonita (Bentone 34) o dimetil dioctadecil amonio hectorite (Bentone 38). Estas arcillas incrementan la viscosidad del sistema en tal grado que los pesados pigmentos óxidos permanecen en suspensión. Cuando se aplica una fuerza de cizalla al sistema por agitación o extensión del producto con pincel por la uña, la viscosidad disminuye fuertemente, permitiendo una aplicación fácil. En una patente de EE. UU.[26] se ha descrito un sistema tixotrópico que contiene pigmentos nacarados. En la práctica moderna, la concentración de las bentonas se encuentra en el intervalo de 0,5 a 2 por 100, pues la viscosidad del sistema se puede aumentar aún más añadiendo pequeñas cantidades de un ácido polivalente, por ejemplo ácido ortofosfórico, que excluye el empleo de elevadas concentraciones de bentonas y hace al sistema más controlable.

Formulación

En los párrafos anteriores se han esquematizado las propiedades deseables de los componentes de la laca de uñas. Estas se deben tomar en cuenta en la formulación de tales lacas.

Como consecuencia, se han proyectado varios ensayos para determinar las características de flujo de las formulaciones, la velocidad de secado de las películas de laca, la compatibilidad de sus componentes durante el secado, así como su aspecto, dureza, adhesión y resistencia al jabón y a los detergentes. Si fuera necesario, se deben realizar los ajustes de la fórmula, y repetir los ensayos hasta obtener las características requeridas. Una buena indicación del comportamiento de las lacas en las uñas se puede obtener a partir del comportamiento de una capa de laca sobre una placa de vidrio limpia y transparente. Sin embargo, esto no excluye la necesidad de estudiar los productos con aplicaciones reales en las uñas. También se deben realizar ensayos sobre el flujo y uniformidad de aplicación de las películas de laca, su dureza y brillo. Igualmente se debe anotar cualquier impedimento que se observe en el pincel de aplicación.

Los ensayos de abrasión se pueden determinar *in vitro* para valorar la resistencia de la película en su uso. No obstante, últimamente se realizan valoraciones de los productos *in vivo*, empleando un grupo numeroso de sujetos a los que se les aplica tanto la laca experimental, como la de control sobre distintas uñas durante un período de una semana y examnando diariamente las uñas tratadas. SHANSKY[17] ha dado un resumen de las técnicas de evaluación.

En relación con el secado de la laca, se ha desaconsejado la práctica de soplar sobre las películas de laca recientemente aplicadas para aumentar su velocidad de secado, de modo que se garantiza la ausencia de humedad que podría tener efecto adverso en la adhesión y brillo de la película.

Ya se ha destacado que, desde el punto de vista de la comodidad de aplicación y economía del disolvente, es preferible aplicar la película en una sola vez. Puesto que el espesor de la película determina su brillo y su resistencia de uso, es deseable obtener una película tan gruesa como sea aceptable prácticamente desde el punto de vista de facilidad de aplicación y velocidad de secado. Sin embargo, limitaciones prácticas hacen necesario a veces aplicar dos capas de laca para obtener una película del espesor requerido. Si esto fuese necesario, una buena práctica sería dejar secar completamente la primera película antes de aplicar la segunda capa; de otro modo, la evaporación del disolvente puede producir pequeñas burbujas en la capa superior y originar el efecto «piel de naranja» frecuentemente observado con lacas de secado rápido.

La formulación de base de lacas de uña se ilustra en los siguientes ejemplos:

Base típica de laca de uñas [1] [2]	(11)
	por ciento
Nitrocelulsa (1/2 segundo viscosidad aprox.)	10,0
Resina	10,0
Plastificante	5,0
Alcohol	5,0
Etilo, acetato	20,0
Butilo, acetato	15,0
Tolueno	35,0

Con más detalle, una base de laca transparente se puede describir como:

		(12)
		por ciento
Nitrocelulosa (1/2 segundo)		18,28
Santolite MS 80	(resina)	6,43
Dibutilo, ftalato	(plastificante)	2,15
Alcanfor	(plastificante)	1,88
Etilo, acetato	(disolvente)	6,45
Butilo, acetato	(disolvente)	25,42
Tolueno	(diluyente)	29,56
Isopropanol	(diluyente)	9,83

En un *Monsanto Bulletin* [18], se ha reproducido la siguiente formulación de base de laca de uñas:

	(13)
	por ciento
Nitrocelulosa RS (1/2 segundo)	10
Santolite MHP (resina)	10
Santicizer 8 ó 160 (plastificante)	5
Alcohol etílico	5
Etilo, acetato	20
Butilo, acetato	15
Tolueno	35

Se pueden utilizar en composiciones de nitrocelulosa resinas basadas en productos de polimerización de ácido acrílico y sus derivados, y se afirma que esto puede superar las desventajas inherentes a los barnices de uñas, tales como la contracción durante el secado, el desprendimiento de escamas del borde de la uña, decoloración, espesamiento del esmalte por evaporación de componentes volátiles cuando se almacena en recipientes deficientemente cerrados, y fallos para lograr el brillo y duración adecuados. Una fórmula típica citada es la siguiente:

	(14) partes
Celulosa, nitrato	3,2
Alcohol desnaturalizado	1,4
Butilo, acetato	19,3
Alcohol etílico	19,3
Tolueno	19,3
Resina propilmetacrilato	15,0
Plastificante	3,2

Se comunica que, en la fórmula anterior, se han eliminado tanto los disolventes de elevada temperatura como los de baja temperatura de ebullición, y el esmalte producido se afirma que proporciona una adhesión excelente y es notablemente resistente al agua jabonosa, álcalis, manchas y arañazos.

KEITHLER [19] da una interesante fórmula que no contiene nitrocelulosa y utiliza un bifenol clorado como plastificante:

	(15) partes
Copolímero polivinilo cloruro-acetato	10,7
Polimetilmetacrilato	7,0
Metil etil cetona	21,5
Sorbitol	20,0
Arochlor 5460	15,0
Tricresilo, fosfato	8,0
Etilo, acetato	22,3
Colores	0,5

Fabricación de lacas de uñas

Los apartados precedentes son una cierta exposición teórica en el enfoque de la fabricación de lacas de uñas. Por ejemplo, no se podría fabricar una laca de uñas midiendo en una caldera de mezclado las sustancias individuales enumeradas en el ejemplo 11. En la práctica, es más frecuente comprar una laca base que cumple los requerimientos especiales de plastificantes, resinas, etc., y mezclarla con sustancias perlantes y pigmentos, etc. A causa de la especialización que se necesita para manipular y procesar la bentona y la nitrocelulosa, la mayor parte de los fabricantes de cosméticos elaboran su producción de lacas de uñas siguiendo estas líneas. Muchos sólo envasan el producto terminado tal como se lo suministra un fabricante especialista por contrato, aunque ellos mismos han desarrollado los tonos, etc.

En la figura 22.1, se da un esquema de los procesos de fabricación implicados en la producción de lacas de uñas.

Capas bases y capas superiores

El objeto de utilizar una capa base es prevenir la descamación de la película de nitrocelulosa, fomando sobre las uñas una película a la que se adhiere

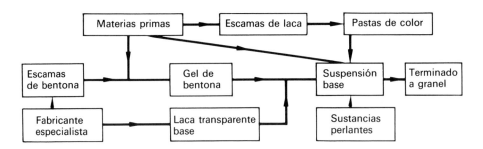

Fig. 22.1. Vías de fabricación para la producción de lacas de uñas.

firmemente la laca de nitrocelulosa. Para este fin se utilizan resinas fenolformaldehído, resinas sulfonamida-formaldehído, resinas alquílicas y metacrilato.

Las capas bases, frecuentemente contienen una cantidad superior de resina para aumentar la adhesión; secan más rápidamente y proporcionan una película más dura que la película normal de laca. Las películas formadas sobre una película base son menos propensas a agrietarse que los esmaltes ordinarios de uñas. Se dispone de formulaciones de bases transparentes y pigmentadas con contenidos sólidos inferiores y menor viscosidad que las formulaciones normales de lacas.

Las capas superiores son generalmente películas transparentes que se aplican sobre la película de laca pigmentada para aumentar el espesor de la película y, de este modo, la resistencia a la abrasión y también para mejorar el brillo. Tienen un contenido superior de nitrocelulosa y plastificante y un contenido inferior de resina que el esmalte normal de uñas, y también tienen un contenido de diluyente relativamente elevado y tienden a secarse rápidamente. Tres fórmulas para una película base, una laca transparente y una capa superior, originalmente publicadas por Peirano[11] y posteriormente citadas en *Manufacturing Chemist*[13], ilustran las diferencias en la composición de tales productos (ejemplos 16-18).

	(16) Película base	(17) Laca transparente	(18) Película superior
	por ciento	*por ciento*	*por ciento*
Nitrocelulosa	10	15	16
Resina Santolite	10	7,5	4
Dibutilo, ftalato	2	3,75	5
Butilo, acetato	—	29,35	10
Etilo, acetato	34	—	10
Alcohol etílico	5	6,4	10
Alcohol butílico	—	1,1	—
Tolueno	39	36,9	45

Quitaesmaltes

Los productos utilizados generalmente como quitaesmaltes se componen de mezclas sencillas de disolventes, tales como acetona, acetato de amilo o acetato de etilo, que pueden contener pequeñas cantidades de sustancias grasas para contrarrestar la acción excesivamente desecante de los disolventes de uñas. Primeramente se empleó aceite de ricino, pero actualmente se utilizan para la misma finalidad ésteres, tales como estearato de butilo o ftalato de dibutilo, alcoholes grasos o jabones. Ejemplo de un quitaesmaltes es el suministrado por la fórmula siguiente:

(19)

	por ciento
Butilo, estearato	5,0
Dietilen glicol monoetil éter	10,0
Acetona	85,0

Como quitaesmaltes de uñas los fabricantes han sugerido[20] un disolvente incoloro y casi inodoro, gamma-valeractona ($C_5H_8O_2$). A diferencia de la mayoría de los líquidos orgánicos empleados con esta finalidad, la GVL (tal como se conoce al compuesto) es completamente miscible con el agua; se sugiere usar como quitaesmaltes una solución al 50 por 100 en agua. Se declara no ser irritante para la piel. También otro disolvente indicado para uso como quitaesmaltes es la butirolactona.

Otro tipo de quitaesmaltes es el denominado «no embadurnante» al que se le atribuye eliminar la laca de uñas sin embadurnar las uñas, ni la piel circundante. Estos productos constan de una mezcla de agua y disolventes miscibles con agua, tales como acetato de etilo, en los cuales el contenido de agua es sólo del orden del 8-9 por 100.

Quitaesmaltes crema

Se han introducido varios quitaesmaltes crema, muchos de ellos patentados. En general, éstos constan de un disolvente para la laca de temperatura de ebullición bastante elevada, incorporado en una crema que contiene algo de lanolina u otra sustancia emoliente; como alternativa se pueden componer de un disolvente de laca solidificado por medio de una cera adecuada.

Un ejemplo de producto de este tipo, divulgado en una patente de EE. UU.[21], tiene la siguiente composición:

(20)

	por ciento
Parafina o cera de abejas	11,5
Lanolina	4,0
Sodio o potasio, linoleato	2,6
Metil etil cetona	hasta 100,0

DREYLING[22] describió un quitaesmaltes crema que contiene aproximadamente un 70 por 100 en peso y sustancialmente un disolvente orgánico anhidro capaz de disolver la nitrocelulosa; el resto de la preparación comprende una mezcla en las relaciones en peso de 10 partes de un ácido graso sólido, tal como esteárico o palmítico, 2 a 4 partes de etil celulosa, 2 a 10 partes de coadyuvante cosmético (aceite de ricino, aceite de oliva y lanolina) y 2 a 4,6 partes de agua amoniacal concentrada; el ejemplo 21 está tomado de la patente:

	(21) partes
Etilo, acetato	40,0
n-Butilo, acetato	40,0
Aceite de ricino	4,0
Perfume	0,1
Etil celulosa (60/80 segundos)	2,8
Acido esteárico	11,0
Amonio, hidróxido (conc.)	3,8

Procedimiento: Mezclar los componentes anteriores (con la excepción del hidróxido amónico) hasta obtener la disolución completa (calentando a 50-60 °C se aumenta la velocidad de disolución). Cuando la composición forma un líquido transparente, añadir lentamente el hidróxido amónico agitando la mezcla.

Una parte crítica e importante de la invención anterior se fija en el equilibrio entre las relaciones de etil celulosa, ácido esteárico, amoníaco y agua. Se llama la atención al hecho de que no parece posible producir una preparación satisfactoria por incorporación de estearato amónico elaborado separada y previamente, aunque el estearato amónico producido *in situ* es el agente emulsionante.

CARTER[23] describió una crema para eliminar la laca de uñas basada en una mezcla íntima de jabón soluble en agua, ácido esteárico libre (en proporción mayor que el jabón, formando los dos juntos al menos un 15 por 100 de la crema) y un disolvente de nitrocelulosa. OCHS[24] describió un tipo de preparado conteniendo un 4 por 100 de lanolina, un 11,5 por 100 de cera, un 2-6 por 100 de jabón de metal alcalino, un 5 por 100 de agua y un 70-80 por 100 de un disolvente de nitrato de celulosa (p. ej., metil etil cetona).

En una patente anterior, CARTER[25] empleó bentonita como emulsionante. Esta patente observa que, en la mezcla de aceite y agua, la bentonita se acumula en el límite interfacial y actúa como coloide protector para estabilizar la emulsión.

Una composición sugerida en dicha patente se da en el ejemplo 22:

	(22) por ciento
Aceite de oliva sulfonato	10,0
Sodio, hidróxido (10 por 100)	1,0
Bencilo, acetato	15,0
Acetona	15,0
Titanio, dióxido	0,5
Bentonita	2,0
Agua	56,5

Procedimiento: Mezclar la bentonita con un 20 por 100 de agua y dejar reposar durante doce horas. Después añadir el pigmento, aceite, disolventes orgánicos, álcali y el resto de agua a la suspensión, en este orden y con agitación continua.

El ejemplo 23 da una fórmula útil publicada en *Drug and Cosmetic Industry*[26]:

	(23) por ciento
Acido esteárico	9,5
Trietanolamina	3,5
Aceite mineral	10,0
Butilo, acetato	50,0
Butilo, estearato	5,0
Carbitol	5,0
Agua	17,0

Secador de uñas

Los secadores de uñas son formulaciones aerosol que hacen uso de la vaporización rápida de un propulsor para aumentar la velocidad de secado de esmaltes frescos de uñas, extrayendo el disolvente presente en el barniz de uñas. A veces, el secado se combina con el depósito de una película transparente de aceite sobre el esmalte fresco aplicado para reducir la pegajosidad y evitar que manche si se toca.

UÑAS DE PLASTICO Y PROLONGADORES

Las uñas de plástico y prolongadores han sido extensamente utilizados para mejorar la apariencia cosmética de uñas lesionadas, cortas y cuadradas. Se fabrican por polimerización y copolimerización de monómeros en presencia de un polímero, un catalizador y un promotor de la polimerización[27]. También se incluyen un plastificante, un opalescente, un pigmento y un material de carga.

El monómero más frecuentemente utilizado ha sido el metacrilato de metilo, mientras como polímeros se han usado poli (metil metacrilato), poliestireno, poliisobutileno y acetato de celulosa. Si el metacrilato de metilo se copolimeriza con un agente formador de enlaces cruzados, como etilen dimetacrilato, se producen polímeros más frágiles con mejor resistencia a los disolventes. El agente que forma los enlaces cruzados del polímero generalmente se emplea en cantidades comprendidas entre el 2 y el 10 por 100 en peso del monómero. La concentración real a la que se utiliza determina en gran modo la dureza y fragilidad del producto. Se producen compuestos de flexibilidad mejorada formando un copolímero que contiene un 5-20 por 100 en peso de un éster del ácido acrílico o del ácido metacrílico de más elevado peso molecular, tal como metacrilato de laurilo.

Como plastificantes se emplean fosfato de trifenilo o tricresilo, ftalato de dimetilo, dietilo o dibutilo en cantidades comprendidas entre el 1 y 10 por 100 en peso de monómero.

La polimerización del metacrilato de metilo es una reacción catalizada por radicales libres vinculada a la disociación del catalizador a radicales libres que inician la polimerización. Los catalizadores que se prefieren en la producción de prolongadores de uñas son el peróxido de benzoilo o el peróxido de lauroilo, y se usan en cantidades de hasta el 3 por 100 del constituyente sólido de la preparación, generalmente, sin embargo, se considera adecuado un 1 por 100 de catalizador del peso del monómero. También usualmente está presente un promotor de la polimerización que induce la liberación de radical libre y permite que la polimerización de los componentes monómeros se verifique a temperatura ambiente, esto es, temperaturas apreciablemente inferiores a aquellas a las que usualmente tiene lugar la polimerización.

Entre las sustancias de carga se han utilizado sílice y silicato de aluminio, mica y óxidos metálicos. La sustancia de carga puede constituir hasta aproximadamente el 25 por 100 de las composiciones sólidas. Generalmente se utilizan pigmentos y opalescente a concentraciones del 0,1 por 100.

Independientemente del procedimiento adoptado, es necesario preparar la superficie de la uña antes de aplicar la composición del prolongador eliminando todo exceso de cutícula y toda traza de toda laca antigua de la uña, así como alisar las superficies rugosas, de modo que se asegure una buena adhesión entre la superficie de la uña y el material plástico aplicado.

La piel circundante de la uña se protege de la polimerización, que tiene lugar en su superficie, aplicando a la piel una sustancia con escasa adherencia al plástico, por lo general una resina hidrosoluble fácilmente eliminable con agua.

VIOLA [28] ha descrito en detalle el procedimiento empleado para formar un prolongador de uñas *in situ*. Se basa en sucesivas aplicaciones, primero del monómero líquido y después del polvo que contiene el catalizador. Esto se repite hasta que la uña se haya alargado adecuadamente. Una vez que el extremo de la uña se ha fortalecido, se forma la uña desde el centro de la uña al extremo externo.

La facilidad con que polimerizan el metacrilato de metilo y otros monómeros de vinilo ha conducido a la incorporación en tales composiciones de, por ejemplo, hidroquinona que origina el inhibidor real de benzoquinona. El inhibidor de polimerización reacciona con los radicales en cadena según se forman, de tal modo que se impide la adición de moléculas monómeras. El inhibidor se puede eliminar de la película lavando el monómero con una mezcla sal-hidróxido sódico. También es importante garantizar que tanto el catalizador como el promotor no se hayan presentes en cantidades excesivas, pues de otro modo el inhibidor no podrá reaccionar con la totalidad de los radicales libres producidos en exceso.

Para ilustrar la composición de los componentes líquidos y sólidos, el ejemplo siguiente se reproduce de la literatura:

	(24)
Componente sólido	*por ciento*
Poli (metacrilato de metilo) (gránulos)	75
Aluminio, silicato	23
Benzoilo, peróxido	2
Componente líquido	
Metilo, metacrilato (monómero)	83
Laurilo, metacrilato (agente reticular)	15
Dietil anilina (promotor)	2

Procedimiento: Mezclar 1,8 partes en peso del componente en polvo con parte en peso del componente líquido; la polimerización para un material plástico duro tiene lugar en quince a veinte minutos a la temperatura ambiente.

En otra patente de EE. UU.[29] también se han descrito composiciones y la técnica empleada para producir uñas de aspecto natural; las uñas artificiales se producen *in situ* por polimerización rápida o copolimerización de un constituyente monómero a la temperatura ambiente en presencia de un polímero y un sistema catalizador redox.

Están formados por dos componentes, uno de los cuales es una composición primaria que contiene una resina formadora de película, por ejemplo una mezcla de poli (metacrilato de metilo) y un copolímero de cloruro de vinilo y acetato de vinilo y el componente oxidante de un sistema catalizador redox. Este componente se utiliza para formar recubrimientos en el lecho expuesto de la uña y la piel circundante y protegerlos de la irritación por el monómero contenido en la segunda composición. El contenido de sólidos que forman la película de la primera composición no debe exceder del 25 por 100.

La segunda composición contiene la mayor parte de las resinas para las uñas artificiales y constan básicamente de una solución de una resina polímera formadora de película, por ejemplo, poli (metacrilato de metilo), en un monómero formador de resina, por ejemplo metacrilato de metilo. También contiene el componente reductor del catalizador redox. Ambas composiciones son estables todo el tiempo en que se almacenan por separado, pero, cuando se mezclan, el monómero comienza a polimerizar.

El sistema catalizador empleado en estas composiciones, como se expone en la información de los ejemplos de la patente, consta de peróxido de benzoilo, componente oxidante y N-dimetil-*p*-toluidina como componente reductor.

COMPOSICIONES REPARADORAS DE UÑAS

Las composiciones reparadoras descritas en una patente británica[30] son básicamente mezclas de un adhesivo, una fibra reforzante y un disolvente. Los dos primeros componentes producen una película que forma una unión fuerte entre las partes rotas de la uña dañada, mejorando su aspecto y previniendo una posterior lesión, mientras el disolvente, que permite una aplicación fácil de la composición a la uña, se evapora rápidamente y permite fijar la película adhesiva reforzante y reparar la uña dañada. Estos preparados se aplican con preferencia en cuatro capas, cada capa es depositada en dirección perpendicular a la anterior y se deja secar la superficie antes de aplicar la próxima capa. La laca de uñas se aplica aproximadamente una hora después de la aplicación de la última capa de preparado reparador, para permitir secar completamente todas las capas.

La sustancia orgánica preferida formadora de película de la composición reparadora es la nitrocelulosa. También se incluye una resina, por ejemplo un aril sulfonamida formaldehído para hacer que la película producida por la composición sea más adherente, flexible y rígida, y se añade un plastificante para hacer más flexible la película. Como agente reforzante se utilizan fibras cortas de rayón (1,5 mm de largo) y pequeño diámetro (1,5-5 denier). También se pueden utilizar otras fibras si no son solubles en la composición reparadora. Igualmente está presente un agente gelificante (preferentemente, sílice) para asegurar que las fibras usadas permanecen suspendidas en el adhesivo. Los disolventes específicamente mencionados en la patente son acetato de etilo, acetato de butilo y tolueno usados en una mezcla del 30-50 por 100, 5-20 por 100 y 20-30 por 100 respectivamente. También se pueden incluir pigmentos o colorantes para conferir el color deseado. Las composiciones descritas se ilustran por el ejemplo 25. Se afirma que la laca de uñas puede ser aplicada y eliminada de tales uñas reparadas sin dificultad y sin perjudicar la «reparación».

	(25)
	por ciento
Nitrocelulosa	10,3
Resina aril sulfonamida formaldehído	4,1
Sílice	2,0
Dibutilo, ftalato	0,5
Fibra rayón	0,5
Etilo, acetato	46,2
Butilo, acetato	5,1
Tolueno	31,3

También se han patentado composiciones[31] que contienen queratina y se utilizan como barniz de uñas o como reparador de uñas agrietadas y astilladas, así como para producir uñas artificiales. Se han propuesto para proporcionar capas que no son incompatibles con las uñas naturales. La queratina, que es resistente a varios disolventes, incluyendo ácidos y álcalis diluidos, se combina con un agente insoluble en agua adecuado que proporciona cuerpo, por ejemplo nitrato de celulosa, y se disuelve en un disolvente adecuado, preferentemente metil etil cetona o una mezcla de acetato de etilo y butilo. Se pueden incluir resinas sintéticas para aumentar la adhesión, el contenido de sólidos y la resistencia al agua, y también para realzar el brillo. Igualmente se incorporan plastificantes para evitar la excesiva fragilidad de las capas.

La queratina se emplea en forma de partículas finas de tamaños comprendidos entre 400 y 20 mallas, y su cantidad, según el cuerpo de los ejemplos, varía entre el 5 y el 9,5 por 100 de la composición.

Los revestimientos obtenidos con estas composiciones se consideran de solidez, cuerpo, dureza y adhesión necesarios para un comportamiento satisfactorio de las capas.

REFERENCIAS

1. Questions and Answers, *Am. Perfum.*, 1949, **54**(4), 282.
2. Dragoco, *Cosmetic Products and their Perfuming*, 1962, 105.
3. *Am. Perfum. essent. Oil Rev.*, 1938, **53**(5), 32.
4. Schlossman, M. L., *Cosmet. Toiletries*, 1981, **96**(4), 51.
5. US Patent 3 034 965, Drake, R. P. and Whitley, L. F., 12 June 1958.
6. British Patent 946 095, Drake, R. P. and Whitley, L. F., 12 June 1958.
7. US Patent 3 034 966, Williams E. W., 9 February 1959.
8. Lazer, P., *Arch. Dermatol.*, 1966, **99,** 446.
9. French Patent 1 388 164, Joos, M. B., 23 January 1964.

10. Australian Patent 284 933, Recherches Pharmaceutiques et Scientifiques, 20 July 1964.
11. Peirano, J., *Cosmetics: Science and Technology*, ed. Sagarin, E., New York, Interscience, 1966, p. 678.
12. Wing, H. J., *Proc. sci. Sec. Toilet Goods Assoc.*, 1947, (8), 9.
13. Alexander, P., *Manuf. Chem. Aerosol News*, 1966, **37**(6), 37.
14. Van Ham, G., in *International Cosmetic Regulations, 9th Annual International Cosmetic Regulations Conference, Basle, 1979*, Wheaton, Ill., Allured Publishing, 1979.
15. German Patent 1 143 483, Ciba, February 1963.
16. US Patent 3 422 185, Kuritzkes, C. M., 14 January 1969.
17. Shansky, A., *Drug Cosmet. Ind.*, 1978, **123**(5), 46.
18. *Monsanto Technical Bulletin* P. L. 320.
19. Keithler, W., *Drug Cosmet. Ind.*, 1957, **80,** 309.
20. *Schimmel Briefs* No. 142, 1947, January.
21. US Patent 2 286 687, Ochs, W. F., 16 June 1942.
22. US Patent 2 351 195, Dreyling, A., 6 June 1944.
23. US Patent 2 268 642, Carter, H. M., 6 January 1942.
24. Canadian Patent 412 396, Ochs, W. F., 16 June 1942.
25. US Patent 2 197 630, Carter, H. M., 16 April 1940.
26. Answers to Questions, *Drug Cosmet. Ind.*, 1956, **79,** 698.
27. US Patent 2 558 139, Knock, F. E. and Glenn, J. F., 26 June 1951.
28. Viola, L. J., *Cosmetics: Science and Technology*, ed. Balsam, M. S. and Sagarin, E., New York, Wiley-Interscience, 1972, p. 543.
29. US Patent 3 478 756, Inter-Taylor AG, 18 November 1969.
30. British Patent 1 177 420, Max Factor, 14 January 1970.
31. US Patent 3 483 289, Nicholson, J. B. and Criswell, A. F., 9 December 1969.

PARTE TERCERA

El pelo y productos para el pelo

23

El pelo

Introducción

La gran importancia psicológica y social del pelo en el hombre está en contraste con su completa carencia de función vital[1]. A los mamíferos, en general, la piel les proporciona una capa aislante para la conservación del calor del cuerpo. Sus propiedades se adaptan a los cambios estacionales con mudas periódicas de pelos viejos y su sustitución por nuevos, y aún los folículos pilosos humanos permanecen dotados de tal actividad cíclica. Sin embargo, el hombre ha evolucionado hacia la capacidad de defenderse del frío. El mono, *Ramapithecus,* un antecesor de hace diez millones de años, fue probablemente peludo, pero los primitivos individuos de la especie humana, cuando abandonaron el bosque y se trasladaron a la sabana, iniciaron una marcha hacia la desnudez; el pelo del cuerpo comenzó a aclararse y a hacerse más corto.

No se perdió todo. Quedaron las cejas y las pestañas, así como el pelo del cuero cabelludo, quizás como protección frente al sol del mediodía de un animal que comenzaba a tomar la posición vertical —y a caminar— sobre los pies. La barba quedó como símbolo de virilidad. Y se destacaron, en ambos sexos, el pelo de las zonas genitales y axilares que, probablemente, estaba asociado a unidades glandulares productoras de olores.

El folículo piloso

Desarrollo y estructura

La estructura del folículo piloso, el método por el que se elabora el pelo y su actividad cíclica, se comprende mejor con una breve referencia a su historia embrionaria[2, 3]. Cada uno de los folículos procede de una interacción entre la epidermis y la dermis.

Una lámina de epidermis, situada sobre una agregación de células dérmicas, se invagina en el interior para formar una bolsita que eventualmente engloba una pequeña papila de dermis para formar el *bulbo del pelo.* Las células epidérmicas que envuelven la papila dérmica proliferan posteriormente expulsando una

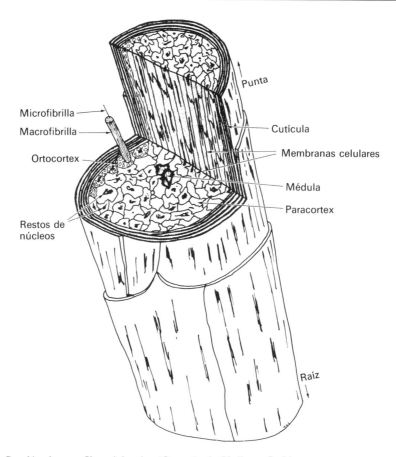

Fig. 23.1. Sección de una fibra del pelo. (Cortesía de Unilever Ltd.)

columna de células queratinizadas, que es el tallo del pelo rodeado por la vaina interna de la raíz. En el proceso se forma un canal piloso.

El bulbo del tallo está formado por células alargadas queratinizadas cementadas unas con otras, y se conoce como *cortex*. Algunos, aunque no todos, de los pelos poseen una *médula* continua o intermitente. El cortex está rodeado por una *cutícula* que procede de una fila simple de células del bulbo, pero que llega a formar de cinco a diez capas superpuestas. Desde el exterior, las escamas cuticulares aparecen superpuestas, como las tejas de un tejado, con los bordes libres dirigidos hacia el exterior (Fig. 23.1).

La vaina interna de la raíz se entrelaza con las células solapadas de la cutícula del pelo que crece y avanza con ella, pero las células queratinizadas se descaman conforme el pelo emerge de la piel. De este modo, la superficie externa de la vaina interna de la raíz se desliza frente a la *vaina externa de la raíz* estacionaria, que es la parte más profunda de la pared folicular.

En el desarrollo de la bolsita, aparecen tres protuberancias en su pared posterior. La externa es el rudimento de la glándula apocrina, que queda atrofiada excepto en las regiones genitales, axilares y areolar; la protuberancia siguiente es la glándula sebácea, y la más interna es la unión del músculo erector.

Conforme se desarrolla el feto, los folículos inicialmente formados se separan y se desarrolla entre ellos una nueva serie de rudimentos secundarios. Pero no se desarrolla ningún nuevo folículo después del nacimiento[4]. El número total de folículos en el hombre adulto es aproximadamente de cinco millones, de los cuales cerca de un millón se encuentra en la cabeza y quizás cien mil en el cuero cabelludo[5]. Con la edad[6] se produce una pérdida significativa; los adultos jóvenes tienen una media de 615 por cm² en el cuero cabelludo, pero a la edad de ochenta años la densidad desciende a 435 por cm².[7] Algunos folículos se pierden en la calvicie; una comparación en un extenso intervalo de edades dio medias de 306 por cm² para cueros cabelludos calvos frente a 459 por cm² para cueros cabelludos peludos[7].

Los primeros pelos crecen de los folículos pilosos, finos, sin médula y generalmente sin pigmentación; se conocen con la denominación de *lanugo* y, normalmente, se muda *in útero* en el séptimo u octavo meses de gestación. Muy raramente se encuentra en el adulto pelo tipo lanugo, ni aún en áreas que normalmente no son peludas, como la nariz y los oídos, ni como rasgo heredado conocido como *hipertricosis lanuginosa*, o como síntoma de un carcinoma subyacente.

El pelo postnatal se divide, en sus casos extremos, en dos clases: el *vello* fino, sin médula y corto del cuerpo, y el *pelo terminal*, más largo y oscuro, del cuero cabelludo. El patrón infantil no es definitivo, pues en la pubertad el vello es reemplazado por pelo terminal en las regiones púbicas y axilares, y en el varón sólo en la cara. Este pelo de las zonas sexuales continúa incrementándose en área y velocidad de crecimiento hasta los últimos años de la veintena de edad[2].

Actividad cíclica

Casi todos los folículos pilosos presentan actividad cíclica[8, 9]. Una fase activa, *anágeno*, en la cual se forma el pelo, alterando con un período de reposo, *telógeno*, en el cual el *bastón del pelo*, totalmente formado, está anclado en el folículo por su base expandida y la papila dérmica queda libre de la matriz epidérmica, que se reduce a un germen secundario pequeño e inactivo (Fig. 23.2). Entre los períodos anágeno y telógeno, existe un período de transición, relativamente corto, conocido como *catágeno*, en que el bastón del pelo recientemente formado se desplaza hacia la superficie de la piel.

El folículo entra en actividad de nuevo al final del período telógeno con el crecimiento interno del germen secundario que vuelve a cubrir la papila dérmica, de modo que se reconstruye la matriz y se empieza a formar un nuevo pelo (Fig. 23.3). En efecto, el folículo reactiva su desarrollo embrionario. Finalmente, los viejos bastones se desprenden o *mudan*.

De este modo, todos los pelos alcanzan una longitud terminal que está determinada principalmente por la duración del período anágeno, y parcialmente por la velocidad de crecimiento. Estas características varían con las zonas. En el cuero cabelludo, el período de anágeno puede durar tres años o más[9, 10]; en efecto, las trenzas sin cortar de una joven requerirían de seis a siete años de

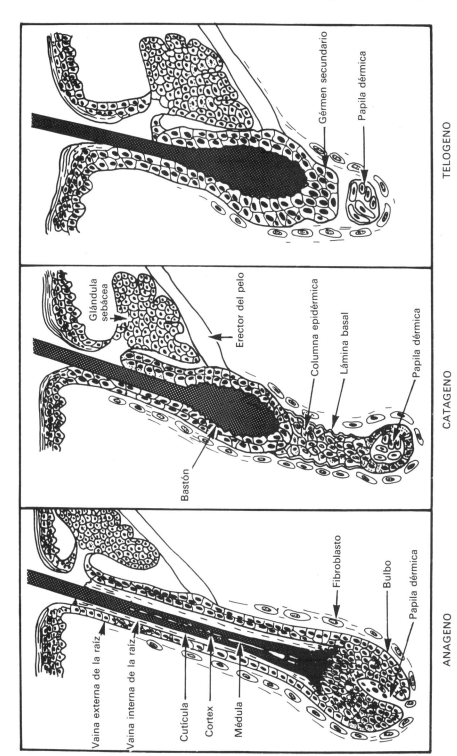

Fig. 23.2. Ciclo folicular del pelo.

TELOGENO

Gérmen secundario

Papila dérmica

CATAGENO

Glándula sebácea

Erector del pelo

Columna epidérmica

Lámina basal

Papila dérmica

Bastón

ANAGENO

Fibroblasto

Bulbo

Papila dérmica

Vaina externa de la raíz

Vaina interna de la raíz

Cutícula

Cortex

Médula

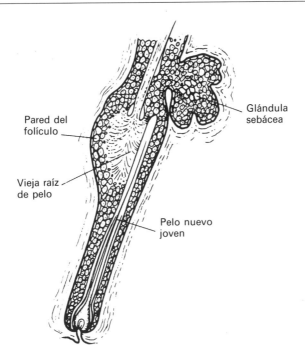

Pared del
folículo

Glándula
sebácea

Vieja raíz
de pelo

Pelo nuevo
joven

Fig. 23.3. Folículo capilar en primer período anágeno, antes de mudar. Observar el pelo recientemente formado y el viejo bastón aún retenido en el folículo. (Según Unna, cortesía de Edward Arnold Ltd.)

continuo crecimiento para llegar a sus nalgas. El cuero cabelludo de un varón está muy próximo a este resultado en el transcurso de su vida. En la coronilla de un hombre de sesenta años[1], el período de crecimiento oscila entre diecisiete a noventa y cuatro semanas para los cabellos gruesos y entre siete a veintidós semanas para los cabellos finos. En el cuerpo, el período cíclico es mucho menor. En un varón joven[11] oscila entre diecinueve a veintiseis semanas en la pierna, entre seis a doce semanas en el brazo, entre cuatro y ocho semanas en el dedo, entre cuatro a catorce semanas en el bigote y entre ocho a veinticuatro semanas en la región de la sien.

Los animales muestran grandes diferencias. Por ejemplo, el dedo del dorso de la rata se forma totalmente en tres semanas, el pelo más corto de la zona ventral en sólo doce días[12], y el período anágeno de la cobaya dura entre veinte y cuarenta días[13].

Muchos animales presentan ondas de la actividad folicular seguida de muda, que pasa por el cuerpo según un modelo simétrico. En la rata, por ejemplo, la reposición de los pelos comienza en el vientre, y las franjas de actividad y muda progresan de los flancos al dorso, para extenderse después a las regiones de la cabeza y cola[12]. Por contraste, en el cuero cabelludo humano cada uno de los folículos parece ser independiente de sus vecinos. En cualquier momento, una media del 13 por 100 (4-24 por 100) de los folículos están en período telógeno[9, 14, 15], y aproximadamente el 1 por 100, en catógeno. De este modo, en un cuero cabelludo que contiene 100.000 folículos con un ciclo medio de 1000 días, cerca de 100 bastones de pelo se mudan cada día. Este es el número que, aproximadamente, se repone en la práctica[9, 10].

Se afirma que la cobaya se parece al hombre en que la muda es continua y al azar. No obstante, en el animal recién nacido todos los folículos son simultáneamente activos[13] y parece que, durante al menos cincuenta días y probablemente durante mucho más tiempo, los folículos presentan un proceso de sincronización con otros que producen el mismo tipo de fibra, y desfasado con los que producen tipos diferentes de fibras. Así, parece erróneo considerar al folículo de la cobaya como un modelo experimental del que se puede deducir información importante para las condiciones del hombre. No obstante, también se presenta cierta sincronía en las primeras etapas de los folículos humanos, pues hay evidencia de un paso de una onda de crecimiento desde la espalda al cuero cabelludo de los recién nacidos[10, 16, 17].

Velocidad de crecimiento del pelo

La velocidad de crecimiento del pelo humano se ha determinado por medidas directas de pelos marcados *in situ*[18, 19], afeitando o cortando a intervalos seleccionados[20] e impulsos de cistina marcada con 35S y autorradiografía[21, 22]. El crecimiento medio en veinticuatro horas se ha fijado en un intervalo de aproximadamente 0,21 mm en el muslo femenino a 0,38 mm en la mejilla del varón[20]. Otro estudio[19], en que tubos capilares graduados se ajustaron alrededor de los pelos en crecimiento, determinó 0,44 mm para la coronilla del hombre, 0,39 mm para las sienes, 0,27 para la barba y 0,44 para el pecho. La media para la coronilla de la mujer fue 0,45 mm en veinticuatro horas. Aunque el pelo del cuero cabelludo se manifiesta con crecimiento más rápido en mujeres que en hombres[19, 23], el crecimiento es superior en muchachos que en muchachas antes de la pubertad[15]. En ambos sexos, la velocidad de crecimiento es mayor entre las edades de cincuenta y sesenta y nueve años[24]. Algunos investigadores creen que la velocidad de crecimiento permanece constante en todos los folículos[19], y otros opinan que generalmente disminuye o aumenta[21].

Aunque las variaciones diarias de temperatura no repercuten en el crecimiento del pelo, probablemente existen cambios en las estaciones de larga duración; por ejemplo, la barba crece más deprisa en verano que en invierno[25]. Generalmente se acepta que el afeitado no altera la velocidad de crecimiento[26], aunque las irritaciones prolongadas puedan afectar a los folículos[27].

La velocidad de crecimiento puede variar considerablemente entre las diferentes especies. El crecimiento del pelo puede ser de más de 1,0 mm en veinticuatro horas en ratas[12, 28, 29] y hasta de 0,6 mm en la cobaya, en la cual se ha demostrado de modo evidente que la velocidad de crecimiento depende del tiempo durante el que ha habido actividad del folículo[30].

Influencias hormonales

Existe una amplia evidencia experimental y clínica de que las hormonas influyen en el crecimiento del pelo. Sin embargo, el análisis de sus mecanismos es extremadamente complicado, considerando el grado en que los modelos animales pueden ilustrar la situación en el hombre, es importante distinguir el control del ciclo folicular, en relación con la función adaptada a la muda, del control del pelo sexual, relacionado con las interacciones sociales de los adultos. Por otra parte, las hormonas pueden actuar en más de un punto; se debe distinguir un mecanismo que modifica la estructura del pelo, la velocidad de crecimiento o la duración de la fase de crecimiento del mecanismo que simplemente reduce o prolonga el período de reposo. El error en tales distinciones ha originado muchos experimentos inútiles, e incluso, inducido a conclusiones falsas.

El control del ciclo folicular parece ejercerse a varios niveles diferentes. En primer lugar, los experimentos en ratas han demostrado que cada uno de los folículos tiene un ritmo intrínseco que continúa cuando se cambia de lugar[31] o, al menos durante un período de tiempo, cuando se transplanta a otro animal en una fase diferente de muda[32]. Cuando se arrancan los pelos de los folículos en reposo se inicia su actividad y durante algún tiempo se encuentra desfasado de sus vecinos. Se continúa debatiendo si el control intrínseco del folículo está relacionado con la elaboración y dispersión de inhibidores[33] o con la liberación de hormonas cicatrizantes cuando se depila al folículo[34] o se presentan ambas acciones.

El ciclo intrínseco, a su vez, está influido por factores sistémicos, de modo que, por ejemplo, los folículos injertados homogénea y gradualmente se incorporan a la fase de sus huéspedes[32]. Varias hormonas han demostrado afectar los ciclos de muda en animales. Así, se acelera la duración de la muda en ratas hembras eliminando los ovarios o las glándulas suprarrenales, o administrando hormona tiroidea y, por el contrario, se disminuye administrando estrógenos o esteroides adrenocorticoides, o inhibiendo el tiroides[35-37]. En muchos mamíferos, la muda está influenciada por los cambios estacionales, especialmente fotoperíodos[38]. Probablemente, éstos actúan a través del hipotálamo, pituitaria anterior y sistema endocrino.

Las hormonas también influyen en la velocidad de crecimiento del pelo y duración del período anágeno en la rata. El estrógeno disminuye ambos; la tiroxina aumenta el crecimiento, pero reduce el período de crecimiento[29]. Estos resultados sugieren que actúan dos sistemas hormonales en puntos diferentes.

Tales estudios experimentales en animales sólo tienen una relación limitada respecto al crecimiento del pelo humano, pero hay varios puntos de interés. En primer lugar, parece que la alopecia posparto (véase posteriormente) es provocada por una alteración en el ciclo folicular del pelo efectuada por hormonas circulantes, probablemente por la elevada concentración de estrógenos en la última fase del embarazo. En segundo lugar, las alteraciones del tiroides están frecuentemente asociadas con la alopecia difusa. En tercer lugar, incluso el cuero cabelludo humano puede no estar libre de influencias ambientales, pues la caída del pelo presenta fluctuaciones estacionales significativas[11,39].

El crecimiento de pelo pubiano es ocasionado por andrógenos, esto es, por hormonas masculinas. El primero que aparece es el de la región pública. En los muchachos alcanza el clásico patrón «femenino» a una edad media de 15,2 años[40] y en muchachas cerca de 1 1/2 años antes[41]. En aproximadamente el 80 por 100 de los hombres y el 10 por 100 de las mujeres, el pelo púbico se extiende posteriormente por el abdomen según un patrón sagital, acumulado o disperso;

este crecimiento no se completa hasta la mitad de los veinte años[42]. El pelo axilar aparece unos dos años después del comienzo del crecimiento del pelo púbico y continúa creciendo hasta los últimos años de la veintena[43]. La velocidad de crecimiento de la barba se nivela después de los treinta y cinco años, pero el área continúa incrementándose hasta las últimas décadas de la vida[43].

La castración prácticamente evita el desarrollo de la barba, si se realiza antes de los dieciséis años[43]. Efectuada después de los veintiún años, sólo reduce su superficie y el peso del pelo que crece por día[43]. No existen dudas respecto a que la elevación de los niveles de andrógenos en la pubertad corresponden al desarrollo sucesivo del pelo púbico y axilar en ambos sexos y al crecimiento de la barba en el hombre. Análogamente, los andrógenos son necesarios para el desarrollo del *hirsutismo* femenino, esto es, el pelo facial y corporal parcial o total según patrón masculino. Pueden estar involucrados niveles anormalmente elevados de andrógenos o una respuesta incrementada del aparato pilosebáceo, o ambos. Los antiandrógenos, es decir, sustancias que bloquean el acoplamiento de las hormonas masculinas a los receptores del interior de las células receptoras, reducen eficazmente tal crecimiento del pelo[44].

Paradójicamente, también los andrógenos son un prerrequisito para el desarrollo de la *alopecia masculina o alopecia androgénica* en sujetos genéticamente predispuestos. Los eunucos conservan el pelo del cuero cabelludo, incluso si hay antecedentes familiares de calvicie masculina, a menos que se hayan tratado con testosterona[45]. Sin embargo, la castración de hombres calvos, no parece que restaure el crecimiento de pelo en zonas que ya están calvas[46]. La situación se considera más adelante.

Influencia de la nutrición

Los requerimientos de la nutrición de la piel y las consecuencias generales de las deficiencias de la alimentación han sido expuestas en el Capítulo 3. Se destacó la necesidad de ciertas vitaminas, especialmente algunas del complejo B, para el crecimiento normal del pelo y la queratinización de la epidermis. Por otra parte, existen evidencias de que la vitamina A inhibe la diferenciación del epitelio escamoso estratificado. Así, la dermatitis papular hiperqueratótica es un síntoma de deficiencia de vitamina A, y el exceso de vitamina, por ejemplo cuando se utiliza en el tratamiento de la psoriasis, se manifiesta como causa de pérdida de pelo[47].

La deficiencia de proteína es la causa del síndrome de *Kwashiorkor* y tiene serias consecuencias en el crecimiento del pelo. El pelo se torna escaso, fino y frágil y pierde sus pigmentos. El crecimiento lineal puede disminuir tanto como la mitad; niños con kwashiorkor producen solamente 59 μm^3 de tejido capilar por folículo y día comparado con el valor normal de 514 μm^3, y el pelo era más débil, aún cuando se correlaciona a la diferencia de diámetro[48].

Los cambios en el pelo reflejan alteraciones considerables en los propios folículos. Así, en una muestra de niños de los Andes con kwashiorkor, la proporción de folículos en período anágeno era solamente del 26 ± 6 por 100 comprobado con un 66 ± 6 por 100 de niños sanos de la misma edad, e incluso los folículos en período anágeno estaban gravemente atrofiados con empobrecimiento de pigmento y pérdida de las vainas interna y externa de la raíz[49]. Cambios aún más graves se encuentran en niños que padecen marasmo; menos del 1 por 100 de los folículos estaban en período anágeno[50]. El marasmo parece ser un estado de subnutrición crónico de calorías proteicas en que los folículos capilares han cesado su actividad para conservar el nitrógeno, mientras el kwarshiorkor es un proceso agudo que sigue a un crecimiento más o menos normal[50].

El bulbo del pelo es afectado rápidamente por malnutrición proteica experimental. En varones voluntarios, la media de los diámetros de las raíces se redujo significativamente al undécimo día de la carencia de proteínas, al decimocuarto día se redujo visiblemente la pigmentación, y se produjo una atrofia progresiva y pérdida de las vainas de la raíz[51]. Las alteraciones fueron reversibles durante los días en que se suministró proteínas. De este modo, se afirma[52] que aunque la administración de aminoácidos sólo mejorarían el crecimiento del pelo en determinadas alteraciones, esta posibilidad no se debe rechazar en absoluto.

Química del pelo

Queratina

La mayor parte del pelo y la lana está constituida por una sustancia proteica insoluble denominada queratina, la cual se forma como producto final del proceso de queratinización que tiene lugar en el folículo. También existen residuos de membranas celulares, núcleos, etc., pero éstos forman una fracción muy pequeña de la materia del pelo[53]. También están presentes pequeñas cantidades de sustancias solubles en agua, tales como pentosas, fenoles, ácido úrico, glicógeno, ácido glutámico, valina y leucina[54].

La queratina, como otras proteínas, está compuesta por aminoácidos, sustancias de fórmula general

$$R-CH \underset{COOH}{\overset{NH_2}{<}}$$

o en forma de ion con cargas positiva y negativa

$$R-CH \underset{COO^-}{\overset{\overset{+}{N}H_3}{<}}$$

que origina la mayoría de las propiedades más característica de las proteínas.

Se conocen aproximadamente veinticinco aminoácidos diferentes que se encuentran en las proteínas y, de éstos, dieciocho se encuentran en cantidades mensurables en la queratina. Se pueden describir y caracterizar por cadenas laterales R que pueden ser de tres tipos:

a) Cadena inerte como en el aminoácido leucina:

$$CH_3 \diagdown NH_2 \diagup$$
$$CH—CH_2—CH$$
$$CH_3 \diagup \diagdown COOH$$

b) Cadena lateral básica como en el aminoácido lisina:

$$NH_2 \diagup$$
$$NH_2—CH_2—CH_2—CH_2—CH_2—CH$$
$$\diagdown COOH$$

c) Cadena lateral ácida como en el aminoácido ácido aspártico:

$$NH_2 \diagup$$
$$HOOC—CH_2—CH$$
$$\diagdown COOH$$

La incidencia de los aminoácidos en el pelo y la lana se da en la tabla 23.1; las cifras de la lana proceden de SPECTOR[55], y las del pelo, de BELL y WHEWELL[56].

Estos aminoácidos pueden formar estructuras poliméricas condensadas grandes por formación de enlaces amida entre el grupo ácido de un aminoácido y el grupo amino del otro. El tipo de estructura así formada es un polipéptido del tipo siguiente:

$$\overset{+}{NH_3}\overset{R^1}{CH}.CONH.\overset{R^3}{CHCONH}.\overset{}{CHCONH}.....\overset{R^5}{CHCONH}.—\overset{}{CHCOO}—$$
$$\underset{R^2}{} \underset{R^4}{}$$

donde R^1, R^2, etc., representan varios tipos de cadenas laterales.

Tal estructura es común a todas las proteínas, y por sí misma no es suficiente para dar a la molécula el grado de estabilidad e insolubilidad que poseen el pelo y la lana.

Para que una molécula de proteína tenga una estructura organizada y «modelada», las cadenas polipéptidas han de ser muy largas y también ha de haber otros enlaces para mantener las cadenas en posiciones relativas fijas, unas respecto a las otras. Estos enlaces adicionales se pueden disponer de tres modos.

1. *Formación de puentes de hidrógeno entre cadenas polipéptidas paralelas.* Los puentes de hidrógeno se forman por interacción del grupo NH con un grupo CO adecuadamente situado.

Tabla 23.1. Composición de la lana[55] y el pelo[56] en aminoácidos

Aminoácido	Fórmula	Lana		Pelo	
		(por ciento)	(moles por 100)	(por ciento)	(moles por 100)
Glicina	NH_2CH_2COOH	6,8	10,6	4,1-4,2	7,5
Alanina	$CH_3CH(NH_2)COOH$	4,0	5,3	2,8	4,25
Valina	$CH_3CH_2CH(NH_2)COOH$	5,4	5,4	—	—
Leucina	$(CH_3)_2CHCH_2CH(NH_2)COOH$	8,6	7,9	11,1-13,1	12,55
Isoleucina	$CH_3CH_2CH(CH_3)CH(NH_2)COOH$	4,3	3,8	2,4-3,6	2,5
Fenilalanina	$C_6H_5CH_2CH(NH_2)COOH$	4,0	2,8	4,3-9,6	9,3
Prolina	$\underset{H}{\overset{}{N}}$—COOH	8,0	8,2		
Serina	$HOCH_2CH(NH_2)COOH$	9,9	11,5	7,4-10,6	11,6
Treonina	$CH_3CH(OH)CH(NH_2)COOH$	6,5	6,4	7,0-8,5	8,8
Tirosina	$p\text{-}HOC_6H_4CH_2CH(NH_2)COOH$	5,5	3,9	2,2-3,0	1,95
Acido aspártico	$HOOCCH_2CH(NH_2)COOH$	7,4	6,5	3,9-7,7	5,9
Acido glutámico	$HOOCCH_2CH_2CH(NH_2)COOH$	14,0	11,1	13,6-14,2	12,8
Arginina	$NH_2C(=NH)NH(CH_2)_3CH(NH_2)COOH$	10,6	7,0	8,9-10,8	7,7
Lisina	$NH_2(CH_2)_4CH(NH_2)COOH$	3,3	2,7	1,9-3,1	2,3
Histidina	$\underset{HN\diagdown\diagup NH}{CH(NH_2)COOH}$	1,1	0,8	0,6-1,2	0,85
Triptófano	$CH_2CH(NH_2)COOH$ indol	1,5	0,7	0,4-1,3	0,55
Cistina	$HOOCCH(NH_2)CH_2SSCH_2CH(NH_2)COOH$	13,6	6,6	16,6-18,0	9,8
Metionina	$CH_3SCH_2CH_2CH(NH_2)COOH$	0,7	0,5	0,7-1,0	0,75
Cisteína	$SHCH_2CH(NH_2)COOH$	—	—	0,5-0,8	0,75

Cuando se cita un intervalo de valores, los moles por ciento se calcula a partir del valor medio del intervalo.

$$\ldots CH-\underset{\underset{O}{\|}}{C}-N-CH-\underset{\underset{R}{|}}{C}-\underset{\underset{H}{|}}{N}-CH-\underset{\underset{O}{\|}}{C}-N-CH-\underset{\underset{R}{|}}{C}-N-CH-\underset{\underset{R}{|}}{C}\ldots$$

puentes de hidrógeno

$$\ldots CH-\underset{\underset{R}{|}}{N}-\underset{\underset{O}{\|}}{C}-CH-\underset{\underset{R}{|}}{N}-\underset{\underset{O}{\|}}{C}-CH-\underset{\underset{R}{|}}{N}-\underset{\underset{O}{\|}}{C}-CH-\underset{\underset{H}{|}}{N}\ldots$$

Estos enlaces son individualmente muy débiles; pero, como son muy numerosos, desempeñan una parte significativa en la estabilización de la estructura de la proteína. No obstante, la solidez estructural que imparten a una proteína está limitada por sus propiedades de alargamiento para admitir otras sustancias que puedan formar puentes de hidrógeno, tales como agua, alcoholes, fenoles, aminas, amidas, etc. Por ejemplo, con el agua, el enlace sencillo $>N-H\ldots O=C<$ se convierte en el enlace mucho más complejo y débil:

$$>N-H\ldots\underset{\underset{H}{|}}{O}-H\ldots\underset{\underset{H}{|}}{O}-H\ldots\underset{\underset{H}{|}}{O}-H\ldots\underset{\underset{H}{|}}{O}-H\ldots O=C<$$

Tal inclusión del agua en los enlaces se asocia a la disolución de proteínas globulares y a las características de hinchamiento de las proteínas fibrosas más insolubles.

2. *Formación de enlaces sales entre las cadenas laterales ácidas y básicas.* Como algunas de las cadenas laterales del polipéptido contienen grupos ácidos y otras contienen grupos básicos, existe la posibilidad de formación de sales entre ellas, si los grupos están favorablemente colocados; así:

(resto de ácido aspártico)
$$\ldots -CO-\underset{\underset{CH_2}{|}}{CH}-NH-\ldots$$
$$COO^-$$

$$NH^+$$
$$(CH_2)_4$$
$$\ldots -NH-CH-CO-\ldots$$
(resto de lisina)

3. *Formación de enlaces disulfuros.* La extrema solidez y la insolubilidad de la queratina del pelo se atribuyen a su gran contenido de cistina. Este aminoácido contiene dos grupos amino y dos grupos carboxílicos; así pueden incorporarse a dos cadenas polipéptidas que están enlazadas juntas por un enlace disulfuro:

```
...—CO—CH—NH—...
        |
       CH₂
        |
        S
        |
        S
        |
       CH₂
        |
...—NH—CH—CO—...
```

También se cree que existen algunos enlaces disulfuros a lo largo de las cadenas principales[57, 58]. Se han sugerido otros enlaces tales como enlaces éteres cruzados entre serina, treonina y tirosina, pero existe escasa evidencia de tales enlaces, y el comportamiento químico conocido del pelo se puede explicar en términos de los enlaces de hidrógeno, uniones salinas y enlaces disulfuros.

De este modo el pelo es una estructura con numerosos enlaces cruzados, y se puede considerar como una serie de fibrillas submicroscópicas con cadenas polipeptídicas tanto paralelas como enlazadas; estudios de rayos X muestran que una proporción considerable del pelo presenta una estructura cristalina (realmente, una estructura regular, aunque no necesariamente cristalina en el sentido asociado con las sustancias inorgánicas), conocida como estructura de α-queratina. Esto ha sido descrito en términos de difracción de rayos X por MacArthur[59] y Giroud y Leblond[60].

De las muchas estructuras propuestas para α-queratina, la más ampliamente aceptada es la debida a Pauling y sus colaboradores[61-66]. Estos autores proponen una estructura en la cual las cadenas polipeptídicas han adoptado una configuración helicoidal con 3,7 aminoácidos por vuelta de la hélice. Cada vuelta de la hélice está fijada con relación a la próxima por formación de enlaces hidrógeno entre los grupos carbonilo e imino de aminoácidos separados por otros dos restos (Fig. 23.4). El diámetro de la hélice es aproximadamente 10 Å (1 μm), y la traslación por vuelta completa, 5,44 Å (0,544 μm). Las cadenas laterales de los aminoácidos están proyectadas hacia el exterior de la estructura helicoidal. Una estructura similar se ha propuesto para los polipéptidos sintéticos, tales como poli-γ-metil-L-glutamato[67]. La transformación teórica de Fourier para tal estructura helicoidal ha sido calculada por Cochran y Crick[68] y se ha encontrado estar en estrecha concordancia con los patrones observados. Estudios similares han hecho Yakel, Pauling y Corey[69] y por Fraser et al.[70, 71]. Sin embargo, Fraser destaca, a partir de su trabajo sobre las puntas de las púas de puercoespín, que la comparación exacta está dificultada por efectos de interferencia debidos a la organización macromolecular de la queratina.

Para explicar algunos resultados anómalos de rayos X, especialmente una unidad repetida y calculada a intervalos de 5,2 Å (0,52 μm), Pauling y Corey sugirieron que la misma estructura helicoidal podría tener un eje ligeramente helicoidal y que, en estas condiciones las zonas de fibras más estrechamente empaquetadas contenían estructuras en las que seis de estas hélices en forma de tornillo estaban enroscadas respecto a otra, para formar una hélice compuesta más parecida a un cable de siete filamentos (Fig. 23.5). De este modo, el grado de enroscamiento depende de la distribución de las cadenas laterales y el empaquetamiento de éstas en los intersticios del «cable».

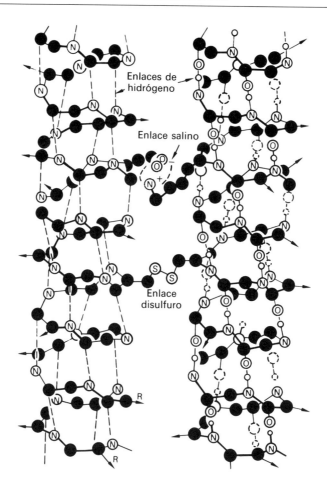

Fig. 23.4. Estructura Pauling-Corey para α-queratina.

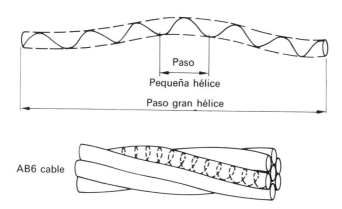

Fig. 23.5. Estructura de «zonas cristalinas» de queratina.

El microscopio electrónico se ha empleado para estudiar la estructura de la queratina[72, 75], y ORFANOS y MAHRLE[76] utilizaron los métodos de transmisión y «estéreo scanning» para caracterizar la superficie y estructura del pelo humano después de exponerlo a varios productos capilares. RANDEBROCK[77] ha resumido las características morfológicas principales observables en el pelo como:

	Diámetro	
	(Å)	(μm)
Células en espina	10.000-60.000	1.000-6.000
Macrofibrillas	2.000-9.000	100-900
Microfibrillas	60	6
Protofibrillas	20	2
Péptidos en espiral	7	0,7

No toda la estructura de la queratina está tan bien organizada como la estructura de la α-queratina, a causa de las irregularidades en la materia a partir de la cual se forma la queratina. Además, la dificultad de empaquetar las cadenas laterales de los muy diferentes dieciocho aminoácidos, en algún tipo de estructura regular en largas secciones de la cadena polipeptídica, tienen como resultado la existencia de zonas que carecen de cualquier carácter «cristalino» y firmemente compacto, al que se denomina como zonas amorfas. Estas son muy importantes en la química del pelo, pues los aminoácidos de tales zonas no están protegidos del ataque por la complejidad de la composición de la hélice. Se han realizado varios intentos para estimar las cantidades relativas de material «cristalino» y «amorfo» en el pelo, pero tales medidas son difíciles de interpretar, puesto que no existe una distinción tajante entre una zona «cristalina» ligeramente imperfecta y una zona «amorfa» bien organizada. Sólo se puede aceptar que las cadenas polipeptídicas helicoidales se empaquetan juntas donde se encuentran con tal configuración según las circunstancias lo permitan, y una cadena puede pasar por muchas zonas cristalinas y amorfas. KUCZERA[78] ha postulado la existencia de varias queratinas estrechamente relacionadas que corresponden a varias características estructurales histológicas de las fibras del pelo.

LEÓN[79] ha dado un resumen conciso pero detallado de la composición de aminoácidos, morfología e histología de la queratina-fibra del pelo humano y de la lana.

La superficie cuticular del pelo humano ha recibido escasa atención en la literatura, a pesar de su obvia importancia para lo que está relacionado con la formulación y comportamiento de las preparaciones capilares. La organización de la queratina en el cortex contrasta con la estructura proteica no helicoidal y con enlaces cruzados encontrados en las capas celulares de la superficie. Los resultados de los análisis de aminoácidos publicados por WOLFRAM y LINDEMANN[80] muestran un elevado contenido de azufre en comparación con el cortex, considerando a la función de la cutícula como una barrera química, y quizás significando un papel estructural en términos físicos. La progresiva pérdida de cutícula desde la raíz a la punta ha sido descrita por BOTTOMS *et al.*[81].

Componentes minerales del pelo

El contenido mineral del pelo, en particular el contenido de trazas de metales, ha sido un tema de interés durante muchos años, especialmente desde que se han desarrollado técnicas analíticas que permiten realizar el análisis de pequeñas muestras de pelo, que es de lo que se dispone generalmente. Aparte de la curiosidad científica, siempre existe la posibilidad de que los metales presentes en cantidades de trazas puedan tener influencia en la acción de tratamientos capilares, tal como la decoración o tinte.

BAGCHI y GANDULY[82] han determinado los constituyentes minerales del pelo humano, y destacaron que las cantidades de carbono, hidrógeno, nitrógeno, azufre y fósforo son aproximadamente de la misma magnitud independientemente de edad, raza y sexo. También han publicado cifras para el contenido de las trazas de metales de las mismas muestras de pelo, pero los datos obtenidos son insuficientes para permitir hacer generalizaciones (Tabla 23.2).

Tabla 23.2. Componentes minerales y contenidos de trazas de metales de varias muestras de pelo[82]

	Muchacha europea (pelo castaño) (por ciento)	Muchacha hindú (pelo negro) (por ciento)	Pelo mezclado de treinta adultos varones, de una peluquería (por ciento)
Carbono	44,03	44,20	44,60
Nitrógeno	13,70	13,68	14,60
Hidrógeno	5,58	5,60	5,40
Azufre	3,80	1,50	3,80
Fósforo	0,065	0,096	0,08
Cloro	1,98	2,00	2,00
Agua	3,96	4,20	4,10
	(mg/kg)	(mg/kg)	(mg/kg)
Plomo	21,0	284,0	47,7
Cobre	64,0	62,8	108,0
Arsénico	2,4	2,2	2,2
Zinc	116,0	182,0	212,0
Hierro	133,0	126,0	141,0
Magnesio	28,4	25,0	38,0
Cobalto	14,2	16,0	18,1
Níquel	5,4	5,5	8,2
Calcio	212,0	188,0	208,4
Aluminio	26,0	26,0	32,0
Silicio	188,0	178,6	150,4
Bismuto	nada	nada	nada
Plata	nada	nada	nada
Antimonio	nada	nada	nada
Mercurio	nada	nada	nada

La decoloración del pelo en la ondulación permanente se atribuye con frecuencia a la presencia de metales, particularmente hierro y plomo en el pelo.

En casos conocidos por uno de los autores, parece que el pelo estaba contaminado por hierro procedente del uso de viejas y usadas horquillas y pinzas de pelo. El origen del plomo, que frecuentemente asciende a 1.000 ppm o más, fue menos fácil de explicar. Las reclamaciones, que estaban relacionadas con un color ligeramente castaño rosáceo, generalmente procedían de sujetos con pelo completamente cano o rubio natural, y no era razonable pensar que hubiesen utilizado colorantes capilares que contuviesen plomo.

TOMPSETT[83] ha demostrado que cuando se altera el metabolismo del calcio del cuerpo, el plomo, que normalmente se encuentra acumulado en los huesos, se moviliza y dispersa en el torrente sanguíneo y, como consecuencia, en los tejidos y órganos blandos del cuerpo. Desafortunadamente, el pelo no se incluyó en estas investigaciones, pero, por analogía con el arsénico, que es conocido de antiguo su depósito en pelo y uñas, parece muy probable que esto podría ser el origen del plomo en el pelo. Una prueba más de esta teoría procede del trabajo de STRAIN et al.[84], quienes demostraron que el contenido de zinc del pelo reflejaba el contenido del zinc de los tejidos del cuerpo. Resultados similares se han obtenido con otros metales, y parece que existe poca duda de que los metales del torrente sanguíneo encuentran su vía hacia el pelo.

La técnica más reciente aplicada a la determinación de contenido de trazas de elementos del pelo es el análisis de radiactivación[85, 86], que hace posible la realización de un análisis completo, incluso de un solo pelo. Sin embargo, la técnica no ha suministrado, desafortunadamente, una técnica forense definitiva para comparar pelos.

BATE y varios colaboradores del *Oak Ridge National Laboratory* (EEUU) publicaron varios trabajos[87, 88] sobre el tema y llegaron a la conclusión de que el método tenía serios inconvenientes atribuibles a la facilidad con que el pelo adsorbe y elimina trazas de metales procedentes de soluciones aplicadas externamente. También COLEMAN et al.[89], en el *Aldermaston Atomic Research Centre* (Gran Bretaña), trabajaron en este campo. Desarrollaron un procedimiento estandarizado de ensayo y un método estadístico para evaluar los resultados. Afirmaron que utilizando un perfil de doce elementos podían delimitar el número de personas de la población de la que procedía el pelo; como alternativa, podían asociar el pelo de un número de sospechosos, cuyos pelos se podían analizar y comprobar. COLEMAN et al. determinaron el contenido de trazas de elementos del pelo humano basados en una muestra al azar de ochocientos sujetos de Inglaterra y Gales. Afirmaron que las diferencias de pelos de hombres y mujeres eran significativas y podían facilitar la determinación del «sexo» de pelos desconocidos con una seguridad del 90 por 100.

Propiedades químicas del pelo

Aunque no hay espacio aquí para clasificar exhaustivamente todas las propiedades químicas del pelo, se resumen ciertas reacciones que tienen relación directa con los detalles estructurales que ya se han tratado.

En principio, se debe admitir que cerca del 50 por 100 del peso de la queratina del pelo está constituida por cadenas laterales de los aminoácidos y, como consecuencia, tienen un efecto grande correspondiente con las propiedades de la totalidad de la sustancia. A causa de la variedad de estas cadenas laterales, las reacciones no están bien definidas, pero la influencia de ciertos grupos puede ser detectada en su contribución a la reactividad química total. Por ejemplo, si los enlaces disulfuro se rompen, el pelo se debilita, pero no se destruye mientras queden intactos los enlaces salinos. Análogamente, la acción de ácidos fuertes en la rotura de enlaces salinos (suprimiendo la ionización de los grupos carboxílicos) no fracturará el pelo, a menos que simultáneamente se rompan los enlaces disulfuro. Si los enlaces de hidrógeno permanecen intactos es muy difícil realizar otra reacción con el pelo, pues no se hincha para admitir cualquier otro reactivo; realmente, es difícil colocar el pelo para reaccionar en solventes no-polares. ALEXANDER[57] sugiere que, de hecho, la mayor parte de la solidez mecánica del pelo seco reside en los enlaces de hidrógeno.

Sin embargo, en condiciones normales, los enlaces de hidrógeno siempre contienen algo de agua absorbida del aire, generalmente alrededor del 9 por 100, más o menos, dependiendo de la humedad de la atmósfera, etc. En agua líquida, el pelo absorbe agua ligada hasta aproximadamente un 30 por 100 de su propio peso[90].

La queratina del pelo es insoluble en soluciones acuosas de sales (a excepción del bromuro de litio a concentraciones superiores al 50 por 100), en ácidos débiles, álcalis débiles y solución saturada y neutra de urea. En soluciones ácidas con pH comprendido entre 1 y 2 se produce un hinchamiento lateral moderado, porque se rompen tanto los enlaces de hidrógeno como los salinos. Sin embargo, la estructura permanece firme a causa de los enlaces disulfuro. En soluciones alcalinas a pH 10 el hinchamiento lateral es intenso por las mismas razones, y a pH 12 los enlaces disulfuro se empiezan a romper, el hinchamiento lateral no tiene límites y el pelo pasa a la solución. (Más detalles de los efectos del álcali sobre los enlaces disulfuro se encontrarán en el Capítulo 28 sobre ondulado permanente.)

La totalidad de los tres tipos de enlaces puede ser afectada por algunas otras sustancias, tales como sulfuro sódico[91, 92], tioglicolato sódico[93], mercaptoetanol[94], urea-bisulfito[95, 96, 97], cianuro potásico[98], dióxido de cloro[99] y ácido peracético[100]. También disuelve la queratina del pelo una mezcla de fenol y ácido tioglicólico[101], así como formamida y urea a elevadas temperaturas (140-160 °C). WHEWELL[102] ha revisado las propiedades de la queratina como producto químico, y publicado una serie completa de reactivos que se ha empleado para modificar la lana. MENKART[103] ha comparado las propiedades químicas del pelo humano y de la lana, y ha demostrado que la lana es más reactiva a causa de su grado inferior de enlaces cruzados. Este trabajo facilita situar los datos dados por WHEELL en su propia perspectiva.

La tabla de los análisis de los aminoácidos de la queratina del pelo y de la lana demuestra que el número total de cadenas laterales ácidas (de ácido glutámico y ácido aspártico) es aproximadamente doble que el número de cadenas laterales básicas (de arginina, histidina y lisina). Esto significa que, aunque las posiciones de los aminoácidos en la estructura de la queratina eran favorables al enlace de tipo sal, aún existe un gran exceso de cadenas laterales ácidas. Normalmente, éstas se neutralizan con iones tales como amonio, sodio, etc., y por trazas de otros metales del pelo cuando estos existen como cationes, pero estos cationes se pueden reemplazar por otros, exactamente como en un intercambiador de iones, si las circunstancias son favorables. Por ejemplo, una concentración elevada de iones sódicos (como en algunos champús) tenderá a convertir todo el exceso de las cadenas laterales ácidas en sales sódicas; los iones polivalentes tenderán a reemplazar iones monovalentes (Ca^{+2} reemplazará al Na^+; Al^{3+} sustituirá al Ca^{2+}), y los cationes con alguna actividad superficial reemplazarán a cationes inorgánicos más sencillos. Este último efecto explica la rapidez con que los detergentes catiónicos se adsorben por el pelo y la rapidez de adsorción de colorantes catiónicos, tal como el azul de metileno. Un ejemplo interesante de las características intercambiadoras de bases del pelo se puede ofrecer con el azul de metileno. Si se lava cuidadosamente el pelo con solución diluida de cloruro sódico durante aproximadamente sesenta minutos, la mayoría de las cadenas laterales ácidas se han transformado en sales sódicas. Si tal pelo se tiñe con azul de metileno, rápidamente adquirirá un color azul intenso. Sin embargo, si el pelo se sumerge en solución de sulfato de aluminio o preferente-mente en una sal de aluminio más neutra, tal como cloruro, antes de teñir con azul de metileno, solamente se alcanzará un tono azul pálido, lo que demuestra que muchos de los lugares de intercambio básico han sido bloqueados por un complejo de aluminio bastante estable.

Si el pelo se dispersa por sulfuro sódico o cianuro sódico 0,5 M en hidróxido sódico 0,1 M, la sustancia solubilizada tiene una composición similar a los aminoácidos contenidos en el pelo original. La región isoeléctrica de tal sustan-cia solubilizada está en pH 4,1-4,7, demostrando de nuevo el exceso de cadenas laterales ácidas.

Son bien conocidos los métodos físicos para evaluar la lesión del pelo tal como los ensayos extensométricos y las medidas[104] de relajación de tensión. Los últimos trabajos se han dirigido a obtener métodos químicos adecuados para estimar la lesión del pelo, y se han desarrollado diferentes principios[105-109] incluyendo el efecto de hinchamiento del bromuro de litio, efecto de enzimas y la absorción de cobre por el pelo.

Color del pelo

Melanina y melanocitos

El color del pelo es debido a gránulos de pigmentos existentes en las células del tallo del pelo. El efecto es producido por la gran cantidad de pigmento en el cotex, pero los gránulos también están presentes en la médula. El pigmento es elaborado en el interior de los melanocitos situados alrededor del ápice de la papila dérmica y transferidos a las células recientemente formadas del pelo procedente de los extremos de sus dendritas en forma de dedos[110-112].

Los gránulos de pigmentos por sí mismos son el producto final de los *melanoso-mas*. Estos se forman como *pre-melanosomas* incoloros en la región de Golgi, y se oscurecen progresivamente a medida que en ellos se sintetiza el pigmento, y se traslada periféricamente. Los gránulos de pigmentos aislados son ovoides o de forma de bastón, y varían en longitud desde 0,4 μm a 1,0 μm, y en anchura, de 0,1 μm a 0,5 μm[113, 114]. Cuanto más oscuro es el pelo, mayor es el tamaño medio de los gránulos[115-117], y las razas negroides generalmente tienen menos gránulos y de mayor tamaño que los caucasianos. La melanogénesis ha sido tratada por COLLINS[118] y FITZPATRICK[119].

Los tonos del pelo humano son resultado principalmente de dos tipos de pigmentos, *eumelanina*, que es castaña o negra, y *feomelanina*, que es amarilla o rojiza. La eumelanina se forma a partir del aminoácido tirosina por oxidación con la enzima *tirosinasa*. La tirosina es también precursora de la feomelanina, pero parece que también es necesaria[111, 120, 121] la presencia de un *o*-aminofenol derivado de triptófano.

Otros pigmentos, que también parecen ser complejos de hierro, han sido extraídos de pelo rojo humano[122-124], conejos rojos, perros rojos mestizos[125, 126], y reciben el nombre de *tricosiderinas*. Se han aislado al menos tres compuestos distintos[127]. La importancia de estos pigmentos es cuestionable. BOLDT[128] ha demostrado que su color no es debido al contenido de hierro, puesto que ha sido posible aislar alcoholes libres de hierro, denominados pirrotricoles, que tienen los mismos colores que los complejos de hierro. Aún más, el color rojo del pelo humano no se altera esencialmente al extraer las pirrosiderinas. Así, aunque se admite que el pelo rojo contiene mayores cantidades de hierro que otros tonos, actualmente se cree que su color es debido a la feomelanina.

Bioquímica de la melanogénesis

La primera etapa de la formación de la eumelanina o feomelanina es la oxidación de la tirosina a 3,4-dihidroxifenilalanina (dopa) por la enzima tirosinasa[129-133]. La segunda etapa, también catalizada por la tirosinasa[134, 135], es la deshidrogenación de dopa para formar dopa-quinona (Fig. 23.6)[136].

Las eumelaninas implican la formación de indol-5,6-quinona. Actualmente, parece probable que la eumelanina no es, como se creyó anteriormente, un polímero sencillo de unidades de indol-5,6-quinona ligadas por un enlace simple, sino un poiquilopolímero de varios tipos de monómeros unidos por enlaces de múltiples tipos, con la incorporación de un grupo de intermedios oxidados. Según DALGLIESH[137], existen cuatro lugares en los que las moléculas se pueden unir. La eumelanina llega a unirse a la proteína.

Las feomelaninas se elaboran a partir de la dopaquinona por varias vías. La dopaquinona reacciona con la cisteína para formar 5-S y 2-S-cisteinildopa[138], y por oxidación posterior, que probablemente no es enzimática, se producen intermedios que forman los polímeros de feomelanina.

La tirosinasa contiene cantidades de trazas de cobre, que existen en estado cuproso a cúprico. También la actividad de la tirosinasa se manifiesta por complejos similares que contienen otros iones polivalentes, tales como cobalto, níquel y vanadio[139], pero su eficacia es inferior a la del cobre. La activación de la tirosinasa requiere que estén presentes cantidades de trazas de dopa[140], y ésta se puede producir por ácido ascórbico a partir de la dopaquinona.

Un gran número de sustancias pueden inhibir la actividad de la tirosinasa y, por tanto, la pigmentación. Tales sustancias incluyen competidores de la tirosina

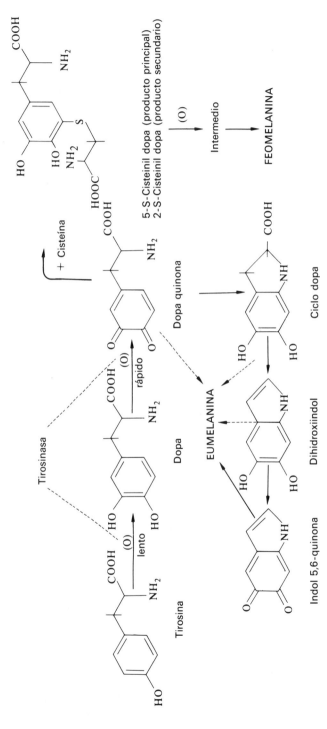

Fig. 23.6. Esquema simplificado para la formación de eumelanina y feomelanina. (Según Rook *et al.*[136]. Cortesía de Blackwell Scientific Publications.)

(3-fluorotirosina, N-acetiltirosina, N-formiltirosina, fenilalanina, 3-aminotirosina), agentes con una actividad acomplejante con el grupo prostético cobre de la enzima (feniltiourea, dietilditiocarbomato, BAL, cisteína, glutatión, sulfuro de hidrógeno, cianuros, etc.), compuestos que alteran el potencial redox del sistema (hidroquinona, indofenol, etc.), sustancias que se combinan con uno u otro de los intermedios en la síntesis de la melanina (anilina, ácido *p*-aminobenzoico, *p*-fenilendiamina, etc.) y una o dos sustancias (éteres de hidroquinona, pentacloronaftalenos) cuyo modo de acción es desconocido. Resúmenes útiles de tales inhibidores se han dado por Lorincz[141] y Fitzpatrick[111].

Por razones obvias, pocas de estas sustancias se han ensayado *in vivo*. Sin embargo, la α-naftiltiourea y la fenilurea ocasionan el enrarecimiento de pelo en ratas, siempre que estén en la dieta, y el tiouracil ha suprimido la pigmentación en el hombre.

Encanecimiento del pelo

El encanecimiento del pelo está involucrado con la pérdida de pigmento de los tallos del pelo, y la pérdida progresiva de actividad de la tirosinasa de los bulbos pilosos. Se debe considerar como parte normal del envejecimiento; en los caucasianos, los pelos blancos primeramente aparecen en las sienes a la edad media de treinta y cuatro años, y a los cincuenta años, la mitad de la población tiene cuando menos el 50 por 100 de los pelos canos.

Frecuentemente se ha mencionado el rápido encanecimiento del pelo (juzgado por su apariencia global) después de una grave tensión, aunque la creencia que el cabello de María Antonieta y Sir Tomas More se volvieron blancos en una noche puede estar al límite de la credibilidad. No es concebible que el pigmento se pueda destruir en el pelo que ya ha crecido. Sin embargo, existen dos posibles explicaciones. Una es la de «efluvios telógenos» (*telogen efluvium*) (véase posteriormente Trastornos del cabello) que provocan la muda súbita de pelos oscuros de una población mezcla, dejando un predominio de pelos blancos o grises *in situ;* la otra es que un suceso traumático precipita la pérdida de pelos por un episodio de «alopecia areata»; los primeros pelos que vuelven a crecer son invariablemente blancos. Sin embargo, tales procesos tienen lugar en semanas o meses, más que en horas. Green y Patterson[142] registraron un caso de un maquinista que cayó de una locomotora estacionada. Perdió el pelo desde el día del accidente, primero en zonas circulares que se diagnosticaron como alopecias. Se extendió, finalmente, hasta que cuatro meses después quedó completamente calvo. Dos meses más tarde aparecieron unos pocos pelos blancos vellosos.

El encanecimiento del pelo se puede producir experimentalmente en animales por deficiencias de cobre o ácido pantoténico; el encanecimiento debido al cobre se invierte con ácido pantoténico[143]. Aunque se ha reivindicado que dosis enormes de ácido *p*-aminobenzoico puede restaurar en determinadas circunstancias el pigmento al pelo gris en el hombre[144], no existe tratamiento conocido por el cual se invierta apreciablemente el encanecimiento. Sin embargo, los folículos capilares pueden a veces producir intermitentemente pelo gris o pigmentado; una situación tal es una anomalía rara conocida como *pelo anillo* o *pili annulati*.

Trastornos del pelo

Introducción

Sólo se puede dar aquí un breve resumen de los principales estados de salud que afectan al tallo del pelo y al folículo capilar. Para una exposición más completa, véase los trabajos de ORFANOS[145] y EBLING y ROOK[136].

El cosmetólogo necesita reconocer varias anormalidades del tallo del pelo de origen genético y cada una de ellas puede asociarse a pelo escaso; frágil y, frecuentemente, corto. De estos transtornos hay que diferenciar varios tipos de pérdida de pelo en que los tallos permanecen estructuralmente normales.

La pérdida de pelo puede ser rápida o gradual. La muda súbita de pelo es frecuente, aunque no invariablemente, pasajera, mientras que la pérdida gradual, sólo observada por su efecto a largo plazo, generalmente es crónica e irreversible.

La pérdida rápida puede, además, subdividirse en dos tipos, según si el pelo que cae es un bastón o un pelo en crecimiento mudado procedente de un folículo activo.

La pérdida de bastones de pelos se conoce como *telogen effluvium* y parece que tiene varias causas posibles. Una, esto es, la del parto, está bien comprobada y la situación resultante es conocida como *pospartum alopecia*. La pérdida de pelos en crecimiento se conoce como *anagen effluvium*. Se presenta después de fármacos citotóxicos, y parece probable que la caída de pelo en forma de calvas por zonas, o *alopecia areata*, es un proceso similar.

La pérdida de pelo desarrollada lentamente, que ocasiona una calvicie según un patrón simétrico, es bien conocida por los hombres, y se denomina *alopecia masculina* o *alopecia androgética*. Las alopecias difusas se han atribuido a diversas causas. Parece que muchas, probablemente el mayor número, de alopecias difusas femeninas es un estado hereditario androgénico potenciado, que en la mujer equivale a la calvicie masculina.

Defectos en el tallo del pelo

Moniletrix: Es una situación en la que el tallo del pelo presenta el aspecto de un rosario con nódulos elípticos de 0,7-1,0 mm, separados alternativamente con internódulos estrangulados que carecen de médula. El pelo es frágil, y se quiebra a uno o dos centímetros de su punto de nacimiento.

Pili torti: El tallo del pelo se retuerce sobre su eje a intervalos, y generalmente se quiebra nada más nacer.

Tricorrhexis nudosa: Es una respuesta a la lesión física o química en que un pelo aparentemente normal se abulta y fisura para formar un nódulo por el cual el pelo se rompe a continuación. En la *trichorrhesis invaginata,* el pelo quebrado se dobla y adquiere un aspecto parecido al bambú.

Efluvio telógeno *(Telogen Effluvium)*

La caída abundante de los bastones normales después de enfermedades febriles *(alopecia postfebril)* es bien conocida[10]; también se han sugerido otras causas, por ejemplo fármacos antitiroideo, anticoagulantes y *stress* psicogénico. KLIGMAN[10] ha referido el caso de un preso que sufrió la caída diaria de 600-1.500 pelos durante un período de tres meses después de su condena por homicidio, pero que recobró el pelo a continuación de habérsele concedido el perdón.

Alopecia posparto *(Postpartum Alopecia)*

La caída del pelo a los dos o tres meses del parto parece ser un efluvio telógeno *(telogen effluvium)* similar a la alopecia postfebril. La causa parece ser una prolongación del período anágeno por la situación hormonal del reciente embarazo. LYNFIELD[146] fue el primero en descubrir, y otros lo han confirmado, que antes del parto, como mucho el 95 por 100 de los folículos del cuero cabelludo se encuentran en período anágeno, pero la proporción desciende a menos del 70 por 100 a los dos o cuatro meses después del parto, sugiriendo que los folículos se han caído en el período catágeno.

Efluvio anágeno *(Anagen Effluvium)*

En contraste con el efluvio telógeno, la pérdida de pelos en período anágeno es rápida. Los fármacos citotóxicos, tales como ciclofosfamida, adriamicina y vincristina, pueden producirla en pocos días.

Alopecia areata *(Alopecia Areata)*

La alopecia areata, o calvicie por zonas, generalmente es fácil de reconocer. Las lesiones se sitúan asimétricamente y cada una de ellas comienza en un punto focal y se extiende hacia fuera. El proceso dura dos o tres semanas o puede, citando a BEHRMAN[147], ser «tan rápido que aparezca durante la noche una placa completamente desnuda, encontrando el mechón de cabellos caídos en la almohada a la mañana siguiente»[11].

Los márgenes de la lesión se caracterizan por la presencia de bastones de pelos cortos y sobresalientes con un punto desgastado, llamado «puntos de exclamación». Cuando la lesión progresa se encuentran muchos folículos en estado detenido anágeno. Arrancando pelos sucesivamente de una serie de anillos concéntricos alrededor del foco de la lesión, se ha demostrado que existe una zona, de la cual sólo se puede eliminar bastones, que se desarrolla en el centro y se traslada centrípetamente[148].

La hipótesis más sencilla para explicar estas observaciones es que los pelos inicialmente se caen de todos los folículos activos, dejando sin afectar a los bastones. El corte de pelo desde los folículos, que pasan a período catágeno, produce los muñones protuberantes de los puntos de exclamación. Sin embargo, es bastante probable que los folículos también se aceleren hacia el período catágeno. Se ha de añadir que el proceso no siempre produce lesiones por zonas, sino que a veces se presenta difundido, la llamada «alopecia areata difusa».

La causa de la alopecia areata es tema de discusión. Parece que existan varios tipos de enfermedades, probablemente cuatro, difiriendo unas de otras en la edad de aparición, características clínicas y pronóstico[149]. Los autores se dividen en cuanto al papel desempeñado por la herencia; algunos están a favor de un historial familiar en el 10 al 20 por 100 de los casos[150], otros no encuentran este historial en ningún caso[151]. Algunos creen que los factores psicológicos son importantes[152], otros que no desempeñan ningún papel[153]. Sin embargo, parece difícil negar que la situación se precipita, en algunos casos, por *shock* mental[154, 155].

Se han utilizado varios tratamientos para la *alopecia areata*, tales como luz ultravioleta o varios irritantes, pero no existe evidencia objetiva de que sean de algún valor. La mitad de todos los pacientes se recuperaron en período de un año a partir del ataque inicial, aunque es elevada la incidencia de recaídas[156]. Los corticosteroides, suministrados sistémicamente, han demostrado inducir a un nuevo crecimiento en muchos casos, aunque este crecimiento no siempre se mantiene después de suprimir el tratamiento. Más justificado es el empleo de inyecciones[157] durante la lesión.

Alopecia masculina

No es necesario ser un experto para reconocer la alopecia masculina[158]; el retroceso de la línea del pelo, la pérdida capilar desde la coronilla, y el cráneo calvo, son características muy familiares[159]. En las zonas afectadas, los pelos se hacen constantemente más cortos y finos y, finalmente, sin valor cosmético. Desaparece aproximadamente la tercera parte de todos los folículos. En muestras de pelos arrancados, una reducción en la duración del período de crecimiento se refleja en el aumento de la relación incrementada de telógeno a anágeno.

La alopecia masculina es hereditaria, aparentemente como rasgo autosomático dominante, pero que sólo se manifiesta en presencia de la hormona masculina. Los eunucos conservan su cuero cabelludo, aún cuando tengan historial familiar de calvicie, a menos que se traten con testosterona[45]. Aunque se ha sugerido una correlación con la abundancia de pelo en el pecho[158], la calvicie no parece estar asociada a otros índices de masculinidad, tales como secreción sebácea, tamaño de los músculos y pelo corporal en general[160]. Aunque el hallazgo de que el cuero cabelludo calvo tiene mayor capacidad que el no calvo para convertir la testosterona en 5 α-dihidrotestosterona *in vitro*[161], sugiere que la clave para entender la calvicie se encuentra en el campo del metabolismo de los esteroides, sin embargo, no se ha propuesto ninguna hipótesis admisible de cómo los andrógenos promueven la calvicie del cuero cabelludo pero sí promueven el crecimiento del pelo en el cuerpo.

Alopecia difusa

La pérdida de pelo no es rara en la mujer. En ocasiones, tal pérdida implica una obvia recesión de la línea del pelo como en el hombre, pero generalmente es difusa.

Se han propuesto varias causas. Desde la antigüedad se ha reconocido que el pelo fino estaba asociado con el hipotiroidismo (mixoedema), así como con el hipertiroidismo.

Existen algunas evidencias de otros factores, tales como, por ejemplo, deficiencia de hierro[162] y la ingestión de anfetaminas para reducir el peso[163]. Sin embargo, en muchos casos (más de la mitad del total en una serie estudiada[163]) no se pudo encontrar causa alguna. Parece que es probable que sean alopecias androgénicas que se manifiestan aún dentro del intervalo normal de niveles de andrógenos en la mujer.

Hirsutismo

El hirsutismo se puede definir como el desarrollo en la mujer de pelo grueso terminal en zonas parciales o totales del patrón del hombre adulto. En un extremo de esta escala, el trastorno puede estar claramente asociado a otros signos de virilidad, producción excesiva de andrógenos y una patología endocrina. Pero la mayoría de los casos no presentan signos de masculinización, excepto el hirsutismo y, presentan sólo ligera o moderada elevación de niveles de andrógenos; algunos se encuentran dentro de los límites normales de sujetos no-hirsutos. Tal situación parece ser el resultado de niveles anormales de andrógenos libres o por una respuesta anormal del folículo capilar, o los dos. En el control de este estado[44], han mostrado ser efectivos por vía oral los anti-andrógenos, tales como el esteroide acetato de ciproterona.

Caspa

Definición y etiología

La caspa es una anomalía del cuero cabelludo caracterizada por la descamación masiva de pequeños copos del estrato córneo. El trastorno de descamación ya se ha mencionado en el Capítulo 1, donde se expuso brevemente su presencia y discutida etiología.

La discusión acerca de las causas de la caspa gira alrededor de las circunstancias relativas a los factores fisiológicos, traumáticos e infecciosos. Muchos autores han intentado correlacinar la caspa con afecciones corporales o factores ambientales. Así, LUBOWE[164] examinó la posible intervención de hormonas, fallos metabólicos, dieta y tensión nerviosa, así como reacciones inflamatorias a medicamentos tópicos y cosméticos. SEFTON[165] observó que prisioneros de guerra en campos japoneses de Singapur de 1942 a 1945 presentaban poca caspa y atribuyó esto a la limitación de grasas en la dieta, y se ha afirmado que la terapéutica vitamínica es efectiva en algunos tipos de caspa[166].

Los microorganismos del tipo de levaduras, *Pityrosporum ovale* y *Pityrosporum orbiculares,* son miembros comunes de la flora del cuero cabelludo. El *Pityrosporum* se detecta fácilmente con tinciones como azul de metileno y azul Nilo. No parece que exista en la naturaleza, fuera de los seres humanos, y ha mostrado dificultades en su cultivo, aunque se ha resuelto este problema[167, 168]. La ultraestructura ha sido descrita por SWIFT[169].

El *Pityrosporum ovale* fue descrito por primera vez en 1874 por MALASSEZ, que creyó que era la única causa de la caspa[170]. Esta opinión fue posteriormente mantenida por REDEISH[171]. El papel del *Pityrosporum* en la caspa se ha discutido mucho. ¿Cuál es la prueba? KOCH estableció los postulados originales para que un microorganismo sea la causa específica de una enfermedad:

a) El microorganismo debe estar presente en todos los casos de la enfermedad;

b) Debe ser recogido y cultivado en cultivo puro;

c) La inoculación de tal cultivo debe reproducir la enfermedad en animales adecuados.

d) El microorganismo debe poder ser obtenido de tales animales, y volver a desarrollarse en cultivos puros.

Existen pocas dudas de que el *Pityrosporum* suela estar presente en los casos de caspa; del mismo modo, también están presentes otros muchos microorganismos, incluyendo varias bacterias y hongos[172-174]. El primer postulado parece cumplirse, si no fuera por el hecho de que el *Pityrosporum* también concurre en cueros cabelludos exentos de caspa. Como consecuencia, la cuestión se plantea si existe una relación entre la caspa y el nivel de infección. Algunos autores han fracasado en encontrar tal correlación[175], otros han proporcionado pruebas de que el *Pityrosporum* es, en efecto, más abundante en personas afectadas que en las no afectadas[172, 176].

La cuestión de si la inoculación del cultivo de *Pityrosporum ovale* podría producir caspa fue investigada por MOORE y sus asociados[177]. Sus resultados son reproducidos en la Tabla 23.3. La demostración no es definitiva, pero apoya la opinión de que el *Pityrosporum* es el agente causante.

Tabla 23.3. Resultados de inoculación experimental con *Pityrosporum ovale* para producir caspa

Tipo de inoculación	Reacción			Total
	Positiva	Dudosa	Negativa	
Inyección intradérmica de células totales en solución salina	22 (79 por 100)	0	6 (21 por 100)	28
Excoriaciones raspadas con el cultivo total	19 (40 por 100)	8 (16 por 100)	21 (44 por 100)	48
Excoriaciones raspadas con el cultivo total más mezcla de lípidos	12 (48 por 100)	5 (20 por 100)	8 (32 por 100)	25
Exposición de piel intacta al cultivo	9 (50 por 100)	2 (11 por 100)	7 (39 por 100)	18
Aplicación del cultivo al cuero cabelludo	6 (100 por 100)	0	0	6

Algún apoyo posterior procede de estudios sobre los efectos de preparaciones antibacterianas. Cuando se efectúa un masaje del cuero cabelludo con una solución de neomicina y nistatina, se reducen[178] tanto la caspa como la flora microbiana. Por otra parte, aparentemente una reducción en la flora de levaduras fue más efectiva en el control de la caspa que una reducción en el número de bacterias[17].

Así, las pruebas circunstancial y experimental incluyen al *Pityrosporum* como un agente de la caspa, pero no establece sin lugar a dudas que es el único agente. Ciertamente el término «caspa» cubre más de un caso, y es necesario diferenciar la caspa seca de la caspa grasa. Una dificultad más es la distinción entre caspa y dermatitis seborreica. *SPOOR*[180] opinó que no era real el intentar separar estos estados, mientras que KLIGMAN y sus colaboradores[181] rechazan firmemente la opinión de que están relacionadas de alguna manera.

Terapéutica de la caspa

La amplia variedad de tratamientos que se han utilizado para la caspa refleja la polémica acerca de su naturaleza y etiología.

Ya que la caspa seca puede relacionarse con agentes externos provocantes, éstos deben ser completamente evitados, tal como champús inadecuados, lociones alcohólicas o lociones para la ondulación, utilizados en contacto íntimo con el cuero cabelludo.

La caspa grasa ha sido atacada con infinidad de sustancias. Antes de exponerlas, se deben mencionar las dificultades de hacer una estimación objetiva de sus eficacias. Son esenciales los ensayos adecuadamente controlados, puesto que cualesquiera que sean las sustancias utilizadas, el lavado regular, el masaje y la unción con pomadas frecuentemente alivian la caspa. ALEXANDER[182] examinó los efectos de tres tratamientos:

1. Champú base.
2. Champú base más alquitrán.
3. Champú base más alquitrán, más sal sódica del sulfosuccinato de una undecilen alcanolamida.

Esta investigadora encontró que el lavado con cualesquiera de los champús redujo la caspa por pocos días, el alquitrán lo redujo por tiempo más largo que la base sola, mientras que el producto que contenía el aditivo era aún mejor.

Procedimientos para una evolución clínica de champús anticaspa se han discutido por VAN ABBÉ y DEAN[183] y por KLIGMAN y colaboradores[181].

IDSON[175] y LUBOWE[164] han publicado las sustancias utilizadas en preparaciones comerciales. Entre los ingredientes activos publicados en cuarenta y siete productos están hexaclorofeno, alquitrán, ácido salicílico, azufre, resorcinol y compuestos catiónicos[164].

Los tratamientos germicidas incluyen resorcinol, timol y otros fenoles. Los germicidas catiónicos fueron introducidos por HODGES[184] y NEVILLE-SMITH[185, 186] en forma terapéutica con una solución al 5 por 100 de una solución de Cetavlon, y una información posterior es dada por SPEIRS y BROTHERWOOD[187]. La sulfacetamida sódica ha sido utilizada por DUEMLING[188] y WHELAN[189] para el tratamiento de la *Pityriasis circinata*. Los derivados triclorometilmercaptos han sido utilizados de nuevo por BALL[190] en la forma de Vancide 89 (triclorometil-mercapto-4-ciclohexeno-2,2-dicarboximida) para el tratamiento de la *pityriasis circinata*, y tales sustancias se han utilizado comercialmente en tratamientos de la caspa. Gross y Wright[191] utilizaron una suspensión de dióxido de telurio al 2,5 por 100 que presentaron como segura y efectiva en el control de la pitiriasis.

El azufre elemental es uno de los tratamientos más antiguos. La forma más efectiva es el azufre coloidal o leche de azufre, que contiene grandes cantidades de ácidos politiónicos, y éstos se han asociado con sustancias catiónicas. Lubowe[192] publicó el buen resultado con *Sarthionate* (*bis*-laurilmetilamonio politionato). Las suspensiones de sulfuro de cadmio han sido empleadas por Kirby[193].

El disulfuro de selenio demostró ser un compuesto muy efectivo. Slinger y Hubbard[194] publicaron tablas que demostraban un control completo de la afección seborreica en el 73,3 por 100 de los casos graves, 84,6 por 100 en casos moderados y 95,4 por 100 en casos leves, y similares resultados satisfactorios han sido publicados por Slepyan[195]. Bereston[196], Matson[197] y Casper[198] emitieron posteriores informes. Brotherton ha discutido el efecto de los compuestos de selenio en el metabolismo del azufre del *P. ovale*[168], sugiriendo un posible modo de acción en el organismo. Sin embargo, Plewig y Kligman[199] han proporcionado pruebas fundamentales de que el compuesto disminuye el recuento de corneocitos y que controla la caspa por su capacidad citostática.

Una dificultad importante de los compuestos de selenio es que, a pesar de ser efectivos, no son atractivos cosméticamente. Así, los productos que contienen óxido sulfuro de selenio son invariablemente de color marrón oscuro y no son agradables de usar. Además se debe tener precaución de evitar el contacto con los ojos. Los productos que contienen selenio se consideran más como productos éticos para ser utilizados en casos graves de caspa, que como cosméticos generales, y deben ser utilizados principalmente bajo asesoramiento.

Más recientemente se ha introducido el piridintiol-N-óxido de zinc (piritiona de zinc, omadina de zinc) como agente seguro para la incorporación en champús[200]. Kligman y sus asociados[181] compararon champús que contenían piritiona de zinc al 2 por 100, o sulfuro de selenio al 2,5 por 100 con un detergente base. Ambos compuestos redujeron significativamente el recuento de corneocitos, y se advirtió una mejoría clínica de la caspa, mientras que el champú de marca tenía poco efecto. Sin embargo, la piritiona de zinc pareció actuar más lentamente que el sulfuro de selenio.

Un efecto anticaspa ligeramente superior al de la piritiona de zinc se ha atribuido a un champú que contiene sal de 1-hidroxi-4-metil-6-(2,4,4-trimetilfenil)-2-(1H)-piridona monoetanolamina (Octopirox)[201].

REFERENCIAS

1. Ebling, F. J., *J. invest. Dermatol.*, 1976, **67,** 98.
2. Montagna, W. and Ellis, R. A., *The Biology of Hair Growth*, New York, Academic Press, 1958.
3. Montagna, W. and Dobson, R. L., *Advances in Biology of Skin*, Vol. 9, *Hair Growth,* Oxford, Pergamon, 1969.
4. Muller, S. A., *J. invest. Dermatol.*, 1971, **56,** 1.
5. Szabo, G., *Philos. Trans. R. Soc. London Ser. B*, 1967, **252,** 447.

6. Barman, J. M., Astore, I. P. L. and Pecoraro, V., *Advances in Biology of Skin*, Vol. 9, *Hair Growth*, ed. Montagna, W. and Dobson, R. L., Oxford, Pergamon, 1969, p. 211.

7. Giacometti, L., *Advances in Biology of Skin*, Vol. 6, *Ageing*, ed. Montagna, W., Oxford, Pergamon, 1965, p. 97.

8. Dry, F. W., *J. Genet.*, 1926, **16**, 287.

9. Kligman, A. M., *J. invest. Dermatol.*, 1959, **33**, 307.

10. Kligman, A. M., *Arch. Dermatol.*, 1961, **83**, 175.

11. Saitoh, M., Uzuka, M. and Sakamoto, M. *J. invest. Dermatol.*, 1970, **54**, 65.

12. Johnson, E., *J. Endocrinol.*, 1958, **16**, 337.

13. Jackson, D. and Ebling, F. J., *J. Anat.*, 1972, **111**, 303.

14. Barman, J. M., Astore, I. P. L. and Pecoraro, V., *J. invest. Dermatol.*, 1965, **44**, 233.

15. Pecoraro, V., Astore, I. P. L., Barman, J. M. and Araujo, C., *J. invest. Dermatol.*, 1964, **42**, 427.

16. Barman, J. M., Pecoraro, V., Astore, I. P. L. and Ferrer, J., *J. invest. Dermatol.*, 1967, **48**, 138.

17. Pecoraro, V., Astore, I. P. L. and Barman, J. M., *J. invest. Dermatol.*, 1964, **43**, 145.

18. Trotter, M., *Am. J. phys. Anthrop.*, 1924, **7**, 427.

19. Saitoh, M., Uzuka, M., Sakamoto, M. and Kobori, T., *Advances in Biology of Skin*, Vol. 9, *Hair Growth*, ed. Montagna, W. and Dobson, R. L., Oxford, Pergamon, 1969, p. 183.

20. Barman, J. M., Pecoraro, V. and Astore, I. P. L., *J. invest. Dermatol.*, 1964, **42**, 421.

21. Comaish, S., *Br. J. Dermatol.*, 1969, **81**, 283.

22. Munro, D., *Arch. Dermatol.*, 1966, **93**, 119.

23. Myers, R. J. and Hamilton, J. B. *Ann. N.Y. Acad. Sci.*, 1951, **53**, 562.

24. Pelfini, C., Cerimele, D. and Pisanu, G., *Advances in Biology of Skin*, Vol. 9, *Hair Growth*, ed. Montagna, W. and Dobson, R. L., Oxford, Pergamon, 1969, p. 153.

25. Eaton, P. and Eaton, M. W., *Science*, 1937, **86**, 354.

26. Lynfield, Y. L. and MacWilliams, P., *J. invest. Dermatol.*, 1970, **55**, 170.

27. Flesch, P., in *The Physiology and Biochemistry of the Skin*, ed. Rothman, S., Chicago, University of Chicago Press, 1954.

28. Priestley, G. C., *J. Anat.*, 1966, **100**, 147.

29. Hale, P. A. and Ebling, F. J., *J. exp. Zool.*, 1975, **191**, 49.

30. Jackson, D. and Ebling, F. J., *J. Soc. cosmet. Chem.*, 1971, **22**, 701.

31. Ebling, F. J. and Johnson, E., *J. Embryol. exp. Morphol.*, 1959, **7**, 417.

32. Ebling, F. J. and Johnson, E., *J. Embryol. exp. Morphol.*, 1961, **9**, 285.

33. Chase, H. B., *Physiol. Rev.*, 1954, **34**, 113.

34. Argyris, T. S., *Advances in Biology of Skin*, Vol. 9, *Hair Growth*, ed. Montagna, W. and Dobson, R. L., Oxford, Pergamon, 1969, p. 339.

35. Johnson, E., *J. Endocrinol.*, 1958, **16**, 351.

36. Johnson, E., *J. Endocrinol.*, 1958, **16**, 360.

37. Ebling, F. J. and Johnson. E., *J. Endocrinol.*, 1964, **29**, 193.

38. Ebling, F. J. and Hale, P. A., *Mem. Soc. Endocrinol.*, 1970, **18**, 215.

39. Orentreich, N., *Advances in Biology of Skin*, Vol. 9, *Hair Growth*, ed. Montagna, W. and Dobson, R. L., Oxford, Pergamon, 1969, p. 99.

40. Marshall, W. A. and Tanner, J. M., *Arch. Dis. Child.*, 1970, **45**, 13.

41. Marshall, W. A. and Tanner, J. M., *Arch. Dis. Child.*, 1969, **44**, 291.

42. Dupertuis, C. W., Atkinson, W. B. and Elftman, H., *Hum. Biol.*, 1945, **17**, 137.

43. Hamilton, J. B., *The Biology of Hair Growth*, ed. Montagna, W. and Ellis, R. A., New York, Academic Press, 1958, p. 399.

44. Ebling, F. J., Thomas, A. K., Cooke, I. D., Randall, V. A., Skinner, J. and Cawood, M., *Br. J. Dermatol.*, 1977, **97**, 371.

45. Hamilton, J. B., *Am. J. Anat.*, 1942, **71**, 451.

46. Hamilton, J. B., *J. clin. Endocrinol.*, 1960, **20**, 1309.
47. Mäusle, von R. and Zaun, H., *Fortschr. Med.*, 1972, **90**, 687.
48. Sims, R. T., *Arch. Dis. Child.*, 1967, **42**, 397.
49. Bradfield, R. B., Bailey, M. A. and Cordano, A., *Lancet*, 1968, **ii**, 1169.
50. Bradfield, R. B., Cordano, A. and Graham, G. G., *Lancet*, 1969, **ii**, 1395.
51. Bradfield, R. B., *Am. J. clin. Nutr.*, 1971, **24**, 405.
52. Jausion, H. and Benard, P., *Bull. Soc. fr. Dermatol. Syphiligr.*, 1949, **56**, 462.
53. Schuringa, G. J., Isings, J. and Ultée, A. J., *Biochim. Biophys. Acta*, 1952, **9**, 457.
54. Bolliger, A., *J. invest. Dermatol.*, 1951, **17**, 79.
55. Spector, W. S., *Handbook of Biological Data*, Philadelphia, Saunders, 1956, p. 90.
56. Bell, J. W. and Whewell, C. S., *A Handbook of Cosmetic Science*, ed. Hibbott, H. W., Oxford, Pergamon, 1963.
57. Alexander, P., *Ann. N.Y. Acad. Sci.*, 1951, **53**, 653.
58. Alexander, P., Hudson, R. F. and Fox, M., *Biochem. J.*, 1950, **46**, 27.
59. MacArthur, I., *Nature (London)*, 1943, **152**, 38.
60. Giroud, A. and Leblond, C. P., *Ann. N.Y. Acad. Sci.*, 1951, **53**, 613.
61. Pauling, L. and Corey, R. B., *Proc. nat. Acad. Sci. Wash.*, 1951, **37**, 235, 241, 251, 261, 272, 282 and 729.
62. Pauling, L. and Corey, R. B., *Proc. nat. Acad. Sci. Wash.*, 1951, **38**, 86.
63. Pauling, L., Corey, R. B. and Branson, H. R., *Proc. nat. Acad. Sci. Wash.*, 1951. **37**, 205.
64. Pauling, L., Corey, R. B. and Branson, H. R., *Nature (London)*, 1951, **165**, 550.
65. Pauling, L. and Corey, R. B., *Nature (London)*, 1953, **171**, 59.
66. Pauling, L. and Corey, R. B., *J. Am. Chem. Soc.*, 1950, **72**, 5349.
67. Bramford, C. H., Brown, L., Elliott, A., Hanby, W. E. and Trotter, I. F., *Nature (London)*, 1952, **169**, 357.
68. Cochran, W. and Crick, F. H. L., *Nature (London)*, 1952, **169**, 234.
69. Yakel, H. L., Pauling, L. and Corey, R. B., *Nature (London)*, 1952, **169**, 920.
70. Fraser, R. D. B., McRae, T. P. and Miller, A., *J. mol. Biol.*, 1964, **10**, 47.
71. Fraser, R. D. B., *Keratins: Their Composition, Structure and Biosynthesis*, Springfield, Charles C. Thomas, 1972.
72. Johnson, D. J. and Speakman, P. T. *Nature (London)*, 1965, **205**, 268.
73. Dobb, M. G., *Nature (London)*, 1965. **207**, 293.
74. Satir, B. and Satir, P., *J. theor. Biol.*, 1964, **7**, 123.
75. Johnson, D. J. and Sikorski, J., *Nature (London)*, 1965. **205**, 266.
76. Orfanos, C. E. and Mahrle, G., *Parfüm. Kosmet.*, 1971, **52**(7), 203 and (8). 235.
77. Randebrock, R. J., *J. Soc. cosmet. Chem.*, 1964, **15**, 691.
78. Kuczera, K., *Seifen Öle Fette Wachse*, 1972, **98**, 115 and 152.
79. Leon, N. H., *J. Soc. cosmet. Chem.*, 1972, **23**, 427.
80. Wolfram, L. J. and Lindemann, M. K. O., *J. Soc. cosmet. Chem.*, 1971, **22**, 839.
81. Bottoms, E., Wyatt, E. and Comaish, S., *Br. J. Dermatol.*, 1972, **86**, 379.
82. Bagchi, K. N. and Ganguly, H. D., *Ann. Biochem.*, 1941. **1**, 84.
83. Tompsett, S. L., *Analyst*, 1956, **81**, 330.
84. Strain, W. H., Steadman, L. T., Lankau, C. A. Jr., Berliner, W. T. and Pories, W. J., *J. Lab. clin. Med.*, 1966, **68**, 244.
85. Cornelis, R. and Speecke, A., *Forensic Soc. J.*, 1971, **11**, 29.
86. Cornelis. R., *Medicine Sci. Law*, 1972, **12**, 188.
87. Bate, L. C. and Dyer, F. F., *Nucleonics*, 1965, **23**, 74.
88. Bate, L. C., *Int. J. appl. Radiat. Isotopes*, 1966, **17**, 417.
89. Coleman, R. F., Cripps, F. H., Stimson, A. and Scott, H. D., *Atom*, 1967, **123**, 12.
90. Valko, E. I. and Barnett, G., *J. Soc. cosmet. Chem.*, 1952, **3**, 108.
91. Jones, C. B. and Mecham, D. K., *Arch. Biochem.*, 1943, **2**, 209.
92. Olofson, B. and Gralen, N., *Proc. 11th int. Congr. pure appl. Chem.*, 1947, **5**, 151.
93. Gillespie, J. M. and Lennox, F. G., *Aust. J. biol. Sci.*, 1955, **8**(97), 378.
94. Jones, C. B. and Mecham, D. K., *Arch. Biochem.*, 1943, **3**, 193.
95. Friend, J. A. and O'Donnell, I. J., *Aust. J. biol. Sci.*, 1953, **6**, 630.

96. Ward, W. H., *Text. Res. J.*, 1952, **22**, 405.
97. Woods, E. F., *Aust. J. sci. Res.*, 1952, **A5**, 555.
98. Gillespie, J. M. and Lennox, F. G., *Biochim. Biophys. Acta*, 1953, **12**, 481.
99. Das, D. B. and Speakman, J. B., *J. Soc. Dyers Colour*, 1950, **66**, 583.
100. Alexander, P., Hudson, R. F. and Fox, M., *Biochem. J.*, 1950, **46**, 27.
101. Laxer, G., Sikorski, J., Whewell, C. S. and Woods, H. J., *Biochim. Biophys. Acta*, 1954, **15**, 174.
102. Whewell, C. S., *J. Soc. cosmet. Chem.*, 1964, **15**, 423.
103. Menkart, J., Wolfram, L. J. and Ma, O. I., *Am. Perfum. Cosmet.*, 1966, **81**, 92.
104. Wall, R. A., Morgan, D. A. and Dasher, G. F., *J. Polymer Sci.*, Pt. C, 1966, (14), 299.
105. Robbins, C., *Text. Res. J.*, 1967, **37**, 337.
106. Holmes, A. W., *Text. Res. J.*, 1964, **34**, 777.
107. Sagal, J. *Text. Res. J.*, 1965, **35**, 672.
108. Klemm, E. J., Haefele, J. W. and Thomas, A. R., *Drug Cosmet. Ind.*, 1965, **97**, 677.
109. Berth, P. and Reese, J., *J. Soc. cosmet. Chem.*, 1964, **15**, 659.
110. Barnicott, N. A. and Birbeck, M. S. C., *The Biology of Hair Growth*, ed. Montagna, W. and Ellis, R. A., New York, Academic Press, 1958.
111. Fitzpatrick, T. B., Brunet, P. and Kukita, A., *The Biology of Hair Growth*, ed. Montagna, W. and Ellis, R. A., New York, Academic Press, 1958.
112. Searle, A. G., *Comparative Genetics of Coat Colour in Mammals*, London, Logos Press, 1968.
113. Barnicott, N. A., Birbeck, M. S. C. and Cuckow, F. W., *Ann. hum. Genet.*, 1955, **19**, 231.
114. Mottaz, J. H. and Selickson, A. S., *Advances in Biology of Skin*, Vol. 9, *Hair Growth*, ed. Montagna, W. and Dobson, R. L., Oxford, Pergamon, 1967, p. 471.
115. Russell, E. S., *Genetics, Princeton*, 1949, **34**, 131.
116. Shackleford, R. M. *Genetics, Princeton*, 1948, **33**, 311.
117. Hutt, F. B., *Pigment Cell Growth*, ed. Gordon, M., New York, Academic Press, 1953.
118. Collins, G. M., *Arch. Biochem. Cosmetol.*, 1962, **4**, 12.
119. Fitzpatrick, T. B., *J. Soc. cosmet. Chem.*, 1964, **15**, 297.
120. Butenandt, A., Bickert, E. and Linzen, B., *Hoppe Seylers Z. physiol. Chem.*, 1956, **305**, 284.
121. Glassman, E., *Arch. Biochem. Biophys.*, 1957, **67**, 74.
122. Rothman, S. and Flesch, P., *Ann. Rev. Physiol.*, 1944, **6**, 195.
123. Flesch, P. and Rothman, S., *J. invest. Dermatol.*, 1945, **6**, 257.
124. Dutcher, T. F. and Rothmans, S., *J. invest. Dermatol.*, 1951, **17**, 65.
125. Flesch, P., *J. invest. Dermatol.*, 1968, **51**, 337.
126. Flesch, P., *J. Soc. cosmet. Chem.*, 1968, **19**, 675.
127. Boldt, P., *Naturwissenschaften*, 1964, **51**, 265.
128. Boldt, P. and Hermestedt, E., *Z. Naturforsch.*, 1967, **B22**(7), 718.
129. Raper, H. S., *Physiol. Rev.*, 1928, **8**, 245.
130. Mason, H. S., *J. biol. Chem.*, 1948, **172**, 83.
131. Nicolaus, R. A. and Piatelli, M., *J. Polymer Sci.*, 1962, **58**, 1133.
132. Nicolaus, R. A., Piatelli, M. and Fattorusso, E., *Tetrahedron*, 1964, **20**, 1163.
133. Mason, H. S., *The Pigmentary System*, ed. Montagna, W. and Hu, F., New York, Pergamon, 1967, p. 293.
134. Mason, H. S., *Nature (London)*, 1956, **177**, 79.
135. Mason, H. S., *Adv. Enzymol. relat. Areas mol. Biol.*, 1955, **16**, 105.
136. Ebling, F. J. and Rook, A., *Textbook of Dermatology*, 3rd edn, ed. Rook, A., Wilkinson, D. S. and Ebling, F. J. G., Oxford, Blackwell, 1979, p. 1733.
137. Dalgliesh, C. E., *Adv. Protein Chem.*, 1955, **10**, 31.
138. Prota, G. and Thomson, R. H., *Endeavour*, 1976, **35**, 32.
139. Kertesz, D., *Nature (London)*, 1951, **168**, 697.

140. Lerner, A. B. and Fitzpatrick, T. B., *Physiol. Rev.*, 1950, **30**, 91.
141. Lorincz, A. L., in *The Physiology and Biochemistry of the Skin*, ed. Rothman, S., Chicago, University of Chicago Press, 1954.
142. Greene, R. and Paterson, A. S., *Lancet*, 1943, **ii**, 158.
143. Singer, L. and Davis, G. K., *Science*, 1950, **111**, 472.
144. Zarafonetis, C., *J. invest. Dermatol.*, 1950, **15**, 399.
145. Orfanos, C. E., *Haar und Haarkrankheiten*, Stuttgart, Gustav Fischer, 1979.
146. Lynfield, Y. L., *J. invest. Dermatol.*, 1960, **35**, 323.
147. Behrman, H. T., *The Scalp in Health and Disease*, London, Henry Kimpton, 1952.
148. Eckert, J., Church, R. E. and Ebling, F. J., *Br. J. Dermatol.*, 1968, **80**, 203.
149. Ikeda T., *Dermatologica*, 1965, **131**, 421.
150. Muller, S. A. and Winkelmann, R. K. *Arch. Dermatol.*, 1963, **88**, 290.
151. Saenz, H., *Acta dermosifilogr.*, 1963, **54**, 357.
152. Feldman, M. and Rondón Lugo, A. J., *Med. cut.*, 1975, **7**, 95.
153. MacAlpine, I., *Br. J. Dermatol.*, 1958, **70**, 117.
154. Robinson, I. and Tasker, P., *Urol. Cutan. Rev.*, 1948, **52**, 467.
155. Anderson, I., *Br. med. J.*, 1950, **ii**, 1250.
156. Walker, S. and Rothman, S., *J. invest. Dermatol.*, 1950, **14**, 403.
157. Porter, D. and Burton, J. L., *Br. J. Dermatol.*, 1971, **85**, 272.
158. Baccaredda-Boy, A., Moretti, G. and Frey, J. R., *Biopathology of Pattern Alopecia*, Basel, S. Karger, 1967.
159. Hamilton, J. B., *Ann. N.Y. Acad. Sci.*, 1951, **53**, 708.
160. Burton, J. L., Ben Halim, M. M., Meyrick, G., Jeans, W. D. and Murphy, D., *Br. J. Dermatol.*, 1979, **100**, 567.
161. Bingham, K. D. and Shaw, D. A., *J. Endocrinol.*, 1973, **57**, 111.
162. Alexander, S., *Trans. St. John's Hosp. derm. Soc.*, London, 1965, **51**, 99.
163. Eckert, J., Church, R. E., Ebling, F. J. and Munro, D. S. *Br. J. Dermatol.*, 1967, **79**, 543.
164. Lubowe, I. I., *J. Am. Pharm. Assoc.* 1967, **NS7**, 229.
165. Sefton, L., *Br. J. Dermatol.*, 1947, **59**, 159.
166. Varga Von Kibel, A., *Arch. Dermatol. Syphilol.*, 1942, **183**, 15.
167. Swift, J. A. and Dunbar, S. F., *Nature (London)*, 1967, **206**, 174.
168. Brotherton, J., *J. gen. Microbiol.*, 1967, **48**, 305.
169. Swift, J. A., in *Sixth International Congress for Electron Microscopy, Kyoto, Japan, 1966*, ed. Uyeda, R., Tokyo, Maruzen, 1966.
170. Malassez, L., *Arch. Physiol. norm. Path.* 1874, **1**, 203.
171. Reddish, G. F., *J. Soc. cosmet. Chem.*, 1952, **3**, 90.
172. Roia, F. C. and Vanderwyk, R. W., *J. Soc. cosmet. Chem.*, 1969, **20**, 113.
173. Ackerman, A. B. and Kligman, A. M., *J. Soc. cosmet. Chem.*, 1969, **20**, 81.
174. Van Abbe, N. J., *J. Soc. cosmet. Chem.*, 1964, **15**, 609.
175. Idson, B., *Drug Cosmet. Ind.*, 1965, **96**, 636.
176. Weary, P. E., *Arch. Dermatol.*, 1968, **98**, 40.
177. Moore, M., Kile, R. L., Engman, M. F. Jr. and Engman, M. F., *Arch. Dermatol. Syphilol.*, 1936, **33**, 457.
178. Vanderwyk, R. W. and Roia, F. C., *J. Soc. cosmet. Chem.*, 1964, **15**, 761.
179. Vanderwyk, R. W. and Hechemy, K. E., *J. Soc. cosmet. Chem.*, 1967, **18**, 629.
180. Spoor, H. J., *Am. Perfum.*, 1966, **81**(10), 81.
181. Kligman, A. M., Marples, R. R., Lantis, L. R. and McGinley, K. J., *J. Soc. cosmet. Chem.*, 1974, **25**, 73.
182. Alexander, S., *Br. J. Dermatol.*, 1967, **79**, 92.
183. Van Abbe, N. J. and Dean, P. M., *J. Soc. cosmet. Chem.*, 1967, **18**, 439.
184. Hodges, J. P. S., *Lancet*, 1951, **ii**, 225.
185. Neville-Smith, C. H., *Lancet*, 1951, **i**, 1016.
186. Neville-Smith, C. H., *Lancet*, 1951, **ii**, 314.
187. Speirs, R. J. and Brotherwood, R. W., *Practitioner*, 1957, **179**, 78.
188. Duemling, W. W., *Arch. Dermatol.*, 1954, **69**, 75.

189. Whelan, S. T., *Arch. Dermatol.*, 1955, **71**, 724.
190. Ball, F. I., *Arch. Dermatol.*, 1955, **71**, 696.
191. Gross, E. R. and Wright, C. S., *Arch. Dermatol.* 1958, **78**, 92.
192. Lubowe, I. I., *Am. Perfum.*, 1958, **71**, 43.
193. Kirby, W. L., *J. invest. Dermatol.*, 1957, **29**, 159.
194. Slinger, W. M. and Hubbard, D. N., *Arch. Dermatol.*, 1951, **64**, 41.
195. Slepyan, A. H., *Arch. Dermatol.*, 1952, **65**, 228.
196. Bereston, S., *J. Am. med. Assoc.*, 1954, **156**, 1246.
197. Matson, E. J., *J. Soc. cosmet. Chem.*, 1956, **7**, 459.
198. Caspars, A. P., *Can. med. Assoc. J.*, 1958, **79**, 113.
199. Plewig, G. and Kligman, A. M., *J. Soc. cosmet. Chem.*, 1969, **20**, 767.
200. Snyder, F. H., Buchler, F. V. and Winek, C. L., *Toxicol. appl. Pharmacol.*, 1965, **7**, 425.
201. Dietrich, G. and Böllert, V., *Arztl. Kosmetol.*, 1980, **10**(1), 3.

24

Champúes

Introducción

Actualmente, los champúes constituyen uno de los principales productos utilizados de la higiene personal por todos los estamentos de la población (edad, sexo, ...). En 1977, los champúes representaron el 43 por 100 del total del mercado estadounidense de productos de higiene capilar.

En las primeras ediciones de este libro se definían como «detergentes adecuados para el lavado del pelo, empaquetados de forma cómoda para su empleo», desde entonces han experimentado cambios drásticos en diseño y tecnología para responder a los múltiples requerimientos, desde los más sofisticados a los más sencillos, y que van más allá de la simple finalidad de limpieza.

Ya tan antiguo como en 1955, un grupo informaba que «las mujeres desean un champú para limpiar y también que se pudiera enjuagar fácilmente, imparta brillo al pelo y lo deje manejable y no seco». Al mismo tiempo, se destacaba que «la principal tendencia evidente en la formulación de champúes es el objetivo hacia tensioactivos que tengan un efecto más suave en la piel, y la completa eliminación de todo picor si el producto entra en contacto con los ojos»[2].

Existen dos atributos básicos de los tipos de champúes descritos aquí, y son los requerimientos conocidos como «efectos acondicionantes» y «suavidad» que los formuladores de la actualidad consideran como la contrapartida indispensable cosmética a la función original de «limpieza».

No obstante, no tiene importancia lo excelente que sea un champú; su función fundamental es la de limpiar el pelo del sebo, detritos del cuero cabelludo y residuos de preparados de acicalado capilar. Aunque cualquier detergente eficaz puede cumplir esta misión, la limpieza debe ser selectiva y preservar una cantidad del aceite natural que cubre el pelo y, sobretodo, el cuero cabelludo. Se ha demostrado que, cuando se emplea alguno de los mejores limpiadores se presentan efectos colaterales indeseables y, en efecto, algunos autores incluyen la limpieza entre las funciones del champú, sólo como objetivo secundario[3, 4]. La opinión de que los champúes deben ser detergentes «ineficaces», parte principalmente de la teoría de que los efectos posteriores de la aplicación del champú —dificultad de peinar el pelo, aspereza a las manos, carencia de brillo y «vuelo» cuando se peina el cabello seco— son debidos a la excesiva eliminación del aceite del pelo. Este supuesto es a primera vista bastante razonable, pero un examen posterior demuestra que está muy simplificado; si el sebo de algún modo cumple una función natural de protección y aumenta el brillo y la lubrificación del pelo, también posee el inconveniente de atraer y atrapar polvo y suciedad, y tiene un efecto potencial negativo en el mantenimiento de la forma y «tacto» del pelo.

Los detergentes convencionales del tipo aniónico parecen ocasionar efectos posteriores desagradables para el pelo aproximadamente en proporción a su poder de eliminación de grasa, pero muchas otras sustancias que eliminan grasa aparentemente no ocasionan deterioro de las características del pelo. Así, si el pelo se extrae con éter o tricloroetileno se puede de modo rápido volver esencialmente exento de grasa, aunque sus características se hallen casi inalteradas. El pelo aún permanecerá suave, lustroso y fácil de peinar, y de darle forma. Incluso entre los detergentes, se han encontrado algunos que eliminan relativamente poco sebo, pero dejan al pelo con malas características, y otros que limpian bastante profundamente sin dañar el pelo. De este modo, no parece existir ninguna relación causa-efecto entre el aceite residual y las características del pelo [5], y corresponde al químico cosmético encontrar el equilibrio exacto entre la adecuada eliminación de suciedad y las características deseables del pelo.

Este equilibrio entre limpieza y acondicionamiento se debe seleccionar con cuidado, y también se debe considerar el tipo de mercado a que se destina. Personas con pelo graso son muy críticas para un champú que produce efectos muy duraderos sólo de tres a cuatro días, mientras que las personas con pelo seco son más fáciles de satisfacer. No obstante, muchas personas con pelo seco también utilizan lacas de carácter oleoso que deben eliminarse y, en todo caso, existe una opinión firmemente asentada, entre las mujeres especialmente, de que el proceso de lavar el pelo con champú es una acción de limpieza y purificación, proyectada para eliminar la acumulación diaria de la grasa, suciedad, sudor, olores de cocina, caspa, polución ambiental, etc., y evitar, así, su envejecimiento. De hecho parece razonable considerar la definición de un champú como detergente adecuado para el lavado del pelo con el corolario de que también debe dejar el pelo fácil de manejar y conferirle un aspecto sano.

DETERGENCIA

El desarrollo de un sistema detergente adaptado al pelo es un problema complejo en sí mismo, a causa de la variabilidad del sustrato y del proceso, y además está complicado con la ambigüedad del objetivo. El sustrato que ha de ser lavado está constituido por queratina del pelo relativamente dura pero porosa, y por queratina blanda del cuero cabelludo, siendo ésta última mucho más sensible al secado y al desengrasado. Mientras que existe una gran variación individual en diámetro y número de fibras, el área superficial media del pelo de una cabeza femenina se calcular entre 4 y 8 m^2, es decir, 50 a 100 veces el área media del cuero cabelludo [6].

La clase de suciedad que se ha de eliminar, ya sea natural o capturada, varía grandemente según el clima, estilo de vida, tipo de trabajo, funciones fisiológicas, práctica de higiene, etc.

Aunque el champú debe «eliminar más suciedad que grasa»[7], el problema del lavado del pelo es principalmente el de eliminar la grasa. El pelo presenta una superficie razonablemente dura y, a diferencia del algodón y algunos otros textiles, no capta partículas de suciedad sin la intervención de la capa grasa. Por tanto, en cuanto se pueda eliminar la grasa, resulta bastante fácil eliminar la suciedad. Para eliminar la grasa del pelo, se debe encontrar algún agente con mayor afinidad para la grasa. Esta función se puede realizar por medio de absorbentes sólidos tales como tierras de diatomeas o harina, pero son mucho más cómodas y más comúnmente empleadas la soluciones de sustancias tensioactivas, como las expuestas en el Capítulo 33 (agentes tesioactivos).

El mecanismo de acción detergente implica varios fenómenos físicos complejos —humectación, espumado, emulsificación y eliminación— alguno de los cuales se conocen de modo imperfecto. Es evidente que la detergencia, que es la eliminación de suciedad, implica los procesos siguientes:

1. La solución detergente debe humedecer tanto la suciedad como el sustrato que, en el caso del champú, es la fibra queratinizada del pelo; por tanto, tiene que disminuir la tensión superficial.

2. La tensión interfacial se debe reducir en tal grado que permita que se reemplacen las partículas de suciedad y de grasa por solución detergente.

3. Las partículas de suciedad deben mantenerse dispersas para poder estar en disposición de ser eliminadas en el enjuague.

En un detergente, la porción polar de la molécula debe tener cierta atracción a la superficie que tiene que humedecer (en este caso el pelo), de modo que las moléculas detergentes en la interfase entre agua y pelo puedan «arrastrar» el agua sobre la superficie del pelo. Haciendo esto, la solución detergente se arrastra bajo la capa grasa, y la levanta de la superficie ocasionando, finalmente, su desprendimiento en forma de partículas esféricas que después son solubilizadas por el detergente.

La diferencia fundamental entre un detergente y un simple emulsionante reside en la capacidad del grupo polar del detergente para desplazar a la grasa de una superficie, y ésta es la propiedad más importante en el lavado del pelo. El lavado de algodón y textiles similares también requiere la eliminación de iones metálicos fuertemente ligados a la superficie, y esto complica el proceso y la selección de sustancias detergentes adecuadas.

La evaluación de la detergencia del champú es un proceso difícil y complicado y, de hecho, existen tantos métodos como laboratorios evaluando detergencia. El método descrito por BARNETT y POWERS[8] es típico y depende de la determinación gravimétrica de la cantidad de suciedad eliminada de hilaza de lana ensuciada de un modo estandarizado.

Aunque comúnmente el público asocia «espuma» con detergencia, ambos términos no son sinónimos, y muchos detergentes muy efectivos no forman fácilmente espuma. Sin embargo, la espuma (o enjabonado) es, al menos, de importancia psicológica, y un champú que no forme espuma adecuadamente será considerado no satisfactorio.

EVALUACION DE DETERGENTES COMO
BASES DE CHAMPUES

Aunque medidas tales como tensión superficial y tensión interfacial (véase Capítulo 33 sobre agentes tensioactivos) se pueden usar frecuentemente como ensayos de selección para eliminar detergentes no adecuados, no existen sustitutos de los ensayos prácticos orientados hacia la selección de detergente para champúes. Hay varias razones de la causa de esto, siendo la más importante el hecho de que los efectos posteriores del champú frecuentemente son factores decisivos. Con la amplia gama de sustancias disponibles es tarea, relativamente fácil, encontrar sustancias que limpien adecuadamente el pelo y proporcionen un enjabonado adecuado. El criterio final que a continuación se aplica en la selección del detergente es su efecto en el pelo.

Estos efectos se observan mejor en ensayos comparativos realizados en la misma cabeza, puesto que diámetro, cantidad, grasa y tratamientos anteriores del pelo pueden afectar al resultado. Tales ensayos comparativos se realizan partiendo el pelo por la mitad, y lavando una parte con una preparación detergente, y con la alternativa, la otra parte[9]. Se debe tener precaución para que se garantice que la cantidad de trabajo mecánico aplicado por las manos del operador ser la misma en ambos lados, y obviamente se mantendrán constantes la temperatura del agua, la cantidad de enjuague, la dureza del agua, etc., en cada experimento. Los siguientes son puntos a considerar.

Facilidad de extensibilidad. Facilidad con que el champú se puede distribuir sobre el pelo: algunos champúes parecen que se «hunden» en el pelo de modo que es difícil extenderlos por toda la cabeza y formar el enjabonado.

Poder de enjabonado. Generalmente se requiere una espuma abundante como primera percepción sensorial de eficacia, aunque se puede renunciar a esto si se considera el logro de una suavidad mayor. La espuma no sólo tiene un valor psicológico sino que permite garantizar la cantidad de champú necesaria que asegure la realización de todas las funciones implicadas en la limpieza[10]. Esto significa que se han de considerar varias propiedades, tales como la velocidad con que se genera la espuma, el volumen, la consistencia —cremosa o fluida— y la estabilidad del enjabonado en el pelo.

Eliminación eficaz de la suciedad. La eliminación en agua blanda y dura de mugre, exceso de grasa y detrito del cuero cabelludo: se ha propuesto que los agentes de limpieza se deben preseleccionar *in vitro*, estudiando la actividad de detergencia sobre mechones de pelo ensuciados con sebo sintético[5, 11].

Facilidad de enjuagado. Algunos champúes se eliminan muy rápidamente enjuagando, otros continuán formando espuma después de un enjuagado que parece no tener fin, lo que puede resultar muy molesto.

Facilidad de peinar el pelo húmedo. Esto evalúa la aspereza y la tendencia de enredo, inmediatamente después del tratamiento con el detergente, bajo condiciones en que estos defectos son más manifiestos. El consumidor asocia esta propiedad con la acción limpiadora del champú, aunque, como se ha visto, la simple eliminación de la sustancia grasa no es toda la historia.

Brillo del pelo. La importancia de esto para el consumidor medio es justificación suficiente para observarlo, pues el pelo que se queda sin brillo es también signo de inadecuación e ineficacia del detergente. Por ejemplo, los jabones con agua dura tienden a dejar sobre el pelo películas sin brillo de jabones insolubles de calcio y magnesio; detergentes con insuficiente poder de suspensión pueden, de nuevo, volver a depositar la suciedad o grasa, produciendo efecto mate. El pelo lavado con champú se debe sentir y oler fresco y limpio.

Velocidad de secado. El secado del pelo es una de las operaciones más tediosas en el proceso normal del lavado con champú y, en el caso de tratamientos que se realizan en salones de peluquerías, el más costoso en términos de tiempo y equipo. Algunos detergentes dejan el pelo muy húmedo y lento de secar, otros tienden a dejar después una superficie ligeramente hidrófoba que permite eliminar el agua bastante deprisa. Existe un límite práctico en el aumento de la velocidad del secado que está relacionado, en gran parte, con que el agua adsorbida por el pelo durante el lavado con el champú, está ligada por enlaces de hidrógeno, y es improbable que estos estén afectados, tanto por tales efectos superficiales, como por el tipo de detergente. No obstante, del total de peso del agua eliminada por secado después de un lavado con champú sólo un 20 por 100, y como mucho el 50 por 100, puede estar en forma de agua superficial, según la eficacia del secado mecánico o del tipo de detergente empleado.

Facilidad de peinado y fijado del pelo seco. Cuando el pelo está seco, cualquier aspereza inducida por el detergente durante la operación de lavado con champú aparece como una resistencia al peinado y, lo que es más importante, como una tendencia a producir una electricidad estática cuando el peine estira el pelo. La electricidad estática, que generalmente es de carga positiva (con peines de nilón o ebonita, un pelo se carga positiva y otro negativamente), puede ser un serio impedimento para el peinado, pues provoca que los pelos se repelen unos a otros. Cuanto más se peina o cepilla el pelo para darle la forma deseada, tanto más vuela y se fracasa en el propósito.

Seguridad. El champú detergente debe ser seguro de usar para el cuero cabelludo, y no se debe ocasionar ninguna irritación, enrojecimiento ni otra incomodidad durante su uso.

SORKIN *et al*[12] han descrito un método de evaluar champúes en la práctica, utilizando la mayor parte de los puntos citados anteriormente. La mayor dificultad con estos procedimientos de evaluación radica en que dependen del juicio subjetivo del operador que aplica el producto y en la variabilidad de los sujetos. Es cierto que estos efectos se pueden minimizar utilizando adecuados proyectos estadísticos, pero sería mucho mejor disponer de técnicas instrumentales. Una reseña de los métodos instrumentales que se disponen para evaluar el comportamiento de los champúes se ha dado por PRALL[13] con especial referencia a las medidas de resistencia al peinado del pelo y su correlación con la sensación sensorial percibida.

Más recientemente, BAINE[14] ha demostrado que el análisis factorial aplicado a una evaluación en grupo de champúes para el pelo normal, seco y graso es una herramienta poderosa para reducir drásticamente el número de parámetros requeridos para describir el comportamiento del producto. Al menos el 90 por 100 de la variación de la mayoría de los 17 atributos con que se evalúan los champúes, se tienen en cuenta para los dos factores ortogonales —velocidad de formación de la espuma, y estabilidad del primer enjabonado, estando las características del pelo mejor descritas por el primero— y un factor indirecto correspondiente a la facilidad de enjuagado.

MATERIAS PRIMAS DE CHAMPUES

Los tipos de ingredientes para hacer un champú son los siguientes:

Tensioactivos (agentes de limpieza o espumantes).
Impulsores (*boosters*) y estabilizadores de espuma.
Agentes acondicionadores.
Aditivos especiales.
Conservantes.
Agentes secuestrantes.
Modificadores de la viscosidad (agentes espesantes o fluidificantes).
Agentes opalescentes o clarificantes.
Perfume.
Colorante.
Estabilizadores (agentes suspensores, antioxidantes, absorbentes de rayos ultravioleta).

Estos ingredientes pueden clasificarse más sencillamente como:

Tensioactivos para proporcionar detergencia y espuma.
Tensioactivos auxiliares para mejorar detergencia, espuma y acondicionar el pelo.
Aditivos para completar la formulación y dar efectos especiales.

Una extensión general de este campo se da en el capítulo 33; aquí únicamente trataremos las consideraciones particulares de la formulación de champúes.

Tensioactivos principales y auxiliares

Los detergentes no iónicos tienen suficiente actividad limpiadora como para ser considerados como detergentes de champúes, pero muy pocos tienen suficiente poder espumante. Por tanto, se utilizan más como tensioactivos auxiliares; algunos son notables impulsores y estabilizadores de espuma, otros se han utilizado en consideración a sus propiedades emulsionantes y extrema suavidad en champúes no irritantes. Sin embargo, se han desarrollado nuevos no iónicos que poseen buenas propiedades espumantes *per se* y que se pueden utilizar como tensioactivos principales.

Los detergentes catiónicos pueden parecer ser ideales para champúes; forman buena espuma y muchos de ellos tienen razonable poder de limpieza. Además, también dejan el pelo con excelentes características —fácil de peinar y dar forma, brillo y libre de carga electrostática—. Desgraciadamente, presentan dos serias desventajas: tendencia a disminuir el peso del pelo y un comportamiento algo nocivo, especialmente para el tejido de la córnea del ojo. Sin embargo, actualmente se dispone de catiónicos no irritantes, y su combinación con adecuados no iónicos y anfóteros ayuda a reducir aún más los riesgos de irritación.

Los restantes dos grupos de detergentes, los aniónicos y los anfóteros, son ambos adecuados como base para champúes. Los aniónicos son, con mucho, los tensioactivos más extensamente utilizados por sus propiedades excelentes de formación de espuma y costo más bajo. Sin embargo, los anfóteros, que se usan sólo para desempeñar un papel auxiliar en virtud de sus buenas propiedades acondicionadoras del pelo, actualmente están teniendo una preferencia creciente a causa de su contribución a la suavidad.

Tensioactivos aniónicos

Los jabones son sales de ácidos grasos metálicos o alcanolaminas, la mayor parte de ellas fabricadas por saponificación de aceites vegetales y grasas animales. Fueron las primeras bases para los champúes.

En agua dulce, los jabones tienen la mayoría de las propiedades deseables para un detergente para champúes, pero padecen de las desventajas de las soluciones de jabón especialmente si han de ser transparentes, son siempre alcalinas. Esta alcalinidad tiende a ocasionar aspereza en las escamas de la cutícula del pelo, dando, así, una apariencia mate, y potencialmente puede originar lesiones al cuero cabelludo. Estas desventajas pueden ser superadas con un enjuague ácido o utilizando menos sales alcalinas de alcanolaminas.

En aguas duras, también los jabones ocasionan falta de brillo por deposición de jabones cálcicos y magnésicos en el tallo del pelo. Esto se puede evitar incluyendo dispersantes de jabones cálcicos o agentes secuestrantes para iones calcio y magnesio, tales como sales de etilendiamina tetraacético (EDTA) o polifosfatos, sin los que estos agentes no tienen efecto en la alcalinidad esencial de las soluciones de jabón. Los jabones son baratos, pero su empleo en los champúes se debe considerar solamente para los mercados menos sofisticados, à menos de ser «aditivos especiales».

Sulfonatos de parafinas. Estas sustancias se introdujeron como sustitutos de los jabones en Alemania durante la Segunda Guerra Mundial. Se ganaron una mala reputación por su aspereza y acción desecante en la piel y pelo, pero sustancias seleccionadas de esta clase han llegado a ser adecuadas.

Los compuestos C_{12}—C_{15} tienen buen poder espumante y solubilidad, en forma de sales sódicas, y, cuando se elaboran adicionando sustancias monoalcanolamidas, pueden formar útiles detergentes baratos para champúes económicos, pero nunca han sido aceptados realmente.

Alquil bencen sulfonatos.   Las sales sódicas de alquil bencen sulfonatos en que el grupo alquilo es una cadena lineal media C_{12} (y, por tanto, biodegradable) se producen a granel para empleo en polvos de lavado doméstico. Son agentes desengrasantes enérgicos, y se pueden utilizar para preparar champúes líquidos económicos formulados con otros ingredientes activos, tales como alcanolamidas. Sin embargo, se pueden rechazar por dejar el pelo bastante seco y áspero, causar problemas de vuelo y proporcionar un elevado grado de irritación.

Se ha encontrado uso para dodecil bencen sulfonato de trietanolamina en algunas fórmulas (concentración del 3-5 por 100) del tipo para «cabellos grasos».

Alfa olefín sulfonatos.   Los tensioactivos recientemente disponibles, alfa-olefín derivados, son menos irritantes que sus precursores, y se utilizan ampliamente en baños de burbujas en forma de polvo. La fracción preferida es C_{14}—C_{16}. Tienen la ventaja de sus propiedades de elevada formación de espuma en presencia de sebo e incluso en aguas duras, baja temperatura de opacidad y excelente estabilidad pH ácido-base, que proporciona una amplitud grande de empleo, especialmente para fabricar champúes de bajo pH.

Alquil sulfato.   Los detergentes aniónicos más extensamente utilizados en campúes populares son los alquil sulfatos, especialmente los derivados de los alcoholes láurico y mirístico. Estos alcoholes, $C_{12}H_{25}OH$ y $C_{14}H_{29}OH$ respectivamente, se obtienen por reducción catalítica de los ácidos grasos del coco y la palma, y la mayor parte de las muestras comerciales de los detergentes contienen una mezcla de alcoholes en las proporciones fijadas por la fuente de las materias primas.

Se acepta comúnmente que los lauril sulfatos dan más volumen de enjabonado, y más riqueza los miristil sulfatos, de modo que una mezcla de los dos proporcionan un compromiso satisfactorio. Generalmente, los cetil sulfatos son demasiado insolubles para proporcionar soluciones fácilmente formadoras de espuma, y los octil y decil sulfatos son, claramente, depresores del enjabonamiento, de modo que es preferible destilar los alcoholes grasos antes de la sulfatación, y así sólo usar la fracción pequeña que contiene C_{12}, C_{14} y un poco de alcohol C_{16}.

La mezcla de alquil sulfatos así obtenidos de las grasas naturales, se denomina generalmente como «lauril» sulfato. Sin embargo, se debe recordar siempre que tales sustancias son mezclas, y varían sus propiedades según la fuente de suministro y la longitud de la fracción de alcoholes grasos.

El lauril sulfato sódico supera todas las otras sales en rapidez y volumen de espuma. Normalmente, se obtiene como polvo blanco, constituido mayoritariamente de detergente y sulfato sódico como diluyente o como pastas con contenidos variados de detergentes. Esta sustancia es poco soluble en agua fría, pero su solubilidad aumenta grandemente con la temperatura, de modo que a la temperatura normal del champú (35-40 °C) se pueden preparar soluciones bastante concentradas. Además, actualmente el proceso de sulfatación con tióxido de azufre permite la preparación de productos de elevada pureza, prácticamente libres de alcoholes grasos y sal inorgánica, de modo que se dispone de soluciones acuosas del 28 por 100 de viscosidad adecuada. Su elevado punto de turbidez y elevada viscosidad lo hacen más específicamente adecuado para el tipo de pasta de champú crema o champú polvo; ambos tipos han superado su aceptación.

Otro aspecto crítico del producto corresponde a su detergencia acusada y efecto desengrasante y, potencialmente, ser algo irritante. Por esto se prefieren las sales alcanolaminas, declaradas como más suaves y menos desengrasantes; estos compuestos son mucho más solubles y muestran una mejor compatibilidad con otros aditivos e inferior temperatura de turbidez. Generalmente se venden como soluciones del 30-40 por 100 y son amarillas, líquidos bastante viscosos con tendencia a oscurecerse durante su almacenamiento, especialmente a la exposición de la luz. Constituyen la base de muchos champúes líquidos y lociones, frecuentemente con ninguna otra adición que no sean colorantes y perfumes. La sal de trietanolamina (TEA) es la más utilizada; generalmente, la monoetanolamina (MEA) es la más suave en color —la MEA está menos ligada a la deterioración oxidativa que la TEA— y tiene un punto de turbidez ligeramente inferior a concentraciones similares. Las concentraciones usuales de lauril sulfato en champúes oscilan entre el 7 y el 15 por 100 (producto anhidro).

Con todos los lauril sulfatos, el contenido de sales inorgánicas tiene dos efectos principales. Primeramente, afecta al punto de turbidez, así, las soluciones con mucho sulfato inorgánico se vuelven turbias en tiempo frío. Esto se debe a la desalinización del detergente. En segundo lugar, generalmente un aumento en el contenido de sal inorgánica aumenta la viscosidad de la solución detergente. Frecuentemente se utiliza esto para aumentar la viscosidad del producto. Por tanto, para equilibrar es bueno especificar una concentración baja de sal inorgánica, así la sal se puede añadir como un constituyente de la viscosidad. La adición de alcohol graso tiene un efecto similar. En este aspecto, el lauril sulfato de monoetanolamina es más sensible a las sales modificantes de la viscosidad, especialmente cloruro sódico, que el lauril sulfato de trietanolamina.

El lauril sulfato amónico también ha alcanzado alguna popularidad por la calidad de su espuma y buena solubilidad y ser más estable que la sal sódica con relación a la hidrólisis en medio ácido (hasta 4,5), permitiendo la formulación de champúes con bajo pH.

También se disponen de sales de zinc, calcio y magnesio, pero no parecen haber alcanzado un uso generalizado. El lauril sulfato magnésico es menos higroscópico que la sal sódica, lo que lo hace atractivo para champúes sólidos que tienen tendencia a formar aglomerados.

Para completar la revisión de los alquil sulfatos utilizados en champúes, también se deben mencionar aquellos derivados de alcoholes grasos obtenidos por oxidación Fischer-Tropsch de parafinas, tal como el llamado tridecil sulfato, que es muy similar al lauril sulfato en sus propiedades.

Alquil polietilen glicol sulfatos (Alquil éter sulfato). Aunque el lauril sulfato sódico es menos soluble que las sales aminas es más económico y se ha realizado una gran cantidad de trabajo con sales análogas a las sódicas con solubilidad mayor.

Si, en lugar del alcohol láurico, se sulfata un alcohol polietoxilado, la sustancia resultante aumenta tanto su carácter hidrófilo que las sales sódicas son solubles hasta concentraciones del 50 por 100 y más.

Generalmente, 2-3 moles de óxido de etileno se condensan con el alcohol, y los compuestos 3-óxido de etileno muestran mejor solubilidad y costo inferior. Tales sustancias, ampliamente disponibles, son soluciones acuosas, casi blancas, conteniendo aproximadamente un 28 por 100 de detergente. Tienen buenas propiedades espumantes, pero comparadas con alquil sulfatos; la espuma es más ligera y más abierta, colapsando rápidamente en presencia de grasa, de modo que se requiere la adición de compuestos que impulsen *(boosters)* y estabilicen la espuma.

Son buenos limpiadores, buenos disolventes de sustancias no-polares tales como aditivos grasos y perfumes, y se pueden ajustar dentro de amplios límites de viscosidad adicionando sales, tal como cloruro sódico. Están rápidamente ganando aceptación como tensioactivo principal por ser estables a un intervalo más amplio de pH que los lauril sulfatos (aunque potencialmente ligados a hidrólisis durante su almacenamiento); presentan una mayor suavidad, decreciente irritación con número creciente de óxido de etileno (aproximándose a cero en el ensayo de Draize en el ojo del conejo para contenido de 7-óxido de etileno)[16]; y muestran tendencia inferior a degradar la queratina y al «pelo seco».

Sin embargo, dejan el pelo con características ligeramente más pobres que las que se obtienen lavando con lauril sulfato de trietanolamina a concentraciones similares. Resultados ligeramente mejores se obtienen con las sales de monoetanolamina, trietanolamina o amonio; sin embargo, como con los alquil sulfatos, con frecuencia las mejoras son tan pequeñas que no está justificado el coste extra.

Las sales de magnesio encuentran su empleo en algunos champúes de bebés por su carencia de irritación.

$$\textit{Sulfosuccinatos.} \quad R{-}O{-}\overset{\displaystyle O}{\overset{\|}{C}}{-}\underset{\displaystyle \overset{|}{SO_3^-}}{CH}{-}CH_2{-}CO_2^- \quad 2M^+$$

Estos tensioactivos, que contienen tanto grupo carboxilato como sulfonato en la misma molécula, son hemiésteres succínicos; la cadena hidrófoba puede proceder, por ejemplo, de un alcohol graso —posiblemente polietoxilado— o de un alquil fenol polioxilado, o de una etanolamida de ácido graso ($R{=}R'{-}CONH{-}CH_2{-}CH_2$). Muy frecuentemente son espumantes y detergentes medios, pero son suaves para la piel y presentan muy baja incidencia de picor e irritación en los ojos[17], junto con algún efecto acondicionador. Así, encuentran éxito en la formulación de varios champúes suaves, tales como de «bajo pH», «frecuencia» y champúes para bebés.

$$\textit{Monoglicéridos sulfatos.} \quad R{-}\overset{\displaystyle O}{\overset{\|}{C}}{-}O{-}CH_2{-}\underset{\displaystyle \overset{|}{OH}}{CH}{-}CH_2{-}OSO_3^- \quad M^+$$

Estos productos de sulfatación de monoglicéridos, tales como monolaurina, han sido descritos en varias patentes[18]. La sal amonio de monoglicérido sulfato ácido de coco se utilizó como base de un champú ampliamente popular en los EE. UU. En general, aparte de la solubilidad mejorada de la sal de sodio, estos detergentes se comportan de modo muy parecido a los lauril sulfatos.

Gliceril éter sulfonatos grasos. $R{-}O{-}CH_2{-}CH{-}CH_2{-}SO_3^-\quad M^+$
$$\underset{\textstyle OH}{|}$$

Protegidos por numerosas patentes[19], estos tensioactivos se han desarrollado con un uso exclusivo. La principal ventaja es su buena estabilidad hidrolítica a todo valor de pH. También se afirma que son suaves para la piel y tienen una excelente espuma súbita.

Isetionatos. $R{-}COOCH_2{-}CH_2{-}SO_3^-\quad M^+$

El ácido isetiónico $HOCH_2CH_2SO_3H$ fue una de las primeras sustancias empleadas con éxito por IG Farbenindustrie para convertir los ácidos grasos en detergentes sintéticos sin pasar por la etapa de alcoholes grasos.

Los ésteres, originalmente conocidos como Igepon A (actualmente, Hostapon A), presentan cualidades similares a las de alquil sulfato con parecida longitud de cadena, aunque el poder espumante del isetionato de «coco» (sal sódica) no es tan bueno como el del lauril sulfato sódico. Muy suave para el cuero cabelludo y cabello, prácticamente sin afectar por sales cálcicas, se hidrolizan en solución, lo que limita su aplicación a champúes polvo y barras detergentes sintéticas *(Syndet bars)*.

Metil táuridos. $R{-}CO{-}N{-}CH_2{-}CH_2{-}SO_3^-\quad M^+$
$$\underset{\textstyle CH_3}{|}$$

Estas amidas grasas de metil taurina $CH_3{-}NH{-}CH_2{-}CH_2{-}SO_3H$ también fueron desarrollados por IGF como serie Igepon T (o Hostapon T). Menos suaves que los ésteres anteriores, los detergentes de esta clase destacan por sus excelentes características en que dejan al pelo después del lavado.

Acilsarcosinatos. $R{-}CO{-}N{-}CH_2{-}CO_2^-\quad M^+$
$$\underset{\textstyle CH_3}{|}$$

Son productos de condensación de ácidos grasos con sarcosina, esto es, N-metil glicina, un aminoácido, y ofrecen propiedades muy interesantes. Forman espuma muy bien e imparten buen tacto a la piel y al pelo, lo que les hace ser apreciados como auxiliares para lauril sulfato o anfóteros. Compuestos preferidos son miristil y lauril sarcosinatos de sodio. Aunque bastante estables a bajo pH, pierden algo su característica de formar espuma, pero experimentan un notable espesamiento.

Otra ventaja de estos compuestos aniónicos es su buena compatibilidad con una amplia gama de catiónicos, a los que no afecta la característica a sus propiedades acondicionadoras y bactericidas[20].

Acil péptidos. $R-CO-NH-\left[\begin{matrix}CH-CO-CH-CH\end{matrix}\right]_n COO^-\quad M^+$

Son mezclas complejas de péptido amidas grasas obtenidas por reacción de un cloruro de ácido graso con hidrolizados de proteínas. En tiempos pasados, estas sustancias estaban impurificadas con grandes cantidades de jabones derivados del clururo de ácido sin reaccionar, que ocasionaban el tono mate del pelo y la formación de «nata» (anillo en las bañeras). Los productos disponibles actualmente —Maypons, Lamepons (el mejor conocido es la sal potásica del cocoil proteína animal hidrolizada)— no tienen más esta desventaja, sino que dejan el pelo lustroso, manejable y sedoso al tacto. No forman espuma tan bien como los alquil sulfatos, pero producen un enjabonado suave, cremoso y fácilmente enjuagable. Son buenos dispersantes de jabones cálcicos y presentan, como los enumerados sarcosinatos, una buena compatibilidad con los catiónicos. Más caros que los alquil sulfatos, se emplean en mezcla con ellos para reducir la irritación e impartir una espuma fina, suavidad y propiedades acondicionadoras.

Son más especialmente recomendados los condensados de proteína con ácidos grasos de coco, ácido oleico y ácido abiético[21].

Acil lactilatos. $R-CO-\left[O-\overset{\overset{\displaystyle CH_3}{|}}{CH}-CO_-\right]_n O^-\quad M^+\quad n = 1\ a\ 3$

Estos ésteres aniónicos son productos de condensación de ácido graso y ácido láctico. Puesto que proceden de compuestos que de modo natural se encuentran en la superficie de la piel, se espera que sean bien tolerados. Otra ventaja reside en su sustancialidad, ligada a una capacidad para formar complejos con proteínas[22]. Dependiendo de la longitud de la cadena grasa, presentan propiedades limpiadoras, espuma, espesamiento, emulsionantes, antiestáticas o acondicionadoras; se les atribuye mejorar la textura y manejabilidad[23]. También intervienen como humectantes sustantivos.

Eter glicolatos polialcoxilados.   Esta clase de sustancia cubre éteres de un ácido α-hidroxilado y alcoholes grasos polialcoxilados. Son suaves y ofrecen ciertas propiedades acondicionadoras (crecientes cuando disminuye el pH); se les atribuye proporcionar espuma más cremosa y mejorar la lubrificación[24].

Los compuestos más antiguos conocidos son glicolactatos polietoxilados[25], tal como Sandopan DTC (de Sandoz AG-CTFA: *Trideceth 7 carboxilic acid*):

$$R-O-[CH_2-CH_2-O]_n CH_2-COOH\quad R = C, n = 6, 5$$

Más recientemente se han patentado éteres y otros tioéteres glicólicos poliglicerolados: además, pueden contener grupos de oxietileno u oxipropileno[26].

Tensioactivos no iónicos

Alcanolamidas de ácido graso. Estas sustancias no tienen por sí mismas gran uso en champúes, pero son de gran importancia como aditivos de detergentes aniónicos. Las monoalcanolamidas (generalmente, monoetanolamidas, $RCONHCH_2CH_2OH$ o isopropanolamidas, $R—CONHCH_2CH(CH_3)OH$, de ácidos C_{12} a C_{18} son ácidos cerosos, insolubles en agua pero fácilmente solubles en soluciones detergentes con calentamiento suave. Generalmente se usan con los lauril sulfatos, y la adición a champúes entre el 10 y el 15 por 100 de mono-etanolamida láurica (basado en el peso de lauril sulfato) tiene los efectos siguientes:

a) La solubilidad del lauril sulfato se incrementa, por ejemplo, con un 15 por 100 de lauril sulfato sódico, normalmente una pasta, y se puede convertir en una solución transparente añadiendo un 2 por 100 de monoetanolamina láurica.

b) Se aumenta la viscosidad de la solución: la etanolamida del ácido esteárico es un espesante con efecto perlado.

c) Los efectos posteriores en el pelo mejoran, pues presentan propiedades ablandadoras. Las etanolamidas del ácido oleico se han recomendado como agentes acondicionadores para champúes.

d) El volumen y la riqueza del enjabonamiento se mejoran muchísimo.

No existen razones para superar la proporción de 15 partes de monoetanola-mida por cada !00 partes de detergente, pues concentraciones más elevadas de aditivo únicamente sirven para aumentar la viscosidad sin mejorar el enjabona-miento o las características del pelo.

Las dietanolamidas se venden como productos líquidos (hasta dietanolamina del mirístico) o sólidos de baja temperatura de fusión.

Son dignas de destacar las amidas del tipo Kritchevsky, obtenidas calentan-do un mol de ácido graso con al menos dos moles de dietanolamida (DEA), y las superamidas preparadas por una reacción de relación molar 1:1 entre el éster metílico del ácido graso (generalmente, ácidos de coco o láurico). Las supera-midas, que superan en muchos las ventas de otros productos, son principalmente las amidas $R—CO—N[CH_2—CH_2OH]_2$, pero la primera clase de compuestos —tipo Kritchevsky— son productos complejos que también contienen ésteres de DEA, tales como $R—COOCH_2—CH_2—NH—CH_2—CH_2OH$ y mezcla de éste-res de amidas[27].

Las dietanolamidas son bastante útiles como aditivos de champúes, aunque sus cualidades sinérgicas como espesantes y espumantes no son tan grandes como las correspondientes monoetanolamidas; sin embargo, ofrecen mejor solubilidad —la dietanolamida del ácido oleico es un emulsionante—. Se debe tener precau-ción con los productos comerciales del tipo condensación Kritchevsky, pues generalmente contienen un elevado contenido de jabón y dietanolamina libre, y, de este modo, dan lugar a una reacción alcalina. También existe peligro de formación de nitrosaminas tóxicas.

Las cualidades de mejorar la formación de espuma de estos compuestos no se han explicado claramente, pero es probable que formen complejos con los iones lauril sulfatos en la interfase aire-agua, quizás a través de débil atracción iónica entre iones sulfato, y el débil grupo catiónico amida. Los alcoholes grasos también forman complejos superficiales de este tipo, pero su influencia en el enjabonado no es tan pronunciada a la influencia de las amidas. GODDARD y KUNG[28] han estudiado el efecto de añadir sustancias polares de larga cadena a los tensioactivos ionizados.

Derivados polialcoxilados.   Aunque no se han empleado mucho como tensioactivos principales, esencialmente a causa de su bajo poder espumante, estos compuestos constituyen una clase importante de auxiliares para champúes. Se obtienen por poliadición de un óxido de alquileno a un compuesto hidrófobo que contiene un átomo de hidrógeno lábil, tal como alcohol, tiol o fenol.

Tanto el óxido de etileno como el óxido de propileno se emplean como reactivos poliaditivos. La unidad oxietileno imparte propiedades hidrófilas: para una cadena hidrófoba dada R, el número de unidades de oxietileno añadidas determinará la solubilidad en agua, proporcionando una libertad amplia para ajustar las propiedades según la cadena hidrófoba y el grado de polialcoxilación.

Los compuestos obtenidos pueden ser agentes humectantes, emulsionantes, dispersantes, espumantes o detergentes. Los siguientes se han usado en los champúes:

Alcoholes grasos etoxilados, $R(OCH_2—CH_2)_nOH$: muy estables cualquiera que sea el pH, proporcionan características de estabilidad, emulsificación y opacidad.

Alquilfenoles etoxilados (principalmente ponilfenol): bajo coste y productos muy estables; su uso está limitado por su elevada tendencia a irritar la mucosa del ojo.

Aminas grasas y amidas de ácido graso etoxiladas

Bloques de polímeros conocidos como *pluronic* (CTFA: *poloxamers*): son condensados de óxido de etileno y óxido de propileno, de fórmula general:

$$HOCH_2—CH_2(CH_2—CH_2O)_a—(CH—CH_2O)_b \, (CH_2—CH_2 \, O)_c— H$$
$$\underset{\displaystyle CH_3}{|}$$

El óxido de propileno proporciona ciertas propiedades hidrófobas. En ciertos compuestos, la cadena R se reemplaza por un poliaducto de óxido de propileno, las propiedades hidrófilas están dadas por la unión a cada una de las terminales de un número de unidades de oxietileno (generalmente, $a + c = 100$ a 200 óxido de etileno y $b = 15$ a 50 unidades de propileno).

Los *pluronics* son detergentes suaves que imparten una buena eliminación por enjuague y se utilizan en elevados porcentajes en champúes.

Esteres de sorbitol: los monoésteres de sorbitol polietoxilados, conocidos como *Tween*, son excelentes solubilizantes y emulsionantes. Además son compuestos notablemente suaves. Al laurato (*Tween* 20) no se le atribuye ni irritación ni picor. Como consecuencia, estos compuestos son utilizados ampliamente en champúes no irritantes.

Los *ésteres mono- y diglicérilos de ácido graso* altamente etoxilado (30-78 moles de óxido de etileno por mol) han sido propuestos para el mismo campo de formulación de champúes de baja irritación[29].

Esteres poliglicérilos: una nueva e importante clase de no iónicos ha aparecido en los últimos años, caracterizadas por la sustitución de las usuales unidades de «oxietilenos» por unidades hidroxiladas, conduciendo por ello a una mejora considerable en la capacidad de generar espuma, además de suavidad.

Se han patentado dos tipos de telómeros; derivan de la poliadición de epiclorhidrina o glicidol a un compuesto que contiene hidrógeno lábil.

El primer tipo está compuesto de unidades de oxietileno hidroximetiladas condensadas en un alcohol graso[30] (que puede estar polietoxilado):

$$R-O-\left[CH_2-CH_2-O\right]_n-H \quad n = 1 \text{ a } 10$$

con grupo CH_2OH en la unidad repetida.

o en un α-diol[31]:

$$H-\left[O-CH_2-CH-O\right]_p-CH-CH_2-O-\left[CH_2-CH-O\right]_q-H \quad 1 < p+q \leqslant 10$$

(con sustituyentes CH_2OH en p, grupo R y subíndice 10 en el puente central, y CH_2OH en q)

El grupo hidroximetilo puede ser reemplazado por un tioéter o un sulfóxido α-hidroxilado[32] tal como en el grupo dihidroxipropilsulfonilmetilo. Además de sus propiedades espumantes, estos compuestos están desprovistos de agrasividad frente a la mucosa del ojo, aún cuando están mezclados con tensioactivos catiónicos.

El segundo tipo de poliglicériléter se obtiene por poliadición de glicidol, bien puro o preparado *in situ*[33] por catálisis ácida[34] o alcalina[35] sobre tioles[36] α-dioles o alcanolamidas con una cadena hidrófoba[37]:

$$A-\left[CH_2-CHOH-CH_2O\right]_n-H \quad n \leqslant 10$$

$$A = R-S(O)_m-$$

$$o \quad R-CHOH-CH_2O-$$

$$o \quad R-CON-(CH_2-CH_2O)_p-$$

$$R = C_{12-14}$$

Estos no iónicos presentan tales propiedades notables espumantes que se pueden utilizar como tensioactivos principales; también están desprovistos de irritabilidad para la piel y ojos.

Oxidos de amina. Frecuentemente, el tercer grupo de no iónicos se refiere a tensioactivos no iónicos polares, puesto que tienen un enlace altamente polarizado N→O; incluso llegan a tener verdadero carácter catiónico a bajos valores de pH. Se emplean como impulsores (*boosters*) de espuma y agentes antiestáticos[38, 39]. Se prefieren los coco- y dodecil dimetil amina óxidos, a los que se les atribuyen propiedades impulsoras de espuma más eficaces que las alcanolaminas. Las propiedades antiestáticas solamente se muestran a valores de pH relativamente bajos. Frecuentemente se asocian con anfóteros.

Tensioactivos anfóteros

Estos tensioactivos están muy de moda en el desarrollo de champúes suaves. Su compatibilidad con otros detergentes, su equilibrio iónico junto con las potencialidades aniónica-catiónica (dependiendo del pH), admiten una gran flexibilidad de uso; además pueden contribuir al efecto acondicionador del pelo.

Se pueden clasificar en tres grupos:

> Aminoácidos N-sustituidos de cadena larga.
> Betaínas de cadena larga.
> Derivados de imidazolina de cadena larga.

N-alquil aminoácidos.   Principalmente, se componen de dos tipos:

a)   derivados β-aminoácidos conocidos como *Deriphart* (de General Mills-CTFA: *sodium cocaminopropionate*), son productos de la sustitución de aminas grasas con 1 ó 2 restos carboxilquílicos, por ejemplo:

$$\text{N-alquil-}\beta\text{-amino propianatos} \qquad RNH\text{—}CH_2\text{—}CH_2\text{—}COOH$$
$$\text{N-alquil-}\beta\text{-imino propianatos} \qquad RN(CH_2\text{—}CH_2\text{—}COOH)_2$$

Su punto isoeléctrico, que corresponde al estado *Zwitterion* ($-N^+ \sim\sim COO^-$), se encuentra en la zona de pH 4,3.

Las mejores propiedades espumantes se presentan en la zona de pH ligeramente alcalino, donde presentan el carácter aniónico de una sal carboxílica. Por otra parte, las propiedades catiónicas son asumidas a valores bajos de pH, proporcionados por un grupo amino secundario o terciario; la contribución óptima a la manejabilidad del pelo se encuentra a pH ácido. Por tanto, se debe encontrar un compromiso entre las propiedades espumantes y acondicionantes, tal como se desee, ajustanto el valor de pH. Frecuentemente, el más utilizado es el derivado de ácidos grasos de coco (*Deriphat 151*) a pH 5,5.

b)   Derivados de aspargina[40]. Estos tensioactivos presentan buenas propiedades espumantes, limpiadoras y acondicionadoras

$$CH_2\text{—}CONH(CH_2)_n\text{—}N\begin{smallmatrix}R_1\\ \\R_2\end{smallmatrix}$$
$$R\text{—}NH\text{—}CH\text{—}COOH$$

$$R \text{ y } R \leqslant 4 \text{ átomos de carbono}$$
$$n = 2 \text{ ó } 3$$

Su valencia catiónica añadida imparte sustantividad y facilidad de desenredar el pelo, mientras que su naturaleza anfótera los hace compatibles tanto con tensioactivos aniónicos como catiónicos.

Betaínas

$$R \overset{\displaystyle CH_3}{\underset{\displaystyle CH_3}{\overset{|}{\underset{|}{-\overset{+}{N}}}}} -(CH_2)_n -CO_2^- \qquad (A)$$

$$R \overset{\displaystyle O}{\overset{\|}{-C}} -NH-(CH_2)_3 \overset{\displaystyle CH_3}{\underset{\displaystyle CH_3}{\overset{|}{\underset{|}{-N^+}}}} -(CH_2)_n -CO_2^- \qquad (B)$$

Este término genérico se refiere a compuestos zwitteriónicos derivados de la trimetilglicina $(R = CH_3, n = 1)$, conocidos como betaína, siendo un grupo metilo sustituido por un radical graso C_{12-18} (A) o un radical graso amino alquílico (B).

Catiónico en soluciones ácidas, y aniónico en alcalinas, y sustantivos para el pelo, estos tensioactivos son suaves y efectivos limpiadores con propiedades elevadas de formación de espuma, comparables a los alquil sulfatos por las características de formación súbita de espuma. Además, los comportamientos de la espuma no están afectados por cualquier variación de pH. Las betaínas son compatibles con catiónicos, aniónicos o no iónicos y presentan propiedades adicionales interesantes espesantes, y, por esto, ofrecen un amplio campo de uso.

Las amido betaínas son algo más suaves y, por tanto, encuentran una ola general de interés, más particularmente la ya ampliamente desarrollada cocoamidopropilbetaína. Otras betaínas disponibles son las sulfobetaínas (o sultainas) en que el grupo carboxílico es reemplazado por un análogo sulfónico (con $n = 3$), resultando por ello una suavidad más mejorada para la piel y los ojos con la misma gama de propiedades.

Alquil imidazolinas, también son conocidas como cicloimidatos (CTFA: *Amphoterics* 1-20):

$$\left[R-\overset{\displaystyle CH_2}{\underset{\displaystyle}{\overset{/\ \ \ \backslash}{\underset{\|}{C}}}} \right] X^-$$

$R = $ H, Na o CH_2 COOM
$X = $ OH o un anión carboxilato (sal ácida) o un sulfato (o sulfonato) de tensioactivo aniónico.

Se obtienen por condensación ácidos grasos con aminoetilcolaminas y seguido de cierre del anillo y cuaternización[41]; estos compuestos han tenido últimamente una formidable aceptación relacionada y dirigida a la formulación de champúes suaves en rápido crecimiento. Conocidos primeramente bajo el nombre comercial Miranol (42), son estables dentro de un amplio intervalo de pH (2 a 12) y están presentes en la mayor parte de los champúes de baja irritación y champúes para bebés.

Presentan propiedades regulares como espumantes, pero pueden asociarse con prácticamente todos los tensioactivos, así como con muchos electrólitos. Se les atribuye mejorar la estabilidad de la espuma, siendo bastante innocuos para la mucosa del ojo.

Tensioactivos catiónicos

En términos generales, las propiedades de limpieza y espumantes de los tensioactivos catiónicos se consideran inferiores a las de los aniónicos. Además, su fuerte afinidad por las proteínas tales como queratina puede inducir al depósito otra vez de la suciedad sobre la fibra durante el enjabonado con champú. Como se ha mencionado anteriormente, otra desventaja está relacionada con un efecto de disminución de peso del pelo. Puesto que, además, generalmente son agresivos al ojo en grado superior a los no iónicos, y puesto que tienen una ganada reputación de ser incompatibles con los aniónicos, su empleo se ha limitado al desarrollo beneficioso de sus propiedades de peinado de pelo seco y húmedo, antiestáticas y lubrificantes, como aditivo en pequeñas cantidades (generalmente, por debajo del 5 por 100). Los compuestos más usados han sido las sales de alquil (C_{14-16}) trimetilamonio, estearil dimetilbencil amonio, cetil piridinio, y las menos irritantes sales de amonio cuaternario con cadenas dobles de grasa, de popularidad ganada con el desarrollo de acondicionadores de aclarado (rinse-condicioners), particularmente diestearildimetil amonio (CTFA: Quaternium 5), dicetildimetil amonio (Quaternium 31) y cloruros de di(sebo hidrogenado) dimetil amonio (Quaternium 18).

En general esta clase de tensioactivos se ha mantenido durante largo tiempo en último término con relación a la mala fama de sus propiedades. Más recientemente, algunos interesantes progresos se han realizado en este campo: se ha demostrado posible la compatibilidad con tensioactivos aniónicos y se puede evitar la depresión de espuma con una formulación adecuada, y selección adecuada de los catiónicos[43].

Bajo la presión de una necesidad de efectos extra en los champúes aniónicos, y a pesar de (o gracias a) la aparición de polímeros catiónicos compatibles con los aniónicos, han prosperado en el mercado nuevos catiónicos para bases aniónicas. Ejemplos incluyen amidas de ácido graso cuaternizadas:

$$R-\overset{\overset{\textstyle O}{\|}}{C}-NH(CH_2)_3-\overset{\overset{\textstyle CH_3}{|}}{\overset{+}{N}}-C_2H_5 \ \ X^-$$
$$\underset{CH_3}{|}$$

derivadas del ácido isoesteárico (Schercoquat-Scher Chemicals Inc.) y ácido lanolínico (Lanoquat-Malmstrom)[44] y propuestos para impartir cuerpo y suavidad; cloruros de polioxipropilen metildietil amonio (Witco-CTFA: *Quaternium* 6, 20, 21) con propiedades antiestáticas y estabilizadoras de espuma; cloruro de N-estearoilcolaninoformilmetil piridinio (Emcol 607 S, Witco-CTFA: *Quaternium* 7); y sacarinatos, ciclamatos y ftalimidatos de benzalconio[45].

Por otra parte, asociaciones adecuadas de catiónicos con anfóteros y no iónicos han demostrado ser aliviantes de la agresividad, al mismo tiempo que proporcionan efectos acondicionadores positivos. La intervención de grupos de conexión polares entre la cadena grasa y la terminal catiónica también ha ayudado a disminuir considerablemente el potencial causante de irritación; ejemplos típicos son los monoésteres de ácido graso de aminopropanodiol cuaternizado que se consideran ser particularmente bien tolerados por la mucosa del ojo, al mismo tiempo que proporcionan efectos beneficiosos mayores en la manejabilidad, tacto y apariencia del pelo.

Más recientemente se han patentado nuevos catiónicos poliglicerolados que parecen ofrecer las características ideales de un tensioactivo para champú, esto es, buenas propiedades espumantes, limpiadoras y acondicionadoras con bastante bajo riesgo de irritación[47].

Aditivos

Se incorporan a los champúes numerosas sustancias distintas de los detergentes para completar la fórmula o proporcionar propiedades específicas. Algunas desempeñan una parte destacada en la composición, otras son complementos opcionales.

Agentes acondicionadores

Los agentes acondicionadores han sido un objeto principal de estudios en años recientes. Además de los tensioactivos diseñados específicamente, estos agentes incluyen una extensa variedad de sustancias tales como sustancias grasas (lanolina, aceite mineral), productos naturales (polipéptidos, aditivos procedentes de plantas, derivados de huevo) y resinas sintéticas. Su objeto es influir favorablemente en la manejabilidad, tacto y brillo del pelo, cubriendo la total gama de magnitudes dependientes de la naturaleza del pelo, sus características, compatibilidades varias y los particulares deseos del consumidor (incluyendo la relación calidad-costo). Como se ha visto anteriormente en la exposición de tensioactivos, todo señala a los catiónicos, y más concretamente a los compuestos de amonio cuaternario, como agentes acondicionantes. La gran mejora de años recientes ha sido la introducción de compuestos catiónicos en los champúes, no estando ya los grupos funcionales hidrófilos en la terminal de la cadena grasa, sino insertos en el interior de una estructura polímera, por lo cual el potencial de irritación se reduce considerablemente en comparación a los productos convencionales. Tales resinas, primeramente empleadas en las lociones fijadoras por sus propiedades de mantener el pelo, pueden asociarse con tensioactivos anfóteros y no aniónicos, y algunas muestran una compatibilidad destacada con aniónicos, que es la propiedad más exigida tanto para un buen espumado y poder de limpieza, como por razones económicas.

La primera resina que se introdujo en un champú aniónico en 1972 fue un derivado celulósico fuertemente catiónico conocido como *Polymer JR* (CTFA: *Quaternium* 19) de Union Carbide[48]. Se obtuvo por reacción de hidroxietilcelulosa con epiclorhidrina seguido por cuaternización por trimetilamina[49]. El peso medio molecular de las resinas JR está entre 250.000 y 600.000; presentan una fuerte afinidad por la queratina. Se ha demostrado que los cabellos se recubren uniformemente por ellas[50] cuando son tratados con champúes que contienen tales resinas y después de enjuagados.

Posteriormente, otras varias resinas altamente sustanciales se han incorporado con éxito a los champúes para proporcionar propiedades de mantener el ondulado, así como la manejabilidad y facilidad de peinado. Así, se ha citado en los champúes anfotéricos dimetilsulfato poli (dietilaminoetilmetacrilato) cuaternizado[51] y sales fosfatos de aminoetiléster del ácido poliacrílico solubles en agua o un copolímero del último con hidroxipropilacrilato o el terpolímero aminoetilacrilato-hidroxipropilacrilato-acrilamida[52]. Análogamente se han utilizado en champúes, basados en aniónicos, productos de condensación de poliamidas, derivados difuncionales de polialquilen glicol y epiclorhidrina[53]. Los polímeros catiónicos derivados de piperazina[54], añadidos a bases aniónicas, no iónicas o anfóteras, son aplicados para aumentar cualidades de cuerpo y retención de la forma del peinado.

Otras resinas acondicionadoras específicamente declaradas para proporcionar facilidad del peinado húmedo son un copolímero cuaternizado dimetilsulfato de vinilpirrolidona y dimetilaminoetil metacrilato, conocido como resina *Gafquat* 755 (de General Aniline-CTFA: *Quaternium* 23)[55], poliamidas cuaternizadas[56] o con enlaces cruzados[57], y cloruros ciclopolímeros dialil dimetilamonio[58] conocidos como resinas *Merquat* (de Merck Co.). Para evitar un depósito excesivo sobre el pelo con los lavados de champúes siguientes, se han propuesto resinas menos sustanciales; ejemplos son un polímero catiónico insertado en la terminal de una cadena celulósica (Producto 78-4329, National Starch & Chemical corp.), que se ha encontrado altamente eficaz en eliminar las cargas estáticas generadas por el peinado y cepillado, y un interpolímero altamente conductor fosfato de aminoetilacrilato —ácido acrílico (Catrex, National Starch & Chemical Corp.)[1].

Otra clase de compuestos interesantes para estos fines variados comprende cadenas de policuaternarioamonio (esto es, «poliazonia»); los elementos más sencillos corresponden a polialquilen eiminas sustituidas completamente cuaternizadas, tal como poli (cloruro de dimetilbutenilamonio)-α, ω-bis (cloruro de trietanolamina) (Millmaster Onyx Corp.: Onamer)[59].

Han sido patentadas una gran variedad de patrones y combinaciones dentro de la siguiente estructura general, proporcionando un amplio campo de efectos extra y posibilidades de modulación[60]:

$$\left[\overset{|}{\underset{|}{N}}{}^{+}\!\!-A-\overset{|}{N}{}^{+}\!\!-B-\overset{|}{N}{}^{+} \right]_{n} 3nX^{-}$$

Un producto típico disponible recientemente es el registrado **Mirapol A15** (de Miranol Co.):

$$\left[\begin{array}{c} CH_3 \\ | \\ N^+-(CH_2)_3-NH-CO-NH-(CH_2)_3-N^+-(CH_2)_2-O-(CH_2)_2-N^+ \\ | \\ CH_3 \end{array}\right.\begin{array}{c} CH_3 \\ | \\ \\ | \\ CH_3 \end{array}\left.\begin{array}{c} CH_3 \\ | \\ \\ | \\ CH_3 \end{array}\right]_n$$

Su peso molecular medio es 2.260 (aproximadamente seis unidades repetidas); es compatible con tensioactivos aniónicos, y se piensa que se absorbe por el pelo y se une con los tensioactivos, por los cuales el pelo queda suelto, suave, brillante y antiestático.

Otro compuesto en la línea limítrofe de los tensioactivos y compuestos policuaternarios, el dicloruro de estearilpentametilpropilendiamonio, se considera que mejora las propiedades mecánicas del pelo cuando se utiliza a una concentración del 1 por 100 en un champú aniónico[61].

No obstante, la propiedad acondicionadora no se limita a compuestos poliamonios (o «azonia») o resinas que, además, no son fáciles de manipular y ajustar de modo que se controle el depósito en el cabello. Así, a las polietileniminas alquiladas y parcialmente formiladas[63] se les atribuye impartir suavidad y facilidad de peinado. Para mejorar la fijación de los rizos, y el peinado en húmedo, así como para efectos protectores y sinérgicos de suavidad, se han propuesto proteínas solubles en agua, preferentemente colágeno hidrolizado (peso molecular medio, 500-10.000) y derivados cuaternizados. Cuanto más lesionado se encuentra el pelo, más elevada es la absorción de la proteína por el pelo, y se realiza a pH más bajo. El pelo virgen absorbe poco, con un máximo a pH 9-11; el pelo ondulado absorbe el máximo, seguido por el pelo decolorado con una absorción máxima a pH 9→6, decreciendo con el nivel creciente de decoloración. La fracción polipeptídica con peso molecular medio 1.000 muestra la mayor sustantividad 21,64.

Más recientemente, a un suero conteniendo anticuerpos (*anti-serum capilar*) se le atribuye presentar propiedades similares con sustantividad mejorada[65]. Se ha patentado, como sustancias que confieren cuerpo[66], una mezcla de proteínas y polisacáridos procedentes de lodos líquidos residuales de cerveza, como tienen las colofonias naturales de la madera[67].

Todos estos agentes de «textura» ayudan más o menos a mejorar el tacto y aspecto del pelo después del lavado con champú. A otro compuesto, sal de trietanolamina del ácido algínico, incorporado a una base aniónica, se le atribuye más específicamente dar un «tacto de naturaleza aterciopelada»[68]. La suavidad y el brillo se pueden obtener incluyendo los denominados sobregrasantes, esto es, sustancias oleosas, tales como derivados etoxilados de lanolina, siliconas, Ucon fluids (PEG y PPG alquiléteres), PEG-siliconas modificadas[69], aceite mineral, aceites de visón, sésamo, jojoba y otros aceites vegetales o animales que se depositan en la fibra queratina durante el lavado con champú, y la lubrican. También a los alcoholes bencílico y fenetílico se les atribuye impartir efectos extra cuando se añaden a sistemas aniónicos-anfóteros[70].

La adición de miel se ha patentado como agente lubrificante[71]. También el logro del brillo se puede mejorar depositando una película de resina o resina-grasa específicas sobre la superficie del pelo, como se sugiere en diversas patentes; así, se han dado algunos datos sobre la incorporación beneficiosa en champúes aniónicos de polímeros lineales aniónicos solubles en agua, tales como ácido polimetacrílico (PM 10.000-100.000) o copolímeros hidrolizados de etileno (o metil vinil éter)-anhídrido maleico[72]— o de varias resinas, ya mezcladas con aceite mineral[73] o coacervadas con dimetilpolisiloxano[74].

Aditivos varios

También debe ser mencionado el tiempo de secado entre los parámetros susceptibles de influir por aditivos específicos; generalmente, aumenta con el grado de lesión del pelo. A parte de los jabones de aluminio[75] se le atribuye reducir significativamente el tiempo necesario de secado a la incorporación de polímeros específicos fluorados formadores de película repelentes del agua en cantidades pequeñas (0,003 por 100)[76]; una resina típica es el copolímero de N, N-dietil aminoetilmetacrilado y hexafluoroisopropil (o perfluoro-octil) metacrilato. Compuestos similares fluorados[77] han mostrado ser eficaces en retrasar la emigración del sebo en el pelo y, por tanto, retrasar el engrasado posterior del pelo peinado.

Se ha patentado otro enfoque para evitar que el pelo se vuelva a engrasar demasiado rápidamente, utilizando tiocompuestos tales como cisteína, glutation y derivados de amino-alcanotiol[78-83].

Ultimamente, es digno de destacar el empleo de compuestos —especialmente antioxidantes— para prevenir la producción de olores desagradables que se forman procedentes del envejecimiento del sebo en el pelo y cuero cabelludo[84-86].

Modificadores de la viscosidad

El espesamiento de un champú se puede lograr incluyendo varios tipos de compuestos, tales como:

a)   Electrólitos: 1-4 por 100 (p/p) de cloruro amónico o sódico en alquiléter sulfatos incrementa apreciablemente la viscosidad.

b)   Gomas naturales (karaya, tragacanto), alginatos.

c)   Derivados de celulosa (hidroxietil, hidroxipropil, carboximetil) que protegen al pelo del nuevo depósito de suciedad y hacen la espuma más suave.

d)   Polímeros carboxivinílicos (Carbopol 934 y 941 de Goodrich-CTFA: *Carbomer*) que, además, promueven la estabilidad del champú.

Sin embargo, se debe prestar atención a la dependencia de la mayoría de estos efectos con la temperatura y concentración.

Otros espesantes son los diésteres etoxilados de ácidos grasos (para champúes cremas), ésteres fosfatos, óxidos de amidoaminas, jabones de trietanolaminas, polivinil pirrolidonas y alcoholes polivinílicos y las anteriormente citadas alcanolamidas.

La reducción de la viscosidad se puede obtener añadiendo pequeñas cantidades de disolventes (alcoholes), o compuestos de polioxialquilenos o xilensulfonato sódico, que también proporcionan transparencia.

Agentes opalescentes y clarificantes

La opacidad o aspecto perlado se proporcionan por:

a) Alcanolamidas de ácidos grasos superiores (esteárico, behénico);

b) Mono y diestearatos de glicol, monoestearatos y palmitatos de propilen glicol y glicerilo.

c) Alcoholes grasos (cetílico, estearílico) que también contribuyen a la suavidad.

d) Emulsiones lechosas de látex y polímeros de vinilo.

e) Sales insolubles —por ejemplo, de magnesio, calcio o zinc— de ácido esteárico.

f) Oxido de zinc o dióxido de titanio finamente dispersados.

g) Silicato de aluminio y magnesio (por ejemplo, Veegum-Vanderbilt Co.) que también evita la sedimentación en el producto.

Los efectos parecidos al perlado dependen del tamaño, forma, distribución y reflectancia de los cristales opalescentes incorporados.

La transparencia se puede mejorar y estabilizar añadiendo alcoholes solubilizantes (por ejemplo, etanol, isopropanol, propilen glicol, hexilen glicol y dimetiloctindiol —Surfynol 82; Air Products), fosfatos o solubilizantes no iónicos (por ejemplo, alcoholes o ésteres polietoxilados).

Agentes secuestrantes

La función de estos compuestos es evitar la formación y depósito sobre el pelo de jabones Ca y Mg cuando se enjuaga con agua dura. Los más utilizados son las sales de etilendiamin-tetra-acético (EDTA) o polifosfatos. También tienen eficacia los tensioactivos no iónicos por peptizar las sales de calcio.

Conservantes

La conservación es un aspecto extremadamente importante de la formulación de campúes. Los primitivos champúes de jabón no eran medios acogedores para hongos y bacterias, pero cuando los productos se hicieron más suaves en su acción sobre la piel, se hicieron más suaves en su acción en las bacterias. La introducción de los tensioactivos no iónicos, y más recientemente de algunos «aditivos naturales», ha aumentado apreciablemente el riesgo de contaminación bacteriana[87]. Las más modernas sustancias de champúes están expuestas al ataque de hongos, a menos que se preserven con agentes, tales como ésteres hidroxibenzoatos (véase Capítulo 36 sobre conservantes).

En muchos aspectos, más serio es el crecimiento de bacterias en champúes, puesto que pueden conducir a la descomposición del detergente y decoloración del producto. Muchos tensioactivos de champúes son sustratos de microorganismos gram-negativos del tipo *Pseudomonas* y, de hecho, es probable que estas bacterias, ampliamente extendidas, se hayan adaptado por sí mismas a proliferar su crecimiento en soluciones champúes sin preservar, donde pueden producir olores desagradables (especialmente, en soluciones diluidas) y turbidez como resultado de la producción de micelios.

La cuestión de los conservantes para preparaciones de higiene en general se discute en el Capítulo 36, pero se puede afirmar aquí que los agentes tensioactivos en champúes tienden a interferir con la actividad de los germicidas —así, se ha demostrado que la acción bactericida de los tensioactivos de amonio cuaternario se redujo notablemente en presencia de los no iónicos[88], de modo que frecuentemente son necesarias concentraciones más elevadas de conservante en un champú comparadas con las de soluciones sencillas.

La conservación de champúes es, como consecuencia, un tema especializado y sus aspectos peculiares han sido estudiados por varios autores[87-89]. El germicida más sencillo de amplio espectro, es decir, el formaldehído, es casi el más efectivo, junto con las sales mercúricas de fenilo. Aunque el formaldehído no es afectado por los tensioactivos y es eficaz en cantidades del 0,1-0,15 por 100, sin embargo, no es compatible con ciertos ingredientes, particularmente con hidrolizados de proteínas, que además presentan problemas de conservación[90]. Los ésteres del ácido p-hidroxibenzoico son bastante efectivos contra los hongos, pero inactivos contra *Pseudomonas* y son inactivados por no iónicos. Otros conservantes recomendados son 5-bromo-5-nitrodioxan, conocido como Bronidox[91], y un compuesto de amonio cuaternario liberador de formaldehído conocido como Dowicil 200[87], ninguno de los cuales es afectado adversamente por tensioactivos aniónicos[92-93]. La dimetildimetilhidantoína también libera formaldehído y es de interés por su eficacia y compatibilidad.

Perfumes

Considerados durante mucho tiempo como aditivo secundario, el perfume ha llegado a ser una importante característica para el reclamo de ventas con un impacto creciente del «regreso a la naturaleza». Son seleccionados cada vez más olores sencillos descriptivos —hierbas medicinales, frutal y floral— para proporcionar un aroma evocador de frescura natural[94]. Algunos opinan que la fragancia desempeña un papel funcional creciente de calidad-comunicación[95], y tienden hacia niveles de concentración más elevados y «olores sustantivos» (notas residuales para fijadores de larga duración).

El perfume de los champúes debe cumplir en primer lugar con los requerimientos técnicos básicos, tales como sobulidad, compatibilidad, es decir, no afectar a la viscosidad ni estabilidad, no decolorar la fórmula (o el pelo) y no ser irritante. Además, la introducción de agentes acondicionadores ha aumentado las posibles interacciones y frecuentemente añaden la necesidad de una mezcla de perfumes encubridores[96].

FORMULACION DE CHAMPUES

Ya se han descrito muchos de los detergentes disponibles para champúes. Los ejemplos de champúes que se dan a continuación no son exhaustivos, pero representan varios tipos de fórmulas. Cuando una fórmula se basa en algún detergente en particular, generalmente se supone que en su lugar se pueden utilizar otros detergentes o mezclas, manteniendo características, tales como solubilidad, capacidad, etc. Por este método, la fórmula sencilla que se cita puede ser utilizada como base de otra formulación.

Los principios involucrados en la formulación de champúes (véase también COOK[97] y MANNHEIM[98]) han sido reseñados por ZVIAK[10] y MARKLAND[99]; ALEXANDER[38] ha publicado un excelente estudio de sustancias y formulaciones (véase también KASS[100a] y DONALSON y MESSENGER[100b]).

Es importante destacar que los consumidores de diferentes países tienen distintas ideas de la concentración ideal para un champú. En Inglaterra, por ejemplo, la mayor parte de las personas prefiere usar un champú de concentración media, mientras que en algunos otros países el consumidor desea un champú de concentración activa elevada. Esta diferencia en hábitos sociales y requerimientos hace difícil recomendar concentraciones de detergente que sean aceptados universalmente. Los formuladores se deben informar de los requerimientos del mercado para el cual trabajan. La mayor parte de las fórmulas que siguen cumplen con el patrón inglés de 12-20 ml por cabeza.

Muchos champúes se expenden en tres tipos: para cabello normal, seco y graso. Frecuentemente, los destinados a pelo graso tienen un porcentaje más elevado de tensioactivo o una mezcla que es más activa para emulsionar el sebo del pelo. Los destinados a cabellos secos generalmente contienen una concentración más elevada de acondicionador.

Los tipos principales de champúes del mercado son los siguientes:

Champúes líquidos transparentes.
Champúes cremas líquidas.
Champúes cremas sólidas.
Champúes oleosos.
Champúes polvo.
Champúes espuma aerosol.
Champúes secos.

De otro modo, los champúes se pueden clasificar de acuerdo con la función más específicamente:

Champúes acondicionadores.
Champúes anticaspa.
Champúes para bebés.
Champúes ácidos.

Champúes líquidos transparentes

Actualmente, es el tipo más popular, y está sujeto a la mayor variedad de formulaciones y presentaciones. Aunque no existe un cuadro muy claro de lo que el público espera de un champú transparente, parece que las fórmulas se pueden dividir de modo tosco en aquellos que se compran principalmente en base a su poder de limpieza para el cabello graso (que pueden ser catalogados como «champúes de limpieza») y aquellos que se compran por proporcionar la sugerencia de que el cabello se dejará con buenas características después del lavado con champú, además de la promesa de limpieza. Principalmente, transparentes o translúcidos, los últimos son populares entre los consumidores, particularmente, mujeres con cabello normal o seco y se llaman frecuentemente «champúes cosméticos».

El tipo «limpieza» es formulado fácilmente, pues sólo requiere una solución adecuadamente presentada de un detergente, tal como lauril sulfato o un lauril éter sulfato de trietanolamina, previniendo un punto bajo de turbidez, y garantizando por ello una transparencia aún a baja temperatura; generalmente, el lauril sulfato de trietanolamina se vende como solución al 30-33 por 100 y 50 partes de ésta, perfume, colorante y agua hasta 100 partes constituirán una solución fluida transparente, con un buen poder espumante. Para un producto más viscoso se usa éter sulfato como en el ejemplo 1.

	(1) por ciento
Sodio, Lauril éter sulfato (30 por 100)	45,0
Sodio, Cloruro (según viscosidad requerida)	2,0-4,0
Perfume, colorante, agua, conservante hasta	100,0

El champú líquido tipo «cosmético» se puede formular seleccionando aquellos detergentes recomendados por sus buenos efectos posteriores tales como metil taúridos, anfóteros, etc., en mezcla con lauril sulfato y aditivos alcanolamidas:

	(2) por ciento
Lauril sulfato trietanolamina (33 por 100)	45,0
Monoetanolamida de coco	2,0
Perfume, colorante, agua hasta	100,0

	(3) por ciento
Acido lauril amino propiónico (Deriphat 170 C)	10,0
Lauril sulfato trietanolamina (33 por 100)	25,0
Dietanolamida de coco	2,5
Acido láctico para dar pH 4,5-5,0	c.s.
Conservante	c.s.
Perfume, colorante, agua desionizada hasta	100,0

Champú para cabellos secos (Alcolac Inc.[87])	(4) por ciento
Lauril sulfato trietanolamina	49,0
Oleato trietanolamina (50 por 100)	9,8
Propilen glicol	2,0
Alcohol oleico	1,0
Agua	38,2

Base de champú elevada calidad bajo costo (Witco Chemical Corp.[87])	(5) por ciento
Sodio, Olefin C_{14-16} sulfonato	25,0
Monoetanolamida de coco	3,0
Acondicionadores, perfume, conservante	c.s.
Agua hasta	100,0

Champúes crema líquida o loción

Los champúes crema líquida realmente constituyen una extensión de la clase de champúes «cosméticos», puesto que los usuarios esperan de ellos que sean muy suaves en su acción sobre el pelo. El aspecto de las cremas líquidas se calcula para sugerir propiedades emolientes, aunque no es acertado incluir excesivas sustancias grasas en tales productos, o el cabello se volverá a engrasar otra vez, muy pronto, después del empleo. El ejemplo, de American Aldolac Corporation, es típico:

	(6)
	por ciento
Sodio, lauril sulfato (30 por 100)	25,0
Propilen glicol 400, diestearato	5,0
Magnesio, estearato	2,0
Agua destilada	68,2
Alcanolamida, ácido graso (espesante)	*c.s.*
Alcohol oleico (acondicionador)	*c.s.*
Perfume	*c.s.*

El agente opalescente usado en este ejemplo para convertir el champú líquido transparente en champú crema líquida es un diesterato de glicol. Es conveniente la adición de estearato de magnesio insoluble, pues los esteres de glicol tienden a redisolverse en el champú en tiempo caluroso, dejando así al champú sólo turbio en lugar de cremoso.

DeNavarre[101] ha estudiado la formulación de champúes cremas líquidas y destaca que los sulfatos de alcoholes grasos son los mejores espumantes y, generalmente, se utilizan a concentraciones de 25-45 por 100 del champú terminado. Recomienda el uso de un opalescente, tal como estearato de magnesio con adición de un espesante mucilaginoso, tal como una solución de alcohol polivinílico, metil celulosa, metacrilato solubilizado, alginato, musgo irlandés o carboximetil celulosa a una concentración de aproximadamente el 0,5 por 100. Destaca que los alcoholes superiores o ésteres de alcoholes también se pueden usar con fines de opalescencia, y la lanolina y laurato de glicol o glicerilo a concentraciones de 1 ó 2 por 100 actúan además como opalescentes y espesantes. Pantaleoni[102] publica una fórmula basada en los principios anteriores:

	(7)
	por ciento
Alcohol graso sulfato pasta	30,0
Magnesio, estearato	1,0
Alcohol polivinílico, sol. 10 por 100	20,5
Metil celulosa, sol. 3 por 100	9,0
Agua	38,0
Lanolina	0,5
Glicerilo, monolaurato	1,0

Procedimiento: Mezclar el estearato de magnesio con el alcohol grasol sulfato, después añadir el alcohol polivinílico, metil celulosa y agua, cada uno separadamente, para preparar la fase acuosa. Agitar la mezcla mientras se calienta a 71 °C. Llevar la fase oleosa a la misma temperatura, y añadir la fase acuosa con agitación.

En esta clase se encuentran la mayor parte de los champúes descritos como conteniendo huevo, leche, crema, coco y otros ingredientes «mágicos». El aditivo más antiguo y aún más popular es el huevo. Naturalmente que los huevos se pueden utilizar para limpiar el cabello; después de enjuagar con agua (¡con agua fría!), eliminan una cantidad sorprendente de suciedad y dejan el pelo con apariencia suave, aunque bastante graso. Principalmente, la acción es la suspensión por la albúmina que actúa como un coloide protector seguido de la absorción del catiónico fosfátido lecitina de la yema de huevo. Todo esto es un pregón alejado de los reclamos extravagantes que se hacen para cantidades mínimas de yema de huevo revuelto en una cantidad grande de detergente, como en los más modernos champúes al «huevo». No obstante, si se fabrican éstos, es mejor evitar la clara, que tiende a solidificar, y usar yema desecada o congelada. Frecuentemente, la sustancia seca puede dispersarse fácilmente, si primero se forma una suspensión con un poco de detergente no iónico o con perfume.

Champú al huevo (Clintwood Chemical Co.)		(8)
		por ciento
Sodio, lauril sulfato 30 por 100		20,0
Dietanolamida de coco		5,0
Glicol, estearato		1,0
Conservante:		
metilo, *p*-hidroxibenzoato		0,1
Formaldehído		0,1
Sodio, benzoato		0,1
Acido fosfórico para pH 7,5-8,0		*c.s.*
Sodio, cloruro		0,25
Colorante amarillo		*c.s.*
Perfume		*c.s.*
Huevo, pulverizado (o completo)		2,0
Agua	hasta	100,0

Champúes cremas sólidas o geles

Generalmente, los champúes cremas sólidas o geles se destinan a ser utilizados en tarros o tubos plegables, y por ello deben tener una consistencia adecuada para permanecer en un tubo abierto sin que se derrame por el orificio. Tradicionalmente se fabrican con lauril sulfato sódico, pastas u otros detergentes de baja solubilidad a temperatura ambiente, pero de solubilidad más elevada a temperatura ligeramente superior a la ambiente, gelificados con un poco de estearato sódico u otro jabón.

	(9)
	por ciento
Sodio, lauril sulfato (100 por 100)	20,0
Monoetanolamida de coco	1,0
Propilenglicol, monoestearato	2,0
Acido esteárico	5,0
Sodio, hidróxido	0,75
Agua, perfume, colorante si se desea	hasta 100,0

		(10)
		por ciento
A.	Sodio, lauril sulfato (90 por 100)	20,0
	Sodio, lauril éter sulfato (27-30 por 100)	20,0
	Bietanolamida de coco	0,6
	Lanolina anhidra	0,6
	Sodio, cloruro	1,2
B.	Acido esteárico	4,0
C.	Sodio hidróxido	2,12
	Colorante, perfume, conservante	*c.s.*
	Agua hasta	100,0

Procedimiento: Disolver *A* y *C* en agua y calentar a 70 °C. Fundir *B* y añadir a la misma temperatura con agitación. Enfriar la mezcla y añadir el perfume.

La mayor dificultad de estas pastas es el efecto de la temperatura. La consistencia depende de una masa de cristales y, en tiempo caluroso, una gran proporción de éstos se disuelve, convirtiendo al producto en líquido y translúcido. Cuando el producto recristaliza, los nuevos cristales son grandes y pueden originar características de grumos o fibrosas al champú. Consideraciones similares se aplican a todos los champúes cremas en que la opacidad o consistencia dependen de detergentes que forman una pasta de sustancias incompletamente disueltas. Desde los años de la década de los cincuenta, los champúes cremas pastas han descendido a posiciones secundarias, excepto algunas formas medicamentosas en el campo anticaspa.

Los *champúes geles transparentes* han ganado cierta popularidad en forma concentrada, especialmente en salones de belleza, pero ha disminuido grandemente su interés. Se formulan usando sólo detergentes o su mezcla con jabones. Variando las cantidades de jabones de trietanolamina-coco, lauril sulfato de trietanolamina y lauril sulfato sódico, se pueden obtener preparaciones de diferente consistencia y textura. Se pueden modificar las propiedades del gel variando el tipo y cantidad del secuestrante. También se logra la gelificación espesando un champú convencional líquido transparente con éteres hidroxialquil o metil celulosa o alcanolamidas, o asociando tensioactivos aniónicos y anfóteros.

Champú gel transparente		(11)
		por ciento
Miranol C2M conc.		15,0
Trietanolamina, lauril sulfato (40 por 100)		25,0
Dietanolamida de coco		10,0
Methocel (hidroxipropilmetil celulosa)		1,0
Agua	hasta	100,0
Colorante, perfume, conservante, etc.		*c.s.*

Champúes aceites

El desarrollo de los aceites sulfonados (esto es, aceites que han sido tratados con ácido sulfúrico u otros agentes sulfonantes bajo la influencia de calor, y después neutralizados con álcali) condujeron hace muchos años a su introducción como champúes capilares. Son detergentes efectivos en cuanto eliminan la suciedad y grasa del pelo, pero están casi desprovistos de propiedades espumantes. Por esta razón, realmente nunca han competido con éxito con los tensioactivos más convencionales disponibles en su tiempo. No obstante, hay tendencia a utilizarlos en la formulación de «champúes aceites», en que el cabello se trata con una mezcla de aceites sulfonados (principalmente, aceites de ricino y de oliva) que se dejan en la cabeza durante un corto tiempo, y luego se eliminan por enjuagado. El ejemplo 12 es representativo (véase también ALEXANDER [38]).

	(12)
	por ciento
Aceite de oliva sulfonado	16,0
Aceite de ricino sulfonado	16,0
Agua	68,0
Colorante, perfume	*c.s.*

La versión moderna de un champú aceite es un champú estratificado en dos fases en que la capa superior está constituida de una sustancia oleosa, mientras que la capa inferior es un champú convencional. El producto se agita antes de usar para dar una emulsión inestable aceite-agua[103, 104].

Champús polvos

Los champúes polvos han sido eliminados en aceptación, parcialmente debido a la dificultad que implica utilizarlos, pero principalmente porque tienden a dejar el pelo con pobres características.

Están constituidos por un detergente en polvo diluido con sustancias no higroscópicas fácilmente solubles. Los lauril sulfatos sódico y magnésico son sustancias adecuadas para tales champúes económicos, y aproximadamente 3-4 g por cabeza son suficientes.

Como diluyente se emplea pirofosfato o bicarbonato sódico o, más generalmente, sulfato (ejemplo 13).

	(13)
	por ciento
Sodio, lauril sulfato	25
Sarcosido	5
Sodio, bicarbonato	10
Sodio, sulfato	60

Champúes aerosoles

Los champúes aerosoles no son un tipo especial de formulación, pero representan un modo alternativo de aplicar el producto. La única condición extra que tales productos deben cumplir es la de ser estables en presencia del gas propulsor; generalmente se usa un champú transparente líquido de viscosidad media de modo que permite la mezcla fácil con el propulsor, manteniéndolo en forma emulsionada el tiempo suficiente para su uso después de agitarlo. Caros, y con más inconvenientes que ventajas, nunca han alcanzado mucho éxito.

Champúes secos

Los champúes secos son composiciones en polvo que permiten limpiar el cabello simplemente rociándolo con polvo absorbente sobre el pelo graso, dejándolo durante unos diez minutos, y eliminándolo por cepillado después. Su principal atractivo es que no exigen el empleo de agua. No hay miedo de que el proceso de limpieza con champú elimine la forma del peinado; no hay pérdida de los rizos.

Sin embargo, los champúes polvos no son muy eficaces por la dificultad mecánica de poner las partículas de polvo en contacto con la grasa. También es difícil eliminar el polvo del pelo por cepillado, con el resultado de que un tratamiento apresurado con champú seco puede dejar al cabello más sucio que antes. Como consecuencia, estos champúes son útiles sólo para cabellos que tienen tendencia a disminuir rápidamente de peso con el sebo, para los que no tienen tiempo para peinar y secar el cabello húmedo, y para ser utilizados en momentos de restricciones agudas de agua.

Constan de una mezcla de sustancias absorbentes, tales como almidón, bórax y dióxido de silicio. Una composición en polvo modificada para retener o impartir «vitalidad» y brillo puede basarse en la mezcla siguiente[105]:

	(14)
	por ciento
Almidón de arroz insolubilizado	
(producto de reacción con tetrametil acetilendiurea)	30
Acido bórico	7
Silicio, dióxido finamente dividido	25
Almidón	23
Talco	15
Perfume oleoso	c.s.

Los champúes secos también pueden basarse en disolventes tales como alcoholes *white spirit*, alcohol isopropílico, dicloroetileno, etc. Son eficaces disolviendo la grasa, pero su principal dificultad es encontrar cierto modo eficaz y estético de eliminar la solución del pelo. Otro problema es la naturaleza peligrosa de la mayoría de los buenos disolventes orgánicos, los alcoholes, etc., son inflamables y los disolventes clorados son generalmente narcóticos, y a veces extremadamente tóxicos.

Un enfoque alternativo ha sido combinar los dos métodos, y usar un polvo como portador de los disolventes orgánicos, preferentemente hidrocarburos fluorados aplicados con un envase aerosol. Esta mezcla proporciona adecuada limpieza, y los productos de este tipo han alcanzado una popularidad limitada.

Otra formulación, basada en quitina pulverizada como suspensión en un líquido portador volátil, tal como alcohol etílico, ha demostrado ser eficaz para eliminar el sebo[106].

Champúes acondicionadores

Como ha destacado GERSTEIN[107], no siempre es clara la diferencia entre los generalmente llamados «champúes acondicionadores» y «acondicionadores champúes», especialmente desde que su aplicación es similar. Sin embargo, los primeros se destinan con función primaria a limpiar y en segundo lugar a mejorar la manejabilidad y proporcionar los deseados tacto y apariencia; los últimos se diseñan principalmente para favorecer el desenredo del pelo húmedo y mejorar la manejabilidad, tanto del cabello húmedo como del seco.

El desarrollo de los acondicionadores-champúes es principalmente resultado de explotar los beneficios y optimizar las propiedades de los polímeros catiónicos sintéticos, cuya eficacia está unida a las características y cantidades de película depositada sobre el pelo.

La principal desventaja, la contrapartida de su sustantividad, es la excesiva acumulación en el pelo que puede presentarse a continuación de aplicaciones sucesivas, y dar lugar a un comportamiento inesperado del cabello después de otros tratamientos. No obstante, se ha demostrado que la adsorción de algunos polímeros catiónicos en el pelo se reduce notablemente por la adición de pequeñas cantidades de electrólitos (tal como cloruro sódico) que desabsorben también el polímero adsorbido[108].

Los modos como actúan los acondicionadores, así como los efectos obtenidos, son varios; siempre se debe tener presente involucrar varias interacciones extremadamente complejas, tanto entre los mismos compuestos —que en la mayor parte de los casos son mezclas estadísticas— y con el pelo. Como consecuencia, el ajuste y control de estos efectos —alisamiento, suavidad, desenredo, peinabilidad, cuerpo, elasticidad, antiestático, etc.— requieren un desarrollo cuidadoso y especializado según el tipo de pelo que se trata y el sistema tensioactivo utilizado.

A continuación se dan ejemplos —véase también KASS[100]. En el ejemplo 16, las propiedades suavizantes y espumantes se proporcionan por la mezcla de no iónicos etoxilados con tensioactivos anfóteros y aniónicos. Las propiedades acondicionadoras y espesantes se ocasionan por la celulosa catiónica.

Champú que deja el pelo suave y peinable, tanto húmedo como seco[63]	(15)
	por ciento
Sodio, lauril sulfato o lauril sarcosinato	10,0
Dietanolamida láurica	5,0
Hexilen glicol	3,0
Metilo, *p*-hidroxibenzoato	0,1
Acido bórico	1,0
Sodio, cloruro	2,0
Polietilenimina-etilformato poliamida	2,5
Alcohol etílico	15,0
Agua	hasta 100,0

Champú suave, espeso con propiedades acondicionadoras[109]	(16)
	por ciento
Amidopropil-3-dimetilamino betaína coco	5,4
Sodio, lauril sarcosinato	5,2

Alcohol tridecilo etoxilado (20 EO)		14,0
Celulosa catiónica (Polymer JR: Union Carbide)		0,5
Agua	hasta	100,0

Champú transparente acondicionador que proporciona un peinado fácil en húmedo (Sandoz)	(17)
	por ciento
Amonio, lauril éter sulfato	25,00
Cocoamino betaína el 31-32 por 100	25,00
*Sandopan TFL conc. al 48 por 100	4,20
Copolímero ácido adípico-dimetilamino hidroxipropil dietilentriamina (Cartaretine F4)	3,33
Acido cítrico anhidro	0,98
Agua	hasta 100,00

* Sandoz—CTFA: *Amphoteric 7* (sulfoamidobetaína)

Aclarado champú-crema de una fase	(18)
	por ciento
Potasio, cocoil-proteína hidrolizada (Maypon 4C)	25,0
Acido lauraminopropiónico (Deriphat 170C)	15,0
Laurilmonoetanolamida	3,0
Estarildimetilbencilamonio, sarcosinato	0,3
Etanol	3,0
Polímero cuaternario de vinilpirrolidona/di (alquilo inferior) aminoacrilato (Gafquat 755, Pm = 1.000.000)	1,0
Colorante, perfume	*c.s.*
Agua	hasta 100,0

Champú acondicionador [110]	(19)
	por ciento
Polymer JR 30 M (CTFA: *Quaternium 19*) (Pm = 30.000	1,5
Miranol C2MSF (CTFA: *Amphoteric 2*) 70 por 100	11,0
Sandopan DTC ácido (CTFA: *Trideth-7-carboxílic acid*)	15,0
Etilen, glicol, diestearato	2,0
Propilo, *p*-hidroxibenzoato	0,05
Hidrolizado de proteína	0,5
Perfume oleoso	0,3
Agua	hata 100,0

Algunos champúes acondicionadores incluyen aceite para mejorar la calidad del depósito sobre el pelo; así, una fórmula de una sola fase utilza un 1,5 por 100 de aceite de oliva, un 0,5 por 100 de aceite mineral ligero extn, junto con una amida, un óxido de amida, un tensioactivo anfótero y un amonio cuaternario, tal como cloruro «sebo» amidopropil dimetil hidroxietilamonio[05], un champú de dos fases asocia aceite hidrocarbonado, dando una capa superor de emulsión cremosa, y una mezcla de tensioactivos catiónicos y anfóteros com capa inferior hidroalcóholica transparente.

Entre varias composiciones patentadas, son dignos de citarse os champúes acondicionadores de bastante espuma que combinan óxidos de amins terciarias, alquil sulfobetaínas y jabones de trietanolamina[112] y también el usc de sales de trietanolamina de «lipoproteínas» con tensioactivos aniónicos y anfteros para proporcionar champúes efectivos en reparar puntas abiertas de pelo[113], que se han identificado como problema importante en mujeres jovenes con cabello largo.

Champúes para bebés

En los champúes para bebés, el requerimiento fundamental de suavidad a los ojos, piel y cabellos (y aun hacia el aparato digestivo, si accidentalmente son ingeridos) justifica completamente cierto sacrificio en el comportamiento de limpieza y espumado. Su seguridad e innocuidad implícitas explican la aceptación creciente que encuentran en los adultos y también contribuyen a su uso liberal y frecuente, tal vez diario.

La suavidad se proporciona seleccionando tensioactivos no irritantes que producen detergencia limitada —los más comúnmente utilizados son derivados anfóteros de imidazolina y ésteres y amidas de sulfosuccionatos grasos que se conocen por estar casi exentos de irritación, y exhibir propiedades antiirritantes cuando se asocian con lauril sulfato[16]—. Las imidazolinas, generalmente se asocian con ésteres de sorbian o manitan etoxilados para dar composiciones exentas de picor. Esta asociación fue la base del éxito alcanzado por Johnson y Johnson que, en la década de 1950, inició los champúes para bebés: para «no más lágrimas», el Tween 20 se asoció con un complejo obtenido de trideciltrietoxisulfato y N-(2-cocoamidetil) dietanolamina[114]. Recientemente se ha demostrado que la estabilidad de la espuma se puede mejorar sin pérdida de suavidad cambiando el último compuesto por betaínas o sulfobetaínas e incrementando el número de moles de óxido de etileno en tridecilétersulfato sódico (a 4,4) y éster de sorbitan (superior a 20).

Una composición típica se da en el ejemplo 20[115].

		(20)
		por ciento
3-Cocoamidopopildimetil betaína al 30 por 100		17,1
Sal de trideciler sulfato 4,4 ETO al 65 por 100		8,3
Polioxietilen (00) sorbitan, monolaurato		7,5
Conservantes perfume, colorante		*c.s.*
Agua	hasta	100,0

Hablando en términos generales, se recomienda un elevado valor de etoxilo para proporcionar suavidad; así la asociación del 20 por 100 de lauriléter sulfato con 12 moles de oxietileno y 8 por 100 de imidazolina —ambos como 100 por 100 de bases activas— se le atribuye producir un excepcional bajo nivel de irritación ocular, proporcionando buenas características de espumado[116].

Champúes anticaspa y medicinales

Algunos de los tipos de productos descritos anteriormente son adecuado como base para la preparación de champúes medicinales o anticaspa; los más populares son los líquidos transparentes y las lociones opacas.

Cualquiera que sea la etiología de la afección caspa (definida como una descamación crónica, no inflamatoria), el problema que permanece es el de eliminar la costra producida por un medio cutáneo en mal estado; se requiere un champú efectivo, no desecante, pero suave. Como la caspa se asocia comúnmente con una notable proliferación microbiológica, se recomienda generalmente añadir un germicida (con especial efecto contra *Pityrosporum ovale*) como agente activo de control. Como el champú permanece sobre el cuero cabelludo y cabello sólo por muy poco tiempo, el germicida debe ser del tipo sustantivo, de modo que quede posteriormente en el cuero cabelludo para ejercer su acción.

Con este fin se han utilizado varios agentes, tales como tensioactivos cuaternarios amónicos, timol, fenoles clorados, triclorocarbanilidas, salicilanilidas halogenadas, 5,7-dicloro-8-hidroxiquinolina[117], undecilenato de zinc, etanolamidas del ácido undecilénico, complejo de polivinilpirrolidona-yodo y Captan[118].

Una fórmula típica se da en el ejemplo 21:

	(21)
	por ciento
Trietanolamina, Lauril sulfato	15,0
Dietanolamida láurica o mezcla de dietanolamina láurica y mirística	3,0
Germicida	0,5-10,0
Colorante, perfume	*c.s.*
Agua hasta	100,0

En años recientes, los desarrollos más grandes se han realizado en los derivados de 2-piridintiol-N-óxido; el primero en ser introducido en champúes fue la sal de zinc muy insoluble, utilizada en los primeros años de la década de 1960 al 2 por 100 de concentración en el champú de gran éxito *Head and Shoulders*. Su elevada aceptación y eficacia[119] condujo a varios estudios y patentes relacionados con las mejoras de características de la formulación, y cubriendo la gama de compuestos de la misma familia. La atención se enfocó particularmente en la sustantividad y la tolerancia. Una de las grandes ventajas de este tipo de sustancias radica en su gran afinidad por el pelo. La absorción de sales de zinc se demostró alcanzar un máximo a la concentración de aproximadamente un 1 por 100 en champúes[120], pero la naturaleza del vehículo puede afectar notablemente el valor de la absorción, así como la actividad bactericida. Así, el laurato de polietilen glicol 400 demostró reforzar marcadamente la actividad, pero no los alcoholes polietoxilados de lanolina[121].

Otra observación interesante fue el efecto potenciador de las resinas catiónicas y particularmente, resinas polietileniminas (antimicrobianos *per se*[122]) en la deposición particular sobre el pelo, por lo cual se redujo la concentración de piridintiol-óxido de zinc (ZPTO), y se mantuvo más duradera su eficacia. Se ha encontrado que el ZPTO ocasiona irritación grave en el cuero cabelludo en algunos casos, y se ha afirmado que el agente acondicionador estearil dimetilamina óxido ejerce un fuerte efecto contrairritante cuando se añaden a sistemas lauril sulfato sódico-ZPTO[124].

Con relación a otras sales de 2-piridintiol-1-óxido se debe mencionar el uso del correspondiente disulfuro, que cuando se asocia con las sales metálicas, tales como $CaCl_2$ y $MgSO_4$, es soluble en agua, permitiendo la formulación de productos transparentes de eficacia comparable[125].

Entre otros compuestos patentados para champúes anticaspa se encuentran los siguientes: los químicamente relacionados 2-mercapto-quinoxalina-1-óxido[126], 2-mercapto-quinolina-1-óxido[127] y derivados de polieno relacionados con la vitamina A[128].

Detalles de otros aditivos germicidas, incluyendo sustancias solubles e insolubles, se dan en el Capítulo 23 (El pelo) y Capítulo 35 (Sustancias antisépticas).

Champúes ácidos

Entre las propuestas para minimizar la lesión de cabello y piel, debe mencionarse la tendencia a promover champúes de pH más bajo, los llamados champúes ácidos. La acidez suave previene la hinchazón, y facilita el firme alisamiento de las escamas contra el tallo del pelo, por lo cual reduce la penetración, y proporciona brillo. Ofrece condiciones favorables para el desarrollo y empleo de las propiedades acondicionadoras de catiónicos, óxido de amina y anfóteros, pero en detrimento de sus propiedades espumantes y limpiadoras.

Además, el pH ácido entraña frecuentemente inestabilidad para los tensioactivos, que puede conducir, con el tiempo a cambios de viscosidad del champú. Estas desventajas se pueden superar con el empleo de tensioactivos que no sean afectados por valores de pH entre 5 y 7 —tal como lauril sulfato y lauril éter sulfato amónicos— o por el desarrollo de asociaciones sinérgicas que incluyen anfóteros y no iónicos, o la adición de cantidades suficientes de impulsores (*boosters*) de espuma. Los ejemplos 22 y 23 ilustran champúes ácidos.

(22)

	por ciento
Miranol C2M (*Amphoteric 2*)	20
Oxido de cocamidopropilamina	5
Dietanolamida láurica	2,5
Alcohol láurico polietoxilado	8
Acido láctico	*c.s.* para pH 6
Agua	hasta 100

(23)

	por ciento
Amonio, lauril sulfato	40
Cocamidopropilbetaína	15
Dietanolamida láurica	4
*PPG 5 Ceteth 10 phosphate	3
Proteína animal hidrolizada	1,5
Perfume, conservantes, colorante	*c.s.*
Acido cítrico	*c.s.* para pH 5,4
Agua desionizada	hasta 100,0

* Nombre CTFA

SEGURIDAD DE LOS CHAMPUES

La cuestión de seguridad dermatológica de los champúes es extremadamente importante. Los champúes necesitan ser seguros para la piel y los ojos, así como no ser tóxicos en términos generales. La evaluación de los productos en cuanto a la seguridad dermatológica se trata en el Capítulo 2, mientras que la evaluación de la toxicidad detergente en general se trata en el Capítulo 33. Aquí se expondrá con detalle el tema de la seguridad ocular.

En el proceso de limpiar el cabello con champú no es raro que algo de él escurra por la cara y llegue a los ojos. Cuando se ha diluido adecuadamente el champú, esto generalmente no es nocivo, pero en algunos casos se ha demostrado, realmente, que el contacto de ciertos champúes con el globo del ojo puede representar (dependiendo del tipo de detergente utilizado, su concentración y formulación) un peligro muy serio, y aún llegar a dañar y ocasionar opacidad·en la córnea.

El primer champú reconocido como peligroso para los ojos estaba constituido de un detergente no iónico, descrito como polietilen óxido alquil fenol éter en mezcla con una sal de amonio cuaternario, que ocasionó la opalescencia de la córnea y daños en la visión. ECKERMANN y GESSNER[129] publicaron casos de lesiones oculares ocasionadas por cosméticos incluyendo algunos champúes con huevo; la lesión fue reversible.

SMYTH et al.[130] ensayaron los efectos de algunos tensioactivos sintéticos en los ojos de conejos, observando cualquier lesión producida en la córnea con tinción de fluoresceína.

La técnica básica de evaluar la seguridad ocular es la descrita por DRAIZE et al.[131]. En este método, una porción de 0,1 ml de la preparación sometida a ensayo se instila en el saco conjuntivo de un conejo albino, dejando el ojo izquierdo para servir de control normal. Después de un periodo de contacto de cuatro segundos, tanto los ojos tratados como los de control se lavan con 25-30 cm³ de solución salina fisiológica para eliminar la solución de ensayo. Se realizan observaciones en cuanto a síntomas patológicos una hora después de la instilación, otra vez al cabo de dos horas, y después diariamente durante treinta y cinco días.

DRAIZE y KELLEY[132] examinaron varios agentes tensioactivos cationicos y aniónicos utilizados en preparaciones cosméticas, en cuanto a irritación ocular. Las «concentraciones máximas toleradas» (Tabla 24.1) son aquellas que no producen lesión alguna en la córnea o iris que durasen siete días.

MARTÍN, DRAIZE y KELLEY[133] destacaron en una publicación posterior que varios detergentes eran capaces de ocasionar anestesia del ojo, y esto daba lugar a que fueran tolerados niveles mayores de dolor. Si estos detergentes también dañan al ojo, entonces son extremadamente peligrosos. Tales sustancias incluían condensados de polioxietileno y de aminas de ácidos grasos, y las formulaciones que contienen estos compuestos deben ser comprobadas con extremo cuidado. Se han publicado numerosas variaciones y modificaciones del ensayo de Draize, y lo mejor es examinar éstas por orden histórico. El método descrito en un boletín BIBRA[134] recomienda cambiar el ensayo original[135] de 9 ojos de conejo con 3 lavados después de dos segundos, 4 lavados después de cuatro segundos y el restante sin lavar, a 6 ojos de conejo sin que ninguno sea lavado.

Una de las dificultades mayores del ensayo es la variabilidad de los resultados. Estas se pueden superar en cierto grado modificando el sistema de estimación, pero esto no es completamente satisfactorio. WELTMAN *et al.*[136] intentaron superar esto utilizando gran número de conejos, pero es un procedimiento largo y caro. Un artificio especial de aplicación lo han descrito BATTISTA y McSWEE-NEY[137] y su aplicación conduce a una reducción de la variabilidad de resultados.

Tabla 24.1. Estudios de irritación ocular con agentes tensioactivos

Nombre comercial	Denominación química	Concentraciones máximas toleradas de ingredientes activos (por 100)
A. CATIONICOS		
BTC®	Laurildimetilbenzilamonio, cloruro	0,5
Hyamine 1622®	*p*-diisobufilfenoxietoxietildimetil-benzilamonio, cloruro	0,5
Roccal®	Alquildimetilbenzilamonio, cloruro	0,5
Isothan Q-15®	Laurilisoquinolinio, bromuro	0,8
Ethil Cetab®	Cetiletildimetilamonio, bromuro	1,0
Triton X-400®	Estearildimetilbenzilamonio, cloruro	1,0
B. ANIONICOS		
Nacconol NRSF®	Alquilaril, sulfonato	5,0
Miranol SM®	Derivado de capril imidazolina	10,0
Aerosol OT®	Dioctiléster del ácido sulfosuccínico sódico	15,0
Duponol WA®	Sodio, lauril sulfato	20,0
Orvus WA®	Sodio, lauril sulfato	20,0
Triton X-200®	Sal sódica del aril poliéster sulfato alquilado	20,0
C. NO IONICOS		
Triton X-100®	Alcohol de aril poliéster alquilado	5,0
Nonic 218®	Polietilen glicol *tert*dodecil tioéter	10,0
Alrosol®	Acido graso amido condensado	10,0
Neutronyx 600®	Poliglicol aromático éter condensado	15,0
Detergent 1011®	Amida secundaria del ácido láurico	15,0
Minol 2012®	Acido graso alcanolamina condensada	20,0
Span 20®	Sorbitan, monolaurato	100,0
Tween 20®	Sorbitan, monolaurato polioxietilen derivado	100,0
Span 80®	Sorbitan, monooleato	100,0
Tween 80®	Sorbitan, monooleato polioxietilén derivado	100,0
Arlacel A®	Manida, monooleato	100,0

GAUNT y HARPER[138] destacaron que existe escasa correlación entre los conejos y el hombre, y encontraron que los champúes utilizados por el público sin efectos nocivos ocasionaban irritación a los conejos. BONFIELD y SCALA[139] publicaron resultados similares con 13 marcas comerciales de champúes. En cuanto a especies animales, un estudio interesante fue realizado por GERSHBEIN y McDoNALD[140], quienes ensayaron tensioactivos y champúes comerciales, según el estandar del método Draize en conejos, cobayas, ratas, ratones, hamsters, perros, gatos, monos y pollos. En todos los casos, los conejos albinos y los ratones proporcionaron señales de irritación córnea más elevada que en otras especies, mientras que los gatos, monos y pollo presentaron la mejor resistencia a los problemas de la córnea.

El tema de la evaluación de la seguridad ocular ha sido estudiado por BECKLEY[141], ALEXANDER[142] y, más recientemente, en un análisis profundo de McDONALD y SHADDUCK[143], quienes concluyeron que aún se debían mejorar métodos de evaluación en el ensayo de irritación ocular. Posteriormente, revisando los métodos objetivos de evaluación de la irritación ocular —tal como, examen de incisiones a la lámpara, espesamiento córneo, presión intraocular, curvatura córnea, peso conjuntivo y córneo, estudios histológicos—, HEYWOOD y JAMES[144] llegaron a la conclusión de que el sistema de ensayo en ojo está sujeto a tan extensa variación que no es probable que se logren medidas precisas. Como consecuencia, consideraron que la evaluación más satisfactoria se proporcionó

Tabla 24.2. Naturaleza química de catiónicos, aniónicos y no iónicos

Nombre comercial o laboratorio núm.	Activo por 100	Naturaleza química
CATIONICOS		
G-271®	35	N-soja-N-etil morfolinio, etosulfato
Hyamine 1622®	100	Di-isobutil fenoxi etoxi etil dimetil benzil amonio, cloruro
Ceepryn®	100	Cetilpiridinio, cloruro
Emcil E607®	100	N(acil colamino formilmetil) piridinio, cloruro
Roccal®	50	Mezclas de cloruros de alquil dimetil benzil amonio de elevado peso molecular
Hyamine 2389®	50-52	Alquil (C_9H_{19} a $C_{15}H_{31}$) tolil metil trimetil amonio, cloruros
Isothan Q-15®	20	Lauri isoquinolinio, bromuro
ANIONICOS		
Duponol WAT®	50	Sal trietanolamina de laurilsulfato
Ultrawet 60L®	60	Sal trietanolamina de alquil aril sulfonato
Armour's 600		
KOP Soap®	100	Potasio, jabón del aceite de coco
Ivory Soap®	100	
NO IONICOS		
Span 20®	100	Sorbitan monolaurato
Span 80®	100	Sorbitan monooleato
Tween 20®	100	Polioxietilensorbitan, monolaurato
Tween 40®	100	Polioxietilensorbitan, monopalmitato
Tween 60®	100	Polioxietilensorbitan, monoestearato
Tween 65®	100	Polioxietilensorbitan, triestearato
Tween 80®	100	Polioxietilensorbitan, monooleato
G-7569J®	100	Polioxietilensorbitan, monolaurato
Myrj 45®	100	Polioxietileno, monoestearato
Myrj 52®	100	Polioxietileno, monoestearato
Brij 30®	100	Polioxietilén lauril éter
Brij 35®	100	Polioxietilén lauril éter
G-2132®	100	Polioxietilén lauril éter
G-3721®	100	Polioxietilén-2-butil octanol
Renex®	100	Polioxietilén ésteres de mezcla resinas y ácidos grasos
G-1690®	100	Polioxietilén éter de alquil fenol
G-1790®	100	Polioxietilén lanolina condensada
G-1441®	100	Polioxietilén sorbitol lanolina

por la valoración subjetiva clínica Draize, suplementada por medidas de grosor córneo y presión intraocular, para lo cual la tonometría aplanática parece la más adecuada[145].

Durante algún tiempo se han ensayado gran variedad de sustancias utilizando el ojo del conejo, y se ha comprobado que, en general, el potencial de irritación al ojo de los agentes tensioactivos sigue el orden catiónicos > aniónicos > no iónicos. Sin embargo, existen excepciones a este orden que sugieren que pueden estar involucrados otros factores distintos de esta clasificación por la naturaleza química, o que puede existir una correlación entre irritación ocular y algunas propiedades más específicas de tales agentes. Con esta idea, HAZLETON[147] estudió ciertas propiedades físicas y químicas correlacionándolas con la capacidad de producir lesiones oculares, así como la potencia en tal actividad.

Para limitar el examen a tendencias generales, HAZLETON no intentó estudiar las exposiciones mínimas exigidas para producir lesiones. En cambio, la lesión se interpretó ampliamente en lugar de específicamente, e incluyó eritema generalizado, edema, necrosis, vascularización de la esclerótica y la córnea, y opacidad. Asimismo, la lesión podía variar en su comienzo, severidad y duración. Se empleó para comparación cuantitativa la máxima concentración (porcentaje de ingrediente activo en solución acuosa) que producía solamente irritación moderada. La capacidad para inducir lesión fue el potencial irritante para una sustancia específica. Potenciales de 1-10 por 100 se consideraron como irritantes graves, 10-20 por 100 como moderados, y superiores al 20 por 100 como suaves.

Un buen ejemplo demostrativo es el de los tensioactivos anfóteros imidazolina del tipo «Miranol», que son irritantes bastante graves *per se* a elevadas concentraciones, y presentan propiedades supersuaves y antiirritantes cuando se neutralizan y se diluyen por debajo al 20 por 100 p/p[16, 148].

En la tabla 24.2 se dan los compuestos utilizados en el estudio de HAZLETON, y en la tabla 24.3, los resultados de las medidas físicas y estudios de irritación, y se resumen a continuación.

Tensión superficial al 10 por 100

De las sustancias incluidas en el informe, la máxima variación en tensión superficial en solución al 1 por 100 fue de 27 a 46 dinas/cm. Las determinaciones se realizaron con el tensiómetro Cenco-duNouy a 25 °C. A la vista de las amplias variaciones en el potencial irritante, parece que existen muy pocas posibilidades de una correlación de éste y la tensión superficial.

pH al 10 por 100

El pH de la solución aucosa del agente tensioactivo no es necesariamente una característica del compuesto, pues depende del proceso de fabricación.

El pH de varias soluciones ensayadas fue determinado en un pH metro Modelo G Beckman. El intervalo de pH fue desde 3,93 a 9,52, con el mayor número de valores incluidos en el intervalo de pH 6,0 a 7,0; se presenta poca correlación entre pH e irritación.

Tabla 24.3. Agentes tensioactivos y sus propiedades físicas. El poder humectante se ha determinado por el método de Draves y el nivel de espuma por el método de Ross-Miles

Nombre comercial	pH al 10 %	Tensión superficial al 10 % (dina/cm)	Poder humectante al 0,1 % (s)	Nivel de espuma al 1,0 % (mm)	Potencial de irritación
CATIONICOS					
G-271®	7,11	33	>300	217	1
Hyamine 1622®	7,01	36	142	268	1
Ceepryn®	4,79	41	258	240	1
Emcol E607®	3,48	37	300	213	1
Roccal®	7,28	33	234	110	1
Hyamine 2389®	7,30	31	85	292	1
Isothan Q-15®	3,93	34	300	150	1
ANIONICOS					
Duponol WAT®	7,11	32	31	273	20
Ultrawet 60L®	7,10	30	10	302	10
Armour's 600 KOP Soap®	9,52	27	>300	375	10
Ivory Soap®					>10
NO IONICOS					
Span 20®		28	>300	14	100
Span 80®		30	>300	13	100
Tween 20®	6,81	36	203	173	100
Tween 40®		40	>300	87	100
Tween 60®		43	>300	81	100
Tween 65®		31	>300	27	100
Tween 80®	6,46	40	>300	59	100
G-7596J®		33	203	162	100
Myrj 45®		33	>300	15	100
Myrj 52®		44	>300	26	100
Brij 30®	4,70	28	51	18	20
Brij 35®	6,02	42	174	220	
G-2132®	5,98	28	13	247	20
G-3721®	4,39	27	7	287	<20
Renex®	6,95	39	>300	77	100
G-1690®		31	8	235	<10
G-1790®	5,83	46	>300	23	100
G-1441®		43	>300	31	100

Poder humectante (método de Draves) al 0,1 por 100

Dentro del grupo de sustancias ensayadas, seis fueron agentes moderadamente buenos humectantes con valores por debajo de cincuenta y un segundos, y el equilibrio fue de ochenta y cinco o superior; esto aparece como una pobre correlación entre el poder humectante e irritación.

Sin embargo, entre los no iónicos parece existir alguna correlación entre propiedades humectantes y potencial de irritación. Ninguno de los grupos que tenían valores de ciento setenta y cuatro segundos o superiores exhibieron irritación sin diluir o en solución. Cuatro de los no iónicos tenían valores de cincuenta y un segundos o inferiores, y cada uno de ellos se valoró en cuanto irritación al 20 por 100 o menos. Ninguna correlación similar se pudo establecer en los grupos estudiados limitados a aniónicos o catiónicos.

Poder espumante (ensayo de Ross-Miles) al 1,0 por 100

Las alturas de espuma de sustancias, no diluidas y no lesionantes, se clasificaron entre 13 a 220 mm, y aún superior, para sustancias con un potencial irritante valorado del 20 por 100 o superior. Así, existe cierta evidencia de que la mayoría de las sustancias químicas irritantes son buenos espumantes, pero, afortunadamente para el formulador, la inversa de que los buenos espumantes son irritantes no es cierta.

Humectancia y poder espumante

Desde que se ha indicado que existe una ligera correlación entre poder humectante o poder espumante e irritación ocular, es evidente que se ha sugerido la combinación de estas dos propiedades. Aquí, los datos sugieren que una buena humectación más buen poder espumante puede ser una combinación irritante; por ejemplo:

	Humectancia (s)	Poder espumante (mm)	Potencial irritante (por ciento)
Alquil aril sulfonato	10	302	10,0
G-3721®	7	287	<20,0
G-1690®	8	235	<10,0

Que estas dos propiedades no son esenciales para sustancias altamente irritantes se demuestra por lo siguiente:

	Humectancia (s)	Poder espumante (mm)	Potencial irritante (por ciento)
Hyamine 1662®	142	268	1,0
G-271®	300	217	1,0

HOPPER et al.[149] ensayaron varios detergentes comerciales con relación a la irritación corneal en conejos. Sin embargo, estos investigadores usaron soluciones solamente del 1 por 100 de concentración, esto es, mucho más débiles que las que pueden entrar en el ojo durante el lavado con champú. No obstante, según estos investigadores, butil difenil sulfonato sódico, dodecil benceno sulfonato sódico y decil benceno sulfonato sódico produjeron inflamación grave de la córnea.

BELLOWS y GUTMAN[150] encontraron que soluciones conteniendo el 1 por 100 o menos de Aerosol OS (isopropil naftalen sulfonato sódico) eran innocuas para la conjuntiva y córnea, pero soluciones al 2 por 100 producían inflamación. Resumiendo la breve exposición anterior de los riesgos potenciales de las soluciones detergentes a los ojos, se debe prestar atención a las instrucciones de precaución de la División Farmacológica de la *Food and Drug Administration* de los EE. UU. sobre las mezclas de agentes de tensioactivos que pueden ser más irritantes a los ojos que lo que se puede predecir de la toxicidad ocular de los componentes individuales. Sin embargo, lo contrario es también verdadero[16] y varios compuestos han demostrado reducir considerablemente los efectos lesionantes de tensioactivos irritantes, cuando se asocian adecuadamente, por ejemplo, N-hidroxietilacetamida con lauril sulfato sódico.

El único modo de garantizar la seguridad de una formulación dada de champú es haber ensayado la formulación final, incluyendo todos los antisépticos, perfumes, etc., con relación a la irritación corneal por instilación en el ojo de animales en el modo recomendado de los ensayos de Draize. La mayor parte de los champúes del mercado actual son irritantes a los ojos, en el sentido que producen picor, y aún dolor agudo si el champú sin diluir penetra en el ojo; la mayor parte de ellos producen alguna inflamación del párpado. Aunque esto no es deseable, al menos se puede considerar como normal, teniendo el mismo efecto que un riesgo no limitado a los champúes, por ejemplo alcohol.

Lo que se debe es estar prevenido contra el empleo de sustancias que, aun utilizándolas de modo totalmente erróneo, puedan producir opacidad corneal de duración continuada.

REFERENCIAS

1. Riso, R. R., *Soap Cosmet. chem. Spec.*, 1978, **54**(6), 56.
2. Elder, T. H., Jr., and Pacifico, C., *Drug Cosmet. Ind.*, 1955, **77**, 622.
3. Powers, D. H. and Fox, C., *Soap Perfum. Cosmet.*, 1959, **32**, 393.
4. Powers, D. H., *Cosmetics, Science and Technology*, ed. Sagarin, E., New York, Interscience, 1957.
5. Rader, C. A. and Tolgyesi, W. S., *Cosmet. Perfum.*, 1975, **90**(3), 29.
6. Cottington, E. M., Kissinger, R. H. and Tolgyesi, W. S., *J. Soc. cosmet. Chem.*, 1977, **28**, 219.
7. Markland, W. R., *Kirk-Othmer Encyclopedia of Chemical Technology*, 2nd edn, New York, Interscience, 1966, Vol. 10, p. 769; *Norda Briefs*, No. 487, July–August 1978.
8. Barnett, G. and Powers, D. H., *J. Soc. cosmet. Chem.*, 1951, **2**, 219.
9. Myddleton, W. W., *J. Soc. cosmet. Chem.*, 1953, **4**, 150.
10. Zviak, C. and Lachampt, F., *Problèmes capillaires*, ed. Sidi, E. and Zviak, C., Paris, Gauthier-Villars, 1966, p. 221.
11. Spangler, W. G. et al., *J. Am. Oil Chem. Soc.*, 1965, **42**, (8), 723.
12. Sorkin, M., Shapiro, B. and Kass, G. S., *J. Soc. cosmet. Chem.*, 1966, **17**, 539.
13. Prall, J. K., *Proceedings of the VIth Congress of the International Federation of Societies of Cosmetic Chemists*, September 1970.
14. Baines, E., *J. Soc. cosmet. Chem.*, 1978, **29**, 369.
15. Wassell, H., *J. Soc. cosmet. Chem.*, 1953, **4**, 282.
16. Goldemberg, R. L., *J. Soc. cosmet. Chem.*, 1977, **28**, 667.
17. Sass, C., Society of Cosmetic Chemists Meeting, 9–10 May, 1974.
18. US Patent 2 928 772, Colgate-Palmolive Co., 15 March 1960; US Patent 3 001 949, Colgate-Palmolive Co., 28 September 1961.

19. US Patent 2 989 547, Procter and Gamble Co., 20 June 1961; US Patent 3 024 273, Procter and Gamble Co., 6 March 1962; German Patent 1 205 221, Procter and Gamble Co., 28 August 1961.
20. Hart, J. R. and Levy, E. F., *Soap Cosmet. Chem. Spec.*, 1977, **53**(8), 31.
21. Johnsen, V. L., *Cosmet. Toiletries*, 1977, **92**(12), 29.
22. US Patent 3 728 447, Patterson Co., 17 April 1973.
23. Baiocchi, F., *et al.*, *Cosmet. Perfum.*, 1975, **90**(9), 31.
24. Barker, G., *et al.*, *Soap Cosmet. chem. Spec.*, 1978, **54**(3), 38.
25. US Patent 2 623 900, Sandoz, A. G., 30 December 1950; Stache *et al.*, *Tenside*, 1977, **14,** 237.
26. US Patent 3 959 460, L'Oreal, 25 May 1976; US Patent 3 983 171, L'Oreal, 28 September 1976.
27. Kroll, H. and Lennon, W. J., *Proc. Sci. Sect. Toilet Goods Assoc.*, 1956, (25), 37.
28. Goddard, E. D. and Kung, H. C., *Soap chem. Spec.*, 1966, **42**(2), 60.
29. Anon., *Soap Perfum. Cosmet.*, 1978, **51**(5), 206.
30. US Patent 3 578 719, L'Oreal, 11 May 1971; US Patent 3 666 671, L'Oreal, 30 May 1972; US Patent 3 865 542, L'Oreal, 11 February 1975; US Patent 3 877 955, L'Oreal, 15 April 1975.
31. US Patent 3 708 364, L'Oreal, 2 January 1973; US Patent 3 880 766, L'Oreal, 29 April 1975.
32. US Patent 3 906 048, L'Oreal, 16 September 1975; US Patent 3 998 948, L'Oreal, 21 December 1976.
33. US Patent 4 105 580, L'Oreal, 8 June 1978.
34. British Patent 1 385 060, L'Oreal, 17 November 1972.
35. US Patent 3 821 372, L'Oreal, 28 June 1974; US Patent 3 928 224, L'Oreal, 23 December 1975; US Patent 3 966 398, L'Oreal, 29 June 1976; US Patent 4 087 466, L'Oreal, 2 May 1978.
36. US Patent 3 984 480, L'Oreal, 5 October 1976; US Patent 4 058 629, L'Oreal, 15 November 1977.
37. British Patent 1 519 378, L'Oreal, 22 October 1976.
38. Alexander, P., *Manuf. Chem. Aerosol News*, 1971, **42**(12), 27.
39. Jungerman, E. and Ginn, M. E., *Soap Perfum. Cosmet.*, 1964, **37**(9), 59.
40. US Patent 3 272 712, L'Oreal, 22 April 1966; US Patent 3 290 304, L'Oreal, 6 December 1966.
41. Koeber, A., *et al.*, *Soap Cosmet. chem. Spec.*, 1972, **48**(5), 86.
42. US Patent 2 773 068, H. Mannheimer, 1956; US Patent 2 781 354, H. Mannheimer, 1957.
43. Schoenberg, T. G., *Cosmet. Perfum*, 1975, **90**(3) 89.
44. US Patent 4 069 347, Emery Industries, 17 January 1978.
45. US Patent 4 001 394, American Cyanamid Co., 4 January 1977.
46. US Patent 3 331 781, L'Oreal, 18 July 1967; US Patent 3 337 548, L'Oreal, 22 August 1967; US Patent 3 534 032, L'Oreal, 13 October 1970.
47. US Patent 3 879 464, L'Oreal, 22 April 1975; US Patent 4 009 255, L'Oreal, 22 February 1977; US Patent 4 096 332, L'Oreal, 20 June 1978.
48. US Patent 3 816 616, Warner-Lambert Co., 11 June 1974.
49. US Patent 3 472 840, Union Carbide Corp., 14 October 1969.
50. Gerstein, T., *Cosmet. Perfum.*, 1975, **90**(3), 35.
51. US Patent 3 313 734, Procter and Gamble Co., 11 April 1967.
52. US Patent 4 009 256, National Starch and Chemical Corp., 22 February 1977.
53. US Patent 3 987 162, Henkel et Cie., 19 October 1976.
54. US Patent 3 917 817, L'Oreal, 4 November 1975; US Patent 4 013 787, L'Oreal, 22 March 1977.
55. French Patent 2 077 417, General Aniline and Film Corp., 29 January 1977.
56. French Patent 1 583 363, Sandoz AG, 16 September 1978.
57. British Patent 1 494 915, L'Oreal, 29 November 1974; British Patent 1 494 916, L'Oreal, 27 May 1977; French Patent 2 368 508, L'Oreal, 2 March 1977.

58. British Patent 1 347 051, Gillette Co., 13 February 1974.
59. US Patent 3 874 870, Millmaster Onyx Corp., 1 April 1975; US Patent 3 931 319, Millmaster Onyx Corp., 6 January 1976.
60. British Patents 1 513 671 and 1 513 672, L'Oreal, 15 May 1975; French Patent 2 389 374, Ciba Geigy AG, 2 May 1978; British Patent 1 546 162, L'Oreal, 20 March 1979.
61. Canadian Patent 908 056, Unilever Ltd, 22 August 1972.
62. Canadian Patent 920 512, Colgate Palmolive Co., 6 February 1973.
63. US Patent 3 862 310, Gillette Co., 21 January 1975.
64. Bonadeo, I. and Variati, G. L., *Cosmet. Toiletries*, 1977, **92**(8), 45.
65. US Patent 3 987 161, Procter and Gamble Co., 19 October 1976.
66. US Patent 3 998 761, Bristol-Myers Co., 21 December 1976.
67. US Patent 3 950 510, Lever Bros Co., 13 April 1976.
68. US Patent 3 988 438, American Cyanamid Co., 26 October 1976.
69. US Patent 3 957 970, American Cyanamid Co., 18 May 1976.
70. Canadian Patent 905 852, Beecham Group Ltd, 25 July 1972.
71. US Patent 4 070 452, Borchorst, B., 24 January 1978.
72. US Patent 3 969 500, Lever Bros Co., 13 July 1976.
73. US Patent 3 932 610, Lever Bros Co., 13 January 1976.
74. US Patent 3 964 500, Lever Bros Co., 22 June 1976.
75. US Patent 3 976 588, Center for New Product Development, 24 August 1976.
76. US Patent 3 972 998, Lever Bros Co., 3 August 1976.
77. US Patent 3 959 462, Procter and Gamble Co., 25 May 1976.
78. US Patent 3 976 781, L'Oreal, 24 August 1976.
79. US Patent 3 984 569, L'Oreal, 5 October 1976.
80. British Patent 1 391 801, L'Oreal, 23 April 1975.
81. US Patent 3 968 218, L'Oreal, 6 July 1976.
82. US Patent 4 002 634, L'Oreal, 11 January 1977.
83. US Patent 3 862 305, L'Oreal, 21 January 1975.
84. US Patent 3 984 535, L'Oreal, 5 October 1975.
85. US Patent 3 903 257, Kao Soap Co., 2 September 1975.
86. US Patent 4 009 253, Monsanto Co., 22 February 1977.
87. Jablonski, J. I. and Goldman, C. L., *Cosmet. Perfum.*, 1975, **90**(3), 45.
88. Thoma, K. and Will, K., *Pharm. Z.*, 1975, **120**, 1013.
89. Bryce, D. M. and Smart, R., *J. Soc. cosmet. Chem.*, 1965, **16**, 187; Walker, G. T., Seifen Öle Fette Wachse, 1967, **93**, 134.
90. Tuttle, E., *et al.*, *Am. Perfum. Cosmet.*, 1970, **85**(3), 87; Schuster, G., *et al.*, *Am. Perfum. Cosmet.*, 1966, **81**(6), 39.
91. British Patent 1 250 725, Henkel et Cie., 21 April 1970; Lorenz, P., *J. Soc. cosmet. Chem.*, 1977, **28**, 427.
92. See references by Croshaw, B., *J. Soc. cosmet. Chem.*, 1977, **28**, 3.
93. Mihaljev, B. and Jujnovic, N., *Farm. Vestu (Ljubljana)*, 1977, **28**(2), 141. C.A. **88**, 11727k.
94. Carsch, G., *Soap Cosmet. Chem.*, 1977, **53**(2), 52.
95. Unger, L., *Soap Perfum. Cosmet.*, 1976, **49**(2), 45.
96. Pajaujis, D., *Drug Cosmet. Ind.*, 1973, **112**(1), 30; 1973, **112**(4), 42.
97. Cook, M. K., *Drug Cosmet. Ind.*, 1966, **99**(2), 52.
98. Mannheim, P., *Soap Perfum. Cosmet.*, 1965, **38**, 348.
99. Markland, W. R., *The Chemistry and Manufacture of Cosmetics*, 2nd edn, ed. de Navarre, M. G., Orlando, Continental Press, 1975, Vol. 4, p. 1283.
100. (a) Kass, G. S., *Cosmet. Perfum.*, 1975, **90**(3), 105; (b) Donaldson, B. R. and Messenger, E. T., *Int. J. cosmet. Sci.*, 1979, **1**, 71.
101. de Navarre, M. G., *Am. Perfum. essent. Oil Rev.*, 1950, **55**(8), 109.
102. Pantealoni *et al.*, *Proc. sci. Sect. Toilet Goods Assoc.*, 1949, (12), 9.
103. British Patent 1 133 870, Unilever Ltd, 15 June 1965.
104. US Patent 3 808 311, Colgate Palmolive Co., 30 April 1974.

105. Wells, F. V., *Soap Cosmet. chem. Spec.*, 1976, **52**(10), 54.
106. US Patent 4 035 267, American Cyanamid Co., 12 July 1977.
107. Gerstein, T., *Cosmet. Toiletries*, 1978, **93**(2), 15.
108. Faucher, J. A., *et al.*, *Text. Res. J.*, 1977, **47**, 616.
109. US Patent 3 962 418, Procter and Gamble Co., 8 June 1976.
110. US Patent 3 990 991, Revlon Inc., 9 November 1976.
111. British Patent 1 414 243, Colgate Palmolive Co., 19 November 1975; US Patent 3 810 478, Colgate Palmolive Co, 14 May 1974.
112. US Patent 3 755 559, Colgate Palmolive Co., 28 August 1973.
113. Canadian Patent 998 613 (19.10.76), Unilever Ltd, 19 October 1976; Anon., *Chemist and Druggist Supplement*, 1972, April 15, p. 4.
114. US Patent 3 055 836, Johnson and Johnson Co., 25 September 1962.
115. US Patent 3 950 417, Johnson and Johnson Co., 13 April 1976.
116. *Norda Briefs*, 1977, March, No. 419; Finkstein, A. and Ardita, M., Society of Cosmetic Chemists, Scientific Meeting, December 1976.
117. US Patent 3 886 277, Schwarzkopf GmbH, 27 May 1975.
118. US Patent 3 671 634, Vanderbilt, R. T., Co., Inc.
119. US Patent 3 236 733, Procter and Gamble Co., 1966; Orentreich, N., *J. Soc. cosmet. Chem.*, 1972, **23**, 189.
120. Okumura, T., *et al.*, International Federation of Societies of Cosmetic Chemists, VIII International Congress, UK, August 1974.
121. Elkhouly, A. E., *Pharmazie*, 1974, **29**, 1.
122. US Patent 3 769 398, Colgate Palmolive Co., 30 October 1973.
123. US Patent 3 761 417, Procter and Gamble Co., 25 September 1973.
124. US Patent 4 033 895, Revlon Inc., 5 July 1977.
125. US Patent 3 818 018, Olin Corp., 18 June 1974; US Patent 3 890 434, Olin Corp., 17 June 1975.
126. US Patent 3 733 323, Colgate Palmolive Co., 15 May 1973.
127. US Patent 4 041 033, Colgate Palmolive Co., 9 August 1977.
128. US Patent 4 021 574, Hoffmann-La Roche, 3 May 1977.
129. Eckermann, M. and Gessner, L., *Z. Arztl. Fortsbild.*, 1966, **60**(10), 612.
130. Smyth, H. F., Jr., Seaton, J. and Fischer, L., *J. Indust. Hyg.*, 1941. **23**, 478.
131. Draize, J. H., Woodward, G. and Calvery, H. O., *J. Pharmacol.*, 1944, **82**, 377.
132. Draize, J. H. and Kelley, E. A., *Proc. sci. Sect. Toilet Goods Assoc.*, 1952, (17), 1.
133. Martin, G., Draize, J. H. and Kelley, E. A., *Drug Cosmet. Ind.*, 1962, **91**, 30.
134. Anon., *Bibra Bull.*, 1963, **2**, 284 and 422.
135. Anon., *Bibra Bull.*, 1962, **1**, 16.
136. Weltman, A. S., Sparber, S. B. and Jurtshuk, T., *Toxic. Appl. Pharmacol.*, 1965, **7**, 308.
137. Battista, S. P. and McSweeney, E. S. J., *J. Soc. cosmet. Chem.*, 1965, **16**, 119.
138. Gaunt, I. F. and Harper, K. H., *Bibra Bull.*, 1963, **2**, 602.
139. Bonfield, C. T. and Scala, R. A., *Proc. sci. Sect. Toilet Goods Assoc.*, 1965, (43), 34.
140. Gershbein, L. L. and McDonald, J. E., *Food Cosmet. Toxicol.*, 1977, **15**, 131.
141. Beckley, J. H., *Am. Perfum. Cosmet.*, 1965, **80**(10), 51.
142. Alexander, P., *Specialities*, 1965, **1**(9), 35.
143. McDonald, T. O. and Shadduck, J. A., *Dermato-toxicology and Pharmacology*, ed. Marzulli, F. N. and Maibach, H. I., Washington, Hemisphere, 1977, pp. 169–191.
144. Heywood, R. and James, R. W., *J. Soc. cosmet. Chem.*, 1978, **29**, 25.
145. Ballantyne, B., Gazzard, M. F. and Swanston, D. W., *J. Physiol.*, 1972, **226**, 128.
146. Walton, R. M. and Heywood, R., *J. Soc. cosmet. Chem.*, 1978, **29**, 365.
147. Hazleton, L. W., *Proc. sci. Sect. Toilet Goods Assoc.*, 1952, (17), 5.
148. Ciuchta, H. P. and Dodd, K. T., *Drug Chem. Toxicol.*, 1978, **1**, 305.
149. Hopper, S. H., Hulpieu, H. R. and Cole, V. V., *J. Am. Pharm. Assoc.*, *sci. Edn.*, 1949, **38**, 428.
150. Belows, J. G. and Gutman, M., *Arch. Ophthal.*, 1943, **30**, 352.

25

Lociones y aerosoles fijadores y lacas capilares

Uso y finalidad de las lacas para el pelo

Los principales objetivos de las lacas para el pelo, sean para el hombre o la mujer, son mejorar el control y manejabilidad del pelo, proporcionar cierto brillo y mantener la forma del cabello a pesar del movimiento que llevan consigo las actividades diarias y de las condiciones ambientales variadas a las que está sometido el pelo (viento, humedad, sequedad, frío, calor, sol, etc.).

La importancia relativa de estos factores varía de unos países a otros, de una edad a otra, y dependiente del estado del pelo. También difiere notablemente entre los consumidores masculinos y femeninos: generalmente, los hombres consideran el control adecuado como el requisito primero para la laca capilar, con el brillo como secundario, y tales productos para el hombre se han basado clásicamente en el empleo de sustancias oleaginosas. Las mujeres primeramente esperan de estos productos que proporcionen una apariencia agradable al cabello, pero al mismo tiempo exigen una buena fijación; no quieren productos que vuelvan el pelo pesado, y que tiendan a hacerlo lacio o graso.

A causa de las diferentes demandas de hombres y mujeres, y a pesar del hecho de que la evolución de las formas de peinado y el deseo común de un «aspecto natural» les ha llevado a ser muy parecidos en los recientes últimos años, las lacas capilares se considerarán separadamente en este capítulo según el sexo a que se destinan.

La tendencia de modas de la mujer hacia estilos más suaves y libres y el uso creciente de técnicas de cepillado, han conducido a un aumento en la demanda para los productos que facilitan el desenredo y una mayor necesidad de productos que protegen, fortalecen y mejoran las características del pelo; esto ha sucedido al mismo tiempo que el extraordinario desarrollo de los acondicionadores. Aunque puede existir cierto solapamiento de algunos compuestos modernos proyectados para fijar, hacer manejable y abrillantar, los productos que tratan más específicamente las características del pelo se trataran en el próximo capítulo, «Tónicos y acondicionadores para el cabello». El presente capítulo expone los productos que se proyectan para fijar y mantener la forma del peinado.

LACAS PARA EL CABELLO FEMENINO

Lociones fijadoras

Las lociones fijadoras se diseñan para fortalecer y mantener durante un amplio período una deformación temporal impartida por ondulación. Una característica importante de estas lociones es que se aplican al cabello húmedo. Difieren de las composiciones de ondulación permanente en que, en general, no afectan a la estructura interna del pelo; aunque pueden estar implicadas varias zonas de enlaces de hidrógeno e iónicas, principalmente las lociones proporcionan un medio mecánico para mantener el peinado y una manera de restringir la absorción de agua. El principio es depositar sobre el cabello, lavado con champú, una solución de sustancia polímera que, después del peinado y secado, deja una película flexible que garantiza la coherencia y forma del peinado, y lo protege de los efectos de la humedad.

Los productos más antiguos de este tipo eran soluciones sencillas acuosas o hidroalcohólicas de polímeros naturales incluyendo gomas tragacanto, caraya, arábiga, laca, etc. Las lociones basadas en estos mucílagos están actualmente obsoletas. Actúan pegando los cabellos unos a otros y presentan grandes desventajas; proporcionan películas mates, quebradizas, que se fraccionan en polvo y se hacen pegajosas en ambiente húmedo a causa de su gran higroscopicidad.

Han sido reemplazados por lociones basadas en polímeros sintéticos que son solubles en soluciones hidroalcohólicas. La primera resina que se utilizó fue la polivinilpirrolidona (PVP) que, por su solubilidad en muchos disolventes, incluyendo el agua, y su carácter no iónico, ofreció una amplia gama de empleo.

Aparecieron dos tipos de productos: la loción transparente y el gel aireado. Ambos tipos de productos representan un avance considerable sobre los antiguos productos basados en gomas; forman películas transparentes, no grasas y bastante brillantes, al mismo tiempo que mejoran la retención de la forma de peinado. Su modo de acción es algo diferente del de los productos basados en gomas en que, en lugar de pegar los cabellos unos a otros, tienden a formar una cubierta plástica alrededor de cada cabello en particular, de modo que el peinado no se pierde completamente al volver a peinar el cabello. La formulación de una loción fijadora, aunque sencilla en principio, es en realidad compleja. La película formada sobre el cabello debe ser resistente, sin quebrarse o formar escamas, al peinado y cepillado repetitivo al mismo tiempo que mantiene una buena adhesión para conservar el peinado.

El producto fijador debe ser compatible con la humedad del cabello en el momento de la aplicación y resistente a la humedad después del secado, al mismo tiempo que permanece flexible. Debe ser fácilmente eliminable en el lavado con champú, y no ha de ser pegajoso ni dar «sensación de acartonamiento». La flexibilidad de la película y su elasticidad, a la manipulación dilatada, se imparte añadiendo cantidades de plastificantes.

Generalmente hablando, una loción fijadora contiene, en una solución hidroalcohólica, polímeros formadores de película, plastificantes para estos polímeros, perfumes, colorantes y aditivos para aumentar el brillo, la suavidad y la soltura. El ejemplo 1 da una solución transparente y el ejemplo 2 un gel aireado:

	(1) por ciento	(2) por ciento
PVP K30	4,0	0,8
Polietilen glicol	2,0	1,5
Polímero carboxivinílico	—	1,5
Diisopropanolamina o trietanolamina	—	1,5
Alcohol	40,0	—
Agua	54,0	94,7
Colorante, perfume	c.s.	c.s.

Sin embargo, la PVP es demasiado higroscópica, y ha sido reemplazada por polímeros vinilpirrolidona-acetato de vinilo; cuanto más elevada es la proporción de vinil acetato, mayor es la resistencia al agua, pero al mismo tiempo aumenta la dureza de la película, y es necesaria la adición de plastificante. Las relaciones de vinilpirrolidona a vinil acetato y de agua a alcohol y la cantidad de plastificante se seleccionan en relación a las propiedades físicas deseadas de la película. Los plastificantes son polietilen glicoles, derivados de lanolina, siliconas, ésteres y polisiloxanos, que modifican la dureza y flexibilidad de las películas, así como la resistencia al agua.

	(3) por ciento
PVP-VA (60:40)	2,5
Alcohol	50,0
PEG 40 aceite de ricino	0,3
Agua	hasta 100,0
Perfume	c.s.

Han aparecido varias patentes describiendo el empleo de una amplia gama de polímeros solubles en agua y alcohol para ser usados en fijadores de cabello. La mayoría de estas sustancias han sido reivindicadas para su uso en pulverizadores aerosol; son utilizadas en concentraciones más bajas en lociones fijadoras. Ejemplos son resinas con grupos carboxílicos, tales como copolímeros de vinil acetato y ácido crotónico[1,2] o copolímeros de alquilviniléteres[3,4], o vinilésteres[5,6] y hemiésteres del ácido maleico. Resinas comerciales representativas son Resyn 28-1310, Resyn 28-2930 y Luviset CE 5055, para los primeros, Gantrez ES 225 y ES 425, para los últimos. Fórmulas típicas se dan en los ejemplos 4-6:

	(4) por ciento
Resyn 28-2930	3,00
2-Amino-2-metilpropanol (AMP)	0,25
Carbowax 1.000 (PEG 20)	0,80
Etanol	47.95
Agua destilada	48,00
Perfume	c.s.

	(5)
	por ciento
Luviset CE 5055	2,5
AMP (neutralización al 80 por 100)	0,21
Etanol o isopropanol	50,00
Agua destilada	47,29
Perfume	*c.s.*

	(6)
	por ciento
Gantrez ES 255 o ES 425	4,2
Alcohol	21,2
Agua	74,0
PEG 40 aceite de ricino	0,3
2-Amino-2-metil-1,3-propanodiol (AMPD)	0,3
Perfume	*c.s.*

Más recientemente se han propuesto[7] poliestirenos solufonados, que son polímeros fuertemente aniónicos.

La adición a las lociones fijadoras de ingredientes varios (compuestos de amonio cuaternario, proteínas, pantenol, etc.) que no se eliminan en el enjuagado, que son más o menos miscibles con la película, e interaccionan durante el secado y calentamiento, proporciona «cuerpo» y lubrificación. El advenimiento de los polímeros catiónicos fue revolucionario para los fijadores capilares; estos compuestos son sustantivos par la queratina y, cuando se añaden a las lociones fijadoras, mejoran la apariencia del pelo y facilitan el desenredado. Tales productos son copolímeros de dialquilaminoalquilacrilato cuaternizado y polivinilpirrolidona[8, 9], tales como Gafquat 755, así como las resinas polymer JR que son ésteres de hidroxietilcelulosa y cloruro de 2-hidroxipropiltrimetilamonio; permiten la formulación de fijadores fortalecedores-acondicionadores que proporcionan al mismo tiempo fijación del peinado, manejabilidad y brillo. Se ha citado la siguiente fórmula:

Loción con propiedades de fijación y embellecimiento[10]	(7)
	por ciento
Polymer JR 400	0,30
Carbowax 400	4,00
Diisopropílico, adipato	1,00
Dipropilen glicol	0,70
Benzetonio, cloruro	0,10
Perfume	0,40
Colorante	0,37
Etanol	50,00
Agua	43,13

Polímeros con grupos aminimida dipolar[11] y tipo betaína[12], también se han reivindicado como compuestos efectivos para fijadores-acondicionadores. Afirma la resina poliamida epiclorhidrina añadida a PVP para impartir mayor resistencia al ataque de la humedad[13, 14]. Otros aditivos especificados en las patentes son dióxido de sílice finamente dividido, óxido de aluminio[15], silicatos[16], polímeros perfluorados, cuyas propiedades hidrófobas y oleófobas se emplean para hacer durar más tiempo la forma del peinado[17-21].

Rizado por calor y secado por aire

La mayor dificultad del uso de las lociones fijadoras es que, puesto que los productos contienen agua, se tiene que secar el pelo después de su uso. Este problema se puede evitar con el empleo de pulverizadores aerosoles, pero esto introduce sus propios problemas.

Uno de los métodos más primitivos de realizar el rizado del pelo fue el uso de peine o pinzas calientes. Tales tratamientos daban al pelo una forma muy aceptable, pero frecuentemente se dañaba, pues era fácil el sobrecalentamiento del pelo. El calor aplicado era tal que el pelo se alteraba químicamente, y esto afectaba tanto a la forma correcta del peinado, como a su lesión. Para más detalles de la teoría de la fijación del pelo véase el capítulo 28.

La posibilidad de usar un sistema eléctrico de calentamiento que no altere químicamente el pelo, pero que sólo afecte al agua de fijación del mismo, se ha considerado durante algún tiempo y han aparecido varios tipos diferentes de rizadores por calor. La mayoría de éstos son calentados eléctricamente, y por lo general están regulados con alguna forma de control para evitar el sobrecalentamiento; sin embargo, muchos de los modelos disponibles normalmente son incómodos y bastante caros.

La tendencia de la moda hacia formas de peinados más suaves, libres, sueltos de movimiento encontró expresión en la técnica del cepillado que asocia la acción mecánica para dar forma al pelo con la corriente de aire térmica para el secado. El deseo y la habilidad de las mujeres para dar forma a sus cabellos por sí mismas indujeron al desarrollo de una serie de artificios apropiados (cepillos y peines de aire). Estas nuevas técnicas también exigen la existencia de productos específicos —en el campo de acondicionadores— para facilitar el desenredado y manejabilidad del pelo mientras se seca por aire.

Se ha dado la siguiente fórmula[22]:

	(8)
	por ciento
Dimetil amino etil metacrilato-cuaternizado VP (CTFA-*Quaternium* 23)	3,50
Amidopropildimetilamina de aceite de ricino	0,40
Acido cítrico monohidratado	0,10
Perfume	0,20
Proteína animal hidrolizada	1,00
2-Bromo-2-nitro-1,3-propanodiol	0,10
Agua, colorante hasta	100,00

Procedimiento: Mezclar todos los ingredientes excepto el perfume, calentar a 40 °C con agitación hasta disolución. Añadir el perfume al preparado a 40 °C. Agitar y enfriar a 30 °C, añadir agua para completar la pérdida por evaporación y envasar a 30 °C.

Una propuesta original en esta línea es una suspensión coloidal acuosa de partículas de resina de fibrillas de politetrafluoretileno que se propone para generar en el cepillado una redecilla al azar de fibras microscópicas que mantienen el pelo con forma de peinado natural[23].

Lacas aerosoles capilares

Los pulverizadores de laca cumplen el requerimiento de una preparación de secado rápido que imparte sólo rigidez suficiente al peinado para mantenerlo en su lugar y controla las puntas sueltas durante el día, al mismo tiempo que no disminuye el brillo natural del pelo.

Los primeros pulverizadores no eran completamente satisfactorios porque la unidad pulverizadora controlaba poco la descarga del producto. El advenimiento de los envases a presión cambió radicalmente la situación. La pulverización fina y el control fácil obtenidos de envases a presión hicieron posible el recubrimiento uniforme del pelo. Como consecuencia, la popularidad de las lacas aerosoles capilares de todas clases experimentó un incremento fenomenal, y se desarrollaron hasta llegar a ser el producto fijador capilar más importante, y aún el más importante producto capilar. No obstante, el éxito alcanzó su cima hacia 1970 cuando las ventas comenzaron a disminuir y declinar con la moda creciente de cabello suave y suelto de la gente joven.

Un marcado declive posterior tuvo lugar en 1975 cuando ROWLAND Y MOLINA expusieron que la cantidad de ozono estratosférico (un escudo frente a la radiación ultravioleta) estaba disminuyendo progresivamente por la acción de los propulsores clorados descargados de aerosoles. Una amplia campaña publicitaria contra el uso de estos propulsores culminó en 1979 con la prohibición por la *Food and Drug Administration* de los EE. UU. de los hidrocarburos clorofluorados habitualmente usados en aerosoles. La mayoría de los países europeos no siguieron la recomendación de la FDA, especialmente porque, no obstante, la teoría de la depleción del ozono no había sido confirmada y era tema de controversia entre científicos. Sin embargo, la tendencia de los países europeos es el establecimiento de una limitación de la concentración de hidrocarburos fluorados. Estas batallas y amenazas contra los propulsores han obligado a los investigadores a considerar nuevas formulaciones y tecnología para los aerosoles y hallar alternativas aceptables.

El objetivo de una laca aerosol (cuando el peinado se ha finalizado y se ha fijado la forma del mismo) es depositar, sobre el pelo seco, una película invisible para protegerlo contra todo agente externo que pueda cambiar sus características deseables. Los requerimientos de un tal producto son definidos y numerosos:

a) La pulverización debe ser muy fina.

b) La fuerza de la pulverización debe ser suave; no debe ser húmeda lo que significa que las características de la pulverización deben ser de una finura que no humedezca el pelo, pero tampoco debe ser tan fina que seque antes de llegar al cabello.

c) Debe extenderse en una amplia zona en un período corto de tiempo y secar rápidamente.

d) La película debe ser relativamente flexible para seguir el movimiento del pelo sin romperse.

e) La película debe ser sustantiva al pelo, pero fácil de eliminar sin que forme polvo por un simple cepillado. Una acumulación transformaría al pelo en sucio y pesado.

f) Debe ser suficientemente soluble para ser eliminada fácilmente con champú.

g) La película no debe ser viscosa ni pegajosa al tacto, y debe mantener la forma del cabello; pero al mismo tiempo debe dejarlo libre para moverse.

Una buena laca aerosol capilar debe ser un compromiso entre la adhesión y la eliminación, fijeza y ligereza. La realización de una laca capilar aerosol es un tema de ajuste cuidadoso que depende de cualidades tecnológicas, tanto del sistema de pulverización como de la formulación. Las restricciones recientes impuestas a los propulsores, además, han incrementado las dificultades de tal ajuste.

Resinas de lacas aerosoles

La sustancia más antigua utilizada en lacas capilares fue la laca, una resina natural compuesta de ácidos y ésteres polihidroxílicos. Se pulverizaban soluciones alcohólicas (al 8-15 por 100) sobre el pelo, descargadas de envases flexibles de plástico. La laca producía películas duras e insolubles. Para hacer la laca más soluble en agua y, por tanto, capaz de ser eliminada por lavado con champú, se utilizó un álcali, tal como solución de amonio o bórax, para formar una sal. Se ha publicado[24] la fórmula y el procedimiento siguiente:

(9)

partes en peso

	partes en peso
Laca (blanqueada, descerada)	3,5
Amonio, hidróxido (28 por 100)	0,5
Agua	32,0

Procedimiento: Añadir el amoniaco y aproximadamente la mitad del agua a la laca y calentar con agitación constante hasta que se obtenga una solución. Añadir el resto del agua (la solución debe ser transparente).

Por vez primera, en 1948 un peluquero pensó en aplicar la técnica aerosol a una solución alcohólica de laca, añadiendo a la solución propulsores 11 y 12, y envasando en un bote aerosol para obtener una pulverización que estaba muy mejorada respecto a las pulverizaciones usuales.

El empleo de alcohol anhidro para evitar la hidrólisis de los propulsores y el uso de laca purificada contribuyeron en la formulación de pulverizadores aerosoles con buenas propiedades retentivas[25], pero las películas formadas después del secado eran duras, frágiles y pegajosas, y volvían al pelo bastante áspero; por otra parte, eran tan insolubles en agua que no se podían eliminar por lavado con champú. La adición de lanolina, miristato de isopropilo, y otros plastificantes para suavizar la película, tenía generalmente el efecto de hacer la película grasienta. La primera mejora significativa en las formulaciones de lacas capilares aerosoles se realizó en 1953 con el empleo de una polivinilpirrolidona, una resina sintética que es soluble en agua y fácilmente eliminable en el lavado. Muestra una cierta sustantividad para la queratina, y proporciona películas transparentes y flexibles que, sin embargo, son deficientes en dureza y, por tanto, en propiedades de retención. Su principal desventaja es su higroscopicidad, que tiende a hacer la película bastante pegajosa en atmósfera húmeda. Un remedio es añadir alguna sustancia hidrófuga, o una resina menos sensible a la humedad. Actualmente, PVP K30 (peso molecular 40.000) es el grado más comúnmente utilizado.

Aproximadamente al mismo tiempo se propuso la resina dimetilhidantoína formaldehído (DMHF); proporciona una película de baja hidroscopicidad, pero que tiene escaso poder de fijación del peinado, y fácilmente se convierte en polvo.

Con la finalidad de superar la higroscopicidad de las películas de PVP se desarrollaron las resinas copolímeras de vinilpirrolidona y acetato de vinilo (PVP-VA). Proporcionan buenas películas transparentes con excelentes propiedades fijadoras del peinado. Como se ha citado anteriormente, cuanto más elevada es la relación de acetato de vinilo, menos sensible es a la humedad atmosférica y más dura es la película pero, como consecuencia, es menos fácil de eliminar por lavado con champú. Los copolímeros utilizados contienen entre un 30 y un 70 por 100 de PVP. Estas resinas se han hecho muy populares y han desplazado al PVP, pero su empleo ha descendido algo con el desarrollo de resinas con grupos carboxílicos libres, que dan películas más duras y de mejor adhesión, con resistencia más elevada a la humedad.

El avance realizado por las resinas carboxiladas se basa, sobre todo, en la flexibilidad que proporciona su neutralización, haciendo posible la realización de una variedad de formulaciones adaptadas a los múltiples requerimientos de fijación del peinado. Controlando el grado de neutralización de los grupos ácidos libres se puede monitorizar rigurosamente la dureza, solubilidad e higroscopicidad de las películas. El primer polímero de este tipo fue el Dicrylan 325, que es un polímero de ácidos y ésteres acrílicos. Pero la resina más preferida es el copolímero de acetato de vinilo y ácido crotónico, que tiene el nombre comercial Resyn 28-1310. Para solubilizarla en alcohol, primeramente se añade una amina hidroxilada, tal como 2-amino-2-metil-1,3-propanodiol (AMPD) para neutralizar parcialmente los grupos ácidos. Posteriormente se propuso otra resina, derivada de 28-1310; ofrecía la ventaja de ser soluble en un medio hidroalcohólico sin previa neutralización. Esta es Resyn 28-2930, que es terpolímero de vinilacetato (75 por 100), ácido crotónico (10 por 100) y pivalato de vinilo (15 por 100). Esta resina, además de mejorar la solubilidad, proporciona una mejor fijación de los rizos bajo humedad variada.

Más recientemente, se ha propuesto otro copolímero de acetato de vinilo y ácido crotónico denominado Luviset CE 5055; su característica es la ausencia de olor que la puede hacer ventajosa comparada con algunos de los primeros compuestos que presentaban problemas de perfumado. Otra categoría de polímeros carboxílicos desarrollados para lacas capilares aerosoles son la serie Gantrez, que son polímeros de metilviniléter y anhídrido moleico con alcohol y, particularmente, los hemiésteres etilo y butilo denominados ES 225 y ES 425; son poco solubles en agua, aun cuando se neutralicen, y proporcionan películas de firme fijación del peinado.

Otras resinas comercializadas incluyen un terpolímero de polivinilpirrolidona-metilmetacrilato-ácido metacrílico, vendidos bajo la denominación «Stepanhold R-1», la resina VEM, que es una resina acrílica carboxílica, y una resina compleja denominada Quadramer, que resulta de la copolimerización de cuatro monómeros (acrilamida-N-t-butil acrilamida-ácido acrílico-vinilpirrolidona) que contiene menos grupos ácidos libres que otras (aproximadamente la mitad que Resyn 28-2930 y siete veces menos que Gantrez ES 425).

Los neutralizadores preferidos para estas resinas carboxílicas son 2-amino-2-metilpropanol (AMP), el anteriormente citado AMPD y la triisopropanolamina (TIPA). Los neutralizadores actúan, además de controlar la solubilidad y dureza, como plastificantes internos, evitando de este modo la descamación, y contribuyendo a su homogeneidad y suavidad; pero también ayudan a compensar una posible sensibilidad a los aditivos no volátiles de la preparación[26].

Otra resina, lanzada posteriormente, es Amphomer, una resina acrílica anfótera que posee tanto grupos carboxílicos como catiónicos; se describe como oferta de una fijación del peinado más elevada que las resinas carboxílicas convencionales por medio de una matriz tridimensional, y por ello se puede usar en concentraciones inferiores para proporcionar una fijación del peinado suave y natural[26].

Se han publicado muchas más de cien patentes desde 1966 que reivindican una gama de polímeros para ser usados en lacas aerosoles para el cabello. Unicamente se han citado anteriormente las ofertas comerciales más notables. Además de las resinas, la formulación de las lacas capilares requiere el empleo de plastificantes, agentes suavizantes, agentes abrillantadores, perfumes, disolventes y propulsores. Los plastificantes principalmente tienen el objetivo de hacer más flexible la película, modificando la adhesión y previniendo la fragilidad. Incorporados como media del 5 por 100 con relación al peso de la resina, pueden ser derivados de lanolina, siliconas (que también ejercen un efecto lubrificante y dan brillo), ésteres (miristato de isopropilo, ésteres de diácidos), polioles (glicerina, poliglicoles), y glicol éteres. Otros aditivos muy usados son hidrolizados de proteínas[27-29]. También se han sugerido polisiloxanos[30] y más recientemente polímeros fluorados[31].

Los disolventes desempeñan un papel importante en la extensibilidad de la película, la velocidad de secado y la compatibilidad de los ingredientes. El mejor de todos es el etanol, que tiene elevados impuestos en Europa, y así, por razones de costo, se reduce la fase alcohólica (y se incrementa la concentración de la resina), o se sustituye por isopropanol donde está permitido (como en Alemania y Suiza).

La relación común de propulsar Freon y solución en un pulverizador es 40-70 propulsor para solución de 60-30.

Los perfumes deben ser adecuados y cubrientes, puesto que se resaltan en la pulverización.

Fórmulas típicas se dan en los ejemplos 10-13:

(10)

	por ciento
PVP K.30	1,25
Lanolina	0,20
Silicona	0,10

Perfume	0,20
Alcohol	28,25
Propulsor 12/11 (35:65)	70,00

	(11) por ciento
PVP-VA 70/30	1,50
Derivado de lanolina	0,05
Silicona	0,10
Isopropilo, miristato	0,05
Perfume	0,10
Alcohol	28,20
Propulsor 12/11 (35:65)	70,00

	(12) por ciento
Fuente: Baudelin[31]	
Resyn 28-1310	3,45
AMP	,38
Derivado de lanolina	0,10
Isopropilo, miristato	0,40
Diisopropilen glicol	0,10
Perfume	0,10
Etanol	95,57
Concentrado	35,00
Propulsor 11/12 (65:35)	65,00

	(13) por ciento
Amphomer	0,75
AMP	0,123
Perfume	0,075
Etanol	39,052
Propulsor 12/11 (40:60)	60,00

Nuevos sistemas de pulverización

Los propulsores fluorados se consideran el medio ideal para dispersar diminutas gotas sobre el cabello y en el interior del mismo, proporcionando una buena fijación del peinado por unión individual de los cabellos junto con un rápido y completo secado.

La prohibición de FDA con relación a los clorofluorados tuvo consecuencias críticas desde el punto de vista tecnológico. Se desarrollaron tres alternativas: aerosoles con hidrocarburos, pulverizadores bomba y aerosoles con dióxido de carbono.

Bombas. Además de su precio, que es cerca de dos o tres veces superior a un aerosol, las bombas están gravadas con un número de desventajas, tal como una pulverización excesivamente húmeda, obstrucciones, fugas, dependencia manual, que las hacen inutilizables para la descarga de una pulverización de calidad.

Dióxido de carbono. El principal problema de este propulsor es el efecto húmedo de la pulverización descargada. Esencialmente, es una solución tecnológica, puesto que requiere orificios extremadamente pequeños en la válvula junto con un artificio para impedir la obstrucción.

Hidrocarburos. Como gases compresibles y licuables, los propulsores que primero llegaron a reemplazar los hidrocarburos fluorados fueron mezclas de propano, butano e isobutano. Sin embargo, comparativamente, presentan un número de desventajas:

a)   No son tan buenos disolventes de los componentes de las lacas aerosoles, lo que significa que se debe reducir la relación de propulsor, y se deben incorporar otros disolventes, tales como cloruro de metileno y agua.

b)   Son inflamables, lo que exige el empleo de válvulas especiales[32] para limitar la cantidad de descarga de producto y significa incrementar la cantidad relativa de cloruro de metileno y agua para anular la inflamabilidad.

c)   Las pulverizaciones son más húmedas, puesto que llevan más disolvente, lo que nesesita la incorporación de pulsadores provistos de atomizadores para pulverizar la descarga y la entrada adicional de gas para obtener un tipo mejor de pulverización y gotas más finas para un secado más rápido.

Por otra parte, estos cambios en el artificio de la pulverización y en la relación entre propulsores y disolventes implican sus propias desventajas e incompatibilidades. Es extremadamente difícil con estos nuevos sistemas alcanzar la calidad de pulverización de los pulverizadores propulsados por hidrocarburos fluorados.

También merece destacar, entre las alternativas propuestas a los hidrocarburos fluorados, el dimetilóxido (dimetil éter) que es, aparentemente, comparable en cuanto a toxicidad y propagación de llama, cuando se formula adecuadamente[33]. En varios países se venden productos aerosoles que contienen dimetil éter.

El empleo de sistemas alternativos de pulverización se expone en el Capítulo 40.

Varias resinas no pueden ser ajustadas a estos nuevos sistemas de descarga; sin embargo, al menos se pueden formular según estos tres sistemas PVP-VA, PVP K.30, Gantrez ES, Amphomer, Stepanhold, Luviset y Resinas 28-2930 y 28-1310. En los nuevos tipos de pulverizaciones de lacas para el cabello, como consecuencia de su solubilidad más elevada en medios hidroalcólicos, la Resina 28-2930 es más adaptable que la Resina 28-1310. Las resinas duras, tales como Gantrez y Amphomer, permiten reducir la concentración de los agentes formadores de película, y proporcionar películas menos viscosas y pegajosas que se pueden eliminar más fácilmente y dejan más suave el cabello.

Formulaciones típicas se dan en los ejemplos 14 y 15[32], 16 y 17[34] y 18[35]. El disolvente en los ejemplos 14 y 15 es etanol anhidro, o etanol-agua (90:10), o etanol-cloruro de metileno (80:20). Se debe destacar que cada sistema propulsor requiere un ajuste específico del perfume.

	(14) por ciento
Gantrez ES 225 o ES 425	4,00
AMP	0,08
Lanolina polietoxilada (75 EO)	0,10
Perfume oleoso	0,10
Disolvente	75,72
Isobutano-propano (90:10)	20,00

Concentrado para dióxido de carbono	(15) por ciento
Gantrez ES 225 o ES 425	8,00
AMP	0,40
Dioctilo, sebacato	0,50
Perfume	0,10
Etanol	91,00

	(16) por ciento
PVP-VA	4,00
Alcohol bencílico	0,10
*Dimethione copolyol	0,05
Perfume	0,10
Disolventes	75,75
Isobutano-propano (90:10)	20,00

*   CTFA: *polímero de dimetilsiloxano con polioxietileno y cadenas laterales de polioxipropileno.*

	(17) por ciento
Resyn 28-2930	2,25
AMP	0,18
*Dimethicone copolyol	0,12
Perfume	0,10
Metileno, cloruro	20,00
Etanol	72,85
Carbono, dióxido	4,50

*   CTFA: *polímero de dimetilsiloxano con polioxietileno y cadenas laterales de polioxipropileno.*

	(18) por ciento
Resyn 28-2930	1,50
AMPD	0,38
Lanolina soluble en alcohol	0,90
Isopropilo, miristato	0,40
Dipropilen glicol	0,10
Perfume oleoso	0,35
Etanol	96,37
Concentrado	75
Isobutano-propano (90:10)	25

Evaluación de lacas capilares aerosoles

El gran número de resinas y formulaciones utilizadas exige el desarrollo de técnicas para su desarrollo y selección. Se necesita medir las propiedades siguientes:

a) Para la película *in vitro:* dureza, transparencia, viscosidad, pegajosidad, descamación, brillo, solubilidad, capacidad de ser eliminada con champúes, absorción de humedad.

b) En el pelo: fijación, facilidad de peinado (suavidad, desenredamiento), reducción a polvo, brillo, viscosidad, pegajosidad y aspereza.

Se han descrito procedimientos para medir las propiedades más importantes[36, 37], como se detalla a continuación:

Dureza	Aparato *Walker Steel Swinging Beam Aparatus o Sward Hardness Rocher*
Transparencia	Evaluación visual
Retención rizos	Nivel de rizo determinado bajo condiciones controladas de humedad
Absorción de humedad	Ganancia de peso en condiciones diferentes de humedad controlada.

En la tabla 25.1 se ofrece un listado[38] para la evaluación de las lacas aerosoles en etapas importantes de desarrollo.

Tabla 25.1. Ensayos para evaluar lacas capilares aerosoles[38]

Finalidad	*Ensayo*
Selección de nueva resina.	Dureza. Viscosidad y pegajosidad. Ensayo en mechón para evaluar la afinidad para el pelo.
Evaluación de propulsores y sistemas de disolventes modificados.	Compatibilidad en tubos aerosoles transparentes. Resistencia a la presión. Presión espacio superior. Tipo de pulverización.
Evaluación de nuevos componentes, p. ej. válvulas y pulsadores.	Tipo de pulverización. Angulo del cono.
Nuevas fórmulas.	Pulverización sobre láminas de vidrio y mechones de pelo. Retención de bucles. Ensayos por consumidores en peluquerías y domésticos.
Evaluación de rutina.	Tipo de pulverización. Resistencia a la presión. Retención de rizo. Ensayo en lámina para determinar pegajosidad y resistencia a la humedad.

Otro factor importante a considerar concerniente a los propulsores no fluorados es la necesidad de cumplir con estándares oficiales de inflamabilidad. Comúnmente se usan dos técnicas: ensayo de proyección de la llama y ensayo del bidón cerrado.

WHYTE[39] ha hecho una revisión de los métodos recientes de evaluación de aerosoles (inflamabilidad, tamaño de partícula, corrosión, conservación y tipo de pulverización).

Toxicidad de las lacas capilares aerosoles

La cuestión de la toxicidad potencial de los aerosoles ha dado motivo a numerosos estudios y mantiene vivas muchas controversias, principalmente ligadas a las condiciones particulares de exposición y nuevos riesgos toxicológicos debidos a la descarga como aerosol. Se han planteado sucesivamente tres cuestiones importantes:

— La toxicidad de la resina *per se*.

— El tamaño de las partículas pulverizadas en relación al potencial de penetración por inhalación.

— La toxicidad de los propulsores.

La primera duda contra las resinas se planteó en 1943, cuando SCHWARTZ[40] dirigió la atención al hecho de que se observaron casos de dermatitis al utilizar ciertas resinas como sustitución de goma laca. Estas resinas contenían anhídrido maleico. Ensayos del parche confirmaron que los aerosoles que contenían las resinas fueron la causa de la dermatitis que era aparentemente atribuible a sensibilización (más que a una irritación primaria) ocasionada por un monómero residual. Desde entonces, son extremadamente raras las reacciones a aerosoles basados en resinas sintéticas. Sin embargo, antes de ser incorporada una nueva resina a una laca aerosol se deben ensayar tanto la irritación primaria como la sensibilización.

Una discusión más importante sobre el riesgo de inhalar partículas de resina emitidas por un pulverizador se entabló en 1960. Se inició por el informe de dos casos de tesaurosis atribuidos a las lacas capilares aerosoles, y a la aseveración de BERGMAN et al. de que la inhalación de formulaciones de PVP sólido inducía la formación de inflamación granulomatosa por cuerpos extraños en los pulmones[41]. Estos resultados, apoyados por otros[42-44], condujeron a una serie de trabajos —setenta de los cuales se publicaron entre 1962 y 1966— intentando demostrar si había correlación entre tesaurosis y lacas capilares aerosoles[45]. CAMBRIDGE ha realizado una excelente revisión de estos estudios[46].

El análisis de los hallazgos clínicos sugiere que los casos expuestos podían ser debidos a un abuso, durante un largo período, de aerosoles[47-49]. La causa de las afecciones observadas no podía establecerse de modo concluyente. Los estudios epidermiológicos examinaron dos muestras pequeñas de población de elevado nivel de exposición (peluqueros, cosmetólogos) para proporcionar datos utilizables[47, 50 - 56]. Numerosos autores, que realizaron estudios experimentales de inhalación en varias especies animales y bajo múltiples situaciones, han fracasado en demostrar que la exposición prolongada a la laca capilar aerosol podía causar granuloma[57 - 60]. Ni siquiera bajo condiciones extremas de exposición a resinas en tejidos ha sido posible provocar lesiones pulmonares[61].

BRUNNER et al.[62] sometieron animales a grandes exposiciones de aerosoles basados en copolímeros PVP-VA, VA-ácido crotónico y vinil alquil éter-éster maleico; llegaron a la conclusión de que era imposible repetir el «síndrome de granulomatosis» tal como era alegado en los casos humanos. KINKEL y EDER[63] fracasaron en demostrar la tesaurosis en el mono, conejo o hamster cuando se les sometía a dosis grandes durante setenta a cien días; observaron que las resinas PVP-VA eran eliminadas de los pulmones por fagocitosis en cinco días. En otro estudio realizado en cobayas que se expusieron durante un año a pulverizaciones repetidas de un aerosol que descargaba partículas de aproximadamente 1 μm de tamaño, CAMBRIDGE[46] no pudo demostrar ninguna alteración histológica del tracto pulmonar.

De estas investigaciones se desprende que el probable riesgo de tesaurosis por lacas aerosoles es bajo, si no es nulo. No obstante, esto no excluye el riesgo, por inhalación, de excitar o aún aumentar alteraciones preexistentes, particularmente en casos de antecedentes alérgicos[64, 65]; como consecuencia parece muy necesario incluir ensayos de toxicidad por inhalación en la evaluación de seguridad de lacas capilares aerosoles teniendo en cuenta el gran área superficial de los pulmones (veinticinco veces la de la piel). WELLS[66] ha realizado una buena revisión de los ensayos de inhalación, incluyendo métodos preliminares de selección *screening methods*, las precauciones a tener, así como el criterio utilizado para fijar la toxicidad. Un factor importante a considerar en las pruebas para reducir un potencial efecto de afecciones es la distribución de tamaño de partículas en la pulverización[67]; se admite generalmente que partículas superiores a 10 μm no pueden alcanzar el tracto pulmonar[46, 69]. Si las partículas tienen poca probabilidad de penetrar, existe poco riesgo de que una toxicidad en particular pueda presentarse después de la inhalación.

Varios artificios permiten determinar la proporción de la pulverización denominada «respirable», esto es, que tiene un alto riesgo de penetrar en los pulmones.

En los comienzos de los años 1970, otro motivo de inquietud procedió de creer que los propulsores eran responsables de ataques cardíacos a consecuencia del uso de aerosoles broncodilatadores[70, 71]. Desde entonces, los propulsores, aisladamente o en productos formulados, han sido sometidos a estudios toxicológicos profundos[72 - 75]. Aunque no se han observado signos de alteración en los pulmones[76 - 78], parece que los hidrocarburos clorofluorados, a elevadas dosis, pueden tener efectos no deseables, especialmente arritmia cardíaca. No obstante, teniendo en cuenta las cantidades implicadas, se puede considerar que el uso de lacas aerosoles no entraña ningún riesgo, aún bajo condiciones extremas como las experimentadas en un salón de peluquería[79, 80]. También se han estudiado con profundidad los efectos potenciales adversos de los propulsores alternativos, tanto individualmente como en mezclas[81 - 83]. Se han destacado[84] las interacciones potenciales beneficiosas (desintoxicante) del etanol o isopropanol con cloruro de metileno y propulsores hidrocarburos.

FIJADORES CAPILARES PARA HOMBRES

En primer lugar, los fijadores capilares han sido utilizados por los hombres para fijar el peinado, y en segundo, para aumentar su brillo. El control adecuado del cabello, tan importante para el acicalamiento masculino, requiere dos propiedades en un producto: fijación inicial y control de larga duración.

La fijación inicial del peinado requiere un reblandecimiento temporal del pelo y para esto no existe mejor ingrediente que el agua. El agua ejerce un efecto plastificante reversible en el pelo que permite cepillarlo dándole forma al enredamiento primero de la maraña, pero este efecto es sólo transitorio y desaparece cuando se evapora el agua. Se puede contribuir a que permanezca más tiempo añadiendo los denominados agentes humectantes que fijan el agua y, por tanto, protegen el pelo de la sequedad. Sin embargo, éstos no proporcionan un control duradero del pelo.

Como alternativa, el pelo se puede hacer más pesado con aceite o grasa para mantener la forma del peinado inicial. Este método tiene la desventaja de que se necesita mucho más aceite para peinar con forma al pelo que el que se necesita para mantener la forma de peinado durante el día. Una vez que se distribuye en el cabello, el aceite ayuda al peine a deslizarse, pero inicialmente el aceite se extiende mal y no plastifica el pelo, de modo que hace bastante difícil el peinado. Por este motivo, muchos usuarios de brillantinas sólidas y productos similares humedecen el pelo antes de aplicar el fijador.

Otra solución es aplicar una mezcla de aceite y agua —tal como una emulsión—, de modo que en primer lugar se absorba parcialmente el agua por el pelo, facilitando el peinado, control y fijación del pelo, y después la forma se mantiene por la película de aceite sobre el tallo del pelo después de que se evapora el agua. Pero esto requiere que la emulsión deposite una película continua cuando se aplica para reducir eficazmente la pérdida de agua ligada. El aceite es suficiente para asegurar el control durante el día. Adecuadamente seleccionado, suministra el brillo deseado, proporciona acción fijadora razonable, lubrifica y protege el pelo.

Los productos basados en gomas se han hecho menos populares porque tienen efecto destructor cuando se peina el cabello, a causa del desprendimiento en forma de escamas de la película de goma.

Por estas razones, la mayor parte de los fijadores populares consta de asociación de aceite y agua en varias formas, o simples presentaciones de aceite o grasa para los mercados menos sofisticados.

Formulación

Inicialmente se utilizaron aceites vegetales y animales, pero, a causa de su predisposición a la oxidación, se han reemplazado por aceites minerales que son incoloros, inodoros, estables y disponibles en una amplia gama de viscosidades. Desde que se dispone de los antioxidantes para superar el enranciamiento, se ha vuelto a recuperar la preferencia por los aceites vegetales y animales, cuya constitución es más próxima al sebo humano. Los más comúnmente usados son los aceites de oliva, sésamo, cacahuete, almendras, albaricoque, aguacate, melocotón y girasol. Cuanto mayor es la viscosidad del aceite, mejores son las propiedades de acicalamiento, pero más difícil es extender el aceite de forma fina y uniforme. Se deberá seleccionar cuidadosamente la mezcla de aceites y dosificarlos según las propiedades deseadas de adhesión, extensibilidad, fijación, brillo y fijadoras.

El keroteno desodorizado se añade a veces para mejorar la extensibilidad. Otros ingredientes principales utilizados para obtener buenas propiedades de acicalamiento son formadores de película, tales como resinas (PVP y copolímeros), colofonias, y varias ceras por sus efectos de adhesión y fijación, junto con sustancias con la finalidad de incrementar la facilidad de peinado y proporcionar propiedades emolientes, lubrificación, tacto agradable y brillo; tales compuestos son lanolina y sus derivados (ésteres, ácidos, alcoholes, derivados acetilados)[85, 86], glicéridos, alcoholes grasos (cetílico, oleico, isoestearílico), alcoholes o ésteres etoxilados o propoxilados, lactatos de alcoholes grasos y sebacatos y adipatos de dialquílicos. Más atributos acondicionadores son impartidos por acidamidas grasas, derivados de proteínas y compuestos catiónicos.

Algunas composiciones fijadoras del peinado, descritas como «nutritivas del pelo», también contienen vitaminas, lecitinas y otros ingredientes «naturales», de modo que deberían ser considerados más como tónicos capilares (véase capítulo 26). La idea de un producto no graso es atractiva, y se han hecho muchos intentos de formulación reemplazando parcial o totalmente el aceite mineral por polietilen o polipropilen glicoles o por mezclas de ésteres de cadenas ramificada —tales como hidroxiestearato y palmitato de 2-etilhexilo[87]— de tal modo que se reducen las propiedades grasientas y se reemplaza la apariencia de excesiva brillantez por un brillo más natural.

Brillantinas

Grasas semisólidas no acuosas

Las brillantinas son probablemente el tipo más antiguo de fijador capilar, y han sido usadas durante cientos, si no miles, de años. Prácticamente han pasado a la historia, dejando sólo recuerdo de «grasa de oso», y la denominación de «antimacasar» para el tejido empleado como protección de las sillas tapizadas del aceite de macasar utilizado en fijadores de la época victoriana. Aún se utiliza el aceite de coco en algunas de las menos sofisticadas partes del mundo.

Brillantinas sólidas (pomadas)

Generalmente, las pomadas están constituidas por aceites minerales o vegetales adecuadamente espesados, coloreados y perfumados. El espesamiento hasta la consistencia deseada se obtiene por medio de ceras, tales como ceras de parafina, ozokerita, esperma de ballena, abejas, ceresina, carnauba y ceras microcristalinas. Según lo que se pretenda, la consistencia puede variar desde una cera relativamente dura a una crema de tipo mantequilla; la pomada debe ser grasa, rápidamente absorbida o viscosa al tacto[88].

En el ejemplo 19 se da una mezcla sencilla que es satisfactoria, y mezclas ligeramente más complejas se dan en los ejemplos 20, 21[88], 22[87] y 23[31].

	(19)
	por ciento
Vaselina	90,0
Cera parafina (no cristalizable)	10,0
Color, perfume	*c.s.*

	(20)
	por ciento
Cera carnauba	5,0
Cera parafina	5,0
Vaselina	70,0
Aceite mineral	20,0

	(21)
	por ciento
Vaselina	87,0
Cera parafina	3,0
Lanolina anhidra	2,0
Lanolina alcohol 3,0	
Aceite mineral 65/75	5,0
Perfume	*c.s.*

	(22)
	por ciento
Petrolato	65,0
2-etil hexilo, palmitato o isoestearato	25,0
Araquidílico, propionato	5,0
Isopropilo, miristato	5,0

	(23)
	por ciento
Aceite de ricino	20,0
Aceite de almendras	2,0
Isopropilo, miristato	8,0
Petrolato	46,0
Lanolina anhidra	12,0
Alcohol	12,0

También se pueden hacer brillantinas sólidas con mezclas de aceite mineral y ácido 12-hidroxiesteárico (procedente del endurecimiento de los ácidos grasos del aceite de ricino). Estos ácidos disponen al aceite en una masa cristalina que está ligada a la sinéresis; esta propiedad se puede corregir añadiendo una pequeña proporción de cera, tal como cera parafina o microcristalina. En el ejemplo 24 se ofrece una fórmula adecuada:

	(24) *por ciento*
Aceite mineral	90,0
Acido 12-hidroxi esteárico	3,0
Cera microcristalina	7,0
Color, perfume	*c.s.*

Procedimiento: Fundir las sustancias juntas y agitar hasta que la mezcla sea homogénea.

Las brillantinas sólidas transparentes se pueden preparar gelificando aceite mineral con un agente adecuado. Las sustancias más antiguamente utilizadas fueron ciertos jabones metálicos[89], particularmente los de litio y aluminio. Una composición tal es la que sigue:

	(25) *por ciento*
Aluminio, triestearato o isoestearato	5
Aceite de parafina	95
Accite de ricino, perfume	*c.s.*

Procedimiento: Calentar la mezcla a 130 °C y agitar hasta homogeneidad. Después, el procedimiento óptimo de enfriamiento es dejar que la temperatura descienda de 130 °C a 50 °C en más de una hora.

Se han descrito otras sustancias que son adecuadas para gelificar aceite mineral: incluyen derivados de tris-12-hidroxi estearato de glicérilo[90], ácidos dialquilamino propiónico[91] y polietileno[92]. THAU y FOX[93] han publicado que, mientras fue el polietileno de elevado peso molecular (aproximadamente 20.000) se ha recomendado anteriormente para gelificar aceite mineral, implicando el calentamiento aproximadamente a 130 °C y un complicado proceso de enfriamiento, geles más satisfactorios se pueden preparar con el empleo de cera de polietileno de peso molecular más bajo (1.500-2.000), que se disuelve en aproximadamente siete veces su peso de aceite mineral a 90-95 °C. Después que se logra la disolución, ésta se mezcla con un agitador de elevado efecto de cizalla mientras se enfría a 65 °C (aproximadamente 10 °C por debajo del punto de turbidez), después de lo cual se agita suavemente sin captar aire por debajo de 45 °C, a cuya temperatura se llenan los tarros donde finalmente se envasa. Los productos preparados de este modo son más estables a la temperatura.

Brillantinas líquidas

Han pasado los tiempos de las brillantinas densas. El objetivo, actualmente, es garantizar un lustre brillante y una acción suave de fijación, sin la sensación de que uno se ha puesto fijador. En tiempos pasados no fue posible incorporar un aceite adecuado en una base volátil mineral, pero actualmente se puede depositar sobre el tallo del pelo una fina película de aceite empleando keroseno desodorizado o ésteres, tal como miristato de isopropilo. Añadiendo keroseno desodorizado se puede aún reducir más la viscosidad del aceite mineral ligero y tales preparaciones se prestan a ser pulverizadas sobre el pelo:

	(26) por ciento
Aceite mineral ligero	60,0
Keroseno desodorizado	40,0
Color, perfume	c.s.

Si se desea se puede reemplazar parte del aceite mineral por aceites vegetales. A causa de la tendencia a enranciar de la mayoría de los aceites vegetales, es necesaria la adición de un antioxidante adecuado. Como alternativa se pueden emplear ésteres grasos de isopropilo junto con, si se desea, una pequeña proporción de lanolina, como en los ejemplos 27 y 28[31].

	(27) por ciento
Isopropilo, miristato	24,0
Lanolina	1,0
Aceite mineral ligero	75,0
Color, perfume	c.s.

	(28) por ciento
Isopropilo, palmitato	5
Petrolato	5
Petrolato líquido	15
Alcohol de lanolina etoxilado	15
Alcohol bencílico	24
Propilen glicol butiléter	26
Alcohol anhidro	10

Brillantinas alcohólicas

Las disoluciones de aceite en alcohol ofrecen la ventaja de permitir una distribución buena y uniforme de aceite sobre el pelo. También proporcionan una sensación de frescura y un efecto estimulante para el cuero cabelludo[31].

Tradicionalmente eran soluciones de aceite de ricino en alcohol, adecuadamente coloreadas y perfumadas. Aunque no poseen propiedades fijadoras muy marcadas, si se peina el cabello con un peine húmedo inmediatamente después de la aplicación, la precipitación del aceite de ricino en gotitas finamente dispersas forma un cuerpo suficiente para actuar como fijador que no es muy denso —ejemplos 29 y 30[31].

	(29) por ciento
Aceite de ricino	20,0
Alcohol industrial	80,0
Perfume, color	c.s.

(30)

partes en peso

Aceite de ricino	12
Aceite de almendras	4
Polipropil 40 butil éter	16
Alcohol dihidroabiético	5
Isopropilo, miristato	15
Butilo, estearato	2
Alcohol	44
Agua	12

Tal formulación, aunque no huele a aceite de ricino si se perfuma adecuadamente, tiene tendencia a desarrollar olor cuando el aceite de ricino se deposita en el tapón del frasco o a lo largo de la rosca del cuello del mismo. Además, un ligero olor a aceite de ricino se puede también desarrollar en la cabeza del usuario, a menos que el cabello se lave frecuentemente. Esto se puede superar en cierto grado sustituyendo el aceite de ricino por alcohol oleico. También tal preparación desarrolla algo de olor graso con el tiempo, particularmente alrededor del cuello del frasco y en peines y cepillos, pero no es tan desagradable como el del aceite de ricino. Un producto aún más satisfactorio, en cuanto concierne al olor, se puede obtener sustituyendo el aceite de ricino por miristato de isopropilo. Desgraciadamente tanto el alcohol oleico como el miristato de isopropilo carecen de propiedades fijadoras, aunque son útiles con las adiciones adecuadas de perfume y antiséptico en lociones de fricción o como fijador para hombres de cabellos finos.

(31)

por ciento

Isopropilo, miristato	20,0
Alcohol cetílico	2,0
Alcohol	78,0
Color, perfume	*c.s.*

Los productos de este tipo que siguieron fueron los que emplearon derivados hidrófilos de cera de abeja y lanolina, por ejemplo, lanolina etoxilada. Estos productos recuerdan las brillantinas alcohólicas, excepto en que son esencialmente acuosas. La solubilidad incrementada de la sustancia grasa permite más flexibilidad en las formulaciones.

Después llegaron las nuevas preparaciones líquidas transparentes, basadas en el empleo de polietilen o polipropilen glicoles, y ésteres de ellos que han sustituido grandemente a los productos anteriores. Constan básicamente de una solución de polietilen glicol (10-30 por 100) en agua. También contienen otros ingredientes que incluyen resinas (por ejemplo, PVP) para mejorar las características de fijación del peinado, y germicidas. Estos productos son mucho menos grasos que los basados en aceite, pero no proporcionan tanto brillo. Una fórmula típica es la dada en el ejemplo 32.

	(32)
	por ciento
Polietilen glicol	20,0
Agua	20,0
Alcohol	59,0
Resina (PVP)	1,0
Color, perfume	*c.s.*

Otra variante del mismo tema es el empleo de los aceites Ucon. Estos son copolímeros polipropilen etilen glicol, algunos de los cuales son completamente solubles en agua. Son mucho menos grasos que los aceites minerales, pero proporcionan menos brillo. Uno de los problemas de estos productos es la movilidad del líquido. Esta exige el empleo de un frasco con orificio estrecho. Una fórmula básica es:

	(33)
	por ciento
Ucon LB-1715	20,0
Agua	20,0
Etanol	60,0
Color, perfume	*c.s.*

Brillantinas con capas

Las brillantinas separables son sistemas de dos capas preparadas, añadiendo una solución del perfume deseado en la cantidad requerida de alcohol al aceite mineral o vegetal no miscible. Por agitación enérgica antes de la aplicación, la mezcla forma una dispersión temporal que después puede ser extendida sobre el cabello. Una desventaja es el rápido regreso al estado inicial que origina una extensión sobre el pelo de cantidades desproporcionadas de una u otra fase. La adición de un agente emulsionante, a cada una de las fases, ayuda a resolver el problema en cierto grado. Generalmente tanto la capa oleosa como la alcohólica se tiñen con un color similar. Se dan fórmulas en los ejemplos 34 y 35 (véase también BAUDELIN)[31].

	(34)
	por ciento
Alcohol industrial	60
Aceite mineral ligero	40
Color amarillo soluble en alcohol	*c.s.*
Color amarillo soluble en aceite	*c.s.*
Perfume	*c.s.*

	(35)
	por ciento
Aceite de sésamo	32
Aceite de oliva	10
Alcohol anhidro	58
Antioxidante, color, perfume	*c.s.*

Se puede variar el producto alterando la proporción de la fase alcohólica a la oleosa y se puede abaratar empleando alcohol acuoso asegurándose de que la concentración es suficiente para disolver color y perfume o como alternativa se formula el perfume en la fase oleosa.

Fijadores no oleosos

El tipo más antiguo de los fijadores se basó en el uso de mucílagos, particularmente de goma tragacanto. Estos poseen muy buenas propiedades fijadoras y no producen manchas grasientas. Son especialmente efectivos en controlar los cabellos indómitos y frecuentemente se prefieren a los aceites para peinar el cabello fino o cano. No obstante, al cepillar el pelo se pierden las características fijadoras y las partículas de goma que se desprenden en forma de escamas tienden a acumularse en el cuero cabelludo y vestimenta, dando frecuentemente impresión de caspa. Además dejan el pelo con sensación áspera y apariencia mate, aunque esta desventaja puede superarse a veces añadiendo un aceite apropiado. Una fórmula característica se da en el ejemplo 36. Si se desea se puede añadir a esta crema aproximadamente un 10 por 100 de aceite. La adición de un poco de tintura de benzoína, tolú o estiraz ayuda a aumentar la blancura del producto.

	(36)
	por ciento
Goma tragacanto	1,0
Alcohol	6,0
Aceite de ricino	2,0
Agua	90,0
Glicerina	1,0
Conservante	*c.s.*

Procedimiento: Dispersar la goma en alcohol y glicerina y añadir el perfume y los aceites; verter en el agua con continua agitación. Dejar reposar la crema para espesar, volver a agitar, filtrar por muselina y envasar.

También se pueden usar, para tales fijadores basados en gomas, carboximetilcelulosa sódica[94], hidroxipropilcelulosa[95], polímeros carboxivinílicos y varias resinas. Fórmulas representativas se ofrecen en los ejemplos 37[94] y 38.

	(37)
	por ciento
Carboximetilcelulosa sódica al 2 por 100	47,85
Alcohol	39,70
Polietilen glicol 600, laucato	10,00
Propilen glicol, laurato	2,00
Tintura de capsicum	0,05
Cetildimetiletil amonio, bromuro	0,10
Perfume	0,30

(38)

	por ciento
Carbopol 940	0,6
Agua	55,3
Trietanolamina	0,6
PVP K.30	2,5
Alcohol	28,0
Alcohol oleílico etoxilado	3,0
Polietilen glicol	10,0

Aerosoles

Los pulverizadores aerosoles para hombres son de dos clases: aquellos que contienen resinas muy similares a las utilizadas en las lacas capilares aerosoles para mujeres, y aquellos que contienen sólo aceite mineral. Tales productos son extremadamente limpios en su uso, pero no proporcionan tan buen control inicial como algunos de los productos más convencionales, y frecuentemente el brillo que se obtiene no es muy bueno. Una desventaja adicional es que los hombres tienden a considerar las lacas capilares aerosoles como productos esencialmente femeninos, y entonces es necesario superar este perjuicio antes de que tales productos lleguen a ser generalmente aceptados.

Emulsiones

Cremas agua en aceite

Las cremas agua-aceite han alcanzado considerable popularidad, particularmente en Europa Occidental y EE. UU. Se les atribuye que se extienden fácilmente y ofrecen propiedades fijativas mayores, debido a su contenido de aceite y recubrimiento más uniforme que cremas similares del tipo aceite-agua; además imparten un mejor brillo al pelo.

Tale cremas son usualmente preparadas usando mezclas de hidróxido cálcico con ácidos grasos para producir el agente emulsionante. Como alternativa se pueden emplear emulsionantes no iónicos, tal como ésteres de sorbitan.

El ejemplo 39 es una fórmula típica del tipo oleato cálcico. Es conveniente incorporar el hidróxido cálcico en forma de agua de cal que contienen aproximadamente el 0,14 por 100 de hidróxido cálcico. Usando solución de azúcar se pueden hacer solubles cantidades más altas de sales de calcio en forma de sacaratos cálcicos. Si el hidróxido cálcico se añade en forma de agua de cal, debe estar sometido a una titulación sencilla antes de usarlo para determinar su contenido de hidróxido cálcico.

(39)

	por ciento
Cera de abejas	1,50
Cálcio, hidróxido	0,07
Acido oleico	1,00
Aceite mineral	40,60

Perfume	1,00
Agua	53,83
Magnesio, sulfato cristalizado, solución acuosa al 25 por 100	2,00

Procedimiento: Calentar cera de abejas, ácido oleico y aceite a 70-75 °C, y añadir el agua de cal agitando sin parar. Finalmente añadir la solución de sulfato magnésico, que ayuda a estabilizar la emulsión, seguida por el perfume. La mezcla se debe mantener con continua agitación hasta que se ha enfriado a aproximadamente 20 °C.

Se debe añadir, que no es fácil, la fabricación de una crema estable agua-aceite, que también sea vertible a temperaturas ordinarias y adecuadas para usar como fijador capilar. Las emulsiones agua-aceite no pierden su contenido de agua, bien por evaporación o bien por absorción en el pelo, tan rápidamente como las emulsiones aceite-agua, y si la rotura de la emulsión no es rápida, el producto queda desagradablemente blanco sobre el pelo después de la aplicación.

Para hacer un buen fijador capilar, una emulsión agua-aceite se debe formular como un producto de compromiso. Debe tener suficiente estabilidad frente a los cambios de temperatura y golpes de transporte para disponer de una vida comercial adecuada, y sin embargo, debe romperse fácilmente cuando se le somete a la acción mecánica de frotarla en las manos o cabello. Esta combinación de estabilidad térmica e inestabilidad mecánica se logra mejor usando un emulsionante que produzca una interfase sólida entre el aceite y el agua —de ahí la utilidad de los jabones cálcicos—. Cuanto se altera mecánicamente tal interfase se destruye completamente como barrera para la rotura de la emulsión.

El formulador debe decidir sobre el equilibrio que se debe alcanzar entre la estabilidad térmica y la inestabilidad mecánica. No obstante, si se requiere una estabilidad mayor, se puede obtener por la adición de alcoholes cerosos de lanolina o colesterol a una concentración del 0,1-0,5 por 100, o con emulsionantes tales como sesquioleato de sorbitan a concentración similar. Como alternativa, se incorporan pequeñas cantidades de jabones solubles. Tal fórmula se da en el ejemplo 40.

	(40) *por ciento*
Cera de abejas	2,0
Agua de cal	59,0
Aceite mineral	30,0
Vaselina (fibra corta)	8,0
Acido esteárico	0,2
Alcoholes cerosos de lanolina (refinados)	0,3
Perfume	0,5

Para formas de peinado corto (corte al cepillo) [86]:

	(41) *por ciento*
Fase oleosa	
Petrolato	40,0
Amerchol CAB (petrolato y alcohol de lanolina)	29,0
Cera microcristalina	10,0
Sorbitan, sesquioleato	6,0

Fase acuosa

Agua	14,0
Tween 81 (polisorbato)	1,0
Perfume, conservante, color	*c.s.*

La fórmula siguiente se basa en el empleo de cera de abeja-bórax como emulsionante, asociada con un éster no iónico en pequeñas proporciones:

		(42) *por ciento*
A.	Petrolato	7,5
	Aceite mineral 65/75	37,5
	Lanolina anhidra	3,0
	Sorbitan, sesquioleato	3,0
	Cera de abejas	2,0
B.	Bórax	0,5
	Agua	46,5

Procedimiento: Llevar *A* a 75 °C. Llevar *B* a 75 °C. Añadir *B* a *A* lentamente con moderada pero completa agitación. Añadir perfume a 45 °C y agitar hasta enfriamiento.

Cremas aceite-agua

Las cremas aceite-agua se consideran que dan una sensación menos grasa que las cremas agua-aceite. Esto probablemente procede del hecho de que no dan tanto brillo cuando se aplican por vez primera al pelo y a que se pueden diluir con agua.

Cremas estables aceite-agua de viscosidades variadas se pueden obtener utilizando estearato de trietanolamina, junto con algún alcohol graso, tal como alcohol cetílico, si se desea viscosidad más elevada. Una fórmula sencilla se da en el ejemplo 43; se puede aumentar la viscosidad añadiendo un 1-3 por 100 de alcohol cetílico.

	(43) *por ciento*
Aceite mineral blanco	45,0
Acido esteárico	3,5
Trietanolamina	1,5
Agua	50,0
Conservante, perfume	*c.s.*

Los ejemplos 44[96] y 45[97] son representativos de fórmulas más complejas, el aceite mineral se reemplaza por un éster de cadena lateral en el ejemplo 45.

	(44) *por ciento*
Aceite mineral	33,00
Cera de abejas	3,00
Acido esteárico	0,50
Alcohol cetílico	1,30

Bórax	0,25
Trietanolamina	1,85
Agua	59,80
Clorocresol	0,10
Perfume	*c.s.*

Procedimiento: Fundir aceites, grasas y ceras a 60-65 °C y añadirlos a la fase acuosa que contiene trietanolamina y bórax a la misma temperatura. Agitar la crema hasta enfriamiento.

(45)
por ciento

A.	2-Etilhexilo, palmitato	20,00
	Cera de abejas	10,00
	Cetilo, palmitato polvo	5,00
	Alcohol cetílico	5,00
	Arlacel 165	8,00
	Propil paraben	0,15
B.	Agua desmineralizada	51,65
	Metil paraben	0,20

Procedimiento: Calentar *A* a 70 °C. Calentar *B* a 70-72 °C. Lentamente añadir *B* a *A* usando agitación mecánica de elevada velocidad, tal como un homogeneizador. Mezclar durante aproximadamente veinte minutos, y empezar a enfriar mientras se mantiene la agitación. Envasar a 35-40 °C.

Al poliacrilamido-sulfonato de elevado peso molecular se le atribuye el impartir lubrificación[97].

Una tendencia entre los productos de este tipo ha sido la inclusión de aditivos que se proyectan para proporcionar efectos especiales. Así, las cremas aceite-agua se emplean como base de ingredientes anticaspa. También se pueden añadir otros aditivos, tales como alcohol, que tiene por objetivo dar un efecto refrescante al cuero cabelludo.

Geles

Las brillantinas semisólidas descritas anteriormente han sido reemplazadas por productos gel de dos tipos: microgeles, que son realmente emulsiones aceite-agua transparentes en las que las gotas de aceite son tan pequeñas que la emulsión parece transparente, y los geles verdaderos que se basan en el empleo de soluciones acuosas de polietilen glicol en unión con un espesante celulósico.

La ventaja de los microgeles es que son miscibles con el agua y se sienten mucho menos grasientos que las cremas convencionales. Se han propuesto los ejemplos 46[98], 47[99] y 48[100].

(46)
por ciento

A.	Sorbitan, monolaurato	12,0
	Petróleo ligero desodorizado, destilado	45,0
	Aceite mineral ligero	5,0

B.	Manitol, monolaurato (modificado)	19,0
	Agua	19,0

Procedimiento: Añadir *B* a *A*. Cuando la solución acuosa se mezcla con los aceites, la mezcla se hace al principio fluida y turbia, después, espesa y transparente.

	(47)
	por ciento
Aceite mineral 65/75	20,0
Dietanolamina láurica	6,0
Alcoholes de lanolina	2,7
Agua	62,5
Alcohol polioxi etilen (3 EO) laurílico	4,0
Alcohol polioxi etilen (23 EO) laurílico	4,8

		(48)
		por ciento
A.	Polioxi etilen (10) oleil éter	15,5
	Glicérido graso de polioxi etileno	15,5
	Petrolato líquido ligero	13,7
	Propilen glicol	8,6
	*Solución sorbitol Atlas	6,9
B.	Perfume	*c.s.*
C.	Agua hasta	100,0

*Atlas Chemical Company

Procedimiento: Calentar *A* a 90 °C y *C* a 95 °C. Añadir *C* a *A* con agitación y añadir *B* a 70 °C. Enfriar y verter a 55-65 °C. En el enfriamiento posterior se obtiene un gel centelleante y brillante transparente.

Los geles verdaderos tienen las mismas ventajas que los microgeles. Una fórmula básica constaría de polietilen glicol (30 por 100), alcohol (30 por 100), agua (40 por 100) y una pequeña cantidad de espesante celulósico, tal como isopropil celulosa. Una patente británica[101] ha descrito la preparación de geles transparentes capilares. Tales productos proporcionan buenas propiedades fijadoras y controlan satisfactoriamente el pelo, pero no dan muy buen brillo.

REFERENCIAS

1. US Patent 3 984 536, L'Oreal, 5 October 1976.
2. US Patent 3 716 633, L'Oreal, 12 February 1973.
3. British Patent 1 321 836, ICI, 4 July 1973.
4. US Patent 3 862 306, Gillette, 21 January 1975.
5. German Patent 2 404 793, BASF, 14 August 1975.
6. German Patent 2 453 629, Henkel, 13 May 1976.
7. US Patent 3 972 336, National Starch and Chemical Co., 3 August 1976.
8. US Patent 3 910 862, GAF, 7 October 1975.
9. US Patent 3 954 960, GAF, 4 May 1976.
10. US Patent 3 959 463, Bristol-Myers, 25 May 1976.

11. US Patent 3 904 749, Ashland Oil, 9 September 1975.
12. French Patent 2 110 268, Minnesota Mining and Manufacturing, 7 July 1972.
13. US Patent 4 007 005, Redken Laboratories, 8 February 1977.
14. Japanese Patent 72 49 702, Nippon Osker, 13 December 1972.
15. German Patent 2 053 505, Wella, 10 May 1972.
16. German Patent 2 542 338, Wella, 24 March 1977.
17. US Patent 3 993 745, Alberto Culver, 13 November 1976.
18. US Patent 4 015 612, Minnesota Mining and Manufacturing, 5 April 1977; US Patent 4 044 121, Minnesota Mining and Manufacturing, 23 August 1977.
19. US Patent 4 059 688, Clairol, 22 November 1977.
20. French Patent 2 054 478, Biechier, F. J. and Martineau, J. E., 28 May 1971.
21. German Patent 2 314 659, Ugine Kuhlmann, 4 October 1973.
22. Schoenberg, T. G. and Scafidi, A. A., *Cosmet, Toiletries*, 1979, **94**(3), 57.
23. US Patent 4 047 537, Harshaw Chemical, 13 September 1977.
24. De Navarre, M. G., *Am. Perfum. Aromat.*, 1950, **56**(1), 23.
25. Martin, J. W., *Aerosol Age*, 1966, **11**(8), 14.
26. Koehler, F. T., *Cosmet. Toiletries*, 1979, **94**(4), 75.
27. David, L. S., *Drug Cosmet. Ind.*, 1965, **97**, 502.
28. Lange, F. W. and Muller, J., *Seifen Öle Fette Wachse*, 1965, **91**, 165.
29. Riso, R. R., *Proc. sci. Sect. Toilet Goods Assoc.*, 1965, (42), 36.
30. German Patent 2 325 645, Unilever, 6 December 1973.
31. Baudelin, F. J., *Cosmet. Toiletries*, 1979, **94**(3), 51.
32. Root, M. J., *Cosmet. Toiletries*, 1979, **94**(3), 37.
33. Bohnen, L. J. M., *Aerosol Rep.*, 1979, **18**(3), 70.
34. Murphy, E. J. and Bronnsack, A. H., *Aerosol Rep.*, 1978, **17**(6), 171.
35. *Manf. Chem. Aerosol News*, 1977, **48**(10), 66.
36. McFarland, J. H. and Scott, R. J., *Drug Cosmet. Ind.*, 1966, **98**(2), 41.
37. Root, M. J. and Bohac, S., *J. Soc. cosmet. Chem.*, 1966, **17**, 595.
38. Blackmore, N. F. E., *Specialities*, 1964, **1**(4), 11.
39. Whyte, D. E., *Aerosol Age*, 1979, **24**(5), 29 and **24**(6), 31.
40. Schwarz, L., *Public Health Rep. Wash.*, 1943, **58**, 1623.
41. Bergmann, M., Flance, I. J. and Blumenthal, A. T., *N. Engl. J. Med.*, 1958, **258**, 471.
42. Edelston, B. G., *Lancet*, 1959, **2**, 112.
43. Nevins, N. A., *et al.*, *J. Am. med. Assoc.*, 1965, **193**, 266.
44. Ripe, E., *et al.*, *Scand. J. respir. Dis.*, 1969, **50**, 156.
45. Ludwig, E., *Aerosol Rep.*, 1964, **3**(2), 27.
46. Cambridge, G. W., *Aerosol Rep.*, 1973, **12**(7), 273.
47. Gowdy, J. M. and Wagstaff, M. J., *Arch. environ. Health*, 1972, **25**, 101.
48. Bergmann, M., *et al.*, *N. Engl. J. Med.*, 1962, **266**, 750.
49. Törnell, E., *Sven. Laekartidn.*, 1963, **25**, 1819.
50. Larson, R. K., *Am. Rev. respir. Dis.*, 1964, **90**, 786.
51. Sharma, O. P. and Williams, M. H., *Arch. environ. Health*, 1966, **13**, 616.
52. Haug, H. P., *Dtsch. Med. Wochenschr.*, 1964, **89**, 87.
53. Favez et al., *Int. Arch. f. Gewerbepath. Gewerbehyg.*, 1965, **21**, 268.
54. Garibaldi, R. and Caprotti, M., *Medna. Lav.*, 1964, **55**, 424.
55. McLaughlin, A. I. G., Bidstrup, P. L. and Konstam, M., *Food Cosmet. Toxicol.*, 1963, **1**. 171.
56. Epsom, J. E., *Med. News*, 1965, **89**, 10; *Food Cosmet. Toxicol.*, 1965, **3**(1), 136.
57. Draize, J. H., *et al.*, *Proc. sci. Sect. Toilet Goods Assoc.*, 1959, (31), 28.
58. Shelanski, M. V., *Parfum. Kosmet.*, 1958, **39**(9), 614.
59. Calandra. J. and Kay. J. A., *Proc. sci. Sect. Toilet Goods Assoc.*, 1958, (30), 41.
60. Giovacchini, R. P., *et al.*, *J. Am. med. Soc.*, 1965, **193**, 298.
61. Lowsma, H. B., Jones, R. A. and Prendergast, J. A., *Toxicol. appl. Pharmacol.*, 1960, **9**, 571.
62. Brunner, M. J., *et al.*, *J. Am. med. Assoc.*, 1963, **184**, 851.

63. Kinkel, H. and Eder, H., *Int. Arch. f. Gewerbepath. Gewerbehyg.*, 1966, **22**, 10.
64. Gelfand, H. H., *J. Allergy*, 1963, **34**, 374.
65. Cares, R. M., *Arch. environ Health.*, 1965, **11**, 80.
66. Wells, A. B., *Int. J. cosmet. Sci.*, 1979, **1**, 135.
67. Sciarra, J. J., *Aerosol Age*, 1971, **16**(7), 40.
68. Mitchell, R. I., *Am. Rev. respir. Dis.*, 1960, **82**, 627.
69. Sciarra, J. J., *J. pharm Sci.*, 1974, **63**(12), 1892.
70. Taylor, G. J. and Harris, W. S., *J. clin. Invest.*, 1971, **50**, 1546; *J. Am. med. Assoc.*, 1970, **212**, 2075.
71. Flowers, N. C. and Horan, L. G., *J. Am. med. Assoc.*, 1972, **219**, 33.
72. Aviado, D. M., *J. clin. Pharm.*, 1975, **15**(1), 86.
73. Belaj, M. A. and Aviado, D. M., *J. clin. Pharm.*, 1975, **15**(1), 105.
74. Paulet, G., *Aerosol Rep.*, 1977, **16**(1), 22.
75. Paterson, J. N. and Sudlow, M. F., *Lancet*, 1971, **2**, 565.
76. Quevauviller, A., *et al.*, *Ann. Pharm.*, 1963, **21**, 727.
77. Vashkov, V. I., *et al.*, *Gig Sanit.* 1964, **29**, 61.
78. Paulet, G., *et al.*, *Arch. Mal. Prof. med. Trav.*, 1969, **30**, 194.
79. Gulden, W., *Aerosol Rep.*, 1973, **12**(6), 248.
80. Bower, F. A., *Résumés 9e Congrès International Aerosol Montreaux*, 24–28 Septembre 1973, p. 17.
81. Aviado, D. M., Zakhari, S. and Watanabe, T., in *Non-fluorinated Propellants and Solvents for Aerosols*, ed. Goldberg, L., Cleveland. CRC Press, 1977.
82. Rampy, L., *Aerosol Age*, 1977, **22**(6), 20.
83. Johnsen, M. A., *Aerosol Age*, 1979, **24**(6), 20.
84. Aviado, D. M., in *Non-fluorinated Propellants and solvents for Aerosols*, ed. Golberg, L., Cleveland, CRC Press, 1977.
85. Fleischner, A. M. and Seldner, A., *Cosmet. Toiletries*, 1979, **94**(3), 69.
86. Conrad, L., *Am. Perfum. Cosmet.*, 1968, **83**(10), 63.
87. Calogero, A. V., *Am. Perfum. Cosmet.*, 1979, **94**(4), 77.
88. Goode, S. T., *Am. Perfum. Cosmet.*, 1979, **94**(4), 71.
89. British Patent 745 688, Laboratories Scientifiques de Neuilly, 29 October 1952.
90. Kline, C. H., *Drug Cosmet. Ind.*, 1964, **95**, 895.
91. Berneis, K. I., *Am. Perfum. Cosmet.*, 1967, **82**(5), 25.
92. US Patent 2 628 187, Research Products, 10 February 1953.
93. Thau, P. and Fox, C., *J. Soc. cosmet. Chem.*, 1965, **16**, 359.
94. US Patent 2 771 395, Colgate-Palmolive, 29 June 1953.
95. US Patent 3 210 251, Hercules Powder, 8 February 1963.
96. Druce, S., *Manuf. Chem.*, 1949, **20**, 534.
97. US Patent 4 065 422, General Mills Chemical, 27 December 1977.
98. US Patent 2 402 373, United Rexall Drug, 1944.
99. US Patent 3 101 300, Siegel B., Petgrave, R. and Thau, P., 1963.
100. *Manuf. Chem.*, 1967, **38**(7), 49.
101. British Patent 1 002 466, Chesebrough Ponds, 14 February 1963.

26

Acondicionadores y tónicos capilares

Introducción

Ninguna preparación de higiene ha dado lugar a tanta mofa como los denominados «tónicos» capilares: el empleo de la palabra «tónico» es desafortunado a este respecto, puesto que aun en los terapéuticos se ha revisado con serios recelos. Mucho de este escepticismo es el resultado de las atribuciones hechas en el pasado por los fabricantes de tales preparaciones —ampliamente basadas en viejas recetas inspiradas en la «Naturaleza»— acompañadas con la ausencia de éxito experimentado por el usuario.

No obstante, existen muchos objetivos para los que una loción suministra un vehículo ideal, y el éxito creciente de los modernos aclaradores (enjuagues) y acondicionadores es evidencia prominente de esto.

En efecto, se deben distinguir dos categorías de «tónicos» capilares: productos medicamentosos que tratan problemas específicos del pelo y cuero cabelludo —pelo graso, caspa, pérdida de pelo— y los denominados acondicionadores, usados principalmente por la mujer que tienen como objetivo mejorar, restaurar y mantener las características del pelo. A esta clase se debían añadir aclarados que, aunque su denominación no es precisa, son seguidos habitualmente por un enjuague de agua, y cuya finalidad es la de combatir enredos y hacer más fácil el peinado. Los aclarados y acondicionadores se presentan de modo similar a los tipos más antiguos de fijadores capilares femeninos, y la mayor parte de ellos toman la forma de una loción transparente o crema líquida. La frontera entre aclarados y acondicionadores se hace incluso, más vaga debido al desarrollo de aclarados transparentes que incrementan las propiedades acondicionadoras, garantizando el nombre de aclarado-acondicionador transparente. No obstante, el principal requerimiento es proporcionar el efecto acondicionador.

PRODUCTOS MEDICAMENTOSOS

El objetivo de los productos medicamentosos es curar, reducir, refrenar o contrapesar un fenómeno o incapacidad no estéticos resultantes de alguna anormalidad en la funcionalidad del cuero cabelludo. Aunque en el pasado se usaron frecuentemente compuestos irritantes, queratolíticos, rubefacientes, la tendencia moderna es que el tratamiento debe más bien provocar el retorno a un estado normal, promover el equilibrio, y aliviar y restaurar el sustrato afectado. Las principales afecciones que tratan los productos medicamentosos son caspa, seborrea y pérdida de pelo.

Caspa

La caspa es el resultado de una excesiva descamación del cuero cabelludo, sin síntomas clínicos de inflamación[1]. Rara en niños y personas de edad, generalmente alcanza un máximo en el invierno y cesa en el verano. Aunque puede existir una relación con el estado general de salud (factores nerviosos, digestivos o metabólicos, situaciones de cansancio), aún no son claras las causas de la caspa. Muy frecuentemente se ha observado que la caspa va acompañada de la proliferación de algunos microorganismos, y más particularmente de una levadura esporulada, *Pityrosporum ovale*, considerada como causante de la afección. El cuero cabelludo es un medio prolífico para el crecimiento de microorganismos, y la afección de elevada descamación aumenta sus oquedades, y los nutrientes que favorecen su desarrollo. Ciertamente la flora del cuero cabelludo aparece en todos los individuos, pero sólo un microorganismo experimenta un crecimiento impresionante en la afección de la caspa: el residente dominante, *P. ovale* —el 75 por 100 de la población, frente al 45 por 100 en estados normales[2]—. No obstante, como ha sido destacado por KLIGMAN siguiendo investigaciones con germicidas específicos[1], generalmente se cree que el incremento en *P. ovale* no es la causa, sino el efecto secundario resultante de un aumento en la descamación.

En ausencia del conocimiento de la causa de la caspa, la tendencia es tratar el fenómeno; de este modo, los compuestos añadidos a las lociones anticaspa generalmente cumplen dos requerimientos:

a) Antimicrobiano para prevenir la proliferación, un factor agravante de la alteración local.

b) Queratolítico o exfoliantes para limpiar el cuero cabelludo promoviendo la eliminación de la piel muerta.

Como germicidas se han utilizado particularmente compuestos de amonio cuaternario (tales como sales de benzalconio, cetiltrimetilamonio y cetilpiridinio), clorofenoles, complejos PVP-Yodo, oxiquinolina y 5,7-dicloro-8-hidroxiquinolina[3, 4]. Pero los compuestos que han ganado la parte dominante, a causa de su eficacia, son los derivados de 2-piridina-tiol-N-óxido; según KLIGMAN estos compuestos, aunque son fuertemente antimicrobianos, ejercen una acción citostática, disminuyendo la velocidad de renovación de las células epidérmicas e induciendo una más completa queratinización[5, 6]. Para lociones se prefieren derivados solubles[7 - 10]. Se han patentado productos relacionados con piridazinas[11], quinoxalinas[12] y quinolinas[13].

Como ingredientes queratolíticos, los más frecuentemente usados han sido azufre coloidal, resorcinol, ácido salicílico[14, 15] y disulfuro de selenio. El último, que a causa de su toxicidad está principalmente confinado a empleos de prescripciones, ha demostrado actuar más bien como un poderoso agente citostático[16]. También es conocido que el alquitrán de hulla proporciona buenos resultados; actúa similarmente restringiendo la multiplicación de las células germinales epidérmicas, como los corticoides, o actuando en la coherencia de las células descamantes[1]. Otras sustancias patentadas son derivados de polieno[17] e hidroximetilsulfinato de zinc[18].

Los productos anticaspa pueden ser soluciones sencillas de un agente antimicrobiano en medio agua: alcohol 1:1 o en una composición de fijador o aclarado (ejemplos 1-4).

Loción anticaspa	(1) por ciento
*Complejo bis (2-piridil-1-óxido) disulfuro soluble	0,15
Alcanfor	0,10
Mentol	0,05
Etanol o isopropanol	50,00
Agua	c.s. hasta 100,00

* Complejos de sulfato de magnesio o cloruro cálcico (Olin Mathieson).

Loción anticaspa[19]	(2) por ciento
Polímero catiónico de epiclorhidrin piperazina	0,05 g
Lauril isoquinolinio, bromuro	1,3 g
Acido láctico	c.s. hasta pH 5,0-5,3
Alcohol etílico	55 ml
Mentol, pentotenato	0,1 g
Perfume	0,3 g
Agua	c.s. hasta 100 g

Fijador anticaspa[20]	(3) por ciento
Polipropilen, glicol (40), monobutiléter	1,75
Polipropilen glicol (33), monobutiléter	0,50
Polioxipropilen (12) polioxietilen (16) monobutiléter	15,75
Alquil bencildimetil amonio, sacarinato	0,52
Etanol	63,05
Perfume	c.s.
Agua	c.s. hasta 100

Aclarado transparentes anticaspa	(4) por ciento
Estearil dimetil bencil amonio, cloruro	5,0
Cetiltrimetilamonio, cloruro	0,25
Sebo, amido propilamina óxido	3,00
Propilen glicol	3,00
Hidroxipropilmetil celulosa	0,6
Agua destilada	hasta 100,0

Se han desarrollado métodos para la evaluación cuantitativa de productos anticaspa por recuento de corneocitos, bacterias y levaduras sobre el cuero cabelludo[6, 21].

Pelo y cuero cabelludo grasos

La seborrea es el resultado de una excesiva secreción de las glándulas sebáceas. Descargado en el conducto folicular, el sebo es posteriormente excretado a la superficie de la piel donde sufre una variedad de transformaciones por oxidación del aire, y bajo la acción de los microorganismos residentes. Los mecanismos que conducen al establecimiento de un estado seborreico es aún desconocido. Además del hecho de que puede inducir a la pérdida de pelo, sus consecuencias sobre el cabello son particularmente antiestéticas: el pelo se vuelve graso muy rápidamente después de lavado con champú, forma mechones y capta polvo, se hace pesado, y los beneficios de una operación de fijación se pierden poco después.

El fenómeno de reengrasado es en sí mismo motivo de mucha controversia[22-25]. Un método de reducir la absorción de sebo por el pelo es aplicar un repelente de aceite, esto es, depositar un ingradiente lipófobo en el pelo; esta solución está ilustrada con el empleo de algunos compuestos perfluorados[26-29] hidrófobos y lipófobos tales como $CF_3(CF_2)_x(CH_2)_yZ$, donde Z es un grupo solubilizante de agua o aceite que puede ser aniónico, catiónico, no iónico o anfótero ($x = 7\text{-}11$, $y = 0\text{-}4$). Estas sustancias[26, 27] son usadas en lociones agua-alchol 70:20 a concentraciones entre 0,05 y 0,2 por 100; compuestos comerciales son Fluorad (3M Co.) y Zonad (Du Pont).

A la fórmula dada en el ejemplo 5 se le atribuye retrasar la absorción de aceite en un 85 por 100.

	(5)
	por ciento
Etanol	30,0
Agua	69,7
Polioxietilen polimetilsiloxano	0,1
Acido perfluorononanoico	0,1
Perfume	0,1

También debe mencionarse el uso de sustancias absorbentes de aceite, tales como almidones[30] y dióxido de silicio finamente divididos para mantener el pelo con apariencia limpia durante lapsos más largos.

Otra solución consiste en un tratamiento tópico para reducir la secreción o excreción del sebo; esto ha dado lugar a una multitud de patentes, descubriendo un gran número de posibles moléculas. El mayor número de las sustancias propuestas son recomendadas indiscriminadamente para la seborrea y crecimiento de pelo. Tipos de compuestos con actividad al parecer más selectiva son derivados tioéteres o sulfóxidos de cisteína, cisteamina, glutatión, piridoxina y aminotioles hidroxilados[31]; algunos, tales como sales de 2-benciltioetilamina, se ha publicado que actúan específicamente en el proceso de síntesis de lípidos[32, 33], por lo cual reducen la producción de sebo. Otros inhibidores de la síntesis de sebo reivindicados son derivados de tiolandiol[34], ácidos poliinsaturados, tales como ácido eicosa-5:8:11:14-tetranoico[35, 36], y ácidos 5-fenilpentadienoico[37], así como N,N'-sebocoil dimetionina[38]. Otra propuesta más específicamente medicamentosa, que tiende a contrarrestar la secreción de sebo inducida por andrógenos, es aplicar esteroides[39, 40], o antiandrógenos no esteroides, tal como flutamida[41]. No obstante, es cuestionable una acción local, esto es, un efecto no sistémico, de tales compuestos.

También es digno de mencionar las lociones basadas en antioxidantes —por ejemplo, galatos de alquilo, *t*-butil hidroxianisol— para prevenir la transformación peroxidativa del sebo en el pelo y cuero cabelludo[42, 43]. Agentes antimicrobianos se pueden añadir para reducir o controlar enzimas (por ejemplo, lipasa), que liberan bacterias o levaduras. La loción postlavado con champú representa el modo de aplicación que ofrece la mejor esperanza de tener actividad y modificar algo el proceso de reengrasado. El contenido de alcohol no debe ser excesivamente alto; la aplicación de alcohol isopropílico al 70 por 100 como tónico capilar ha demostrado que desplaza los lípidos del cuero cabelludo al pelo[44].

Pérdida de pelo

Fundamentalmente se mantiene la certeza de que no existe sustancia conocida por la ciencia que, cuando se aplica externamente al cuero cabelludo, ocasione —en un número de casos estadísticamente significativo —el renacer de pelo normal en una cabeza calva.

Las causas de pérdida del pelo varían mucho, y generalmente son complejas (véase capítulo 23). Pueden ser más o menos diversificadas, más o menos localizadas; pueden ser congénitas o adquiridas. Pueden presentar un estado agudo o ser un acontecimiento transitorio, resultante de una alteración afectiva, un trauma, una enfermedad infecciosa, el efecto de algunas medicinas, enfermedades endocrinas, anemias o tratamiento por radiación ionizante. Se pueden mostrar progresivas, crónicas, inevitables, ligadas o no a seborrea, o a un desequilibrio hormonal. Las tensiones de la vida moderna y la evolución de las sociedades con elevados estándares de vida son razones por las que la pérdida de pelo parece incrementarse en las mujeres, además de su importancia psicológica y aun moral, de modo que el recurso a los tónicos tiene poca esperanza de éxito.

Muchos puntos suscitados por los primeros autores[45, 46] permanecen sin explicar; se carece de conocimientos para comprender los procesos y factores biológicos que provocan o agravan la pérdida del pelo. En este campo, los problemas de investigación se encuentran con el tiempo necesario para recoger datos significativos estadísticamente; el desarrollo de los estudios tricográmicos y macrofotográficos ayudarán a cotejar las observaciones sobre el misterio del desarrollo del pelo. CHASE[47] sugirió cinco métodos por los que se pueden incrementar el crecimiento del pelo, pero llegó a la conclusión de que sólo el último ofrecía alguna esperanza real de realización práctica:

1) Incrementar el crecimiento en fase anágena del pelo.
2) Producción de nuevos folículos o más folículos múltiples.
3) Prolongar la fase anágena o acortar la fase telógena.
4) Prevención o dilatación de la fase telógena.
5) Iniciación de la fase anágena en folículos en estado telógeno.

En la calvicie normal según el patrón del hombre, se conoce que existe un acortamiento del ciclo del pelo, y un progresivo adelgazamiento hasta que queda el denominado «cabeza pelada» *(club hair)*. Como contraste, el mayor número de raíces capilares en la alopecia areata están en estado anágeno; el pelo cae por una variedad de razones durante la fase anágena, y el cuero cabelludo queda calvo durante el período correspondiente a catágeno y telógeno, y después crece más pelo durante el próximo período anágeno. Si la enfermedad se supera durante el período de calvicie, estos nuevos pelos serán completamente sanos. Si no es así, son pelos atrofiados y finos y volverán a caer en la fase anágena. Actualmente, la alopecia areata se considera una enfermedad autoinmune, es debida a una deficiencia de T-células; en apoyo de tal aseveración está el éxito del tratamiento con una solución del potente sensibilizador clorodinitrobenceno en acetona[48, 49].

Durante largo tiempo se ha considerado que la pérdida de pelo estaba ligada a un pobre «riego» del cuero cabelludo, y muchas preparaciones recomendadas, como «anticaída», se basaron en el uso de sustancias irritantes, rubefacientes, «excitantes» para provocar un abundante suministro de sangre con nutrientes promotores de crecimiento. Actualmente parece que la circulación de la sangre no desempeña un papel determinado, y puede ser preferible reducir la velocidad de flujo en una región, ya de por sí bien vascularizada. El desarrollo de estados hipóxicos ha sido favorablemente destacado para reducir una alopecia seborreica[39].

La evidencia sugiere que el proceso de pérdida más probablemente involucra una ausencia de equilibrio en el crecimiento y división de células germinativas del pelo; este desequilibrio puede ser debido a una deficiencia de algunos nutrientes y a la influencia de ciertos factores hormonales. El papel que desempeña un metabolito de la testosterona —la 5-α-dihidrotestosterona— es sospechoso en alto grado, y se han recomendado tratamientos basados en anti-andrógenos[40, 50, 51] o en algunas quinonas y fenoles[52], que inhibirían la producción del metabolito «culpable» por la enzima α-reductasa.

Aristóteles destacó que los eunucos no presentan calvicie, y en general esto es verdad. Aunque no existe relación completamente clara entre la incidencia de calvicie y la cantidad de hormonas masculinas circulantes en sujetos normales[53], es significativo que la extirpación de alguna de las variadas glándulas (hipófisis, suprarrenales, pituitaria) en ratas tiene un efecto profundo en la cantidad y calidad de su pelo, y parece muy probable que un sistema complejo similar gobierne el crecimiento del pelo humano.

Todavía parece cierto que la única segura prevención de la calvicie es la elección apropiada de progenitores.

Formulación de tónicos capilares medicamentosos

Varios compuestos, sin relación entre sí, se han recomendado para usar en tónicos capilares, y algunas fórmulas, tanto antiguas como modernas, se dan a continuación.

Para elaborar un buen tónico es importante incorporar los siguientes ingredientes:

Nutrientes necesarios para la biosíntesis de la queratina (vitaminas, aminoácidos que contienen azufre).

Factores reguladores de la secreción de las glándulas sebáceas.

Antisépticos para controlar afecciones del cuero cabelludo que puedan interferir el crecimiento del pelo.

Ingredientes calmantes (para reducir el picor).

El principal adversario de un tónico es el tiempo que se requiere para que se pueda detectar un efecto que no sea atribuible a placebo. Considerando la relativa lentitud del proceso de desprendimiento del pelo natural, es probable que la aplicación de un producto se manifieste, en un principio, en un aumento de la pérdida de pelo; los posibles efectos no se manifiestan antes de dos meses. Para animar en la persistencia del uso es deseable añadir algunos ingredientes activos que ofrezcan beneficios inmediatos, tales como aditivos compatibles que impartan apariencia sana, brillo y volumen.

«Agentes estimulantes»

Muchos de los compuestos empleados como estimulantes se han obtenido de la Naturaleza, siendo productos irritantes que se suponen tienen efectos estimulantes en el crecimiento del pelo. Estos compuestos principalmente utilizados han sido tinturas de cantáridas (que contienen una lactona muy irritante, cantaridina); tinturas de pimienta (que contienen un principio picante, capsaina); tinturas jaborandi con pilocarpina como principio activo; y varios, tales como árnica y tinturas rojas de quina, Urginea marítima[54], extracto de ruibarbo[55], alcanfor, β-naftol, pilocarpina, sales de quinina, trementina. Como agentes rubefacientes y penetrantes también se han reivindicado ésteres y sales del ácido nicotínico, especialmente ésteres de etilo y tetrahidrofurfurilo, y nicotinato de piridoxina, y también han sido reivindicados ácido brasídico y 1-citronelol.

Derivados de azufre

El uso de aminoácidos aplicados tópicamente en el crecimiento del pelo ha sido investigado por EDWARDS[57]. Este aplicó metionina radio-marcada (S^{35}) a la piel de cobayas, y encontró un 1 por 100 de incorporación de azufre al pelo, pero cuando la metionina se dio oralmente a las cobayas, se incorporó hasta 2,5 veces más de azufre. GRAUL et al.[58] aplicaron azufre, metionina y ésteres de metionina (S^{35}) radio-marcadas y hallaron que el incremento de azufre era mayor con el azufre elemental. Estos resultados indicaron la importancia del azufre y aminoácidos que contienen azufre en el crecimiento del pelo, y han aparecido varias patentes reivindicando el uso de tales sustancias en preparados aplicados por vía tópica. La misma cisteína, aunque muy importante para el crecimiento normal, no es un compuesto muy estable y se han hecho intentos para superar esta desventaja. Se han reivindicado[59] para estimular el crecimiento de pelo, uñas y piel cisteinato de magnesio en asociación con dehidrocolato de magnesio y sales de magnesio de ácidos grasos insaturados. Se han patentado varios derivados adecuados para aplicar tópicamente, con grupos protectores pensados para liberar cisteína in situ; estos derivados incluyen ácido 4-tiazolidin carboxílico[60], y S-aralquil y S-carboximetil cisteína[61]; esta última ha demostrado también ser eficaz para reducir el estado graso del cuero cabelludo.

Alquitranes

Los alquitranes vegetales resultantes de la carbonización de maderas específicas (aceite de alquitrán de pino, aceites de cade, cedro y abedul) han demostrado ser interesantes en casos de seborrea, caspa y cuero cabelludo seco. Antisépticos y astringentes, son mezclas complejas de polifenoles, ácidos o alcoholes de elevado peso molecular, ceras, cetonas, etc.

Vitaminas

La acción tópica de las vitaminas es discutible, pero numerosas composiciones se basan en ellas. Se han aplicado ampliamente vitaminas del grupo B (B_1, B_2, B_6 y B_{12}), vitaminas A y E, extractos de germen de trigo que contienen un complejo vitamínico, la denominada vitamina F compuesta de ácidos grasos esenciales (insaturados), biotina, factores vitamínicos tales como ácido *p*-aminobenzoico, ácido pantoténico, y el alcohol con el relacionado pantenol[62]. Su objetivo es estimular la síntesis celular.

El empleo de líquido amniótico[63], y extractos de placenta[64, 65], tiende a suministrar nutrientes y elementos estimulantes que son necesarios para la queratinización.

Sustancias varias

La sericina (cola de seda) es un complejo proteínico rico en serina que se ha destacado por proporcionar un efecto tónico interesante y antiseborreico.

Entre otras sustancias varias recomendadas como promotoras del crecimiento del pelo están yema de huevo, ginseng[66], suero de serpiente[67], ácido ferúlico[68], ácidos cólicos[69], 4-yodo-3,5-dimetil-2-ciclohexilfenol[70], esteroides[71], hidroperóxidos[72] y un compuesto orgánico de silicona-clorometil silatrano[73].

Ejemplos de fórmulas

Loción de quina	(6)
	por ciento
Tintura de quina	2,0
Aceite de alquitrán de abedul	0,3
Glicerina	6,0
Resorcinol	0,3
Ron de Jamaica	15,0
Etanol	50,0
Perfume, colorante	*c.s.*
Agua	*c.s.* hasta 100

Loción basada en quinina	(7) por ciento
Sulfato de quinina	0,01-0,2
Alcohol	30,0
Agua	69,0
Perfume, color	c.s.

Loción de cantaridina	(8) por ciento
Cantaridina	0,002
Alcohol	30,000
Acido maleico	0,500
Agua	c.s. hasta 100

Tónico capilar de jaborandi	(9) por ciento
Tintura de jaborandi	0,5
Tintura de capsicum	0,5
Alcohol isopropílico	60,0
Acido salicílico	0,1
Pantenol	0,2
Agua destilada	38,7

Loción vitamínica	(10) por ciento
Ester vitamina E ácido nicotínico	0,1
Isopropilo, miristato	3,0
1-Mentol	1,0
Calcio, pantotenato	0,05
Piridoxina, clorhidrato	0,05
Irgasan DP 300	0,2
Perfume	0,5
Etanol 95 por 100	80,0
Agua	15,1

Loción vitamínica	(11) por ciento
A. Etanol	50,0
Savia cambium de abedul	7,5
Acido bórico	0,5
Glicerina, diacetato	2,0
Agua	40,0
B. Acido linoleico, éster etílico	10 mg
Acido araquidónico, éster etílico	10 mg
Ascorbilo, palmitato	180 mg
Vitamina D	10.000 U.I.
Calcio, pantotenato	10 mg
Acido p-aminobenzoico	5 mg
Inositol	10 mg

Procedimiento: Añadir *B* por cada litro de producto *A*.

Loción para pelo graso[75]	(12)
	por ciento
Benziltio-2-etilamina, malato	1,0
Benzalconio, cloruro	0,8
Etanol	45,0
Agua	*c.s.* hasta 100

Loción para evitar la caída	(13)
	por ciento
Líquido amniótico	10
Clorohidroxi-aluminio, alantoinato	10
Glicerina	1
Alquitrán de pino	2
Esencia de limón	0,1
Etanol	*c.s.* hasta 100

ACONDICIONADORES

Se puede afirmar que los acondicionadores tienen su origen en la necesidad fundamental de las mujeres por tener un cabello atractivo y de aspecto sano. Los acondicionadores deben proporcionar al cabello vida, elasticidad, suavidad, volumen, cuerpo, brillo, tacto sedoso, control de vuelo y facilidad de peinado.

Los acondicionadores actuales son la expresión sofisticada y científica de los que se buscaron en tiempos pasados en la yema y clara de huevo, aceite de tuétano y vegetales. Se pueden formular para ser aplicados como pre o como postratamiento. Principalmente se proyectan para el pelo lesionado o debilitado resultado de tratamientos químicos, tales como decoloraciones, ondulaciones permanentes, lavados demasiado frecuentes con champúes, abuso de manipulación (secado con aparato eléctrico, cepillado), exposición al ambiente (fuerte exposición al sol) o causas internas. Tales tipos de pelo, generalmente reunidos bajo la denominación de «secos» tienden a tener aspecto deslucido y son ásperos, porosos y frágiles, además de presentar una sensibilidad incrementada. Para compensar la deficiencia natural de sebo, un acondicionador debe suavizar, «dar textura», restaurar la vaína del pelo, llenar grietas, alisar o unir escamas de cutícula, aliviar la sensibilidad y proporcionar elasticidad, soltura, control y facilidad de peinado.

Otra razón por la que los acondicionadores han sido uno de los sectores de crecimiento más rápido del mercado[76] de productos de cuidado del pelo, es la tendencia hacia una forma de peinado más natural. De aquí parte la necesidad de un agente transparente e incoloro, como el agua, para que se aplique después de un lavado con champú, sin necesidad de aclarado como después de aplicar las cremas convencionales de aclarado, al mismo tiempo que imparten un mejor conjunto de las características anteriormente mencionadas de pelo sano, y obviamente asociado a una apariencia natural.

En gran parte, el acondicionador se basa en el concepto de sustantividad, esto es, en la absorción de ingredientes adecuados para modificar las propiedades superficiales, y quizás la textura del pelo. Hablando en términos generales, la sustantibilidad es más elevada cuando el pelo está más lesionado y más poroso.

La queratina es una resina aniónica, y como consecuencia presenta afinidad preferente por sustancias catiónicas. Algunos tratamientos, tales como la decoloración, incrementan marcadamente esta característica creando zonas ácido sulfónicas fuertemente aniónicas; la exposición prolongada al sol y a la atmósfera ambiental tienen efectos similares, aunque en menor extensión.

Así, no es sorprendente que los acondicionadores primeramente comercializados en 1945 estuviesen basados en el empleo de un agente tensioactivo catiónico, cloruro de cetilmetilamonio; y aún se usa. Posteriormente, siguieron los haluros de alquildimetilbenzilamonio, alquilisoquinolinio y alquilpiridinio. Las mejores propiedades acondicionadoras las proporcionaron compuestos alquilos de cadenas largas[77]. Pequeñas cantidades de estos derivados de amonio cuaternario[78] mejoran la manejabilidad, previenen el vuelo suelto neutralizando las cargas negativas en el cuero cabelludo y, en cierto grado, proporcionan «cuerpo».

Desde entonces se han propuesto e introducido en los acondicionadores una amplia variedad de otros agentes tensioactivos catiónicos (véase Capítulo 24). Generalmente se destaca una irritación inferior (o ausencia de irritación) para el pelo, y la piel comparada con los agentes tensioactivos anteriores; también ofrecen una mayor flexibilidad en la formulación, e imparten propiedades especiales —aumenta cuerpo, suavidad, volumen, elasticidad— al pelo. Ejemplos son fosfatos de amonio cuaternario etoxilados[79] (por ejemplo, Dehyquart SP-Henkel), amino-amidas de ácido graso cuaternizadas derivadas de ácidos lanolicos[80-82] (Lanoquart-Emery) y aceite de visón[83], y derivados N-acil colaminoformilmetilpiridinio (Emcol E607S-Witco):

$$\underset{\displaystyle (CH_2-CH_2-CH_z\ H)}{\overset{\displaystyle (CH_2-CH_2-O)_x\ H}{R-\overset{+}{N}-(CH_2-CH_2-O)_y\ H\ H_2PO_4^-}}$$

Fosfato amonio cuaternario etoxilado

$$R-CO-NH-(CH_2)_n-\underset{\displaystyle C_2H_5}{\overset{\displaystyle C_2H_5}{\overset{+}{N}-C_2H_5}}\ X^-$$

Amino-amida de ácido graso cuaternizada

$$R-CO-NH-CH_2-CH_2-O\cdot COCH_2-\overset{+}{N}\langle\rangle Cl^-$$

Derivado de N-acil colaminoformilmetilpiridinio

Las sales de amino amidas de ácido graso no cuaternizadas, por ejemplo, lactato de estearoilamidopropildimetilamina, se consideran que no difieren sustancialmente de los amonios cuaternarios de la familia con relación a las propiedades acondicionadoras y tienen la ventaja adicional de no crear acumulación[84]. Más recientemente, también se han patentado sales similares cuya parte aniónica es también un tensioactivo.

Se han propuesto algunos polímeros catiónicos (véase capítulo 24, agentes acondicionadores en champúes) para elaborar formulaciones transparentes que dan efectos elevados de acondicionamiento; entre ellos están los derivados catiónicos de celulosa (Polymer JR), copolímero vinilpirrolidona-dimetilaminoetil metacrilato cuaternizado (Gafquats)[86], compuestos «poliazonia»[87-90], polímeros epiclorhidrina ácido adípico con enlaces cruzados —dietilentriamina[91], polietileniminas, copolímeros de piperacina[92] y siliconas catiónicas[93]. La elevada sustantividad de estas sustancias polímeras, no obstante, origina algunos problemas —tal como una acumulación excesiva— y necesitan un control cuidadoso. El cloruro sódico puede ser de ayuda para reducir la sustantividad[94].

Otra clase de compuestos muy usados en acondicionadores para proteger, enriquecer o reparar las fibras del pelo es la de proteínas parcial o totalmente hidrolizadas, particularmente hidrolizados de colágeno, cola de pescado, queratina (cuernos, cerdas, pezuñas, pelo) y caseína de leche. Se ha estudiado[95, 96] con profundidad que el pelo virgen absorbe solamente pequeñas concentraciones de proteína, y con un máximo a pH 9-11; la absorción de colágeno hidrolizado enzimáticamente; el pelo rizado absorbe concentraciones mucho más elevadas que pueden penetrar profundamente en el cortex. En términos generales, la absorción es más elevada, y se realiza a pH inferiores cuando el pelo está más lesionado (pH 6 para el pelo fuertemente decolorado). La absorción está controlada por un fenómeno de equilibrio iónico, y como consecuencia es muy sensible a las modificaciones de pH[97]; parece aumentar rápidamente con la concentración hasta un valor aproximado del 5 por 100[98]. La sustantividad más elevada se obtiene con fracciones polipéptidas de peso medio molecular 1.000[99].

La evidencia de los efectos de restauración y curación en el tallo del pelo se encuentra en el mejoramiento del 95 por 100 de las terminaciones escindidas, cuando se aplica un acondicionador[100] que deposita proteínas; análogamente una formulación de aclarado en crema conteniendo un 5 por 100 de proteína animal hidrolizada (Lexein X-250—Inolex Group) ha demostrado reparar el 50 por 100 de las terminaciones escindidas frente al 25 por 100 de la misma crema sin proteína[100].

Actualmente se dispone de nuevos hidrolizados cuyos grupos aminos libres están cuaternizados[102, 103], para aumentar la sustantividad de la proteína. A las asociaciones de hidrolizados de elastina y colágeno se les atribuye impartir volumen y suavidad al pelo[104]. Condensado de ácido oleico-proteína, y el homólogo ácido abiético, se considera que mejoran el peinado en húmedo, y engrosan el pelo respectivamente[99]. También se han mencionado los productos de condensación de proteínas con aminas —tal como dietilentriamina— y epóxido[105, 106] y protaminas procedentes de lechaza de peces[107].

Las sustancias oleosas son el tercer tipo de ingredientes utilizados clásicamente para mejoran el estado del pelo. Desde la antigüedad se han usado para proporcionar lubrificación y lustre. Ayudan a reducir la fricción de la fibra y los efectos abrasivos de la manipulación y mejoran el estado del pelo, bien alisando la superficie descamada o recubriéndola con una sustancia de elevado índice de refracción. A este respecto, los aceites de silicona ofrecen propiedades interesantes. Aún son muy apreciados y ampliamente usados los derivados de lanolina por sus cualidades emolientes; lanolinas hidroxiladas y acetiladas, ésteres de lanolina, añaden lustre y tacto agradable y tienden a reproducir, sobre el pelo seco, el efecto beneficioso del sebo en el pelo sano. Otros compuestos grasos usados con este fin incluyen alcoholes grasos, ceras naturales (abeja, esperma de ballena), alcoholes etoxilados, ácidos grasos y ceras, ésteres de ácidos grasos, alcoholes grasos parcialmente sulfatados, tales como cera lanette, polietilen glicoles, lecitinas y algunos aceites (almendras, aguacate, visón, ricino, germen de trigo). Se han sugerido los lactilatos de ácidos grasos como agentes restauradores eficaces del pelo lesionado[108].

Recientemente se ha propuesto una nueva solución para la lubrificación del pelo: se basa en el empleo de resinas perfluorocarbonadas, tales como polímeros de tetrafluoroetileno y hexafluoropropileno[109].

En el Capítulo 28 se tratarán más específicamente los productos para reparar el pelo lesionado, pero es importante mencionar aquí la asociación de vinilpirrolidona cuaternizada, agente tensioactivo catiónico, colágeno hidrolizado y una sal de calcio para restaurar la fuerza y elasticidad del pelo decolorado[110].

Ejemplos de fórmulas

Acondicionador para ser aplicado sin aclarar	(14)
	por ciento
Gafquat 734	0,5
Cetil trimetil amonio, cloruro	0,3
Etanol	10,0
Agua	*c.s.* hasta 100,0

Acondicionador para ser aplicado sin aclarar	(15)
	por ciento
PVP-VA S 630	1,0
Cetildimetil (hidroxietil) amonio, cloruro	0,5
Aceite de silicona	0,3
Etanol	25,0
Agua	*c.s.* hasta 100,0

Crema antigua para cuidado y restaurado del pelo seco o lesionado[111]	(16)
	por ciento
Tuétano de vaca	35
Aceite de almendras	40
Aceite de visón	15
Aceite de ricino desodorizado	10

Acondicionador de cabello crema densa[112]	(17)
	por ciento
A. Glicerilo, estearato	5,0
Alcohol cetílico	3,0
Lanolina cuaternaria (50 por 100 activo)	5,0
Cera de abejas sintética	2,0
*PEG 75-lanolina y proteína animal hidrolizada	3,5
Propilen glicol	2,5

Aceite de sésamo	1,5
Acido esteárico	1,5
Lecitina	1,0
Hidroxipropil celulosa (sol. acuosa al 2 por 100)	7,5
Metil paraben	0,1
Propil paraben	0,1

B.   Agua desmineralizada   67,2

*Prolate WS (Malmstrom).

Procedimiento: Calentar *A* a 75 °C y *B* a 60 °C. Añadir *A* a *B* con agitación constante hasta homogeneidad. Enfriar a temperatura ambiente con agitación suave.

Loción capilar acondicionadora[112]	(18)
	por ciento
A. Propilen glicol	5,0
Glicerilo, estearato	3,0
Sorbitan, estearato	1,5
Polisorbato 20	2,5
Aceite mineral, 70 visc.	3,5
Alcohol cetílico	3,0
Acido esteárico	1,5
B. Lanolina cuaternaria	5,0
*PEG 75 aceite lanolina proteína animal hidrolizada	5,0
Propil paraben	0,1
Metil paraben	0,2
C. Agua desmineralizada	69,7

Procedimiento: Calentar *A* y *B* separadamente a 75 °C. Añadir *B* a *A* con agitación y después añadir *C* (precalentado a 60 °C). Continuar mezclando mientras se enfría a temperatura ambiente.

| *Acondicionador para pelo fino, delgado, débil*[113] | (19) |
delgado, débil[113]	*por ciento*
Fase acuosa	
*PPG 20 metilglucosa éter	2,0
Agua	60,0
Hidroxietilacetamida	15,0
Proteína animal hidrolizada	5,0
Fase oleosa	
Glicerilo, estearato	3,0
PEG 100, estearato	5,0
Tritón X 400	5,0
Alcohol cetílico	2,0
Alcohol estearílico	1,0
Alcohol lanolina acetilado	2,0
Perfume, conservante, color	*c.s.*

*Glucam-P 20 (Amerchol).

| *Acondicionador de acción rápida para impartir* | (20) |
cuerpo, elasticidad y brillo[113]	*por ciento*
Fase acuosa	
Agua	89,8
Cetiltrimetilamonio, cloruro	1,5
Alúmina	0,5

Fase oleosa
Petrolato	1,5
Glicerilo, estearato	0,2
Alcohol de lanolina acetilado	2,0
Alcohol de lanolina	2,0
Alcohol esteárico	2,5

Emulsión acondicionadora para dar vuelo al pelo (manejabilidad, apariencia) [113]	(21) *por ciento*
Agua	54,7
Propilen glicol	7,5
Alcohol	6,0
Triton X 400	4,8
Dietanolamida del ácido esteárico	5,0
Dietanolamida del ácido laúrico	4,0
Proteína animal hidrolizada	2,0
*PPG 20 metilglucosa éter	1,5
Alcohol de lanolina polietoxilado [16]	2,0
Sorbitan, sesquioleato	5,0
Dodecilalcohol polietoxilado [4]	5,0
Sorbitan, estearato	1,5
Polisorbato 40	1,0
Perfume, colorante, conservante	*c.s.*

Acondicionador proteínico [84]	(22) *por ciento*
Estearilamidopropildimetilamina	1,5
Alcohol cetílico	2,0
Estearilo, estearato	1,0
Acido láctico (88 por 100)	0,7
Sodio, cloruro	0,5
Proteína animal hidrolizada	1,5
Metil parabén	0,15
Propil parabén	0,05
2-Bromo-2-nitro-1,3-propanodiol	0,05
Perfume, colorante	*c.s.*
Agua	*c.s.* hasta 100

Procedimiento: Disolver cloruro sódico en agua, añadir los componentes restantes excepto perfume, colorante; y calentar a 70-75 °C. Agitar hasta homogeneidad y enfriar. Añadir colorante y perfume a 45 °C y enfriar. Envasar el lote a 30 °C.

Bálsamo acondicionador [84]	(23) *por ciento*
Estearilamidopropildimetilamina	1,60
Alcohol cetílico	1,80
Acido fosfórico (85 por 100)	0,90
Sodio, cloruro	0,30
Conservantes	*c.s.*
Perfume CS 18479 (Albert Verley)	*c.s.*
Agua	*c.s.* hasta 100

Loción capilar acondicionadora, tipo bálsamo [83]　　　　　　(24)

	por ciento
Cetilo, lactato	2,0
Isopropilo, linoleato	2,0
Glicerilo, estearato	4,0
PEG 40, estearato	1,0
*Alcohol cetil estearilo y su derivado polietoxilado [20]	2,0
Alcohol cetílico	1,0
Agua desionizada	83,8
Etil celulosa	0,3
Quaternium 22†	1,0
Quaternium 26†	2,5
Acido láctico	0,3
BTC 2125 M	0,1
Color, perfume oleoso (V-2374/2)	c.s.

*Promulgen D (Robinson-Wagner).
†También véase «Aclarados» para el uso de compuestos cuaternarios.

Pretratamiento del pelo antes de lavar　　　　　　　　　　(25)
　con champú aniónico [114]　　　　　　　　　　　　　　*por ciento*

Estearil dimetilbenzilamonio	
o N-lauroilcolamino formilmetil pridinio, cloruro	2,5
N-etanol acetamida	15,0
Polietilenimina (60.000 HW) (activo 40 por 100)	1,5
Emulsionante no iónico	2,0
Acido fórmico (activo 90 por 100)	1,4
Hidroxietil celulosa	0,37
Metilparabén	0,1
Perfume	c.s.
Agua	c.s. hasta 100

Se ha sugerido un modo original de aplicación en que un polímero acondicionador se descarga de un peine moldeador, compuesto de un polímero soluble en agua, por ejemplo, Polymer JR catiónico, y un polímero portador soluble en agua, por ejemplo, polietileno de elevada densidad [115].

Evaluación de acondicionadores

Es difícil el objetivo de evaluar las propiedades acondicionadoras del pelo. Aún es un problema que requiere una gran cantidad de inventiva para desarrollar técnicas experimentales apropiadas, la relación de la percepción sensorial de los factores acondicionadores del pelo con las propiedades físicas cuantificables. Una buena revisión de este tema se ha publicado por BREUER et al. [116]. Actualmente se dispone de una herramienta poderosa con el microscopio electrónico explorador *(Scanning electron microscope = SEM)* para suministrar datos precisos del estado del pelo con relación al tratamiento.

Engrosadores capilares

Los engrosadores capilares son una variante de acondicionadores diseñados para proporcionar una apariencia temporal de pelo más grueso y con más cuerpo[117]. Usualmente estas preparaciones son emulsiones aceite-agua que combinan polímeros sintéticos o naturales empleados en las lacas capilares o lociones fijadoras y varios de los ingredientes que se han citado anteriormente, junto con agentes que dan volumen (Veegum, Bentonite) y agentes espesantes (resinas Carbopol). Más particularmente empleados son los polímeros catiónicos (tales como Merquats, Gafquats y Polymer JR) para depositar una película recubridora sustantiva y densa que engrose al pelo y le imparta cuerpo.

Se ha propuesto la fórmula del ejemplo 26.

		(26)
		por ciento
A.	Agua desionizada	44,00
	Metil parabén	0,20
	Carbopol 940	1,00
	Trietanolamina	2,00
B.	Agua desionizada	25,20
	Merquart 550	5,00
	Ucon HB 660	8,00
	Propil parabén	0,10
	PVP K90	1,50
	Titanio, dióxido	0,50
	Carbowax 6000	7,00
	Alcohol lanolina polietoxilado[5]	3,00
C.	Dowicil 200 (10 por 100)	2,00
D.	Perfume	0,50

Procedimiento: Espolvorear el carbopol en agua con agitación rapida. Calentar a 70 °C y añadir trietanolamina. En una caldera separada, mezclar todos los ingredientes de B y calentar a 70 °C. Añadir B a A, y mezclar aplicando vacío hasta 25 °C. Añadir C y D.

ACLARADOS

Si el desarrollo de los aclarados es comparativamente un fenómeno reciente, la idea y su necesidad eran evidentes desde muy antiguo. Los antepasados de los aclarados fueron los jugos de limón y vinagre utilizados por las mujeres para eliminar la «nata de los jabones cálcicos» depositada en el pelo por los jabones toscos empleados en tiempos antiguos. Además de disociar las sales de calcio, el aclarado ácido lleva el pH del pelo próximo al punto isoeléctrico y ayuda a mantener su integridad; los hidroxiácidos se han utilizado ampliamente en este aspecto. Sin embargo, los aclarados modernos nacieron con el uso de un tensioactivo catiónico, cloruro de estearildimetilbenzilamonio, asociado con alcoholes grasos; el compuesto más conocido es el Triton X 400 (Rohm and Haas), una solución acuosa que contiene un 20 por 100 de cloruro de estearildimetilbenzilamonio y un 5 por 100 de alcohol estearílico. Esta asociación mejora la manejabilidad del cabello y su facilidad de peinado en húmedo y seco, y da un tacto suave al pelo. El aclarado se formuló como una crema, no por razones técnicas sino como una decisión de «marketing», esto es, a causa de la necesidad de enfrentarse al ablandamiento y dar la impresión de que el pelo era «tratado con una crema». Generalmente las primeras formulaciones consistían en un 3 por 100 de cloruro de estearildimetilbenzilamonio diluido aproximadamente diez veces cuando se aplicaba al pelo.

	(27)
	por ciento
Triton X-400	12,5
OPE-1 (octilfenoxietanol)	1,0
Perfume, color	*c.s.*
Agua	*c.s.* hasta 100

Procedimiento: Mezclar completamente el OPE-1 y el Triton X-400 calentado. Calentar el agua a 70 °C y añadir a la pasta con agitación enérgica. Enfriar a 50 °C, añadir perfume y colorante. La viscosidad se ajusta con cloruro sódico al 0,1-0,2 por 100; se puede ajustar el pH con ácido cítrico si se desea.

Emulsiones buenas cremosas se obtienen con varios emulsionantes no iónicos, tales como estearatos de glicerilo, glicol o dietilen glicol, alcoholes grasos polietoxilados, ésteres polietiquilados de sorbitan, ésteres metil glucósidos y etoxilados. Además de los alcoholes grasos, los aditivos más populares para promover el tacto y lustre son los derivados de lanolina y aceites de silicona, algunos de los cuales son interesantes porque son más solubles en agua fría que en agua caliente, y de este modo resisten el aclarado; también se han sugerido las hidroxialquilcelulosas y compuestos perfluorados [26, 27].

Otros catiónicos básicos para aclarados son N-estearil colaminoformilmetilpiridinio (Emcol E607S-Witco), amonio cuaternario etoxilado (Dehyquart-Henkel) y amidoalquildialquilamidas grasas cuaternizadas. Las últimas citadas, como las aminas terciarias no cuaternizadas, ofrecen la ventaja de la posible neutralización en sales con la elección del más adecuado ácido mineral u orgánico.

Bálsamo para aclarar (desenredar,	(28)
y dar suavidad y brillo)	*por ciento*
Estearildimetilbenzilamonio, cloruro	1,5
Alcohol estearílico	0,75
Alcohol cetílico	0,75
Polawax GP200 (Croda)	3,0
Alcohol oleico	1,0
Conservantes, perfume	*c.s.*
Acido cítrico	*c.s.* para pH 4-5
Agua desionizada	*c.s.* hasta 100

Procedimiento: Calentar los cinco primeros ingredientes a 80-85 °C, después agitando, añadir agua. Posteriormente enfriar a 45 °C, añadir perfume y conservadores manteniendo la agitación. Cuando se alcanza la temperatura de 30 °C, añadir ácido cítrico para ajustar el pH. Se obtiene una crema fluida de 500 cS de viscosidad, a la que se puede añadir hidrolizado de proteína a la concentración del 0,5-1,0 por 100.

Aclarado crema perlada[84]	(29) por ciento
Estearamido própildimetilamina	1,5
Alcohol cetílico	1,0
Sodio, cloruro	0,5
Acido láctico al 88 por 100	0,5
Agua	hasta 100,0
Colorante, perfume, conservante	c.s.

Procedimiento: Añadir los componentes, excepto colorante y perfume, al agua y calentar a 65-70 °C. Mezclar hasta homogeneidad. Añadir colorante y perfume a 45 °C, y envasar a 35 °C o menos.

Aclarado perlante[118]	(30) por ciento
Estearildimetilamina óxido (25 por 100 activo)	7,5
HCl 36 por 100 diluido en agua 1:1	0,23
Color, perfume, conservante	c.s.
Agua	92,27

Procedimiento: Calentar juntos amina óxido y agua, y mezclar bien. Añadir HCl en pequeñas adiciones hasta pH 5,5. Mezclar durante quince minutos, después enfriar gradualmente con moderada agitación.

Aclarado reparador perlante (con polímero catiónico)[119]	(31) por ciento
Estearildimetilbenzilamonio, cloruro (25 por 100 activo)	5,0
Alcohol cetílico	0,3
Glicerilo, monoestearato	0,5
Derivado catiónico de celulosa (Quaternium 19)	1,0
Conservante	0,1
Agua	93,1

Aclarado acondicionador capilar[120]	(32) por ciento
A. Arlacel 165	4,0
Emcol E 607S	2,5
Alcohol estearílico	2,0
PPG 30 lanolin éter	2,5
2-Etilhexiloxiestearato	0,5
Propil paraben	0,1
B. Agua desmineralizada	87,75
Metil paraben	0,15
Glucosa, glutamato	0,5
C. Perfume, colorante	c.s.

Procedimiento: Calentar separadamente las fases *A* y *B* a 75-80 °C. Lentamente añadir *A* a *B* a 75-80 °C usando una agitación mecánica de elevada velocidad, durante aproximadamente quince minutos. Empezar el enfriamiento y continuar la agitación. Añadir perfume y colorante a 40-45 °C. Continuar la mezcla hasta alcanzar 35-40 °C, y después envasar.

Aclarado crema espumante [1 2 1]	(33)
	por ciento
Amonio, lauril sulfato	15,00
Cocoamido betaína	10,00
Dietanolamida láurica	2,00
*PPG 5 Ceteth-10-phosphate	2,00
Alcohol estearílico, alcohol estearílico, polietoxilado (10) y (20)	2,50
Sacarosa, cocoato	12,00
Estearildimetilamonio, proteína animal hidrolizada	3,00
Magnesio, silicato	0,45
Fragancia, conservantes	*c.s.*
Agua	53,05

* Denominación CTFA: Mezcla compleja de ésteres de polioxipropileno (5) polio-xietileno (10) éter de alcohol cetílico.

Aclarado-acondicionador [8 3]		(34)
		por ciento
A.	Hidroxietilcelulosa (Cellulosize QP 30.000)	0,3
	Agua desionizada	92,5
B.	*Quaternium 26	2,5
	Etanol (anhidro)	2,5
	Standapol OLP	1,0
	Perfume	*c.s.*
C.	†Quaternium 22	1,0
	Acido cítrico (30 por 100 acuoso)	0,1
	BTC 2125 M	0,1

* Denominación CTFA (Ceraphyl 65—Van Dyk).
† Denominación CTFA (Ceraphyl 60—Van Dyk).

Una gran mejora en el campo de los aclarados es la incorporación de compuestos de amonio cuaternario con dos cadenas grasas, como por ejemplo, el cloruro de diestearil dimetilamonio. Estos compuestos, tal como los productos comerciales conocidos bajo el nombre Arquad-2C, 2T, 2HT y 2S son muy eficaces contra los enredos y bastante menos irritantes.

Aclarado crema con «quat» con dos cadenas grasas [3 5]	(35)
	por ciento
Diestearil dimetilamonio, cloruro	3,0
Alcohol cetílico	1,0
Alchol de lanolina parcialmente acetilado	0,1
PEG 600, diestearato	1,0
Agua	*c.s.* hasta 100
Perfume, color, conservante	*c.s.*

Aclarado crema (para dejar en el cabello) [2 7]		(36)
		por ciento
	Agua	83,20
A.	Antifoam AF	0,05
B.	Arquad 2HT (10 por 100 activo)	15,50

C. Arquad S50	0,10
D. Compuesto perfluorado hidrófobo-lipófobo	1,00
Perfume	0,15

Procedimiento: Dispersar *A* en el agua con agitación y después añadir *B*. Mezclar el perfume con *C* y añadir a la mezcla anterior. Añadir *D* lentamente con agitación durante un período de, aproximadamente, veinte minutos.

El desarrollo de acondicionadores condujo a la evolución de aclarados en forma transparente, como el agua, y a la promoción de aclarado-acondicionador capilar transparente; se argumentó que una composición exenta de aceite proporcionaría una sensación no oleosa en el pelo. Para este fin se utilizaron «quats» solubles transparentes, tal como cloruros de cetiltrimetilamonio y benzalconio; con esta finalidad se diseñó una sal de oleildimetilbenzilamonio.

Complementos interesantes de estas formulaciones son los amina óxidos, aportando el beneficio de propiedades catiónicas a bajo pH. Se les atribuye contribuir a la manejabilidad, reducir el vuelo e impartir un tacto suave al pelo. La investigación de las propiedades acondicionadoras explica la introducción en los aclarados de una extensa variedad de otros ingredientes, tales como proteínas (cuya concentración debe ser comparativamente alta para cumplir con la acción «instantánea», como requiere el concepto de aclarado), polímeros catiónicos, tales como Gafquats, Polymer JR (teniendo presente que con frecuencia cuerpo y lubrificación son características antagónicas), esteroles, colesterol etoxilado, lipoaminoácidos[123, 124], polietileniminas, siliconas, Ucon fluids y compuestos anticaspa.

Aclarado transparente[122]	(37) *por ciento*
Oleil dimetilbenzilamonio, cloruro	4,0
Hidroxietil celulosa (sol acuosa al 3 por 100)	40,0
Lanolina, acetato etoxilado[10]	0,5
Agua destilada	*c.s.* hasta 100

Aclarado transparente con proteínas	(38) *por ciento*
Estearildimetilbenzilamonio, cloruro	5,0
Proteína animal hidrolizada	5,0
Alcohol cetílico etoxilado	0,5
Etanol al 90 por 100	5,0
Agua	*c.s.* hasta 100

Aclarado transparente[84]	(39) *por ciento*
A. Aceite de ricino amidopropildimetilamina	1,0
B. Cocodietanolamida	0,3
C. Hidroxietil celulosa	0,8
Acido cítrico	0,3
Perfume	0,1
Agua desionizada	*c.s.* hasta 100
Conservante, colorante	*c.s.*

Procedimiento: Dispersar *C* en agua, calentar a 50 °C y agitar durante veinte minutos. Añadir *A*, *B*, ácido cítrico, y enfriar. Ajustar a pH 5,0-5,5. Se puede añadir como se desee conservante, colorante y perfume.

Aclarado transparente [1 1 2]	(40)
	por ciento
*Quaternium 33	1,5
Hidroxipropiletil celulosa	1,0
Polioxietilen 20 sorbitan, monolaurato	1,0
Metil paraben	0,2
Agua desmineralizada	96,3

* Denominación CTFA (Lanoquat DES —Malmstrom).

Procedimiento: Disolver metil paraben en agua calentando. Dispersar la goma de celulosa y mezclar hasta transparencia. Después añadir el cuaternario y Polisorbato 20.

Acondicionador transparente, para aclarado (da volumen,	(41)
brillo, elasticidad, desenreda, suavidad)	*por ciento*
Hidroxietil celulosa (Cellosize QP 4400H)	1,0
Oleildimetilbenzilamonio, cloruro	2,5
Gafquat 755	1,0
Crotein Q	0,6
Parabenes, perfume soluble en agua	*c.s.*
Agua	*c.s.* hasta 100,0

Procedimiento: Disolver Cellosize en agua y calentar. Después añadir los otros ingredientes, y ajustar el pH a 5,0.

REFERENCIAS

1. Leyden, J. J. and Kligman, A. M., *Cosmet. Toiletries*, 1979, **94**(3), 23.
2. McGinley, K. J., Leyden, J. J., Marples, R. R., Path, M. R. C. and Kligman, A. M., *J. invest. Dermatol.*, 1975, **64**, 401.
3. German Patent 1 617 836, Schwarzkopf, 25 January 1973.
4. *Parfum. Kosmet.*, 1976, **57**(7), 190.
5. Kligman, A. M., *et al.*, *J. Soc. cosmet. Chem.*, 1974, **25**, 73.
6. Leyden, J. J., McGinley, K. J., Shorter, A. M. and Kligman, A. M., *J. Soc. cosmet. Chem.*, 1975, **26**, 573.
7. French Patent 2 156 768, Olin, 17 October 1972.
8. French Patent 2 183 647, L'Oreal, 2 October 1972.
9. Gerstein, T., *J. Soc. cosmet. Chem.*, 1972, **23**, 99.
10. Nowak, G. A., *Parfum. Kosmet.*, 1975, **56**(2), 30.
11. Japanese Patent 72′ 22598, Yoshitomi Pharmaceutical, 24 June 1972.
12. US Patent 3 733 323, Colgate-Palmolive, 15 May 1973.
13. US Patent 3 862 151, Ciba-Geigy, 21 January 1975; US Patent 3 961 054, Ciba-Geigy, 1 June 1976.
14. Huber, C. and Christophers, E., *Arch. dermatol. Res.*, 1977, **257**, 293.
15. Windhager, K. and Plewig, G., *Arch. dermatol. Res.*, 1977, **259**, 187.
16. Plewig, G. and Kligman, A. M., *J. Soc. cosmet. Chem.*, 1969, **20**, 767.
17. British Patent 1 504 350, Hoffmann-La Roche, 23 September 1975.
18. German Patent 2 634 677, Henkel, 2 August 1976.
19. US Patent 4 013 787, L'Oreal, 22 March 1977.

20. German Patent 2 228 355, Colgate-Palmolive, 21 December 1972.
21. Heilgemeier, G. P., Dorn, M. and Neubert, U., *Arztl. Kosmetologie*, 1978, **8**, 127.
22. Eberhardt, H., *J. Soc. cosmet. Chem.*, 1976, **27**, 235.
23. Gloor, M., Rickotter, J. and Friederich, H. *Fette Seifen Anstrichtmittel.*, 1973, **75**(3), 200.
24. Ludwig, E., *J. Soc. cosmet. Chem.*, 1969, **20**, 293.
25. Maes, D., *et al.*, *Internat. J. cosmet. Sci.*, 1979, **1**, 169.
26. US Patents 3 993 744 and 3 993 745, Alberto-Culver, 23 November 1976.
27. US Patent 4 013 786, Alberto-Culver, 22 March 1977.
28. German Patent 2 537 374, Procter and Gamble, 11 March 1976.
29. US Patent 4 044 121, Minnesota Mining and Manufacturing, 23 August 1977.
30. Dahl. T., *Household pers. Prod. Ind.*, 1978, **15**(10), 43.
31. US Patents by L'Oreal: 3 671 643, 20 June 1972; 3 879 560, 22 April 1975; 3 968 218, 6 July 1976; 3 950 532, 13 April 1976; 3 984 569, 5 October 1976; 4 073 898, 14 February 1978. British Patents by L'Oreal: 1 050 870, 27 January 1965; 1 310 759, 23 July 1970; 1 397 623, 6 August 1974; 1 391 801, 21 April 1972; 1 161 349, 22 December 1966; 1 290 602, 4 September 1970; 1 397 624, 6 August 1974.
32. Laporte, G., *Am. Perfum. Cosmet.*, 1970, **85**(2), 47.
33. Aubin, G., Brod, J. and Manoussos, G., *Am. Perfum. Cosmet.*, 1971, **86**(12), 29.
34. British Patent 1 367 841, L'Oreal, 22 January 1975.
35. Summerly, R., Woodbury, S. and Yardley, H. J., *Br. J. Dermatol.*, 1972, **87**, 608.
36. Burton, J. L. and Shuster, S., *Br. J. Dermatol.*, 1972, **86**, 66.
37. US Patent 3 755 604, Mead Johnson, 28 August 1973; US Patent 3 886 278, Mead Johnson, 27 May 1975.
38. French Patent 2 159 183, Fabre Pierre, 27 July 1973.
39. Marechal, R. E., *Cosmet. Toiletries*, 1979, **94**(4), 85.
40. European Patent 3 863, Scherico, 5 September 1979.
41. Lutsky, B. N., *et al.*, *Cosmet. Toiletries*, 1977, **52**(2), 57.
42. German Patent 2 137 036, L'Oreal, 27 January 1972.
43. US Patent 3 984 535, L'Oreal, 5 October 1976.
44. Gloor, M., Fichtler, C. and Friederich, H. C., *Arch. dermatol. Res.*, 1973, **248**, 79.
45. Chase, H. B., *The Biology of Hair Growth*, ed. Montagna, W. and Ellis. R. A., New York, Academic Press, 1958.
46. Heald, R. C., *Am. Perfum. Cosmet.*, 1964, **79**(9), 23.
47. Chase, H. B. and Montagna, W., *Proc. Soc. exp. Biol. Med.*, 1951, **76**, 35.
48. Daman. L. A., *et al.*, *Arch. Dermatol.*, 1978, **114**, 1036.
49. Happle, R., *et al.*, *Arch. Dermatol.*, 1978, **114**, 1629.
50. US Patent 4 088 760, Richardson-Merrell, 9 May 1978.
51. US Patent 4 161 540, Schering, 17 July 1979.
52. Belgian Patent 865 031, Marechal, R. E., 1977; Japanese Patent 76' 57838, Yamashita, Noriko, 20 May 1976.
53. Bingham, K. D., *Int. J. cosmet. Sci.*, 1981, **3**, 1.
54. Japanese Patent 76' 09731, Kaminomoto, 26 January 1976.
55. German Patent 2 715 214, Giannopoulos, Sotirios, 13 October 1977.
56. German Patent 2 312 091, Cosmital, 12 September 1974.
57. Edwards, L. J., *Biochem. J.*, 1954, **57**, 542.
58. Graul, E. H., Hundeshagen, H. and Steiner, B., *Atompraxis*, 1959, **5**, 265.
59. German Patent 1 131 847, Marbert Pharm. and Kosmet. Spec. Prap. Roeber and Sendler, 22 September 1958.
60. German Patent 1 149 858, Schwarzkopf, 30 November 1960.
61. British Patent 1 051 870, L'Oreal, 27 January 1965.
62. Rubin, S. H., Magid, L. and Scheiner, J., *Proc. sci. Sect. Toilet Goods Assoc.*, 1959, (32), 6.
63. US Patent 3 733 402, L'Oreal, 15 May 1973.
64. German Patent 2 540 971, Hoechst, 17 March 1977.

65. German Patent 2 602 882, Vibert, F., 5 August 1976.
66. German Patent 2 604 201, Mesh Casa Cosmetica, 4 February 1976.
67. French Patent 2 226 155, Aizawa, H., 18 April 1973.
68. French Patent 1 547 573, Ota, M., 21 October 1968.
69. German Patent 2 758 484, Also Laboratori Br. P. Sorbini et Co., 28 December 1977.
70. German Patent 2 297 611, Aries, R., 13 August 1976.
71. German Patent 2 523 820, Wagner, O., 11 January 1976.
72. French Patent 2 248 825, Menyailo, A. T. *et al.*, 23 October 1976.
73. German Patent 2 615 654, Irkutskij Inst. Org. Chim. Sibir. Otd. Akad., 9 April 1976.
74. Japanese Patent 72' 47 663, Pola Chemical Ind., 2 September 1971.
75. French Patent 2 160 286, Metzinger, A. M., 3 August 1973.
76. Nowak, F., *Cosmet. Perfum.*, 1973, **88**(2), 31.
77. Finkelstein, P. and Laden. K., *Appl. Polymer Symp.*, 1971, **18, 673.
78. Garcia, M. L. and Diaz. J., *J. Soc. cosmet. Chem.*, 1976, **27,** 379.
79. Moxey, P., *Soap Perfum. Cosmet.*, 1976, **49**(1), 18.
80. US Patent 4 069 347, Emery Industries, 17 January 1978.
81. Schlossman, M. L., *Seifen Öle Fette Wachse*, 1977, **103**(7), 187.
82. McCarthy, J. P. *et al.*, *J. Soc. cosmet. Chem.*, 1976, **27,** 559.
83. US Patent 4 012 398, Van Dyk, 15 March 1977.
84. Schoenberg, T. G. and Scafidi, A. A., *Cosmet. Toiletries*, 1979, **94**(3) 57.
85. US Patent 4 168 302, Richardson, 18 September 1979.
86. US Patent 4 035 478, American Cyanamid, 12 July 1977.
87. US Patent 4 157 388, Miranol Chemical, 5 June 1979.
88. French Patent 2 389 374, Ciba-Geigy, 2 May 1978.
89. British Patents 1 513 671 and 1 513 672, L'Oreal, 15 May 1975; British Patent 1 546 162, L'Oreal, 20 March 1979.
90. US Patent 4 155 994, Kerwanee Industries, 22 May 1979.
91. German Patent 2 546 638, L'Oreal, 5 June 1975.
92. French Patent 2 162 025, L'Oreal, 15 August 1973.
93. Goldemberg, R. L., *Drug Cosmet. Ind.*, 1981, **129**(1), 20.
94. Chalmers, L., *Soap Perfum. Cosmet.*, 1979, **52**(3), 116.
95. Karjala, S., *et al.*, *J. Soc. cosmet. Chem.*, 1966, **17,** 513.
96. Karjala, S., *et al.*, *Proc. sci. Sect. Toilet Goods Assoc.*, 1966, (45), 6.
97. Bonadeo, I. and Variati, G. L., *Cosmet. Toiletries*, 1977, **92**(8), 45.
98. Karjala, S. A., Johnsen, V. L. and Chiostri, R. F., *Am. Perfum. Cosmet.*, 1967, **82**(10), 53.
99. Johnsen, V. L., *Cosmet. Toiletries*, 1977, **92**(2), 29.
100. Di Bianca, S. P., *J. Soc. cosmet. Chem.*, 1973, **24,** 609.
101. Cannell, D. W., *Cosmet. Toiletries*, 1979, **94**(3), 29.
102. Benzyltrimethyl or Stearyltrimethyl Ammonium Hydrolysed Animal Protein, Croda.
103. Japanese Patent 79' 08688, Lion Oil and Fat, 21 June 1977.
104. German Patent 2 804 024, Freundenberg, C., 31 January 1978.
105. German Patent 2 151 739, Henkel, 26 April 1973.
106. German Patent 2 151 740, Therachemie, 26 April 1973.
107. US Patent 3 917 816, General Mills, 4 November 1975.
108. Murphy, L. J., *Cosmet. Toiletries*, 1979, **94**(3), 43; Murphy, L. J., *Drug cosmet. Ind.*, 1978, **122**(5), 35; US Patent 3 728 447, Patterson, C. J., 17 April 1973.
109. US Patent 4 062 939, Widner College, 13 December 1977.
110. German Patent 2 324 797, L'Oreal, 29 November 1973.
111. French Patent 2 167 407, Waltham, R. C. M., 28 September 1973.
112. McCarthy, J. P. and Laryea, J. M., *Cosmet. Toiletries*, 1979, **94**(4), 90.
113. Fleischner, A. M. and Seldner, A., *Cosmet. Toiletries*, 1979, **94**(3), 69.
114. US Patent 4 061 150, Alberto-Culver, 6 December 1976; US Patent 3 980 091, Alberto-Culver, 14 September 1976.
115. Faucher, J. A. and Rosen, M. R., *Cosmet. Toiletries*, 1977, **92**(8), 35.

116. Breuer, M. M., Gikas, G. X. and Smith, I. T., *Cosmet. Toiletries*, 1979, **94**(4), 29.
117. Garlen, D., *Cosmet. Toiletries*, 1979, **94**(4), 66.
118. US Patent 4 007 261, Millmaster Onyx, 8 February 1977.
119. *Polymer JR for Hair Care*, Publication F-46004, Union Carbide, 1976.
120. Calogero, A. V., *Cosmet. Toiletries*, 1979, **94**(4), 77.
121. *The Croda Cosmetic and Pharmaceutical Formulary*, New York, Croda Inc., 1976, p. 51.
122. Smith, L. R. and Weinstein, M., *Soap Cosmet. chem. Spec.*, 1977, **53**(4), 50.
123. German Patent 2 731 059, S. C. Johnson, 19 January 1978.
124. Netherlands Patent 76 04794, American Cyanamid, 23 November 1976.

27

Colorantes del cabello

Introducción

La coloración del cabello es uno de los actos más importantes de acicalamiento de los realizados por hombres y mujeres desde los orígenes del hombre. La búsqueda de un cambio en el aspecto externo encontró expresión en varias direcciones en todas las civilizaciones. Este deseo, lejos de ser una actividad secundaria y trivial, tal como a veces se consideraba, estaba ligado a toda una serie de actitudes fundamentales en la vida del individuo, y estaba ligado también al instinto sexual de las especies que, de este modo, refleja su inevitable presencia.

Dejando a un lado los intentos y las fórmulas empíricas utilizados en los tiempos más antiguos, actualmente el tema ha entrado en la fase de un desarrollo industrial importante en el cual, desde la Segunda Guerra Mundial, ha habido un gran avance en el descubrimiento y utilización de una serie de nuevos colorantes sintéticos para el cabello. Ciertamente, se estima que hoy el 30-40 por 100 de las mujeres de los países industrializados son consumidoras de productos colorantes, ya sea en el hogar o en la peluquería.

Las razones usuales para colorear el cabello son las siguientes: cambiar el color natural, colorear los cabellos canos que comienzan a aparecer con la edad o modificar el color del pelo temporalmente para un acontecimiento en particular. Para satisfacer todos estos objetivos es necesario usar una gama de colorantes de composición y comportamiento variados que se describirá posteriormente. En primer lugar para proporcionar un cuadro más completo se describirán los diferentes sistemas de colorear el pelo, las características de un colorante capilar ideal y los diferentes procesos prácticos para colorear el pelo.

SISTEMAS DE COLOREAR EL CABELLO

Los sistemas modernos para colorear el cabello se pueden dividir en tres categorías en cuanto a la duración de la presencia del color en el pelo después que se ha realizado la operación.

Coloración temporal

Estos son colores fugaces que se eliminan en el primer lavado con champú. Se encuentran en esta categoría los productos comerciales comúnmente designados «aclarados colorantes». Estos productos utilizan colores de elevado peso molecular que actúan como depósitos sobre la superficie del pelo sin capacidad de penetrar en el cortex.

Colorantes semipermanentes

Son colorantes que resisten varios lavados (de tres a seis), pero cuya fijación es más pobre que la de colores permanentes. Los colorantes utilizados en este caso son colorantes directos de bajo peso molecular que tienen buena afinidad con la queratina del pelo. Por este motivo, son capaces de penetrar en el cortex.

Colorantes permanentes

Como indica su denominación, esta categoría proporciona una eficaz coloración permanente, resistente al lavado con champú y otros factores externos, tales como cepillado, fricción, luz, etc. Este es el proceso más ampliamente utilizado, y representa al menos el 80 por 100 de las coloraciones totales efectuadas.

En este sistema se emplean intermedios sin color que después, por una serie de reacciones químicas, producen el color deseado *in situ* en el pelo. El proceso es del tipo de oxidación (casi siempre realizada por peróxido de hidrógeno), seguido de enlaces y oxidaciones posteriores, como más adelante se examinará con detalle.

CARACTERISTICAS DE UN COLORANTE IDEAL PARA EL CABELLO

El colorante ideal para el cabello debe poseer las propiedades siguientes:

Innocuidad

a)   No sólo no debe lesionar al tallo del pelo, sino que debe colorear el pelo sin afectar al brillo y textura naturales.

b)   No debe poseer acción de irritante primario y debe estar exento de propiedades sensibilizantes, por ejemplo, no debe ser agente que produzca dermatitis.

c)   No debe producir ningún efecto tóxico cuando se pone en contacto con la piel.

En cuanto a los puntos *a)* y *b)*, gracias a las constantes mejoras en la pureza de las materias primas empleadas (colorantes, agentes tensioactivos, polímeros, etc.), y gracias a los sistemas de formulación que permiten la reacción y eliminación rápida de los productos intermedios posibles responsables de varias consecuencias dermatológicas, de hecho los colorantes no plantean ya problemas importantes. Por otra parte, la cuestión de la toxicidad sistémica se ha presentado recientemente, tomando en consideración las pequeñas cantidades de algunos de los ingredientes que pueden penetrar a través de la piel al interior del cuerpo [1-6].

Así, el problema de evaluar el grado potencial de riesgo a la salud que pueden presentar los colorantes del pelo se ve como una parte del problema mucho más general del posible riesgo para la salud presentado por introducir sustancias químicas en el medio ambiente del hombre. El problema específico se puede presentar en términos de los tres posibles efectos siguientes de los productos químicos:

Mutagénicos: riesgo que atañe a las generaciones futuras.

Carcinogénicos: riesgo durante la vida del individuo.

Teratogénicos: riesgo ligado a la concepción.

La relación de estos riesgos con los de colorantes del cabello es generalmente un tema de discusión importante, y aún no se ha llegado a una conclusión definitiva. El principal trabajo está en manos de varios grupos e institutos de investigación, así como en la industria de los productos capilares.

Resumimos muy brevemente que se pueden obtener resultados inconsistentes según variables experimentales:

a) De los métodos usados y sus consecuencias.

b) De las variables de la operación (concentraciones, métodos de aplicación, duración, etc.).

c) Sistemas biológicos utilizados (bacterias, levaduras, animales).

d) De las mismas diferentes personas que realizan la investigación.

Una situación similar se encuentra con los estudios epidemiológicos realizados.

En nuestra opinión, estas inconsistencias, imprecisiones y contradicciones demuestran que los colorantes del cabello no presentan un peligro real para la salud. Naturalmente, ningún producto químico se puede presentar como completamente innocuo para el hombre. Pero siempre que un producto posee una toxicidad real, ésta puede reconocerse rápidamente por la ciencia sin duda alguna. Este no es el caso de los colorantes capilares.

Adecuada estabilidad física y química sobre el pelo

El color del pelo teñido debe ser estable al aire, sol, fricción (frotamiento, cepillado) y sudor.

Compatibilidad con otros tratamientos capilares

No debe haber cambio de color, ni decoloración, al aplicar preparaciones de tocador, tales como brillantinas, lociones fijadoras, lacas capilares, preparados para la ondulación, jabones o champúes.

Estabilidad en solución

Los colorantes deben ser estables durante su permanencia en soluciones acuosas y productos formulados en las formas en que se venden y utilizan.

Ausencia de selectividad

Por ser siempre necesario utilizar una mezcla de colorantes, el fenómeno de selectividad alcanza una gran importancia. De modo más preciso, estamos interesados en teñir cabellos que son muy heterogéneos, tanto individualmente como en su «historia» (puntas lesionadas por aire y sol, permanentes y otros tratamientos anteriores, raíces comparadas frente a tallos, etc.) y de este modo se intenta evitar:

a) Diferente coloración en distintas partes del mismo pelo.
b) Diferente fijación en el transcurso del tiempo de variados colorantes en el pelo *vis-à-vis* agentes externos.

El problema de selectividad desempeña la parte más importante de la tecnología de los colorantes capilares. Se puede intentar evitar utilizando colorantes que pertenezcan más o menos a la misma clase química, desde el punto de vista de comportamiento físico-químico. Es necesario comprobar las soluciones por ensayos previos sobre mechas en el laboratorio, y después, principalmente, por ensayos en cabello de la cabeza.

Afinidad por la queratina del pelo

Las características físico-químicas de afinidad, junto con la penetración del color en el tallo del cabello, se consideran muy importantes cuando se valoran las limitaciones técnicas que controlan la coloración del cabello, tales como temperatura no superior a 40 °C; corto tiempo de contacto del pelo con el tinte, hasta, supongamos cuarenta minutos; soluciones colorantes muy débiles, etc.

El problema se aborda con el uso de colorantes de pequeñas dimensiones moleculares, o haciendo uso de técnicas de formulación, tales como el uso de disolventes, agentes de hinchamiento, álcalis, etc., con el objeto de mejorar la penetración o modificar el coeficiente de reparto entre agua y pelo.

Intensas investigaciones se han consagrado al estudio de los mecanismos de coloración del pelo, unidas al gran volumen de trabajo sobre lanas y estructura de la queratina del pelo. Así, EVANS[7] destacó que las medidas de rayos X de la estructura enrejada de la queratina indican que moléculas mucho más grandes que el etilen glicol penetran lentamente, si lo hacen. Las distancias entre átomos y cadenas en el pelo pueden ser alteradas, ocasionando hinchamiento del pelo en soluciones acuosas a valores de pH alto. Tal hinchamiento favorece la absorción y difusión de las moléculas disueltas hacia el interior del tallo. Pero es también limitado el grado de hinchamiento reversible a que se puede recurrir para no ocasionar lesión al pelo. ALEXANDER[8] ha revisado la información disponible sobre el efecto del tamaño molecular en la adecuación de una molécula para la coloración del pelo. Su conclusión es que cuanto más pequeña es la molécula colorante, menos crítica es la dependencia de la penetración con tamaño molecular.

HOLMES[9] discutió los aspectos teóricos de la difusión de las moléculas colorantes en el pelo y fibras, y concluyó que el mecanismo puede explicarse en términos del paso de una molécula a través de una barrera que contiene agujeros. De este modo, las moléculas por debajo de un cierto tamaño crítico pueden atravesarla rápidamente, mientras que las moléculas de mayor tamaño la atraviesan lentamente o no. También destaca que el tamaño no es de ningún modo el único factor crítico, y que también la basicidad del colorante es un factor de vital importancia.

Es interesante destacar que, en los sistemas de coloración de mayor éxito, la mayoría de los ingredientes, incluyendo amoníaco, agua, ion hidroxilo, peróxido de hidrógeno, p-fenilendiamina y resorcinol, todos son moléculas pequeñas y pueden penetrar fácilmente en el tallo del pelo.

ZVIAK[10] ha estudiado el efecto de los disolventes en la penetración de las moléculas en el pelo. Su conclusión es que la presencia de disolventes que hinchan el pelo conduce a la penetración de moléculas de mucho mayor tamaño. Así, para el pelo seco la molécula de mayor tamaño que puede penetrar en su interior tiene un diámetro aparente de 5 Å (0,5 μm). En presencia de agua, el diámetro se incrementa a 40 Å (4,0 μm), y en presencia de disolventes polares, moléculas de mayor diámetro pueden penetrar en el pelo. Estos casos intervienen en parte por el hecho de que muchos sistemas colorantes contienen disolventes que ayudan a los clorantes a penetrar en el tallo del pelo.

Se dispone de información considerable sobre la coloración de fibras textiles, y WALKER[11] ha expuesto la teoría de la coloración del pelo con relación a las teorías de la coloración de la lana. No obstante, tal información es sólo de valor limitado, puesto que la coloración del pelo humano difiere en muchos aspectos de la coloración de la lana[12].

PROCESO DE COLORACION DEL CABELLO

Los colorantes del cabello proporcionan una gama de productos comerciales, capaz de colorear el pelo en varios tonos y colores, variando desde rubio muy claro a negro, pasando por una gama de tonos: oro, ceniza, rojizo, caoba, violeta, etc. La cantidad de tonos varía en tal número que exceden de sesenta.

Todos estos productos utilizan y se basan en factores técnicos muy limitados, de los que se hace un resumen a continuación.

Los productos comerciales son mezclas

Las soluciones colorantes contienen mezclas de varios colorantes simples, digamos de 3 a 10. En efecto, cada uno de los colores en particular es el resultado total de la superposición de coloraciones individuales (roja, amarilla, violeta, azul, etc.) proporcionadas por cada uno de los colorantes en la mezcla comercial.

Concentración de los colorantes

La cantidad total de todos los colorantes utilizados para obtener un tono es baja y limitada. Puede variar entre el 0,01 al 5 por 100 en peso medio de tinción aplicado a la cabeza. La concentración está en función tanto del colorante usado como del proceso que se aplica.

Duración del proceso de coloración

El tiempo de contacto de la solución colorante con el cuero cabelludo y cabello es del orden de cinco a cuarenta minutos.

Cantidad de la solución aplicada

La cantidad de la solución colorante aplicada a una cabeza femenina varía entre 15 y 100 ml.

Frecuencia de aplicación

Es del orden de una vez por semana para coloraciones temporales. Por otra parte, para coloraciones más permanentes es aproximadamente de una vez al mes. En la práctica está controlada por la velocidad de renovación por crecimiento del pelo, que es aproximadamente 1 cm por mes.

Tratamiento después de la coloración

Los colorantes se deben concebir y formular de modo que se evite al máximo el grado de tinción del cuero cabelludo. Además, esto se favorece con el aclarado abundante con agua, que es imprescindible después de cada aplicación de coloración permanente, y sobre todo por la realización de uno o más lavados con champúes, que eliminarán la mayor parte del colorante que no ha sido absorbido por el pelo.

Estos detalles del proceso de coloración se citan por adelantado y antes de la descripción del procedimiento mismo, porque son elementos que se deben considerar en el diseño de los protocolos toxicológicos, de modo que se puedan extrapolar los resultados a una apreciación verdadera de su importancia para el ser humano. De hecho, los colorantes han sido investigados frecuentemente en condiciones en que estos procedimientos han sido «olvidados» por los experimentadores, y así se puede llegar a resultados que son erróneos e irreales.

Absorción de colorante por el cuero cabelludo

Coloraciones semipermanentes y temporales. Para conseguir el color deseado es suficiente colocar en la cabeza un máximo de aproximadamente 60 g de solución colorante. Esta cantidad se extiende sobre una superficie total de 700 a 1.000 cm^2 de cuero cabelludo, y aproximadamente 50.000 cm^2 que representa la superficie del cabello. (Normalmente el número de cabellos que se da es 150.000, con un diámetro medio de 60 μm y una longitud típica de 20 cm.) De este modo se puede calcular fácilmente que se aplican 1,2 mg de solución por centímetro cuadrado de cuero cabelludo o cabello. Volviendo a hacer referencia a los propios colorantes y para una concentración del 2 por 100 de colorantes en solución, esto indica que 24 μg cm^{-2} entran en contacto con el cuero cabelludo o cabello. En otros términos, el cuero cabelludo se pone totalmente en contacto con 1,2 g de solución o con 24 mg de colorante.

Tomando como porcentaje medio de paso de una coloración a través del cuero cabelludo, la cifra de 0,2 por 100 normalmente citada[1,5] se calcula una transferencia real de 0,05 μg cm^{-2} (50 ng cm^{-2}) de colorante o, expresado de otro modo, un transporte total de 50 μg a través de la totalidad del cuero cabelludo y, por tanto, al cuerpo.

Coloraciones permanentes (oxidación). Los datos numéricos quedan inalterados, pero hay una diferencia a destacar: está relacionada con la primera etapa de aproximadamente diez a quince minutos, durante la cual la mitad de la cantidad del producto se aplica a las raíces del pelo, los primeros 2 cm próximos al cuero cabelludo, antes de aplicar el remanente al resto del cabello y dejar en contacto durante quince minutos más.

COLORANTES TEMPORALES CAPILARES

Colorantes

Las sustancias colorantes generalmente utilizados son colorantes básicos, ácidos y dispersos, pigmentos o tintes metalizados, perteneciendo mayoritariamente a las clases químicas: azo, antraquinona, trifenilmetano, fenazínico, xanténico o benzoquinonaimina. Por los fabricantes europeos de colorantes de cabello se ha sometido a las autoridades de la Comunidad Económica Europea una lista de unos ciento cuarenta y cinco colorantes capaces de ser utilizados para esta finalidad con objeto de su aceptación en las directivas apropiadas.

La tabla 27.1 proporciona una lista de los colorantes clasificados por categorías junto con el número de «Color Index», si bien no es exhaustiva. Se puede añadir una serie completa de colorantes certificados, tal como puede encontrarse en los ejemplos de formulación dados por DANIELS[13]. Además, muchos coloran-

Tabla 27.1. Colorantes utilizados en colorantes temporales del cabello

Clase química	Color	Número «Color Index»
COLORANTES ÁCIDOS		
Azo	Amarillo	13 065
	Amarillo	19 140
	Rojo	14 720
	Rojo	15 620
	Rojo	16 185
	Rojo	16 250
	Rojo	17 200
	Naranja	15 525
	Naranja	16 230
	Marrón	14 805
Trifenilmetano	Verde 22	42 170
	Violeta ácido 49	42 640
	Azul ácido	42 735
Xanteno	Violeta ácido	45 190
Azina	Nigrosinas (violeta)	50 420
Antraquinona	Violeta ácido 43	60 730
	Azul 62	62 045
COLORANTES BÁSICOS		
Azo	Amarillo 57	12 719
	Naranja	11 270
	Naranja	11 320
	Rojo 76	12 245
	Marrón 16	12 250
Trifenilmetano	Azul básico 5	42 140
	Violeta 14	42 510
	Violeta 3	42 555
Azina	Rojo	50 240
Indoanilina	L'Oreal (14-22)	
Indofenol	L'Oreal (23-25)	
Indamina	L'Oreal (26-32)	
COLORANTES DISPERSOS		
Azo	Amarillo	11 885
	Disolvente naranja 45	11 700
	Disolvente naranja 9	11 005
	Rojo disperso 17	11 210
Antraquinona	Naranja 11	60 700
	Rojo 15	60 710
	Violeta	60 725
	Azul 3	61 505
	Azul	62 500
	Negro acetoquinona	—
	Negro celliton	—
COLORANTES METALIZADOS		
Azo	Azul cibalane F.B.N.	—
	Disolvente amarillo 90	—
	Disolvente marrón 43	—
	Etc.	

tes básicos también pueden utilizarse como sus derivados leuco, en cuya forma penetran mejor en el pelo y desarrollan su color por oxidación del aire[33-41].

Tipos de productos temporales comerciales y su formulación

La coloración temporal del cabello se puede lograr por medio de dos tipos principales de productos: aclarados y lociones fijadoras coloreadas.

En los aclarados, los colorantes se usan en forma de soluciones sencillas acuosas o hidroalcohólicas. Para incrementar la sustantividad al pelo, se añaden[10] diversas sustancias auxiliares (ácidos orgánicos, disolventes especiales) o el cabello se puede pretratar con compuestos catiónicos[42-43]. Se debe destacar que tales soluciones colorantes se pueden comercializar como listas para ser utilizadas o para ser preparadas por el usuario mediante dilución sencilla en agua a partir de productos concentrados.

El segundo enfoque, el de lociones fijadoras coloreadas se basa en aplicar la sustancia colorante al pelo por medio de soluciones que contienen polímeros transparentes, y siguiendo los requerimientos técnicos de las lacas aerosoles y lociones fijadoras. Tal medio se puede obtener disolviendo el 3 por 100 de polivinilpirrolidona (grado K30) en agua (o hidroalcohol para secado más rápido). A esta base se le puede añadir cualquier colorante innocuo.

Como alternativa, tal producto se puede presentar en un envase aerosol. En este caso es aconsejable no utilizar agua en el producto ante la posible corrosión del bote (véase Capítulo 40 sobre Aerosoles), y se deben tomar precauciones para que no precipite ninguna sustancia sólida que pueda obstruir la válvula.

El principal problema de usar tales polímeros aerosoles es la tendencia del polímero a desprenderse en escamas del cabello, llevando consigo la sustancia colorante a almohadas, toallas y vestidos. Los lectores interesados pueden experimentar con otras sustancias de lacas capilares, tales como etilcelulosa y copolímeros PVP-VA. Se ha sugerido superar tal problema insertando el colorante en un esqueleto de polímero[44-54].

De vez en vez se han utilizado lápices para la coloración temporal, y se utilizan como el rimel —bien frotando directamente sobre el pelo húmedo o transfiriéndolo al pelo con un cepillo—. Se pueden formular como jabones o ceras, de modo que se obtenga un producto muy similar a las barras de labios (ejemplo 1).

	(1)
	por ciento
Acido esteárico	15,0
Trietanolamina	7,5
Glicérilo, monoestearato	4,0
Cera de abejas	46,0
Cera parafina	10,0
Cera microcristalina	10,0
Dietanolamida de coco	7,5
Colorante	*c.s.*

COLORACIONES SEMIPERMANENTES

Sustancias colorantes

Estos colorantes ocupan un lugar importante en la formulación práctica, no sólo porque permiten la creación de esta clase de colorantes del cabello, sino también porque su presencia es frecuentemente indispensable en la formulación de coloraciones permanentes: los colores de oxidación. Algunos de estos colorantes son capaces de proporcionar tonos de cabellos que varían del amarillo al naranja, tonos que, en términos de eficacia, son prácticamente imposibles de obtener con colorantes de oxidación, y cuya contribución es necesaria para proporcionar la gama completa, tal como los tonos cobrizos.

La gran mayoría de estos colorantes pertenece a las clases químicas que siguen:

Nitrofenilendiaminas.
Nitroaminofenoles.
Aminoantraquinonas.

Los fabricantes europeos han sometido a las autoridades de la CEE para su aprobación una lista de unos cincuenta colorantes que podrían ser utilizados. Para hacer la selección se ha tenido en consideración un gran número de criterios fisiológicos. Se debe destacar que también es posible utilizar cierto número de las sustancias colorantes ya citadas en colorantes temporales, tales como algunos colorantes nitroazo y algunos colorantes básicos.

Nitrofenilendiaminas

Las nitrofenilendiaminas se pueden describir por la fórmula general:

$$N \begin{matrix} R_1 \\ R_2 \end{matrix} \cdot NHR_3 \cdot NO_2$$

donde R_2, R_2 y R_3 pueden ser iguales o diferentes, y representan H o grupos alquilos sustituidos o no sustituidos, tales como $-CH_3$, $-CH_2CH_2OH$, $-CH_2CH_2NH_2$, $-CH_2COOH$, $-CH_2COONH_2$, etc. Según la posición ocupada por los grupos $-NO_2$ y $-NHR_3$, estos colorantes se pueden considerar como derivados de 4-nitro-o-fenilendiamina, 2-nitro-p-fenilendiamina o 4-nitro-m-fenilendiamina.

Por sucesivas alquilaciones (R_1, R_2, R_3), partiendo de estas nitrofenilendiaminas que por sí mismas son excelentes colorantes, se puede alcanzar incrementos en la intensidad del color, y así enriquecer la gama[55-56]. Se dan ejemplos en la tabla 27.2. También obsérvese que esta clase de nitroanilinas sustituidas se pueden enriquecer:

a) Utilizando otros derivados sustituidos en el anillo aromático, por donadores débiles de electrones, tales como —CH$_3$ o —OCH$_3$[67-68].

b) Utilizando derivados de nitrodifenilamina[69-70], como:

4[*bis*-(2-hidroxietil)]amino-3-nitro-4'-metilamino-difenilamina(azul)amarillo disperso 1 (Núm. color Index 10 385)

2-Nitro-4-[*bis*-(2-hidroxietil)]amino-difenilamina

2-nitro-4-metoxi-difenilamina

2-nitro-4-amino-difenilamina.

Tabla 27.2. Tonos producidos por algunos compuestos nitrofenilendiaminas

Compuesto	*Tono*
Nitro-*p*-fenilendiamina	Rojo naranja
4-amino-3-nitro-N-metilanilina	Púrpura
4-amino-3-nitro-N-(2-hidroxietil)anilina	Rojo violeta
4-(2-hidroxietil)amino-3-nitro-anilina	Rojo violeta
4-(2-hidroxietil)amino-3-nitro-N-(2-hidroxietil)anilina	Violeta
4-(2-hidroxietil)amino-3-nitro-N,N-[*bis*-(2-hidroxietil)]anilina	Violeta azul
4-(metilamino-3-nitro-N,N-[*bis*(2-hidroxietil)]anilina	Azul violeta
4-metilamino-3-nitro-N-metil-N-(2-hidroxietil)anilina	Violeta azul
4-nitro-*o*-fenilendiamina	Amarillo naranja
2-amino-4-nitro-N-(2-hidroxietil)anilina	Naranja
2-(2-hidroxietil)amino-4-nitro-N-(2-hidroxietil)anilina	Naranja
2-amino-4-nitro-N-[tris-(hidroximetil)]metil anilina	Naranja
4-nitro-*m*-fenilendiamina	Amarillo

Nitroaminofenoles

Los colorantes de esta clase se pueden representar por la fórmula general:

en donde R_1 y R_2 pueden ser iguales o diferentes, y representan —H o un grupo alquilo inferior, sustituido o no, tal como —CH$_3$, —CH$_2$CH$_2$OH, y donde n es 1 ó 2.

Según las posiciones de los grupos nitro y amino, se puede producir una serie de colorantes, de los cuales los más importantes se dan en la tabla 27.3. También han sido sintetizados[71-75] otros derivados con diferentes sustituyentes.

Aminoantraquinonas

Las aminoantraquinonas forman una gama completa de colorantes basados en amino e hidroxi-antraquinonas con varios sustituyentes[76-83]. Ejemplos de colorantes interesantes en esta gama incluyen los siguientes:

1-amino-4-metilamino antraquinona (violeta disperso 4/disolvente violeta 12/«Color Index» N.º 61105)

1,4-diamino-5-nitro antraquinona (violeta disperso 8/«Color Index» N.º 62030)

1,4,5,8-tetra amino antraquinona (azul disperso 1/disolvente azul 18/«Color Index» N.º 64500)

1-metilamino-4-(2-hidroxietil)amino antraquinona

1-hidroxi-2,4-diamino antraquinona

Colorantes varios

Otros numerosos colorantes se pueden utilizar en la formulación de colorantes semipermanentes, en general como auxiliares que sirven para modificar el tono: por ejemplo, *azo-derivados heterocíclicos*, también derivados *diazamerociaminas*[86-87] y *derivados cuaternarios de aminofenoxazinio*[88-89].

Tabla 27.3. Tonos producidos por algunos compuestos nitroaminofenoles.

Compuesto	Tono
2-amino-4-nitro-fenol	Naranja
2-amino-4,6-dinitro-fenol (ácido picrámico)	Naranja intenso
2-amino-5-nitro-fenol	Amarillo naranja
2-(2-hidroxietil)amino-5-nitro-fenol metil éter	Amarillo
2-(2-hidroxietil)amino-5-nitro-fenol-2-hidroxietil éter	Amarillo
4-amino-2-nitro-fenol	Rosa salmón
4-metilamino-2-nitro-fenol	Rosa
4-metilamino-2,6-dinitrofenol (ácido isopicrámico)	Rosa
4-amino-3-nitro-fenol	Naranja intenso
4-(2-hidroxietil)amino-3-nitro-fenol	Rojo
4-(2-hidroxietil)amino-3-nitro-fenol metil éter	Naranja
4-amino-3-nitro-fenol-2-hidroxietil éter	Naranja

Colorantes reactivos. El uso de colorantes reactivos ha sido un enfoque relativamente nuevo en el campo de los colorantes textiles. Estos incluyen sustancias tales como diclorotriazinas (por ejemplo, colorantes Procion de ICI), monoclorotriazinas (por ejemplo, colorantes Procion de ICI y Cibacron de Ciba) y tricloropirimidinas (colorantes Reactone de Geigy, colorantes Drimaren de Sandoz). Estos colorantes actúan reaccionando realmente con la fibra, y así la parte colorante de la molécula queda firmemente adherida por la fibra.

BROADBEN[90] ha expuesto la posibilidad de usar colorantes reactivos para colorear cabello humano. SHANSKY[91] ha analizado el mecanismo de acción de tales colorantes, y también considera su aplicación al pelo humano. No obstante, concluye que se requiere una modificación considerable antes de que ellos sean aceptables para el cabello humano, tal como los colorantes de oxidación más convencionales. Han aparecido patentes[92-94] describiendo el uso de colorantes reactivos, pero se dispone de poca experiencia práctica sobre su empleo.

Otros tipos de colorantes reactivos se han desarrollado recientemente:

a) Después de un pretratamiento del pelo con un agente reductor se aplica[95] un colorante reactivo de la clase $-C-S-R$.

$$\underset{S}{\overset{\parallel}{}}$$

b) Tras un tratamiento con un dialdehído se pueden aplicar varios compuestos amino-aromáticos, tales como aminonitrofenoles, *p*-aminodifenilamina, etc.[96-97].

c) Una mezcla de dihidroxiacetona y aminas alifáticas o aromáticas[98].

El uso de colorantes reactivos para colorear el pelo no es una idea tan revolucionaria como a primera vista parece. De hecho, actualmente se cree que los colorantes convencionales de oxidación, tales como *p*-fenilendiamina, desarrollan su color final por interreacción con las zonas reactivas del pelo. De este modo, los colorantes de oxidación se pueden considerar como pertenecientes a un tipo particular de colorantes reactivos.

Colorantes metalizados. La preparación de tales colorantes se basa en la formación de complejos *in situ* en el pelo por medio de iones níquel o cobalto, y varios agentes acomplejantes[99-101]. Además, se pueden utilizar colorantes metalizados ya ofrecidos como colorantes de lana, tales como los Neolan, Irgalan, Cibalan, etcétera.[10]

Colorantes azo obtenidos por acoplamiento en el pelo. Se pueden aplicar al cabello sales de diazonio, junto con varios agentes de acoplamiento, tal como se describe en una serie de patentes[102-105].

Productos comerciales semipermanentes y su formulación

Los colorantes semipermanentes se pueden presentar bien en forma de lociones espumantes (aniónicas, catiónicas o no iónicas) o como champúes aniónicos, o catiónicos. Según el tipo de medio seleccionado y el comportamiento pretendido del producto se han desarrollado varios enfoques para formular, teniendo todos el objetivo de facilitar la penetración de los colorantes en el pelo. Se pueden clasificar en cinco tipos el gran número de patentes que describen los variados procedimientos y composiciones:

1) Procedimientos basados en el uso simultáneo o sucesivo de tioles y particularmente ácido tioglicólico[106-109].

2) Los procedimientos basados en el uso de varios disolventes: el trabajo de la Universidad de Leeds y otros han demostrado la posibilidad de la coloración en frío de textiles usando colorantes ácidos metalizados (tales como las gamas de

Cibalan y Neolan) en presencia de disolventes, tales como butanol, que es suficientemente pequeño como para penetrar en la fibra y establecerá un reparto del colorante entre el agua y el mismo. Una patente[110] describe un proceso similar y su aplicación al pelo, en la cual los colorantes se seleccionan de casi todas las clases, y los disolventes recomendados cubren varios alcoholes diferentes. Otras varias patentes han aparecido sobre el empleo de sistemas colorantes con disolventes como auxiliares y han sido descritas en un número de *Schimmel Brief*[111]. Además, ALEXANDER[9] y HEALD[112] han reseñado la literatura de las patentes. El trabajo de PETERS y STEVENS[113-114] es de particular importancia en el desarrollo de los sistemas de coloración con disolventes auxiliares, y su aplicación a la coloración del pelo a bajas temperaturas, y merece especial mención.

En una patente[115] de los EE. UU. se sugiere el empleo de impulsos («boosters») para colorantes directos aniónicos.

Se han propuesto muchos otros disolventes o mezclas. Las sugerencias incluyen:

Aril éteres de fórmula $Ar(OCH_2CH_2)_{1-4} OH$[116].

Formamidas N-sustituidas[117].

Fenoxietanol[118].

Fenoxietanol y acetato de etilen glicol[119].

N,N-dimetilamidas de ácidos monocarboxílicos C_{5-9} y N,N-N'N'-tetrametilamidas de ácidos dicarboxílicos C_{9-19} o dímero del ácido linoleico[120].

Alquil glicol éteres[121].

Alcohol bencílico y ésteres de ácidos carboxílicos inferiores o ciclohexanol[122].

Una mezcla de urea y alcohol bencílico[123] o alcohol bencílico y N-alquilpirrolidona[124].

3) La selección de una gama de tonos para productos de coloraciones semipermanentes depende en gran parte del mercado en cuestión. Generalmente es suficiente proporcionar tonos castaños para cabellos castaños claros y oscuros con adecuada intensidad de cobertura del 10 por 100 del pelo cano, y una pequeña gama de tonos decorativos tales como castaño rojizo, castaño, cobrizo, borgoña, etc.[125]. También se deben incluir grises para igualación del color de cabello con más del 90 por 100 canoso. Sin embargo, es esencial destacar que tales productos deben tener un tono violeta azulado, puesto que el pelo gris natural tiene una coloración amarillenta, y la aplicación de un gris natural o gris azulado conducirá a un color verde pálido.

4) Un medio popular para tales colorantes es un champú de color, formulado como producto crema o crema fluida conteniendo las sustancias colorantes solubilizadas[126-132] (véase capítulo 24 sobre champúes para formulaciones adecuadas). No obstante, se debe recordar que la inclusión de detergentes incrementa la afinidad de los colorantes por el medio, y por tanto disminuye la cantidad de colorante «activo» disponible para colorear el pelo. La concentración de colorantes será más elevada en un champú de color que en una solución sencilla acuosa. Solamente se deben realizar los ensayos de tales productos en pelo real, preferiblemente en cabeza. Si se utiliza pelo de peluca se debe tener la

precaución de no utilizar el pelo blanco que ha sido decolorado con dióxido de azufre, puesto que difícilmente se comportará como pelo.

5) Finalmente se pueden usar los denominados complejos aniónicos-catiónicos, es decir, la formación de un complejo de colorantes ácidos, por ejemplo azo o azínicos, y un tensioactivo cuaternario, seguido generalmente por solución en un tensioactivo no iónico[133-135].

COLORANTES PERMANENTES DE CABELLOS

Casi exclusivamente los colorantes permanentes de cabellos están basados en el uso de colorantes de oxidación, los denominados *para*-colorantes, que son sustancias incoloras en el momento de su aplicación a la cabeza (los precursores) y se transforman en sustancias coloreadas *in situ* sobre la cabeza como consecuencia de reacciones químicas que se realizan por la ejecución de la coloración.

Los precursores se pueden clasificar en dos categorías: compuestos denominados bases de oxidación o intermedios primarios, y los denominados acopladores o modificadores.

Las reacciones químicas en la formación de colorantes son reacciones de oxidación y de acomplamiento o condensaciones, realizadas a pH alcalino (esencialmente debido a la presencia de amoníaco) por la acción de un agente oxidante, casi exclusivamente peróxido de hidrógeno o uno de sus derivados sólidos-peróxido de urea[136] o peróxido de melanina[137]. La elección del peróxido de hidrógeno está justificada no sólo por su acción sobre los precursores, sino también por su capacidad para provocar la decoloración simultánea del pelo que va a ser teñido.

En la realidad, el peróxido de hidrógeno, que se emplea para esta finalidad en cantidades mucho mayores que las necesarias para efectuar la oxidación de los precursores, es capaz de actuar sobre una parte de los pigmentos de melanina del pelo, que son el origen del color natural, oxidándolos, y así solubilizándolos; esto es decolorando el pelo.

Esta decoloración, que se realiza simultáneamente pero con independencia de la coloración, tiene como resultado que el pelo se vuelve más claro, y así se hace posible de acuerdo con el objetivo estético, poder dar nuevos tonos con la ayuda de los recientes pigmentos que este sistema de coloración es capaz de crear en una casi infinita variedad. Así se puede observar por qué este sistema de coloración es único e irreemplazable; esto explica su uso extendido y su denominación de tinte brillante (*teinture eclaircissante*).

Resumiendo, para crear color por este procedimiento es necesario tener tres tipos de sustancias químicas reactivas:

Base o intermedios primarios.
Acopladores o modificadores.
Agente oxidante, casi siempre peróxido de hidrógeno.

A continuación se consideran la naturaleza química de las bases y acopladores y el posible mecanismo de la formación de colores y pigmentos.

Bases

Las bases son compuestos aromáticos, casi exclusivamente derivados de benceno, sustituido por al menos dos grupos donadores de electrones, tal como NH_2 y OH en posiciones *para* u *orto* uno respecto del otro; esto confiere la propiedad de fácil oxidación.

Los compuestos más importantes de esta clase son *p*-fenilendiamina y *p*-aminofenol y *o*-fenildiamina y *o*-amino fenol, a los cuales se deben añadir los *p*- y *o*-dihidroxibencenos.

Partiendo de estos compuestos básicos y realizando varias sustituciones o diseñando en otros sistemas aromáticos, los químicos han sido capaces de alargar considerablemente el número de «bases» utilizables en los colorantes de oxidación. El campo es tan vasto que sólo se pueden dar referencias recientes, tales como las que siguen:

a) Procediendo de alquilación del $-NH_2$, y su transformación en $-NR_1R_2$ (donde R_1, R_2 son iguales o diferentes, y son H o alquilos inferiores) se puede aumentar el número de bases que se pueden obtener[138-139].

b) Otro incremento procede de sustituciones en el anillo del benceno por donadores débiles de electrones, tales como $-OCH_3$, $-CH_3$, $-NHCOCH_3$, etc., que producen bases que tienen propiedades especiales o diferentes[140-145].

c) También pueden ser utilizados otros anillos aromáticos, tales como piridina, pirimidina, quinolina, indol, pirazolona, benzimidazol, etc., originando nuevas series de bases de oxidación[146-160].

De hecho las «bases» de oxidación más importantes son:

> *p*-fenilendiamina
> *p*-toluendiamina (2,5-toluendiamina, a veces denominada *p*-toluilendiamina, o *p*-tolilendiamina)
> *p*-aminodifenilamina
> *p*aminofenol
> *p*-diaminoanisol
> *o*-fenilendiamina
> *o*-aminofenol

Acopladores o modificadores

Los acopladores o modificadores son compuestos aromáticos, casi exclusivamente derivados del benceno, sustituidos por los mismos grupos ($-NH_2$ y $-OH$) que las «bases», pero aquí en posición *meta* uno respecto del otro. En esta posición se destaca que los acopladores no presentan la propiedad de fácil oxidación por H_2O_2.

También se puede incrementar la gama de acopladores:

a) Introduciendo donadores débiles de electrones, tales como $-OCH_3$, $-NHCOCH_3$, etc., con varias alquilaciones de los grupos OH y NH_2 por alquilos e hidroxialquilos[171-178] o sin ellas.

b) Utilizando anillos heterocíclicos, tales como piridina, quinolina, indazol, benzimidazol, benzoxazina, pirazolona[179-188].

Los acopladores más usuales están entre los siguientes:

m-fenilendiamina
2,4-diaminoanisol
resorcinol
m-clororesorcinol
m-aminofenol
1,5-dihidroxinaftaleno
6-metil-3-aminofenol
2-metilresorcinol

Formación de los colores en el pelo

Una gran cantidad de trabajo se ha consagrado a dilucidar el mecanismo de la coloración por oxidación y la estructura de los colorantes. Pero aún no todo está claro.

De hecho, el número de parámetros que afectan al proceso total es muy grande. Por ejemplo, considerar la influencia del pH en la velocidad de reacción, la presencia de la misma queratina del pelo puede afectar a la orientación de las reacciones, la complejidad de las mezclas de reacción (no es raro usar hasta diez acopladores y bases), las posibles hidrólisis de los productos intermedios, etc. Todas estas variables hacen prácticamente imposible especificar con exactitud los compuestos que potencialmente se pueden formar. Por esto, el empirismo aún desempeña una parte muy importante en la tecnología de la coloración por oxidación, y no es esfuerzo despreciable el que se requiere para llegar en la práctica a una fórmula que da comercialmente resultados reproducibles.

Sea lo que fuere, el cuadro general de la formación de colores se basa en una serie de reacciones de oxidación y acoplamiento en las que se pueden distinguir las tres etapas siguientes:

a) *Formación de quinonaiminas.* Esta fase consiste en la oxidación de las bases bajo la acción del H_2O_2 alcalino con la formación de quinonas monoiminas procedentes de *p-* y *o-*aminofenoles, y quinonas diiminas procedentes de *p-* y *o-*fenilendiaminas.

Estas reacciones se pueden tipificar por el esquema para *p-*fenilendiamina y *p-*aminofenol que se representa en la figura 27.1.*a.* Del mismo modo se pueden representar las estructuras de otros cationes quinona immonium, derivados de otras bases.

b) *Formación de difenilaminas.* Los cationes quinona immonium formados en la primera etapa experimentan rápidamente una adición conjugada del tipo Michael con los pseudocarbaniones de los acopladores para formar una *p-*fenilendiamina N-sustituida; en otros términos, una difenilamina diferentemente sustituida.

Estructuras de compuestos nucleofílicos capaces de adicionar al —NH de las quinona iminas ligando al átomo de nitrógeno, no sólo incluyen los acopladores

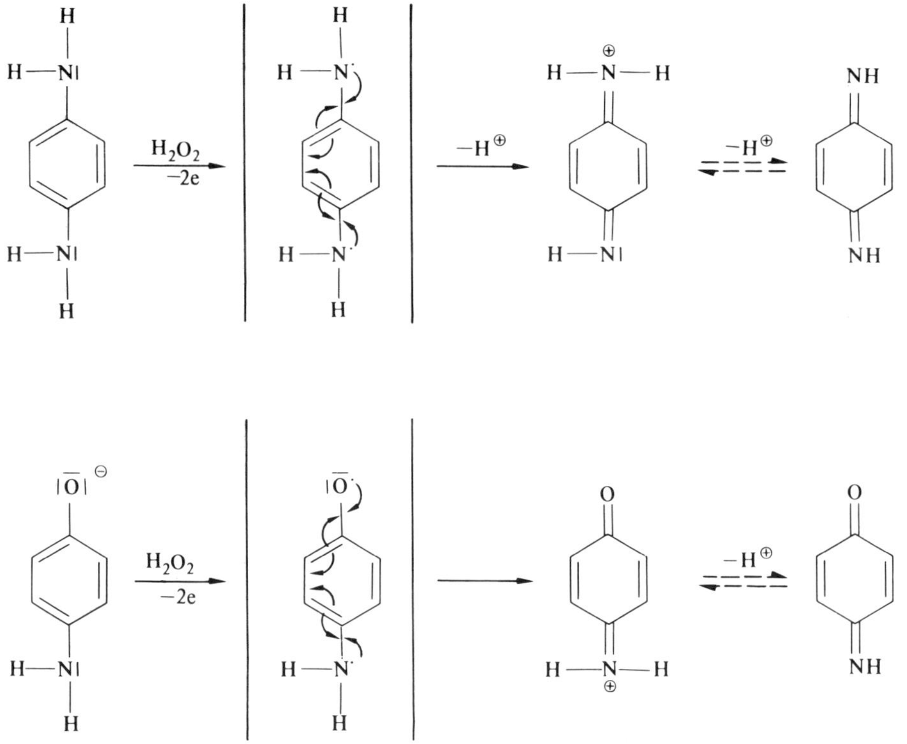

a

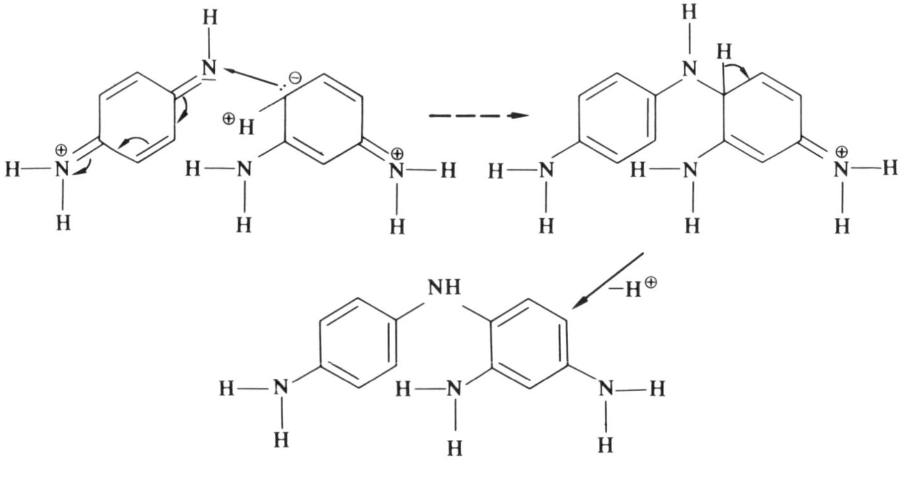

b

4, 2′, 4′-triaminodifenilamina

Fig. 27.1. *a*) Formación de quinonaiminas a partir de *p*-fenilen diamina y *p*-aminofenol. *b*) Formación de 4,2′,4′-triaminodifenilamina.

de estructura *meta*, sino también las bases originales *para* aún no oxidadas, y que entonces funcionan como acopladores por sus propias iminas. Como ejemplo, se presenta la formación de difenilaminas a partir de la reacción de *p*-fenilendiamina con *m*-fenilendiamina en su forma carbanión (Fig. 27.1b).

Del mismo modo, se puede obtener una serie completa de varias difenilaminas sustituidas partiendo de quinona iminas de otras bases *para*, y reaccionando con otras bases no oxidadas.

c) *Formación de color.* Las difenilaminas formadas previamente y de modo transitorio se pueden considerar a su vez como nuevas bases de oxidación, en que uno de los anillos de benceno está como mínimo trisustituido (en posiciones 1, 2, 4 ó 1, 2, 5) por grupos donadores de electrones. En virtud de esto, poseen las mismas dos potencialidades de reacción que las bases originales *para* de las que derivan, es decir, posibilidad de oxidación y capacidad de acoplamiento, y esto en grado creciente.

De este modo, o bien se oxidan y se transforman en indoaminas, indoanilinas o indofenol adecuados —es decir, en un primer grupo de colorantes— o reaccionan ellas mismas como acopladores, y están involucradas en un ataque a las quinonaiminas procedentes de las bases originales *para*, que continúan siendo formadas en el medio de reacción, dando lugar de este modo a una fenilamina «doble». Estos nuevos compuestos, a su vez fácilmente oxidados, originan un nuevo grupo de colorantes con tres anillos de benceno.

Este proceso de adición de las quinonaiminas iniciales en formas aromáticas transitorias de compuestos que se condensan más y más, seguido de posteriores oxidaciones, ocasiona nuevos colorantes con más de tres anillos de benceno. Puesto que estos colorantes tienen otras capacidades de reacción, tal como ciclación intramolecular o hidrólisis parcial, se transforman parcialmente a azinas u oxazinas, esto es, en más colorantes todavía.

Todos estos colorantes y pigmentos, de los cuales no se han dilucidado completamente todas sus estructuras, constituyen el tercer grupo de colorantes formados en el cabello.

Así, se debe admitir que la coloración del pelo por el proceso de coloración permanente es el resultado de la competencia entre los colorantes indoaminas, por una parte, y por otra parte los colorantes originados en cascada de condensaciones y oxidaciones, muy alejadas de las reacciones primarias. Ejemplos que se pueden lograr con varios acopladores y *p*-fenilendiaminas, incluyen:

Acoplador	*Color obtenido*
resorcinol	verde-castaño
m-aminofenol	magenta-castaño
2,4-diaminoanisol	
y *m*-fenilendiamina	azul
1-naftol	azul púrpura.

Se han estudiado[189-191] las estructuras de varios de estos colorantes, pero no es posible exponer este tema en profundidad dentro del objetivo de este texto.

Bases de Bandrowski

Se expone brevemente el problema de las bases de Bandrowski para aclarar, no sólo su formación a partir de p-fenilendiamina y su presencia en la mezcla colorante, que han originado cierta confusión, sino también sus propiedades toxicológicas que se han atribuido, por extensión, a la *para*fenilendiamina[192-193].

En un tiempo, estos trímeros de p-fenilendiamina se consideraron como los intermedios principales en la formación de colorantes permanentes, pero se debe dejar claro que en las condiciones del tinte del pelo, esto es *en presencia del pelo* y en un proceso de oxidación del orden de treinta a cuarenta y cinco minutos:

a) La base de Bandrowski no se forma en cantidad apreciable durante la oxidación de *para* por peróxido de hidrógeno —la formación de la base de Bandrowski es un proceso lento—.

b) En presencia de varios acopladores que acompañan al *para* en una mezcla colorante del cabello, y a causa de que estos acopladores son considerablemente más reactivos hacia las quinoiminas que las mismas *para* oxidadas, nunca se ha formado base de Bandrowski en cantidades detectables por análisis[194-197].

Toxicidad y peligros de los colorantes *para*

Existen dos áreas problemáticas, la de la irritación o sensibilización cutánea y la de la toxicidad sistémica.

La p-fenilendiamina y también la p-toluilendiamina, que son los componentes principales de un colorante de oxidación, se conocen como sensibilizantes capaces de ocasionar dermatitis de contacto. Por este motivo, muchos países han promulgado leyes o regulaciones exigiendo a los usuarios realizar ensayos del parche antes de la coloración, especificando límites a concentraciones de ingredientes en la fórmula, etc.

Por ejemplo, en Inglaterra, la ley de Farmacia y Tóxicos (1933) *(Pharmacy and Poisons Act 1933)*, estipuló que todos los colorantes capilares, que contuviesen fenilendiaminas o toluildiaminas u otras diaminas bencénicas alquiladas o sus sales, debían estar etiquetadas con el texto: «Precaución. Esta preparación puede causar inflamación grave de la piel en algunas personas, y sólo se debe usar de acuerdo con el asesoramiento de un experto». El requisito del etiquetado se repitió en los Reglamentos de Tóxicos 1970 *(Poisons Rules)*.

En los EEUU, las Secciones 601 *a*) y 902 *a*) de la ley de Alimentos, Medicamentos y Cosméticos *(Food, Drug and Cosmetic Act)* exige, entre otras cosas, que un colorante de cabello procedente del alquitrán de hulla que pueda ser perjudicial a los usuarios debe llevar la declaración: «Precaución. Este producto contiene ingredientes que pueden causar irritación de la piel en algunas personas, y se debe hacer antes un ensayo previo según las instrucciones que se adjuntan. Este producto no puede ser utilizado para colorear pestañas o cejas; hacerlo puede causar ceguera».

La Sección 602 *c*) exige que la declaración de precaución aparezca en la etiqueta en lugar destacado y visible. Este requisito se cumple si la declaración de la precaución aparece visible en color que contraste con el fondo, y el resto del texto impreso. La declaración de precaución debe aparecer en el frente principal de la etiqueta con el nombre del producto.

En una notificación a los «Fabricantes de Preparados para teñir el cabello», fechada el 17 de octubre de 1937, la FDA *(Food and Drug Administration)* del Departamento de Agricultura de los EE. UU., Washington, D.C., expone: «Es necesario, como se preve en la declaración de precaución, que todos los tales tintes para el cabello estén provistos de etiquetas prescribiendo ensayos previos adecuados. Para utilidad y guía de los interesados se han reproducido las instrucciones que, a la luz del conocimiento e información actuales, se consideran como aceptables.» La información se da como mera guía y no significa que otros ensayos puedan ser aceptables (véase Tabla 27.4).

Tabla 27.4. Introducciones para la realización del ensayo cutáneo (recomendaciones de la FDA de los EEUU)

1) El colorante para el cabello contenido en este envase no se debe utilizar en ningún caso como tinte del cabello hasta haber realizado el ensayo previo cutáneo. El ensayo cutáneo se debe realizar cada vez y siempre antes de que el cabello vaya a ser coloreado, independientemente de que se haya o no realizado el ensayo cutáneo anteriormente alguna vez.

2) El colorante utilizado en el ensayo previo debe ser una parte del artículo que se pretende utilizar para colorear el cabello.

3) La muestra del colorante que se utilice en el ensayo previo debe mezclarse y prepararse exactamente del mismo modo y según las instrucciones aplicables para el uso real del mismo colorante para cabellos.

4) Por medio de un aplicador adecuado (cepillo limpio de pelo de camello, aplicador de puntas de algodón u otro aplicador) se debe hacer una banda en la piel y cuero cabelludo de la parte posterior de la oreja, no inferior a 0,6 cm de ancho y al menos 1,25 cm de largo. Es importante que la banda de color se extienda en zonas con pelo del cuero cabelludo, así como en zonas de piel sin pelo.

5) La banda de color se dejará durante, al menos, veinticuatro horas. El ensayo se leerá entre las veinticuatro y cuarenta y ochos horas después de la aplicación. Preferentemente, la zona de ensayo no se cubrirá con ningún tipo de lacas y se evitará el contacto con peine, sombreros, gafas o cualquier otro objeto.

6) Advertencia: Si aparece enrojecimiento, quemazón, picor, pequeñas ampollas o cualquier tipo de erupción en la zona general utilizada para el ensayo cutáneo durante las primeras veinticuatro horas, la persona es sensible al tinte y en ninguna circunstancia debe utilizarse para colorear el cabello. Los colorantes para el cabello no se utilizarán cuando hay enfermedad o erupción en cualquier lugar de la piel o cuero cabelludo.

Aun cuando todas estas precauciones son necesarias y deseables, igualmente se debe resaltar que la tecnología de los colorantes para el cabello ha hecho considerables progresos, con el resultado de que los casos de alergia o dermatitis han llegado a ser muy raros. Así, en 1969, el Comité de Salud Cutánea y Cosméticos de la Asociación Médica Americana[198] estimó que la «dermatitis alérgica» a causa del PPD en los colorantes para el cabello daba una reacción por cada 50.000 aplicaciones». Los mismos dermatólogos consideran que el nivel de estos incidentes ha disminuido con el transcurso de los años.

En base a sus estadísticas, los productores estiman que el porcentaje de incidentes alérgicos está en un caso de alergia por un millón de unidades colorantes aplicadas.

Las mejoras en el comportamiento dermatológico de los tintes desde el comienzo de su uso se hallan en la pureza de las materias primas empleadas en las formulaciones, en la mejora de la naturaleza de los productos formados y, por último, en la utilización asociada de champúes, con eliminación de todas las sustancias remanentes a la terminación del proceso de tinción.

En cuanto a la toxicidad sistémica, actualmente se está realizando una gran cantidad de estudios toxicológicos y epidemiológicos. Aún no se pueden inferir conclusiones finales, aunque han comenzado a publicarse[1-6] varias indicaciones.

Formulación de colorantes permanentes de pelo

Cook[201] ha realizado una lista de colores que se pueden obtener de las principales bases de oxidación y agentes acopladores (Tabla 27.5) aunque resalta que, en la práctica, no se utilizan nunca solos.

Brown[199], Cook[200-201] y Zviak[10] han expuesto los factores fundamentales que se han de considerar al desarrollar formulaciones adecuadas, y destacan los siguientes como críticos:

1) Base de formulación: solución, emulsión, gel, champú o polvo.
2) Selección de componentes del colorante: base de oxidación, agente acoplador o adición de un colorante directo.
3) Selección de un álcali: generalmente se usa amoníaco.
4) Antioxidantes: generalmente se utilizan un sulfito o tioglicolato amónico para evitar la oxidación del colorante antes de usar el producto.
5) Envase: requiere ser atractivo y apropiado al uso.

Se ha realizado un trabajo considerable en la selección de componentes, pero otro enfoque importante es la mejora de la base de formulación para lograr una tinción más eficaz y adecuada.

El medio más idóneo para teñir el cabello es un champú. El sistema consta de una solución de precursores de la coloración, junto con oleato amónico u otro tensioactivo, al cual se añade en el momento de usar otra solución estabilizada de peróxido de hidrógeno contenida en un envase separado. Esta mezcla se aplica directamente al cabello y se deja en contacto durante veinte a cuarenta minutos. Después se aclara el cabello con agua y se vuelve a lavar.

Utilizando otros aditivos varios, tales como alcoholes grasos sulfatos, dialcanolamidas de ácido graso, tensioactivos no iónicos o anfóteros, alcoholes grasos, aminóxidos, aminas grasas y tensioactivos catiónicos, se puede formular una gama completa de emulsiones para aplicar colorantes en forma de cremas, geles, champúes, etc.

El empleo de antioxidantes es necesario para proteger el sistema, de la oxidación del aire durante la fabricación y envasado, y también para retrasar esta oxidación durante los procesos de preparación y aplicación de la mezcla colorante con peróxido de hidrógeno. Se utilizan como antioxidantes sulfito sódico o ácido tioglicólico con hidroquinona o sin ella. También se ha recomendado el empleo de ácido ascórbico[202-203], así como el de pirazolonas[204].

Tabla 27.5. Colores de los tintes capilares obtenidos utilizando las principales bases de oxidación y agentes acopladores.[201]

	Rubio claro	Rubio miel	Rubio ceniza	Rubio rojizo	Rojizo	Cobrizo	Castaño	Castaño claro	Castaño rojizo	Castaño medio	Castaño oscuro	Negro	Pardo claro	Pardo oscuro
p-Fenilendiamina	+	+	+	+	+	+	+	+	+	+	+	+	+	+
p-Aminofenol, hidrocloruro	+	+	+											
2-Amino-4-nitrofenol	+		+											
4-Nitro-O-fenilen diamina	+	+	+	+				+						
O-Aminofenol	+	+	+	+		+	+	+	+	+	+	+		
Resorcinol	+	+	+	+		+	+	+	+	+	+	+	+	+
Pirogalol	+	+	+			+	+		+	+		+	+	+
Hidroquinona	+													
2,4-Diaminofenol	+													
p-Aminodifenilen base	+		+										+	
2-Nitro-p-fenilen diamina		+		+	+	+	+	+			+			
4,4-Diaminoanisol, sulfato		+			+				+			+	+	+
4-Nitro-O-fenilen diamina		+		+		+	+	+		+	+			
p-Aminofenol														+
p-Touilendiamina, hidrocloruro														+
m-Aminofenol													+	
2,6-Diaminopiridica														+
6-cloro-4-nitro-2-aminofenol	+													

El peróxido de hidrógeno, esencial para la reacción como ya se ha citado, se utiliza de varios modos. En otro tiempo, fue práctica común entre los peluqueros asegurar la igualación de la coloración de oxidación decolorando primeramente el cabello con una mezcla de peróxido de hidrógeno y amoníaco, y aplicando después la solución colorante en mezcla con una nueva cantidad mínima de peróxido. Actualmente, esta técnica se utiliza raramente.

La versión moderna de este procedimiento es la asociación de decoloración y coloración, en que los colorantes de oxidación se usan en presencia de suficiente peróxido de hidrógeno para decolorar el pelo, mientras está penetrando la coloración. De este modo, un cabello castaño oscuro se tiñe a color rubio cálido varios tonos más claros que el color original, sin decolorar aparentemente. Se han superado las dificultades halladas con las formulaciones primitivas, y actualmente se dispone de productos idóneos tanto para uso en el hogar, como profesional.

Las fórmulas que se utilizan son similares a las utilizadas para tinciones convencionales de oxidación, excepto que se emplean más álcalis y peróxido de hidrógeno. El grado de aclarado de color depende de la concentración de peróxido de hidrógeno y amoníaco. Así, por ejemplo, si se utiliza amoníaco al 15 por 100 y peróxido de hidrógeno al 20 por 100 se logra la aclaración de un tono de color (es decir, de negro a castaño) y se producen efectos mucho mayores (por ejemplo, castaño oscuro a rubio) al utilizar amoníaco al 15 por 100 y peróxido de hidrógeno al 30 por 100 (20 volúmenes).

La investigación se ha dirigido durante muchos años a los detalles de la formulación final y a los aditivos, siendo los objetivos el mejoramiento del resultado técnico de las propias mezclas de colorantes, y también la ampliación de la función del producto, que se ha consagrado más y más a funciones adicionales a la coloración. En efecto, los especialistas en el arte actualmente se consagran, no sólo a la síntesis de colorantes de elevados resultados, obteniendo una gama más amplia de colores, mayor estabilidad y menos riesgo de toxicidad cutánea o sistémica, sino también a la preparación, valoración y fabricación de formulaciones que proporcionen un medio casi ideal para colorantes, incrementando las ventajas y reduciendo los inconvenientes a un mínimo. Esta preocupación, ya destacable en la década 1950-1960 con el uso de mejores tensioactivos, emolientes, álcalis y disolventes, y agentes acondicionadores, se ha hecho más acusada desde 1970. De este modo, ha crecido considerablemente el número de colorantes para el cabello que contienen aditivos varios.

Se pueden identificar dos objetivos de este trabajo sobre formulación:

1) *Progreso en las propiedades esenciales de los colorantes:*

       Estabilidad durante el almacenamiento.
       Facilidad de aplicación.
       Acortar el tiempo de aplicación.
       Aumentar el poder cubriente, y penetración, fijación en el pelo.
       Reducción de la potencial lesión cutánea.
       Protección frente a lesiones transitorias del pelo.

2) *Conferir nuevas propiedades al colorante para cabellos:*

       Protección de la estructura del pelo.

Mejora de la calidad estética del pelo, brillo, volumen, peineabilidad, aspecto general.

Adición de antisépticos, agentes anticaspa, agentes antiseborrea para el cuero cabelludo, desodorantes, etc.

Adición de sustancias específicas para operaciones distintas de la coloración, por ejemplo, formadores de película, etc.

A continuación se dan detalles de algunos tipos de estos progresos.

Las formulaciones clásicas de coloración permanente del cabello exigen una fuerte basicidad; generalmente, esto se ha obtenido por adición de amoníaco, que tiene el inconveniente del fuerte olor y su agresividad. Como consecuencia, se ha propuesto sustituirlo parcial o totalmente por álcalis que sean menos perjudiciales y más agradables de usar. EUGENE-GALLIA cambia el amoníaco por carbonato de amonio o metal alcalino, o un aminoácido asociado a una base orgánica (mofolina, mono-, di-, o trietanolamina)[205]. BRISTOL-MYERS propone la adición de un compuesto aminohidroxílico, tal como alcanolaminas inferiores, trishidroximetil-aminoetano, etc.[206]. PROCTER y GAMBLE proponen derivados de guanidina o arginina junto con buffer NaH_2PO_4-Na_2HPO_4[207].

Otro tipo de progreso concierne al incremento de la estabilidad a la luz de una preparación toluendiamina-resorcinol por adición de diamino-1,2- o 1,3-benceno sustituidos en posiciones 4,5 ó 4,6 por grupos idénticos que no son donadores de protones (F o CH_3[208] o adición posterior a la mezcla de colorante de un filtro ultravioleta, tal como benzilidina-alcanfor[209] o mezclas del isómero de cadena ramificada de dodecil benzotriazoles[210].

Los aditivos diseñados para inhibir la oxidación prematura de las bases de colorantes *para* incluyen ácido indazolón sulfónico y sus sales[211], sulfito sódico o ditionita, o ácido ascórbico[212]. El uso de enzimas como aditivos se conoce desde hace largo tiempo; recientemente PROCTER y GAMBLE han ampliado la gama cubriendo el uso de una serie completa de oxidasas[213]. En el mismo área, L'Oreal ha propuesto la incorporación de peróxido dismutasa en colorantes de oxidación para el cabello[214].

En el campo de los tensioactivos se ha propuesto una ampliación del número de agentes utilizados con el empleo de tensioactivos oligómeros del tipo poliéter polihidroxilado como vehículo de coloración[215].

Es bien conocido que una de las condiciones necesarias para lograr una buena ondulación permanente, una buena coloración o decoloración puede ocasionar tarde o temprano daño a la integridad estructural del pelo. Pues la fuerte alcalinidad y uso de agente oxidante puede atacar al tallo del pelo. Para inhibir la eventual lesión o restaurar el pelo lesionado se han propuesto las siguientes sustancias para incorporar a los colorantes capilares: hidrolizados de queratina[216], queratosa obtenida por tratamiento por calor de sustancias queratínicas con bases acuosas[217], derivados de metilol[218], una alquilimidazolona asociada a una aminobetaína o con miranol[219], poliésteres de ácidos policarboxílicos cicloalifáticos o aromáticos y óxidos polialquilenos[220]. También se ha propuesto la aplicación de una loción poscoloración conteniendo ésteres alcoximetílicos de ácidos carboxílicos[221], o una oxazolidina[222-223] para mejorar la estructura del pelo lesionado.

Otra línea de formulación tiene como finalidad no sólo la protección y restauración del pelo lesionado, sino también al mismo tiempo mejorar las cualidades estéticas (peinabilidad, brillo, volumen, aspecto general). Para esta finalidad, tales fórmulas contienen agentes acondicionadores. En consonancia, existen propuestas para la incorporación de: compuestos de amonio cuaternario aislados[224], o asociados con amidas grasas polietoxiladas[225] o un formador de película, tal como polivinilpirrolidona (PVP); resina formaldehído-dimetilhidantoína[226], o una serie completa de polímeros catiónicos, entre los cuales se mencionan los copolímeros cuaternizados de N-vinil pirrolidona-dimetilaminoetilmetacrilato-polietilen glicol[227]; polímeros cuaternarios del tipo ionena[228-231]; éteres catiónicos de celulosa; policondensados de piperazina[232-233]; ciclopolímeros de dialildimetilamonio y sus copolímeros con acrilamida y diacetona acrilamida[234-236].

Se ha desarrollado un tipo especial de formulación por medio de adiciones específicas para permitir que se puedan realizar otras operaciones cosméticas distintas a la tinción. Como ejemplo se pueden citar composiciones en forma de cremas o geles acuosos que contienen colorantes directos o de oxidación junto con formadores de película, tales como PVP, resinas acrílicas, PVP-acetato de vinilo, polímeros básicos de acrilatos y metacrilatos[237]. También existen los proyectados para colorear y desrizar que contienen hidróxido de litio, sodio o potasio para ablandar la queratina[238].

Además se ha pensado que los aditivos podrían ser incorporados con la finalidad de reducir la concentración de la sustancia activa en preparaciones cosméticas (incluyendo los colorantes). Un poco antes de usar se añade un 1-10 por 100 en peso de compuestos orgánicos que se disocian en medio alcalino y poseen grupos ésteres y halógenos, y que pueden formar un ácido por disociación (acetato de etilo, lactato de etilo, cloracetamida)[239].

OTROS COLORANTES PARA EL PELO

Se han publicado amplios trabajos sobre el desarrollo de colorantes de oxidación que se pueden utilizar en condiciones ambientales y no requieran oxidación química. Se ha estudiado un gran número de diferentes sustancias, y pueden clasificarse según sus estructuras básicas químicas.

Compuestos aromáticos polihidroxílicos

Los compuestos aromáticos polihidroxílicos incluyen fenoles trihidroxílicos, tales como 1,2,4-trihidroxibenceno, 2,4,5-trihidroxitolueno y 1,2,4-trihidroxi-5-cloro-benceno. Una patente británica[240] describe el uso de tales sustancias en una fórmula que incluye un agente reductor sulfito o mercaptano. El empleo de composiciones exentas de sulfito u otros agentes reductores se describen en dos patentes posteriores[241, 242]; los fenoles polihidroxílicos se usan asociados con aminas alifáticas de cadena corta. Se dispone[243-245] de una gama de tonos desde rubio pasando por castaño rojizo y pardo rojizo a castaño y negro azulado.

Ha existido, durante algún tiempo, interés en el uso de 3,4-dihidroxifenilalanina como colorante de oxidación, principalmente por ser un precursor de la melanina, el pigmento natural del pelo. El uso de la sustancia siguiente de la cadena, 5,6-dihidroxindol, se ha descrito en una patente británica[246], pero parece que el melanocito realiza una función mejor produciendo un color satisfactorio. Se han publicado[247, 248] tonos claros de la gama de ceniza claro a rubio y se basan en el uso de derivados metilo de 5,6-dihidroxindol. En una patente de EE. UU.[249] se ha descrito el uso de 3,4-hidroxifenilalanina en mezcla con otros fenoles, tal como hidroquinona, pero los colores que se producen son además bastante pálidos. También se han publicado como adecuados otros derivados de dihidroxibenceno. Así, se han citado *orto*-dihidroxibenceno (esto es, catecol y algunos de sus derivados[250], dihidroxiaminobencenos[251, 252], y 2,4-dihidroxiaminobencenos N-sustituidos[253] proporcionando colores que se extienden desde castaño y pardo rojizo a gris y negro.

Colorantes vegetales para el pelo

Alheña

Actualmente, de los colorantes vegetales, sólo la alheña tiene alguna importancia práctica. Se compone de hojas secas pulverizadas de *Lawsonia alba, Lawsonia spinosa* y *Lawsonia inemis*, que se recolectan de las plantas antes de su floración.

La alheña debe sus propiedades colorantes para el pelo a la presencia de 2-hidroxi-1,4-naftaquinona, denominada frecuentemente *lawsona*, que es soluble en agua caliente, y es un colorante con propiedades sustantivas para la queratina en solución ácida. Para colorear el pelo con alheña se aplica, al cabello lavado, una pasta de alheña pulverizada y agua caliente, ligeramente acidificada con ácido cítrico, adípico u otros ácidos adecuados para un pH óptimo de aproximadamente 5,5.

Esta «cataplasma de alheña», que se mantiene en su sitio por medio de una toalla, se deja en la cabeza durante el tiempo que se necesite, que puede variar de cinco a sesenta minutos, después del cual el cabello se lava a fondo con champú, se aclara y seca. El tiempo de tratamiento depende del tono deseado, textura y estado del cabello, actividad de la alheña, acidez de la pasta y temperatura a la que se aplica la cataplasma.

La alheña tiene la ventaja de no ser ni irritante primario ni sensibilizante, y no poseer toxicidad local, ni sistémica. El color que se obtiene es relativamente estable y se deposita en el interior del tallo del pelo, mientras que los colorantes metálicos recubren el tallo del pelo. Desgraciadamente, padece de gran número de inconvenientes —en particular, que es de aplicación sucia, y la gama de colores que se producen está limitada de los tonos rojizos a los castaños—. Se debe evitar el contacto con las uñas o se teñirá también la queratina de las uñas. La coloración repetida con alheña tiende a deteriorar algo de efecto y produce un color pardo rojizo duro.

Además de su empleo como colorante para cabellos, el extracto del alheña se incorpora a algunos aclarados ácidos. Aquí la dificultad está en el hecho de que todo aclarado suficientemente fuerte para teñir el pelo, igualmente tiñe las uñas durante la aplicación, a menos que previamente se hayan protegido.

Tintes de alheña *(henna reng)*

Adicionando otras sustancias a la alheña, se pueden obtener otros tonos del pardo rojizo; por ejemplo, una mezcla de hojas pulverizadas de índigo y alheña produce tonos negros azulados, y tales mezclas se conocen como *tintes de alheña (henna rengs)*.

Camomila

De las diferentes especies de camomila, solamente *Anthemis nobilis* (camomila romana) y *Matricaria chamomillae* (camomila alemana) tienen aplicación en cosméticos; ambas son igualmente útiles en la tinción del cabello. El ingrediente activo de estas flores es 1,3,4-trihidroxiflavona, denominada también apigenina. Se puede utilizar un extracto acuoso o una pasta de las cabezas de las flores pulverizadas. Para aclarar el cabello se aplica a la cabeza, por un período que varía de quince a sesenta minutos, dependiendo del tono deseado, una pasta formada por 2 partes de camomila y 1-2 partes de caolín, mezclados como crema fina con agua caliente.

La camomila también se usa como un constituyente de aclarados y champúes abrillantadores de cabello. Han surgido algunas dudas respecto a si la camomila es realmente eficaz. Lo importante del tema es que al menos un 5 por 100 de camomila, o su equivalente en extracto, debe estar presente para producir algún efecto, pero también el azuleno presente en la camomila contribuye probablemente al efecto abrillantador.

Colorantes metálicos para el cabello

De los colorantes metálicos, los más frecuentemente usados son los compuestos de plomo; a veces se emplean compuestos de plata, cobre, hierro, níquel y cobalto, y menos frecuentemente sales de bismuto.

No se tiene certeza de si los colores que producen tales compuestos se deben a los sulfuros que se forman por reacción entre el azufre de la queratina y las sales metálicas, o a los óxidos metálicos formados por la queratina al reducir las sales metálicas. Es posible que tengan lugar ambas reacciones en algún grado. Cualquiera que sea el mecanismo de acción, el resultado obtenido es el depósito de una película coloreada a lo largo del tallo del pelo que, eventualmente, proporciona al pelo un aspecto metálico mate, haciendo al pelo quebradizo, y disminuyendo la eficacia de una ondulación permanente posterior.

Colorantes de plomo

El ingrediente activo en estos colorantes es usualmente acetato de plomo junto con algo de azufre precipitado, glicerina y agua. El ejemplo 2 es una fórmula típica. Se puede incorporar tiosulfato sódico en lugar de azufre precipitado. Tales preparaciones tienen escasa estabilidad.

(2)

por ciento

Azufre precipitado	1,3
Plomo, acetato	1,6
Glicerina	9,6
Agua de rosas	87,5

La acción de los colorantes de plomo es lenta y progresiva, y los tonos producidos en el cabello gris generalmente pasan desde amarillo a través del castaño hasta negro. Los tonos logrados dependen de la concentración de las sales de plomo en la preparación, número de aplicaciones, color original del pelo y tiempo durante el cual se ha dejado desarrollar el color.

Probablemente a causa de la interacción con las proteínas de la piel, tales soluciones de plomo son relativamente innocuas en condiciones normales de uso. Sin embargo, se debe recordar que generalmente estas preparaciones se comercializan para uso en el hogar y se pueden derivar efectos sistémicos si el plomo queda en las manos y contamina el alimento. La ingestión por niños puede ser fatal, y las preparaciones que contienen plomo deben llevar información adecuada de precauciones.

Otros colorantes metálicos

Han sido propuestos otros colorantes metálicos capilares, tales como sales de bismuto, plata, cobre, níquel y cobalto, pero plantean problemas importantes de toxicidad y de las precauciones necesarias[254-256].

ELIMINADORES DE COLORANTES CAPILARES

A veces es necesaria la eliminación de los colorantes del pelo bien a causa de un error o porque el usuario desea tener un tono más claro. Generalmente, en el caso de los tintes metálicos es peligroso eliminar el color por medio de sustancias químicas, puesto que los metales catalizan muchas reacciones, y pueden ocasionar la producción violenta de calor que probablemente lesionará tanto al pelo como al cuero cabelludo. El único remedio para los tintes metálicos no deseados es dejar que el pelo crezca.

Los colorantes de oxidación se pueden eliminar con más o menos eficacia, tratando el cabello con agentes reductores, tales como hidrosulfito sódico o formaldehído sulfoxilato sódico, usualmente a la concentración del 5 por 100. También se ha descrito[257] el uso de ácido formamidinsulfínico[257] y se ha citado una fórmula tal como sigue:

(3)

por ciento

Acido formamidinsulfínico	1,5
Polivinilpirrolidona	5,0
Etilen glicol monobutil éter	5,0
Carbonato amónico	1,0
Amoníaco (25 por 100)	0,5
Carboximetilcelulosa	2,5
Agua	hasta 100,0

Los colorantes semipermanentes se pueden eliminar por lavado enérgico con champú, especialmente si se añade un poco de amoníaco. Algunos colorantes, sin embargo, se manifiestan muy resistentes, y para tales casos[259] se recomienda una mezcla de champú, agente reductor y decolorante en las proporciones 1:1:2.

DECOLORACION Y ACLARADO

Es evidente que no puede considerarse completa una descripción de colorantes del cabello sin hacer referencia al método de producir tonos rubios. Esto se realiza decolorando el pelo de la manera usual hasta el tono rubio más pálido posible con amoníaco y peróxido de hidrógeno. Después se le da al cabello un lavado con un aclarado azul que contiene aproximadamente 1:100.000 de azul de metileno (Ext. D&C Azul N.º 1) u otro color certificado azul adecuado. La adición de color azul es necesaria, pues el ojo humano considera el color como más blanco que el blanco un sustrato que sea muy ligeramente azul.

La decoloración del pelo debe ser completa, o la combinación de un tallo de pelo amarillo intenso y un aclarado azul dará lugar a un pelo claramente de aspecto verdoso.

Cook[260] examinó los tratamientos decolorantes utilizables al pelo humano y expuso los efectos de factores, tales como desprendimiento controlado de oxígeno y el uso de aditivos para ayudar a superar el daño ocasionado al pelo por tales tratamientos. Especialmente recomienda el uso de proteínas esenciales, bien añadidas al oxidante o usadas antes del tratamiento.

Se han introducido productos en polvo para obtener un mejor control en la aplicación de peróxido al pelo, y ampliar al tiempo de decoloración. Estos polvos varían desde sustancias inertes, tales como caolín o carbonato magnésico, empleados con peróxido y amoníaco, a polvos que ellos mismos proporcionan amoníaco y alguna forma de oxígeno activo cuando se humedece con agua o peróxido de hidrógeno. Estos polvos se llamaron en un tiempo «alheña blanca», término incorrecto porque no contenían ninguna alheña, pero era adecuado, pues indicaban su método de uso. Las primeras fórmulas típicas contenían hasta un tercio de perborato o percarbonato sódico, completando con caolín y carbonato magnésico. En los ejemplos 4 y 5, se dan fórmulas más complejas.

	(4) por ciento	(5) por ciento
Amonio, persulfato	3,0	—
Potasio, persulfato	—	8,0
Potasio ácido, tartrato	3,0	—
Potasio ácido, oxalato	—	8,0
Sodio, carbonato	3,0	13,0
Tensioactivo	1,0	1,0
Espesante	5,0	
Magnesio, hidróxido, y aluminio, hidróxido	hasta 100,0	hasta 100,0

Procedimiento: Mezclar el polvo hasta pasta con peróxido de hidrógeno (10-40 vol.) antes de usar, y extender uniformemente sobre aquellas partes de cabello que se desee teñir.

Todos los tipos de preparación descritos anteriormente son esencialmente para peluqueros profesionales, pues el grado de especialización y cuidado necesarios para obtener un color satisfactorio tienen como consecuencia una lesión mínima.

Para uso doméstico, los productos se formulan según líneas mucho más simples. Uno adecuado para presentación en envase doble sería:

		(6)
		por ciento
A.	Peróxido de hidrógeno 20 vol.	98,6
	Acido tartárico	0,8
	Sodio, estannato	0,6
B.	Amoníaco	4,5
	Tensioactivo, p. ej., jabón amónico	3,0
	Agua	92,5

Procedimiento: Mezclar a partes iguales *A* y *B* antes de usar.

Productos aún más sencillos, populares en la década 1950, fueron conocidos como aclaradores o abrillantadores. Frecuentemente eran simples soluciones de peróxido de hidrógeno a concentraciones comprendidas entre 1 y 3 por 100 (3-10 vol.) estabilizadas como la solución *A* del ejemplo 6. La solución se aplica por todo el cabello mediante peinado, y se deja que reaccione lentamente. Puesto que la reacción no sucede en condiciones alcalinas, y no existe amoníaco presente, las soluciones no producen ni ligeras lesiones, ni tonos rojizos o cobrizos metálicos no deseables.

Una composición decolorante para el pelo humano descrita en una patente EEUU[261] está proyectada especialmente para decoloración localizada, por ejemplo, decoloración del pelo nuevo que crece próximo al cuero cabelludo, sin daño para el pelo anteriormente decolorado, y sin irritación para la piel. La composición decolorante descrita se prepara aplicando peinando una mezcla seca de un silicato anhidro, una sal alcalina o amónica de un perácido, como por ejemplo un persulfato, con peróxido de hidrógeno y un jabón amónico líquido alcalino con pH entre 9,3 y 10,0, que gelificará la mezcla. Mezclando peróxido de hidrógeno con una cantidad constante de un jabón líquido amónico, pero con diferentes cantidades de mezcla de polvo seco, es posible producir una gama de composiciones decolorantes de diferentes concentraciones en las cuales los valores de pH permanecen en un margen estrecho deseable. La función del jabón es contribuir a la alcalinidad del compuesto para ayudar a alcanzar la deseada consistencia del gel, y para actuar como un champú en la eliminación del decolorador. Las sales perácidas, preferentemente una mezcla de persulfato potásico y amónico, colaboran en virtud de su acción oxidante en el proceso de decoloración, y esto permite utilizar menos peróxido de hidrógeno. Se han reivindicado, junto con metasilicato sódico y jabón amónico, para tamponar la composición decolorante dentro del intervalo deseado de pH, durante toda la operación de decoloración, y producir un gel de consistencia deseada.

REFERENCIAS

1. Kiese, M. and Rauscher, E., *Toxicol. appl. Pharmacol.*, 1968, **13**, 325.
2. Kiese, M., Rachor, M. and Rauscher, E., *Toxicol. appl. Pharmacol.*, 1968, **12**, 495.
3. Frenkel, E. P. and Brody, F., *Arch. environ. Health*, 1973, **27**, 401.
4. Maibach, H. I., Leaffer, M. A. and Skinner, W. A., *Arch. Dermatol.*, 1975, **111**, 1444.
5. Hruby, R., *Food Cosmet. Toxicol.*, 1977, **15**, 595.
6. Yare, R. and Garcia, M., *Arch. Dermatol.*, 1977, **133**, 1610.
7. Evans, R. L., *Proc. sci. Sect. Toilet Goods Assoc.*, 1948, (10), 9.
8. Alexander, P., *Manuf. Chem.*, 1964, **35**(9), 70.
9. Holmes, A. W., *J. Soc. cosmet. Chem.*, 1964, **15**, 595.
10. Zviak, C., *Problèmes Capillaires*, ed. Sidi, E. and Zviak, C., Paris, Gauthier Villars, 1966.
11. Walker, G. T., *Seifen, Öle, Fette, Wachse*, 1967, **13**, 319.
12. Menkart, J., Wolfram, L. J. and Mao, I., *J. Soc. cosmet. Chem.*, 1966, **17**, 769.
13. Daniels, M. H., *Drug Cosmet. Ind.*, 1958, **82**, 158.
14. French Patent 2 117 662, L'Oreal, 10 December 1971.
15. French Patent 2 050 990, L'Oreal, 9 June 1970.
16. French Patent 2 101 603, L'Oreal, 12 July 1971.
17. French Patent 2 254 557, L'Oreal, 11 December 1974.
18. French Patent 2 139 385, L'Oreal, 9 May 1972.
19. French Patent 2 121 101, L'Oreal, 29 December 1971.
20. French Patent 2 234 276, L'Oreal, 21 June 1974.
21. French Patent 2 234 277, L'Oreal, 21 June 1974.
22. French Patent 2 338 036, L'Oreal, 19 January 1976.
23. French Patent 2 148 103, L'Oreal, 28 July 1972.
24. French Patent 2 047 932, L'Oreal, 24 June 1970.
25. French Patent 2 119 990, L'Oreal, 20 December 1971.
26. French Patent 2 106 661, L'Oreal, 18 September 1970.
27. French Patent 2 089 423, L'Oreal, 8 April 1971.
28. French Patent 2 106 660, L'Oreal, 18 September 1970.
29. French Patent 2 106 662, L'Oreal, 18 September 1970.
30. French Patent 2 097 712, L'Oreal, 18 January 1971.
31. French Patent 2 051 802, L'Oreal, 15 July 1970.
32. French Patent 2 122 442, L'Oreal, 14 January 1972.
33. French Patent 2 056 799, L'Oreal, 10 August 1970.
34. French Patent 2 145 724, L'Oreal, 13 July 1972.
35. French Patent 2 165 965, L'Oreal, 19 December 1972.
36. French Patent 2 262 024, L'Oreal, 21 February 1975.
37. French Patent 2 262 023, L'Oreal, 21 February 1975.
38. French Patent 2 262 022, L'Oreal, 21 February 1975.
39. French Patent 2 261 750, L'Oreal, 21 February 1975.
40. French Patent 2 359 182, L'Oreal, 21 July 1976.
41. Japanese Patent 72 47 666, Arimino Kagaku, 1 December 1972.
42. US Patent 2 359 783, Orelup, J. W., 10 October 1944.
43. US Patent 3 194 735, Warner Lambert, 13 July 1965.
44. French Patent 1 309 399, L'Oreal, 5 October 1961.
45. French Patent 1 484 836, L'Oreal, 10 May 1966.
46. French Patent 1 482 993, L'Oreal, 20 April 1966.
47. French Patent 1 498 464, L'Oreal, 22 July 1966.
48. French Patent 1 517 862, L'Oreal, 9 January 1967.
49. French Patent 1 527 405, L'Oreal, 14 June 1967.
50. French Patent 1 604 203, L'Oreal, 14 June 1967.
51. French Patent 2 361 447, L'Oreal, 12 August 1976.
52. Japanese Patent 71 14 360, Katsuraya, K.K., 17 April 1971.

53. US Patent 3 743 622, Wagner, E.R., 3 July 1973.
54. US Patent 3 790 512, Wagner, E.R., 5 February 1974.
55. US Patent 3 743 678, Clairol, 3 July 1973.
56. Canadian Patent 899 888, Bristol-Myers, 9 May 1972.
57. Canadian Patent 900 490, Bristol-Myers, 13 January 1967.
58. British Patent 1 228 604, Gillette, 15 April 1971.
59. German Patent Application 2 149 467, Therachemie, 12 April 1973.
60. German Patent Application 2 207 683, Therachemie, 30 August 1973.
61. US Patent 3 646 216, Shulton Inc., 29 February 1972.
62. US Patent 3 742 048, L'Oreal, 26 June 1973.
63. British Patent 1 363 937, Gillette, 21 August 1974.
64. US Patent 3 726 635, L'Oreal, 10 April 1973.
65. French Patent 2 290 186, L'Oreal, 5 November 1974.
66. French Patent 2 349 325, L'Oreal, 30 April 1976.
67. Canadian Patent 935 094, Bristol-Myers, 26 February 1968.
68. French Patent 2 348 911, L'Oreal, 19 April 1977.
69. US Patent 4 021 486, Clairol, 3 May 1977.
70. Canadian Patent 989 862, Bristol-Myers, 25 May 1976.
71. German Patent Application 2 204 026, Therachemie. 28 January 1972.
72. German Patent Application 2 219 225, Therachemie, 20 April 1972.
73. French Patent 2 315 256, L'Oreal, 26 June 1975.
74. French Patent 2 290 186, L'Oreal, 5 November 1974.
75. French Patent 2 349 325 L'Oreal, 30 April 1976.
76. US Patent 3 817 698, L'Oreal, 18 June 1974.
77. French Patent 2 106 264, L'Oreal, 6 September 1971.
78. British Patent 1 205 365, Gillette, 16 September 1970.
79. US Patent 3 661 500, Shulton Inc., 9 May 1972.
80. French Patent 2 290 185, L'Oreal, 8 November 1974.
81. French Patent 2 349 325, L'Oreal, 30 April 1976.
82. US Patent 3 168 441, Clairol, 2 February 1965.
83. Kalopissis, G., Bugaut, A. and Bertrand, J., *J. Soc. cosmet. Chem.*, 1964, **15,** 411.
84. French Patent 2 189 006, L'Oreal, 18 June 1973.
85. French Patent 2 285 851, L'Oreal, 26 September 1975.
86. French Patent 2 282 860, L'Oreal, 29 August 1975.
87. French Patent 2 140 205, L'Oreal, 2 June 1972.
88. British Patent 1 249 438, Gillette, 13 October 1971.
89. French Patent 2 099 399, L'Oreal, 30 July 1971.
90. Broadbent, A. D., *Am. Perfum. Cosmet.*, 1963, **78**(3), 23.
91. Shansky, A., *Am. Perfum. Cosmet.*, 1966, **81**(11), 23.
92. British Patent 1 009 796, Partipharm AG, 24 April 1963.
93. Canadian Patent 731 512, Turner Hall Corp., 16 March 1961.
94. British Patent 1 113 661, Unilever Ltd, 25 January 1965.
95. British Patent 1 309 743, Unilever Ltd, 14 March 1973.
96. US Patent 3 904 357, Avon Products, 9 September 1975.
97. US Patent 3 871 818, Avon Products, 18 March 1975.
98. Japanese Patent 70 21 399, Pias K.K., 20 July 1970.
99. German Patent Application 2 327 987, Henkel, 2 January 1975.
100. German Patent Application 2 327 986, Henkel, 2 January 1975.
101. German Patent Application 2 327 985, Henkel, 2 January 1975.
102. German Patent Application 1 927 959, Therachemie, 3 December 1970.
103. French Patent 2 363 323, Ciba-Geigy, 1 September 1977.
104. German Patent Application 2 757 866, Ciba-Geigy, 29 June 1978.
105. German Patent Application 2 807 780, Ciba-Geigy, 31 August 1978.
106. British Patent 721 831, Ashe Laboratories, 19 May 1952.
107. US Patent 2 776 668, H. Rubinstein Inc., 28 June 1951.
108. British Patent 906 526, County Laboratories, 15 June 1960.

109. Japanese Patent 75 09 852, Hohyu Shokai, 16 April 1975.
110. British Patent 1 159 331, L'Oreal, 23 July 1969.
111. Anon., *Schimmel Brief*, 1965, 365.
112. Heald, R. C., *Am. Perfum. Cosmet.*, 1963, **78**(4), 40.
113. British Patent 826 479, Rapidol Ltd, 6 January 1960.
114. Peters, L. and Steven, C. B., *J. Soc. Dyers Colour.*, 1956, **72,** 100.
115. US Patent 3 482 923, Therachemie. 9 December 1969.
116. French Patent 1 603 028, L'Oreal, 24 June 1968.
117. British Patent 1 236 560, Revlon, 23 June 1971.
118. German Patent Application 2 022 676, Gillette, 19 November 1970.
119. US Patent 3 822 112, L'Oreal, 6 May 1975.
120. US Patent 3 586 475, Colgate-Palmolive, 22 June 1971.
121. US Patent 3 632 290, Lovenstein Dyes and Cosmetics, 4 January 1972.
122. US Patent 3 933 422, Avon Products, 20 January 1976.
123. Belgian Patent 840 879, Kindai K.K., 16 August 1976.
124. Japanese Patent 73 23 911, Shiseido, 17 July 1973.
125. US Patent 3 733 175, Clairol, 15 May 1973.
126. Japanese Patent 71 13 278, Sanwyo, 6 April 1971.
127. British Patent 1 241 832, Beecham Group. 4 August 1971.
128. British Patent 2 096 377, Helene Curtis, 18 February 1972.
129. Japanese Patent 76 151 341, Shiseido, 25 December 1976.
130. French Patent 1 113 505, L'Oreal, 4 November 1954.
131. British Patent 741 307, L'Oreal, 30 November 1955.
132. US Patent 2 848 369, L'Oreal, 19 August 1958.
133. French Patent 1 113 505, L'Oreal, 4 November 1954.
134. British Patent 741 307, L'Oreal, 30 November 1955.
135. US Patent 2 848 369, L'Oreal, 19 August 1958.
136. German Patent Application 2 028 818, Gillette, 17 December 1970.
137. German Patent Application 2 119 231, –232, Therachemie, 26 October 1972.
138. French Patent 2 362 112, L'Oreal, 20 August 1976.
139. British Patent 1 482 170, Bristol-Myers, 31 December 1974.
140. US Patent 3 884 627, Clairol, 20 May 1975.
141. US Patent 3 970 423, Clairol, 20 July 1976.
142. French Patent 2 017 995, L'Oreal. 4 September 1969.
143. German Patent Application 1 907 322, Therachemie, 3 September 1970.
144. French Patent 2 364 888, L'Oreal, 17 November 1976.
145. US Patent 3 658 454, American Cyanamid, 25 April 1972.
146. German Patent Application 2 518 393, Henkel, 4 November 1976.
147. German Patent Application 2 357 215, Henkel, 22 May 1975.
148. German Patent Application 2 424 139, Henkel, 27 November 1975.
149. German Patent Application 2 359 399, Henkel, 12 June 1975.
150. German Patent Application 2 524 329, Henkel, 16 December 1976.
151. German Patent Application 2 523 045, Henkel, 2 December 1976.
152. German Patent Application 2 523 629, Henkel, 9 December 1976.
153. German Patent Application 2 516 118, Henkel, 21 October 1976.
154. German Patent Application 2 516 117, Henkel, 21 October 1976.
155. German Patent Application 2 613 707, Henkel, 13 October 1977.
156. German Patent Application 2 441 598, Henkel. 11 March 1976.
157. German Patent Application 2 526 313, Henkel, 23 December 1976.
158. German Patent Application 2 527 791, Henkel, 30 December 1976.
159. German Patent Application 2160 317, Therachemie, 7 June 1973.
160. German Patent Application 2 554 456, Henkel, 16 June 1977.
161. German Patent Application 2 622 451, Henkel, 8 December 1977.
162. British Patent 1 484 638, Bristol-Myers, 1 September 1977.
163. British Patent 1 484 639, Bristol-Myers, 1 September 1977.
164. German Patent Application 2 617 739, Henkel, 10 November 1977.

165. French Patent 2 233 984, L'Oreal, 21 June 1974.
166. French Patent 2 233 982, L'Oreal, 21 June 1974.
167. French Patent 2 233 983, L'Oreal, 21 June 1974.
168. German Patent Application 2 509 152, Henkel, 9 September 1976.
169. German Patent Application 2 509 096, Henkel, 23 September 1976.
170. French Patent 2 315 255, L'Oreal, 26 June 1975.
171. French Patent 2 017 164, L'Oreal, 13 August 1969.
172. French Patent 2 012 986, L'Oreal, 11 July 1969.
173. US Patent 3 834 866, Alberto-Culver, 10 September 1974.
174. French Patent 2 364 204, L'Oreal, 9 September 1976.
175. German Patent Application 1 949 749, Therachemie, 8 April 1971.
176. German Patent Application 2 628 999, Henkel, 5 January 1978.
177. French Patent 2 362 116, L'Oreal, 20 August 1976.
178. French Patent 2 362 118, L'Oreal, 20 August 1976.
179. German Patent Application 2 629 805, Henkel, 12 January 1978.
180. German Patent Application 1 949 748, Therachemie, 15 April 1971.
181. German Patent Application 2 160 318, Therachemie, 7 June 1973.
182. German Patent Application 2 334 738, Henkel, 30 January 1975.
183. German Patent Application 2 603 848, Henkel, 11 August 1977.
184. German Patent Application 2 625 410, Henkel, 15 December 1977.
185. German Patent Application 2 632 390, Henkel, 26 January 1978.
186. German Patent Application 2 623 564, Henkel, 15 December 1977.
187. French Patent 2 013 346, L'Oreal, 13 June 1969.
188. US Patent 3 817 995, L'Oreal, 18 June 1974.
189. Corbett, J. F., *Rev. Progr. Color. relat. Top.*, 1973, **4**, 3.
190. Shah, M. J., Tolgyesi, W. S. and Britt, A. D., *J. Soc. cosmet. Chem.*, 1972, **23**, 853.
191. Corbett, J. F., *J. Soc. cosmet. Chem.*, 1973, **24**, 103.
192. Ames, B. N., Kammen, H. O. and Yamasaki, E., *Proc. nat. Acad. Sci.*, 1975, **72**, 2423.
193. Venitt, S., *IARC Scientific Publication No. 13, Inserm Symposia Series*, 1976, **52**, 263.
194. Dolinsky, M., Eilson, C. H., Wisneski, H. H. and Demers, F. X., *J. Soc. cosmet. Chem.*, 1968, **19**, 411.
195. Altman, M. and Rieger, M. M., *J. Soc. cosmet. Chem.*, 1968, **19**, 141.
196. Tucker, H. H., *J. Soc. cosmet. Chem.*, **18**, 609.
197. Cox, H. E., *Analyst*, 1933, **58**, 738.
198. Rostenberg, I. and Kass, G. S., *Hair Coloring: AMA Committee of Cutaneous Health and Cosmetics*, American Medical Association, 1969.
199. Brown, J. C., *J. Soc. cosmet. Chem.*, 1967, **18**, 225.
200. Cook, M. K., *Drug Cosmet. Ind.*, 1966, **99**(11), 52.
201. Cook, M. K., *Drug Cosmet. Ind.*, 1966, **99**(10), 50.
202. US Patent 3 488 138, Iscowitz, 6 January 1970.
203. British Patent 979 266, Wella, 1 January 1965.
204. British Patent 1 065 223, L'Oreal, 12 April 1967.
205. Belgian Patent 777 516, Eugene-Gallia, 15 December 1970.
206. British Patent 806 252, Bristol-Myers, 23 December 1958.
207. US Patent 3 861 868, Procter and Gamble, 21 January 1975.
208. German Patent Application 2 158 670, Unilever, 29 June 1972.
209. US Patent 3 840 338, L'Oreal, 8 October 1974.
210. US Patent 3 983 132, GAF Corp., 28 September 1976.
211. German Patent Application 1 934 766, Therachemie, 21 January 1971.
212. US Patent 3 893 803. Procter and Gamble, 8 July 1975.
213. US Patent 3 957 424, Procter and Gamble, 18 May 1976.
214. French Patent 2 287 899, L'Oreal, 14 October 1975.
215. French Patent 2 359 165, L'Oreal, 19 July 1976.
216. US Patent 3 842 848, Wilson Sinclair, 22 October 1974.

217. German Patent Application 2 338 518, Henkel, 13 February 1975.
218. French Patent 2 027 178, L'Oreal, 5 December 1969.
219. German Patent Application 1 941 100, Schwarzkopf, 25 February 1971.
220. French Patent 2 161 782, Cincinnati Milacron, 29 November 1971.
221. German Patent Application 2 657 613, Henkel, 22 June 1978.
222. German Patent Application 2 657 689, Henkel, 22 June 1978.
223. German Patent Application 2 657 715, Henkel, 29 June 1978.
224. US Patent 4 096 243, Bristol-Myers. 9 February 1976.
225. US Patent 3 930 792, Bristol-Myers, 6 January 1976.
226. US Patent 3 653 797, Reiss. 4 April 1972.
227. French Patent 2 312 233, L'Oreal, 26 May 1976.
228. French Patent 2 279 851, L'Oreal, 11 July 1975.
229. French Patent 2 316 271, L'Oreal, 2 July 1976.
230. French Patent 2 331 323,–324, L'Oreal, 12 November 1976.
231. French Patent 2 333 012, L'Oreal, 15 May 1975.
232. French Patent 2 331 325, L'Oreal, 12 November 1976.
233. French Patent 2 280 361, L'Oreal, 2 August 1974.
234. US Patent 3 986 825, Gillette, 19 October 1976.
235. US Patent 4 027 008, Gillette, 31 May 1977.
236. French Patent 2 331 325, L'Oreal, 12 November 1976.
237. German Patent Application 2 157 844, Wella, 28 September 1971.
238. German Patent Application 2 014 628, Wella, 14 October 1971.
239. German Patent Application 2 349 050, Wella, 24 April 1975.
240. British Patent 710 134, Union Francaise Commerciale et Industrielle, 9 June 1954.
241. British Patent 745 531, Gillette Industries Ltd, 29 February 1956.
242. British Patent 745 532, Gillette Industries Ltd, 29 February 1956.
243. British Patent 824 519, Monsavon-L'Oreal, 2 December 1959.
244. British Patent 827 439, Monsavon-L'Oreal, 3 February 1960.
245. British Patent 889 812, Monsavon-L'Oreal, 21 February 1962.
246. British Patent 797 174, Monsavon-L'Oreal, 25 June 1958.
247. British Patent 823 503, Monsavon-L'Oreal, 11 November 1959.
248. US Patent 3 194 734, L'Oreal, 13 July 1965.
249. US Patent 2 875 769, Apod. Corps, 3 March 1959.
250. British Patent 831 851, Monsavon-L'Oreal, 6 April 1960.
251. British Patent 857 070, Monsavon-L'Oreal, 29 December 1960.
252. British Patent 951 509, L'Oreal, 4 March 1964.
253. British Patent 899 051, Monsavon-L'Oreal, 20 June 1962.
254. German Patent Application 2 435 578, Combe Inc., 18 November 1974.
255. British Patent 1 518 874, Beecham Group, 26 July 1978.
256. German Patent Application 2 617 162, Zikuda, G., 9 March 1978.
257. German Patent 1 151 242, Vogt, G., 31 January 1961.
258. Anon, *Schimmel Brief*, 1964, 365.
259. US Patent 3 206 364, Thompson, H.L., 14 November 1965.
260. Cook, M. K., *Drug Cosmet. Ind.*, 1966, **99**(1), 46.
261. US Patent 3 378 444, Rayette Faberge, 16 April 1968.

28

Ondulación permanente y alisadores de pelo

Introducción

En tiempos remotos la mujer egipcia rizaba su cabello por medio de lodo húmedo, y desde las eras griegas y romanas hasta nuestros días ha sido deseo de la mujer poseer un bello y atractivo peinado. En general, aún teniendo en cuenta las vicisitudes de la moda, el pelo rizado, o al menos ondulado, es más atractivo que el pelo liso, y al mismo tiempo proporciona más oportunidades para remodelarlo según formas adecuadas y de moda. Como consecuencia, cualquier proceso que se introduzca para rizar u ondular el cabello está ligado a afectar en grado muy acusado la tendencia de la moderna peluquería.

SUTER[1] ha destacado que «...hasta aproximadamente 1910, el cabello siempre se rizó por medio de tenacillas de rizar o hirviéndolo en agua. Sin embargo, esto nunca proporcionó una ondulación duradera... Tres pioneros, CHARLES NESSLER, E. FREDERICS y EUGENE SUTER, cada uno trabajando independientemente, descubrieron que la adición de productos químicos, tales como bórax, al agua hirviendo podían rizar el pelo de modo que se conservase durante varios lavados. Alrededor de 1924 se utilizó por vez primera el hidróxido amónico en unión con el bórax...».

Posteriormente se desarrollaron métodos químicos de ondulación en caliente y frío; a continuación se exponen éstos en este capítulo.

Es incorrecta la afirmación de que el pelo naturalmente rizado se observa ovalado o aplanado cuando se examinar al microscopio, mientras que el pelo liso, generalmente, es circular. Muchos cabellos naturalmente rizados son ovales, pero muchos otros no pueden ser diferenciados de los pelos lisos ordinarios. KNEBERG[2] ha demostrado que pelos con secciones transversales de formas muy variadas pueden o no ser rizados, mientras que DANFORTH[3] afirma que no parece que exista razón alguna por la que un tallo, que es uniforme en su estructura, pueda rizarse simplemente a causa de su sección transversal elíptica. Sin embargo se puede prever una diferencia, que permita esperar formar rápidamente rizos, si las partes superiores o inferiores del tallo son de distinta densidad, o si el eje transversal no bisecciona la vertical.

La forma natural del pelo queda determinada durante la fase de queratinización, cuando las células casi fluidas producidas por la pápila reciben forma por las paredes del folículo y se transforman en queratina. Así, la forma del pelo es una característica estructural muy profundamente asentada, y no fácilmente alterable por tratamientos posteriores del tallo completamente queratinizado. Como consecuencia todos los procesos descritos en este capítulo, aunque sean denominados «permanentes», están sujetos a relajación gradual, cuando el pelo retorna a su normal verticalidad o ensortijado. El tiempo que dura esta relajación varía con el proceso, el pelo y el ambiente, y puede ser desde unas semanas a muchos meses.

El proceso de alisamiento del pelo implica la deformación del pelo ondulado a un estado de no rizado y depende de una química similar al proceso de ondulado. Está limitado a una parte muy parcial del mercado consumidor, y se expone en el capítulo 29.

Química de la ondulación del pelo

El pelo es al mismo tiempo fuerte y elástico, y cualquier proceso para cambiar su forma depende del ablandamiento y plastificación de la queratina, volviendo a darle forma mientras está blando, y endureciéndolo otra vez, mientras está en la nueva forma.

El proceso de ablandamiento más sencillo es la aplicación de agua, que penetra por enlaces de hidrógeno del pelo y le da mayor flexibilidad. Es posible volver a dar forma a causa de la deformación del pelo húmedo, y después se puede mantener la nueva forma por secado. No obstante, el pelo sólo se deforma en cantidad limitada mientras está húmedo, y aún cuando está muy elástico; más importante es que el agua durante un lavado con champú, e incluso la humedad de la atmósfera, ablandarán otra vez al pelo, de modo que retorna a la forma que decide su folículo y la gravedad. Las lociones fijadoras ayudan algo mecánicamente, pero sus efectos no durarán más allá del próximo lavado con champú.

Si el agua se aplica como vapor, el proceso de ablandamiento es más profundo y la forma resultante no se distorsiona fácilmente por agua a las temperaturas ordinarias. Si el agua se hace alcalina, el ablandamiento se presenta por debajo de 100 °C, y se han propuesto condiciones adecuadas para obtener la fijación de la forma del cabello por ella[4]. Estos tratamientos son efectivos porque afectan, no sólo a los enlaces electrostáticos o enlaces de hidrógeno del pelo, sino también a un número de enlaces cruzados covalentes de disulfuro, que se sabe ejercen una influencia preponderante en la cohesión de la estructura de la queratina.

Agentes alcalinos

Se ha demostrado que por acción de los iones hidroxilos se produce la ruptura o transformación de las uniones disulfuro queratínicas. Mucho se ha discutido e investigado durante treinta años[5-15] el mecanismo de esta acción, así como la naturaleza de los enlaces creados de nuevo y su contribución a las propiedades mecánico-químicas de la queratina. Tan antigua como de 1933 es la sugerencia de la formación de un derivado tioéter de la cistina y que se confirmó en la década de 1940, cuando se aisló lantionina en hidrolizados de lana tratada con carbonato sódico a temperatura de ebullición[17].

Entre las series de reacciones propuestas para explicar la formación de lantionina, parecen prevalecer dos: una implica un ataque directo al enlace disulfuro, que supone un mecanismo de sustitución bimolecular nucleofílico:

$$>CH-CH_2-S-S-CH_2-CH< + B^- \rightleftharpoons \ >CH-CH_2-S^- + B-S-CH_2-CH<$$

$$BS^- + \ >CH-CH_2-S-CH_2-CH<$$

La otra serie de reacciones implica una reacción de β-eliminación inducida por el ataque al hidrógeno localizado en el átomo de carbono en posición beta (β) al enlace disulfuro y que conduce a la formación de un intermedio de un grupo dehidroalanilo —véase B) a continuación—; este grupo altamente reactivo experimenta adiciones posteriores con funciones tiol y amina[18, 19]. Así el grupo cisteína C) liberado en la reacción precedente, y el grupo lisina presente en las cadenas laterales de la queratina conducen a la formación de restos de lantionina y lisinoalanina respectivamente:

$$H-\underset{NH}{\overset{CO}{C}}-CH_2-S-S-CH_2-\underset{OC}{\overset{HN}{C}}-H + OH^- \rightleftharpoons H\underset{NH}{\overset{CO}{C}}-CH_2-S-S^- + CH_2=\underset{CO}{\overset{NH}{C}}$$

$$A) \qquad\qquad B)$$

$$A) \rightarrow H\underset{NH}{\overset{CO}{C}}-CH_2-S^- + S$$

$$(C)$$

$$B) + \begin{cases} (C) \rightarrow H\underset{NH}{\overset{CO}{C}}-CH_2-S-CH_2-\underset{OC}{\overset{HN}{C}}H \quad \text{grupo lantionina} \\[2em] H\underset{NH}{\overset{CO}{C}}-(CH_2)_4-NH_2 \rightarrow H\underset{NH}{\overset{CO}{C}}-(CH_2)_4-NH-CH_2-\underset{OC}{\overset{HN}{C}}H \quad \begin{array}{l}\text{grupo lisino}\\\text{alanina}\end{array} \end{cases}$$

Este mecanismo parece que se presenta muy probablemente cuando el pelo se trata con álcalis, como se demuestra por el hecho de que la formación de lantionina en medio alcalino se favorece grandemente al incrementar la fuerza iónica[4, 20]. Una evidencia interesante de la transformación de los enlaces disulfuros a un enlace estable frente a los agentes reductores, sin hidrólisis de enlaces peptídicos, se encuentra en la baja solubilidad, o insolubilidad, de las fibras «lantionizadas» en medios urea-bisulfito o fenol-ácido tioglicólico.

Esto conduce a otros medios de ruptura de enlaces disulfuros y, con ello, a disminuir considerablemente la temperatura de ablandamiento: el uso de agentes reductores.

Agentes reductores

En la práctica normal de ondulado en caliente, el agente reductor es invariablemente un sulfito; en el ondulado en frío usualmente es un compuesto tiol, más concretamente el ácido tioglicólico, que, desde que se introdujo en 1940, ha conservado las preferencias del usuario.

La reacción de sulfitos con los enlaces disulfuros no es sencilla a causa de la reversibilidad involucrada de los procesos básicos, y su elevada sensibilidad al pH. La acción máxima reductora del sulfito oscila entre pH 3 y 6[21], pero de hecho existen dos máximos, uno a pH 3,25-3,50 y el otro aproximadamente a pH 5[22]. En la práctica, no es frecuente la utilización del medio ácido debido a la inestabilidad de los sulfitos en estas condiciones; generalmente se usa pH $\geqslant$ 6, y a pH 7 (treinta minutos a 30 °C), se reducen aproximadamente el 15 por 100 de los enlaces disulfuros del pelo. Para aumentar la velocidad de reducción, el equilibrio se debe desplazar, lo que se logra calentando.

La reacción de sulfito parece implicar una típica reacción nucleófila[23, 24]:

$$\backslash CH{-}CH_2{-}S{-}S{-}CH_2{-}CH/ + SO_3H^- \rightleftharpoons \backslash CH{-}CH_2{-}S{-}SO_3H + {}^-S{-}CH_2{-}CH/$$

$$\backslash CH{-}CH_2{-}S{-}SO_3^- + HS{-}CH_2{-}CH$$

Sal de bunte

En medio alcalino la queratocisteína obtenida se ioniza y se favorece la formación de lantionina:

$$\backslash CH{-}CH_2{-}S{-}SO_3^- + {}^-S{-}CH_2{-}CH/ \rightarrow \backslash CH{-}CH_2{-}S{-}CH_2{-}CH/ + S_2O_3^=$$

El desplazamiento del equilibrio anterior hacia la derecha se mejoraría por esta reacción, pero prevalecería el exceso de cargas negativas frente a la sulfitólisis.

El tiol es, incuestionablemente, el mejor agente reactivo para la reducción en frío de los enlaces disulfuros por la reacción:

$$\text{CH—CH}_2\text{—S—S—CH}_2\text{—CH} + 2\ \text{R—SH} \rightarrow 2\ \text{CH—CH}_2\text{—SH} + \text{R—S—S—R}$$

Esta reacción se rige por varios factores de equilibrio que dependen de diferentes parámetros (pH, tensión durante el tratamiento, hinchamiento, carga de la proteína, concentración, tiempo, etc.), pero el factor principal que controla el grado de desdoblamiento de equilibrio del disulfuro queratínico es el pK del tiol con relacón al pK queratínico, 9,8 [21, 25]: en otros términos, la concentración relativa de iones RS⁻ en relación al pH. Si el pK relativo del tiol es superior a 9,8, el grado de desdoblamiento será óptimo a pH alcalino; si es inferior a 9,8, la velocidad de desdoblamiento se alcanzará a pH neutro y aún ácido.

El núcleo principal de los estudios se refiere a la acción del ácido tioglicólico, con su pK elevado de 10,4, y más especificamente a su sal amónica [26]. La primera etapa de la reacción conduce a la formación de un disulfuro mezcla $A)$ que fue demostrado por vez primera por Schöberl [27]:

$$\text{K—CH}_2\text{—S—S—CH}_2\text{—K} + {}^-\text{S—CH}_2\text{—CO}_2^- \rightleftharpoons$$

«queratocistina»   tioglicolato

(a)

$$\text{K—CH}_2\text{—S}^- + \underbrace{\text{K—CH}_2\text{—S}}_{b)}\text{—S—CH}_2\text{—CO}_2^-$$

«queratocistina» $b)$ $A)$

(K = cadena queratínica)

No obstante, posteriormente puede evolucionar de dos modos diferentes, como se demuestra por los experimentos de Boré y Arnaud [28]; la evaluación de las modificaciones que se producen en el pelo confirma la hipótesis de la sustitución nucleófila:

esquema $a)$:

$$A) + {}^-\text{S—CH}_2\text{—CO}_2^- \rightleftharpoons \text{K—CH}_2\text{—S}^- + {}^-\text{O}_2\text{C—CH}_2\text{—S—S—CH}_2\text{—CO}_2^-$$

$a)$ ditiodiglicolato

esquema $b)$:

$$A) + \text{K—CH}_2\text{—S}^- \rightarrow \text{K—CH}_2\text{—S—CH}_2\text{—K} + {}^-\text{S—S—CH}_2\text{—CO}_2^-$$

$b)$ $(\text{S} + {}^-\text{S—CH}_2\text{—CO}_2^-)$

Toda reducción de la queratina por el ácido tioglicólico en medio alcalino débil (pH 9,5) conduce a la formación de cisteína y lantionina con una concentración inferior de azufre; existe una relación lineal entre las cantidades formadas de estos dos compuestos (2/3, 1/3). En 1950, Schöberl [29] informó de un aumento en la concentración de azufre, pero este resultado puede ser debido al uso de ácido tiolicólico impuro o antiguo, conteniendo politioglicólidos que podrían fijar un grupo tiol en el grupo lisina del pelo. Este factor se puede ignorar completamente en la práctica.

El grado de desdoblamiento de los enlaces disulfuros depende de la concentración del agente reductor y de la tensión aplicada al pelo. Pero, sean cuales fuesen las condiciones, se puede romper no más del 65-70 por 100 de enlaces queratocistínicos —es destacable que este valor supera la cantidad estimada de queratina amorfa en el pelo—. En la práctica, el grado de reducción se encuentra entre el 19 y el 43 por 100.

Las condiciones óptimas parecen alcanzarse con ácido tioglicólico al 5 por 100 y la relación cisteína: lantionina cae rápidamente por debajo de 1 cuando la concentración es inferior al 1 por 100; también es destacable que el ácido tioglicólico tiene cierto efecto queratolítico que aumenta con la tensión[28]. Una disminución del pH mejora la formación de mezcla disulfuro A), como se sugiere en el equilibrio anterior —esquema a)— por aparición de una concentración baja de tiolato $^-O_2C\!-\!CH_2\!-\!S$[27, 30, 31]. Análogamente, la adición de disulfuro (por ejemplo, ácido ditioglicólico) desplaza el equilibrio de la fase a) hacia la formación de mezcla de disulfuro A).

La naturaleza del compuesto tiol, principalmente expresada en función del pK, es, como consecuencia, crítica para la velocidad a que se establecen los equilibrios anteriores y para las reacciones competitivas que pueden ocurrir según el pH.

Las fórmulas de los compuestos tioles mencionados posteriormente se dan en la tabla 28.1. Los que contienen funciones de ácidos carboxílicos tienen necesariamente un elevado pK, porque el anión carboxílico impide la ionización del grupo tiol, como en ácido β-mercapto propiónico, ácido tioláctico, y cisteína y

Tabla 28.1. Fórmulas y valores pK de algunos compuestos tioles

		Valor pK
Acido tioglicólico	$HS\!-\!CH_2\!-\!CO_2H$	10,4
Acido β-mercapto propiónico	$HS\!-\!CH_2\!-\!CH_2\!-\!CO_2H$	10,4
Acido tioláctico	$HS\!-\!CH\!-\!CO_2H$ $\quad\;\;\;\mid$ $\quad\;\;CH_3$	10,4
Cisteína	$HS\!-\!CH_2\!-\!CH \Big\langle {}^{CO_2H}_{\;\;NH_2}$	8,3 10,8
Acido dimercapto adípico	$HS\!-\!CH\!-\!(CH_2)_2\!-\!CH\!-\!HS$ $\quad\;\mid \qquad\qquad\quad \mid$ $\quad CO_2H \qquad\qquad CO_2H$	
Acido tiomálico	$HS\!-\!CH\!-\!CH_2\!-\!CO_2H$ $\quad\;\;\;\mid$ $\quad\;\;CO_2H$	
Tioglicolamidas	$\begin{cases} HS\!-\!CH_2\!-\!CONH_2 \\ HS\!-\!CH_2\!-\!CONH\!-\!NH_2 \end{cases}$	8,4 8,0
Glicol tioglicolato	$HS\!-\!CH_2\!-\!COOCH_2\!-\!CH_2OH$	7,8
Gliceril tioglicolato	$HS\!-\!CH_2\!-\!COOCH_2\!-\!CHOH\!-\!CH_2OH$	7,8

sus derivados N-acilados[32, 33], ácido dimercapto adípico y ácido tiomálico, que es un monotiol diácido.

Todos estos compuestos tioles son bastante menos eficaces que el ácido tioglicólico, pero su uso se presenta más adecuado para el pelo que ha sido ya lesionado por tratamientos anteriores, y con relación al olor[25, 34, 35].

El bloqueo de la acidez carboxílica por esterificación o amidificación baja significativamente el pK (10,4 → 7,8) y permite reducciones muy efectivas a pH neutro[25, 34, 36]), por ejemplo con glicol tioglicolato, gliceriltioglicolato y tioglicolamidas.

Desafortunadamente, además del problema de la hidrólisis con el tiempo, que puede alterar la eficacia de los compuestos, parece existir cierta relación inversa entre la irritación potencial del cuero cabelludo y el pK del compuesto tiol[34]. Como consecuencia se han investigado las condiciones y asociaciones muy específicas, pero su posible desarrollo fue muy limitado[37]. A pesar de sus desventajas (olor, sólo eficacia media, pH alcalino para actividad) el ácido tioglicólico permanece como un «socio» fiel, puesto que ofrece un excelente compromiso entre actividad y tolerancia. Sin embargo, no es necesariamente irreemplazable: entre varias propuestas nuevas existen algunos compuestos tioles[38] que se pueden utilizar a baja concentración y a pH neutro y hasta ácido; sólo tienen débil olor y agresividad limitada. Su eficacia está ligada a su capacidad para formar un disulfuro cíclico por oxidación, que se origina en un desplazamiento completo del equilibrio tiol-disulfuro hacia la formación de queratocisteína a través de una reacción de intercambio interno tiol-disulfuro en la mezcla disulfuro:

$$K-CH_2-S-S-CH_2-K + {}^-S{\sim}SH$$
$$\text{⇅}$$
$$K-CH_2-SH + K-CH_2-S-S{}^- \rightarrow K-CH_2-S{}^- + \begin{bmatrix} S \\ | \\ S \end{bmatrix}$$

Se han patentado otros interesantes compuestos tioles para el ondulado permanente[39]: los polímeros politiolatos obtenidos por adición de un compuesto aminotiol a un copolímero anhídrido maleico-viniléter:

$$\left[\begin{matrix} R' \\ | \\ -CH-CH_2-CH-CH- \\ \diagup \qquad | \\ CO_2H \quad CO \\ | \\ NH-R-SH \end{matrix} \right]_n$$

Pueden reducir los disulfuros queratínicos, y por ello son oxidados a un polímero insoluble disulfuro con varios grados de enlaces cruzados. Por la fijación dentro de la estructura queratínica, se cree que el polímero fortalece el pelo, lo fija y lo protege de los efectos ambientales, particularmente de los del agua. Además se espera que estos compuestos proporcionen una tolerancia mucho mejor a la piel que los compuestos tioles monómeros.

También se ha sugerido el empleo de enzimas para la rotura de los enlaces disulfuros de la queratina, particularmente transhidrogenasas y reductasas[40], pero generalmente se requieren compuestos tioles como donadores de hidrógeno.

Se han propuesto muchos otros agentes reductores, tales como tioglicerina, sulfuro[41], ácido formamidin sulfínico o dióxido tiourea[42], ditiocarbamatos[43], ésteres del ácido tritiocarbónico[44], hidruros de boro[45], derivados fosfínicos[46], clorotioformiatos[47], 2-aminoetanol y el denominado queratina, es decir, queratina reducida[48].

Fase de re-oxidación

La oxidación del pelo después de cualesquiera de estos tratamientos reductores es una etapa necesaria en el endurecimiento de la estructura a la forma nueva impuesta (alisada, rizada u ondulada). El proceso básico es una simple re-oxidación de la queratocisteína a queratocistina, pero al mismo tiempo se induce la formación de fibras con enlaces cruzados, y se restauran las propiedades primitivas mecanofísicas del pelo:

$$>\!CH\!-\!CH_2\!-\!SH + HS\!-\!CH_2\!-\!CH\!<$$
$$\downarrow [O]$$
$$>\!CH\!-\!CH_2\!-\!S\!-\!S\!-\!CH_2\!-\!CH\!<$$

Parece que los pares de grupos queratocisteína se presentan en posición favorable para restablecer un puente disulfuro bajo la acción del oxígeno —de otro modo la queratocisteína puede experimentar una peroxidación al estado de ácido sulfínico o sulfónico—. Análogamente, compuestos colaterales formados durante la fase de reducción pueden estar implicados en diferentes grados de oxidación. Así, en efecto, el proceso de oxidación no es más sencillo que el proceso de reducción considerado anteriormente, más aún porque se opera con un exceso de oxidante (H_2O_2, bromato, yodato, etc.).

Se han realizado algunos estudios para explicar las reacciones varias posibles involucradas[26, 29, 49], pero frecuentemente resultan ser parciales al ser estudiadas por los medios analíticos. Por ejemplo se afirma que aparece cierta cantidad de ácido cisteico; ahora se sabe que, aunque este grado de oxidación se puede alcanzar en cierta extensión con tratamientos continuados[30], generalmente se produce durante el proceso analítico[28] como resultado de la hidrólisis ácida de los compuestos de oxidación de lantionina. Los estudios de BORÉ[28] han aclarado la mayor parte del misterio y confirmado algunas de las propuestas primitivas, proporcionando aportación firme a las dos fases en el proceso de ondulado en frío: en condiciones suaves de ondulación (veinte minutos a 25 °C) la transformación de queratocisteína a disulfuro es óptima (96-99 por 100) sin efecto perjudicial queratolítico, bien con peróxido de hidrógeno «6 volúmenes» a pH 3 o con solución de bromato sódico al 18 por 100 a pH 5. La lantionina formada durante la fase de reducción —que puede representar el 30 por 100 de la cisteína del pelo— se oxida, al menos el 70 por 100, a sulfóxido y sulfona (lo mismo se aplica a la metionina del pelo):

$$>CH-CH_2-\overset{O}{\underset{|}{S}}-CH_2-CH<$$
sulfóxido

$$>CH-CH_2-\overset{O}{\underset{|}{\underset{O}{S}}}-CH_2-CH<$$
sulfona

En total, el proceso del ondulado permanente con ácido tioglicólico presenta una pérdida de 10-30 por 100 de cisteína, transformada en lantionina y sus derivados de oxidación.

La discusión está aún abierta respecto a si la lantionina puede formar puentes entre las cadenas o contribuye a la calidad de la ondulación permanente, aunque la disminución considerable de la solubilidad en medio urea-bisulfito cuando aumenta la lanionina favorece la teoría de enlaces cruzados.

Generalmente el pelo reducido por sulfito se endurece por medio del mismo proceso: los grupos tiosulfato y tioles se transforman en disulfuros por el peróxido de hidrógeno, pero por un proceso de reacción mucho más lento, y por tanto no completo.

Los enlaces cruzados del pelo reducido pueden ser afectados por otros medios además de los peróxidos, que pueden implicar un riesgo de debilitamiento del pelo; así los politionatos[50] permiten la reconstrucción de la queratocistina sin los efectos colaterales mencionados con los compuestos anteriores. Un agente productor de formaldehído, tal como hexametilen tetramina, conduce a otro tipo de enlace cruzado: enlace «metilen ditio». Se recomiendan con este fin[51] el azadioxabiciclooctano derivado de tris(hidrometil) aminometano y formaldehído:

$$>CH-CH_2-S-CH_2-S-CH_2-CH<$$
Enlace «metilen ditio»

Los dihaluros alquilenos[52] también proporcionan compuestos ditioéteres, pero las condiciones de la reacción y la irritación potencial de la piel de estas sustancias alquilantes parecen ser difícilmente compatibles con uso en humanos. El empleo de sales especiales se ha reivindicado para la formación de enlaces cruzados: titanato de trietanolamina[53], sal de circonio de un ácido orgánico hidroxílico[54], sales de bario[55] que producen enlaces S—Ba—S, mercáptidos de metales divalentes de N-metilol tioglicolamida con capacidad de formación de enlaces cruzados[56]; también se han descrito las sulfinamidas como neutralizantes adecuados[57]. Más recientemente se han propuesto como agentes de enlaces cruzados o alquilantes los aciltiosulfatos[58], así como compuestos insaturados, tales como maleatos[59].

Otra patente[60] informa sobre la inserción de polímeros dentro de la estructura queratínica por polimerización *in situ* de un monómero vinílico por un catalizador en el pelo reducido.

Más recientemente se ha patentado para ondular el pelo[61] una reacción química bastante diferente, por la cual se realiza la oxidación, por ejemplo por monopersulfato alcalino, sin reducción previa. Esta reacción, efectuada mejor con agentes quelantes (EDTA y sus sales), se cree que modifica el pelo sin proporcionar una decoloración visible.

Además, a pesar de las razones teóricas y prácticas para emplear sulfitos en el ondulado en caliente, y tiocompuestos en el ondulado en frío, actualmente se dispone de productos de éxito en frío para lograr el ondulado permanente «suave» que emplea sulfito a pH elevado (aproximadamente, pH 10), y neutralización con peróxido de hidrógeno. Tales productos se han discutido por MARKLAND [62].

Evaluación del ondulado permanente

Se comprende por cuanto antecede que la química del proceso de ondulado es extremadamente complicada y, como consecuencia, el método de investigación, aún sofisticado, no puede abarcar todas las modificaciones físico-químicas involucradas, especialmente al estado del pelo después del tratamiento. Como con otros procesos capilares, el ondulado permanente sólo se puede evaluar *in vivo*.

Algunas técnicas *in vitro* pueden, sin embargo, proporcionar cierta información valiosa sobre la evolución de las propiedades mecanofísicas durante el proceso y después del mismo. De este modo, ayudan en la selección de agentes potenciales.

El instrumento más comúnmente empleado en la investigación de las propiedades mecánicas del pelo es el extensómetro, que permite trazar una gráfica que relaciona la extensión del pelo con la carga aplicada. De este modo se obtienen curvas típicas que se muestran en la figura 28.1. Se puede observar que existe un cambio brusco en la pendiente de la curva de extensión en *A*. El punto obtenido corresponde a una extensión ligeramente inferior al 2 por 100, y la sección *OA* representa una respuesta del tipo elástico. Más allá de *A* se comprueba que el pelo se estira con facilidad con una respuesta del tipo plástico hasta una extensión de casi 25 por 100 *B*). Pasado *B* hay un nuevo cambio en la pendiente de la curva que muestra una resistencia creciente al estiramiento. *C* corresponde al punto de rotura.

La interpretación física exacta de las distintas secciones de la curva es aún discutible, particularmente con relación a la contribución de las regiones amorfas y cristalinas del pelo. SPEAKMAN [63], estudiando la lana, demostró que el enlace salino no tiene efecto alguno en estas propiedades. HAMBURGER y MORGAN [64] atribuyeron la parte *OA* de la curva a la rotura de los enlaces de hidrógeno, y desenrollamiento de las espirales de queratina, y establecieron que el principal efecto de los agentes de ondulación permanente era disminuir la pendiente de la sección *BC* que, se dice, representa la resistencia de los enlaces disulfuros a la extensión.

PATTERSON *et al.* [65] demostraron que el trabajo total de extensión hasta un 30 por 100 era disminuido al 65 por 100 de su valor original después de la reducción con ácido tioglicólico, y podía retornar a su valor primitivo por oxidación o por sustitución de los grupos mayoritarios en restos de cisteína, pero esto parece ser un cuadro algo idealizado.

Estos estudios, más o menos adaptados de investigaciones en la lana, no pueden explicar adecuadamente el efecto de un proceso realizado en el pelo que, aunque de estructura similar, tiene composición y sensibilidad diferentes. Las

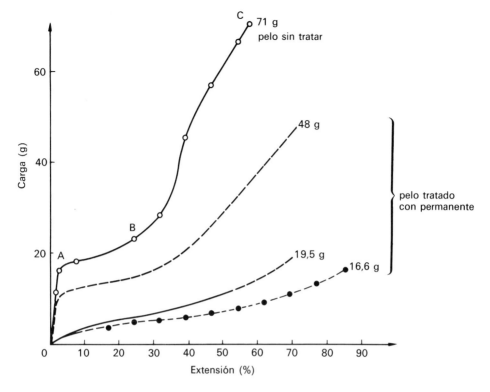

Fig. 28.1. Porcentaje de extensión del pelo en relación con la carga aplicada.

condiciones de extensión más adecuadas para estudiar lacas capilares cubren el intervalo de extensión mecánica generalmente presentado en el pelo, esto es 0-10 por 100; en lacas, la extensión oscila entre 0 a 1,5 por 100, y en ondulación permanente se haya alrededor del 2 por 100. De este modo, es adecuada la región plástica (Fig. 28.2); las proporciones de reducción y fijación, y la evaluación total mecánica, bien correlacionada con el análisis[28], se obtiene comparando las tensiones necesarias para efectuar una extensión dada. Se observa que el final del proceso de ondulación permanente siempre conduce a una pérdida notable de las propiedades mecánicas[30]; la fase de oxidación restaura sólo parte de la robustez inicial de la fibra del pelo. No obstante, no se ha establecido una relación directa con la pérdida de queratocistina debido a la carencia de estudios sistemáticos. La formación de lantionina puede contribuir a debilitar las propiedades mecánicas de la fibra, pero es más probable que los enlaces de cistina de cadena intraqueratínica se formen en la fase de neutralización, que reduce la proporción de enlaces cruzados, esto es, la reconstrucción.

Otras técnicas para la evolución *in vitro* son las siguientes:

Medida de cargas de rotura, extensión en el punto de rotura y energía de rotura (punto *C* de la curva 1, Fig. 28.1).

Examen de la curva de extensión a carga constante, estando el pelo sumergido en las soluciones reductoras a comparar.

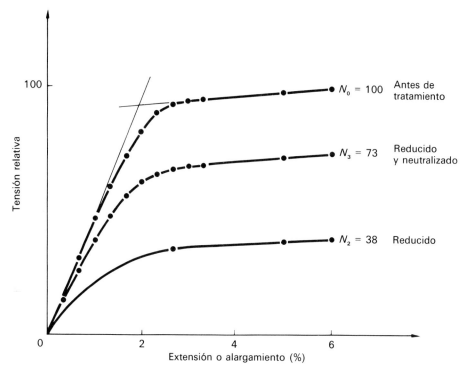

Fig. 28.2. Tensión relativa, N, para una extensión del 6 por 100 en fases del proceso de ondulado permanente; $N = 100$ para pelo sin tratar.

Evaluación de la eficacia de la permanente, esto es, relación de diámetros de bigudíes y rizo final[37].

Medida del hinchamiento de la fibra durante la fase reductora.

El efecto del ondulado permanente sobre la superficie del pelo se puede estudiar al microscopio electrónico *(scanning electron microscopy)*.

Sin embargo, la evaluación final se encuentra en las manos del «artista», cuya sensibilidad supera cualquier otro medio de evaluación. La ondulación permanente es una operación minuciosa en la cual se deben considerar varios parámetros en los ensayos prácticos. Cualquier variación en uno de éstos puede conducir a cambios significativos en la firmeza y duración del ondulado resultante, y se deben tomar precauciones usuales al realizar un trabajo de comparación para llegar a la seguridad que las variaciones observadas se deben realmente al factor sometido a investigación (por ejemplo, concentración de la loción) y no a un artificio.

Factores importantes que proporcionan variaciones en la ondulación permanente

Selección de la loción. Este es el factor más significativo; es independiente del grado de ondulación deseado que depende de la calidad y estructura del pelo a ser tratado. Incluso debe ser seleccionada según se aplique a la raíz, o a las puntas del pelo (pelo decolorado).

Variación de temperatura. La temperatura ambiente del salón tiene un efecto considerable en el proceso de ondulado en frío. Este factor se puede anular, si los ensayos se realizan en ambos lados de la misma cabeza, pero otras fuentes de variación, tales como el calor del pelo y la posible pérdida de calor por evaporación, pueden ser bastante significativas, si las lociones sometidas a examen son muy diferentes de tipo.

Duración del proceso. Este debe ser corto, puesto que si es largo el resultado puede ablandar en exceso al pelo sin una eficacia adicional del tratamiento. En la ondulación caliente o tibia, el tiempo del proceso se puede calcular que comienza bien cuando se conecta el aparato o bien cuando se activan los bloques de calefacción.

En el método usual de ondulado en frío, el pelo se humedece con la loción antes y después de enrollar los rizos. Un peluquero no puede enrollar una cabellera en mucho menos de treinta minutos, y el usuario doméstico puede tardar noventa minutos. A la vista de este lapso entre la aplicación de la loción al primero y último mechón, el denominado tiempo de proceso después de la rehumectación se hace bastante poco significativo.

El equilibrio, entre cistina en el pelo y tioles en la loción, se alcanza después de aproximadamente cuatro minutos cuando el pelo se sumerge en un gran volumen de loción, pero este proceso es probablemente más lento en una cabellera real. La mayor parte de las lociones están estudiadas para tiempos de ondulación que varían entre diez y veinte minutos después del enrollado del pelo natural.

Algunos fabricantes (véase ejemplo 5) sugieren que las lociones que se apliquen antes y después de enrollar el pelo sean de diferente concentración. Otros recomiendan un proceso modificado en el cual el cabello se humedece sólo con agua antes de enrollar, y después se trata con loción desde la parte externa de cada rizo. Esto, naturalmente, aumenta de forma aguda el problema de la penetración, pero es frecuente su empleo para el tratamiento de pelo decolorado o lesionado de otro modo, pues permite el empleo de un tiempo de proceso realmente corto completamente controlado por el usuario.

Velocidad de penetración. Esta depende no sólo de la presencia o ausencia de agentes humectantes, etc., sino también de la facilidad del pelo para ser ondulado. Obviamente, el pelo fino será penetrado más rápidamente que el grueso, pero también existen diferencias en la porosidad del pelo. Después de la decoloración, por ejemplo, el pelo ha perdido, generalmente, muchos enlaces cruzados y se hinchará mucho más rápidamente que el pelo normal, tomando de modo más completo la loción ondulante. El lavado previo del pelo con un champú elimina el sebo que puede impedir la penetración, pero algunos detergentes son fuertemente absorbidos por la fibra, y son capaces de alterar la permeabilidad. Este punto no se debe ovidar cuando se incorporan detergentes a la misma loción —los detergentes catiónicos, por ejemplo, presentan un efecto inhibidor definido cuando se encuentran presentes a concentraciones tan bajas como del 1 por 100.

Elección de rulos. Naturalmente, el diámetro del rizo depende del diámetro del rulo. Algunos métodos emplean bigudíes y rulos de diámetro muy grande, y otros dependen de hacer el rizo con pinzas con ayuda de la loción ondulante. Otro factor es la cantidad de pelo en cada rizo, que depende del número de rulos por cabeza, y la cantidad de pelo de la cabeza, así como la capa externa del pelo que tiene un diámetro de rizo igual al diámetro del rulo más el espesor del pelo.

Fase neutralizante. Es bastante importante, puesto que determina la fijación del ondulado permanente y la reconstrucción de la queratina. El cabello debe ser cuidadosamente enjuagado previamente para eliminar las lociones reductoras. Después de aplicar la loción fijadora en dos etapas independientes: primero se aplican dos tercios de la loción al pelo en rizos, impregnando cada uno de los rizos durante cinco minutos y dejando transcurrir otros cinco minutos; entonces, después que el pelo se ha desrizado sin estirar, la loción remanente se aplica a las puntas y se deja durante cinco minutos antes de ser eliminada cuidadosamente por enjuague.

Procesos de ondulación en caliente

El procedimiento adoptado por el peluquero profesional en la ondulación del cabello es como sigue:

1) Se elimina toda la grasa del cabello por un lavado con champú.

2) Después el pelo es dividido y enrollado en rulos adecuados con ligera tensión.

3) Se sumerge, un *sachet* o cinta en una solución adecuada, y se enrolla alrededor del cabello encerrando la totalidad en un calentador eléctrico, y se calienta con vapor el cabello durante el tiempo necesario.

Se debe entender que el método anterior se modifica algo según si se emplea la ondulación con *sachet* u ondulación *al aceite* y según el tipo determinado de ondulación deseado. Generalmente se suministra calor a los rulos por medio de una corriente eléctrica; en el sistema sin cables, los calentadores son calentados previamente, y se dejan enfriar durante el tiempo deseado. También se emplean métodos químicos de calentamiento en que la humedad de un peine induce una reacción química exotérmica cuando entra en contacto con una mezcla adecuada. Las ventajas reivindicadas para este último sistema son que no hay riesgo de calambre eléctrico, y la persona tiene libertad de movimiento de cabeza.

La ondulación permanente exige, además de reactivos adecuados, considerable destreza y profesionalidad. Es de capital importancia la selección de métodos adecuados de enrollado y concentraciones y tipos de reactivos, tiempos de calentamiento con vapor, etc. (según el tipo y condiciones del pelo tratado).

Se ha afirmado por peluqueros que el éxito de las ondulaciones permanentes puede ser afectado por el estado de salud del individuo. Así se ha publicado que se reduce la efectividad después del embarazo, operación con anestesia, o durante el ciclo menstrual. A la vista de la carencia de información respecto a los cambios que se presentan en la piel y el pelo durante la menstruación y el embarazo, y períodos siguientes a los partos y operaciones quirúrgicas, no existen pruebas definitivas en otro sentido.

GOODMAN[66] considera que el pelo que se ha queratinizado, y emerge más allá de los límites del folículo capilar, está fuera de la esfera de influencia de lo que tenga lugar en el interior del cuerpo. Sólo la parte recientemente crecida del cabello del interior del folículo —la parte aún sin queratinizar— está sometida a la influencia del cuerpo. Este autor destaca que los peluqueros tienen salones eficaces en hospitales y que las causas reales de fracaso de la ondulación permanente son:

Tomar una parte excesivamente grande del pelo.
Tomar una parte excesivamente pequeña del pelo.
Demasiado o poco álcali.
Excesiva tensión o flojedad del enrollado.
Demasiado corto o largo el tiempo de aplicación de vapor.

GOODMAN sugiere que otras razones distintas a estas previstas son excusas de la falta de habilidad del peluquero, prisas, técnicas, y poca valía de los peluqueros que no hacen un ensayo de rizado.

Soluciones de ondulación permanente

Las soluciones de ondulación permanente son casi siempre fuertemente alcalinas en su reacción, pues la presencia de álcalis acorta considerablemente el tiempo necesario para producir un ondulado satisfactorio. Las recomendadas para tales fines incluyen hidróxido de litio; carbonatos sódico, potásico, amónico, bórax, etanolamina o soluciones neutras o alcalinas de sulfitos (sulfitos de sodio, amonio, mono- o trietanolamina, morfolina).

Las fórmulas siguientes dan buenos resultados en pelo medio en aproximadamente diez minutos de tiempo de vapor (éste se ajusta para adecuar al tipo de pelo):

	(1) *por ciento*
Monoetanolamina	6,0
Potasio, sulfito	1,5
Potasio, carbonato	1,5
Amonio, carbonato	2,5
Bórax	0,5
Aceite de ricino sulfonado	1,0
Agua destilada	87,0

	(2) *por ciento*
Amonio, hidróxido (p. esp. 0,88)	14,0
Sodio, carbonato	4,0
Potasio, sulfito	2,0
Agua	80,0

	(3)
	por ciento
Monoetanolamina o Amonio, hidróxido (p. esp. 0,88)	14,0
Bórax	4,0
Potasio, sulfito	2,0
Agua	80,0

El uso de agentes que activan la lantionización (NaCl, sulfatos, tensioactivos catiónicos) e impulsores *(boosters)* (urea, amidas, bromuro de litio) ayudan a reducir la concentración y a disminuir el pH[4].

Un gel para aplicar a 40 °C durante treinta minutos se da en el ejemplo 4. No obstante, la ondulación en caliente, a causa de su agresividad para el pelo e incertidumbre de sus resultados, no se utiliza mucho actualmente.

	(4)
	por ciento
Hidroxietil celulosa PM 4.400	4,0
Litio, hidróxido	2,0
Sodio, cloruro	17,5
Agua	*c.s.* hasta 100,0

Métodos químicos de calentamiento (envases de calefacción)

Se han introducido métodos químicos de calefacción en que el calor necesario para el proceso normal de ondulado se obtiene sin ayuda de electricidad. Tales métodos dependen del calor desarrollado por la reacción de una sustancia exotérmica con un medio húmedo como resultado de algunas de las siguientes:

Oxidación y reducción.
Hidratación.
Neutralización.

Este método surgió en Inglaterra en 1923[67] con el uso de cal para generar calor. La mezcla de sulfato amónico, agar o amoníaco con el agente hidratante demostró que retrasaba más el desarrollo de calor.

Desde aquel tiempo se han recomendado y patentado numerosas mezclas de sustancias químicas, incluyendo como principios activos aluminio y sus cloruro y sulfato, sales amónicas de varios ácidos orgánicos, sales de bario, carbonato o nitrato de cobre, limaduras de hierro, y otras sales, etc.[68].

Procesos de ondulación en frío

La ondulación en frío ha sustituido en gran parte al antiguo proceso de ondulación en caliente, particularmente en las partes más sofisticadas del mundo donde la sustitución es total. La operación se realiza a temperatura ambiente sin aporte de energía calorífica. El cabello se lava a fondo con champú y se divide en mechones para facilitar la manipulación. Se humedecen con la loción de ondulado de rizos de cabello de tal tamaño que den 35-55 bigudíes (6-14 mm de diámetro) por cabeza, y después se enrollan en los bigudíes. Debido a que la nuca exige un buen rizado para detener la formación de mechones, y también porque parece bastante resistente al ondulado, generalmente se empieza en la nuca y se trabaja hacia adelante.

Cuando el enrollado es completo se deja que el pelo «se procese» durante diez a cuarenta minutos. Algunos fabricantes recomiendan tiempos de ondulado para varios tipos de pelo, mientras que otros aconsejan el examen de un rizo de ensayo por el usuario, que entonces decide cuánto tiempo deja la loción. Habitualmente los peluqueros usan el método de rizo de ensayo. Las complicaciones de la permanente en el hogar han conducido a una situación social interesante, en que aproximadamente el 60 por 100 de los usuarios ingleses tienen alguien que le ayude en el proceso. Después del proceso con agentes reductores, el pelo se enjuaga y neutraliza aplicando una solución oxidante a los rizos enrollados. Después de cinco a diez minutos se desenrollan los rizos, y usualmente se realiza una aplicación posterior de neutralizante. Después se enjuaga el pelo, y se le da la forma deseada.

El reductor en la ondulación en frío

Como se ha expuesto anteriormente, la mayor parte de las formulaciones de ondulado permanente están basadas en ácido tioglicólico. Las lociones más sencillas son tioglicolato amónico a pH 9,2-9,8. La curva de la figura 28.3 representa soluciones con el mismo potencial de ondulación (loción media para pelo normal)[37].

En la práctica se emplea pH 9,3-9,5 para concentraciones de ácido tioglicólico entre 7,5-11 por 100, pero la concentración de la loción está dictada directamente por la calidad del pelo a ser ondulado; las concentraciones medias para emplear en un salón son como sigue[37]:

	Acido tioglicólico por ciento
Pelo natural difícil	8-9
Pelo natural medio y fácil	7
Pelo ligeramente decolorado	5
Pelo medio decolorado	3
Pelo fuertemente decolorado	1

Para uso en el hogar, las concentraciones deben reducirse aproximadamente un tercio.

Se ha discutido mucho el uso de bases distintas al amoníaco. Se ha afirmado que los hidróxidos sódico y potásico vuelven al pelo excesivamente blando para que adquiera una buena ondulación; el amoníaco y las aminas orgánicas han demostrado hidrolizar los péptidos menos que los álcalis. En todo caso, sólo la monoetanolamina parece ser tan buena como el amoníaco, y se usa junto con éste para reducir el olor.

El principal problema es mantener la actividad reductora del tiol durante la fase total de ablandamiento, esto es, mantener el pH a pesar de la volatilidad del

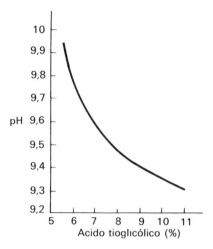

Fig. 28.3. Soluciones de ácido tioglicólico con el mismo potencial rizador.

amoníaco; para lograr esto, frecuentemente se emplea tamponado con carbonato, sesquicarbonato o bicarbonato amónico, y esto también permite el empleo de pH inferiores (<9).

Otro método ingenioso para garantizar el suministro de base y obtener rizos más regulares, es generar amoníaco *in situ* en condiciones controladas, incorporando urea y la enzima ureasa que, en presencia de agua, transforma la urea en amoníaco[70].

Se han sugerido otras bases: aminoácidos básicos, tal como arginina[71], carbonatos de sales alcalinas de aminoácidos, tal como carbonato glicinato sódico[72], alcanolaminas «específicas para pelo decolorado»[73], y guanidina y su carbonato[74, 75] que, además, contribuye al hinchamiento del pelo por rotura de los enlaces de hidrógeno, aunque hay que enfrentarse con el problema de la seguridad.

Para mantener la actividad reductora durante el proceso de estiramiento y forma, también se ha propuesto incorporar agente reductor en dos fases, la segunda loción contiene un reductor más potente (éster de ácido tioglicólico) que puede dar enlaces más fuertes[76], al mismo tiempo que se disminuye el pH para reducir la lesión a la queratina (ejemplo 5):

	(5)
	partes por peso
Amonio, mercaptoacetato (50 por 100 acuoso)	9,4
Amonio, bicarbonato	4,2
Amonio, carbonato	0,5
Urea	3
Perfume	0,4
Acido oleico pentaeritritol poliglicol éter	0,4
Agua	62,1

Procedimiento: Se aplican 40 g de esta loción al pelo. Otros 40 g se mezclan con 4 g de éster mono mercaptoacetato de glicerilo y se trata el pelo durante diez a quince minutos, después se lava con agua y se fija con peróxido de hidrógeno.

Otros muchos ingredientes pueden ser usados en lociones para ondulado permanente: por ejemplo, agentes endurecedores para reducir la concentración necesaria de ácido tioglicólico y pH, y coadyuvantes *(boosters)* tales como urea, bromuro de litio o 2-imidazolidinona (etilenurea) que penetran por rotura de enlaces de hidrógeno. El ejemplo 6 usando tal coadyuvante *(blooster)*[77] tiene un valor de pH de 8.

(6)
partes por peso

Amonio, tioglicolato (5 por 100 acuoso)	18
2-Imidazolidindinona	4
Amonio, bicarbonato	4
Perfume	0,3
Polioxietilen octilfenol	0,5
Agua	73,2

Otros ingredientes incluyen:

Alcoholes (etanol e isopropanol) y sulfito sódico para fortalecer las lociones.
Agentes humectantes o espumantes.
Agentes ablandadores: aceites animales y vegetales, hidrolizados de proteínas, derivados de lanolina.
Agentes acomplejantes, principalmente para hierro, que colorea y también cataliza la formación de sulfuro de hidrógeno.
Opalescentes, para dar una impresión de suavidad y delicadeza por su aspecto lechoso —se han reivindicado los polímeros acrílicos, vinílicos y de estireno como opalescentes[78]; se han publicado[79] emulsiones estables de tioglicolato amónico, pero una formulación en crema dificulta su eliminación por enjuague.

Se ha descrito[80] la aplicación de productos para ondulado permanente como espuma de rotura rápida procedente de un envase aerosol; y se han comercializado tales preparaciones.
Más recientemente se han incorporado compuestos catiónicos y, principalmente, resinas para impartir mejoras de reforzamiento, cuerpo y elasticidad al pelo ondulado. Son polímeros catiónicos PVP-VA[76], resinas poliamida-epiclorhidrina[81], sales de amonio cuaternario[82] e hidrolizados de proteína.
Para pelo que se ha debilitado por tratamientos anteriores, particularmente por decoloraciones y coloraciones, se pueden usar reductores menos potentes, tales como ácidos tiomálicos o tiolácticos[83] o las denominadas formulaciones para «ondulación permanente ácida» (pH entre 5,5 y 7) que afirman «proteger» el pelo[84], y que todavía actualmente gozan de cierta popularidad. Siguiendo esta tendencia, el monotioglicolato de glicerilo ha experimentado cierto resurgimiento.

El neutralizante en la ondulación en frío

La mayor parte de los peluqueros utilizan peróxido de hidrógeno como neutralizante porque no es caro, y es fácil de manipular. Se adquiere como solución concentrada para ser diluida, o como solución preparada para su uso. En cualquier caso se acidifica añadiendo ácido cítrico, tartárico o láctico para estabilizar. Generalmente se añaden agentes tales como polioxietilen alcoholes grasos o compuestos catiónicos para mejorar la humectación, junto con agentes ablandadores (ceras autoemulsionantes, derivados de lanolina).

Para aumentar la rapidez de la etapa neutralizante se han sugerido[85] activadores de la descomposición de percompuestos inorgánicos. También se han propuesto sistemas autocalefactores —por ejemplo, la adición al peróxido de hidrógeno a sulfito o a tiourea[86], o cloruro cálcico o sulfato magnésicos anhidros[87] —que proporcionan una reacción exotérmica, produciendo un baño oxidante aplicable a aproximadamente 40-45 °C.

Se sugirió catalasa[88] para degradar el exceso de potencial decolorante de pelo del peróxido de hidrógeno. Para mejorar la ondulación[89, 90] se añaden polímeros catiónicos y tensioactivos en la fase reductora.

En Inglaterra se utilizan frecuentemente perborato o percarbonato sódico polvo seco y en EE. UU. bromato sódico o potásico. Los bromatos tienen la ventaja de que se pueden preparar soluciones estables en agua y almacenarlas, pero son extremadamente tóxicas y deben ser etiquetadas como «veneno». Estas persales deben ser utilizadas a pH neutro; se añade bicarbonato, fosfato monosódico o carbonato para fijar el pH después de preparar la solución, junto con agentes espumantes.

Se afirma que la fase de neutralización se puede lograr sin la intervención de un agente químico, simplemente dejando el pelo en los bigudíes durante más de seis horas y confiar en que el oxígeno del aire realice el trabajo; este proceso es obviamente sólo utilizable en uso doméstico. Actualmente existen pruebas de que esto no funciona, y una prueba aún más convincente es la de un mechón de pelo, que reducido previamente en condiciones estándares por tioglicolato, no fue reoxidado significativamente, ¡aún después de un año de exposición a la atmósfera[91]!

En los ejemplos 7 y 8 se dan fórmulas tanto para loción reductora, como neutralizante de uso profesional y en el hogar, publicadas por SHANSKY[75].

(7)

Loción reductora (pH 9,4-9,5)

Amonio, tioglicolato (52 por 100)	17 gal. USA	64,3 litros
Sosa cáustica (76 por 100)	20 lb	9,0 kg
Amoníaco (28 por 100)	6,4 lb	2,9 kg
Detergente no iónico	3,0 lb	1,4 kg
Resina opalescente	3,0 gal. USA	11,3 litros
Agua	150 gal. USA	568 litros

Neutralizante

Peróxido de hidrógeno	158,5 lb	72 kg
Acido cítrico	6,75 lb	3,0 kg
Polioxietilen lauril éter	16,75 lb	7,06 kg
Resina opalescente	2,5 lb	1,1 kg
Agua	400 gal. USA	1.514 litros

(8)

Loción reductora (pH 8,7)

Amonio, tioglicolato (52 por 100)	15 gal. USA	56,8 litros
Amonio, hidróxido (28 por 100)	8,0 lb	3,6 kg

Amonio, carbonato	8,0 lb	3,6 kg
Resina opalescente	2,0 gal. USA	7,6 litros
Detergente no iónico	1,8 lb	0,8 kg
Agua	100 gal. USA	378,5 litros

Neutralizante

Sodio, bromato	200 lb	90,7	kg
Poliglicol, laurato 400	50 lb	22,7	kg
Diglicol, estearato	10 lb	4,5	kg
Glicerilo, monoestearato	10 lb	4,5	kg
Sodio, cetilsulfato	25 lb	11,3	kg
Poliglicol 400	5 lb	2,25	kg
Agua	700 gal. USA	2.650	litros

Ondulación en una operación simple

También se ha patentado un método para ondular o alisar en una operación simple[39, 92]. Anteriormente no había sido posible realizar la deformación permanente en una única fase, pues un proceso implica reducción del pelo y el otro oxidación; si ambos agentes activos se mezclan, reaccionan entre ellos, y se inhiben sus efectos separados. El proceso para la deformación permanente del pelo en una única fase entraña someter al pelo a la acción de una mezcla de un tiol y un disulfuro durante veinte a treinta minutos a la temperatura ambiente, después el pelo se enjuaga y se eliminan los bigudíes. La relación óptima molar de disulfuro a tiol es una función del valor de pK del tiol utilizado. El valor de pH de la composición aplicada debe estar preferentemente dentro del intervalo 8,5-9,5 para permitir que el disulfuro presente actúe como un agente oxidante.

Se cree que cuando la queratina del pelo, siendo ella misma un disulfuro de naturaleza compleja, se pone en contacto con la mezcla tiol y disulfuro (este último a concentración más elevada), parte del tiol reduce parte de la queratina, originando la formación del correspondiente disulfuro, incrementando con ello la concentración de disulfuro en relación al tiol y poniendo la queratina reducida en contacto con el disulfuro. El disulfuro entonces regenera la queratina original, formándose al mismo tiempo el correspondiente tiol. En otros términos, es una reacción en cascada —rotura y reconstrucción de disulfuro— basada en un desplazamiento alternativo del equilibrio químico, y con él haciendo posible un modo suave de dar forma al cabello.

Se han propuesto nuevos sistemas acondicionadores para los agentes de ondulación permanente, incluyendo bandas, cuadros, o rulos continuos a partir de los cuales se liberan los agentes por humectación[93], y microcápsulas solubles en disolventes apropiados[94], que en el futuro puede constituir un medio de aplicar todos juntos peróxido de hidrógeno, agentes reductores y sales amónicas.

Ondulación tibia «Aire caliente»

Se han empleado los tioglicolatos a temperaturas ligeramente elevadas para obtener un mejor resultado con sustancia menos activa, bien utilizando una versión especial de aparato estándar eléctrico o usando secadores de campana.

Generalmente se diluyen las lociones de ondulación en frío al 30 por 100, y frecuentemente se añade sulfito sódico para reducir aún más la concentración del tiol. Sin embargo, actualmente esta técnica se considera superada.

Ondulación con rulos y pinzas

Normalmente se pretende que las ondas de la permanente ordinaria duren en forma rizada durante cuatro a seis meses, y por esto se comienza con un cabello rizado más tupidamente de lo deseable. Después del proceso el peluquero tiene que fijar el pelo de forma más suelta, ondulando con agua. Esta reondulación consume un buen tiempo del salón de peluquería, lo que supone la mayor parte del costo de un ondulado permanente profesional.

Es posible, naturalmente, ondular el pelo de forma suelta utilizando un proceso de ondulación permanente, en tanto que el cliente no espere que los rizos duren más de seis a ocho semanas, y esto, en efecto, se realiza con rulos y pinzas de la ondulación permanente.

El primer método utiliza rulos de gran diámetro ($1\frac{1}{2}$ pulgadas o 64 mm), mientras que el segundo emplea pinzas ordinarias para hacer rizos planos de aproximadamente 1 pulgada (25 mm) de diámetro. Se aplica, como usualmente, una solución reductora, el pelo es procesado y neutralizado, y después el cliente va directamente al secador, y sólo necesita un cepillado para completar el ondulado cuando se seca su pelo.

Algunos fabricantes recomiendan un ahorro adicional secando el pelo inmediatamente después que la loción de ondular se elimina por aclarado, pero esto tiende a producir ondas que desaparecen tan pronto como se humedecen. Se duda si este proceso, realizado cada seis a ocho semanas, es bueno para el cabello, y además estas suaves ondas requieren una atención constante de las expertas manos del peluquero.

Ondulación permanente instantánea

Las ondas de la permanente instantánea no difieren realmente de las neutralizadas químicamente del modo ordinario, excepto que el «tiempo de proceso» después del enrollado es nulo. El pelo primeramente se humedece con la loción reductora, después se enrolla en bigudíes; tan pronto como el enrollado se ha terminado, la ondulación se realiza sin tiempo de proceso. Esto ahorra tiempo, aunque la pérdida de eficacia puede compensarse con el uso de lociones más concentradas; como consecuencia, la ondulación frecuentemente es desigual y sufre la calidad del pelo.

Perfumado de lociones de tioglicolato

Una revisión extremadamente buena de este tema la han dado SAGARIN y BALSAM [95], quienes presentan una lista de los resultados de sus propios ensayos con más de doscientas sustancias. Desafortunadamente, es imposible enmascarar completamente el olor de los tioles, particularmente durante la fase de aplicación cuando se extienden por toda la cabeza y el olor propio del tiol se acrecienta por el olor del pelo reducido. Otra dificultad es la selección de perfumes que sean estables en medio reductor amoniacal. La industria cosmética y el público están aún esperando nuevos métodos de ondulación permanente que emplee sustancias completamente inodoras[96]; una reducción significativa del olor se atribuye a la «permanente suave» en frío que utiliza sulfito como agente reductor[62].

Toxicidad

La toxicidad de las lociones para la ondulación permanente ha sido estudiada con gran detalle por NORRIS[97]. Se debe aceptar que, a causa del pH de empleo y a la vista del modo de acción sobre el pelo, compuestos tales como tioglicolato serán tóxicos si llegan a ponerse en contacto con los ojos, o irritantes si se dejan sobre la piel por un período considerable de tiempo. Se han reivindicado como eficaces la inclusión en la loción reductora de agentes antiirritantes, tales como imidazoles antihistamínicos[98] o tiamina[99]. En todo caso se debe tener cuidado de evitar el contacto de tales lociones con ojos y piel.

Preparaciones fortalecedoras del pelo

El pelo debilitado, que puede ser resultado de sensibilización debida al tratamiento del cabello o excesivo procesado o causas ambientales o internas, generalmente carece de volumen, resistencia a la tensión, lubrificación, brillo, cuerpo y barrera a la penetración. Frecuentemente es filamentoso, supersensible a la humedad, y aún endeble, y como resultado, difícil de manipular. El factor dominante en el debilitamiento del pelo es la rotura de excesivos enlaces disulfuros, como puede ser el caso del pelo que es demasiado frecuentemente y en exceso ondulado, decolorado o coloreado.

Se propuso un proceso en 1967[100] para mejorar la fortaleza y elasticidad del pelo debilitado que implica el tratamiento con soluciones o dispersiones de dimetilol urea o dimetilol tiourea durante quince minutos a la temperatura de 30-40 °C en presencia de un catalizador ácido (por ejemplo, ácido glicerofosfórico) en un medio orgánico o acuoso a pH entre 1,5 y 6,0. Estos compuestos reaccionan con los grupos amino libres de la queratina del pelo, produciendo enlaces cruzados entre las fibras del pelo, y polimerizan en presencia del catalizador ácido formando una resina entre las fibras del pelo. La resina fortalece al pelo y se afirma que lo convierte en virtualmente insoluble en agua y varios disolventes orgánicos.

Se ha hallado, no obstante, que estos compuestos, cuando se utilizan aisladamente, son marcadamente inestables y pueden liberar una cierta cantidad de formaldehído en solución o en contacto con el pelo, y en cierto grado, aún durante el almacenamiento. En muchos países la legislación limita la cantidad de formaldehído libre que se puede aplicar al cuero cabelludo y, por tanto, el uso comercial de estos compuestos. La liberación de formaldehído libre ha demostrado ser eficazmente reducida posteriormente con la incorporación de compuestos estabilizadores, tales como urea, diciandiamida, melanina ó etilen urea en las composiciones de metilol; composiciones mejoradas para fortalecer el pelo lesionado o debilitado[101] contienen, más específicamente, monometilol diciandiamida y su éter metílico, metiloletiltiourea, y melaminas metiloladas, así como los «metiloles» anteriormente usados.

Composiciones recientes para fortalecer el pelo degradado, que comprende al menos un compuesto alquilado, se reivindicaron ser tan estables que virtualmente nada de formaldehído se liberaba durante la aplicación. Los compuestos metilol éteres propuestos incluyen mono- y dialcoximetilureas o etilenureas y correspondientes tioureas, tris(alcoximetil) melaminas, N-alcoximetilcarbamatos y adipamidas.

Otros compuestos estables de fácil adquisición, aunque más solubles en agua, son productos de la condensación de las primitivas sustancias lineales o cíclicas metiloladas con aminas secundarias, tales como N,N'-bis-(morfolinometil) urea o N,N'-bis(ureidometil)piperazina[102] y derivados de metilol de productos de condensación[103] de glioxalurea o tiourea.

Finalmente, la adición de muy pequeñas cantidades de sulfitos a cualesquiera de los compuestos previos se ha reivindicado como prevención casi de toda presencia de formaldehído libre[104].

La cantidad de compuestos metilolados incluidos en las preparaciones fortalecedoras —preferentemente entre 1 y 4 por 100 en peso— dependerá del producto utilizado y su solubilidad en agua, así como del tipo de pelo a tratar. Como catalizadores de la polimerización se pueden emplear ácidos hidroxilados, ácidos acético, fosfórico, y clorhídrico (o sales de ellos, tales como fosfatos ácidos). El efecto fortalecedor observable proporcionado por estas composiciones se confirma por la reducción notable que producen en la solubilidad del pelo en álcalis, que se ha sugerido como un criterio para la evaluación de los cambios físicos y químicos en el pelo humano[105].

Muchos nuevos compuestos se han propuesto para enriquecer el pelo, incrementar su protección frente a los tratamientos posteriores del pelo, impartir más cuerpo y volumen, eliminar el tacto mucilaginoso al humedecer, y añadir lubrificación, al mismo tiempo que lo restaura. Particularmente interesantes son, por una parte, resinas catiónicas con grupos metiloles[106] y, por otra, compuestos metilolados o derivados con grupos funcionales que se puedan transferir al pelo o a su superficie de manera que modifique su sensibilidad a productos químicos. Los grupos antes mencionados son disulfuros[102, 107] —tales como en N,N'-bis(hidroximetil)ditiodiglicolamida y 2,2'-ditiodietil-bis-(morfolinometilurea); aminosterciarios —tales como en dietilaminoetilurea y metilimino-bis-(3-propilurea)metiloles; y compuestos de amonio cuaternario —tales como en metioles[102-105, 107, 108] cloruro de alquildimetilamonio acetamida y cloruro de dietil(ureido etil)amonioacetamida. También se han reivindicado tener propiedades fortalecedoras compuestos dicarbonilos, tales como glioxal[109], glutaraldehído, quinona, etc.[110], y aminodialdehídos.

Las continuas decoloraciones y coloraciones pueden también ocasionar porosidad no uniforme del pelo con un efecto adverso en los tratamientos posteriores. Un proceso para uniformizar la ondulación del pelo lesionado[112] implica un pretratamiento del pelo lesionado con un agente oxidante acuoso ácido, antes de ser sometido a la acción de un tioglicolato acuoso alcalino.

En la ondulación permanente el grado a que se ondula el pelo depende de la cantidad de loción que alcanza el interior del pelo, y esto a su vez depende de su porosidad. Cuanto más poroso es el pelo, más loción de ondulación tiene que ser aplicada. Esto ocasionará que las puntas queden bien onduladas, mientras que las raíces solamente quedan parcialmente. Si entonces se aplican soluciones para ondular que sean suficientemente concentradas para las porciones de la raíz, por ejemplo, de pelo decolorado, pueden ocasionar lesión y rotura de las partes terminales más porosas del pelo. No obstante, usando un agente preneutralizante, es posible aplicar una solución para ondular de concentración media para obtener una ondulación uniforme, independientemente de las variaciones de la porosidad del pelo tratado, esto es, del grado de su lesión. De este modo, principalmente será absorbida en las porciones porosas del pelo, como con la loción de ondulación en frío, y quedará inactivada por oxidación, simultáneamente reduciendo su pH y, por tanto, bloqueando su acción. La concentración del agente preneutralizante puede variar en amplio intervalo, generalmente es un persulfato ácido, por ejemplo, persulfato potásico o amónico. En la mayoría de los casos, las formulaciones propuestas contienen entre 0,5 y 5,0 por 100 de oxígeno activo y tienen un valor de pH entre 3,5 y 7,0. El tiempo de tratamiento es aproximadamente de diez minutos. La solución de ondulación en frío es posteriormente aplicada durante diez minutos más, después de lo cual el pelo se enjuaga y neutraliza.

Más recientemente se han recomendado varios pretratamientos con compuestos catiónicos o resinas para protección de los tallos de pelo debilitados, evitando la penetración y el excesivo ablandamiento por las lociones reductoras.

REFERENCIAS

1. Suter, M. J., *J. Soc. cosmet. Chem.*, 1948, **1**, 103.
2. Kneberg M., *Am. J. phys. Anthrop.*, 1935, **20**, 51.
3. Danforth, C. H., *Physiol. Rev.*, 1939, **19**, 99.
4. French Patents 2 220 243 and 2 220 244, L'Oreal, March 1974.
5. Schöberl, A., *Biochem. Z.*, 1942, **313**, 214.
6. Schöberl, A., *et al.*, *Biochem. Z.*, 1940, **306**, 269; 1964, **317**, 171.
7. Mitzell, L. R. and Harris, M., *J. Res. nat. Bureau Stand.*, 1943, **30**, 47.
8. Cuthbertson, W. R. and Phillips, H., *Biol J.*, 1945, **39**, 7.
9. Elliot, R. L., Asquith, R. S. and Hobson, M. A., *J. Text. Inst.*, 1962, **51**, T 692.
10. Nicolet, B. H. and Shinn, L. A., *Abstracts of 103rd Meeting of the American Chemical Society*, April 1942.
11. Tarbell, D. S. and Harnish, D. P. *Chem. Rev.*, 1951, **49**, 1.
12. Swan, J. M., *J. Text. Inst.*, 1960, **51**, T 573.
13. Parker, A. J. and Kharasch, N., *Chem. Rev.*, 1959, **59**, 583.
14. Zahn, H., *et al.*, *J. Text. Inst.*, 1960, **51**, T 740.
15. Vassiliadis, A., *Text. Res. J.*, 1963, **33**, 376.
16. Speakman, J. B., *Nature*, 1933, **132**, 930.
17. Horn, M. J., Jones, D. B. and Ringell, S. J., *Biol. Chem.*, 1941, **138**, 141; 1942, **144**, 87.
18. Ziegler, K. J., *Biol. Chem.*, 1964, **239**, 2713.
19. Asquith, R. S., *et al.*, *J. Soc. Dyers Colour.*, 1974, **90**, 357.
20. Crewther, W. G. and Dowling, L. M., *Proc. internat. Wool Textile Res. Conf. Paris* (CIRTEL), 1965, **2**, 393.
21. Wolfram, L. J. and Underwood, D. L., *Text. Res. J.*, 1966, (36) 947.

22. Parra, J. L., *et al.*, *Proc. 5th internat. Wool Textile Res. Conf. Aachen*, 1975, **III,** 113.
23. Miro, P. and Garcia-Dominguez, J., *J. Soc. Dyers Colour.*, 1968, **84,** 310.
24. Zahn, H., Chimia, 1961, **15,** 378.
25. Haefele, J. W. and Broge, R. W., *Proc. sci. Sect. Toilet. Goods Assoc.*, 1961, (36), 31.
26. Henk, H. J., *Fette Seifen Anstrich.*, 1963, **65,** 94; Zahn, H., *et al.*, *J. Soc. cosmet. Chem.*, 1963, **14,** 539; Randebrock, R. and Eckert, L., *Fette Seifen Anstrich.*, 1965, **67,** 775.
27. Schöberl, A. and Grafje, H., *Fette Seifen Anstrich.*, 1958, **60,** 1057.
28. Boré, P. and Arnaud, J. C., *Actual. Dermopharm.*, 1974, **6,** 75.
29. Schöberl, A., *Naturwissenschaften*, 1950, **40,** 390.
30. Gumprecht, J. G., *et al.*, *J. Soc. cosmet. Chem.*, 1977, **28,** 717.
31. Asquith, R. A. and Puri, A. K., *Text. Res. J.*, 1970, **40,** 273.
32. US Patent 3 242 052, Mead Johnson and Co., 21 September 1962.
33. German Patent 2 717 002, Kyowa Hakko Kogyo Co., 19 April 1976; Japanese Patent Kohai 77' 125 637, Tanabe Seiyaku, 10 April 1976; Japanese Patent Kohai 73' 14 934, Tanabe Seiyaku, 27 September 1968.
34. Voss, J. G., *J. invest. Dermatol.*, 1958, **13,** 273.
35. Finkelstein, P., *et al.*, *J. Soc. cosmet. Chem.*, 1962, **13.** 253.
36. French Patent 1 197 194, L'Oreal, 29 May 1958; German Patent 2 255 800, Saphir J. and H., 15 November 1972.
37. Zviak, C., *Problèmes Capillaires*, ed. Side. E. and Zviak, C., Paris. Gauthier-Villars, 1966,pp.191–213.
38. US Patent 3 459 198, Collaborative Research Inc., 10 March 1966; French Patent 2 005 648, L'Oreal, 5 April 1969.
39. US Patent 3 693 633, L'Oreal, 26 September 1972.
40. German Patents 2 141 763 and 2 141 764, Henkel, 20 August 1971.
41. Japanese Patent 72' 46 333, Yamazaki, 5 June 1970.
42. US Patent 2 403 937, E. I. du Pont de Nemours, 1946.
43. British Patent 771 627, Van Ameringen Haebler Inc., 1 February 1954.
44. US Patent 2 600 624, Parker, A., 15 March 1950; British Patent 672 730, Henkel, 1949.
45. British Patent 766 385, Gillette Co., 15 September 1953.
46. US Patent 3 256 154, Gillette Co., 18 October 1963.
47. Walker, G. T., *Seifen Öle Fette Wachse*, 1963, **89,** 349.
48. German Patent 2 345 621, Henkel, 10 September 1973.
49. Robbins, C. R. and Kelly, C., *J. Soc. cosmet. Chem.*, 1969, **14,** 555.
50. French Patent 1 309 816, L'Oreal 15 April 1960.
51. US Patent 4 013 409, IMC Chemical Group Inc., 22 March 1977.
52. French Patent 1 011 152, Amica, 15 December 1948.
53. British Patent 745 179, National Lead Co., 21 June 1960.
54. US Patent 2 707 697, Horizons Inc., 3 May 1955.
55. British Patent 453 701, Speakman J. B., 1934; German Patent 2 421 248, Shiseido Co., 4 May 1973.
56. US Patent 3 674 038, L'Oreal, 4 July 1972; US Patent 3 803 138, L'Oreal, 9 April 1974.
57. US Patent 3 253 993, Shulton, 29 July 1964.
58. US Patent 3 906 021, Gillette Co., 29 March 1974.
59. Japanese Patent 72' 37015, Tanabe Seiyaku, 9 January 1970; Japanese Patent 76 128907, Tanabe Seiyaku, 30 April 1975.
60. German Patent 2 025 452, Colgate Palmolive Co., 25 May 1970.
61. German Patent 2 349 048, Procter and Gamble Co., 2 October 1972.
62. Markland, W. R., *Norda Briefs*, 1979, (492), 1.
63. Speakman, J. B., *J. Text. Inst.*, 1947, **38,** T 102.
64. Hamburger, W. J., and Morgan, H. M., *Proc. sci. Sect. Toilet Goods Assoc.,* 1952, (18), 44.

65. Patterson, N. L., *et al.*, *J. Res. nat. Bureau Stand.*, 1941, **27,** 89.
66. Goodman, H., *J. Am. med. Assoc.*, 1943, **123,** 743.
67. British Patent 225 256, Sartory, P., 1925.
68. McDonough, E. G., *J. Soc. cosmet. Chem.*, 1948, **1,** 183.
69. Heilengotter, R. and Komarony, R., *Am. Perfum. Aromat.*, 1958, **71,** 31.
70. German Patent 1 124 640, Wella AG, 17 December 1959; German Patent 1 229 980, Schwarzkopf, 30 August 1960.
71. Japan Patent 76' 15 639 Ajinomoto Co., 24 July 1974.
72. German Patent 2 111 959, Eugène Gallia, 16 December 1971.
73. British Patent 1 020 919, Rayette Inc., 28 December 1961.
74. Bogaty, H. and Giovacchini, P., *Am. Perfum. Cosmet.*, 1963, **78**(11), 45.
75. Shansky, A., *Am. Perfum. Cosmet.*, 1965, **80**(3), 31.
76. German Patent 2 263 203, Wella AG, 23 December 1972.
77. German Patent 2 614 724, Wella AG, 6 April 1976.
78. US Patent 2 464 281, Raymond Laboratories Inc., 6 August 1946.
79. US Patent 2 479 382, Ronk, S. O. and Hunter, L.R., 16 August 1949.
80. British Patent 959 772, Procter and Gamble Co., 11 September 1959; German Patent 1 492 164, Schwarzkopf, 21 March 1974; US Patent 3 433 868, Warner-Lambert, 18 March 1969.
81. US Patent 3 981 312, Redken Laboratories Inc., 21 September 1976.
82. US Patent 4 038 995, Helene Curtis, 2 August 1977.
83. Shansky, A., *Soap Cosmet. chem. Spec.*, 1976, September, 32.
84. US Patent 3 847 165, Redken Laboratories Inc., 12 November 1974; Australian Patent 408 443, Summit Laboratories Inc., 27 January 1970.
85. German Patent 1 800 069, Henkel, 1 October 1968.
86. German Patent 2 316 600, L'Oreal, 18 October 1973.
87. German Patent 2 317 140, Wella AG, 5 April 1973.
88. Japan Kokai 75' 95 436, Tanabe Seiyaku, 28 December 1973.
89. German Patent 1 492 163, Schwarzkopf, 7 March 1964.
90. US Patent 3 964 499, Wella AG, 22 June 1976.
91. Arnaud, J. C., unpublished results.
92. British Patent 1 119 845, L'Oreal, 17 July 1968; US Patent 3 768 490, L'Oreal, 30 October 1973.
93. US Patent 3 837 349, Avon Products Inc., 24 September 1974.
94. French Patent 2 033 289, L'Oreal, 30 January 1970; German Patent 2 120 531, Schwarzkopf, 24 April 1971.
95. Sagarin, E. and Balsam, M., *J. Soc. cosmet. Chem.*, 1956, **7,** 480.
96. Shansky, A., *Drug Cosmet. Ind.*, 1975, **116**(4), 48.
97. Norris, J. A., *Food Cosmet. Toxicol.*, 1965, **3,** 93.
98. Japan Patent 70' 32079, Shiseido, 8 March 1965.
99. Japan Patent 70' 26875, Tanabe Seiyaku, 13 August 1965.
100. British Patent 1 196 021, L'Oreal, 19 April 1967.
101. British Patents 1 197 031 – 1 197 038, L'Oreal, 1967–1969.
102. British Patent 1 249 477, L'Oreal, 25 October 1968.
103. British Patent 1 267 846, L'Oreal, 3 December 1969.
104. British Patent 1 236 463, L'Oreal, 26 July 1968.
105. Erlemann, G. A. and Beyer H., *J. Soc. cosmet. Chem.*, 1972, **23**(12), 791.
106. Shansky, A., *Drug Cosmet. Ind.*, 1977, **121**(7), 27.
107. US Patent 3 694 141, L'Oreal, 1 August 1968.
108. British Patent 1 234 408, L'Oreal, 1 August 1968; US Patent 3 642 429, L'Oreal, 23 October 1968.
109. German Patent 2 052 780, Roberts, 28 October 1970.
110. Canadian Patent 900 358, Bristol-Myers, 30 July 1968.
111. US Patent 3 812 246, L'Oreal, 21 May 1974.
112. US Patent 3 395 216, Clairol, 30 July 1968.

29

Alisadores de pelo

Introducción

Los alisadores son una necesidad para muchos consumidores, algunos de los cuales desea que el cabello rizado tupidamente se haga liso o ligeramente ondulado, mientras otros desean que el pelo ensortijado se abra y se haga más controlable.

Actualmente está completamente descartada la idea mantenida en otros tiempos que el pelo rizado o ensortijado es elíptico en sección transversal, mientras que el pelo liso es circular. Según trabajos recientes, existen dos formas de queratina que componen el ortocórtex y paracórtex del tallo del pelo (véase Fig. 23.1); el pelo de la raza negra parece tener mucha más elevada proporción de ortocórtex muy reactivo y diferenciado.

Existen varios tipos de preparaciones alisadoras de pelo en el mercado:

Métodos peinado caliente-aceite de planchado (*hot comb-pressing oil methods*).
Emulsiones cáusticas.
Métodos que implican el uso de agentes reductores de queratina.

Método de peinado caliente

En el método de peinado caliente, el pelo es estirado (alisado) utilizando vaselina y un peine metálico caliente. El procedimiento se denomina «planchado caliente» (*hot pressing*). Como alternativa se puede utilizar una mezcla de petrolato y parafina, en la cual el petrolato es el mayor componente, actuando como agente transmisor de calor del peine y el pelo, lubrificando este último para permitir que el peine se deslice por él sin resistencia. El pelo se lava y se seca antes de que el aceite de planchado (*pressing oil*) se aplique y se utilice el peine metálico calentado para estirar el pelo.

Aparte del hecho de que se aplica considerable tensión al pelo causando una elevada incidencia de rotura, la forma no es muy estable y tiende a destruirse por la lluvia, y aún por la sudoración, de modo que el pelo revierte a su estado original. Los pulverizadores aerosoles que contienen silicona se han comercializado como protectores frente a la humedad, pero no parece que hayan aportado una mejora realmente significativa.

Preparaciones cáusticas

Las preparaciones cáusticas, usualmente en forma de crema, son el segundo tipo de preparaciones para alisar el pelo aún bastante ampliamente empleadas. El uso de lejías cáusticas implica riesgos, tales como irritación del cuero cabelludo, y aún, accidentalmente, lesiones en los ojos.

La viscosidad de estos productos varía según el punto de reblandecimiento y fusión de la base de la crema. La cantidad de constituyente activo empleada está entre un 2 y un 9 por 100; frecuentemente es aproximadamente un 4-5 por 100. Cuanto más álcali está presente, más rápida es la acción, pero al mismo tiempo mayor es el riesgo de la solubilización y la precaución requerida al usar el producto.

La adición de activadores de lantionización ayuda a reducir la temperatura, el tiempo y el valor de pH del tratamiento (cf. ondulación permanente).

La selección de ingredientes para la base de la crema, que actúe como vehículo del producto cáustico, requiere obviamente un cuidado considerable, si se ha de evitar la incompatibilidad. El emulsionante no puede ser ni un ácido, ni un éster, ni un aniónico del tipo que sea salificado por el álcali cáustico, tal como jabón. La fase grasa tampoco puede ser un ácido o un éster, y se formula mejor a partir de ceras, más particularmente a partir de alcoholes grasos con aceites minerales y vaselina como agentes protectores, y lanolina polioxialquilada como emoliente[2]. Generalmente, la base de la crema contiene también lauril sulfato o lauril éter sulfato sódico como agente humectante y emulsionante.

Una composición típica se da en el ejemplo 1[3]. Esta pasta se aplica peinando, y se deja permanecer en el pelo durante treinta minutos. Después el pelo se lava bien con agua para eliminar toda la pasta.

(1)

partes en peso

A.	Goma tragacanto	2
	Acido bórico	1
	Agua	40
B.	Sodio carbonato	1
	Sodio, hidróxido	1
	Glicerina	2
	Agua	8

Procedimiento: Uniformizar *A* como una pasta y después agitarla en la previamente disuelta *B*.

El alisador con activador dado en el ejemplo 2 se aplica al pelo durante treinta minutos a una temperatura de 40 °C.

(2)

		gramos
Hidroxietilcelulosa, PM 4.400		4,0
Litio, hidróxido		2,0
Sodio, cloruro		17,5
Agua	hasta	100,0

Los alisadores sencillos cáusticos descritos anteriormente se diseñan principalmente para personas que desean alisar su cabello, no darle forma. No obstante, existen en el mercado alisadores multicomponentes más complicados, que proporcionan un proceso más sofisticado que es más beneficioso para el cuero cabelludo y cabello, y la forma final de peinado.

Los alisadores cáusticos multicomponentes se ajustan a un patrón general de cinco componentes:

a) Una pomada suave basada en aceite mineral-vaselina-cera aplicada al cuero cabelludo como un pretratamiento protector.

b) El «relajante», que consta de una emulsión aceite en agua conteniendo aproximadamente un 3 por 100 de sosa cáustica, y aproximadamente un 40 por 100 de sustancia grasa en las mismas líneas generales de los alisadores sencillos descritos anteriormente.

c) Un champú crema que se usa a continuación del relajante. La composición es generalmente un 12 por 100 de alquil sulfato y un 2 por 100 de dietanolamida de ácido graso, junto con alguna sustancia grasa no específica emulsionada.

d) Una emulsión diluida aceite en agua que contiene un 2 por 100 de ésteres grasos y un agente humectante catiónico calificado como el «neutralizante», de preferencia ligeramente ácido.

e) Una pomada más densa conteniendo vaselina, éster graso y lanolina para proporcionar el peinado final y fijación.

También se ha recomendado seguir el tratamiento alcalino aplicando una solución alcalina o suspensión que contiene un metal alcalinotérreo, particularmente calcio, como cal viva, de manera que forme quelatos con la queratina, y así se fije firmemente en la nueva forma del cabello; después la queratina puede liberarse de los quelatos mediante agentes complejantes (EDTA) y un tensioactivo[4].

Se han patentado composiciones que son tanto alisadoras como colorantes; constan de álcali a pH 12-13,8, colorantes junto con agentes del tono en un vehículo que contiene alcohol cetil esteárico, lauril sulfato sódico, y un polímero carboxivinílico[5].

Agentes químicos reductores capilares

Las preparaciones alisadoras de pelo del tercer tipo contienen un agente químico queratín-reductor, como «relajante» que efectúa el ablandamiento y alisado del pelo. Los principios activos son frecuentemente tioglicolatos, esto es, los mismos compuestos que se utilizan en el proceso opuesto de ondulado permanente, pero generalmente a concentración más baja.

A diferencia del ondulado permanente en que el pelo se mantiene con bigudíes durante el tratamiento, en el alisado de pelo, el cabello está suelto, y se le da forma mientras se peina en virtud de la elevada viscosidad del producto. Como consecuencia, una formulación tipo crema ya no es un inconveniente, sino que es muy deseable, así que la mayoría de las preparaciones son emulsiones aceite en agua, geles o líquidos espesos.

Este tipo de alisadores se comercializa en dos envases, uno contiene el «relajante», el otro el «neutralizante», aunque a igualdad con las «permanentes en el hogar» existen preparaciones que se expenden con el neutralizador, y dependen de la supuesta «oxidación aérea».

Relajante

En la mayor parte de los ejemplos existentes, el relajante es un tioglicolato amónico y el valor de pH del producto se ajusta a 9,0-9,5. Parcialmente se sustituye el amonio por bases orgánicas, tales como monoetanolamina y un carbonato alcalino de un aminoácido[6]. Productos crema se basan en glicerina, estearatos de glicol, o alcoholes cetílico y cetilestearílico emulsionados en agua por alcoholes cetílicos u oleicos polioxietilados (usualmente 20 a 25 óxido de etileno). Los líquidos viscosos o geles se obtienen a partir de polímeros o copolímeros carboxivinílicos. En el ejemplo 3[6], la imidazolina se incluye con la finalidad de aumentar la rapidez del alisamiento.

	(3)
	por ciento
Emulsión base:	
Agua desmineralizada hasta	100,0
Alcohol cetílico emulsionado por	
alcohol cetílico oxietilado	22,0
Agua desmineralizada	30,0
Sodio, carbonato glicinato	5,0
Amonio, tioglicolato o	
tiolactato (50 por 100 sol. acuosa)	12,0
EDTA (sal disódica)	0,3
Sodio, metílico *p*-hidroxibenzoato éster	0,05
Monoetanolamina	2,0
Imidazolina	0,2
Perfume	0,2

Neutralizantes

Los neutralizantes son las sustancias usuales, ya perborato sódico o peróxido de hidrógeno. Es importante recordar que el pelo que ya ha sido lesionado durante el tratamiento de peinado en caliente, o por el empleo de alisadores cáusticos, no debería ser sometido a un alisador de tioglicolato hasta que hayan transcurrido varias semanas. La crema de tioglicolato se aplica libremente al pelo, que después es peinado rápidamente hasta que el cabello no tenga más tendencia a formar rizos. Cuando el pelo está suficientemente alisado, la crema se elimina por enjuague y se aplica el neutralizante para dar la forma de peinado permanente. Se debe tener la precaución de asegurar una neutralización completa para evitar lesionar al pelo. Otra vez la composición tipo crema es preferentemente usada para abatir el pelo y mejorar el mantenimiento de la forma estirada.

Se han propuesto diferentes sistemas para evitar una lesión irreversible, debida en particular a la acción solubilizante del ácido tioglicólico sobre la queratina en medio altamente alcalino, y sobre un pelo ya tratado. El primero —bastante complicado— consiste en introducir la basicidad generalmente necesaria en la última fase de la acción del reductor e implica una serie de cuatro aplicaciones:

a) Una crema que contiene un 3-8 por 100 de ácido tioglicólico en una base pomada aceite en agua ajustada a pH 7,0-8,6 con hidróxido amónico (28 por 100): puede dejarse en el pelo durante cuarenta y cinco a noventa minutos.

b) Una crema que contiene hidróxido amónico o etanolamina o carbonato de etanolamina en una base aceite en agua ajustada a pH 10-12,5, diseñada para ayudar a estirar el pelo: la cantidad aplicada depende de grosor y grado de rizamiento del pelo.

c) Después el pelo es lavado y tratado con una composición acuosa que comprende un agente oxidante, por ejemplo, bromato potásico o perborato sódico, y un agente tampón, por ejemplo, gelatina (incluida para asegurar que el pelo permanezca firmemente estirado durante quince a veinte minutos durante el proceso de reoxidación, mientras el agente tampón mantiene el pH de la solución durante el tratamiento).

d) A continuación el pelo se lava y enjuaga con un aclarado ácido de ácido maleico para neutralizar todo álcali residual. A diferencia de los ácidos cítrico, tartárico y bórico que han demostrado que ocasionan el rizado del pelo alisado, el ácido maleico ayuda a mantener el pelo en condiciones de estiramiento.

Otra técnica basada en el uso de reductores menos potentes, tal como sulfito o bisulfitos de amonio o metales alcalinos, ofrece la ventaja de ser eficaz entre pH 6,5 y 8,5. Además, tales preparaciones contienen carbonato alcalino o amónico, agentes humectantes o gelificantes (laurilsulfato sódico, Carbopol), y agentes de hinchamiento del pelo. También pueden contener un agente quelante para acomplejar metales que podrían evitar la acción de sulfitos o, como en el ejemplo 4, un jabón al que se le atribuye evitar la decoloración y fragilidad del pelo[7].

(4)

por ciento

Amonio, carbonato	4,5
Sodio, bisulfito	2,2
Sodio, lauril sulfato	4,2
Jabón de sebo	5,6
Acido oleico	1,0
Agua	82,5

A estas composiciones se les atribuye ser suaves para el cuero cabelludo y menos perjudiciales para el pelo[8, 9].

Otro proceso sugerido deriva del beneficio del uso retardado de agentes de hinchamiento para completar o incrementar la acción de estiramiento, reduciendo de este modo el tiempo de contacto a un mínimo con un medio altamente alcalino. Los denominados agentes de hinchamiento son compuestos tales como urea y sus derivados, tiourea, formamida, bromuro de litio, alcoholes alifáticos inferiores, alcohol bencílico, sulfóxido y sulfona, a los que se les atribuye romper los enlaces de hidrógeno y debilitar enlaces hidrófobos, penetrando fácilmente en la queratina y con ello alterando drásticamente la red de interacciones no electrostáticas.

El proceso propuesto consiste en aplicar el agente ablandante de la queratina (álcali, sulfito o tioglicolato) al pelo, y cuando está sustancialmente completa la acción, eliminar por peinado el agente excedente; después, en una segunda fase, exponer el pelo a un agente de hinchamiento, y alisar el pelo con peinados repetidos, y finalmente fijar o neutralizar el pelo[11]. Una formulación de este proceso de dos fases se da en el ejemplo 5[11].

		(5) *gramos*
A.	Acido tioglicólico	8,0
	Alcohol cetílico	5,4
	Aceite parafina	1,8
	Aducto de alcohol oleico y 20 unidades de óxido de etileno	3,9
	Acido silícico coloidal	1,5
	Amoniaco al 25 por 100	12,3
	Agua	67,1
B.	Alcohol cetilestearílico	17,0
	Sodio, lauril sulfato	2,0
	Agua	59,0
	Tiourea	7,0
	Sulpholan	15,0

Procedimiento: Aplicar crema *A* (pH 9,6), mechón a mechón, en el pelo previamente lavado con champú, y distribuir uniformemente. Después de cinco minutos de tiempo de reacción, eliminar cuidadosamente el agente mediante peinado; después aplicar crema *B* durante cinco a siete minutos con peinados repetidos. Enjuagar a fondo el pelo con agua, y fijar de modo usual con 100 ml de solución de peróxido de hidrógeno al 2 por 100.

El ejemplo 6 da otra composición de dos fases, en forma de gel, de las cuales la crema *A* se deja un tiempo de acción de quince minutos en el pelo.

		(6) *gramos*
A.	Amonio, sulfito sol. acuosa al 35 por 100 (22,7 g SO_2 por 100 ml)	36,5
	Carbopol 960 (sal amónica de un polímero carboxivinílico)	3,5
	Agua	60,0
B.	Carbopol 960 (Goodrich)	0,5
	Agua	69,5
	Urea	3,5
	2,2-dimetil-1,3-propanodiol	10,5
	Alcohol isopropílico	15,0

El alisamiento es aún un proceso delicado y debería realizarse con sumo cuidado, teniendo en cuenta la naturaleza del pelo, así como evitar la sequedad, degradación y fragilidad del pelo.

Se ha patentado la adición de polímeros naturales para facilitar la fijación de la forma alisada; incluyen proteínas solubles, almidón de maíz o arroz[12], galactomaná de fruta[13]. Más recientemente se ha reivindicado la aplicación de polímeros vinílicos utilizados para ondulaciones permanentes[14].

Por último se debe destacar que otro proceso químico de alisamiento implica una oxidación por monopersulfatos alcalinos («óxona»), atribuyéndosele alterar la forma del pelo natural sin modificar apreciablemente su color[15].

REFERENCIAS

1. French Patents 2 220 243 and 2 220 244, L'Oreal, 7 March 1974.
2. US Patent 3 017 328, Hair Strate, 30 January 1957.
3. Shansky, A., *Am. Perfum. Cosmet.*, 1968, **83**(10), 71.
4. US Patent 3 973 574, Umezawa, F., 10 August 1976.
5. German Patent 2 014 628, Wella AG, 26 March 1970.
6. Belgian Patent 763 084, Eugène Gallia SA, 8 January 1969; British Patent 1 314 625, Eugène Gallia SA, 26 April 1973.
7. US Patent 2 865 811, Irval Cosmetics, 28 December 1958; US Patent 3 171 785, Irval Cosmetics, 21 December 1958.
8. US Patent 3 864 476, Altieri, F. J., 4 February 1975.
9. Spoor, H. J., *Cutis*, 1975, **16,** 808.
10. British Patent 996 279, Scherico, 15 August 1962.
11. German Patent 1 955 823, Wella A G, 6 November 1969.
12. German Patent 2 319 240, Schweifer, J., 16 April 1973.
13. French Patent 2 067 649, Gonzales, J. I., 12 November 1969.
14. US Patent 3 568 685, Scott, H. L., 9 March 1971.
15. German Patent 2 349 058, Procter and Gamble, 18 April 1974.

PARTE CUARTA

Los dientes y productos dentales

30

El diente y la salud bucal

Introducción

La función del químico cosmético es el mantenimiento o mejora de la apariencia de la superficie externa del cuerpo. Su objetivo cambia cuando se considera la boca. En comunidades civilizadas, el predominio de caries dental y otras dolencias bucales ha llegado a aceptarse como normal. Por esta razón, las preparaciones orales están más orientadas a la prevención y control de las dolencias bucales, tales como caries y transtornos de las encías. En los últimos treinta años, esta situación se ha actualizado como consecuencia del desarrollo de la bioquímica oral, que ha aumentado el conocimiento de los problemas.

EL DIENTE Y SU ENTORNO

El campo de la higiene bucal atañe no sólo a los dientes, sino a todo su entorno. Esto implica el conocimiento de la bioquímica de toda la boca.

Estructura del diente

El diente se distingue macroscópicamente por la *corona* (esto es, la porción del diente situada por encima de la encía) y la *raíz* (la porción empotrada en la encía); la porción límite que separa a éstas se denomina el *cuello*.

Esmalte

La superficie exterior de la corona del diente está compuesta por el esmalte, un tejido duro, de mayor grosor en el ápice del diente y más delgado en el cuello. La raíz está protegida por una capa fina de cemento.

El esmalte es el tejido más duro del cuerpo humano. Está compuesto principalmente de hidroxiapatita $(3Ca_3(PO_4)_2 \cdot Ca(OH)_2)$, a la cual se le atribuye aproximadamente el 98 por 100 de la composición, siendo el resto queratina y agua. La hidroxiapatita es susceptible de intercambiar iones y aniones tales como F^- y CO_3^{2-} que pueden reemplazar el grupo OH^-, mientras que los cationes, tales como Zn^{2+} y Mg^{2+}, pueden reemplazar el Ca^{2+}. Este intercambio iónico puede influir en la sensibilidad a las caries y, por ejemplo, el grado en que el OH^- se ha reemplazado por F^- tiene efecto sobre la vulnerabilidad del esmalte.

De hecho, el esmalte contiene una amplia variedad de otros elementos que están presentes sistémicamente o por el intercambio iónico. Junto a los mencionados, están presentes sulfuro (270 ppm), cloro (4.400 ppm), potasio (370 ppm) y estroncio (56 ppm) a cantidades inferiores a 10 ppm junto con una multitud de otros elementos en cantidades inferiores a ésta. No se conoce su significado biológico [1].

La hidroxiapatita, de la cual se compone gran parte del esmalte, está presente en la forma de cristales, los cuales forman barras orientadas en ángulo recto a la superficie. La relación molar teórica de Ca:P para hidroxiapatita pura es de 1,67, pero, con frecuencia, las apatitas biológicas, tales como el esmalte, permanecen por debajo de esta concentración. Esta desviación de la estoiquiometría ha estimulado la especulación, pero el tema no está aún completamente resuelto. La adsorción de iones que son demasiado grandes para penetrar en el entramado del cristal o que tienen una carga inapropiada, y el intercambio iónico, son dos mecanismos que deben considerarse como no estoiquiométricos. JENKINS [2] da un resumen de la situación actual.

Dentina

La capa de sustancia que hay debajo del esmalte dental es la dentina. También está compuesta de hidroxiapatita hasta la proporción de aproximadamente el 70 por 100, siendo el resto colágeno y agua. La matriz de la dentina esta perforada por varios canales minúsculos, que parten de la cavidad de la pulpa hasta la superficie. Estos son los *túbulos de la dentina*.

También la apatita de la dentina puede contener una variedad de otros elementos, y éstos son de origen sistémico, puesto que la dentina no está expuesta a los líquidos bucales. El elemento presente más destacable es el flúor —notable debido a que su contenido varía con el contenido de fluoruro del suministro de agua y a que es superior a la concentración del esmalte [3]—:

	Concentración de fluoruro (ppm)		
Suministro de agua	0,0-0,3	1,1-1,2	2,5-5,0
Esmalte	100	130	340
Dentina	240	360	760

(Las cifras de esmalte son la media para el esmalte total; la concentración de fluoruro en la superficie del esmalte puede ser como diez veces la cifra media.) Por tanto, el tejido más blando y vulnerable, la dentina, tiene una concentración superior de fluoruro que el esmalte, y este fluoruro debe ser de origen sistémico. El significado de estos hechos será discutido posteriormente en este capítulo.

Las principales diferencias entre el esmalte y la dentina se indican en la tabla 30.1.

Tabla 30.1. Principales diferencias entre dentina y esmalte[4]

	Dentina	Esmalte
Dureza		
Escala de Knoop	55,60	250-300
Escala de Moh	2	4
Peso específico	2,14	2,9-3,0
Materia inorgánica (por 100)	68	96
Fósforo (por 100)	11,5	16,5
Calcio (por 100)	24	35
Fluor (ppm)	240	100
Proteína (por 100)	20	1
Tipo de proteína	Colágeno	Queratina

Saliva

La saliva es parte del medio del diente y es un factor principal en el mantenimiento de una boca sana. Puesto que la saliva se produce continuamente, el medio del diente es dinámico, y no estático, y esto implica el estudio de la química de la boca.

La saliva es producida por tres pares de glándulas grandes, y las glándulas más pequeñas de la mucosa bucal (labial, lingual, bucal y palatal). Las secreciones difieren de una a otra en su composición, y pueden variar en ellas mismas según la cantidad de flujo, momento del día, etc. Existen también diferencias entre individuos. Por tanto, es imposible dar cifras significativas para la composición de la saliva; probablemente la mejor guía[5] son las tablas de datos publicados.

La saliva contiene bacterias, mucopolisacáridos, proteínas, enzimas y sustancias inorgánicas, tales como calcio, sodio, potasio, cloro e iones fosfato.

Se piensa que los constituyentes orgánicos de la saliva son los responsables del desarrollo de la película y placa adquirida. Se cree que la presencia del fosfato cálcico es importante tanto en el control de las caries dentales, como en la formación de cálculo. Un inadecuado flujo de saliva se asocia con el incremento en la sensibilidad a las caries, probablemente debido a la escasa eliminación de detritos de comida, una pérdida de la capacidad tampón y una reducción en la concentración de Ca^{2+} y PO_4^{3-}. JENKINS[6] trata ampliamente la complejidad de la composición de la saliva.

Tegumentos adquiridos del diente

LEACH[7] llama la atención sobre la confusión en la literatura dental respecto a la nomenclatura de los varios tegumentos adquiridos de la dentadura humana. Si una superficie dental, bien *in vitro* o *in vivo*, se limpia perfectamente con un cepillo y pasta de dientes, es posible eliminar varios tegumentos hasta descubrir los cristalitos individuales de la superficie del esmalte. Si esta superficie, de nuevo *in vivo* o *in vitro*, se expone a la saliva durante un sistema de tiempo medido en minutos, se deposita sobre la superficie dental[8] una capa acelular, libre de bacterias. Esta se define como «película adquirida» o «película», y procede de la saliva. En el transcurso del tiempo, ahora medido en horas, las bacterias comienzan a depositarse sobre la superficie de la película, rodeándose al mismo tiempo ellas mismas con una matriz que es marcadamente diferente de la película adquirida. Esta agregación de bacterias y su matriz circundante, una vez que se halla en cantidad suficiente para ser reconocida, se conoce como «placa dental». El microscopio electrónico es capaz de detectar esta sustancia en un estado de formación más reciente que con tinción histológica, la cual, a su vez, es más sensible que la detección visible ordinaria tal como se observa clínicamente. En ciertas áreas de la boca, cristales de diversos fosfatos cálcicos empiezan a aparecer en zonas localizadas, tanto en la película adquirida como en la matriz extracelular de la placa dental. El orden de tiempo para que esta sustancia se forme se mide en días y se conoce clínicamente como «cálculo» cuando hay suficiente cantidad de ella para formar los cristales individuales que están empaquetados suficientemente juntos para que los agregados se hagan resistentes a la deformación. El microscopio electrónico revela las etapas iniciales de la formación del cálculo considerablemente mucho antes de esta situación[9], en una etapa anterior a la que los cristales se lleguen a empaquetar juntos y estrechamente y es adecuado para diferenciar entre la calcificación inicial de la matriz y la calcificación intracelular posterior de la placa bacteriana[10].

La nomenclatura de los diversos tegumentos y su naturaleza han sido claramente tabuladas por JENKINS[11].

Película adquirida

Hay evidencia suficiente de que existe una película física sobre la superficie de los dientes, y ésta es la película adquirida. Esta capa generalmente tiene un espesor de 1-3 μm y está libre de bacterias. También presenta reacciones de tinción diferentes de las que muestra la placa.

La capa de la película puede eliminarse de la superficie de un diente extraído disolviendo la capa superficial del esmalte subyacente en un 2-5 por 100 de HCl. La sustancia que se ha eliminado de esta manera consiste en proteína rica en ácido glutámico y alanina y aminoácidos de bajo contenido de S. También contiene hidratos de carbono y ácido muránico, que es un constituyente de las paredes celulares bacterianas[12].

Podría parecer que la película se forma por la adsorción selectiva de algunas proteínas salivares por la apatita del esmalte.

Se ha sugerido[13, 14] que la película tiene alguna acción protectora frente al ataque de ácidos sobre la superficie de esmalte, pero esto no es cierto.

Placa

En todas las partes de los dientes, distintas a las limpiadas por la erosión, por ejemplo, las superficies mordientes, existe una mucosa cubriente de espesor variable, que se conoce como placa dental. En la actualidad, la placa se considera el factor etiológico primario en el desarrollo de caries[15]; también está implicado en enfermedades peridentales.

La cantidad de placa formada es muy variable, pero es típica la de 10-20 mg por día. Actualmente se cree que está compuesta de proteínas salivares, quizás modificadas por enzimas bacterianas, con cantidades variables de polisacáridos de origen bacteriano. La composición puede variar no sólo entre individuos, sino también en diferentes partes de la boca, pero habitualmente contiene aproximadamente un 82 por 100 de agua. Otros componentes son:

	porcentaje de peso seco
Proteína	40-50
Hidratos de carbono	13-17
Lípidos	10-14
Cenizas	10

	μg/mg peso seco
Calcio	8
Fósforo	16

	ppm peso seco
Fluoro[16]	20-100

De estos compuestos quizás, el más interesante y significativo sea el fluoro, que, en una proporción típica de 50 ppm en peso seco, está a una concentración más elevada que en cualquier alimento o bebida que pasa a través de la boca.

La mayor parte del hidrato de carbono presente procede, probablemente, de la toma diaria de azúcares. Estos pueden metabolizarse parcialmente por la placa bacteriana para producir polisacáridos extracelulares, tales como dextrano y levano[17-18]. Este azúcar también se metaboliza para formar ácidos que se piensa que son la causa inicial de las caries. Este efecto —la producción de ácido en la placa— puede demostrarse fácilmente midiendo la caída del pH en la placa después de un aclarado de la boca con azúcar[19,20]. Es de gran importancia en el estudio de las caries.

Cálculos

El término de *sarro* (*tartar*) se ha utilizado comúnmente para describir los depósitos mineralizados formados sobre los dientes descuidados. El origen del término, por supuesto, fue los depósitos cristalinos formados en el vino.

El depósito es actualmente más correctamente denominado *cálculo*. Puede producirse por encima (supragingival) y por debajo (subgingival) de las encías. Las dos formas difieren en sus propiedades y posiblemente sean de orígenes diferentes. Con certeza, el cálculo supragingival es de origen salivar y se produce en la proximidad de los orificios de los principales conductos salivares.

El cálculo varía en composición, pero siempre contiene aproximadamente un 80 por 100 de sustancia inorgánica, conteniendo calcio, magnesio, fósforo y otros elementos. El calcio y el fósforo se presentan en la placa inicial como brusita ($CaHPO_4 \cdot 2H_2O$ y fosfato octacálcico ($Ca_8(HPO_4)_2(PO_4)_4$). También se puede encontrar *Whitlockite* $(Ca_3(PO_4)_2)$, pero la fase última es probablemente apatita $(3Ca_3(PO_4)_2 \cdot Ca(OH)_2$. A esta transición colabora la presencia de fluoruro, presente en una concentración de aproximadamente 400 ppm[21, 22].

El 20 por 100 restante del cálculo es una matriz orgánica, que contiene hidratos de carbono, proteína, lípido y bacterias. Las composiciones totales típicas[23, 24] del cálculo supragingival son:

Densidad	1,09-1,33
Sustancia orgánica (por 100)	11-20
CO_2 (por 100)	2,0-3,7
Calcio (por 100)	26,9-28,0
Fósforo (por 100)	14,9-16,0
Sodio (por 100)	2,09-2,58

El cálculo se observa por primera vez cuando la placa sobre la superficie del esmalte comienza a mineralizarse. Existen varias teorías de la formación del cálculo. Una de las primeras fue que la pérdida de CO_2 procedente de la saliva ocasionaba un aumento del pH y una precipitación posterior de los fosfatos cálcicos. También se puede producir un cambio en el pH por la formación de amoniaco. Igualmente se ha propuesto que la concentración de fosfatasa en la placa es un mecanismo de control del cálculo. Actualmente, la explicación aceptada más generalizada es que el cálculo se forma por un mecanismo de siembra, pero esto no explica las diferencias entre los individuos que, con frecuencia, son considerables. No se puede despreciar el papel de las bacterias, pero el cálculo se puede producir en animales exentos de gérmenes. JENKINS[25] trató a fondo este tema.

Se admitió durante algún tiempo que existe una asociación entre la presencia de cálculo y la incidencia en enfermedades peridentales. La teoría aceptada comúnmente es que el cálculo irrita las encías y fomenta la formación de una bolsa entre el diente y las encías, en la que pueden alojarse los residuos alimenticios y las bacterias.

También se ha destacado[26] una relación inversa entre cálculo y caries, y esto podría parecer lógico, ya que el cálculo sólo se puede depositar en condiciones no ácidas.

El tratamiento mecánico por un higienista dental es el único medio de eliminar el cálculo, y hasta recientemente no había medio de prevenir su formación. Sin embargo, en los últimos años, varias patentes afirman prevenir la formación del cálculo[27].

El secreto de la prevención de la formación del cálculo seguramente debe ser evitar el depósito de la placa, puesto que desde la placa se precipita el cálculo. El cepillado regular, por supuesto, ayudará a reducir la placa y, en la actualidad, se considera que ciertos aditivos de pastas dentífricas o enjuagues bucales reducirán la formación de la placa. Entre los compuestos sugeridos, probablemente la mayoría de las investigaciones se han realizado con clorhexidina[28].

Residuos alimenticios y «materia alba»

Los residuos alimenticios, excepto los que han penetrado entre los dientes, se eliminan generalmente de modo fácil mediante un chorro con agua. La «materia alba» es una capa blanca, difusa y ligeramente adherida que también se elimina con facilidad. Generalmente es una mezcla de bacterias con una concentración alta de polisacáridos extracelulares.

Puesto que la higiene bucal habitual elimina estos depósitos fácilmente, se debe pensar que no tienen efecto significativo sobre las enfermedades bucales. Por supuesto, pueden contribuir a la halitosis.

PRINCIPALES PROBLEMAS DE LA SALUD BUCAL

Magnitud del problema

Las enfermedades dentales son afecciones esencialmente de la civilización, y la incidencia en comunidades occidentales es aterradora. Estudios realizados por el Departamento de Salud y Seguridad Social de Gran Bretaña (*UK Departament of Health and Social Security*)[29, 30] proporcionan un cuadro completo y deprimente de la salud dental de la población. Entre los adultos, la proporción de desdentados es la que se proporciona en la tabla 30.2. A pesar de que la mejoría es evidente entre 1968 y 1978, la proporción de la población de Gran Bretaña sin dientes naturales es aún elevada. Entre los niños, el cuadro es igualmente deprimente (Tabla 30.3). Se estima que se extraen 4 toneladas de dientes de los niños británicos por año, que corresponden aproximadamente a 4 millones de dientes perdidos. En EE. UU., se estima que la población adulta (111 millones) tiene el sorprendente total de 2,25 billones (2,25 × 10⁹) de dientes deteriorados, perdidos y empastados, y que en cualquier momento existe una reserva de 700 millones de dientes esperando tratamiento[31].

Tabla 30.2. Población de adultos desdentados en Inglaterra y Gales[29]

Grupo de edad	Porcentaje de desdentados	
	1968	*1978*
16-24	1	—
25-34	7	3
35-44	22	12
45-54	41	29
55-64	64	48
65-74	79	74
75 +	88	87

Tabla 30.3. Deterioros activos en dientes de niños, Inglaterra y Gales[30]

Edad	Por ciento con dientes deteriorados
5	63
6	69
7	73
8	78
9	76
10	69
11	66
12	61
13	61
14	62
15	57

Los dientes que no se extraen a causa de caries pueden más tarde ser atacados por enfermedades peridentales, que es la causa principal de pérdida de dientes después de la edad de treinta y cinco años (véase Fig. 30.1)[32].

A pesar de estas estadísticas aterradoras solamente se han emprendido en los últimos treinta años investigaciones serias de las causas de afecciones dentales.

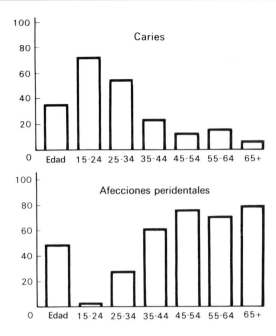

Fig. 30.1. Dientes extraídos por caries y afecciones peridentales.

Esto es lo más sorprendente, pues la causa probable de la caries fue descrita hacia 1890 por un dentista americano que demostró la relación entre la dieta de azúcar y las caries[33]. Al reconocer que la causa primaria de las caries era bioquímica, se estimuló la investigación por los químicos, y en los últimos treinta años ha habido una investigación masiva tanto en universidades estomatológicas como en los laboratorios de compañías comerciales. En la actualidad, esta investigación ha alcanzado la fase en que la causa de la caries y el mecanismo de su desarrollo son bastante bien conocidos y aceptados. El tratamiento clínico de la afección es su prevención, y con el fin de poder formular productos profilácticos es necesario que se conozca la afección que se intenta prevenir.

Caries dental

Una conferencia dictada en la Universidad de Michigan, en 1947, para evaluar y correlacionar toda la información disponible sobre la etiología y control de la caries dental, adoptó por unanimidad la siguiente definición[34]:

«... Caries dental es una enfermedad de los tejidos calcificados de los dientes. Está causada por ácidos originados por la acción de los microorganismos sobre los hidratos de carbono; se caracteriza por una descalcificación de la porción inorgánica y se acompaña o es continuada por una descomposición de la sustancia orgánica del diente. Las lesiones de la enfermedad se producen predominantemente en zonas concretas del diente, y sus tipos se determinan por la naturaleza morfológica del tejido en los que aparecen...»

Las siguientes observaciones generales pueden servir para describir el proceso:

a) Las lesiones de la caries están localizadas; generalmente comienzan en una pequeña área limitada. Se encuentran con mayor frecuencia en picaduras y fisuras de superficies ocluidas.

b) La desmineralización comienza en el esmalte, habitualmente por debajo de una capa de esmalte intacta. Con frecuencia, acompañan a esta desmineralización una decoloración o un cambio en la opacidad del esmalte, esto es, desarrollo de la denominada «mancha blanca».

c) La desmineralización penetra en el tejido más profundo, y se extiende dentro de él, asumiendo aproximadamente la forma de un cono con su ápice orientado hacia el borde de dentino-esmalte y la base continúa debajo de la superficie del esmalte. En esta fase del proceso, aún puede no ser visible la grieta o cavidad manifiesta en la superficie del esmalte. Generalmente se acepta que la dentina comienza a desmineralizarse o ablandarse antes que empiece a ser visible una cavidad real. Por lo general, el tejido se ablanda suficientemente de modo que «se rompe» cuando se aplica presión con un explorador dental.

d) El proceso de la caries continúa y el esmalte desarrolla una lesión que es visible. Con frecuencia, la cavidad se decolora o se pigmenta.

e) Durante el proceso de la caries se destruye la matriz orgánica. La fase exacta en que esto se produce todavía es un tema de controversia considerable.

Teorías de la caries dental

En la década de 1890, MILLER[33] consideró que la disolución de la sustancia dental era debida a la acción de los ácidos, que eran producidos por la fermentación bacteriana de los hidratos de carbono en la boca. Esta teoría se acepta todavía generalmente como la causa básica de la caries[34].

Se han postulado teorías alternativas, tales como, por ejemplo, la teoría proteolítica de GOTTLIEB[35]. Esta sugiere que el efecto inicial sobre el esmalte podría ser un ataque proteolítico sobre el contenido de proteínas. Esto podría ser incluso más importante si la caries pasa dentro de la dentina con un contenido mucho más elevado de proteínas. Esta teoría parece estar avalada por el hecho de que las lesiones de las caries son pigmentadas, y la única fuente de la sustancia colorante es la proteína. Sin embargo se ha demostrado que la presencia de las sales de Ca^{2+} prácticamente protegen la dentina del ataque proteolítico[36] y que es necesario desmineralizar la dentina con ácido antes de que se produzca la proteólisis.

SCHATZ y sus colaboradores[37] han postulado una teoría de «proteólisis-quelación» que sugiere que algunos de los productos de la acción de las bacterias bucales sobre la saliva, residuos alimenticios, esmalte y dentina pueden ser capaces de formar complejos con el calcio.

En la actualidad, generalmente se acepta que la teoría del ácido es probablemente la correcta, y que la fase inicial en el proceso de la caries es la presencia de hidratos de carbono fermentables en la dieta. Es importante conocer que la caries es un proceso de fases:

Bacterias liberadas en la boca.
Enzimas que atacan
Liberación de hidratos de carbono fermentables.
Acidos que atacan.
Esmalte que de este modo produce una
lesión de caries.

Esta es una explicación simplificada de la serie de hechos que conducen al desarrollo de la caries.

Control de la caries

A la luz del examen anterior es posible sugerir métodos para el control de la caries:

Reducción de hidratos de carbono fermentables ingeridos.   Existe un gran número de pruebas clínicas para basar la asociación del azúcar en la dieta con la caries. En trabajos separados, Marthaler[38] y König[39] han revisado las pruebas de esta asociación. La mejoría de la salud dental de escolares noruegos durante la Segunda Guerra Mundial[40] se atribuyó a la reducción del azúcar en la dieta. La salud dental de los nativos de Tristan da Cunha decayó rapidamente cuando se expusieron a la dieta occidental[41]. En la actualidad, la Organización Mundial de la Salud[42] acepta el hecho de que la sacarosa desempeña un papel preponderante en el desarrollo de la caries.

Es impracticable evitar la ingestión de hidratos de carbono fermentables, cuando el azúcar ha llegado a ser una parte importante del hábito alimentario occidental. Aún así, existe un excelente motivo para reducir el consumo de azúcar, especialmente cuando se toma entre comidas, por ejemplo, en la forma de caramelos (dulces).

Eliminación de residuos fermentables de la boca.   Existen amplias pruebas de que la eliminación de residuos alimenticios de la boca reduce la indicencia de las caries. Fodsdick[43] encontró un 50 por 100 de reducción cepillando los dientes después de las comidas. Ciertos alimentos, tales como manzanas, zanahorias, cacahuetes, etc., favorecen la eliminación de residuos por mecanismos mecánicos y por estimulación del flujo salivar, que adicionalmente tampona los ácidos de la placa originados de los alimentos azucarados previamente ingeridos (Fig. 30.2)[44].

No siempre se puede practicar el cepillado de dientes después de las comidas, y una rutina de dos veces al día es más realista. Clark *et al.*[45] desarrollaron una tableta limpiadora de dientes que estimula el flujo salivar y demuestra ser tan efectiva como el cepillado de dientes con agua. Slack *et al*[46] demostraron un pequeño beneficio, aunque significativo, en niños que utilizaron las tabletas en asociación con el cepillado de dientes.

Reducción de la actividad bacteriana.   Las bacterias presentes en la boca de la mayoría de los individuos humanos provocan la fermentación en soluciones

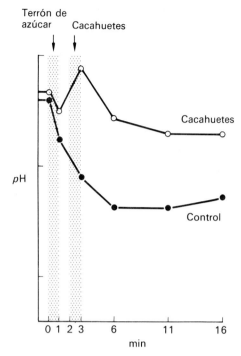

Fig. 30.2. Efecto en el pH de la placa por la ingestión de cacahuetes después de consumir azúcar.

diluidas de azúcar ocasionando una caída del pH aproximado de 5,3. Esta caída del pH es la clásica «curva de Stephan», que puede reproducirse *in vitro* e *in vivo*. Se han identificado ciertos microorganismos como agentes causantes específicos, y éstos incluyen *Lactobacillus acidophillus* y *Streptacoccus mutans*. Esto sugiere inmediatamente que sería posible producir una vacuna que confiera inmunidad en los sujetos a las caries. Un considerable volumen de trabajos se han realizado sobre esta suposición y, si bien la vacunación de monos ha producido efectos positivos, los resultados no son tan espectaculares como se esperaban. Bowen *et al*[48] y Lehner[49] han utilizado esta técnica en monos con algún éxito.

Una técnica obvia para reducir la población bacteriana de la boca podría ser utilizar un antibiótico en los enjuagues de la boca o en la pasta de dientes. Este método fue ensayado por Zander[50] utilizando penicilina. A pesar de que esta técnica parezca causar una reducción en la incidencia de las caries, es potencialmente perjudicial. Por ejemplo, puede conducir al desarrollo de microorganismos resistentes a la penicilina, puede sensibilizar a un número significativo de la población a la penicilina. Por estas razones, no es probable que los antibióticos sean componentes en productos bucales profilácticos de rutina.

Por supuesto, es posible reducir la población bacteriana de la boca mediante el uso de bacteriostáticos químicos. Existen algunas pruebas de que esto puede ser eficaz en la prevención de las caries[51].

Interferencia con sistemas enzimáticos. Un método posterior de interrumpir el desarrollo de las fases del proceso de la caries sería inhibir las enzimas responsables de la descomposición glucolítica de azúcares a ácidos. Este procedimiento fue utilizado por FOSDICK, quien demostró que el N-lauril sarcosinato sódico inhibía específicamente a la enzima «hexoquinasa». Este tema se trata en una sección posterior.

Reducción de la susceptibilidad del diente al ataque. Sería posible fortalecer el esmalte mediante tratamiento tópico con floruros que podrían intercambiar iones con el grupo hidroxílico en la hidroxiapatita, produciendo fluorapatita más resistente. Este puede ser el mecanismo por el que las pastas dentales y los enjuagues bucales que contienen fluoruro ejercen su efecto.

Como alternativa se puede aplicar una barrera física a la superficie dental; esto ha sido investigado por IRWIN, WALSH y LEAVER[52] y otros[53]. Las películas polimerizadas por radiación ultravioleta parecen ser particularmente efectivas[54]. El uso de estos polímeros selladores de fisuras ha resultado útil en la reducción de caries oclusivas[55].

Fluoración del suministro de agua. En 1952, en los EE. UU. se estableció que existía una relación entre la incidencia de caries en los niños y el contenido de fluoruro del suministro local de agua (DEAN[56] y véase Fig. 30.3). WEAVER[57] confirmó estos descubrimientos en Gran Bretaña. Una investigación patrocinada por el Gobierno demostró, fuera de dudas, que los descubrimientos americanos eran válidos. La flurorización experimental comenzó en Gran Bretaña y, después de once años de experiencia, se ha concluido que la adición de 1 ppm de flúor al suministro de agua era una forma segura y eficaz de reducir la caries dental[58].

La Organización Mundial de la Salud[59] y el Colegio Real de Médicos (*Royal College of Physicians*)[60] han vuelto ha recalcar los dos aspectos de eficacia y seguridad. Ningún científico puede negar la validez de las conclusiones deducidas por estos organismos. En efecto, puede argüirse que la fluoración del agua es

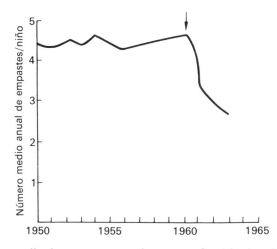

Fig. 30.3. Número medio de empastes por niño y año. Servicio dental escolar, Gothenburg, Suiza. El enjuague con fluoruro comenzó en 1960.

meramente reforzante del estado natural cuando el esmalte y la dentina de los dientes humanos acumulan y retienen flúor y, de este modo, incrementan su resistencia al ataque[3].

El efecto de la fluoración del agua en Suiza está demostrado drásticamente en la figura 30.3 donde se representa la incidencia de empastes en dientes de niños antes y después de la fluoración. Originalmente se pensó que este beneficio sólo se origina en niños recién nacidos en la zona de agua fluorada, en cuyo caso el contenido de flúor de los dientes sería de origen sistémico. Estudios posteriores indican que los adultos también se benefician, presumiblemente por un efecto tópico[61].

El tema completo del mecanismo de las caries ha sido resumido por JENKINS[62] y por GRENBY[63]. El vasto acúmulo de conocimientos sobre la materia ha logrado el estado en el cual se puede establecer que la caries es un afección evitable o, en el peor de los casos, su incidencia puede reducirse sensiblemente.

Afecciones periodontales

Los dientes están unidos a los huesos basales de las mandíbulas por medio de los tejidos periodontales. Existen muchas anormalidades de estos tejidos que pueden estimarse como afecciones periodontales. La Organización Mundial de la Salud (1961) ha dividido las afecciones periodontales en tres amplias clases: procesos inflamatorios, procesos degenerativos y procesos neoplásticos. Las afecciones periodontales que implican inflamación son, con mucho, las más comunes, y las más fáciles de prevenir y tratar.

La gingivitis es una inflamación de las encías, y se origina rápidamente por escasa higiene bucal. Parece ser fomentada por sustancias producidas en la placa que irritan las membranas de las encías. La periodontitis, junto con la inflamación de las encías, se manifiesta por una formación de bolsas y la destrucción de las fibras de colágeno de los ligamentos periodontales de las encías. Se refuerza por el cálculo en el borde de las encías.

USOS DE PASTAS DENTÍFRICAS PROFILACTICAS

El análisis del mecanismo del proceso de caries indica que las pastas dentífricas y los enjuagues bucales pueden desempeñar un destacado papel en la prevención de las afecciones bucales. Actualmente se ha extendido la función primaria de la pasta dentífrica como cosmético de limpieza y abrillantado de los dientes. De hecho, una pasta dentífrica es un vehículo ideal para portar ingredientes profilácticos a la superficie de los dientes. La mayoría de los dentífricos modernos ha modificado, como consecuencia, su objetivo y están formulados con la finalidad de controlar las caries y mejorar la higiene bucal. Un ensayo clínico correctamente organizado se convierte así en un paso preliminar esencial para la comercialización de tales productos.

Las afirmaciones publicitarias de los productos bucales profilácticos deben justificarse por pruebas clínicas que sean aceptables para las autoridades odontológicas. Es importante destacar que si tales afirmaciones se realizan a los médicos dentistas el producto debe estar incluido en el campo de la Ley de Medicamentos (*Medicine Act.*) de Gran Bretaña, o legislaciones correspondientes, tales como las de la Administración de Alimentos y Medicamentos de los EE. UU. (*US Food and Drugs Administration*).

Ingredientes activos

Clorofila

Las primeras ediciones de este texto dedicaron gran espacio a la clorofila, que tuvo en otro tiempo popularidad como un ingrediente de pasta dentífrica. Es quizás indicativo del incremento de conocimientos de la química de la boca, y de la gran cantidad de investigación clínica realizada, el hecho de que la clorofila casi ha desaparecido como un ingrediente de pastas dentífricas.

Bacteriostáticos

Aunque parecería obvio prevenir las caries destruyendo las bacterias de la boca, aún no se ha encontrado el bacteriostático ideal. Tal compuesto debería ser absorbido fuertemente por las membranas mucosas y debería continuar ejerciendo su influencia durante algún tiempo; no debe ser tóxico ni irritante. Entre los compuestos que se han utilizado en pastas dentífricas y en enjuagues bucales están el hexaclorofeno (G11), el cloruro de benzetonio y otros catiónicos y, más recientemente, la clorhexidina (Hibitane, ICI). Probablemente la mayoría de las investigaciones se han realizado con este último compuesto, así ha demostrado ser efectivo en la reducción de la placa y, por consiguiente, en la mejoría de la salud gingival. También se espera que tenga efecto en la incidencia de las caries. Desafortunadamente, la clorhexidina (igual que muchos otros catiónicos del mismo tipo) produce un ligero coloramiento marrón de los dientes. Un simposium dedicado al tema[64] presenta un cuadro muy claro de todo ello.

Inhibidores enzimáticos

Otra ruta clásica para prevenir o reducir la producción del ácido procedente del metabolismo del azúcar es inhibir las enzimas implicadas con la glucólisis. FOSDICK[65] propuso el uso del N-lauril sarcosinato sódico $(C_{11}H_{23}CO \cdot N(CH_3)CH_2 \cdot COONa)$ que es un excelente inhibidor de la enzima hexoquinasa. Este ha resultado ser efectivo clínicamente en la reducción de las caries, pero no ha sido confirmado. Más recientemente, MÜHLEMANN[66] ha demostrado que esta sustancia previene la reducción del pH de la placa a un nivel peligroso, y TOMLINSON[51] demostró que es eficaz en un enjuague de la boca.

El N-lauril sarcosinato sódico tiene propiedades suaves detergentes y su uso en dentífricos se describe en varias patentes[67].

Enzimas

En contraste con el uso de inhibidores enzimáticos, algunos investigadores han propuesto la adición de enzimas a pastas dentífricas para ayudar en la descomposición de proteínas, almidón y lípidos. Existen patentes de productos bucales que contienen tales enzimas[68].

Los dextranos y levanos son productos metabólicos de las encías del ataque bacteriano sobre hidratos de carbono, y la presencia de estas sustancias en la placa se piensa que desempeñan un papel en el mantenimiento de la película de la placa sobre los dientes. No es sorprendente, pues, saber que se ha sugerido que podrían añadirse dextranasas en las pastas dentífricas[69].

LEACH[70] ha revisado la relación entre dextranos en la placa y en caries. No es probable que esta ruta pueda conducir a una solución drástica del problema.

Amonio (sal)-urea

Se han propuesto los dentífricos que contienen un ion amonio y urea[71], con el fundamento de que estos compuestos pueden neutralizar los ácidos producidos en la placa dental o inhibir su formación. Los ensayos clínicos no han verificado este camino como válido[72], y PETERSON[73] no cree que estos compuestos tengan un futuro en dentífricos profilácticos.

Fluoruros

En la actualidad, está bien establecido que la fluoración de abastecimientos de agua es una excelente medida para la salud pública, puesto que es efectiva, segura y económica. Por consiguiente, es un paso evidente añadir compuestos que contengan flúor a las pastas dentífricas y, por tanto, convertir el hábito social del cepillado de dientes en un tratamiento profiláctico. Entre los compuestos que se han utilizado para este propósito, están el fluoruro sódico, el fluoruro estannoso, el monofluorurofosfato sódico y los fluoruros de aminas.

Es difícil la adición de compuestos que contiene el ion F^- a dentífricos. La mayoría de las pastas dentífricas abrasivas son sales de calcio, y el fluoruro de calcio es una de las sustancias más insolubles conocidas. La pérdida del ion fluoruro al envejecer es, por tanto, uno de los grandes problemas de los dentífricos que contienen fluoruro. Esta carencia se ha superado con el uso de abrasivos altamente insolubles (pirofosfato cálcico), con el empleo de abrasivos que no contienen calcio (sílice, plásticos, monofosfato sódico insoluble) y con el uso de monofluorofosfato sódico (Na_2FPO_3) el cual no libera iones F^- libres excepto después de la hidrólisis.

Desde la introducción y la difusión del uso de pastas dentífricas fluoradas en la década de 1950, el Consejo de Terapéuticos Dentales de la Asociación de Odontólogos americanos (*Council on Dental Therapeutics of the American Dental Association*) han incluido ciertas pastas de dientes que contienen fluoruros en la «Terapéutica Dental Aprobada». Con el fin de calificarse como productos aceptables tienen que demostrar pruebas de eficacia clínica. La Asociación Odontológica Británica ha tomado una posición similar al apoyar las pastas dentífricas que contienen fluoruro, cuya eficacia clínica es demostrable.

Por tanto, en un período de menos de veinticinco años, las pastas dentífricas se han trasladado desde la posición de ser productos cosméticos a la situación actual, en la cual muchas de ellas se apoyan profesionalmente por sus efectos profiláctios clínicamente comprobados.

Fluoruros inorgánicos simples

Los dos fluoruros inorgánicos simples comúnmente utilizados son el fluoruro sódico y el fluoruro estannoso. Con tal de que se puedan superar los problemas de inactivación, ambos compuestos han demostrado eficacia clínica al reducir la incidencia de las caries. Se piensa que el mecanismo es que el ion F^- libre reacciona con la hidroxiapatita presente en el esmalte dental, y así se transforma en la fluorapatita menos soluble:

$$\underset{\text{hidroxiopatita}}{3Ca_3(PO_4)_2 \cdot Ca(OH)_2} + \underset{\text{ion fluoruro}}{2F^-} \rightleftharpoons \underset{\text{fluoroapatita}}{3Ca_3(PO_4)_2 \cdot CaF_2} + \underset{\text{ion hidroxilo}}{2OH^-}$$

Tal reacción sería favorecida en condiciones ácidas, y la primera pasta dentífrica producida en 1955 tenía un valor de pH muy por debajo de la neutralidad.

Esta y otros dentífricos fluorados han sido ampliamente ensayados clínicamente. Por lo general se logran reducciones del 20-30 por 100 en la incidencia de caries en niños y, si bien esto no es de ningún modo una solución al problema, es un paso en la dirección correcta.

El volumen de ensayos clínicos realizados es tan grande que no es posible una simple referencia. DUCKWORTH[74] ha revisado el mecanismo de los ensayos clínicos, y VON DE FEHR y MØLLER[75] recientemente han revisado los dentífricos fluorados preventivos de caries.

Normalmente, los dentífricos que contienen fluoruros inorgánicos contienen aproximadamente un 0,4 por 100 de SnF_2 o un 0,2 por 100 de NaF. Ambas concentraciones corresponden a aproximadamente 1.000 ppm de flúor en la pasta dentífrica. A esta concentración, una de las consecuencias inevitables de su uso es que precipitará CaF_2 en la placa, o sobre la superficie del diente. Esto, por sí mismo, resiste el ataque ácido y puede producir una concentración muy baja de ion F^- en la proximidad de la superficie del diente. Se sabe que esta situación promueve la remineralización de las lesiones de caries tempranas[76], y quizás alguno de los efectos clínicos sea debido a esto.

Las bajas concentraciones de ion F^- son también conocidas por producir efectos en enzimas, y quizás porque las enzimas productoras del ácido sean inhibidas por iones F^- presentes.

Por todo esto, no son totalmente conocidas las razones de la eficacia clínica de las pastas dentífricas que contienen flúor. Puede ser que los progresos en la eficacia clínica todavía aguarden a un conocimiento más completo del mecanismo de prevención de caries.

Monofluorofosfato sódico

El monofluorofosfato sódico (Na_2FPO_3) tiene la ventaja sobre los fluoruros sódico y estannoso de que se ioniza no produciendo el ion F^-, el cual inmediatamente precipitará en presencia de iones cálcicos, si no el ion FPO_3^{2-}, cuya sal cálcica es soluble. Fue esta idea la que movió a proponer el uso del monofluorofosfato sódico en un dentífrico de carbonato cálcico[77]. Ensayos clínicos posteriores[78] desmostraron que esta sustancia tiene un efecto anticaries. Son bien conocidas las patentes sobre varias asociaciones de formulación[79].

No es del todo conocido el mecanismo de la acción protectora del monofluoro fosfato sódico. La sustancia comercial se obtiene por fusión de NaF y $NaPO_3$:

$$NaF + NaPO_3 = Na_2FPO_3$$

Floruro — Metafosfato — Monofluorurofosfato
sódico — sódico — sódico

Esta reacción produce aproximadamente un 95 por 100 de producto puro y, por consiguiente, la sustancia comercial está contaminada siempre hasta el 2 por 100 de NaF. No es posible, por tanto, afirmar con certeza cuál es el componente responsable del efecto clínico, particularmente desde que se conoce que bajas concentraciones de F^- pueden tener un efecto significativo.

INGRAM[80] sugirió que el intercambio del ion FPO_3^{2-} con el ion HPO_4^{2-} en el retículo de la apatita del esmalte era deficiente de calcio, y así se volvía más resistente al ácido. DUFF[81] indicó que el intercambio del ion FPO_3^{2-} con el HPO_4^{2-} en la superficie del esmalte, y que la disolución posterior de éste en condiciones ácidas, favorecía la precipitación del fluorhidroxiapatita.

PEARCE y MORE[82] demostraron que únicamente el F^- libre se adsorbe por el esmalte, y que esto se origina únicamente por el F^- libre de impurezas y por hidrólisis del Na_2FPO_3. TOMLINSON[51] demostró que el Na_2FPO_3 purificado (esto es, libre de F^-) tiene un efecto clínico y, como consecuencia, eran posibles los mecanismos que involucran a la totalidad del ion FPO_3^{2-}.

Cualquiera que sea el mecanismo, no existe ninguna duda sobre la eficacia clínica del monofluorofosfato sódico cuando se incorpora a un dentífrico.

No es posible ser dogmático sobre los efectos relativos del fluoruro estannoso y monofluorofosfato sódico. Ambos tienen aproximadamente el mismo nivel de eficacia y ambos parecen demostrar su mayor efecto sobre dientes que nacen durante el curso de un ensayo clínico, esto es, sobre dientes que han sido expuestos a un compuesto que contiene fluoruro desde el momento de salir. Una revisión de varios ensayos se dan en una edición especial del *British Dental Journal*[83]. DUCKWORTH[74] establece que la prueba clínica obtenida de ensayos en Gran Bretaña apoya la opinión de que «ciertos dentífricos que contienen fluoruro son valiosos cuando se utilizan en un programa bucal concienzudamente aplicado de higiene bucal y cuidado profesional regular».

Fluoruros orgánicos

Los trabajos de MÜHLEMANN y MARTHALER en Zurich sugirieron que ciertos fluoruros de aminas tienen una acción protectora mayor frente a caries en ratas que tenían fluoruro sódico. Ensayos clínicos posteriores en niños[84] demostraron una reducción sustancial en la incidencia de caries. Podría esperarse que compuestos de este tipo se adsorban por las superficies del diente y membrana de la mucosa, y así retener un efecto en la boca durante algún tiempo. Por supuesto, presentaran muchos problemas en la formulación de las pastas dentífricas. Existen varias patentes para compuestos de este tipo[85].

Otros fluoruros

Se han propuesto varios fluoruros metálicos como componentes de pastas dentífricas, y su uso está protegido por patentes. Estas incluyen fluoruros férrico y de zirconio, fluorozirconatos estannoso e indio, fluoruro de manganeso y fluoruro de aluminio[86]. También se han patentado las sales de fluoruro y monofluorofosfato de clorhexidina (Hibitane, ICI). En la medida que puede conocerse ninguno de estos compuestos se usa comercialmente en la actualidad.

Otros compuestos metálicos

Se han propuesto varios metales como aditivos de pastas dentífricas para varios fines.

Así se afirma que las sales de indio hidrosolubles aumentan la actividad de fluoruros en pastas dentífricas[87]. Se han patentado compuestos orgánicos de estaño como bactericidas[88]. Las sales de aluminio son astringentes, y se les atribuye tener cierto efecto sobre la salud de las encías[89]. Las sales de zinc también han sido utilizadas para estos fines, y hay ciertas pruebas clínicas para apoyar esta reivindicación[90].

La presencia de molibdeno en abastecimientos de agua a concentraciones tan bajas como 0,1 ppm parece tener un efecto en la reducción de caries, y esto se ha confirmado en experimentos en animales. No se conoce el mecanismo; la totalidad del tema ha sido revisada por JENKINS[91].

El estroncio, en forma de cloruro, se ha utilizado para reducir la sensibilidad de la dentina expuesta, por ejemplo, debido a la regresión de las encías en sujetos mayores. Los informes son variables sobre la eficacia clínica de este procedimiento[92]; no obstante, existen patentes para este aditivo, y se ha utilizado comercialmente[93].

Ingredientes anticálculos

A pesar de que no ha habido promoción a gran escala de una pasta dentífrica anticálculo, existe un volumen considerable de investigación sobre esta materia.

La disolución de los cálculos existentes es un problema debido a su similitud química con la sustancia dental. Por esta razón, no se pueden utilizar agentes secuestrantes del tipo de EDTA. La investigación se ha concentrado, en cambio, sobre medios de inhibir el crecimiento del cristal y medios de prevenir la adhesión al diente. La literatura sobre patentes es una fuente especialmente útil de información sobre los progresos en este campo[94].

STURZEBERGER[95] ha demostrado que el etidronato disódico (un difosfonato) inhibe el crecimiento de los cristales de las apatitas, y las sales de zinc también se afirma que tienen un efecto similar.

Asimismo, los titanatos orgánicos[96] se han reivindicado para prevenir la adherencia del cálculo a las superficies dentales.

Ingredientes remineralizantes

En los últimos años se ha hecho evidente que las lesiones de caries precoces pueden repararse por un proceso que se ha denominado remineralización. El efecto ha sido descrito por LEVINE[76], y DUFF[97] ha desarrollado las condiciones de la fase necesaria para que se produzca la remineralización. Por tanto, no es sorprendente que el concepto de remineralización haya llegado a ser parte de la formulación de pastas dentífricas; realmente, es posible que el efecto clínico de algunas de las pastas dentífricas fluoradas existentes sea debido, de hecho, a su efecto remineralizante.

La remineralización requiere la presencia de muy bajas concentraciones de F^-, PO_4^{3-} y Ca^{2+}; puesto que estos compuestos precipitarían, es habitual presentar un sistema de dos componentes.

La literatura sobre patentes es una fuente valiosa de información[98], pero hasta el momento no se ha promocionado ningún producto comercial con marcadas posibilidades de remineralización.

REFERENCIAS

1. Jenkins, G. N., *Physiology and Biochemistry of the Mouth*, Oxford, Blackwell Scientific Publications, 1977, p. 79.
2. Jenkins, G. N., *Physiology and Biochemistry of the Mouth*, Oxford, Blackwell Scientific Publications, 1977, pp. 72–74.
3. McClure, F. J. and Likins, R. C., *J. dent. Res.*, 1951, **30**, 172.
4. Sutton, M. M., MSc Thesis, Salford University, 1979.
5. Mason, D. K. and Chisholm, D. M., *Salivary Glands in Health and Disease*, London, Saunders, 1975.
6. Jenkins, G. N., *Physiology and Biochemistry of the Mouth*, Oxford, Blackwell Scientific Publications, 1977, p. 284.
7. Leach, S. A., *Br. dent. J.*, 1967, **122**, 537.
8. Lenz, H. and Mühlemann, H. R., *Helv. Odont. Acta*, 1963, **8**, 117.
9. Leach, S. A. and Saxton, C. A., *Arch. oral Biol.*, 1966, **11**, 1081.
10. Schroeder, H. E., *Helv. Odont. Acta*, 1964, **8**, 117.
11. Jenkins, G. N., *Physiology and Biochemistry of the Mouth*, Oxford, Blackwell Scientific Publications, 1977, p. 361.
12. Jenkins, G. N., *Physiology and Biochemistry of the Mouth*, Oxford, Blackwell Scientific Publications, 1977, pp. 361–368.
13. Darling, A. I., *Proc. R. Soc. Med.*, 1943, **36**, 499.
14. Meckel, A. M., *Arch. oral Biol.*, 1965, **10**, 585.
15. McHugh, W. D., ed., *Dental Plaque*, Symposium University of Dundee, September 1969, Edinburgh, Livingstone, 1970.

16. Jenkins, G. N., *Physiology and Biochemistry of the Mouth*, Oxford, Blackwell Scientific Publications, 1977, p. 372.
17. Critchley, P., Wood, J. M., Saxton, C. A. and Leach, S. A., *Caries Res.*, 1967, **1**, 112.
18. Wood, J. M., *Arch. oral Biol.*, 1967, **12**, 849.
19. Jenkins, G. N. and Kleinberg, I., *J. dent. Res.*, 1956, **35**, 964.
20. Ludwig, T. G. and Bibby, B. G., *J. dent. Res.*, 1957, **36**, 56.
21. Jenkins, G. N. and Speirs, R. L., *J. dent. Res.*, 1954, **33**, 734.
22. Grøn, P. *et al.*, *Arch. oral Biol.*, 1967, **12**, 829.
23. Little, M. F. *et al.*, *J. dent. Res.*, 1961, **40**, 753.
24. Little, M. F. *et al.*, *J. dent. Res.*, 1963, **42**, 78.
25. Jenkins, G. N., *Physiology and Biochemistry of the Mouth*, Oxford, Blackwell Scientific Publications, 1977, pp. 402–409.
26. Baines, E., MSc Thesis, Salford University, 1979.
27. British Patent 1 419 692, Procter and Gamble, 9 March 1973; British Patent 1 421 064, Procter and Gamble, 9 March 1973; British Patent 1 432 487, Procter and Gamble, 29 June 1973; British Patent 1 536 261, Monsanto, 28 October 1977.
28. Symposium: Hibitane in the Mouth, *J. clin. Periodont.*, 1977, **4**(5).
29. Todd, J. E. and Walker, A. M., *Adult Dental Health*, Vol. 1, *England and Wales 1968–1978*, London, HMSO, 1980.
30. *Children's Dental Health in England and Wales 1973*, London, HMSO, 1975.
31. Steele, P. F., *Dimensions of Dental Hygiene*, London, Henry Kimpton, 1966, p. 22.
32. Pelton, W. J., Pennell, E. H. and Druziva, A., *J. Am. dent. Assoc.*, 1954, **49**, 439.
33. Miller, W. D., *Micro-organisms of the Human Mouth*, Philadelphia, S. S. White, 1890; *Dental Cosmos*, 1904, **46**, 981; *Dental Cosmos*, 1905, **47**, 18.
34. Michigan Workshop Conference, *J. Am. dent. Assoc.*, 1948, **36**, 3.
35. Gottlieb, B., *Dental Caries*, Philadelphia, Lea and Febiger, 1947.
36. Evans, D. G. and Prophet, A. S., *Lancet*, 1950, **1**, 290.
37. Schatz, A. *et al.*, *Proc. Pennsyl. Acad. Sci.*, 1958, **32**, 20; Schatz, A. and Martin, J. J., *J. Am. dent. Assoc.*, 1962, **65**, 368.
38. Marthaler, Th., *Forum Medici* (Zyma Nyon SA, Switzerland), 1971, **13**, 22.
39. König, K., *Forum Medici* (Zyma Nyon SA, Switzerland), 1971, **13**, 28.
40. Toverud, G., *Br. dent. J.*, 1964, **23**, 149.
41. Barnes, H. N. V., *Br. dent. J.*, 1937, **63**, 86; Sognnaes, R. F., *J. dent. Res.*, 1941, **20**, 303; Gamblen, F. B., *J. R. Soc. med. Serv.*, 1953, 252; Holloway, P. J., *Br. dent. J.*, 1963, **115**, 19.
42. WHO Technical Report Services 1972, No. 494.
43. Fosdick, L. S., *J. Am. dent. Assoc.*, 1950, **40**, 596.
44. Slack, G. L. and Martin, W. J., *Br. dent. J.*, 1958, **105**, 366; Geddes, D. A. M., Edger, W. M., Jenkins, G. N. and Rugg-Gunn, A. J., *Br.dent. J.*, 1977, **142**, 317; Rugg-Gunn, A. J., Edgar, W. M. and Jenkins G. N., *Br. dent. J.*, 1978, **145**, 95.
45. Clark, R., Hay, D. I., Schram, C. J. and Wagg, B. J., *Br. dent. J.*, 1961, **111**, 244.
46. Slack, G. L., Millward, E. and Martin, W. J., *Br. dent. J.*, 1964, **116**, 105.
47. Stephan, R. M., *J. Am. dent. Assoc.*, 1940, **27**, 718.
48. Bowen, W. H. *et al.*, *Br. dent. J.*, 1975, **139**, 45.
49. Lehner, T. *et al.*, *Nature*, 1975 **254**, 517.
50. Zander, H. A., *J. Am. dent. Assoc.*, 1950, **40**, 569.
51. Tomlinson, K., *J. Soc. cosmet. Chem.*, 1978, **29**, 385.
52. Irwin, M., Walsh, J. P. and Leaver, A. G., *N.Z. dent. J.*, 1957, **76**, 166.
53. Ripa, L. W. and Cole, W. W., *J. dent. Res.*, 1970, **49**, 171.
54. Buonocore, M., *J. Am. dent. Assoc.*, 1970, **80**, 324.
55. Williams, B., Price, R. and Winter, G. B., *Br. dent. J.*, 1978, **145**, 359.
56. Dean, H. *et al.*, *Pub. Health Rep.*, 1942, **57**, 1155.
57. Weaver, R., *Br. dent. J.*, 1944, **76**, 29; *Br. dent. J.*, 1944, **77**, 185; *Br. dent. J.*, 1950, **88**, 231.

58. Dept. of Health and Social Security. *Report on Public Health and Medical Subjects*, No. 122, London, HMSO, 1969.
59. World Health Organisation, *Fluorides and Human Health*, Geneva, WHO, 1970.
60. Royal College of Physicians, *Fluoride, Teeth and Health*, Tonbridge Wells, Pitman Medical, 1976.
61. Jackson, D. and Weidmann, S. M., *Br. dent. J.*, 1959, **107**, 303.
62. Jenkins, G. N., *Physiology and Biochemistry of the Mouth*, Oxford, Blackwell Scientific Publications, 1977, pp. 414–461.
63. Grenby, T. H., *Chemistry and Industry*, 1968, 1266; *Chemistry in Britain*, 1971, **7**, 276.
64. Symposium: Hibitane in the Mouth, *J. Clin. Periodontol.*, 1977, **4**(5).
65. Fosdick, L. S. *et al.*, *J. dent. Res.*, 1953, **32**, 486.
66. Mühlemann, H. R., *Helv. Odont. Acta*, 1971, **15**, 52.
67. British Patent 753 979, Colgate-Palmolive, 2 November 1954.
68. British Patent 1 031 838, Warner-Lambert, 3 September 1963; British Patent 1 033 229, Iptor Pharmazeutische Preparate AG, 4 September 1963.
69. Bowen, W. H., *Br. dent. J.*, 1968, **124,** 347; British Patent 1 265 468, Blendax Werke, 1 September 1969; British Patent 1 270 200, Blendax Werke, 23 October 1970; British Patent 1 272 454, Colgate-Palmolive, 9 August 1968.
70. Leach, S. A., *Br. dent. J.*, 1969, **127**, 325.
71. US Patent 2 588 324, Ammident Inc., 1952; US Patent 2 588 922, Schlaeger, J.R., 1952; Japanese Patent 65/14440, Lion Dent. Co., 12 August 1961.
72. Davies, G. N. and King, R. M., *J. dent. Res.*, 1954, **30**, 645.
73. Peterson, J. K., *Ann. NY Acad. Sci.*, 1968, **153**, 334.
74. Duckworth, R., *Br. dent. J.*, 1968, **124**, 505.
75. Van Der Fehr, F. R. and Møller, I. J., *Caries Res.*, 1978, **12**(Supplement 1), 31.
76. Levine, R. S., *Arch. oral Biol.*, 1972, **17**, 1005; *Arch. oral Biol.*, 1973, **18**, 1351; *Br. dent. J.*, 1974, **137**, 132; *Br. dent. J.*, 1975, **138**, 249.
77. Ericsson, Y., *Acta Odont. Scand.*, 1961, **41**, 19.
78. Naylor, M. N. and Emslie, R., *Br. dent. J.*, 1967, **123**, 17.
79. British Patent 907 417, Ericsson, Y., 3 August 1960; British Patent 1 004 039, Colgate-Palmolive, 4 March 1963; British Patent 1 005 089, Colgate-Palmolive, 3 July 1964.
80. Ingram, G. S., *Caries Res.*, 1972, **6**, 1.
81. Duff, E. J., *Caries Res.*, 1973, **7**, 79.
82. Pearce, E. I. F. and More, R. D., *Caries Res.*, 1975, **9**, 459.
83. Slack, G. L., Berman, D. G., Martin, W. J. and Young, J., *Br. dent. J.*, 1967, **123**, 9.
84. Marthaler, T. M., *Br. dent. J.*, 1966, **119**, 153.
85. British Patent 896 257, Gaba, 13 July 1957; British Patent 1 003 595, Procter and Gamble, 15 February 1962; US Patent 3 201 316, Procter and Gamble, 28 September 1962.
86. Berggren, A. and Welander, E., *Acta Odont. Scand.*, 1964, **22,** 401; US Patent 3 266 996, Indiana University, 27 June 1963; US Patent 3 495 002, Indiana University, 10 February 1970.
87. US Patent 3 175 951, Procter and Gamble, 8 November 1963.
88. US Patent 3 495 002, Indiana University, 10 February 1970.
89. British Patent 935 703, Unilever, 4 September 1963.
90. British Patents 1 290 627 and 1 296 952, Unilever, 28 January 1971; British Patent 1 319 247, Beecham, 6 May 1973; British Patent 1 373 001, Unilever, 28 January 1971.
91. Jenkins, G. N., *Br. dent. J.*, 1967, **122**, 435, 500 and 545.
92. Anderson, D. J. and Matthews, B., *Arch. oral Biol.*, 1966, **11**, 1129; Cohen, A., *Oral Surg.*, 1961, **14**, 1046; Maffert, R. M. and Hoskins, F. W., *J. Periodont.*, 1964, **35**, 232; Smith, B. A. and Ash, M. M., *J. Am. dent. Assoc.*, 1964, **68**, 639; *J. Periodont.* 1965, **35**, 223.

93. Canadian Patent 714 032, Block Drug Co., 4 February 1964; British Patent 990 957, Stafford Miller, 24 February 1964.
94. British Patents 1 394 034 and 1 394 035, Henkel, 18 May 1972; British Patents 1 419 692 and 1 421 064, Procter and Gamble, 9 March 1973; British Patent 1 432 487, Procter and Gamble, 29 June 1973; British Patent 1 536 261, Monsanto, 28 October 1977.
95. Sturzenberger, O. P. *et al.*, *J. Periodont.*, 1971, **42,** 416.
96. US Patent 3 317 396, Tamas, I., 25 June 1964.
97. Duff, E. J., *J. inorg. nuclear Chem.*, 1970, **32,** 3707; *Caries Res.*, 1976, **10,** 234; *Caries Res.*, 1973, **7,** 70.
98. British Patent 1 408 922, Blendax Werke, 2 February 1972; British Patent 1 452 125, Procter and Gamble, 2 October 1973; British Patent 1 468 149, NRDC (Levine) 26 February 1974; British Patent 1 477 823, Colgate-Palmolive, 10 January 1974.

31

Dentífricos

REQUERIMIENTOS BASICOS DE UN DENTIFRICO

El autor de este libro formuló los requerimientos mínimos de los dentífricos. Con los años, estos requerimientos han cambiado en importancia y contenido. Se relacionan a continuación, no necesariamente por orden de prioridad:

1) Cuando se utilizan apropiadamente con un cepillo de dientes eficaz deben limpiar los dientes de modo adecuado, esto es, eliminar los residuos de alimentos, placa y manchas.

2) Deben dejar la boca con una sensación de frescura y limpieza.

3) Su coste debe ser tal que fomente su uso regular y frecuente por todos.

4) Debe ser innocuo, agradable y cómodo de usar.

5) Su empaquetado debe ser económico y ha de permanecer estable en el almacenamiento durante su vida comercial.

6) Debe ajustarse a estándares aceptados, tales como *British Standards*[1] en términos de su abrasividad al esmalte y la dentina.

7) Si se reivindican propiedades profilácticas, éstas deben fundamentarse en ensayos clínicos dirigidos apropiadamente.

En las dos últimas décadas, las pastas de dientes han estado en fase de transición entre productos cosméticos y profilácticos. En la actualidad, la mayoría de las ventas de pastas dentífricas se hayan en la gama de profilácticos, en total contraste con la situación de hace veinticinco años.

Este cambio ha complicado la vida del químico formulador, que ahora tiene el problema no sólo de formular un buen producto cosmético, sino también de incorporar en él un ingrediente activo frecuentemente incompatible con los ingredientes normales.

Al mismo tiempo, ha crecido enormemente la publicidad en la televisión, y las autoridades televisivas exigen que las reivindicaciones profilácticas y terapéuticas estén fundamentadas. Esto, a su vez, ha significado que los fabricantes de dentífricos se hayan trasladado al área de investigación clínica con el fin de proporcionar pruebas de sus reivindicaciones. No obstante, todavía existe un espacio para el producto puramente cosmético. En realidad tal producto, utilizado apropiadamente, puede tener cierto efecto anticaries, y verdaderamente ayudará a prevenir las afecciones de las encías al mejorar la higiene bucal.

Los productos bucales se presentan de muchas formas físicas, pero, en términos de comodidad, la más importante es la pasta semisólida envasada en un tubo plegable. También, por supuesto, se pueden fabricar productos en polvo, bloques sólidos y líquidos.

PASTAS DENTIFRICAS

Estructura básica

La función principal de un dentífrico es eliminar la materia adherida sucia de una superficie dura con el mínimo daño a esa superficie. Esta es una situación de limpieza doméstica común que normalmente se resuelve utilizando un polvo abrasivo suave al que se le puede añadir un agente tensioactivo. La función del agente tensioactivo es ayudar a la penetración y eliminación de la película adherida y suspender la materia de suciedad eliminada. La espuma producida también tiene un efecto psicológico, pues hace la limpieza dental más agradable.

Esta función limpiadora debe lograrse en un tiempo corto —es decir, en dos minutos— y a temperatura del cuerpo. La formulación básica sería realmente un polvo sencillo dental.

El requerimiento de comodidad en el envasado y uso determina que este producto básico se fabrique en pasta. De este modo se hace necesario añadir líquidos que tengan propiedades humectantes para prevenir la desecación de la pasta dentífrica en el orificio de salida del tubo. Con el fin de mantener una suspensión rica en sólidos en una forma viscosa estable, también se hace necesario aumentar la viscosidad de la fase líquida mediante la adición de un agente gelificante.

Finalmente, es necesario añadir saborizantes y, posiblemente, conservantes, colorantes y principios activos, y todos estos compuestos no deben ser tóxicos, ni irritantes en las condiciones de uso.

El producto total debe mantener su consistencia en un intervalo de temperatura de 0 hasta 37 °C (esto es, debe tener una curva viscosidad-temperatura relativamente plana). También debe ser capaz de almacenarse sin cambios físicos o químicos en el mismo ciclo de temperaturas. La mayoría de los grandes fabricantes tienen ventas internacionales y deben tomar en consideración las condiciones locales de muchos países.

Desde el punto de vista del fabricante, el producto debe fabricarse partiendo de las materias primas fácilmente disponibles y menos caras compatibles con un producto de buena calidad.

Una pasta dentífrica sencilla cosmética formulada de este modo se ha de modificar si se incorpora un principio activo. En tal caso, el producto realmente se convierte en vehículo para el ingrediente activo, y esto puede afectar a la formulación básica.

Ingredientes

Una fórmula equilibrada solamente puede lograrse considerando todos los ingredientes juntos, puesto que muchos de ellos tienen una función doble o pueden interaccionar entre unos y otros. El coste y la disponibilidad, así como las leyes locales, reglamentos e incluso los hábitos locales pueden originar formulaciones que varían de un país a otro.

Abrasivos

El abrasivo utilizado en una pasta dentífrica siempre debe ser un equilibrio entre la aptitud de limpiar la superficie y la necesidad de evitar daños al diente. En palabras del Consejo de Terapéuticos de la Asociación Odontológica Americana *(Council on Dental Therapeutics of the American Dental Association)*: «un dentífrico no debe ser más abrasivo que lo necesario para mantener los dientes limpios —esto es, libres de la placa accesible, detritos y manchas superficiales—. El grado de abrasividad necesario para conseguir este fin puede variar de un individuo a otro»[2]. Las acciones abrasiva y limpiadora de los abrasivos están regidas por tamaño, forma, fragilidad y dureza[3, 4]. La investigación de WRIGHT[5, 6] ha conducido a un conocimiento más claro del mecanismo de la acción de los abrasivos sobre el grado del deterioro de los dientes.

Los abrasivos más comúnmente utilizados son carbonato cálcico precipitado y fosfato dicálcico dihidratado. Otras sustancias incluyen fosfato tricálcico, pirofosfato cálcico, metafosfato sódico insoluble, varios tipos de alúmina, sílice y silicatos. También se han utilizado partículas de plásticos.

Carbonato cálcico. Creta o, como normalmente se compra, carbonato cálcico precipitado, se puede adquirir en diferentes grados que varían en forma cristalina, tamaño de partícula y área superficial. La información detallada está a disposición de los proveedores, y las especificaciones se han establecido en *Cosmetic, Toiletry and Fragrance Association of American* y *Cosmetic, Toiletry and Perfumery Association* (anteriormente *Toilet Preparations Federation*) de Gran Bretaña.

Variando las condiciones de precipitación se pueden obtener carbonatos cálciclos precipitados de diferentes densidades y tendencias a cristalizar. Los tipos de cristal más comunes son aragonita (ortorrómbica) y calcita (romboédrica), y normalmente se utilizan tamaños de partículas comprendidos entre 2-20 μm.

El carbonato cálcico es un limpiador eficaz, pero no produce un buen brillo en los dientes. Calidades que contienen una proporción de partículas por encima de 20 μm pueden también rayar las superficies de esmalte. Probablemente la mejor alternativa es utilizar una pequeña proporción de carbonato cálcico con una proporción más elevada de uno de los fosfatos menos abrasivos.

El carbonato cálcico de las aguas de abastecimiento se ha empleado en pastas dentífricas, pero la calidad, no siempre uniforme, y la proporción superior de calcio soluble en agua puede causar problemas en algunas formulaciones.

Todos los carbonatos cálcicos dan reacción alcalina a las pastas dentífricas, y puede ser necesario proteger los tubos de aluminio de la corrosión añadiendo silicato sódico.

Fosfatos cálcicos. Las variedades de fosfatos cálcicos utilizados en dentífricos son:

Fosfato dicálcico, $CaHPO_4 \cdot 2H_2O$.
Fosfato dicálcico anhidro, $CaHPO_4$.
Fosfato tricálcico, $Ca_3(PO_4)_2$.
Pirofosfato cálcico, $Ca_2P_4O_7$.

También se han propuesto apatitas sintéticas como abrasivos de pastas dentífricas[7].

El *fosfato dicálcico dihidratado* (FDD). Es el fosfato más comúnmente utilizado en dentífricos. El valor de pH de una pasta dentífrica con FDD está comprendido entre 6-8. El sabor de las pastas dentífricas basadas en FDD es normalmente mejor que el de productos basados en carbonato cálcico; se mejora la estabilidad del sabor.

El FDD está en estado metaestable, y revierte a la forma anhidra con el endurecimiento consiguiente de la pasta. Este cambio se acelera por la presencia de iones fluoruros. El FDD normalmente suministrado se estabiliza para demorar o prevenir este cambio. Los estabilizadores comunes[8, 9] son fosfato trimagnésico, pirofosfato tetrasódico y pirofosfato de calcio y sodio.

El FDD *anhidro* es más abrasivo que el dihidratado, y únicamente debe utilizarse en cantidades más pequeñas. Es menos soluble que el dihidratado, y esto puede ser una ventaja en pastas que contienen fluoruro.

El *fosfato tricálcico* (FTC) no se utiliza mucho. También es menos soluble que el FDD.

El *pirofosfato cálcico* (PFC) originalmente se desarrolló como el abrasivo de selección para productos que contienen fluoruro sódico o estannoso. La forma particular utilizada se patentó en muchos países. Se afirma que la baja disponibilidad de iones cálcicos solubles contribuye a la estabilidad del fluoruro[10, 11].

El *metafosfato sódico insoluble* (MFI) es un abrasivo especialmente útil para dentífricos que contienen fluoruro, pues no presenta iones cálcicos. Tiene la pequeña desventaja de que contiene una pequeña proporción de fosfatos solubles.

Otros abrasivos. Se han realizado varios desarrollos en los sistemas abrasivos. Estos han surgido debido a demandas particulares:

a) El deseo de evitar sales cálcicas en pastas fluoradas, así como aumentar la estabilidad del fluoruro.

b) El reciente desarrollo de dentífricos transparentes, esto es, dentífricos en los cuales el índice de refracción del abrasivo es el mismo al del medio líquido en el cual se suspende.

El primer requerimiento ha conducido al uso más extendido de alúmina hidratada[4] y de plásticos sintéticos[12-15]. El segundo conduce al uso de sílice en la forma de xerogel hidratado[16] y silicatos de sodio y aluminio[17].

También se ha utilizado silicato de circonio en pequeñas cantidades para impartir brillo a los dientes.

Detergentes

La limpieza de los dientes es esencialmente un proceso detergente, y toda pasta dentífrica incorpora un agente tensioactivo. El jabón fue el primer detergente utilizado, pero sus notables desventajas (alto pH, sabor e incompatibilidad con otros componentes) han conducido a su sustitución por detergentes sintéticos.

Naturalmente, el detergente debe ser insípido, no tóxico y no irritante de la mucosa bucal. Las cualidades espumantes son importantes, puesto que tienen una influencia significativa sobre la valoración subjetiva de las cualidades de la pasta de dientes.

Algunos de los agentes tensioactivos pueden tener propiedades profilácticas o terapéuticas intrínsecas, pero en este capítulo se consideraron únicamente por su función detergente.

Lauril sulfato sódico (LSS). Probablemente, el lauril sulfato sódico es el detergente más ampliamente utilizado para productos bucales y satisface casi todos los requerimientos. En este contexto, «lauril» significa que el radical alquílico R en $ROSO_3$ Na procede de un alcohol de fracción corta predominando C12, pero con algo de C14. Las fuentes naturales son los ácidos grasos de aceites de coco y palma. Se dispone de varias calidades, y debe prestarse particular atención al sabor. Este está influido por el contenido de alcohol libre. También es deseable un pequeño contenido de sales inorgánicas. Las calidades recristalizadas son excelentes, pero son caras.

N-Lauril sarcosinato sódico: $R.CO.N(Me)CH_2COONa$. Este compuesto ha sido ampliamente utilizado según una patente de Colgate[18], que afirma efectos profilácticos, como consecuencia de sus propiedades antienzimáticas. Es particularmente útil en productos bucales, debido a su gran solubilidad.

Ricinoleato sódico y sulforricinoleato sódico. El ricinoleato sódico (jabón de aceite de ricino) se ha utilizado en dentífricos, en donde tiene la ventaja de su gran solubilidad, pero es vulnerable (como todos los jabones) a la presencia de los iones calcio. También se ha utilizado el sulforricinoleato sódico *(Turkey Red Oil)*.

Otros detergentes. Se han propuesto lauril éter sulfato sódico ($R(OC_2H_4)_nOSO_3Na$), monoglicérido de coco, alcano sulfonatos y alquil poliéter carboxilatos como agentes tensioactivos para dentífricos.

Humectantes

Como mencionábamos anteriormente, es necesario incorporar un componente con propiedades humectantes para evitar la desecación de un dentífrico. Es más probable que esto suceda si se deja destapado el tubo. Hace veinte años, el único humectante utilizado era una solución del 50 por 100 de glicerina en agua. Este es el humectante perfecto en el sentido de que es estable, no tóxico, tiene algunas propiedades solubilizantes y aporta elementos de dulzor.

Más recientemente, la glicerina ha sido sustituida parcial o totalmente por jarabe de sorbitol al 70 por 100, que tiene propiedades similares y habitualmente es menos costoso. Se dispone de grados cristalizables y no cristalizables.

También se ha utilizado el propilen glicol como un tercer componente del sistema humectante.

Agentes gelificantes

Como se mencionó anteriormente, es necesario incorporar un agente gelificante o aglutinante con objeto de mantener una suspensión de una cantidad elevada de sólidos en forma estable. El agente gelificante también modifica la dispersabilidad, el carácter espumante y la «sensación» en la boca. Los agentes gelificantes utilizados en pastas dentífricas son coloides hidrofílicos que se dispersan en medio acuoso. Estos incluyen gomas naturales, como musgo irlandés, y goma tragacanto, productos celulósicos sintéticos y sílice.

Goma tragacanto. Esta goma fue ampliamente utilizada en un tiempo, y se fabricaban pastas satisfactorias con ella. El producto final puede ser variable a causa del origen natural de la goma.

Carragen. Este es el nombre genérico dado a las gomas derivadas del alga marina *Chondrus crispus* o musgo irlandés. El coloide purificado se compone de una mezcla de dos polisacáridos sulfatados, y las propiedades gelificantes pueden controlarse por el grado en que se han intercambiado por cambio iónico los iones metálicos presentes —sodio, potasio, calcio y magnesio—.

Los carragenos comerciales son productos estandarizados de calidad uniforme y reproducible. A pesar de utilizarse habitualmente desde hace veinte años, han sido ampliamente sustituidos por derivados de celulosa.

Derivados de celulosa. En la actualidad son los más comúnmente utilizados para pastas dentífricas. Puesto que son en gran parte fabricados por el hombre, pueden hacerse a la medida para adaptarse a cualquier requerimiento en términos de solubilidad, propiedades gelificantes, etc. No son coloreados, son innocuos y relativamente insípidos. Su comportamiento en pastas dentífricas ha sido revisado por WATSON[19].

La *carboximetil celulosa* (CMC) o, más estrictamente, carboximetil celulosa sódica (CMCS), se prepara por la acción del cloracetato sódico sobre celulosa alcalina. Sus propiedades físicas pueden controlarse ajustando el grado de descomposición de la celulosa antes de la sustitución, y por el grado de sustitución.

Los geles de CMCS son aniónicos y sensibles a valores de pH fuera del intervalo 5,5-9,5. Son razonablemente estables en presencia de electrólitos e iones calcio y, en general, son adecuados para la mayoría de las formulaciones de pastas dentífricas. Realmente, la CMCS es el agente gelificante más comúnmente utilizado para pastas dentífricas.

La CMCS es aniónica para pastas dentífricas que contengan agentes catiónicos, tales como ciertos antibacterianos. Para ellas se debe utilizar un derivado de celulosa no iónica.

Un inconveniente secundario de la CMCS es su posible descomposición si la pasta dentífrica se infecta con el microorganismo *Penicillium citrinum*, pero esto raramente sucede.

Las calidades comerciales de la CMCS comprenden Celacol y Courlose (British Celanese), Cellofas y Edifas (ICI), FMP y FHP (Hercules), Tylose (Hoeschst). Las especificaciones oficiales son TPF47 y la especificación de CTFA (antes TGA34).

Los *éteres de celulosa* son generalmente los éteres metílico o hidroxietílico de la celulosa. Como con la CMCS, estos éteres se pueden fabricar a la medida para proporcionar propiedades prescritas variando el grado de sustitución. Son, por supuesto, no iónicos, son estables en intervalos amplios de pH y no se afectan por cationes metálicos. Son de gran valor en formulaciones que contienen anti-bacterianos catiónicos.

La metilcelulosa es más soluble en agua fría que en caliente, pero, puesto que las pastas dentífricas se pueden fabricar por procesos en frío, esto no es un inconveniente especial. La metilcelulosa es algo incompatible con glicerina, y esto puede ser un inconveniente.

La hidroxietilcelulosa (HEC) tiene las características generales de los éteres de celulosa, pero no presenta la característica inversa: solubilidad-temperatura de la metilcelulosa. Las pastas dentífricas fabricadas con HEC son más lentas de dispersar que las fabricadas con CMCS, de modo que son más lentas en desarrollar espuma y sabor. No obstante, la HEC es probablemente la más próxima al agente aglutinante ideal para pastas dentífricas, especialmente en productos que contienen cationes.

La metilcelulosa se comercializa bajo denominaciones tales como Celacol (British Celanese), Methocel (Dow), Methofas (ICI), Tylose (Hoechst). Las especificaciones son TPF60 y la especificación de CTFA (anteriormente TGA30).

La hidroxietilcelulosa se comercializa bajo denominaciones tales como Cellosize (Union Carbide) y Natrosol (Hercules).

Agentes gelificantes varios. Los éteres de almidón se han utilizado en pastas dentífricas y son satisfactorios.

Dos resinas sintéticas, Polyox (un polímetro de etilen óxido) y Carbopol (un polímero de carboxi-vinilo), ambos fabricados por Union Carbide, también han sido aconsejadas para incluirse en pastas dentífricas.

Un recién llegado al campo de los agentes gelificantes es el Laponite (Laporte), que es una arcilla sintética del tipo de Hectorite. Ha recibido cierta atención en la literatura[20].

Saborizantes

El sabor de una pasta dentífrica es una de las características determinantes de la aceptación del consumidor. Aparte de la importancia de la reacción del consumidor, el sabor puede representar hasta el 25 por 100 del coste del producto no envasado. Por estas razones, es esencial seleccionar un saborizante con gran cuidado.

Contrariamente a la creencia popular, los saborizantes de gusto agradable, tales como frutas, chocolate (¡incluso se ha sugerido el whisky!) no son populares. El consumidor demanda un sabor que está convencionalmente aceptado (y éste varía en diferentes países) y que deja una sensación de frescor en la boca y conciencia duradera de que se ha limpiado la boca.

Los saborizantes se han basado habitualmente en aceites de hierbabuena y menta. Estos con frecuencia se fortalecen con una traza de mentol para proporcionar efecto refrescante. También se pueden modificar con clavo (o eugenol), gaulteria (o salicilato de metilo), eucalipto, anís, etc.

Los saborizantes de tipo gaulteria son comunes en los Estados Unidos, pero son menos aceptados en Europa, posiblemente debido a la asociación con embrocación.

Todos los saborizantes requieren edulcoración, y el edulcorante de elección es la sacarina. En la actualidad se han prohibido los ciclamatos y, aunque se han propuesto varios edulcorantes sintéticos, ninguno ha hallado todavía aceptación común. Un aditivo importante de sabor ha sido el cloroformo, que no tiene sólo sabor dulce, sino que promueve una sensación de «explosión de sabor».

Los otros componentes de la pasta dentífrica contribuyen al sabor patrón, por ejemplo, las pastas basadas en FDD tienen habitualmente un sabor más intenso que las basadas en carbonato sódico. También se puede modificar el sabor por la presencia de un ingrediente activo (tal como clorhexidina) e incluso por el pH del producto.

También afectan la naturaleza de la espuma y la dispersabilidad de la pasta al impacto del sabor en la boca.

Estos problemas se pueden resolver mejor creando un «panel» de sabor con degustadores expertos que pueden describir y cuantificar las sensaciones de los sabores, y así construir un perfil del sabor.

Otros ingredientes

Conservantes. En la práctica común se utiliza la adición de conservantes a la formulación de una pasta dentífrica para protegerla del efecto de los microorganismos. El agente gelificante, por ejemplo, puede ser particularmente vulnerable. Para esta finalidad se utilizan formol y benzoato y *p*-hidroxibenzoatos sódicos.

Hoy día es menos común el uso de conservantes por una variedad de razones. En la actualidad, el formol lo prohíben las legislaciones de la CEE, y el benzoato sódico no es efectivo a pH neutro y valores más altos. Los componentes saborizantes tienen por sí mismo cierta acción antibacteriana, así como poseen algunos de los ingredientes activos que en la actualidad se utilizan.

Independientemente de estas consideraciones, el producto se fabricará en condiciones tales que el producto final sea estéril y entonces no es preciso añadirle conservantes.

Inhibidores de la corrosión. Frecuentemente se añade silicato sódico a pastas dentífricas basadas en carbonato sódico de elevado pH para evitar el ataque a los tubos de aluminio. Algunos fosfatos también reducen el riesgo de corrosión en pastas dentífricas basadas en alúmina[21].

El cloroformo y elevadas concentraciones de electrólitos también pueden favorecer la corrosión. Aumentando la concentración de la glicerina en la fase acuosa, con frecuencia se reduce el riesgo de este tipo de corrosión.

Colorantes. En ocasiones se añaden colorantes a las pastas dentífricas. Estos deben de seleccionarse cuidadosamente, pues la pérdida de color no es rara, sobre todo en el orificio de salida. En la actualidad, la gama de colores adecuados está restringido por legislación de la CEE.

Un desarrollo reciente es la producción de una pasta de dientes con franjas por Lever Bross en EE. UU.[22]; esto se realiza mezclando pastas blancas y rojas mediante un ingenioso artificio en el orificio de descarga.

Blanqueadores. Para mejorar el efecto de blanqueamiento de las pastas dentífricas y polvos, y para ayudar en la eliminación de manchas, con frecuencia se añaden agentes oxidantes al producto. Estos incluyen perborato sódico, peróxido magnésico, compuestos de peróxido de hidrógeno-urea, compuestos de peróxidos de hidrógeno estabilizados, etc. Se cuestiona si tales compuestos se mantienen activos después del almacenamiento, y su uso ha disminuido.

Formulación de pastas dentífricas

Las materias primas descritas anteriormente no difieren únicamente en su constitución, sino también en su efecto en las propiedades físicas del producto final. Por tanto, no es posible presentar formulaciones generales, excepto en términos bastante amplios. El ejemplo 1 da un cuadro general de los componentes de una pasta dentífrica estándar.

	(1) *por ciento*
Agente gelificante	1,0
CMC	
HEC	
Musgo irlandés	
Goma tragacanto	
Humectante	10-30
Glicerina	
Sorbitol al 70 por 100	
Propilen glicol	
Abrasivo	15-50
$CaCO_3$	
$CaHPO_4 \cdot 2H_2O$	
$CaHPO_4$	
$Al_2O_3 \cdot 3H_2O$	
$Ca_2P_4O_7$	
$MgHPO_4 \cdot 3H_2O$	
SiO_2	
$(NaPO_3)_x$	
Edulcorante (sacarina)	0,1-0,2
Saborizante	1,0-2,0
Hierbabuena	
Menta	
Mentol	
Vanillina	
Eugenol	
Gaulteria	
Anetol	
Anís	
Eucalipto	
Canela	
Agente tensioactivo	1,0-2,0
Sódico, Lauril sulfato	
Sódico, N-lauroil sarcosinato	
Monoglicérido, sulfato	
Conservante (*p*-hidroxibenzoatos)	0,1-0,5
Agente profiláctico	0,1-1,0
NaF	
SnF_2	
Na_2FPO_3	

Fluoruros de amina
Etc.
Colorante (véase, por ejemplo, lista
de CEE)   *c.s.*
Agua   hasta 100,0

La adición de fluoruros (sódico o estannoso) o monofluorofosfato sódico a una pasta dentífrica presenta problemas, de modo que la formulación anterior ha de ser modificada. Por ejemplo, si están presentes iones libres de fluoruro en una fórmula con carbono cálcico, precipitarán rápidamente como fluoruro cálcico, y se perderá la actividad cariostática. En estos casos, el abrasivo se debe seleccionar cuidadosamente para prevenir o reducir este efecto.

Generalmente se utilizan metafosfato sódico insoluble (MFI) y grados especiales de pirofosfato cálcico (PFC) con compuestos liberadores de iones fluoruro (por ejemplo, SNF_2, NaF). El monofluorofosfato sódico es menos problemático, ya que el ion es FPO_3^{2-} y no F^-. En este caso se pueden utilizar FDD e incluso el carbonato cálcico precipitado. Se debe tener gran cuidado en todas las formulaciones con fluoruro para garantizar que se mantiene la actividad del fluoruro a un alto nivel a lo largo de la vida del producto.

La proporción del ingrediente fluoruro utilizada ha sido convencionalmente tal que exista 1.000 ppm de flúor en el producto final. Esto corresponde al 0,2 por 100 de NaF, 0,4 por 100 de SnF_2 y 0,76 por 100 de Na_2FPO_3. En la CEE, una enmienda propuesta a las directivas cosméticas da una concentración total autorizada de fluoruro de 1.500 ppm.

Fabricación de pastas dentífricas

Dos procesos básicos están implicados en la fabricación de pasta dentífrica: la hidratación del agente gelificante y la dispersión del abrasivo en el gel. Normalmente, la hidratación del gel se realiza añadiendo el agente gelificante sólido a la glicerina y parte del agua con agitación enérgica. No es necesario calentar la mezcla si se utiliza CMC, pero el calentamiento a 60 °C es habitual con agentes gelificantes del tipo Viscarin. La agitación en exceso de geles de CMC conduce a una disminución irreversible de la viscosidad, y esto se debe evitar.

La hidratación del gel puede ser continua por medio de un eductor (suministrado por Hercules), en el cual se introduce gradualmente el polvo gelificante en una corriente de agua fría que después se fuerza a través de unas toberas. La agitación enérgica producida da un gel suave y uniforme.

La adición del polvo se puede realizar en una variedad de tipos de calderas adecuadas para mezclas de trabajo duro, tales como calderas Petzholdt, Fryman y Unimix. La mezcla final siempre se realiza al vacío, de modo que se elimina el aire del producto. Es una práctica habitual añadir el ingrediente activo (si está presente) tarde en el ciclo de mezcla, y añadir el tensioactivo y el saborizante al final de todo. Esto se hace para evitar el exceso de espuma y reducir la pérdida de saborizante durante la aplicación de vacío.

El punto en que es completa la eliminación del aire se puede comprobar por medida de la densidad. Para una fórmula general, tal como la que se ha descrito anteriormente, es de esperar una densidad 1,55-1,60.

POLVOS DENTIFRICOS

Los polvos dentífricos son las formas originales, para dentífricos, más sencillas y económicas. Los polvos se han sustituido en gran parte por las pastas, más cómodas, pero todavía conservan una pequeña parte del mercado. Los problemas de formulación no son tan graves, pues es improbable la interacción entre los componentes en ausencia de agua. Probablemente, los floruros y los agentes oxidantes, por ejemplo, retienen su concentración eficaz mucho más tiempo que lo harían en una formulación de pasta.

Quizás otros problemas de formulación atañen a las características físicas, tal como la preparación de ingredientes de tamaño bastante uniforme, de modo que se evite la separación al agitar y se garantice que el producto no se aglutina durante el almacenamiento.

Formulaciones típicas se dan en los ejemplos 2-5.

	(2) *por ciento*
Cálcico, carbonato precipitado	95,0
Sódico, palmitato	5,0
Saborizante, edulcorante	*c.s.*

	(3) *por ciento*
Dicálcico, fosfato dihidratado	79,0
Cálcico, carbonato precipitado	20,0
Sódico, lauril sulfato	1,0
Saborizante, edulcorante	*c.s.*

Polvo oxigenante	(4) *por ciento*
Cálcico, carbonato precipitado	96,0
Sódico, lauril sulfato	2,0
Magnésico, peróxido	2,0
Saborizante, edulcorante	*c.s.*

Polvo fluorado	(5) *por ciento*
Dicálcico, fosfato dihidratado	75,0
Cálcico, carbonato precipitado	23,0
Sódico, lauril sulfato	1,0
Sódico, monofluorofosfato	0,8
Saborizante, edulcorante	*c.s.*

Fabricación de polvos dentífricos

Es muy sencilla la fabricación de polvos. Los edulcorantes y saborizantes, junto con un poco de alcohol si se desea, se preparan en forma de un concentrado premezcla con parte del polvo abrasivo. Después se mezclan con el resto de los polvos en un mezclador de polvo convencional.

DENTIFRICO SOLIDO

El dentífrico sólido es esencialmente un jabón en el que se mezcla el polvo abrasivo. La proporción del jabón puede variar entre límites bastante amplios, desde aproximadamente un 10 hasta un 30 por 100, según el contenido de glicerina del producto terminado y la dureza deseada. Es habitual añadir una concentración más elevada de saborizante que en las pastas dentífricas, y el producto está generalmente coloreado. Los dentífricos sólidos, como los polvos dentales, han sido ampliamente sustituidos por las pastas dentífricas. Una fórmula típica podría ser:

	(6) *por ciento*
Jabón dental	18,0
Cálcico, carbonato precipitado	79,0
Glicerina	3,0
Colorante, saborizante, edulcorante	*c.s.*

El jabón y las sustancias abrasivas se muelen con la glicerina y el agua suficiente para dar una masa plástica. Se añaden el colorante y el saborizante, y después el producto se embute y extruye en una prensa convencional de jabón, se corta a trozos y se prensa.

La naturaleza abrasiva del producto exige maquinaria de embutido y de corte especialmente fabricados, y, en general, la fabricación de dentífricos sólidos presenta varios problemas.

ENSAYOS FUNCIONALES

Las reivindicaciones clínicas hechas de los dentífricos y las limitaciones de publicidad han ayudado a aumentar el volumen de trabajo realizado sobre la composición de dentífricos en los últimos años. Se dispone ya de materia biológica sobre la acción de los dentífricos en forma de dientes extraídos humanos y de animales, y cierto trabajo experimental puede incluso realizarse sobre dientes *in situ* en la boca. Químicos, físicos y odontólogos han contribuido al gran incremento del conocimiento de la actuación de los productos orales.

Acción abrasiva

Las propiedades limpiadoras de un dentífrico dependen principalmente de la naturaleza y la cantidad del abrasivo presente; el diseño del cepillo de dientes e incluso el detergente pueden desempeñar un papel importante, pero sus efectos son insignificantes comparados con los del abrasivo.

Durante la limpieza se deben eliminar detritos de alimentos, placa, película adquirida, manchas y cálculo de la superficie dental, si es posible sin dañar al esmalte subyacente. Los abrasivos del dentífrico son un compromiso entre el deseo de una limpieza perfecta, y la necesidad de evitar el desgaste del esmalte; este compromiso se refleja en los métodos de evaluación y en los estándares adoptados.

En la actualidad, no existe duda en las mentes de los expertos en este campo de que los estudios de abrasión deben realizarse sobre la dentina y esmalte humanos, y no sobre otros sustratos. Frecuentemente, el uso de un sustrato metálico produce resultados erróneos. Los métodos más evidentes de medir la abrasión deben circunscribirse a pérdida de peso, pero esto requiere excesiva abrasión, y podría conducir a mayor desgaste del que se encuentra en una situación real en la vida.

Se han propuesto una diversidad de técnicas para la medida de la calidad abrasiva de las pastas dentales, por ejemplo, el método de oscurecimiento (shadowgraph)[23], el método de perfil superficial[24], microscopia de interferencia[25] y técnicas de reproducción[26]. En la actualidad, existe casi acuerdo universal en que la técnica más aproximativa a las condiciones naturales es el método del radiotrazador (radio-tracer) primeramente, descrito por GRABENSTETTER et al.[27] posteriormente desarrollado por WRIGHT[5, 6], y finalmente incorporado en un Estándar Británico[1].

Las muestras de coronas (esmalte) y raíces (dentina) dentales son bombardeadas con neutrones que transforman en una fracción de minuto los átomos de fósforo presentes de ^{31}P a ^{32}P. Después se cepilla en condiciones estándares, se seca la pasta dentífrica de lodo utilizada y se mide por emisión β. Por comparación con una pasta dentífrica estándar de composición fijada, es posible dar una valoración de abrasividad relativa a toda pasta dentífrica. El estándar británico fija el valor de 100 como índice de abrasividad del estándar (un dentífrico convencional de carbonato cálcico) y fija el máximo de abrasividad permitida de una pasta dentífrica como 200 frente a la dentina, y 400 frente al esmalte. Esto refleja la mayor vulnerabilidad de la dentina, mucho más blanda.

De hecho, casi todas las pastas dentífricas convencionales probablemente caen dentro de este estándar; valores de abrasividad de la gama de 50-100 frente la dentina y 50-120 frente al esmalte pueden incluir la mayoría de pastas dentífricas comerciales.

No existe prueba que demuestre que un dentífrico convencional, *cuando se utiliza adecuadamente*, puede causar excesivo desgaste del esmalte o la dentina. La erosión cervical, esto es, la erosión en el cuello del diente seguida de recesión de las encías, que se presenta en sujetos ancianos, es debida a una mala técnica de cepillado.

La cantidad de sustancia perdida por abrasión con una pasta relativamente abrasiva ha sido calculada como $1,2 \times 10^{-8}$ g por pasada del cepillo del esmalte y de 98×10^{-8} g por pasada de cepillo de la dentina.

Utilizando la técnica del radiotrazador (radio-tracer), es posible garantizar los valores de desgaste relativo de diferentes tamaños de partículas de distintos abrasivos. Dentro de los límites bastante estrechos de formulaciones de pastas dentífricas convencionales, existe una relación casi lineal entre a) tamaño de partícula y valor de desgaste y *b*) porcentaje de concentración de abrasivo y valor de desgaste.

Desempeñan cierto papel la dureza, cristalización de partículas y forma de partícula en el valor de desgaste, pero actualmente, con el conocimiento y la experiencia disponibles, el experto puede prefijar la abrasividad de una pasta dentífrica dentro de límites bastantes estrechos. Probablemente, el mejor compromiso podría ser tener una proporción relativamente elevada de partículas suaves (por ejemplo, FDD de tamaño 5-10 μm) y una pequeña proporción de pequeñas partículas duras (por ejemplo, silicato de zirconio o sílice de tamaño de 1 μm). Las mayores partículas blandas deben eliminar del diente la mayoría de la materia sucia adherida a él, y las partículas pequeñas deben proporcionar cierto pulido sin rayar visiblemente.

Lustre (brillo o pulido)

La medición del lustre está complicada por numerosos factores. HUNTER[28] destacó que es imposible medir la reflectancia especular y la reflectancia difusa como entidades separadas de manera total o al menos aproximada, y describe seis tipos de brillos diferentes:

1) *Brillo especular;* resplandor.

2) *Reflejo;* superficie resplandeciente en ángulos de rozamiento.

3) *Brillo de contraste;* contraste entre la reflectancia especular de zonas diferentes.

4) *Ausencia de brillo;* la ausencia de neblina de reflección o mancha adyacente a los puntos brillantes.

5) *Claridad de brillo de imagen reflectada;* claridad de imágenes reflectadas en superficies.

6) *Ausencia de textura de brillo superficial;* carencia de manchas de textura superficial.

Esto es un análisis altamente sofisticado del problema de la determinación del brillo, y es probablemente demasiado complejo para la medición en dientes humanos. La valoración más sencilla del brillo en dientes es la subjetiva, y lo que se requiere es un procedimiento sencillo objetivo que duplique la valoración subjetiva.

En la industria de la pintura y la laca se ha descrito un método de ensayo[29], el principio básico, que es la iluminación de muestra de ensayo con haz paralelo de luz y la medición de la reflexión de este haz en un ángulo predeterminado. Apuntan TAINTER[30] y colaboradores que este método podría modificarse por la medición de la reflectancia direccional. Fue necesario un considerable perfeccionamiento del aparato y de la técnica para adaptar este método a las mediciones del brillo en dientes, debido a su pequeño tamaño y a la curvatura de la superficie esmaltada. Como consecuencia de sus experimentos, TAINTER *et al.* publicaron su método cuantitativo para la medición del pulido producido por dentífricos[31].

PHILLIPS y VAN HUYSEN[32] publicaron los resultados de una investigación sobre la acción de agentes pulidores de dentífricos sobre la superficie dental. Se emplearon dos métodos: *a*) observación visual de los cambios de brillo por comparación con una serie de estándares, y *b*) estudio microscópico del diente antes y después del cepillado. Como resultado de su trabajo concluyeron que el carbonato cálcico tiende a hacer mates a las superficies esmaltadas. Los fosfatos cálcicos (FDD y FTC) tienen poco efecto en el brillo, mientras que una mezcla de metafosfato y fosfato cálcico (FDD) se comporta superior a otros abrasivos. Sería imprudente ser demasiado dogmático sobre este tema, puesto que el grado de brillo por un lado, y el mate, por otro, están fuertemente influidos por medio del tamaño de la partícula y el intervalo de tamaños de partículas del abrasivo implicado.

La profundidad de las rayas medidas por técnicas perfilométricas resulta correlacionarse con el poder del pulido, y esto, una vez más, destaca la importancia del tamaño de la partícula. MANLY *et al.*[33] utilizaron una técnica similar en la medida de dispersión de un haz láser, y SCHIFF y SHAVER[34] han adoptado métodos de Tainter para la medida del pulido *in vivo*. Probablemente, la garantía más sencilla de la capacidad de brillo y limpieza es la técnica descrita por WILKINSON y PUGH[4], quienes demostraron que existe una relación directa entre abrasión y capacidad de limpieza. Por tanto, podría ser posible idear un sistema abrasivo para proporcionar tanto una limpieza adecuada, como una mínima abrasión. Una mezcla de grandes cristales blandos (10 μm) con una menor proporción de pequeños cristales duros (1 μm) podría lograr este resultado.

EL CEPILLO Y EL CEPILLADO DENTIFRICO

El cepillo dentífrico y el mecanismo de cepillado desempeñan una parte importante en la higiene bucal.

Los estudios de hábitos de cepillado dental[35, 36] demuestran que el 60 por 100 afirman cepillarse sus dientes dos veces diarias, habitualmente al levantarse y antes de ir a la cama, y que el conjunto de mujeres están más concienciadas que los hombres. Sin embargo, ésta es una imagen muy superficial; las estadísticas de ventas de pastas dentífricas en diferentes países demuestran claramente que un gran número de individuos no se cepillan nunca los dientes, o lo hacen raramente.

Nunca se ha demostrado inequívocamente que el solo cepillado dental es instrumento de reducción de la caries dental. FOSDICH[37] demostró que el cepillado regular con un dentífrico cosmético reduce la incidencia de caries en sujetos sensibles, mientras que SMITH y STRIFFLER[38], en una revisión de la literatura, encontraron cierta evidencia de lo contrario. Lo que está efectivamente fuera de discusión es que el uso frecuente de un dentífrico fluorado reduce la incidencia de caries. Esto ha sido demostrado en un elevado número de ensayos clínicos.

También está claro que el cepillado dental regular es eficaz en la reducción o prevención de afecciones periodontales. La eliminación de detritus de alimentos y el masaje de las encías es una parte de la buena higiene bucal.

Como consecuencia se puede hacer un cuadro del cepillado dental regular con una buena pasta dentífrica profiláctica:

a) Es estéticamente satisfactorio para proporcionar una sensación de frescor y limpieza en la boca.

b) Ciertamente, una buena pasta dentífrica profiláctica reducirá la incidencia de caries.

c) La eliminación de detritos de alimentos mejorará la halitosis.

d) El cepillado regular colaborará a evitar afecciones periodontales.

La introducción del cepillo de dientes eléctrico ha estimulado ensayos proyectados para demostrar si el cepillado mecánico es superior al cepillado manual. Desgraciadamente, no existe criterio aceptado para la evaluación de la eficacia de un cepillo dental. La prevención o eliminación de la placa y cálculo, el índice gingival y la ausencia de manchas son todos criterios generales. La evaluación es más complicada en que los cepillos dentales varían, no solamente en el tamaño de la cabeza y diseño básico, sino también en modelo de cerda, y la naturaleza y dureza de la misma. En una revisión de este tema, ASH[39] concluyó que los cepillos dentales eléctrico no son más eficaces que los cepillos dentales manuales para el sujeto medio, pero individualmente se podía encontrar que uno u otro es más efectivo.

McKENDRICK *et al.*[40] efectuaron un estudio de dos años en dentaduras de estudiantes comparando cepillos dentales manuales o eléctricos, y encontraron un índice periodontal más bajo en todos los sujetos, pero sin diferencias significativas entre los grupos.

MUHLER[41] encontró que la frecuencia de uso de cepillos dentales eléctricos aumentó de 1,04 a 2,90 veces por día después de dos meses, y luego decreció. Después de un año, la mitad de los sujetos abandonaron este método de limpieza de dientes. Durante el mismo tiempo, los sujetos que utilizaron cepillos manuales no alteraron su frecuencia de cepillado.

Se han sugerido otros artificios para la limpieza dental. Se ha propuesto[42] un cepillo alargado provisto de un hilo abrasivo flexible, como artificios de enjuages de chorro de agua[43] y chorros de agua que contienen abrasivos[44]. Se han revisado estos métodos[45, 46] y se ha encontrado que por ellos puede ser efectiva la reducción de la población de microorganismos en el diente, pero son tan efectivos como cepillos para la eliminación de detritos bucales.

Se puede asumir que la mayoría de los cepillos, adecuadamente utilizados, tienen cierto efecto en el mejoramiento de la higiene bucal y, por tanto, en afecciones periodontales, pero en ningún caso afirmar que tengan algún efecto anticaries. En general, el cuidado dental profesional, la dieta apropiada, el uso de un dentífrico profiláctico y la educación en la técnica de cepillado son hechos esenciales en la prevención de afecciones bucales.

LIMPIADORES DE DENTADURAS POSTIZAS

Los limpiadores de dentaduras postizas son comercializados bien en forma de polvo, pastilla o líquido. Si bien los productos sólidos pueden diferenciarse ampliamente en su composición, comprenden esencialmente un agente oxidante, un electrólito y un álcali.

Normalmente, el agente oxidante utilizado es el perborato sódico o percarbonato sódico, aunque también pueden utilizarse o proponerse hipocloritos, ácido triclorisocianúrico y sus sales, y persulfatos.

El percarbonato sódico es más soluble en agua que el perborato sódico, pero es bastante menos estable, aunque en forma sólida su estabilidad es adecuada.

El perborato sódico se adquiere en dos formas:

a) *Perborato sódico tetrahidratado*, usualmente descrito como $NaBO_3 \cdot 4H_2O$, pero más apropiadamente $NaBO_2 \cdot H_2O_2 \cdot 3H_2O$, tiene un contenido de oxígeno activo del 10,38 por 100, y se vende en base del 10 por 100 de oxígeno activo.

b) *Perborato sódico monohidratado*, generalmente descrito como $NaBO_3 \cdot H_2O$, pero más apropiadamente $NaBO_2 \cdot H_2O_2$, tiene un contenido de oxígeno activo del 16 por 100 y se vende en base del 15 por 100 de oxígeno activo[47].

El percarbonato sódico, como el perborato sódico, no es una persal verdadera, y debe describirse como $2Na_2CO_3 \cdot 3H_2O_2$.

La finalidad de un limpiador de dentadura postiza es desprender los detritos que constan de saliva y partículas de alimentos, eliminar manchas y esterilizar la dentadura postiza.

Normalmente, los productos sólidos se disuelven en agua para formar una solución en la cual se sumerge la dentadura postiza. Se forman las burbujas de oxígeno y ayudan a desprender mecánicamente los detritos alimenticios que parcialmente se solubilizan por el álcali presente. Los electrólitos, tal como el cloruro sódico, tienen cierto efecto solubilizante sobre los depósitos de mucosas. El efecto combinado es el desprendimiento de los detritos de modo que, después de un tiempo de remojo adecuado, es fácilmente eliminado por cepillado.

Además, la dentadura postiza se esteriliza y se eliminan las manchas. El uso regular de limpiadores de dentaduras postizas también previene la formación de cálculo en la superficie de la dentadura postiza.

Cualquiera que sea la forma del agente oxidante utilizado se debe tener cuidado de garantizar que el producto no altera el color de la placa de la dentadura, aunque este peligro es mucho menor en la actualidad que antiguamente. Normalmente, las placas plásticas dentales retienen bien su color.

La cantidad de perborato o percarbonato sódico utilizado está generalmente comprendida en el intervalo 20-50 por 100; pueden emplearse cantidades equivalentes de otros agentes oxidantes con la salvedad de que los compuestos productores de cloro deben utilizarse a una concentración tal, que dejen la dentadura postiza, después de aclarar, sin sabor posterior desagradable a cloro.

El electrólito invariablemente utilizado es el cloruro sódico, y el álcali más común es el fosfato trisódico anhidro, aunque se pueden utilizar el carbonato o bicarbonato sódico y otros álcalis.

Fórmulas típicas se dan en los ejemplos 7 y 8.

(7)

	por ciento
Sódico, perborato	40,0
Sódico, cloruro	30,0
Trisódico, fosfato	30,0
Saborizante, colorante	*c.s.*

(8)

por ciento

Sódico, percarbonato	40,0
Sódico, cloruro	40,0
Sódico, carbonato	20,0

Las tabletas también se pueden preparar bien partiendo de mezclas convencionales, como en los ejemplos 7 y 8, o bien como, por ejemplo, en el ejemplo 9.

(9)

por ciento

Sódico, percarbonato	88,0
Sódico, cloruro	10,0
Sódico, silicato y otros aglutinantes	2,0
Saborizante, colorante	*c.s.*

Normalmente, los productos líquidos son soluciones diluidas de hipoclorito sódico al cual se puede añadir adicionalmente cloruro sódico. Tales soluciones, por supuesto, pierden algo de su cloro activo en el transcurso del tiempo.

Es común promover la efervescencia en algunos productos sólidos. Esto ayuda a la disgregación y disolución de las tabletas y promueve el concepto de actividad. La efervescencia se puede suministrar por adición de mezclas de carbonato-ácido convencionales (ácidos tartárico y cítrico) o por la incorporación de un catalizador que descompone el peróxido, tal como una traza de sal de cobre. En el último caso, se debe tener mucho cuidado en comprobar la estabilidad del producto terminado.

Se ha propuesto la incorporación de enzimas proteolíticas o amilolíticas en limpiadores de dentaduras postizas[48]. Otros desarrollos modernos se encuentran con facilidad en la literatura de patentes[49].

La fabricación de estos compuestos no es tan sencilla como parece. Es vital mantener la humedad alejada del producto y protegerlo de la humedad ambiental. Los productos en polvo no deben aglomerarse durante el almacenamiento, y los productos sólidos deben disolverse rápidamente para dar una solución transparente.

Se deben realizar ensayos rigurosos de envejecimiento con el producto envasado y debe monitorizarse el comportamiento continuo del producto en condiciones de empleo.

REFERENCIAS

1. *British Standard Specification* BS 5136: 1981.
2. American Dental Association, *J. Am. dent. Assoc.*,1970, **81,** 1177.
3. Swartz, M. L. and Phillips, R. W., *Ann. NY Acad. Sci.*, 1968, **153,** Art. 1, 120.
4. Wilkinson, J. B. and Pugh, B. R., *J. Soc. cosmet. Chem.*, 1970, **21,** 595.
5. Wright, K. H. R., *Wear*, 1969, **14,** 263.
6. Wright, K. H. R. and Stevenson, J. I., *J. Soc.cosmet. Chem.*, 1967, **18,** 387.
7. British Patent 1 460 581, Colgate-Palmolive, 6 January 1977;
   US Patent 4 048 300, Colgate-Palmolive, 13 September 1977.
8. British Patent 914 707, Victor, 2 January 1963.

9. British Patent 1 143 123, Albright and Wilson, 19 February 1969.
10. British Patent 810 345, Hedley, 20 August 1956.
11. British Patent 746 550, Indiana University, 8 March 1953.
12. British Patent 939 230, Procter and Gamble, 3 November 1959.
13. British Patent 995 351, Procter and Gamble, 28 October 1960.
14. US Patent 3 151 027, Procter and Gamble, 7 June 1961.
15. British Patent 1 055 784, Unilever, 18 January 1967.
16. British Patent 1 186 706, Unilever, 2 April 1970.
17. British Patent 1 305 353, Colgate-Palmolive, 31 January 1973.
18. British Patent 728 243, Colgate-Palmolive, 8 October 1952.
19. Watson, C. A., *J. Soc. cosmet. Chem.*, 1970, **21**, 459.
20. Neumann, B. S. and Sansom, K. G., *J. Soc. cosmet. Chem.*, 1970, **21**, 237.
21. British Patent 1 277 586, Unilever, 14 June 1972.
22. British Patent 956 377, Unilever, 29 April 1964.
23. Manly, R. S., *J. dent. Res.*, 1944, **23**, 59.
24. Ashmore, H., Van Abbé, N. J. and Wilson, S. J., *Br. dent. J.*, 1970, **133**, 60.
25. Ashmore, H., *Br. dent. J.*, 1966, **120**, 309.
26. Brasch, S. V., Lazarou, J., Van Abbé, N. J. and Forrest, J. O., *Br. dent. J.*, 1969, **127**, 119.
27. Grabenstetter, R. J., Broge, R. W., Jackson, F. L. and Radike, A. W., *J. dent. Res.*, 1958, **37**, 1060.
28. Hunter, R. S., *Methods of Determining Gloss*, US National Bureau of Standards, Research Paper RP 958, January 1937.
29. American Society for Testing Materials, D 523–44 T, 1946.
30. Tainter, M. L., *Proc. sci. Sect. Toilet Goods Assoc.*, 1944, (1), 24.
31. Tainter, M. L., Alford, C. E., Henkel, E. J. Jr., Nachod, F. C. and Priznor, M., *Proc. sci. Sect. Toilet Goods Assoc.*, 1947, (7), 38.
32. Phillips, R. W. and Van Huysen, G., *Am. Perfum. Essent. Oil Rev.*, 1948, **63**, 33.
33. Manly, R. S., Brown, P. W., Harrington, D. P., Crane, G. L. and Schichting, D. A., *Arch. oral Biol.*, 1975, **20**, 479.
34. Schiff, T. and Shaver, K. J., *J. oral Med.*, 1971, **26**, 127.
35. Cohen, L. K., O'Shea, R. M. and Putnam, W. J., *J. oral Ther. Pharmacol.*, 1967, **4**, 229.
36. Survey of Family Toothbrushing Practices, *J. Am. dent. Assoc.*, 1966, **72**, 1489.
37. Fosdick, L. S., *J. Am. dent. Assoc.*, 1950, **40**, 133.
38. Smith, A. J. and Striffler, D. F., *Public Health Dentistry*, 1963, **23**, 159.
39. Ash, M., *J. Periodont.*, 1969, **10**, 35.
40. McKendrick, A. J. W., Barbenel, L. M. H. and McHugh, W. D., Paper presented to IADR (British Division), April 1968.
41. Muhler, J. C., *J. Periodont.*, 1969, **40**, 268.
42. British Patent 1 471 435, Thornton, 27 April 1974.
43. British Patents 1 469 399 and 1 469 400, Halstead, 6 April 1977.
44. British Patent 1 480 594, Laing, 20 July 1977.
45. Toto, P. D., Evan, C. L. and Sawinski, V. J., *J. Periodont.*, 1969, **40**, 296.
46. Jann, R., *Periodont. Abst.*, 1970, **18**, 6.
47. Laporte Chemicals Ltd, *Sodium Perborate and Sodium Percarbonate.*
48. British Patent 1 391 318, Miles Laboratories, 23 April 1975.
49. British Patent 1 470 581, Rossbrook, 14 April 1977; British Patents 1 483 501 and 1 483 502, Colgate-Palmolive, 24 August 1977.

32

Enjuagues bucales

Introducción

En principio, un enjuague parece ser el medio ideal para la aplicación de cualquier forma de medicación a la boca, encías o dientes, con tal de que, por supuesto, se limpie la superficie dental.

McCormick[1] ha revisado la literatura de enjuagues de boca. En general, pueden ser de tres clases: antibacterianos, que combaten la población bacteriana de la boca; fluoruros, que ayudan a reforzar la capa de fluoruro del esmalte de los dientes; y de remineralización, que ayudan a restaurar lesiones de caries tempranas. Este capítulo únicamente trata de enjuagues de boca del tipo antibacteriano. De tales productos, el consumidor espera que proporcionen una boca más sana y fresca y cierta garantía de olor agradable en el aliento. Birkeland y Torell[2] han descrito estudios específicos sobre las propiedades preventivas de caries de enjuagados de boca que contienen fluoruro.

En Gran Bretaña, los enjuagues de boca antisépticos no alcanzan un alto nivel de ventas, aunque son populares en otros países, particularmente en los EE. UU., donde el valor de las ventas en 1978 alcanzó doscientos sesenta y nueve millones de dólares[3]. En general, los enjuagues de boca americanos se formulan para ser inmediatamente utilizados, mientras que los europeos tienden a ser usados después de dilución.

Normalmente, los enjuagues bucales se comercializan en la base de una necesidad social de aliento agradable, aunque trabajos recientes con clorhexidina han demostrado que pueden tener propiedades antiplaca[4] y, claro está, incluso propiedades anticaries[5].

Naturalmente, ni es posible ni deseable aspirar a una esterilidad completa de la boca. El uso de antibióticos, por ejemplo, podría destruir las bacterias de la flora normal y, por consiguiente, permitir el crecimiento de microorganismos indeseables, tal como *Cándida albicans*. Sin embargo, es posible reducir la población bacteriana y mantenerla a un nivel inferior por el uso de antibacterianos que se absorben por la membrana de la mucosa. Normalmente, los antibacterianos catiónicos tienen esta propiedad en cierto grado. El ensayo Epitelial Bucal de Vinson y Bennet puede servir como técnica estándar[6].

El efecto total ejercido es una asociación de tres factores: *a*) el efecto mecánico de enjuague de los detritos alimenticios de la boca; *b*) el efecto del agente antibacteriano sobre la flora bucal; *c*) el efecto del saborizante presente. Ya que muchas sustancias saborizantes poseen un efecto antibacteriano, puede existir una sinergia entre *b*) y *c*).

Los enjuagues que pretendan simplemente fomentar la higiene general de la boca deberán ser rigurosamente ensayados en cuanto a la ausencia de propiedades tóxicas o irritantes. Las reivindicaciones profilácticas y terapéuticas requerirán incluso ensayos clínicos más rigurosos y deben ser consideradas a la luz de las legislaciones de la *Federal Drug Administration* de EE UU y la *Medicine Act* (1968) de Gran Bretaña. También existen legislaciones de la CEE relacionadas con ingredientes individuales.

Se dispone de formulaciones existentes de fuentes reconocidas, tales como Formulario Farmacéutico *(Pharmaceutical Formulary, Chemist and Druggist)*, *(Extra Pharmacopoeia)*, *(Martindale)*, etc. Los productos citados posteriormente son ejemplos caracterizados por su aceptación por los consumidores.

Selección del agente antibacteriano

Los agentes antibacterianos generalmente empleados en enjuagues bucales incluyen fenoles, timol, salol, ácido tánico, timoles clorados, hexaclorofeno y compuestos de amonio cuaternario.

Fenoles clorados

Paraclormetacresol y paraclormetaxilenol son útiles para uso de enjuagues bucales, por sus propiedades antibacterianas y su sabor. No son muy solubles en agua, pero pueden solubilizarse con terpineol (u otros solubilizantes apropiados) y jabón para dar un uno por 100 de principio activo en solución. Tales soluciones, por ejemplo *Liq. Chlorxylenol* BPC, se utilizan en dilución al 10-20 por 100.

Enjuagues bucales basados en jabón

Normalmente, los enjuagues bucales basados en jabón no tienen propiedades antibacterianas, y se utilizan para limpiar y refrescar la boca.

	(1) *por ciento*
Jabón en polvo	2,0
Glicerina	15,0
Alcohol	20,0
Agua	63,0
Saborizante	*c.s.*

Se pueden añadir detergentes sintéticos que no sean irritantes para proporcionar más espuma y, por supuesto, también se pueden añadir antibacterianos estándar a esta fórmula.

Timol (isopropil metacresol)

El timol no es muy soluble, pero se puede solubilizar de modo habitual, por ejemplo con alcoholes adecuados, o utilizarse en solución acuosa con bórax, como el ejemplo 2. Este producto se utiliza diluido a una concentración entre el 5 y el 20 por 100.

	(2)
	por ciento
Timol	0,03
Alcohol	3,00
Bórax	2,00
Sódico, bicarbonato	1,00
Glicerina	10,00
Saborizante	*c.s.*
Agua hasta	100,00

Peróxido de hidrógeno

El peróxido de hidrógeno es un excelente agente antibacteriano no tóxico para ser utilizado en enjuagues bucales. Se puede utilizar para limpiar úlceras y abscesos de la boca, etc. Una solución de una parte de peróxido de hidrógeno (10 vol.) diluido con ocho partes de agua es útil como enjuague bucal, o dos veces la concentración se puede utilizar para cavidades sépticas. Debido a su inestabilidad no es normalmente utilizado en enjuagues bucales de marca comercial.

Sin embargo, el perborato sódico es un polvo estable que, al disolverse en agua, da una solución alcalina de peróxido de hidrógeno. En la práctica, 17 g de este polvo con 6 g de ácido cítrico, al adicionar a 80 ml de agua, da una solución de una concentración de 10 vol., que puede posteriormente diluirse 1 : 8 antes de usarse.

Tales productos deben utilizarse sólo rara vez, y para combatir estados específicos, pues el citrato presente podría ocasionar la descalcificación de los dientes.

Hexaclorofeno

El hexaclorofeno es sustantivo para la membrana de la mucosa, y es un eficaz agente antibacteriano. La concentración sugerida es de 0,02 por 100 en una mezcla de alcohol-agua, al 25 por 100. Se han expresado ciertas reservas en relación a su posible toxicidad.

Cuaternarios

En la actualidad está muy arraigado el uso de cuaternarios en enjuagues bucales. Estos compuestos asocian propiedades antibacterianas y sustantivas, y muchos de ellos no son tóxicos ni irritantes a las concentraciones normalmente utilizadas. Debido a sus propiedades antibacterianas, muchos de ellos son efectivos frente a la placa. El cloruro de benzetonio se utiliza para este fin, pero probablemente los antibacterianos más efectivos son los del tipo clorhexidina. Desgraciadamente, la clorhexidina, en común con la mayoría de los catiónicos, puede producir manchas pardas en los dientes con su uso continuado. Sin embargo, estas manchas se eliminan fácilmente con un buen cepillado de dientes.

Un producto de este tipo se ha presentado en forma de gel que, a pesar de ser destinado al cepillado de dientes, realmente es más un enjuague bucal que una pasta dentífrica, pues no contiene abrasivo alguno[7].

Otros componentes de enjuagues bucales

Se han utilizado ácido tánico, alumbre y sales de zinc en enjuagues bucales por sus propiedades astringentes. Generalmente se acepta que, por esta propiedad, tiene efectos antisangrantes en las encías.

También es comúnmente utilizada una solución de hipoclorito sódico por su efecto antibacteriano. El formol fue antiguamente prescrito, pero en la actualidad está prohibido por las legislaciones de la CEE.

Saborizantes de enjuagues bucales

Una característica esencial de un buen enjuague bucal es su sabor, pues el consumidor debe sentir el frescor de la boca después de su uso. El dinero gastado en la investigación de mercado está bien invertido, puesto que existen preferencias nacionales para sabores particulares; por ejemplo, el salicilato de metilo (aceite de gaulteria) es más popular en EE. UU. que en Gran Bretaña.

Saborizantes comúnmente utilizados son menta, mentol, eugenol, etc., y todos dejan la boca con una sensación de frescor. Los fenoles clorados siempre tienen un sabor característico que, a pesar de no ser agradable, es difícil de enmascarar. Los catiónicos suelen ser ligeramente amargos y deben ser enmascarados. El pequeño fabricante debe estar bien aconsejado por los servicios de firmas de saborizantes para diseñar una composición saborizante propia para su producto.

Refrescantes bucales aerosoles

Se han comercializado en los EE. UU. y en Europa los refrescantes bucales aerosoles; un desarrollo natural de productos aerosoles. Se recomiendan para refrescar el aliento después de comer, beber o fumar y generalmente contienen sólo agentes saborizantes, aunque se pueden añadir antibacterianos. Por tanto, los refrescantes bucales aerosoles se presentan más como una alternativa a los chicles que como enjuagues bucales.

Un envase típico 1/2 oz (14 g) está provisto de una válvula dosificadora y contiene suficiente producto para 200-300 aplicaciones. Una válvula dosificadora no es esencial, pero protege al consumidor de cantidades excesivas del producto introducido por la boca.

Una ventaja significativa de esta forma de presentación es que el envase es lo suficientemente pequeño como para llevarse en el bolso o en el bolsillo, de modo que su uso no está limitado al cuarto de baño.

Algunos fabricantes comercializan refrescantes del aliento dispensados en forma líquida. Se afirma que una gota colocada sobre la punta de la lengua produce un frescor instantáneo y elimina la halitosis[8].

REFERENCIAS

1. McCormick, S., *Ann. NY Acad. Sci.*, 1968, **153,** Art. 1, 374.
2. Birkeland, J. M. and Torell, P., *Caries Res.*, 1978, **12,** Suppl. 1, 38.
3. *Drug Topics*, 1979, 1 June, 70.
4. Symposium: Hibitane in the Mouth, *J. Clin. Periodont.*, 1977, **4**(5), 1.
5. Tomlinson, K., *J. Soc. cosmet. Chem.*, 1978, **29,** 385.
6. Vinson, L. J. and Bennet, A. G., *J. Am. pharm. Assoc. sci. Edn.*, 1958, **47,** 635.
7. Corsodyl, ICI Ltd. COR-MA-L/9173/254/April 1977.
8. *Chemist Drug.*, 1967, **187,** 250.

PARTE QUINTA

Fabricación y componentes de los productos

33

Agentes tensioactivos

Introducción

El fenómeno fundamental de la actividad tensioactiva en la *adsorción* puede conducir a dos efectos bastante distintos: *a*) disminución de una o más de las tensiones limitantes en las interfases del sistema, y *b*) estabilización de una o más de las interfases por la formación de capas adsorbidas[1].

Un agente tensioactivo (surfactante) es una sustancia que, utilizando este fenómeno, tiene la propiedad de alterar la energía de una superficie con la cual entra en contacto[2]. Esta disminución de la energía superficial puede observarse fácilmente en, por ejemplo, espumantes, incremento de extensibilidad de un líquido en un sólido, incremento de suspensión de partículas sólidas en un medio líquido y la formación de emulsiones.

En uso de los tensioactivos está bien arraigado en cosméticos y productos de tocador y cae dentro de cinco áreas principales respecto a las propiedades tensioactivas requeridas:

1. *Detergente*. Donde el problema principal implica la eliminación de sustancia de suciedad se necesitan agentes tensioactivos con propiedades detergentes, por ejemplo, en champúes y jabones de tocador.

2. *Humectante*. En productos donde se requiere un buen contacto entre una solución y un substrato se requerirán buenas propiedades humectantes, por ejemplo, en la aplicación de colorantes capilares y lociones para ondulación permanentes.

3. *Espumante*. Algunos productos necesitan tener una elevada proporción de espuma en el uso y, para estos productos, se utilizarán agentes tensioactivos especiales, por ejemplo, en champúes y espumas de baño.

4. *Emulsificación*. En productos donde la formación y estabilidad de una emulsión es una característica esencial se requieren agentes tensioactivos con buenas propiedades emulsificantes, por ejemplo, en cremas para la piel y capilares.

5. *Solubilización*. Productos, en los cuales es necesario solubilizar un componente insoluble, necesitan un agente tensioactivo con las propiedades requeridas, por ejemplo, la solubilización de perfumes y saborizantes.

Estas cualidades no se excluyen unas a otras; todas son compartidas en cierto grado por todos los agentes tensioactivos. La experiencia demuestra el valor de productos especiales para varios fines de utilización, pero existe un grado de superposición.

Clasificación de tensioactivos

Todos los agentes tensioactivos tienen una característica estructural en común: son moléculas anfóteras; esto es, la molécula consta de dos partes distintas, una unidad hidrófoba y una unidad hidrófila.

Generalmente, las unidades hidrófobas son cadenas o anillos de hidrocarburos o una mezcla de ambos. Usualmente, las unidades hidrófilas son grupos polares, tales como grupos carboxílico, sulfato o sulfonato, o, en tensioactivos no iónicos, varios grupos hidroxilo o éter. La naturaleza dual de estas moléculas les permite adsorberse a interfases, y esto explica su comportamiento característico.

Los tensioactivos se pueden clasificar en base a los usos a los que se destinan, propiedades físicas o estructura química. Ninguna de éstas es completamente satisfactoria, pero probablemente la más lógica es clasificarlos según su comportamiento iónico en solución acuosa. Utilizando este procedimiento, existen cuatro tipos de tensioactivos; aniónicos, catiónicos, no iónicos y anfóteros. Además deben ser consideradas las diferentes estructuras de los grupos hidrófobos e hidrófilos. SCHWARTZ y PERRY[2], McCUTCHEON[3, 4], y MOILLET, COLLIE y BLACK[1] han utilizado este sistema de clasificación.

Tensioactivos aniónicos

Los tensioactivos aniónicos son aquellas moléculas en las cuales el ion tensioactivo está cargado negativamente en solución. El ejemplo clásico es el jabón: $C_{17} H_{33} COO^- NA^+$ (oleato sódico). Los tensioactivos aniónicos, además, están subdivididos según la manera en la que el grupo aniónico está ligado a la parte hidrófoba de la molécula (Tabla 33.1).

Tensioactivos catiónicos

Los tensioactivos catiónicos se caracterizan por el hecho de que el ion tensioactivo está cargado positivamente en solución acuosa (Tabla 33.2).

Tensioactivos no iónicos

Los tensioactivos no iónicos se caracterizan por el hecho de que la parte hidrófila de la molécula generalmente está constituida por una multiplicidad de pequeños grupos polares no cargados, por ejemplo, grupos hidróxilo o enlaces éter en cadenas de óxido de etileno. Los mismos enlaces se utilizan para reforzar el carácter hidrófilo en ciertos tensioactivos aniónicos, por ejemplo, alquil éter sulfatos, $R(OCH_2CH_2)_n OSO_3^- M^+$ (Tabla 33.3).

Tabla 33.1. Tensioactivos aniónicos

R indica una cadena hidrófoba generalmente de 12 a 18 átomos de carbono, o un anillo o sistema de anillos.

M representa un catión apropiado, generalmente sodio, potasio, amonio o una base orgánica.

Grupos aniónicos unidos directamente a la unidad hidrófoba

Jabones de ácidos grasos $\qquad RCOO^- \ M^+$
Alquil sulfatos $\qquad ROSO_3^- M^+$
Alquil sulfanatos $\qquad RSO_3^- \ M^+$
Alquil aril sulfonatos $\qquad RC_6H_4SO_3^- \ M^+$
α-Sulfonil acidos grasos $\qquad RCHCOO^- \ M^+$

$$\qquad\qquad\qquad\qquad | $$
$$\qquad\qquad\qquad\qquad SO_3^- \ M^+$$

Alquil sulfatos secundarios $\qquad RCH(OSO_3^-)R' \ M^+$
Alquil fosfatos $\qquad ROPO_3^{2-} \ 2M^+$

Grupos aniónicos unidos por enlaces ésteres

Sulfatos de monoglicérido $\qquad RCOOCH_2CHOHCH_2OSO_3^- \ M^+$
Dialquil sulfosuccionatos $\qquad ROCOCH_2$

$$\qquad\qquad\qquad\qquad\qquad | $$
$(R$ generalmente C_8-$C_{10})$ $\qquad ROCOCHSO_3^- \ M^+$
Polietilenglicol éster sulfato $\qquad RCO(OCH_3CH_2)_nOSO_3^- \ M^+$
Isotionatos $\qquad RCOOCH_2CH_2SO_3^- \ M^+$

Grupos aniónicos unidos por enlaces éteres

Alquil éter sulfatos $\qquad R(OCH_2CH_2)_nOSO_3^- \ M^+$
Fenol éter sulfatos $\qquad RC_6H_4(OCH_2CH_2)_nOSO_3^- \ M^+$
Alquil éter carboxilatos $\qquad R(OCH_2CH_2)_nOCH_2COO^- \ M^+$

Grupos aniónicos unidos por enlaces amidas

Alcanolamida sulfatos $\qquad RCONHCH_2CH_2OSO_3^- \ M^+$
Taurinas $\qquad RCONHCH_2CH_2SO_3^- \ M^+$
Sarcosinatos $\qquad RCON(CH_3)CH_2COO^- \ M^+$

Grupos aniónicos unidos por enlaces amídicos

Imidazol sulfatos

Tensioactivos anfóteros

Los tensioactivos anfóteros se caracterizan por su capacidad para formar un ion tensioactivo con cargas tanto positivas como negativas (Tabla 33.4).

Propiedades de los agentes tensioactivos

El cambio en propiedades superficiales con la concentración de una solución acuosa de un tensioactivo es característico de la mayoría de las moléculas

Tabla 33.2. Tensioactivos catiónicos

R indica una cadena hidrófoba generalmente de 12 a 18 átomos de carbono o un anillo aromático.

X representa un anión apropiado, generalmente cloruro o bromuro.

Sales simples de amonio cuaternario en las cuales el nitrógeno está unido directamente a la unidad hidrófoba

Sales de alquiltrimetil amonio

$$R\overset{+}{N}(CH_3)_3\ X^-$$

Sales de dialquildimetil amonio

$$RR^1{-}\overset{+}{N}(CH_3)_2\ X^-$$

Sales de alquildimetilbenzil amonio

$$R\overset{+}{N}(CH_3)_2\ X^-$$
$$|$$
$$CH_2C_6H_5$$

Sales de alquildimetil amonio etoxiladas

$$R{-}\overset{+}{N}(CH_3)_2\ X^-$$
$$|$$
$$(OCH_2CH_2)_n$$

Grupo catiónico separado del grupo hidrófobo

Aminas cuaternizadas de etilendiamina

$$RCONHCH_2CH_2\overset{+}{N}(CH_3)_3\ X^-$$

Amidas cuaternizadas de polietilenimina

$$RCONH(CH_2CH_2N)_nCH_2CH_2\overset{+}{N}(CH_3)_3$$
$$|$$
$$CH_3\ X^-$$

Grupo catiónico localizado en un anillo heterocíclico

Sales de alquil piridinio

Sales de alquil morfolinio

Sales de alquil imidazolinio

Tensioactivos catiónicos no nitrogenados

Sales de sulfonio

$$R{-}\overset{+}{S}(CH_3)_2\ X^-$$

Sales de fosfonio

$$R{-}\overset{+}{P}(CH_3)_3\ X^-$$

Tensioactivos dicatiónicos

Sales de diamina cuaternizada

$$R{-}\overset{+}{N}(CH_3)_2CH_2CH_2{-}\overset{+}{N}(CH_3)_3\ 2X^-$$

Tabla 33.3. Tensioactivos no iónicos

R indica una cadena hidrófoba generalmente de 12 a 18 átomos de carbono.
n es un número entero.

Alcanolamidas	
Alcanolamidas de ácidos grasos	$RCONHCH_2CH_2OH$
	(etanolamidas)
Dialcanolamidas de ácidos grasos	$RCON(CH_2CH_2OH)$
Derivados de polietilenglicol	
Alquil poliglicol éteres	$R(OCH_2CH_2)_nOH$
Alquil aril poliglicol éteres	$RC_6H_4(OCH_2CH_2)_nOH$
Esteres de poliglicol	$RCO(OCH_2CH_2)_nOH$
Tioéteres	$RS(CH_2CH_2O)_nH$
Derivados de polietilenimina	
Alquilpolietilenimina	$R(NHCH_2CH_2)_nNH_2$
Polietilenimin amidas	$RCONH(CH_2CH_2NH)_nH$

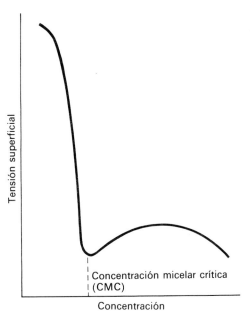

Fig. 33.1. Curva típica de la actividad tensioactiva frente a la concentración de un agente tensioactivo.

tensioactivas. Por ejemplo, cuando la concentración aumenta, la tensión superficial de una solución acuosa de, por ejemplo, dodecil sulfato sódico $(C_{12}H_{25}OSO_3Na)$ cae rápidamente (Fig. 33.1), con los cambios correspondientes en las propiedades físicas, tales como tensión interfacial, conductividad eléctrica, etc. A un cierto nivel de concentración, se presenta una discontinuidad y

Tabla 33.4.   Tensioactivos anfoteros
R indica una cadena hidrocarbonada de 12 a 18 átomos.

Alquilaminoácidos

Alquil β-aminopropionatos $R\overset{+}{N}H_2CH_2CH_2COO^-$

Betaínas $R\overset{+}{N}(CH_3)_2CH_2COO^-$

y

$R\overset{+}{N}(CH_3)_2CH_2CH_2COO^-$

Acilaminoácidos

Acil β-aminopropionatos $RCO\overset{+}{N}H_2CH_2CH_2COO^-$

Acil péptidos $RCO\overset{+}{N}H_2C\!\!-\!\!CHCONHCH\!\cdot\!COO^-$
$$\qquad\qquad\qquad\quad \underset{R'}{|}\qquad\qquad \underset{R''}{|}$$

R' y R'' = grupo alquilo de bajo peso molecular

Alquil imidazolinas

$$
\begin{array}{c}
CH_2CH_2OH \\
| \quad \diagup CH_2COO^- \\
\overset{+}{N} \\
R\!\cdot\!C \diagup \quad \diagdown CH_2 \\
\| \qquad\qquad | \\
N\!-\!\!-\!\!-\!CH_2
\end{array}
$$

---

no caen más la tensión superficial y otras propiedades. La concentración a la cual se produce esta discontinuidad se denomina la *concentración micelar crítica* (CMC).

El hallazgo de esta discontinuidad y la razón de ella la describió por primera vez McBain[5] en la década 1920, y desde entonces existe un volumen considerable de trabajos sobre la materia (véase Moillet *et al.*[1] y Schwartz *et al.*[2] sobre micelas, y también Hartley[6].

McBain postuló que la tensión superficial cae cuando aumenta la concentración de iones simples ($C_{12}H_{25}OSO_3^-$ en el ejemplo dado) hasta que en la CMC los iones simples comienzan a asociarse en grupos que denominó micelas. Estas micelas pueden presentarse en forma de esferas de tamaño molecular, en las cuales las colas hidrófobas de los aniones se orientan hacia el centro de la esfera, mientras que las cabezas hidrófilas están en la superficie exterior. De este modo, una micela esférica de dodecil sulfato sódico estará constituida por un grupo de colas de $C_{12}H_{25}$ orientadas hacia el centro de la esfera, con las cabezas de OSO_3^- en la superficie. Esta micela correspondería más o menos a una gotita de dodecano de tamaño molecular. De hecho, las micelas tienen la propiedad de disolver materia orgánica insoluble en agua. Este fenómeno se denomina solubilización, y es una de las características importantes de los agentes tensioactivos para el químico cosmético.

Las propiedades de los agentes tensioactivos se pueden describir muy ampliamente en términos de la figura 33.1. En general, una caída, de la tensión superficial incrementa las propiedades espumantes y humectantes. Usualmente, una caída de la tensión superficial viene acompañada de una caída de tensión interfacial que proporciona mejores propiedades emulsificantes y detergentes. Por último, a concentraciones superiores a la CMC, todos los agentes tensioactivos tienen ciertas propiedades solubilizantes. Todas estas propiedades se superponen en cierto grado.

Selección y uso de agentes tensioactivos

Detergencia

La detergencia es un proceso complejo que implica la humectación de un sustrato (pelo o piel), la eliminación de materia de suciedad grasienta, la emulsificación de la grasa eliminada y la estabilización de la emulsión.

Para la limpieza de la piel, el jabón es todavía un excelente detergente. El cliente preconiza que es necesaria una concentración elevada de espuma, aunque no desempeñe función alguna. El incremento de espuma se logra fácilmente sobreengrasando con ácidos grasos de larga cadena (como en los jabones para el afeitado).

El lavado del pelo es más complejo y, aquí, el volumen de espuma parece desempeñar algún papel. El lauril éter sulfato sódico (SLES) es un componente común de los champúes y, con frecuencia, se aumenta la espuma con la incorporación de alcanolamidas. Los agentes tensioactivos anfóteros se utilizan para champúes especializados.

Humectante

Todos los agentes tensioactivos poseen ciertas propiedades humectantes. Comúnmente se utilizan alquil sulfatos de cadena corta (C_{12}), alquil éter sulfatos y alquil aril sulfonatos.

Espumante

Véase detergencia. Generalmente se logran elevados volúmenes de espuma y espumas estables con el uso de SLES reforzado con una alcanolamida.

Emulsificación

Habitualmente, un buen agente emulsificante requiere una unidad hidrófoba ligeramente más larga que la de un agente humectante. El jabón se utiliza aún como agente emulsionante en productos cosméticos, con mucha frecuencia, por su fácil preparación. Si se incorpora un ácido graso a la fase oleosa y el álcali en la fase acuosa, entonces fácilmente se forman emulsiones aceite-agua *in situ* por simple mezclado. Con frecuencia, las emulsiones agua-aceite (tal como ciertas cremas capilares) se estabilizan con jabones cálcicos.

También los agentes tensioactivos no iónicos son valiosos en las emulsiones.

Las bases teóricas de la emulsificación, la selección de emulsionantes y los métodos de formar emulsiones estables se consideran en detalle en el Capítulo 38.

Solubilización

Todos los agentes tensioactivos por encima de la CMC poseen propiedades solubilizantes. Esto es importante cuando se requiere incorporar un perfume o un componente orgánico insoluble en un producto transparente, por ejemplo un champú. Jabones, alquil éter sulfato y, evidentemente, la mayoría de los agentes tensioactivos se han utilizado para este propósito. Por supuesto, es necesario utilizar concentraciones elevadas para proporcionar una buena solubilización.

Todas las propiedades anteriores se pueden modificar por la presencia de electrólitos. En general, los electrólitos tienden a disminuir la CMC y esto mejorará la solubilización. También tienden a romper las emulsiones y, por lo común, los electrólitos no se deben añadir a los productos cosméticos hasta que se hayan verificado completamente sus efectos en las propiedades tensioactivas.

Otras propiedades

Junto a las propiedades tensioactivas enumeradas, algunas moléculas tensioactivas poseen características especiales.

Todos los productos catiónicos se adsorben fuertemente a las proteínas y otros sustratos cargados negativamente. Por tanto se utilizan para modificar la superficie del sustrato, por ejemplo, para mejorar el tacto y la apariencia del cabello. Los catiónicos poseen algunas propiedades antimicrobianas además, y pueden utilizarse como componentes de champúes especiales y de enjuagues bucales (por ejemplo, clorhexidina) (SCHWARTZ et al.[2], pág. 204).

El N-lauroil sarcosinato sódico se conoce por inhibir la enzima *Hexokinasa* (la cual está implicada en la descomposición glicolítica de azúcares en la boca) y se ha utilizado en pastas dentífricas.

Agentes tensioactivos diferentes no se deben mezclar en un producto sin previamente ensayarlos, ya que uno puede modificar el comportamiento del otro. Los catiónicos y aniónicos, evidentemente, no deben mezclarse, ya que originan la formación de una gran sal catiónica-aniónica que, habitualmente, es insoluble. (Esto es de hecho el método analítico para la valoración de agentes tensioactivos.) Incluso los aniónicos pueden tener un efecto de uno sobre el otro; por ejemplo, la espuma producida por SLES puede fácilmente destruirse por el jabón (ambos son aniónicos). De esta propiedad se hace uso en la formulación de detergentes con poca espuma.

General

No existen cortapisas para la selección de un agente tensioactivo determinado para un uso final en particular. La medida de la tensión superficial, tensión interfacial, volumen de espuma, detergencia, humectación, poder emulsificante, etc., son todos indicadores útiles de la actividad superficial, pero ninguno predecirá los requerimientos precisos. En particular, el comportamiento en condiciones de laboratorio puede no resultar correspondido con el comportamiento de un producto en su empleo. Por ejemplo, el volumen de espuma en un champú se modifica considerablemente cuando se analiza en presencia de grasa. Por tanto, los productos que contienen agentes tensioactivos siempre deben ensayarse en las condiciones en que serán utilizados.

Propiedades biológicas de los agentes tensioactivos

Por definición, los agentes tensioactivos se adsorben a superficies y, por tanto, pueden modificarlas. No es sorprendente encontrar que, como consecuencia, pueden tener efectos biológicos. Todos los productos cosméticos que contengan agentes tensioactivos deberán comprobarse rigurosamente para garantizar que no producen efectos perjudiciales en los usuarios.

Efectos dermatológicos

Los agentes tensioactivos humedecen la piel y eliminan la grasa de su superficie. Cuando se utilizan mal, pueden crear grietas, fisuras y sequedad de la piel. La mitad C_{12} parece particularmente activa en este aspecto, y el C_{12} sulfato, por ejemplo, se utiliza para crear grietas artificiales.

Afortunadamente, los efectos se reducen fácilmente mediante la mezcla con sulfatos de otra longitud de cadena, mediante la adición de óxido de etileno (como en SLES) y por otros medios.

Los agentes tensioactivos catiónicos se adsorben fuertemente a superficies proteicas y se debe tener cuidado antes de incorporar catiónicos en productos que puedan entrar en contacto con los ojos y la boca.

En general, todos los productos cosméticos que contienen tensioactivos deben ensayarse con el método del parche (y si es necesario, ensayarse en ojos), para garantizar que no producen reacciones adversas[7-10].

Biodegradación

El incremento del uso de detergentes sintéticos en lugar de jabón en el lavado doméstico ha originado problemas en los tratamientos de aguas residuales, debido a que ciertos detergentes sintéticos no se descomponen por las bacterias de las aguas residuales. El empleo de agentes tensioactivos en la industria cosmética es muy pequeño comparado con el uso en lavados domésticos. Aún así, es una buena práctica utilizar únicamente agentes tensioactivos biodegradables. En algunos países, esto es obligatorio.

Los alquil aril sulfatos de cadena ramificada no son biodegradables, pero lo son los correspondientes compuestos de cadena lineal, como son todos los jabones y alquil sulfatos. La mayoría de los fabricantes de agentes tensioactivos tienen especificada la biodegradabilidad de sus productos.

Una comisión permanente ha examinado la situación en Gran Bretaña durante varios años[11].

Efectos toxicológicos

Los agentes tensioactivos no son, como clase, compuestos de elevada toxicidad. No obstante, puesto que se pueden ingerir bien accidentalmente o bien de una pasta dental o enjuague bucal, es deseable verificar la toxicidad oral de los productos cosméticos que los contienen.

De los productos, los catiónicos son los más tóxicos y tienen valores de DL_{50} de la magnitud de 50-500 mg por kilo de peso corporal; los aniónicos están aproximadamente en el intervalo 2-8 g por kilo, y los no iónicos en intervalos superiores de aproximadamente 5 g por kilo[12] (véase SCHWARTZ et al.[2], pág. 368). Por tanto, los productos cosméticos que contengan agentes tensioactivos deben ser razonablemente seguros frente a riesgos tóxicos.

REFERENCIAS

1. Moillet, J. L., Collie, B. and Black, W., *Surface Activity*, London, Spon, 1961.
2. Schwartz, A. M., Perry, J. W. and Berch, J., *Surface Active Agents and Detergents*, New York, Robert E. Krieger, 1977.
3. McCutcheon, J. W., *Synthetic Detergents*, New York, McNair-Dorland, 1950.
4. McCutcheon, J. W., *Detergents and Emulsifiers*, New Jersey, MC Publishing Co., 1979.
5. McBain, J. W., *Third Colloid Report of the British Association*, 1920.
6. Hartley, G. S., *Aqueous Solutions of Paraffin Chain Salts*, Paris, Herman, 1936.
7. Geotte, E. K., *Kolloid-Z.*, 1950, **117**, 42–7.
8. Fiedler, H. P., *Fette Seifen*, 1950, **52**, 721–4; Jacobi, O., *Fette Seifen*, 1954, **56**, 928–32.
9. Stüpel, H., *Soap Perfum. Cosmet.*, 1955, **28**, 58 and 300.
10. Faucher, J. A., Goddard, E. D. and Kulkarni, R. J., *J. Am. Oil Chem. Soc.*, 1979, **56**, 776.
11. Standing Technical Committee on Synthetic Detergents, *Progress Reports*, London, HMSO (19 reports have so far been issued).
12. Valico, E. I., *Ann. NY Acad. Sci.*, 1946, **XLVI**, 451; Alexander, A. E., *Colloid Chem.*, 1950, **7**, 211.

34

Humectantes

Introducción

Los humectantes son sustancias higroscópicas que poseen la propiedad de absorber vapor de agua de la humedad del aire hasta alcanzar un cierto grado de dilución. Esta dilución depende del carácter del humectante utilizado y de la humedad relativa del aire circundante. Igualmente, las soluciones acuosas de los humectantes pueden reducir la cantidad de pérdida de humedad al aire circundante hasta alcanzar el equilibrio.

Los humectantes se añaden a las cremas cosméticas, particularmente del tipo aceite-agua, para reducir la desecación exterior de tales cremas por la exposición al aire. Además, las propiedades higroscópicas de la película del humectante que permanece en la piel en la aplicacioin del producto pueden ser un factor importante al influir en la textura y estado de la piel.

Un humectante colabora a proporcionar un control de uso, pues reduce la velocidad a que desaparece el agua y disminuye la viscosidad. Se cree que minimiza el «apelotonamiento» y el «enrrollamiento» de un producto[1].

Desecación

La desecación de un producto cosmético puede presentarse en cualquier momento entre la fabricación y el uso final por el consumidor. Está determinada por la temperatura del producto, su grado de exposición al aire y a la humedad relativa a que está expuesto. Es esencialmente un proceso cuantitativo que evoluciona hacia el estado de equilibrio en que la presión de vapor del agua del producto es igual a la del aire circundante.

La naturaleza del recipiente en la que se envasa el producto, y particularmente el mecanismo de cierre, son caramente vitales para evitar la desecación durante el almacenamiento. Con un cierre eficaz, el humectante es de menor importacia, pues existe únicamente un pequeño espacio por encima del producto que estará saturado con vapor de agua.

En el caso de productos emulsionados, el tipo de emulsión es crítico. La pérdida acuosa de emulsiones agua-aceite tiene lugar a velocidad menor que en las emulsiones aceite-agua, pues el contenido acuoso es menor, y debido al hecho de que la fase externa es aceite. Las cremas aceite-agua son muy difíciles de mantener en un estado de frescura de fabricación, aun con un tapón de rosca y un ajuste compresible.

La pasta dentífrica envasada en un tubo metálico y con tapón a rosca presenta un problema ligeramente diferente. Por lo general, el producto no se deseca si el tapón se fija en su posición, pero si se deja destapado después de utilizarlo, la desecación en la boca de descarga puede ocasionar el bloqueo del orificio. Esto puede ser serio en productos envase a presión donde no existen medios fáciles de eliminar la obstrucción. Afortunadamente, las pastas dentífricas toleran elevadas concentraciones de humectante y no es rara una concentración del 30 por 100 de glicerina.

Indudablemente, lo humectantes reducen la desecación, como se demuestra por pruebas publicadas [2, 3], pero sus efectos no deben exagerarse. La concentración de humectante en la fase acuosa de un producto cosmético típico es normalmente demasiado baja para estar en equilibrio con la humedad media atmosférica. Todo lo que los humectantes pueden hacer es reducir la velocidad de pérdida de agua a la atmósfera, y este efecto puede y debe ser reforzado con un envase de cierre efectivo.

GRIFFIN, BEHRENS y CROSS [4] describen los factores de higroscopicidad y ambientales, y resumen las propiedades del humectante ideal (Tabla 34.1). Ningún humectante satisface todos estos criterios, y la selección final del humectante es generalmente un compromiso dictado principalmente por los requerimientos del producto del cual forma parte el humectante.

Tabla 34.1.   Propiedades del humectante ideal (según Griffin et al.[4]

Higroscopicidad	El producto debe absorber humedad de la atmósfera y retenerla en condiciones normales de humedad atmosférica.
Intervalo humectante	Dentro del intervalo normal de h.r., el cambio del contenido de agua debe ser pequeño en relación al cambio de h.r.
Viscosidad	Un humectante de baja viscosidad se mezcla fácilmente en un producto, pero, a la inversa, una viscosidad alta colabora a prevenir el cremado o separación de emulsiones, o sedimentación de suspensiones.
Indice de viscosidad	La curva viscosidad-temperatura debe ser relativamente plana.
Compatibilidad	El humectante debe ser compatible con una amplia gama de materias primas; son deseables propiedades disolventes o solubilizantes.
Color, olor, sabor	Son esenciales buen color, olor y sabor.
Toxicidad	El humectante no debe ser ni tóxico ni irritante.
Corrosión	El humectante no debe ser corrosivo para los materiales de los envases normales.
Estabilidad	El humectante no debe ser volátil y no debe solidificarse, ni depositar cristales en condiciones normales de temperatura.
Reacción	El humectante debe ser preferentemente de reacción neutra.
Disponibilidad	Los humectantes deben ser de libre adquisición y tan económicos como sea posible.

Tipos de humectantes

Existen tres clases generales de humectantes: inorgánicos, metal-orgánicos y orgánicos.

Humectantes inorgánicos

El cloruro cálcico es un típico humectante inorgánico, que es bastante eficaz, pero falla grandemente en corrosión y compatibilidad. Encuentra sólo un empleo limitado en productos cosméticos.

Humectantes metal-orgánicos

El principal humectante metal-orgánico es el lactato sódico, que tiene, de hecho, propiedades higroscópicas superiores a la glicerina. Sin embargo, es incompatible con algunas materias primas, puede ser corrosivo, tiene sabor acentuado y puede cambiar de color. No ha sido ampliamente utilizado en cosméticos, pero se ha recomendado para uso en cremas cutáneas[5], particularmente porque lo lactatos se encuentran naturalmente en el cuerpo, y no existe riesgo de toxicidad o dermatitis. El problema del pH puede superarse agregando ácido láctico, que también es bastante higroscópico. Se pueden obtener soluciones tampones entre pH 7,1 y pH 2,2 al 5 por 100 de lactato sódico-ácido láctico.

Humectantes orgánicos

Los humectantes orgánicos son el tipo más ampliamente utilizado; generalmente, son alcoholes polihídricos, sus ésteres y éteres. La unidad simple es el etilen glicol, y por progresión superior las series de la mayoría de los productos son:

Glicerina (trihidroxipropano).
Sorbitol (hexahidrohexano).

Una serie puede construirse con la adición de óxido de etileno a una unidad básica o solamente a él mismo. Esto produce, por ejemplo, propilen glicoles de peso molecular variable que, con frecuencia, tienen propiedades cosméticas útiles por sí mismos. Los enlaces múltiples éteres reducen las propiedades higroscópicas que dependen principalmente de la relación de grupos-OH a átomos C.

En general, el tipo de humectante orgánico utilizado está determinado principalmente por su disponibilidad. La industria jabonera produce inevitablemente glicerina como producto secundario, y esto también se puede sintetizar a partir de bloques obtenidos del petróleo. Esto contribuye a la disponibilidad y estabilidad del precio, y la glicerina es probablemente el humectante más popular utilizado en cosméticos, aun cuando esto represente sólo un pequeño porcentaje de su uso total[6, 7].

El sorbitol (en forma de jarabe al 70 por 100) recientemente ha sustituido, o parcialmente sustituido, a la glicerina en muchos productos cosméticos. El reemplazamiento incrementa el contenido acuoso del producto final. Esto no es importante en la mayoría de los productos cosméticos, pero puede ser vital en las pastas dentífricas que normalmente tienen un bajo contenido de agua.

Por tanto, los compuestos más generalmente utilizados en productos cosméticos con finalidad higroscópica son:

Etilen glicol.
Propilen glicol.
Glicerina.
Sorbitol.
Polietilen glicol.

Higroscopicidad

El método más frecuentemente utilizado para determinar las cualidades higroscópicas es construir una curva de humedad relativa de la atmósfera frente a la concentración de humectantes en equilibrio. Esto se realiza exponiendo pequeñas cantidades pesadas de solución de composición conocida en atmósferas de humedad controlada, y pesándolos periódicamente. Las humedades controladas se pueden conseguir en pequeños desecadores cargados con cristales humedecidos con sus propias soluciones saturadas (Tabla 34.2). Otras humedades en el intervalo más bajo se logran mejor sobre soluciones de ácido sulfúrico de concentración conocida; las humedades se dan en tablas estandarizadas.

Tabla 34.2. Cristales adecuados para establecer atmósferas de humedad controlada

	Humedad relativa (por ciento)
$K_2Cr_2O_7$	98
$Na_2SO_4 \cdot 10H_2O$	94
$BaCl_2 \cdot 2H_2O$	88
$NaCl$	75
KI	71
$NaNO_2$	66
$NaBr \cdot 2H_2O$	58
$NaHSO_4 \cdot H_2O$	52
$Na_2Cr_2O_7 \cdot 2H_2O$	52
$KCNS$	47
$CaCl_2 \cdot 6H_2O$	33
CH_3COOK	20

Es tan innecesario como inadmisible continuar pesando hasta alcanzar el equilibrio, pues esto puede ser un proceso largo y, por otra parte, las soluciones más concentradas no se mezclan bien sin agitar. Después de una, o a lo sumo dos pesadas a intervalos de unas pocas horas, en cada humedad se encontrará una división entre las soluciones más concentradas que ganan peso por atracción de agua, y las soluciones más diluidas que pierden agua. Dentro de este intervalo es donde se halla la concentración requerida en equilibrio con la humedad en particular, y un segundo experimento con soluciones que cubran un intervalo más pequeño de concentraciones indicará el valor exacto.

En la tabla 34.3 se dan cifras tomadas de curvas de etilen glicol, glicerina, sorbitol, propilen glicol, 2,3-butilen glicol y lactato sódico, determinadas por un método similar al descrito.

Tabla 34.3. **Concentración relacionada con la humedad relativa para varios humectantes**

	Etilen glicol	Glicerina	Sorbitol	Propilen glicol	2,3-Butilen glicol	Lactato sódico
Humedad relativa (por ciento)	Concentración de humectante (por ciento)					
90	40	35	49	35,5	44	24
80	57	50	65	58	59	36
70	69	62	73	66	70	44
60	77	71	78	75	79	48
50	84	78	83	83	85	52
40	89	84	—	91	91	57
30	93	89	—	96	94	64
20	96	94	—	99	96	—
10	98	97	—	99	97	—
Humectante (por ciento)	Humedad relativa (por ciento)					
10	98	97	98,5	97,5	97	96
20	96	95	97	94	96	92,5
30	93	92	95	93	94	86
40	90	87	93	91	91	76
50	85	80	89,5	86,5	85	55
60	78	72	84	77,5	79	35
70	69	61	73	66	70	25
80	57	48	57,5	54	59	22
90	38	28	57,5	42	44	—

El extenso extudio de GRIFFIN, BEHRENS y CROSS[4] de muchas sustancias higroscópicas incluyó una tabla general que se reproduce en parte en la tabla 34.4. También revisaron un método gráfico propuesto por LIVENGOOD[8] para la selección de humectante para un equilibrio de higroscopicidad deseado y para calcular el efecto de la asociación de humectantes. En la figura 34.1 se reproduce su forma revisada del gráfico de Livengood, con una familia corregida de curvas en un intervalo limitado donde la relación se mantiene con una exactitud aproximada de ±5 por 100 de agua para la mayoría de los humectantes orgánicos.

Para usar el gráfico, el contenido de agua del humectante seleccionado al 50 por 100 de humedad relativa se determina utilizando la tabla 34.4. Después, este valor se transfiere a la ordenada del 50 por 100 de humedad relativa en la figura

34.1. Por este punto se traza una curva paralela a las curvas más próximas del gráfico. El contenido de humedad apropiado de equilibrio puede, así, leerse en la curva para humedades entre el 25 y el 75 por 100.

Las mezclas de humectantes no siempre muestran exactamente las higroscopicidades según la media aritmética de sus higroscopicidades individuales. Pero, en general, es suficientemente precisa para fines prácticos al considerar las cantidades individuales del humectante presente, actuando independientemente cada uno de ellos.

Sin embargo, el contenido de humedad en el equilibrio está lejos de ser todo el tema. Se observará en la tabla 34.3 que, para estar en equilibrio con humedades normales del 70-75 por 100, la cantidad del humectante en la fase acuosa necesita ser del orden del 60-70 por 100, lo cual es claramente impracticable por varias razones.

BRYCE y SUDGEN[3] confirmaron los hallazgos de GRIFFIN et al.[4], ya que un humectante podía mostrar eficacias diferentes a distintas concentraciones y, además del mínimo, publicaron un máximo de eficacia en la región del 1 por 100 de humectante en una fórmula de crema evanescente típica. Esto sólo puede atribuirse a que los efectos tensioactivos predominan a muy bajas concentraciones, pero llegan a ser insignificantes a concentraciones más elevadas, donde predominan los efectos higroscópicos.

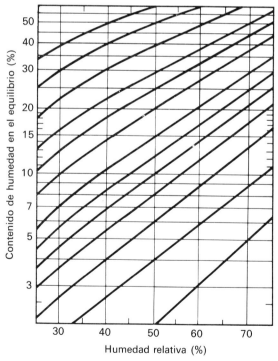

Fig. 34.1. Humectantes: cálculo del contenido de la humedad de equilibrio desde el 50 por 100 del valor de h.r. (Cortesía Atlas Powder Co. y *Journal of the Society of Cosmetic Chemists*[4]).

Tabla 34.4. Propiedades físicas de humectantes
* Por ciento p/p sólidos. † 25 °C. — Datos no disponibles. X Cristalino

Humectante	Punto de congelación (°C) frente a concentración*				Viscosidad (cP) frente concentración* a 20 °C				
	100 %	75 %	50 %	25 %	100 %	85 %	70 %	50 %	25 %
Etilenglicol	-11,5[10]	-65[5]	-37[5]	-11[5]	19[5]	12[5]	7[5]	4[6]	1,8[5]
Dietilenglicol	-10,45[6]	—	-28[5]	-8[5]	38[5]	17[5]	9,5[5]	4,6[6]	2,0[5]
Trietilenglicol	-5[9]	—	-24[5]	-6[5]	45[5]	—	20[6]	6,8[6]	2,3[5]
Poliglicol 400	4-10[12]	—	—	—	—	—	43[3] (75 %)	14[4]	1,5[3]
Poliglicol 600	20-25[12]	—	—	—	—	—	—	14[4]	1,5[3]
«Carbowax» 1000	35-40[12]	—	—	—	sólido[3]	—	sólido[3]	21[4]	1,5[5]
«Carbowax» 4000	50-55[12]	—	—	—	sólido[3]	—	—	—	17[3]
Propilenglicol	—	—	-33[5]	-10[5]	55[5]	21[5]	11,2[5]	5,2[6]	2,0[5]
Dipropilenglicol	—	—	—	—	—	—	—	—	—
Glicerina	17,0[8]	-29,8[8]	-23,0[8]	-7,0[8]	1499[11]	112,9[11]	22,94[4]	6,050[11]	2,095[11]
Polioxietilen glicerina	—	—	—	—	—	—	—	—	—
Alfa metil glicerina	—	—	—	—	liquido viscoso[7]	—	—	—	—
Xilitol	—	—	—	—	—	—	—	—	—
Sorbitol (ARLEX) (85 % sol.)	—	—	—	—	—	3500†	100†	9†	2†
Sorbitol (SORBO) (70 % sol.)	—	—	—	—	—	—	110†	9†	2†
Manitol	166	—	—	—	—	—	—	—	—
Sorbitan (A-810)	—	—	—	—	—	1000†	—	—	—
Sorbide (A-185)	—	—	—	—	(95 %) 975	200†	—	—	—
Polioxietilen sorbitol (G-2240)	—	—	—	—	—	250†	53†	12†	—
Polioxietilen sorbitol (G-2320)	—	—	—	—	—	—	—	—	—
Glucosa	—	—	—	—	—	—	—	—	—
Propilen glicol glucósido (A-850)	—	—	—	—	1013[1]	—	—	—	—
Trietanolamina	21,2[1]	-40	-14[1]	-2[1]	—	135[1]	45[1]	10[1]	4[1]
Sodio, lactato	—	—	—	—	—	—	—	—	—
Trietanolamina, lactato	—	—	—	—	—	—	—	—	—
Urea	132,7	—	—	—	—	—	—	—	—

Tabla 34.4 *(continuación)*

	Viscosidad (cP) frente temperatura (°C: 100 %)					*Higroscopicidad de equilibrio (% sólidos frente % h.r.)*		
	0	25	50	75	100	30	50	70
Etilenglicol	50[5]	17[5]	6[5]	2,0[5]	(120) 0,35[2]	88	75 +	56 −
Dietilenglicol	100[5]	28[5]	8[5]	5[5]		90	82	60[4]
Trietilenglicol	—	35[5]	14[5]	7[5]		91 +	84	63[4]
Poliglicol 400	sólido[3]	—	—	—		95 −	89	79 +
Poliglicol 600	sólido[3]	—	—	—		96 −	90	80 −
«Carbowax» 1000	sólido[3]	sólido[3]	sólido[3]	—		98 −	92	—
«Carbowax» 4000	sólido[3]	sólido[3]	sólido[3]	—		99 +	99 −	96
Propilenglicol	—	40[5]	12,5[5]	5[6]		91	82	68
Dipropilenglicol	—	—	—	—		96[4]	89[4]	77[4]
Glicerina	sólido[8]	945[8]	—	—		89 +	80	65 +
Polioxietilen glicerina	—	—	—	—		94	87 +	76 +
Alfa metil glicerina	—	—	—	—		—	—	—
Xilitol	—	—	—	—		92	84 −	71 −
Sorbitol (ARLEX) (85 % sol.)	—	—	—	—		96 +	87 +	75 +
Sorbitol (SORBO) (70 % sol.)	—	—	—	—		X	X	75 −
Manitol	166	—	—	—		X	X	X
Sorbitan (A-810)	—	—	—	—		95	87 −	75 +
Sorbide (A-185)	—	—	—	—		97	91 +	80
Polioxietilen sorbitol (G-2240)	—	—	—	—		—	88 −	—
Polioxietilen sorbitol (G-2320)	—	—	—	—		91 −	90 +	—
Glucosa	—	—	—	—		94	88 +	79
Propilen glicol glucósido (A-850)	—	—	—	—		89 −	84 +	77 −
Trietanolamina	—	(35°C) 280[1]	115[1]	32[1]	17[1]	92[9]	80[9]	52

	84 —	68 —	50 —
		81 —	—
			(80 %)
Sodio, lactato	—	—	—
Trietanolamina, lactato	—	—	—
Urea	X	X	51

[1] Carbon and Carbide Co., *Amines*, New York, 1944.
[2] American Maize Products Co., *Average Temperature and Humidity* (twelve maps—monts of year), New York, 1939.
[3] Carbon and Carbide Co., *Carbowaxes*, New York, 1946.
[4] Dow Chemical Co., *Dow Glycols*, 1947.
[5] Carbon and Carbide Co., *Glycols*, New York, 1941.
[6] Hodgman, C. (Ed.), *Handbook of Chemistry and Physics*, Cleveland, Chemical Rubber Publishing Co., 1939, p. 351.
[7] US Patent 2 483 418, Kamlet, J., 4 October 1949.
[8] Lawrie, J. W., *Glycerol and the Glycols*, ACS Monograph No. 44, New York, 1928, pp. 155, 369.
[9] Livengood. S. M., *Chem. Ind.*, 1948, **63**, 948.
[10] Perry, J. H. (Ed.), *Chemical Engineering Handbook*, New York, McGraw-Hill, 1941, p. 271.
[11] Sheely, M. L., *Ind. Engng Chem.*, 1932, **24**, 1060.
[12] Carbon and Carbide Co., *Synthetic Organic Chemicals*, New York, 1945.

Tabla 34.5. Pérdida de agua de emulsiones aceite-agua basada en jabón y en no iónicos[4]

	h.p.	Sorbitol	Glicerina	Propilen glicol
Crema o/w basada en jabón	30 %	Concentraciones tan bajas como 2 por 100 proporcionan protección frente a la desecación.	Se requiere al menos un 5 por 100 para proteger. Por debajo de esta concentración, la crema pierde más que en ausencia de humectante.	Se requiere al menos un 10 por 100 para proteger. Por debajo de esta concentración, la pérdida es mayor que en ausencia de humectante.
	50 %	Pérdida inhibida de agua a todas concentraciones.	Ninguna de las concentraciones utilizadas permiten protección frente a la deseción, y a concentraciones menores las cremas pierden más que en ausencia de humectante.	Como la glicerina.
	70 %	Pérdida inhibida de agua a todas concentraciones.	Ineficaz al 10 por 100 o menos.	Ineficaz al 5 por 100 o menos.
Crema o/w basada en no aiónico	30 %	Todas las concentraciones de todos los humectantes inhiben la pérdida de peso. Orden de efectividad al 2 por 100, mejor primero: sorbitol, propilen glicol, glicerina. El mismo orden persiste al 5 y al 10 por 100, pero en grado menor, y las diferencias casi desaparecen al 20 por 100.		
	50 %	Todas las concentraciones de todos los humectantes inhiben la pérdida de peso sin apreciables diferencias entre humectantes a concentraciones equivalentes.		
	70 %	Todas las concentraciones de todos los humectantes inhiben la pérdida de peso sin diferencia apreciable entre los humectantes a concentraciones equivalentes.		

Por tanto, debe considerarse que las concentraciones, particularmente las de glicerina, tradicionalmente utilizadas son un compromiso razonable entre el comportamiento óptimo en relación con otras propiedades.

Pérdida de agua de emulsiones aceite-agua

GRIFFIN, BEHRENS y CROSS[4] prepararon dos cremas similares aceite-agua, una emulsionada con jabón, la otra con sustancias no iónicas, con diferentes concentraciones de propilen glicol, glicerina o sorbitol (0, 2, 5, 10, 20 por 100). Las diferentes cremas se expusieron a humedades del 30, 50 y 70 por 100 y la pérdida de peso se monitorizó durante cuarenta y ocho horas; la pérdida de peso fue aproximadamente el 10 por 100 de la crema, lo cual equivale al 10-15 por 100 del contenido neto de agua y es adecuado para la estimación de las velocidades de pérdidas. El hecho de que la crema no iónica pierda peso, ligeramente con mayor rapidez, se atribuyó a que la capa de la superficie que se forma sobre la crema basada en jabón retarda la pérdida de agua, pero, al mismo tiempo, se hace la crema inadecuada para ser utilizada como cosmético. Los resultados, dados en la tabla 43.5, muestran discrepancias que se atribuyen a cambios en la textura y consistenca, y a la formación de la capa, que no son completamente dependientes de la pérdida de agua, pero que son, además, función del tipo de emulsificante utilizado.

Pérdida de agua de emulsiones agua-aceite

En cremas agua-aceite, la fase acuosa está completamente envuelta por aceite, y la pérdida de agua no será tan elevada como en las cremas aceite-agua. No obstante, generalmente se cree que la adición de aproximadamente un 5 por 100 de humectante a la crema o un 8 por 100 en la fase acuosa pueden desempeñar un papel en la reducción de la pérdida de agua. GRIFFIN, BEHRENS y CROSS, sin embargo, hicieron la sugerencia notable juiciosa de que un humectante para crema agua-aceite debe seleccionarse más por sus propiedades deseables cuando se deposita en la piel, que por reducir la pérdida de humedad que está concentrada adecuadamente, si el producto es una emulsión agua-aceite eficaz.

Estabilidad de las emulsiones

Los experimentos llevados a cabo por DE NAVARRE[9] indican que los polioles glicerina, sorbitol y propilen glicol no son intercambiables porque, en una crema agua-aceite, la muestra que contiene propilen glicol y la muestra control tienen estabilidad mayor, mientras que la que contiene glicerina muestra la mayor separación oleosa. Reciprocamente, en una emulsión aceite-agua la muestra que contiene glicerina y el control permanecen fluidos, mientras que las que contienen propilen glicol y sorbitol no fluyen después del almacenamiento. Según tales observaciones, podría parecer que la glicerina favorece la formación de una emulsión aceite-agua, mientras que el propilen glicol favorece una emulsión agua-aceite, su utilización en los tipos incorrectos conduce a la inestabilidad. El sorbitol está aparentemente a medio camino entre tales propiedades, entre estos dos humectantes. También CESSNA, OHLMANN y ROEHM[10] indicaron que los tres polioles, glicerina, propilen glicol y sorbitol, afectan sin duda alguna las propiedades fundamentales de la emulsión de las preparaciones ensayadas de maneras diferentes, pues la glicerina y el propilen glicol parecen tener efectos opuestos en emulsiones del mismo tipo.

El humectante afectará la estabilidad por su viscosidad y, además, por su naturaleza química. Es posible que en algunos sistemas complejos, especialmente los que contienen monoglicéridos, la glicerina favorezca positivamente la estabilidad.

Seguridad

Los tres humectantes ampliamente empleados en los cosméticos e industria de tocador en el momento actual —y que se han expuesto en este capítulo—, es decir, glicerina, sorbitol y propilen glicol, no son tóxicos y son dermatológicamente innocuos.

El etilen glicol no se considera seguro, pues se oxida en el organismo a ácido oxálico, y toda absorción a través de la piel puede conducir a cálculos renales; por la misma razón, al dietilenglicol se le considera tóxico. El monoetil éter del dietilen glicol (Carbipol) ha sido utilizado ampliamente en cosméticos y preparaciones de tocador, y debido a su grupo éter no constituye, según sabemos, un riesgo cuando se utiliza externamente en preparados cosméticos y de tocador.

La glicerina, en particular, ha sido cuestionada debido a la higroscopicidad del glicerol puro, que se ha considerado capaz de extraer agua de la piel[11, 12]. Esto puede ser irrevelante, puesto que las concentraciones necesarias para producir este efecto nunca se usan en la práctica, y siempre el equilibrio se aproxima por el otro lado.

Hidratantes de la piel

En general, esto se ha expuesto en el Capítulo 4. En el estado actual de conocimientos, no es posible definir satisfactoriamente el papel de los humectantes en el cuidado de la piel.

Podría parecer que la presencia de un humectante puede estabilizar el contenido acuoso de la película residual de una crema sobre la piel, y evitar su excesiva desecación. Sin embargo, el modo en que se realiza el ajuste con cambios en la humedad ambiental, y si la piel está seca o húmeda, dependerá de los valores de transferencia relativa del agua entre la atmósfera, la película y la piel. La medición *in vivo* de la pérdida de agua transepidérmica es discutida por IDSON[13].

Por tanto, en resumen, la inclinación tradicional al uso de humectantes en productos de la piel, parece estar justificada tanto por el beneficio probable para el producto mientras se mantiene en su envase, como por el posible beneficio para la piel durante su utilización.

REFERENCIAS

1. Kalish, J., *Drug Cosmet. Ind.*, 1959, **85,** 310.
2. Henney, G. C., Evanson, R. V. and Sperandio, G. J., *J. Soc. cosmet. Chem.*, 1958, **9,** 329.
3. Bryce, D. M. and Sugden, J. K., *Pharm. J.*, 1959, **183,** 311.
4. Griffin, W. C., Behrens, R. W. and Cross, S. T., *J. Soc. cosmet. Chem.*, 1952, **3,** 5.
5. Osipow, L. I., *Drug Cosmet. Ind.*, 1961, **88,** 438.
6. *Chem. Mark. Rep.* 1978, 22 May.
7. Miners, C. S. and Dalton, N. N., *Glycerol*, ACS Monograph No. 117, 1953.
8. Livengood, S. M., *Chem. Ind.*, 1948, **63,** 948.
9. deNavarre, M. G., *Proc. sci. Sect. Toilet Goods Assoc.*, 1945, (4), 22.
10. Cessna, O. C., Ohlmann, E. O. and Roehm, L. S., *Proc. Sci. Sect. Toilet Goods Assoc.*, 1946, (6), 20.
11. Powers, D. H. and Fox, C. J., *J. Soc. cosmet. Chem.*, 1959, **10,** 109.
12. Rovesti, P. and Ricciardi, D., *Perfum. essent. Oil Rev.*, 1959, **50,** 771.
13. Idson, B., *J. Soc. cosmet. Chem.*, 1978, **29,** 573.

35

Antisépticos

Introducción

Un examen de los productos de uso común indica que una proporción sustancial de preparados de tocador aplicados al cuerpo para la higiene normal y fines cosméticos se formulan como productos medicamentosos que varían de jabones y champúes hasta enjuagues bucales y pastas dentífricas.

Los agentes antibacterianos se incluyen en preparados de tocador principalmente para aliviar trastornos que se presentan comúnmente, tales como halitosis, olores corporales e infecciones cutáneas leves, incluyendo infecciones secundarias asociadas con el acné. Aunque existe inevitablemente cierta superposición, estos productos deben distinguirse de los productos farmacéuticos utilizados para el tratamiento de estados patológicos que contienen antibióticos y otros agentes, no considerados normalmente adecuados con fines generales de higiene.

Los tipos principales de higiene personal, con ejemplos de los agentes antibacterianos que pueden contener, se dan en la tabla 35.1, que también incluye varios productos farmacéuticos y cosméticos, algunas veces utilizados con fines específicos, tales como «primeras ayudas» y tratamiento de dolencias cutáneas leves y para «desinfección de manos» por personal médico.

Los términos de «antiséptico» y «germicida» se utilizan predominantemente para describir preparaciones aplicadas a tejidos vivos para prevenir infecciones, aunque «desinfectante» se aplica con frecuencia a pastillas de jabón antibacteriano. Aunque el término de «desinfectante» se utiliza más correctamente para describir preparados para el tratamiento de objetos inanimados, tales como suelos, servicios, desagües, etc., el término de «desinfectante cutáneo» se aplica con frecuencia a productos utilizados por médicos y otro personal para evitar la transmisión de infecciones en hospitales, industria alimentaria y otras áreas de alto riesgo.

El uso de antisépticos en preparados de tocador debe diferenciarse del uso de conservantes, en que el primero pretende hacer el producto activo frente a microorganismos presentes en la piel, cuero cabelludo o boca, mientras que la función de los conservantes (frecuentemente el mismo agente antibacteriano) es mantener el producto en estado satisfactorio durante su vida comercial y uso.

Tabla 35.1. Agentes antibacterianos comúnmente utilizados en preparados de tocador

Tipo de producto	Agentes antibacterianos
Pastillas de jabón antibacterianas	Alquitrán de hulla *(coal tar)* TCC TBS Irgasan DP300 (Hexaclorofeno)
Desinfectantes y antisépticos generales	Clorhexidina/cetrimida Cloroxilenol
Emulsiones formuladas, etc.	Clorhexidina Irgasan DP300 Yodóforos (Hexaclorofeno)
Cremas y ungüentos antisépticos	Clorhexidina Cetrimida Resorcinol Fenol Azufre Etc.
Champúes anticaspa y medicamentosos	Piridinotiona de zinc Sulfuro de selenio Alquitrán de hulla *(coal tar)* Irgasan DP300 (Hexaclorofeno)
Desodorantes y antitranspirantes (incluyendo productos de higiene femeninos)	Fenolsulfato de zinc Clorhexidina Irgasan DP300 Compuestos de amonio cuaternario (Hexaclorofeno)
Pastas dentríficas y enjuagues bucales	Compuestos de amonio cuaternario Clorhexidina (Hexaclorofeno)

Los beneficios de la inclusión de agentes antibacterianos en preparados de tocador ha sido seriamente cuestionado en los últimos años, con el resultado de que las autoridades de la salud y sociales en muchas partes del mundo han hecho recomendaciones o han introducido leyes reguladoras del uso de ciertos germicidas. Estas generalmente limitan las opciones disponibles a los fabricantes y, en algunos casos específicos, la concentración que se considera segura. Estas leyes y recomendaciones difieren en diferentes países y, por otra parte, están sujetas a cambios por pruebas acumuladas sobre la seguridad de antisépticos individuales en relación con los beneficios de su uso; un ejemplo es el hexaclorofeno, que hasta recientemente era el más ampliamente utilizado de todos los germicidas.

En 1974, *Food and Drug Administration* de EE. UU. publicó un informe basado en una evaluación de los datos existentes sobre el uso de antimicrobianos en el jabón y cosmético. El informe clasificaba los agentes antimicrobianos de uso tópico en tres categorías:

1) seguro y efectivo,
2) no seguro y/o efectivo y
3) probado insuficiente[8].

Flora microbiana del cuerpo

La flora normal de la superficie corporal comprende dos grupos diferentes de microorganismos: la flora residente y la flora transitoria. Los microorganismos residentes que proliferan sobre la piel son principalmente no patogénicos, esto es, estafilococos, micrococos y corynebacterias gram-positivas, aunque en las áreas húmedas, tales como axilas e ingles, pueden estar presentes microorganismos gram-negativos, tal como acinetobacter. Se ha estimado que, para el 35-50 por 100 de la población, la flora residente cutánea también incluye *Staphylococcus aureos* a pesar de que un informe de ARMSTRONG-ESTHER *et al.*[9] indica que, para muchos de estos sujetos, la presencia de *Staph. aureus* es sólo intermitente y que una proporción mucho más elevada de la población alberga este microorganismo accidentalmente.

Debe destacarse que la población de bacterias varía considerablemente en las diferentes partes del cuerpo; el mayor número de microorganismos se hospeda en el pelo, cara, axilas e ingles, mientras que las colonias son menos extensas en áreas más expuestas y secas, tales como piernas, brazos y manos. La mayoría de los microorganismos residentes se encuentran en la superficie cutánea superficial, pero el 10-20 por 100 de la flora total se encuentra en folículos pilosos, glándulas sebáceas, etc., donde los lípidos y el epitelio superficial cornificado hacen difícil su eliminación. Generalmente se acepta que el lavado de la piel es relativamente ineficaz para eliminar microorganismos residentes, y que sólo se pueden conseguir reducciones significativas en la flora de la piel aplicando agentes antibacterianos.

Afortunadamente, la flora cutánea residente es predominantemente de pequeña virulencia, a pesar de que son relativamente frecuentes las infecciones cutáneas leves, particularmente infecciones piogénicas. Las infecciones sépticas más graves se producen habitualmente sólo donde los microorganismos se introducen en el cuerpo por heridas o procesos quirúrgicos.

Varias áreas del cuerpo (aunque principalmente las manos) también contienen, junto con la flora residente, flora transitoria que está formada por contaminantes adquiridos continuamente del medio ambiente y otras áreas corporales, tales como mucosa nasal y tracto gastrointestinal. Esta flora puede contener cierto número de microorganismos diferentes, incluyendo cepas patógenas de *Pseudomonas, Enterobacter, Salmonella, Shigella* y *Escherichia coli*. Sin embargo, en general, estos contaminantes transitorios sobreviven durante lapsos relativamente cortos, debido a la humedad insuficiente y a la presencia de sustancias bactericidas, tales como ácidos grasos en la superficie de la piel. En contraposición a la flora residente, estos microorganismos están adheridos ligeramente a la piel y pueden eliminarse en número sustancial mediante lavado y baño.

SKINNER *et al.*[10] ofrecen un tratamiento más detallado de la flora microbiana de la superficie corporal del ser humano.

Efectos de agentes antibacterianos
en la flora corporal

Desde las extensas investigaciones realizadas en los últimos diez a veinte años, existe poca duda de que, mientras se puede conseguir una reducción sustancial de la flora cutánea lavando sólo con jabón y agua, este efecto aumenta significativamente por el uso de antisépticos. Sin embargo, por el contrario, existe discrepancia considerable respecto a la solidez de las pruebas que demuestren que el uso de antisépticos para la higiene diaria, asociado a la reducción de infección, sea ventajoso con relación a la posibilidad de efectos perjudiciales, consecuencia de la aplicación continua de estos agentes de la piel.

Ha llegado a ser evidencia creciente que la efectividad de los preparados antisépticos no depende únicamente de las propiedades del agente antimicrobiano, sino también de la naturaleza de la formulación, que puede ser una pastilla

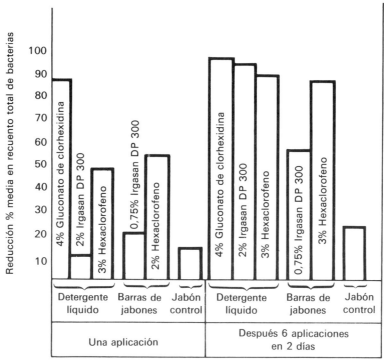

Fig. 35.1. Porcentaje medio de reducción de bacterias en la piel determinado en ensayos de lavado de manos asociado con el empleo de desinfectantes de la piel (datos reproducidos por amable permiso de Dr. H. A. Lilly, Dr. E. J. Lowbury, *British Medical Journal* y *Journal of Applied Bacteriology*[1-7]).

de jabón, emulsión jabón líquido o formulación detergente. Una serie típica de resultados obtenidos por LILLY, LOWBURY er al.[12] (Fig. 35.1) demuestra que la aplicación de formulaciones con clorhexidina produce una reducción rápida e inmediata de la flora cutánea, mientras que compuestos fenólicos, tales como hexaclorofeno e Irgasan DP300, producen efectos limitados después de una única aplicación, obteniéndose la máxima actividad de estos últimos compuestos sólo después de su uso prolongado.

LILLY, LOWBURY, et al.[1-7], GIBSON[11] y OJAJARVI[12] han aportado investigaciones detalladas que ilustran el mecanismo por el cual la actividad de varios antibacterianos puede ser afectada in vivo por la naturaleza de la formulación.

Por consiguiente, en el desarrollo de la efectividad de los preparados de tocador antisépticos, es necesario que los productos se formulen según los efectos deseados (esto es, reducción de la flora residente o transitoria) o necesidad de la reducción inmediata, progresiva y prolongada de la flora bacteriana. Los preparados medicinales de tocador utilizados para lavados y baños rutinarios se proyectan en gran parte para proteger al individuo frente a infecciones cutáneas leves, tanto de bacterias residentes como transitorias, y colaborar en el control de trastornos, tales como olor corporal y halitosis, mientras que los lavados de manos rutinarios se asocian a visitas a servicios, higiene de alimentos y cuidado de recién nacidos, y personas enfermas que pretenden eliminar los microorganismos transitorios de la piel para evitar la transmisión de la infección.

El uso de preparados antisépticos para la higiene diaria se estudia posteriormente. Consideraciones más detalladas de desodorantes, champúes medicamentosos, pastas dentífricas, enjuagues bucales y preparados para bebés se dan en los capítulos 10, 24, 32 y 8, respectivamente.

Pastillas de jabón antibacteriano y otras preparaciones germicidas

Tratamiento higiénico rutinario

Las investigaciones de varios autores indican claramente que se puede obtener la reducción persistente de la flora cutánea con el uso diario de pastillas de jabón que contengan salicilanilidas, carbanilidas, varios fenoles halogenados y compuestos relacionados. El porcentaje de reducción de la flora cutánea se puede determinar por técnicas estándares de lavado de manos que implican recuentos de bacterias tomados antes y después del lavado con jabón antibacteriano durante un tiempo determinado[3,13,14]. Los resultados de varias investigaciones utilizando pastillas de jabón antibacterianas diferentes se resumen en la tabla 35.2.

Se ha sugerido que los efectos prolongados de los jabones medicamentosos son debidos a las propiedades sustantivas de los agentes antibacterianos que permanecen en la piel después del lavado de manos. Los métodos utilizados para el ensayo de la sustantividad cutánea de los agentes antibacterianos son descritos por GIBBS et al.[19], mientras que estudios utilizando hexaclorofeno y triclorocarbanilida marcados radiactivos han sido publicados por TABER et al.[20].

En condiciones normales, la persona sana es suficientemente resistente a los

Tabla 35.2. Reducción de la flora cutánea con el uso de jabones antibacterianos

Agente antimicrobiano	Núm. de días de ensayo	Reducción de la flora microbiana (por ciento)	Fuente
Hexaclorofeno 2 por 100	2 (6 aplicaciones)	87,7	LILLY et al.[7]
Irgasan DP300 0,75 por 100	2 (6 aplicaciones)	56,2	
Irgasan CF3 0,5 por 100	3	90,0	GUKLHORN[14]
Irgan DP300 1 por 100	3	92,0	FURLA et al.[15]
Irgasan DP300 2 por 100	3	95,0	
Irgasan DP300 0,6 por 100	4	60	OJAJARVI[12]
Hexaclorofeno 2 por 100	7	81	
Bitionol 2 por 100	7	77	
TMTD 1 por 100	7	76	HURST et al.[16]
TCC 2 por 100	7	72	
TBS 0,5 por 100	7	65	
TCS 0,5 por 100	7	84	
TCC 1 por 100	12	91,7	ROMÁN[17]
2 por 100	12	97,8	
Hexaclorofeno 2 por 100	28 (mínimo)	63-90	WILSON[18]
TCC 2 por 100	28	89-97	

microorganismos presentes en la superficie cutánea, pero las infecciones cutáneas leves son relativamente comunes, incluso en familias sanas y, particularmente, donde hay niños pequeños, y es posible que el uso diario de pastillas de jabón antibacteriano, champúes medicamentosos, etc., pueda ayudar a su control. En relación con esto, varios estudios que incluyen militares y presos[21-23] han demostrado reducir la incidencia de infecciones cutáneas piogénicas asociada al uso diario de pastillas de jabón antibacteriano durante períodos de hasta nueve meses.

A pesar de que estos investigadores no aportaron pruebas de reacciones cutáneas adversas, varios investigadores han comunicado periódicamente relaciones en cuanto a posibles efectos dermatológicos, sequedad cutánea y otros efectos que podrían producirse por el uso prolongado de estos productos. Otros autores han demostrado que la supresión de la flora cutánea normal grampositiva, mediante el uso de varios agentes con acción más selectiva frente a estos microorganismos, puede favorecer la colonización de bacterias gramnegativas[21, 25, 26]; sin embargo, esto es probablemente de poco interés comparado con el crecimiento significativo que puede acompañar al uso de antibióticos[27].

Generalmente, las preparaciones antisépticas se utilizan para prevenir o aliviar infecciones cutáneas leves en usuarios, pero existe poca duda de que la superficie cutánea, y particularmente las manos, desempeñan una parte importante en la transmisión de infección en la comunidad.

Aunque la eliminación de la flora cutánea transitoria puede incrementarse sustancialmente con la aplicación de preparados atisépticos apropiados, tal como formulaciones de detergentes líquidos que contienen yodóforos o clorhexidina, y que producen una acción bactericida rápida e inmediata[1, 4, 7, 12], las investigaciones muestran escasas pruebas de que tratamientos desinfectantes en lavados o en «desinfecciones cutáneas» rápidas antes del contacto entre el paciente y el personal hospitalario estén acompañados de una reducción significativa en la incidencia de infecciones cruzadas[28, 29]. Por tanto, parece ser que, aunque el lavado cutáneo es esencial para controlar la dispersión de infecciones, el tratamiento desinfectante probablemente no se justifica, excepto en ciertas áreas hospitalarias de «alto riesgo», y que la eliminación sustancial de contaminación transitoria lograda por el lavado con jabón y agua[4] es adecuada para la mayoría de los fines de higiene de alimentos y servicios.

Antiséptico en Primeros Auxilios

Las cremas antisépticas u otros desinfectantes cutáneos se utilizan en el tratamiento como Primeros Auxilios de cortaduras, quemaduras y otras heridas para prevenir la infección durante la curación. También se utilizan para el tratamiento de infecciones cutáneas leves, particularmente aquellas relacionadas con la cara. Para fines de Primeros Auxilios se recomiendan compuestos de acción rápida, tales como yodóforos, y productos con clohexidina y cloroxilenol[2], aunque ciertos investigadores sugieren que los antisépticos son innecesarios en esta situación, y que pueden dañar las células cutáneas sanas y, por tanto, retardar la curación normal.

Agentes antimicrobianos comúnmente utilizados en productos antisépticos

El espacio disponible sólo permite un esquema de las propiedades más importantes de los agentes antimicrobianos utilizados en productos antisépticos y de las investigaciones de su actividad *in vivo*. La información detallada de estudios de la actividad bacteriostática y bactericida *in vitro* se puede obtener de las extensas revisiones de GUKLHORN[14] y BLOCK[30].

Fenoles y cresoles

Un número muy considerable de derivados del fenol y del cresol son conocidos por tener actividad antibacteriana, aunque, en general, estos compuestos son más activos frente a bacterias gram-positivas que frente a gram-negativas. Para fines antisépticos se utilizan concentraciones de 0,1-5 por 100, pero, puesto que muchos de los compuestos son sólo escasamente solubles en agua, es necesario utilizar jabones u otros agentes tensioactivos para alcanzar concentraciones suficientes para la actividad óptima. Aunque la toxicidad puede ser bastante baja, muchos fenólicos son irritantes a elevadas concentraciones.

Por estas razones, tales compuestos no son muy utilizados en preparados de tocador, habiendo sido ampliamente reemplazados por bifenoles, salicilanilidas y carbanilidas.

Aunque el DCMX (2,4-dicloro-*Sym*-metaxilenol) se ha investigado para ser utilizado en pastillas de jabones antibacterianos[16, 31-33], los cloroxilenoles se utilizan principalmente en tratamientos antisépticos de heridas leves o en desinfectantes, incluyendo desinfectantes de aceite de pino para la desinfección hospitalaria o doméstica[4].

El clorocresol BP (PCMC, paraclorometacresol) (Fig. 35.2) presenta un poder antimicrobiano similar al cloroxilenol BP (PCMX, paraclorometaxilenol), aunque su coeficiente Rideal Walker es más bajo. Tiene acción irritante a concentración elevada, y un olor persistente y característico que exige una selección cuidadosa de perfumes en su aplicación. Como los cloroxifenoles, rara vez se utilizan, excepto como conservante.

Bifenoles

De los muy numerosos antisépticos fenólicos que se han sintetizado, los fenoles halogenados se encuentran entre los más potentes. Varios derivados de difenol halogenado han adquirido amplia utilización en preparaciones de tocador, especialmente por su compatibilidad con el jabón. De estos hexaclorofenos, han sido más ampliamente utilizados que otros el hexaclorofeno (2,2'-metilen*bis*-(3,4,6,-triclorofenol), diclorofeno (2,2'-metilen-*bis*-(4-clorofenol)), bitionol (2,2'-tio*bis*-(4,6-diclorofenol)) e Irgasan DP300 (2,4,4'-tricloro-2''-hidroxidifeniléter) (Fig. 35.2). Como otros fenólicos, estos compuestos son generalmente más activos frente a bacterias gram-positivas que gram-negativas y hongos. Como con todos los fenoles sustituidos, puesto que estos compuestos son sólo escasamente hidrosolubles, las preparaciones acuosas se formulan conteniendo moléculas tensioactivas con el fin de alcanzar concentraciones satisfactorias para su actividad. Para fines antisépticos, se utilizan generalmente concentraciones del 0,5-2,0 por 100. Todos estos compuestos son incompatibles con compuestos catiónicos, y se ha publicado la incompatibilidad del hexaclorofeno con varios aniónicos y no iónicos[16, 32-44].

Hexaclorofeno (G11) (Givaudan). La actividad de pastillas de jabón, jabón líquido y formulaciones de emulsiones de detergente que contienen del 2-3 por 100 de hexaclorofeno ha sido investigada por LILLY *et al.*[3-5, 7], GIBSON[11], OJAJARVI[12], HURST *et al.*[16], WILSON[18] y SPRUNT[29]. En general, estos investigadores demuestran que los preparados con hexaclorofeno tienen sólo actividad limitada después de una única aplicación, aunque la reducción elevada en la flora cutánea se puede demostrar después de aplicaciones prolongadas durante varios días. LILLY *et al.*[5] y OJAJARVI[12] demostraron que los efectos inmediatos asociados con una única aplicación del 3 por 100 de preparado de jabón líquido de hexaclorofeno podía incrementarse con la incorporación del 0,3 por 100 de clorocresol.

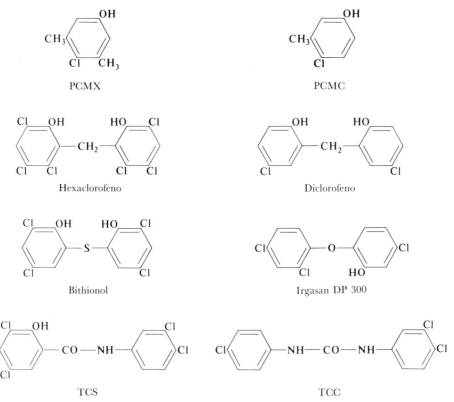

Fig. 35.2. Fórmulas de algunos antisépticos compatibles con aniónicos.

Una importante desventaja asociada con el uso de hexaclorofeno es su actividad selectiva frente a microorganismos gram-positivos, con el resultado de que en estos productos pueden producirse crecimiento de microorganismos gram-negativos[35]. Varias investigaciones también indican que el uso prolongado del hexaclorofeno puede estar asociado con la colonización incrementada cutánea por bacterias gram-negativas[26,36–38].

Hasta muy recientemente, el hexaclorofeno dominaba la extensa utilización en preparados de tocador, y se consideraba que poseía unos antecedentes de seguridad notablemente buenos. Sin embargo, su amplia utilización en jabones, pastas dentífricas, enjuagues bucales, desodorantes, productos de higiene femenina, champúes medicamentosos, cremas capilares y productos para bebés originaron temores de que se pudiera producir una acumulación indeseable del germicida en el cuerpo y, como consecuencia de una serie de estudios toxicológicos en animales, se restringió el uso del hexaclorofeno en varios países. Los estudios sobre la toxicidad del hexaclorofeno han sido revisados por KIMBROUGH[39].

Sin embargo, en septiembre de 1972, a consecuencia de una gran contaminación por hexaclorofeno de un polvo para bebés asociada a muertes de varios niños en Francia, la Administración de Alimentos y Medicamentos de los EE. UU. *(Food and Drug Administration)* anunció que se limitaba el uso del hexaclorofeno a productos dispensados con prescripción facultativa[40]. Esto seguía a una anterior declaración que permitía el uso de hasta un 0,1 por 100 de hexaclorofeno como conservante donde no existía alternativa posible.

En Gran Bretaña, el Comité de seguridad de Medicamentos ha recomendado que el personal médico debe informar del posible riesgo en la utilización del hexaclorofeno, especialmente con respecto a niños, que los productos que lo contengan deberán llevar una etiqueta de advertencia, y que algunos de estos deberán recomendarse sólo para uso de consejo médico[41].

No existen pruebas de riesgo para la salud en el hombre durante los muchos años que se ha utilizado el hexaclorofeno a las concentraciones recomendadas, aunque, debido a las observaciones en los ensayos en animales y a los acontecimientos trágicos que sucedieron en Francia, el futuro de éste, que en otro tiempo fue un germicida bien respetado, debe ahora considerarse inseguro.

Diclorofeno (G4) (2,2'-metilen-*bis*-(4-clorofenol)) (Givaudan). El dicorofeno también ha sido utilizado en jabones y preparados de tocador, pero con mucha menos amplitud que el hexaclorofeno. Las investigaciones de LOWBURY *et al.*[3] indican que el uso de una preparación de jabón líquido que contiene el 2 por 100 de diclorofeno durante un tiempo de cuatro días fue menos efectiva que el 2 por 100 de hexaclorofeno en jabón líquido para reducir la flora cutánea residente.

Bitionol (Actamer, Vancide BL) (Hilton Davis Chemical Co., EE. UU.). Las propiedades del bitionol como alternativa al hexaclorofeno han sido expuestas por POWELL *et al.*[42]. Aunque los bifenoles son poco irritantes para la piel y sólo ocasionalmente producen reacciones alérgicas, han aumentado las pruebas de fotosensibilización causada por el bitionol en los últimos años y, en 1968, la Administración de Alimentos y Medicamentos de los EE. UU. *(Food and Drug Administration)* emitió una orden para evitar la introducción posterior en EE. UU. de productos que contienen bitionol.

Irgasan DP 300 (Geigy). El Irgasan es un antiséptico relativamente moderno que, en la actualidad, se está utilizando ampliamente en pastillas de jabón antibacterianas, preparaciones desinfectantes cutáneas, champúes medicamentosos y productos desodorantes.

Aunque es muy efectivo, incluso a bajas concentraciones, frente a varias bacterias gram-negativas y la gama usual de bacterias gram-positivas, no tiene actividad frente a *Pseudomonas* y es relativamente ineficaz frente a hongos. Por esta razón, no se recomienda como el único conservante en productos predispuestos a la putrefacción microbiana, pero, debido a su acción frente a las bacterias residentes y transitoras de la piel, es apropiado para utilizarse en productos antisépticos.

El Irgasan DP 300 se ha sometido a exámenes toxicológicos muy completos y ha demostrado ser prácticamente no tóxico[14, 43]. Los ensayos en animales han demostrado muy pocas irritaciones locales o efectos tóxicos sistémicos, y no se ha observado actividad sensibilizante en ensayos realizados en cobayas. También se han llevado a cabo amplios ensayos en seres humanos, y no se han publicado casos de sensibilización o fotosensibilización.

Se recomiendan concentraciones del 0,5-2 por 100 para utilizarse en productos que se enjuagan de la piel después de su aplicación, tales como jabones de tocador, aditivos de baño, jabones líquidos de ducha, etc. Para productos destinados a aplicarse a la piel sin eliminación, tales como barras desodorantes, cremas, pulverizadores aerosoles, productos de higiene íntima, etc., se han sugerido concentraciones del 0,05-0,2 por 100.

El Irgasan DP 300 es destacablemente compatible con jabones y otros sistemas aniónicos, mientras que, al mismo tiempo, es muy efectivo frente a bacterias gram-negativas regularmente presentes en la piel. SAVAGE[44] ha destacado su valor para combatir microorganismos responsables de ciertos malos olores característicos del cuerpo, y ha informado de la actividad bacteriostática residual sobre el pelo frente a microorganismos, tanto gram-positivos, como gram-negativos después de utilizar champúes que contenían un 0,15-0,3 por 100 de Irgasan DP 300.

LILLY et al.[2, 7] y OJAJARVI[12] han investigado la actividad de pastillas de jabón y una crema bactericida para lavado que contenían respectivamente un 0,6-0,75 por 100 y un 2 por 100 de Irgasan DP 300. Como el hexaclorofeno, estos productos producen sólo efectos limitados después de una única aplicación, alcanzando su actividad óptima sólo después de un determinado tiempo de uso (Fig. 35.1). Aunque la reducción de la flora cutánea resultante del uso prolongado del 2 por 100 de Irgasan DP 300 en crema para lavado es favorable comparada con otras preparaciones; en general, la actividad de este antiséptico fue algo menor a la del hexaclorofeno. Las investigaciones de FURLA et al.[15] indican que la actividad de formulaciones de pastillas de jabón pueden mejorarse sustancialmente incrementando la concentración de Irgasan DP 300 hasta un 1-2 por 100 (Tabla 35.2).

Fenticlor (*Bis*-(2-hidroxi-5-clorofenil) (sulfuro) (Cocker Chemical Co.). El Fenticlor es una agente antifúngico, así como un agente antibacteriano, que se ha utilizado por dermatólogos durante muchos años para el tratamiento de afecciones cutáneas. Recientemente se ha usado en varios cosméticos medicamentosos, y sus posibles aplicaciones incluyen polvos para pies, cremas de higiene industrial y jabones medicamentosos.

El Fenticlor se presenta activo de forma especial, y es más efectivo en el intervalo de pH ácido que en medios alcalinos. Las suspensiones de Fenticlor al 2 por 100 se han utilizado con éxito en el tratamiento de la tiña, favo del cuero cabelludo, pie de atleta y erupción de peluquería; a pesar de que existe una razonable buena historia de tolerancia dérmica para este antiséptico, BURRY[45] ha publicado casos de fotosensibilización. Algunas fuentes han atribuido esto a una impureza, *p*-clorofenol, que con frecuencia está presente. Investigaciones posteriores, por tanto, serán necesarias antes de que pueda recomendarse el Fenticlor para uso masivo en productos comerciales.

Salicilanilidas y carbanilidas

Salicilanilidas halogenadas. Se han utilizado homólogos tanto de salicilamida como de salicilanilida, particularmente por su actividad antifúngica y antibacteriana. Estas sustancias han sido ensayadas y se han encontrado ser efectivas como aditivos en jabones. Los principales compuestos de la serie son los siguientes:

4',5-dibromosalicilanilida (DBS).
3',4',5-triclorosalicilanilida (Anobial).

3,4′,5-tribromosalicilanilida (Temasept IV, Tuasal 100, TBS).
2,3,3′,5-tetraclorosalicilanilida (TCS).
3,3′,4,5′-tetracloro salicilanilida (Irgasan BS200, TCS).

A pesar de que el TBS (Theodore St Just y Co. Ltd), y particularmente TCS (Geigy y Co.) (Fig. 35.2), han demostrado ser agentes de elevada actividad germicida, tanto *in vitro* como *in vivo*[16], uno de los factores que ha impedido el uso de las salicilanilidas halogenadas es la literatura confusa sobre su seguridad. En la actualidad, existen pocas dudas de que la tetraclorosalicilanilida es potencialmente peligrosa por su capacidad para inducir fotosensibilización. WILKINSON[46], CALNAN[47], VINSON y FLATT[48], ANDERSON[49] y BAER[50] han aportado pruebas de que el TCS causa fotodermatitis y, en la actualidad, no es ya utilizado en jabones, porque la incidencia de este tipo de reacción es excesivamente alta en uso extenso.

Aunque se han publicado reacciones a las salicilanilidas polibromadas (por ejemplo, dibromosalicilanilida, por BEHRBOHN y ZSCHUNKE[51], y tribromosalicilanilida, por EPSTEIN[52], HARBER[53] y OSMUNDSEN[54]), estos informes requieren ser interpretados antes que los fabricantes decidan, o no, el uso de estas sustancias. Muchos antisépticos aceptables provocan reacciones ocasionales en individuos hipersensibles, pero no es una cuestión de si producirán reacciones positivas o no, cuando una determinada sustancia se utiliza en un nuevo producto, sino si gran número de personas serán afectadas por su aplicación. Es imposible una completa exclusión de todas las sustancias que provoquen algún tipo de sensibilización, y es poco realista ensayar en animales, como en el hombre, con el objeto de estar absolutamente seguros, pues tendrían que ser sometidos al ensayo del parche al menos 30 000 personas, antes de poder predecir que serán sensibilizadas por el producto menos del 1 en 10 000 personas.

PECK y VINSON[55] han utilizado los ensayos de parche de Schwartz-Peck, modificados al incluir radiaciones ultravioleta, para ensayar tribromosalicilanilida y dibromosalicilanilida en ciento cincuenta sujetos. No se reveló ninguna fotosensibilización, y los autores indicaron que el resultado confirma que estas sustancias tienen muy bajo potencial de fotosensibilización. Por otra parte, destacaron que estos germicidas se han utilizado en jabones de tocador durante muchos años en los EE. UU., y que cientos de millones de pastillas se han usado con una excelente aceptación por el consumidor.

Un derivado fluorado, el 3,5-dibromo-3′-trifluorometilsalicilanilida (Fluorophene) (Stecker Chemicals), se presenta como más seguro en su uso que muchos otros germicidas de potencia similar. Presenta buena estabilidad a la luz, y, al 2 por 100 en jabón, no se decolora incluso después de largos períodos de uso. Como con otras salicilanilidas halogenadas, probablemente existe riesgo de fotosensibilización, aunque no se dispone de datos fiables.

Carbanilidas. La triclorocarbanilida (3,4,4′-triclorcarbanilida) (Monsanto), también conocida como TCC o triclorocarban, es un agente antibacteriano muy activo que, como el Irgasan DP 300, se utiliza ampliamente a concentraciones del 1-2 por 100 en jabones antibacterianos y otros preparados de tocador. El TCC es casi insoluble en agua, pero puede solubilizarse con ciertos no iónicos. A diferencia de algunos de los bifenoles, no se decolora al exponer a la luz solar, pero, como la mayoría de los antibacterianos fenólicos, es más activo frente a bacterias gram-negativas que a gram-positivas. La actividad *in vivo* de pastillas de jabón antibacterianas que contienen TCC ha sido investigada por varios autores (véase Tabla 35.2).

El TCC tiene unos antecedentes razonablemente justificados de seguridad, y, a pesar de haberse publicado algunos casos aislados de fotosensibilización, existe un consenso de opinión bastante general sobre su seguridad en champúes, desodorantes, productos cutáneos y jabones. Sin embargo, se debe tener cuidado para evitar altas temperaturas en fabricación, pues se descompone formando cloranilina, que es altamente tóxica.

Otra carbanilida, 3-trifluorometil-4,4′-diclorocarbanilida (Irgasan CF3, Anobial TFC), también ha demostrado buena actividad *in vivo* e *in vitro*[12, 14, 45] (Tabla 35.2). Este compuesto no ha demostrado evidencia de fotosensibilización. Voss[56] demostró que el uso *ad lib* de jabones que contenían un 1,0 por 100 de TCC y un 0,5 por 100 de Irgasan CF3, durante un lapso de dos a siete meses, reducía la presencia de *Staph. aureus* sobre la piel. También este estudio indicó que la inhibición parcial de la flora gram-positiva no estaba acompañada por ningún incremento de especies gram-negativas. OJAJARVI[12] demostró que una emulsión que contenía un 2 por 100 de Irgasan CF3 y un 0,1 por 100 de β-fenoxietanol ejercía un efecto antibacteriano prolongado, similar al que se observó con preparados hexaclorofeno, y sugirió que esta formulación ofrecía una alternativa al hexaclorofeno cuando se necesitasen períodos prolongados de antisepsia.

Tensioactivos catiónicos antibacterianos

Los tensioactivos catiónicos antibacterianos son ampliamente utilizados en enjuagues bucales, desodorantes, productos de higiene femenina, productos para bebés, acondicionantes anticaspa o aclarados, fijadores, tónicos y lociones astringentes. Su actividad antibacteriana ha sido ampliamente estudiada, y existe mucha confusión en la literatura acerca de su efectividad comparativa, principalmente debido a las diferentes técnicas empleadas para su valoración. Algunos de los problemas que surgen en ensayos cuaternarios están asociados con los «portadores» bacteriostáticos de germicidas efectivos que no pueden eliminarse por simple dilución, como en el caso de otros antisépticos, puesto que los cuaternarios tienden a formar aglutinaciones de bacterias y también se adhieren fuertemente a la superficie de las células sin destruirlas necesariamente. Por esta razón, debe incorporarse un agente químico depresor efectivo, y muchos investigadores han fracasado al hacer esto. En general, los cuaternarios son más efectivos frente a bacterias gram-positivas que frente a las gram-negativas, aunque la diferencia es escasa en el caso de algunos compuestos.

Sin embargo, debe destacarse que los microorganismos gram-negativos, especialmente las pseudonomas, con bastante frecuencia presentan resistencia a estos agentes. En varias ocasiones se ha encontrado crecimiento de *Pseudomonas, Enterobacter* y otros microorganismos gram-negativos en soluciones de cloruro de benzalconio, cetrimida y clorhexidina[57, 58].

En general, los catiónicos son incompatibles con una considerable gama de sustancias, especialmente compuestos aniónicos (incluyendo jabones). Por tanto, estos compuestos rara vez se utilizan en cremas y lociones a no ser que utilicen emulsionantes no iónicos, aunque debe destacarse que también pueden inactivarse a elevadas concentraciones de no iónicos (véase Cap. 36). También se ha publicado la incompatibilidad con otras sustancias, tales como silicatos, alginatos, metilcelulosa, lanolina, etc.[59-61]. El intervalo de pH óptimo para la actividad antimicrobiana es 7-8, aunque existe alguna prueba de mayor actividad en el intervalo alcalino[62, 63].

Compuestos de amonio cuaternario (QACs). En la tabla 35.3 y en la figura 35.3 se dan algunos de los más ampliamente utilizados en estos compuestos. A partir de los datos de toxicidad resumidos por GUKLHORN[14] y BLOCK[30] se llega a la conclusión de que las concentraciones utilizadas para fines antisépticos son relativamente no tóxicas y no irritantes cuando se usan externamente, excepto para las membranas de la mucosa del ojo, donde las concentraciones del 1-2 por 100 o superiores pueden ocasionar opacidad permanente de la cornea.

Concentraciones del orden del 0,5 por 100 de QAC se utilizan en productos

Tabla 35.3. Agentes antibacterianos de amonio cuaternario

Denominación comercial	*Grupo químico*
Cloruro de benzalconio Marinol (Berk) Vantoc CL (ICI) Roccal (Bayer) Zephiran (Bayer) Zephirol (Bayer)	Cloruro de alquil-dimetil-benzil amonio
Arquad 16 (Armour Hess)	Cloruro de alquil-trimetil amonio
Vantoc AL (ICI)	Bromuro de alquil-trimetil amonio
Cetrimide CTAB Cetavlon (ICI) Morpan CHSA (Glovers)	Bromuro de cetil trimetil amonio
Bromuro de Domiphen Bradosol (CIBA)	Bromuro de β-fenoxietil-dimetildodecil amonio
Cloruro de benzetonio Phemerol (Parke Davis) Octaphen (Ward, Blenskinsop) Hyamine 1622 (Rohm y Hass)	Cloruro de *p*-terc-octilfenoxietoxietil-dimetil-bencil amonio
Fixanol VR (ICI) Vantoc B (ICI)	Bromuro de tetradecil piridinio
Fixanol C (ICI) Ceepryn (Merrell)	Bromuro o cloruro de cetil-piridinio
Diometam (British Hydrological Ltd)	Bromuro de di-(*n*-octil)-dimetil amonio
Isothan Q (Onyx Chem.)	Bromuro de alquil-isoquinolinio

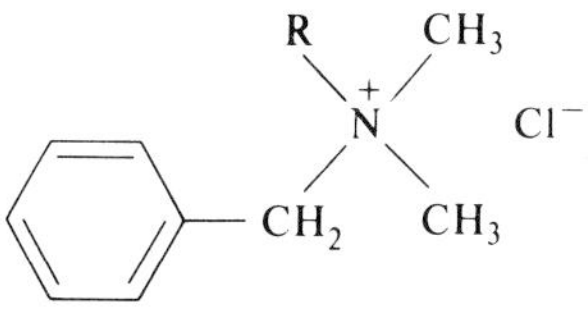

Cloruro de benzalconio

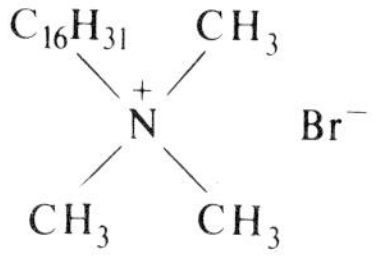

Cetavlon

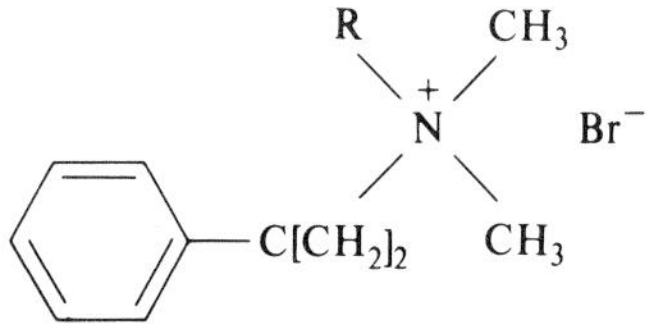

Domiphen

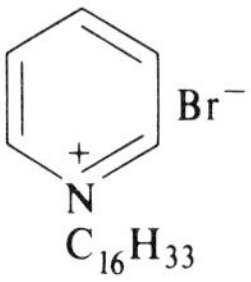

Ceepryn

(R es cadena larga alquílica u otro grupo)

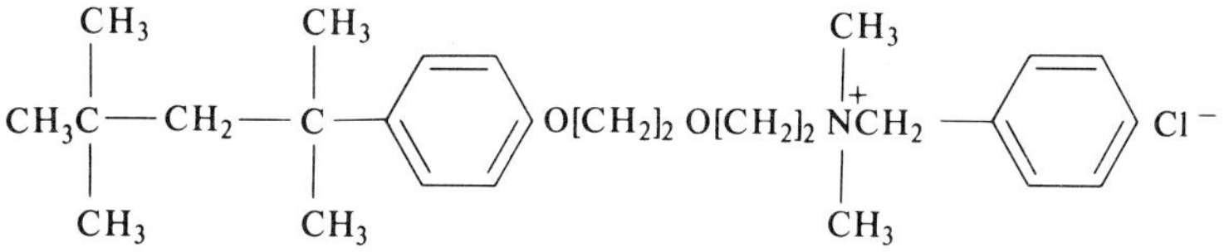

Benzethonium cloruro

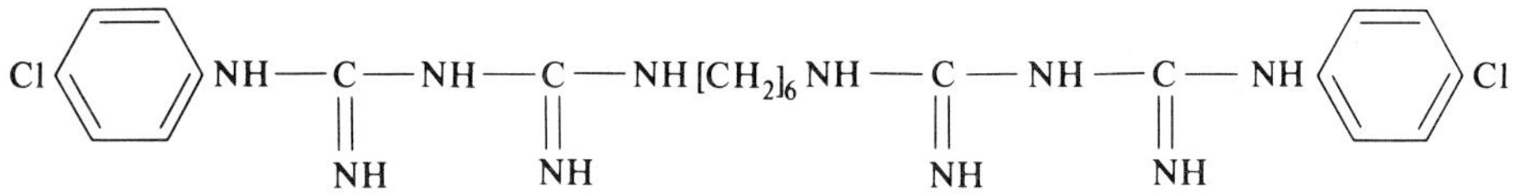

Clorhexidina

Fig. 35.3. Fórmulas de algunos antisépticos tensioactivos catiónicos.

de aclarado de pelo que pueden entrar en contacto con el ojo, y han demostrado ser seguras. Para uso sobre la piel, comúnmente se utilizan concentraciones comprendidas entre el 0,5 y el 1,5 por 100, mientras que en enjuagues bucales, debido a cierto sabor amargo de la mayoría de los cuaternarios, se aconsejan concentraciones menores. En desodorantes y polvos antisépticos para bebés, son frecuentes concentraciones del 0,1-0,2 por 100, y en productos de aclarado para el tratamiento de braguitas (pañales) de bebés, generalmente contiene un 0,2 por 100 al usarse en disolución.

Muchos de estos compuestos, especialmente cetrimide, bromuro de Domiphen, cloruro de benzalconio, Ceepryn, Phemerol y Zephiran, se mencionan en la Farmacopea Británica. Los estudios de la efectividad de Zephiran, Ceepryn, cetrimida y otros compuestos, que han sido ampliamente utilizados en la práctica terapéutica para la desinfección de manos de cirujanos y preparación de la piel anterior a la cirugía, han sido recopilados por BLOCK[30].

Desde aproximadamente 1970, ha habido un número creciente de informes de hospital en los cuales los QACs acuosos han estado implicados como origen de la infección resultante, bien de la contaminación intrínseca de la solución antiséptica o bien de su carencia de efectividad frente a ciertos agentes patógenos. Como consecuencia varios investigadores[58, 64] han cuestionado seriamente el uso de estos productos en la práctica médica.

Dowicil 200. El cloruro de 1-(3-cloroalil)-3-5-7-triaza-1-azoniaadamantano (Dow Chemicals) es un compuesto de amonio cuaternario que actúa por la liberación retardada de formaldehído en solución acuosa. El Dowicil 200 es un agente microbiano de amplio espectro, aunque se le considera bastante más eficaz frente a bacterias que frente a hongos y levaduras. De particular interés es su actividad frente a *Pseudonomas aeroginosa*.

Es muy soluble en agua, aunque las soluciones se decoloran con el envejecimiento y tienen un olor característico. La actividad se detiene en presencia de detergentes tanto aniónicos como no iónicos, y no se afecta notablemente por el pH.

A pesar de que los fabricantes no comunican pruebas de irritación primaria en sujetos con soluciones hasta del 2 por 100, no se debe olvidar la posibilidad de sensibilización a los productos de la descomposición de este germicida.

Clohexidina. Un antiséptico que, aunque no es un verdadero compuesto cuaternario, sin embargo se asemeja a ellos en ser inhibido fuertemente por sustancias aniónicas, ha adquirido importancia en los últimos años y probablemente es más efectivo que la mayoría de los verdaderos cuaternarios. Este compuesto, Hibitane o clorhexidina (ICI) (1,6-di(N-*p*-clorofenilguanidin) hexano) (Fig. 35.3), que se comercializa como un diacetato y el más soluble digluconato, tiene buenas y completas propiedades antibacterianas, muy escasa toxicidad y no muestra evidencias de irritación o sensibilización[65]. Varias sustancias reducen la eficacia de la clorhexidina, y la presencia de iones libres cloruro, sulfato, fosfato o carbonato ocasiona la precipitación. También se ha publicado que es incompatible con carboximetil celulosa sódica, goma tragacanto, alginatos, cera de abejas y formaldehído. Las sales de clorhexidina muestran la actividad óptima a pH 6-8[66].

Se ha investigado ampliamente la actividad de soluciones acuosas y alcohólicas, cremas y formulaciones detergentes que contienen entre un 0,5 y un 4 por 100 de clorhexidina, utilizadas para la desinfección de manos y para desinfección cutánea preoperatoria[2-7, 12, 25, 65, 67]. En general, estas investigaciones indican, como se ilustra en la figura 35.1, que la clorhexidina es un agente antibacteriano de rápida acción que puede utilizarse para producir reducciones inmediatas en la flora cutánea siguientes a una aplicación única y también, además, para reducción posterior después de tratamiento repetido.

No obstante se debe destacar que las investigaciones de OJAJARVI *et al.*[67] indican que el uso del 4 por 100 de clorhexidina detergente para lavado por personal de sanatorio de una unidad neonatal, durante un período de más de una semana, se asoció con el incremento en la flora cutánea, y estos trabajadores sugirieron que se debería mostrar más atención en ensayos de lavado de manos prolongados para evaluar la eficacia de antisépticos en condiciones de uso.

En la práctica médica, las formulaciones con clorhexidina se utilizan ampliamente como desinfectantes generales en procesos quirúrgicos, en tratamientos de quemaduras y heridas y en la prevención de infecciones cruzadas. El uso del 1 por 100 de clorhexidina en crema en el tratamiento de heridas y quemaduras ha sido descrito por Soendergard[68], Fowler[69,70] y Grant[71]. Una asociación de 0,05 por 100 de clorhexidina y 0,5 por 100 de cetrimide es un sistema antiséptico y detergente que también se utiliza para la limpieza de heridas. En polvos para bebés, el 0,1 por 100 de clorhidrato de clorhexidina confiere propiedades antisépticas suaves, mientras en la actualidad, concentraciones menores del 0,5 por 100 se utilizan en productos de higiene femenina íntima[72].

También ha sido estudiado el efecto de la clorhexidina sobre la flora bucal, y Löe *et al.*[73,74] han encontrado que un enjuague bucal, que contiene un 0,2 por 100 de digluconato de clorhexidina, reduce la cantidad de la placa bacteriana que normalmente se forma sobre los dientes. Esto tiene el efecto de reducir la formación de cálculo y también previene la aparición de la inflamación gingival en un grupo de estudiantes que no se limpiaban los dientes durante tres a cuatro semanas, durante el tiempo que aclaraban su bocas dos veces al día con el enjuague bucal de ensayo.

Senior[75] y Madsen[76,77] proporcionan una revisión más amplia de las propiedades y uso clínico de los antisépticos con clorhexidina.

Compuestos tensioactivos anfóteros

Los compuestos tensioactivos anfóteros, o anfolitos, son un grupo de compuestos que asocian la detergencia de su grupo aniónico con el poder bactericida en su mitad catiónica. Los agentes más ampliamente utilizados en este grupo son los compuestos Tego, los cuales se componen del aminoácido glicina sustituida con un grupo alquil amina de larga cadena: $R\text{NH}(\text{CH}_2\text{CH}_2\text{NH})_2\text{CH}_2\text{COOH}$, donde R es un grupo alquilo, generalmente C_{10}-C_{16}. Schmitz y Harris[78] demostraron que a mayor número de grupos nitrógeno en el ion tensioactivo, mayor actividad; el dodecilglicina es sólo aproximadamente una décima parte de activo que el dodecil-(aminoetil)-glicina.

Estos compuestos se presentan como antivíricos y fungicidas, así como bactericidas. Una propiedad particularmente útil es su actividad superficial, que está asociada con el buen poder de humectación y penetración en la suciedad.

Debido a que estas sustancias no son tan sensibles a la inactivación por proteínas como los compuestos de amonio cuaternario, se utilizan ampliamente en productos industriales. Sin embargo, su efectividad se reduce con jabones y otros detergentes aniónicos y, en algunos casos, con detergentes no iónicos. Los bactericidas anfóteros, particularmente Tego 103S($C_{12}H_{25}\text{NH}(\text{CH}_2)_2\text{NH}(\text{CH}_2)_2$ $\text{NHCH}_2\text{CO}_2\text{H} \cdot \text{HCL}$ como solución a 15 por 100), han sido utilizados para desinfección cutánea y en otras aplicaciones médicas[79].

La toxicidad de Tego 103S y otros compuestos Tego, según la literatura de los fabricantes, es muy baja y existen pocas o ninguna prueba de irritación o sensibilización cutánea.

Agentes antimicrobianos varios

Bronopol (2-bromo-2-nitropropan-1,3-diol) (The Boots Co.) (Fig. 35.4) es un compuesto muy soluble en agua que presenta aproximadamente la misma actividad frente a bacterias gram-positivas y gram-negativas, incluyendo *P. aeroginosa*[80, 81]. Es también activo frente a hongos a bajas concentraciones y su eficacia no varía demasiado en el intervalo de pH 5-8. No se afecta adversamente por tensioactivos aniónicos y no iónicos[82, 83].

El Bronopol no parece ser un irritante primario a las concentraciones normalmente empleadas (0,2-0,5 por 100), y los ensayos sobre cobayas no han mostrado signos de sensibilización. Las soluciones acuosas de Bronopol se descomponen gradualmente en condiciones alcalinas.

Captan. *n*-Triclorometiltio-4-ciclohexen-1,2-dicarboximida (Fig. 33-4) también se conoce como Vancide 89RE (R. T. Vanderbilt Co.), y es un sólido insoluble en agua que se ha utilizado al 0,1-0,25 por 100 en polvos medicamentosos. También se ha recomendado como agente anticaspa, aunque sólo existe escasa evidencia de su efectividad para esta finalidad. El Vancide 89RE es inestable en condiciones alcalinas. Sin embargo, tiene un razonado espectro de actividad frente a bacterias y hongos en condiciones ácidas. Los fabricantes afirman resultados satisfactorios de ensayos en córneas lesionadas realizados con suspen-

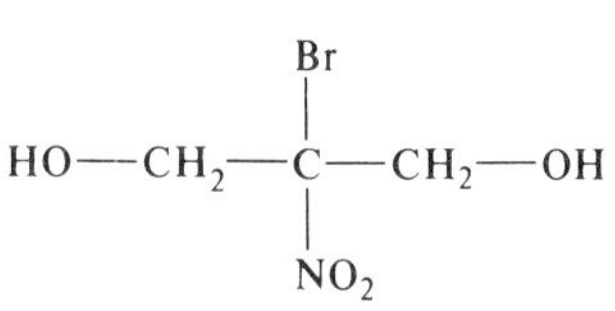

Bronopol

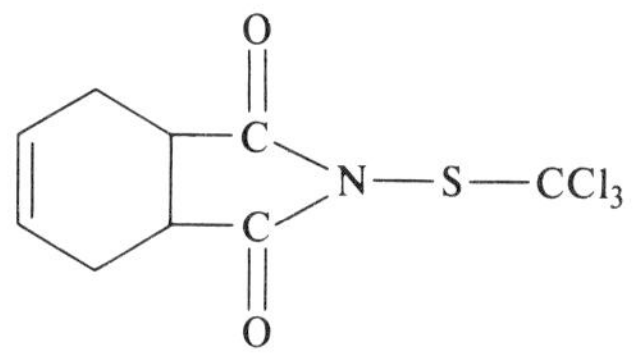

Captan

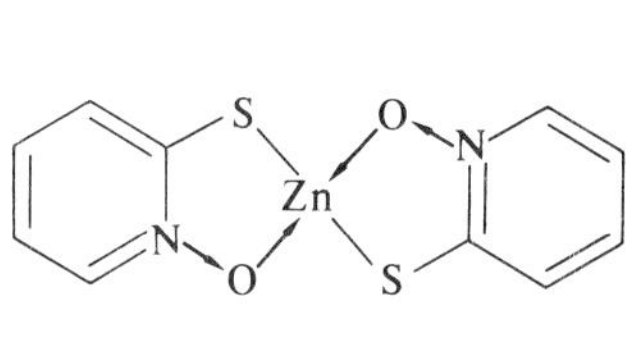

7 Zinc piridina-2-tiol-1-óxido

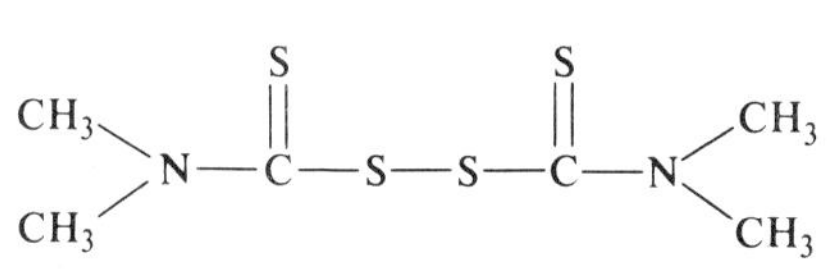

TMTD

Fig. 35.4. Fórmulas de algunos antisépticos varios.

siones acuosas, y los ensayos humanos con parches no han mostrado irritación primaria a las veinticuatro horas de aplicación como pasta acuosa al 50 por 100.

Dioxin. 6-Acetioxi-2,4-dimetil-*m*-dioxano (Givaudan) es un líquido transparente ámbar que, cuando se añade al agua, se hidroliza produciendo ácido acético, originando una reducción del pH. El Dioxin se presenta como activo en un amplio intervalo de pH. Es particularmente efectivo frente a bacterias gramnegativas, y se ha utilizado como conservante a concentraciones comprendidas entre el 0,1 y el 0,2 por 100. Su principal desventaja es su olor característico, difícil de enmascarar en productos cosméticos. Las lociones de Dioxin al 1 por 100 no causan irritación ni lesiones a ojos de conejo, y se han realizado sobre sujetos humanos con resultados satisfactorios ensayos de parches a esta concentración.

Germall 115 (Imidazonidil Urea) (Sutton Laboratories, Inc., Roselle, NJ) es un antibacteriano hidrosoluble, generalmente no tóxico y no irritante, y es activo frente a bacterias gram-negativas y gram-positivas, y también frente a algunas levaduras y mohos. Es efectivo en un amplio intervalo de pH, y retiene su actividad en presencia de proteínas y tensioactivos. Las propiedades de este compuesto, incluyendo los estudios de toxicidad, son ampliamente expuestas por BERKE *et al.*[84].

Halógenos. Aunque, en la actualidad, las soluciones de yodo, como tales, son poco utilizadas debido a sus propiedades irritantes y colorantes de la piel, han sido ampliamente sustituidas por los yodóforos. Los yodóforos son mezclas de yodo con agentes tensioactivos que se utilizan como antisépticos a concentraciones comprendidas entre aproximadamente un 0,5 y un 1 por 100 de yodo activo. Tienen una tensión de vapor baja, y casi completa carencia de olor, bajas propiedades irritantes[85] y no manchan. Son activos frente a bacterias gramnegativas y gram-positivas, y también tienen actividad fúngica, esporicida y antivírica. La actividad óptima se observa en solución ácida (pH 3-4).

Los yodóforos pueden formularse con agentes tensioactivos aniónicos, catiónicos y no iónicos, y los productos solubilizados resultantes tienen la ventaja adicional de que el sistema actúa como limpiador cutáneo, así como antiséptico. Algunos productos comerciales se fabrican con compuestos, tales como polivinilpirrolidona y derivados de polietoxietanol. Las denominaciones comerciales incluyen Betadine (Berk), Wescodyne (Betgue), Virac (Ruson Labs) y Povidone-Iodine (Berk).

Los yodóforos se utilizan ampliamente en la práctica médica para la eliminación de gérmenes cutáneos por personal hospitalario, y para la desinfección cutánea preoperatoria y postoperatoria, y antisepsis. La actividad de los yodóforos comparada con la clorhexidina y otros desinfectantes cutáneos ha sido investigada por varios autores[3−6, 12, 86]. Estas investigaciones indican que los yodóforos, como formulaciones de clorhexidina, tienen la ventaja de producir buenos efectos inmediatos después de una única aplicación, además de reducciones adicionales en la flora cutánea de tratamientos repetidos o prolongados.

Otras formulaciones farmacéuticos-cosméticas de yodóforo que se pueden adquirir incluyen champúes, enjuagues bucales y productos de limpieza de piel y cuero cabelludo.

El hipoclorito sódico y varios compuestos orgánicos liberadores de cloro, tal como Cloramina T, son también agentes bactericidas, fungicidas y antivíricos de elevada actividad, y se utilizan ampliamente como desinfectantes generales en la salud pública y medio doméstico. A pesar de utilizarse ampliamente para la desinfección de heridas en hospitales, no son generalmente empleados como desinfectantes cutáneos, probablemente debido a su olor desagradable y a su tendencia a producir irritación cutánea a concentraciones superiores a aproximadamente un 0,5 por 100 de cloro activo.

Compuestos de mercurio. Los compuestos inorgánicos de mercurio, tales como cloruro y nitrato mercúrico, todavía se utilizan en la práctica médica para la desinfección cutánea, pero se emplean muy poco en preparaciones de tocador. Los compuestos orgánicos, tales como nitrato, borato y acetato fenilmercurio, se utilizan en cremas de afeitado y lociones anticaspa en Gran Bretaña, a pesar de que su uso se restringió por Poisons Rules de 1978, que incluyó una tercera lista (exento de los requisitos de Poisons Rules con tal de que no exceda un límite prescrito) y se aplica a preparados de tocador, cosméticas y terapéuticas que no contengan más del 0,01 por 100 de sales fenilmercúricas. Los efectos tóxicos de los compuestos mercúricos son posteriormente expuestos en el capítulo 36. Los compuestos de mercurio son muy activos frente a microorganismos tanto gram-negativos como gram-positivos, aunque, a pesar de sus excelentes propiedades antibacterianas, es difícil justificar su uso en productos para el mercado masificado.

N-óxidos de piridina. Los N-óxidos de piridina, también conocidos como ácidos tiohidroxámico cíclico o piridintionas, son agentes antibacterianos y antifúngicos de gran actividad. Cox[87] describió su preparación y propiedades, y revisó su aplicación como antibacterianos y fungicidas, mientras que Snyder et al.[88] revisaron los aspectos de seguridad. Snyders indicó que en unos 1.350 compuestos analizados en su laboratorio, una de las sustancias antifúngica y antibacteriana más activa de las examinadas fue el piridin-2-tiol-1-óxido de zinc (ZnPTO) (Fig. 35.4), también conocida por la denominación comercial de Omadine (Olin Mathieson Chemicals).

Brauer et al.[89] afirman que el compuesto es varias centenares de veces más efectivo frente a *Staphylococcus aureus, S. albus* y *Pityrosporum ovale* que muchas de las sustancias tradicionalmente utilizadas en tratamientos anticaspa. Champúes que contienen un 2 por 100 de ZnPTO se manifiestan extremadamente eficaces frente a la caspa, y se venden en los EE. UU., Gran Bretaña y Europa. También Brauer et al.[89] han demostrado que un fijador para hombres que contenga un 0,5 por 100 de ZnPTO es eficaz frente a la caspa.

También se ha preparado piridintionas de cadmio, titanio y zirconio, y resultan ser eficaces agentes antimicrobianos.

Tenenbaum et al.[90] compararon las propiedades antimicrobianas de muchos agentes utilizados en tratamientos antiscapa, y concluyeron que, a pesar de que ZnPTO es un agente antimicrobiano excepcionalmente potente, sus efectos excepcionales frente a la caspa deben atribuirse a una propiedad distinta a su actividad antimicrobiana, puesto que otros antisépticos, que son más potentes *in vitro*, son significativamente menos eficaces frente a la caspa en ensayos clínicos.

Snyder et al.[88] encontraron que los roedores eran especialmente sensibles a la ingestión oral de bajas concentraciones, que producen síntomas de parálisis. En ensayos en perros, no encontraron efectos atribuibles a una formulación de champú que contenía un 2 por 100, pero los perros son las especies más sensibles a los efectos del compuesto en sí, y después de la administración oral, como emulsión agua-aceite a una concentración de 2,5 mg por kilo, se observaron manifestaciones oculares. Sin embargo, la misma dosis no tiene efectos oculares, ni otros efectos tóxicos, cuando se suministra a monos.

OPDYKE et al.[91] afirman que, en su experiencia durante un período de ocho años, el ZnPTO no penetró la piel, y no produjo reacciones tóxicas cuando se utiliza con precauciones normales. Sin embargo, COLLOM et al.[92] y COULSTON et al.[93] demostraron la absorción parcial de omadina de zinc y sodio a través de la piel en ratas, conejos y monos.

Por tanto, es importante que se consideren cuidadosamente los posibles riesgos tóxicos en la utilización de estos compuestos en preparados de tocador para los trabajadores que los elaboran y los consumidores.

Disulfuro de tetrametiltiuram. TMTD (3,4,5-tetrametiltiuram disulfuro) (Fig. 35.4) es un agente antibacteriano que también se ha utilizado en jabones antibacterianos. Ensayos de lavados de manos indican que un 1 por 100 de TMTD en jabón produce una reducción del 76 por 100 en el recuento de bacterias cutáneas en siete días (Tabla 35.2).

Aunque es insoluble en agua, el TMTD presenta gran actividad frente a microorganismos gram-positivos, mientras que su efecto frente a gram-negativos es superior al de muchos otros compuestos mencionados anteriormente. Los inconvenientes de su uso en productos cosméticos son su tendencia a cambios de color y su escasa estabilidad, que origina la liberación de olores de azufre. También se sabe que este compuesto produce efectos irritantes, aunque se reconoce que esto puede deberse a un producto de oxidación.

Sinergismo

El uso de asociaciones sinérgicas de agentes antimicrobianos, para fines tanto de conservación como antisépticos, está ampliamente divulgado en la literatura. El término de «sinergismo» utilizado aquí se refiere a un efecto antibacteriano superior a la suma de los efectos antibacterianos de los componentes por separado.

NOEL et al.[94] describe el incremento de la actividad antibacteriana por asociación de bifenoles halogenados con anilidas aromáticas halogenadas o con carbanilidas halogenadas. Los efectos sinérgicos fueron especialmente demostrados para la 3,4,4'-triclorocarbanilida y 3,3',4-triclorocarbanilida por hexaclorofeno, el análogo azufrado de hexaclorofeno, tetraclorofeno, bitionol y 2,2'-tio*bis*-(4-cloro-6-metilfenol). Otras asociaciones sinérgicas comprenden ácido 2-hidroxi-5-clorobenzoico, 3',4'-dicloranilida y ácido 2-hidroxi-5-clorobenzoico, 3',4''-dicloroanilida y ácido 2-hidroxi-5-clorobenzoico-4-cloranilida en mezclas con hexaclorofeno y el análogo azufrado del hexaclorofeno (bitionol) y tetraclorofeno. Estos pares sinérgicos de antisépticos están protegidos por patentes de EE. UU. y otras[95].

CASELY et al.[96] proporcionan otros varios ejemplos de asociaciones sinérgicas y han demostrado la capacidad de varias ureas sustituidas, distintas a las bien conocidas triclorocarbanilidas, para formar asociaciones con actividad sinérgica con el hexaclorofeno. MOORE y HARDWICK[97] demostraron los efectos sinérgicos de ciertos anfóteros con cetrimida, mientras que BARR et al.[98] han demostrado qué compuestos orgánicos de mercurio pueden utilizarse para potenciar la actividad de los bifenoles. Posteriormente, muchos de los ejemplos de sinergismo proporcionados en el capítulo 36 se refieren principalmente a compuestos utilizados como conservantes.

REFERENCIAS

1. Lilly, H. A. and Lowbury, E. J. L., *Br. med. J.*, 1974, **2,** 1792.
2. Ayliffe, G. A. J., Babb, J. R., Bridges, K., Lilly, H. A., Lowbury, E. J. L., Varney, J. and Wilkins, M. D., *J. Hyg. (Camb.)*, 1975, **75,** 259.
3. Lowbury, E. J. L., Lilly, H. A. and Bull, J. P., *Br. med. J.*, 1963, **1,** 1251.
4. Lowbury, E. J. L., Lilly, H. A. and Bull, J. P., *Br, med. J.*, 1964, **2,** 230.
5. Lilly, H. A. and Lowbury, E. J. L., *Br. med. J.*, 1971, **2,** 674.
6. Lowbury, E. J. L. and Lilly, H. A., *Br. med. J.*, 1973, **1,** 510.
7. Lilly, H. A. and Lowbury, E. J. L., *Br. med. J.*, 1974, **2,** 372.
8. US Food and Drug Administation, *OTC Topical Antimicrobial Products and Drug and Cosmetic Products*, Federal Register, 39(179) Part II, 33102, 1974.
9. Armstrong–Esther, C. A. and Smith, J. E., *Ann. hum. Biol.*, 1976, **3,** 221.
10. Skinner, F. A. and Carr, J. G., *Society for Applied Bacteriology Symposium Series No. 3*, London, Academic Press, 1974.
11. Gibson, J. W., *J. clin. Path.*, 1969, **22,** 90.
12. Ojajarvi, J., *J. Hyg. (Camb.)*, 1976, **76,** 75.
13. Price, P. B., *Antiseptics, Disinfectants, Fungicides and Sterilization*, ed. Reddish, London, Henry Kimpton, 1954.
14. Guklhorn, I. R., *Mfg. Chem.*, 1969, **40**; 1970, **41**; 1972, **42** (*passium*).
15. Furla, T. E. and Schenkel, A. G., *Soap chem. Spec.*, 1968, **44,** 47.
16. Hurst, A., Stuttard, L. W. and Woodroffe, R. C. S., *J. Hyg. (Camb.)*, 1960, **58,** 159.
17. Roman, D. P., *Proc. sci. Sect. Toilet Goods Assoc.*, 1957, **28,** 12.
18. Wilson P. E., *J. appl. Bact.*, 1970, **33,** 574.
19. Gibbs, B. M. and Stuttard, L. W., *J. appl. Bact.*, 1967, **30,** 66.
20. Taber, D., Lazanas, J. C., Fancher, O. E. and Calandra, J. C., *J. Soc. cosmet. Chem.*, 1971, **22,** 369.
21. Leonard, R. R., *Arch. Dermatol.*, 1967, **95,** 520.
22. Mackenzie, A. R., *J. Am. med Assoc.*, 1970, **211,** 973.
23. Duncan, W. C., Dodge, B. G. and Knox, J. H. *Arch. Derm.*, 1969, **99,** 465.
24. Forfar, J. O. J., Gould, J. C. and MacCabe, A. F., *Lancet*, 1968, **2,** 177.
25. Aly, R. and Maibach, H. I., *Appl. environ. Microbiol.*, 1976, **31,** 931.
26. Bruun, J. N. and Solberg, C. O., *Br. med. J.*, 1973, **2,** 580.
27. Ehrenkranz, N. J. D., Taplin, D. and Butt, P., *Antimicrob. Agents Chemother.*, 1966, **255,** 1967.
28. Steere, A. C. and Mallison, G. F., *Ann. intern. Med.*, 1975, **83,** 683.
29. Sprunt, K., Redman, W. and Leidy, G., *Paediatrics*, 1973, **52,** 264.
30. Block, S. S. *Disinfection, Sterilization and Preservation*, Philadelphia, Lea and Febiger, 1977.
31. Lord, J. W. and Parker, E., *Soap Perfum. Cosmet.*, 1953, **26,** 463.
32. Gump, W. S. and Cade, A. R., *Soap sanit. Chem.*, 1952, **28,** 52.
33. Gump. W. S. and Cade, A. R., *Manuf. Chem.*, 1953, **24,** 143.
34. Ehrlandson, A. L. and Lawrence, C. A., *Science*, 1953, **118,** 274.
35. Sandford, J. P., *Ann. intern. Med.*, 1970, **72,** 283.
36. Light, I. J., Sutherland, J. M., Cochran, L. and Sutorius, J., *N. Eng. J. Med.*, 1968, **278,** 1243.
37. Johnson, J. D., Malachowski, B. A. and Sunshine, P., *Paediatrics*, 1976, **58,** 354.
38. Knittle, M. A., Eitzman, D. V. and Baer, H., *J. Paediatr.*, 1975, **86,** 433.

39. Kimbrough, R. D., *Paediatrics*, 1973, **51**(suppl.), 391.
40. *Food, Drug and Cosmetic Reports* (The Pink Sheet), **34**(39), Hexachlorophene Special Supplement.
41. *Hansard*, 18 February, 1972.
42. Powell, H. C. and Lampert, P. W., *Paediatrics*, 1973, **52**, 859.
43. Lyman, F. and Furia, T. E., *Ind. Med. Surg.*, 1969, **38**, 45.
44. Savage, C. A., *Proceedings of the Sixth Congress of the International Federation of Societies of Cosmetic Chemists, Barcelona*, IFSCC, 1970.
45. Burry, J. N., *Arch. Dermatol.*, 1967, **95**, 287.
46. Wilkinson, D. S., *Br. J. Dermatol.*, 1961, **73**, 213.
47. Calnan, C. D., *Br. med. J.*, 1961, **2**, 1266.
48. Vinson, L. J. and Flatt, R. S., *J. invest. Dermatol.*, 1962, **38**, 327.
49. Anderson, I., *Trans. St. John's Hosp. Dermatol. Soc.*, 1963, **49**, 54.
50. Baer, R. L., *Arch. Dermatol.*, 1966, **94**, 522.
51. Behrbohm, P. and Zschunke, E., *Berufsdermatosen*, 1966, **14**, 169.
52. Epstein, S., *J. med. Assoc.*, 1965, **194**, 1016.
53. Harber, L. C., Harris, H. and Baer, R. L., *Arch. Dermatol.*, 1966, **94**, 255.
54. Osmundsen, P. E., *Br. J. Dermatol.*, 1968, **80**, 228.
55. Peck, S. M. and Vinson, C. J., *J. Soc. cosmet. Chem.*, 1967, **18**, 361.
56. Voss, J. G., *Appl. Microbiol.*, 1975, **30**, 551.
57. Bassett, D. J. C., *Proc. R. Soc. Med.*, 1971, **64**, 980.
58. Dixon, R. E., Kaslow, R. A., Mackel, D. C., Fulkerson, C. C. and Mallison, G. F., *J. Am. med. Assoc.*, 1976, **22**, 2415.
59. Lawrence, C. A., *Soap Perfum. Cosmet.*, 1954, **27**, 369.
60. Richardson, G. and Woodford, R., *Pharm. J.*, 1964, **192**, 527.
61. Deluca, P. P. and Kostenbauder, H. B., *J. Am. Pharm. Assoc. (Sci. Ed.)*, 1960, **40**, 430.
62. Gershenfeld, L. and Perlstein, D., *Am. J. Pharm.*, 1941, **113**, 306.
63. Lawrence, C. A., *Surface Active Quaternary Germicides*, New York, Academic Press, 1950.
64. Hussey, H. H., *J. Am. med. Assoc.*, 1976, **236**, 2433.
65. Rosenburg, A., Alatary, S. D. and Peterson, A. F., *Surgery Gynec. Obstet.*, 1976, **143**, 789.
66. Richards, R. M. E., *Lancet*, 1944, **1**, 42.
67. Ojajarvi, J., Makela, P. and Ratsalo, I., *J. Hyg. (Camb.)*, 1977, **79**, 107.
68. Soendergard, M. W., *J. Hosp. Pharm.*, 1969, **26**, 53.
69. Fowler, A. W., *Lancet*, 1963, **1**, 387.
70. Fowler, A. W., *Lancet*, 1963, **1**, 769.
71. Grant, J. C., *Br. med. J.*, 1968, **4**, 646.
72. Morris, G. M. and Maclaren, D. M., *Br. J. clin. Pract.*, 1969, **23**, 349.
73. Loe, H. and Schiott, C. R., *J. periodont. Res.*, 1969, Suppl. No. 4, 38.
74. Loe, H. and Schiott, C. R., *Dental Plaque*, ed McHugh, W. D., Edinburgh, Livingstone, 1970, p. 247.
75. Senior, N., *J. Soc. cosmet. Chem.*, 1973, **24**, 259.
76. Madsen, W. S., *J. Hosp. Pharm.*, 1969, **26**, 53.
77. Madsen, W. S., *J. Hosp. Pharm.*, 1969, **26**, 79.
78. Schmitz, A. and Harris, W. S., *Manuf. Chem.*, 1958, **29**, 51.
79. Frisby, B. R., *Lancet*, 1961, **2**, 829.
80. Croshaw, B., Groves, M. J. and Lessel, B., *J. Pharm. Pharmacol.*, 1964, **16**, 127T.
81. Saito, H. and Onoda, T., *Chemotherapy (Tokyo)*, 1974, **22**, 1461.
82. Brown, M. R. W., *J. Soc. cosmet. Chem.*, 1966, **17**, 185.
83. Allwood, M. C., *Microbios*, 1973, **7**, 209.
84. Berke, P. A. and Rosen, W. E., *Am. Perfum. Cosmet.*, 1970, **85**, 55.
85. Shelanski, H. A. and Shelanski, M. V., *J. int. College Surg.*, 1956, **25**, 727.
86. Crowder, U. H., Welsh, J. S., Bornside, G. H. and Cohn, I., *Am. Surgeon*, 1967, **33**, 906.

87. Cox, A. J., *Manuf. Chem.*, 1957, **28**, 463.
88. Snyder, F. H., Buehler, E. V. and Winek, C. L. *Toxicol. appl. Pharmacol.*, 1965, **7**, 425.
89. Brauer, E. W., Opdyke, D. L. and Burnett, C. M., *J. invest. Dernatol.*, 1966, **47**, 174.
90. Tenenbaum, S. and Opdyke, D. L., *Proc. sci. Sect. Toilet Goods Assoc.*, 1967, **47**, 20.
91. Opdyke, D. L., Feinberg, H. and Burnett, C. M., *Drug. Cosmet. Ind.*, 1967, **101**(10), 48.
92. Collom, D. and Winek, C. W. L., *J. pharm. Sci.*, 1967, **56**, 1673.
93. Coulston, F. and Golberg, L., *Toxicol. appl. Pharmacol.*, 1969, **14**, 97.
94. Noel, D. R., Casely, R. E., Linfield, W. M. and Harriman, L. A., *Appl. Microbiol.*, 1960, **8**, 1.
95. US Patent 3 177 115 Armour and Co., 12 June 1958.
96. Casely, R. E., Brown, J. and Taber, D., *J. Soc. cosmet. Chem.*, 1968, **19**, 159.
97. Moore, C. D. and Hardwick, R. B., *Manuf. Chem.*, 1958, **29**, 194.
98. Barr, F. S., Moore, G. W. and Gragg, B. J., *J. pharm. Sci.*, 1970, **59**, 262.

36

Conservantes

Introducción

Muchas de las sustancias utilizadas en la fabricación de preparados de tocador son susceptibles de degradación biológica por microorganismos. En este capítulo se tratarán los métodos para combatir la biodeterioración de los productos.

En tiempos pasados, la contribución del microbiólogo a la industria cosmética se consideró de mínima importancia[1]. Más recientemente, ha existido conciencia creciente de los problemas del deterioro microbiológico de los productos cosméticos y de tocador. En principio, se insistió en la pérdida de la atracción estética del producto con una consiguiente pérdida de beneficios, mientras se ignoraron de modo considerable los riesgos para la salud del consumidor. Puesto que los microorganismos se encuentran en todas partes, el cuerpo humano continuamente se encuentra expuesto a ellos y, por tanto, parecería innecesario que se tuviesen que esterilizar los preparados de tocador. Aunque se admitió que los productos no deben constituir ningún riesgo microbiológico superior al que presenta el medio ambiente normal, poco se ha hecho para demostrar que esto se lograse.

Los individuos normalmente sanos poseen considerable resistencia a la infección por bacterias y hongos comúnmente localizados en su piel y medio ambiente habitual, pero en individuos sensibles, por ejemplo, los recién nacidos, ancianos, enfermos o en tratamiento terapéutico, existe una probabilidad mayor de desarrollo de las infecciones. Debe recordarse que un producto puede contener una población bacteriana en crecimiento, incluso a pesar de que no existan pruebas visibles de ello. Determinado producto colocado en contacto íntimo con la piel, especialmente si está herida o lesionada, puede originar una infección[2]. Posteriormente se expondrán ejemplos de la literatura que demuestran la importancia de considerar el posible riesgo para la salud de un producto contaminado.

Por tanto, los conservantes se añaden a los productos por dos razones: primero, para evitar su deterioro, esto es, para prolongar la vida comercial del producto, y segundo, para proteger al consumidor de la posibilidad de infección[3]. Se admite que los productos requieren protección frente a la contaminación durante la fabricación, aunque la conservación nunca debe utilizarse para ocultar malos procedimientos de fabricación[4]. DUKE[3] cita ejemplos que ilustran cómo productos que contienen conservantes pueden ser inaceptables microbiológicamente debido a las malas prácticas de fabricación. También se debe admitir que los productos cosméticos, posiblemente más que los productos farmacéuticos, están expuestos al abuso del consumidor. Aunque los productos no pueden estar protegidos frente a extremados abusos, tales como el uso de saliva para la aplicación de maquillaje de ojos, el fabricante debe anticiparse al mal empleo cuando formula el producto[3].

Como consecuencia, es imperativo que se implique al microbiólogo en la formulación de un producto desde su fase de desarrollo y posteriormente[5]. No se puede admitir por más tiempo que un fabricante ha cumplido completamente su obligación frente al consumidor, si el producto está cuestionado en cuanto a que las instalaciones se encuentren microbiológicamente en estado satisfactorio. Sin embargo, si los productos se diseñan para permanecer resistentes a la introducción de microorganismos extraños durante el período de su uso, esto impondrá un mayor esfuerzo del sistema conservante seleccionado, e incluso será más importante para los fabricantes realizar ensayos completos y prácticos, tanto durante el desarrollo de nuevos productos, como en la producción y control de calidad de las líneas existentes.

El *Council of British Society of Cosmetic Chemists* ha publicado una monografía de higiene en la fabricación y conservación de productos de tocador y cosméticos[6]. Indicaciones posteriores de su importancia, generalmente ligada a la garantía de la conservación adecuada de todos los preparados de tocador y cosméticos, se han puesto de manifiesto en investigaciones de preparados contaminados, y la posible incidencia clínica de la contaminación. Algunos de estos informes son tratados posteriormente en el capítulo.

Metabolismo microbiológico

Los microorganismos crecen y se multiplican utilizando las sustancias de su medio ambiente inmediato. En relación con los problemas de deterioro originados por los microorganismos se deben considerar la variedad de reacciones químicas que pueden tener lugar y la velocidad en que éstas pueden producirse.

Las bacterias y los hongos están ampliamente distribuidos en la Naturaleza, y existen pocos lugares sobre la superficie de la Tierra, o próximos a ella, que estén exentos de ellos. Se encuentran, por ejemplo, en lugares inverosímiles, como fuentes de aguas minerales calientes, emanaciones procedentes de fábricas de gas, lagos estancos salinos e incluso en el medio eminentemente anhidro del combustible diesel. Los únicos lugares donde no se encuentran microorganismos son aquellos en los que prevalece la influencia esterilizadora o en el interior de tejidos de animales y plantas sanos. Al crecer, las bacterias y los hongos pueden ocasionar cambios rápidos y profundos en su medio inmediato y, en la síntesis de nuevo protoplasma, se realizan muchas reacciones químicas complejas dentro de un lapso notablemente corto. Los microorganismos realizan estas reacciones por medio de enzimas, y algunas de las reacciones básicas que se pueden producir son las siguientes:

Hidrólisis	Adición de agua a la molécula. El próximo paso en la ruptura molecular está, de este modo, facilitado, pues se rompen las moléculas por el enlace hidrolizado.
Deshidratación	Eliminación de agua de una o más moléculas.
Oxidación	Eliminación de hidrógeno o adición de oxígeno a la molécula; también un proceso que implica un incremento en el número de cargas positivas en un átomo, o una disminución en el número de cargas negativas.
Reducción	Eliminación de oxígeno o adición de hidrógeno; reacciones inversas a las de oxidación.
Descarboxilación	Eliminación de CO_2.
Desaminación	Eliminación de $-NH_2$.
Fosforilación	Esterificación de la molécula con ácido fosfórico. Normalmente, esto se realiza por la transferencia del radial fosfato procedente de alguna sustancia distante al propio ácido fosfórico.
Desfosforilación	Eliminación o hidrólisis de ácido fosfórico de compuestos fosforilazados.

En un producto que soporte el crecimiento de diferentes tipos de microorganismos se producirá una gran variedad de productos finales y, en poblaciones mixtas, existe, por supuesto, un cierto grado de competición por los nutrientes esenciales entre los diferentes microorganismos. Sobreviven satisfactoriamente los que pueden transformar el medio, mientras que mueren los que viven difícilmente, proporcionando una fuente adicional de sustrato transformable para los que permanecen. En la utilización del sustrato, los procesos metabólicos de algunos microorganismos originan la formación de productos finales ácidos que tienen un efecto limitante sobre el crecimiento y, en algunos casos, los cambios ocasionados son suficientes para inhibir un posterior crecimiento. No obstante, la mayoría de los microorganismos son capaces de efectuar reacciones de neutralización y, de este modo, se puede lograr cierto grado de estabilización del medio.

La velocidad con que los microorganismos pueden propagarse, y la variedad de reacciones que pueden efectuar, indican hasta qué punto es necesario inhibir su crecimiento en productos cuyas características físicas deben mantenerse inalteradas durante largos períodos de almacenamiento y de uso en manos del consumidor.

SMART y SPOONER[7] han expuesto las manifestaciones y mecanismos de deterioro microbiano. La contaminación microbiana puede manifestarse por el crecimiento visible del contaminante. Por ejemplo, con frecuencia, los mohos y los hongos pueden detectarse cuando crecen macroscópicamente, generalmente en la superficie del producto o en las paredes del envase. También los microorganismos pueden ser visibles en preparados líquidos, como turbidez o sedimentación. Los cambios de color pueden producirse como resultado de alteraciones en el pH o potencial redox, o debido a la producción de pigmentos por los microorganismos contaminantes, por ejemplo, los pigmentos azulverdoso a pardo producidos por el género *Pseudomonas*.

Los procesos metabólicos de algunos microorganismos originan la formación de gas que puede observarse como burbujas o espuma en preparados líquidos. Frecuentemente, el deterioro se manifiesta por producción de olores. Además, los microorganismos pueden ocasionar rupturas de emulsiones, alteraciones en propiedades reológicas o pérdida de textura en preparados tópicos. Aunque se carezca de pruebas directas, el deterioro puede detectarse como una reacción alérgica por la aplicación de proteínas extrañas a la piel procedentes de un producto altamente contaminado.

Todos estos efectos pueden producirse rápidamente, si están presentes gran número de microorganismos, o si el producto posee propiedades que favorezcan la rápida multiplicación. Sin embargo, la conservación inadecuada únicamente puede revelarse después de muchos meses, si las condiciones son tales que el crecimiento sólo puede tener lugar después de la adaptación del propio microorganismo al medio. El proceso de adaptación implica alteración gradual del pH por el microorganismo hasta un grado en que el crecimiento puede producirse a una mayor velocidad, o puede necesitar el uso de procesos metabólicos normalmente no empleados por el microorganismo en condiciones óptimas[8]. También puede implicar desarrollo de resistencias crecientes al metabolismo del conservante. Se ha encontrado que las especies de *Pseudomonas* han desarrollado resistencias totales a parabenes y al cloruro de benzalconio, utilizados como conservantes en productos que contienen detergentes. En ambos productos se halló que las *Pseudomonas* metabolizaron al detergente[9]. La presencia de contaminación de un producto con *Cladosporium resinae* se descubrió como resultado de la capacidad de este hongo para hidrolizar el conservante metilparaben a ácido *p*-hidroxibenzoico[10].

Importancia clínica de la contaminación

Se han realizado varios estudios independientes sobre el tipo y amplitud de la contaminación en cosméticos en uso y no usados (véase tabla 36.1, Baker[11], Ahearn y Wilson[20]). La tabla 36.2 da una relación de algunos de los géneros de microorganismos que han sido aislados de preparaciones cosméticas y tocador. Los microorganismos gram-negativos, en particular las pseudomonas, parecen ser los microorganismos más frecuentemente aislados en cosméticos no usados. Los cosméticos usados suelen estar contaminados por estafilococos, difteroides, micrococos, hongos y levaduras. Aunque se comprende que los cosméticos contaminados pueden perder su aspecto estético, se conoce menos el peligro potencial de estos contaminantes para el consumidor. Ciertos preparados cosméticos, tales como cremas y lociones de manos, son utilizadas ampliamente en los hospitales; puesto que los pacientes son probablemente más sensibles a las infecciones que los individuos sanos, el estado microbiológico de estos cosméticos pueden tener importantes implicaciones. Quizás el ejemplo más sorprendente de esto fue la investigación de Morse *et al.*[21] de un brote de septicemia causado por *Klebsiella pneumoniae* en una unidad de cuidados intensivos de un hospital, el origen de la cual resultó ser un frasco dispensador de crema contaminada de

Tabla 36.1. Resumen de algunas investigaciones sobre contaminación de producto

Productos	Usado/no usado	Contaminado (%)	Organismos más frecuentemente aislados	Fuente
250 productos de amplia gama	No usados	24,4	Especies *Pseudomonas* y otros gram-negativos. Los productos más frecuentemente contaminados fueron lociones para manos y cuerpo, perfiladores líquidos de ojos y pastillas de sombras de ojos.	Wolven y Levenstein (1969)[12]
169 lociones y cremas para manos y cuerpo	No usadas	19,5	Especies *Pseudomonas* y otros gram-negativos.	Dunningan y Evans (1970)[13]
428 cosméticos de ojos	Usados	12	Hongos, principalmente *Penicillium* y *Cladosporium*, y levaduras, principalmente. *Rhodotorula rubra* y *candida parapsilosis*.	Wilson *et al.* (1971)[14]
		43	Bacterias, principalmente micrococos gram-positivos. 17 productos contenían gram-negativos, 16 de los cuales fueron *Pseudomonas aeruginosa*	
58 cosméticos de ojos	No usados	3,4	Gram-negativos, uno de los cuales fue *Escherichia coli.*	
223 productos de amplia gama	No usados	3,5	Especies *Pseudomonas* y otros gram-negativos	Wolven y Levenstein (1972)[15]
165 productos de amplia gama, de los cuales, 23 eran cosméticos de ojos	No usados	12	Difteroides, estafilococos y bacilos aeróbicos formadores de esporas. Ninguno de los cosméticos de ojos estaba contaminado.	

Tabla 36.1. (Continuación)

Productos	Usados/ no usados	Contaminados (%)	Organismos más frecuentemente aislados	Fuente
222 productos de amplia gama, de los cuales, 73 eran cosméticos de ojos	Usados	49	Estafilococos. 35 por 100 de los cosméticos de ojos estaban contaminados. De ambos cosméticos, usados y no usados, se aislaron bacilos gram-negativos de un insignificante número de productos	Myers y Pasutto (1973)[16]
19 cosméticos medicamentosos	Usados	52	Estafilococos. Indica que la contaminación es posible, incluso en productos con elevada concentración de agentes antimicrobianos.	
29 aplicadores	No usados	27,5	Estafilococos y difteroides.	
37 aplicadores	Usados	100	Estafilococos.	
200 rímel	No usados	1,5	—	Ahearn et al. (1974)[17]
	Usados	60	Las bacterias más comunes fueron *Staphylococcus epidermidis* y especies *Micrococcus*. Los hongos y levaduras más comunes fueron especies *C. parapsilosis* y *Cladosporium*.	
172 productos de amplia gama	No usados	<50	Gram-negativos. Los productos más acusadamente contaminados fueron marcas específicas de maquillaje de ojos (especialmente perfiladores líquidos), detergentes de baño y maquillaje completo.	Jarvis et al. (1974)[18]
147 productos de amplia gama	No usados	32,7	Principalmente esporelados aerobios y cocos gram-positivos, pero también se aislaron gram-negativos, en particular pseudomonas.	Baird (1977)[19]

manos con lanolina. Estos investigadores, en un estudio posterior[22] en un hospital particular, examinaron veintiséis marcas de cremas de manos, usadas y no usadas. Encontraron que cuatro marcas contenían una variedad de bacterias gram-negativas, y se sugirió que el incremento en número de infecciones gram-negativas en este hospital estaba relacionado con el uso de productos contaminados.

Existen evidencias crecientes que implican a cosméticos contaminados en la producción o persistencia de infecciones oculares. Los cosméticos oculares se contaminan con flora bacteriana residente en la piel y los ojos, más levaduras y mohos saprofitos asociados con animales. Estos microorganismos pueden crecer en los cosméticos y ser inoculados en grandes cantidades en el exterior del ojo[14, 17]. Se ha demostrado una correlación entre los microorganismos encontrados en el exterior del ojo, y los que se encuentran en los cosméticos del usuario[14]. En un caso se demostró una asociación entre el rimel contaminado y la queratomicosis; el hongo causante, *Fusarium solani*, se aisló del rimel. En otro caso se aisló *Staphylococcus aureus* de los márgenes del párpado de una mujer con blefaritis y procedente del rimel que había utilizado a diario, con lo cual se perpetuaba la situación. Otras observaciones indican que los patógenos potenciales del ojo pueden establecerse por sí mismos en un cosmético en el plazo de una semana con sólo uso moderado[17]. AHEARN *et al.*[20] pudieron correlacionar el uso de cosméticos contaminados con cuatro casos de blefaritis o conjuntivitis por estafilococos cuando se curaron las enfermedades al retirar los cosméticos.

Puesto que los nuevos cosméticos de ojos están menos frecuentemente contaminados con hongos o bacterias, parece que el principal problema[14] es la contaminación del producto por los usuarios.

Tabla 36.2. Algunos microorganismos aislados de productos de tocador

Hongos	*Bacterias*	*Levaduras*
Absidia	Acinetobacter	Candida*
Alternaria*	Alcaligenes	Monilia
Aspergillus*	Bacillus*	Torula
Citromyces	Diphtheroids	Zygosaccharomyces
Cladosporium*	Enterobacter	
Dematium	Enterococcus	
Fusarium	Escherichia	
Geotrichum	Klebsiella*	
Helminthosporium	Micrococcus	
Hormodendrum	Proteus	
Mucor*	Pseudomonas*	
Paecilomyces	Sarcinia	
Penicillium*	Serratia	
Phoma	Staphylococcus*	
Pullularia	Streptococcus*	
Rhizophus*		
Stemphylium		
Thamnidium		
Trichothecium		
Verticillium		

* Se han publicado varias especies diferentes de este género.

Orígenes de contaminación

Materias primas

Si las materias primas utilizadas en la fabricación de cosméticos están altamente contaminadas, entonces es casi inevitable que el producto final esté también contaminado, y todo sistema conservante presente será contrarrestado inútilmente. Esto puede evitarse monitorizando cuidadosamente las materias primas.

El agua utilizada en la fabricación del producto es posiblemente el origen más frecuente de la contaminación, pues suele contener grandes cantidades de microorganismos. El agua de la red contiene cantidades pequeñas de microorganismos, habitualmente menos de 300 ml^{-1}. Las aguas desmineralizadas, destiladas o, en particular, desionizadas son capaces de ser soporte del crecimiento de algunas bacterias, y el número puede elevarse a 10^6-10^7 ml^{-1} cuando se almacena el agua[23-25]. Por tanto, los tanques de almacenamiento son frecuentemente responsables; Baker[11] describe varios casos de productos gravemente deteriorados a los que se siguió la pista de una contaminación elevada en el lecho de intercambio iónico o tanques de agua. Más recientemente, Duke[3] describe la contaminación de un aclarado de pelo por microorganismos gram-negativos procedentes del agua que estaban utilizando cetrimide del producto como nutriente. Se han expuesto correlaciones entre el deterioro de champúes y microorganismos procedentes del agua[26].

Las grasas, ceras y aceites refinados contienen relativamente pocos microorganismos, mientras que las sustancias naturales, tales como gomas y hierbas, están frecuentemente muy contaminadas por una variedad de hongos, levaduras y bacterias. Las gomas naturales, tragacanto, karaya y acacia, están siempre muy contaminadas; con frecuencia, las gomas sintéticas son casi estériles. Otras sustancias de origen natural, tales como talco, caolín, yeso y almidón de arroz, suelen portar grandes cantidades de bacterias, particularmente aquellas que son capaces de formar esporas. Duke[3] informa de la contaminación de un preparado facial por un pigmento contaminado con bacterias. Los contaminantes se destruyeron con la adición de un conservante.

Los envases de las materias primas —bidones, sacos, embalajes de cartón, etc.— pueden también ser origen de la contaminación que precede a la fabricación.

Medio ambiente

Un adicional origen posible de contaminación es el aire, que contiene principalmente hongos, esporas bacterianas y cocos cutáneos. El control del medio ambiental se facilita cubriendo los recipientes, y reduciendo las corrientes de aire sobre un producto[23]. Se aconseja la monitorización rutinaria del aire y lugares superficiales seleccionados en el área de producción, de modo que se detecten inmediatamente[1] las desviaciones de los estándares normales de limpieza.

Bruch[27] ha dirigido un estudio de los tipos de microorganismos encontrados en los medios ambientales de fabricación, y de qué modo éstos variaban en un período de nueve meses.

Equipo

Durante la fabricación, el producto se puede contaminar fácilmente por microorganismos que se acumulan en la planta como consecuencia de una limpieza deficiente o inadecuada. Piezas del equipo con juntas, conducciones y bombas inaccesibles son, con frecuencia, difíciles de limpiar adecuadamente y lavar con soluciones de detergente, y sólo se logra la dilución del producto formando focos estancados donde proliferan bacterias y hongos. La planta debe diseñarse para hacer posible de modo fácil la limpieza y desinfección, y se deben evitar en todas partes fisuras y puntos muertos inaccesibles en todo elemento que entre en contacto con el producto (véase Capítulo 43).

DUKE [3] ha dado un ejemplo de deterioro de productos como resultado de la contaminación de la planta. Una junta de cierre rota en un tanque de almacenamiento utilizado en la fabricación de un champú, originó que champú y agua de limpieza contaminados entrasen en el fondo falso del estanque. Como el conservante se había diluido, los contaminantes sobrevivieron, y eran arrastrados en cada nuevo lote de champú. Utilizando el champú base como nutriente, las bacterias contaminaron posteriormente todo el producto.

Nunca se insistió bastante en la necesidad de buenos procedimientos de limpieza. De extrema importancia es la educación de los trabajadores de la planta para que comprendan la necesidad de que las operaciones de limpieza de la planta deben ser efectuadas adecuadamente.

Consejos sobre métodos de limpieza y desinfección de la planta han sido dados por DAVIS [28], que indica que 150-200 ppm de hipoclorito desinfectan metal y cristal limpios en dos minutos, y esterilizan en diez minutos. Una desventaja es la naturaleza corrosiva de este tratamiento y, con frecuencia, se utiliza con preferencia el formaldehído. Se ha recomendado el agua caliente, o preferentemente vapor fluente, como el mejor agente desinfectante [23]. También son útiles los detergentes desinfectantes que contienen compuestos de amonio cuarternario o mezclas de detergente-yodo, pero es esencial eliminar el residuo de producto de la planta y aclarar a fondo con agua caliente antes de utilizar cualesquiera de los procedimientos de desinfección anteriores, puesto que muchos se inactivan por residuos de sustancias orgánicas. Las válvulas de aire en la planta también pueden impedir que ciertas partes entren en contacto con los líquidos de limpieza y esterilizantes, y deben ser evitadas.

Los análisis microbiológicos deben efectuarse sobre el material y líneas de envasado antes y después de la higienización, para cerciorarse de la eficacia de los procedimientos de limpieza. Pueden utilizarse placas de cultivo de RODAC y técnicas de toma con algodón para estos fines, junto con tomas de muestras del líquido de aclarado final después de la higienización para determinar la limpieza de las superficies internas [1].

Materiales de envasado

También es importante la limpieza y desinfección del equipo de envasado, pues la mayoría de los productos están expuestos a la contaminación posterior durante el llenado de los envases (véase Capítulo 43). Los envases y cierres deben estar exentos de polvo y limpios microbiológicamente. Esto puede lograrse por inyección de aire filtrado, que probablemente es más efectivo que el uso de detergente y agua[23]. Los tapones e interiores son destacables por abundante flora fúngica, y la mayoría del crecimiento sobre la superficie de las cremas cosméticas se atribuye directamente a los interiores de los cierres. Con bastante frecuencia, las cremas que contienen conservantes, que por otra parte están conservadas adecuadamente, se descomponen a consecuencia de la introducción de grandes cantidades de esporas de hongos procedentes de los interiores de los cierres. Estos microorganismos germinan inicialmente en la micropelícula de agua del interior del cierre y se extienden progresivamente a las zonas con ligera separación alrededor de los bordes de la crema. Muchos preparados de tocador, además de tener una vida comercial prolongada, se utilizan por el consumidor durante muchos meses, de modo que el deterioro no se hace aparente hasta que se ha utilizado más de la mitad del envase. Los productos envasados en tarros de boca ancha y frascos flexibles, que introducen aire en ellos, están más expuestos a la contaminación que los que se envasan en tubos plegables y frascos con orificio pequeño.

Como los materiales plásticos no están sujetos a la biodegradación, el uso de tales materiales, en lugar de materiales celulósicos, debe asociarse con una reducción del deterioro microbiológico. Por el contrario, papel, cartón y corcho son microbiológicamente puros, pero, como son porosos al oxígeno y al dióxido de carbono, y ocasionan la condensación de agua, se facilita el deterioro por esporas de mohos[7].

Personal

Probablemente, el mayor riesgo microbiológico para el producto durante la fabricación o envasado procede de los operarios[23, 29]. Los operarios deben ser debidamente instruidos y formados para comprender que son un origen potencial de contaminación y para mantener altos estándares de higiene y limpieza personal. Es aconsejable el uso de vestimentas protectoras[23].

Crecimiento microbiano en productos

Varios factores determinan si los microorganismos sobrevivirán y se propagarán en un producto y, por tanto, éstos influyen en la necesidad de conservantes. Algunos de los más importantes son examinados a continuación.

Contenido de agua

Debido a que los microorganismos dependen del agua para la síntesis de componentes celulares, las características físicas y químicas de la fase acuosa en una emulsión, por ejemplo, son factores dominantes en la determinación si se producirá, o no, crecimiento. Sin embargo, en productos, no emulsiones, de una sola fase, la cantidad de crecimiento que se produzca está determinada por el pH, presión osmótica, tensión superficial y tensión de oxígeno del sistema.

En general, las emulsiones con una fase continua acuosa son más sensibles al ataque bacteriano que las otras con una fase continua oleosa, aunque se han aislado frecuentemente bacterias de emulsiones agua-aceite inadecuadamente protegidas. Hasta hace poco tiempo se supuso que los microorganismos solamente sobrevivían en medios acuosos, pero DE GRAY y KILLIAN[30] demostraron que ciertas bacterias y hongos pueden sobrevivir durante largos períodos de tiempo en hidrocarbonos libres de cualquier fase acuosa separada. Además, productos cosméticos anhidros han demostrado ser soporte de crecimiento de microorganismos contaminantes[17]. En este caso se sugirió que la humedad se introducía en los productos, bien por vía del usuario o bien por condensación. En las emulsiones, probablemente existe migración de microorganismos de la fase oleosa a la fase acuosa, y, puesto que la fase oleosa no puede ser totalmente anhidra, no puede desestimarse la migración en el sentido opuesto. Algunos microorganismos son capaces de degradar triglicéridos en las emulsiones, un proceso que es facilitado por la marcada adsorción de microorganismos en la interfase aceite-agua. Se liberan ácidos grasos y glicerina, que después pueden ser metabolizados con fines de medio de cultivo[31]. BENNETT[32], en un estudio sobre la preservación de emulsiones, encontró que la relación aceite-agua tenía un efecto significativo sobre la magnitud del crecimiento. Cantidades iguales de células de *Pseudomonas aeroginosa* se inocularon a una serie de emulsiones con diferentes relaciones aceite-agua y se encontró que la cantidad del crecimiento aumentaba con el aumento del contenido en agua.

El valor nutritivo de la fase acuosa de todo producto contribuirá a la magnitud de crecimiento que se originará, y la presencia de sustancias, tales como hidratos de carbono, proteínas y, por ejemplo, fosfolípidos, aumentará la necesidad de una adecuada preservación. El sorbitol, la glicerina e incluso los agentes tensioactivos (particularmente los no iónicos, aunque también con menor grado los aniónicos), cuando se presentan a bajas concentraciones, pueden ser metabolizados por los microorganismos. BARR y TICE[33] publicaron que la ruptura de los enlaces ésteres de ciertos tensioactivos no iónicos la producían *Pseudomonas aeroginosa*, *Aspergillus niger*, *Penicillium notatum* y *Monilia albicans*. Sus resultados demostraron que los microorganismos son capaces de crecer en los ésteres tensioactivos, y los descomponían, y la relación de crecimiento y descomposición de éstos dependía del número de microorganismos en el inoculado. También los tensioactivos aniónicos pueden actuar como fuente energética para los microorganismos. Su estructura química controla su sensibilidad para ser atados, y ciertas bacterias son capaces de oxidar los grupos metilo terminales a grupos carboxilos. Según SAWYER y RYCKMAN[34] se descomponen rápidamente los alquil sulfatos, ácidos grasos sulfanados, amidas y ésteres y derivados de polietilen glicol de bajo peso molecular, mientras que son atacados más lentamente los alquil aril sulfonatos, alquil fenoxipolioxietanoles y derivados del polietilen glicol de elevado peso molecular. YU-CHIH HSU[35] descubrió seis cepas de *Pseudomonas* que eran capaces de descomponer alquil sulfatos sódicos.

También es bien conocidos el valor nutritivo de muchas gomas vegetales utilizadas como espesantes. Los polisacáridos pueden ser atacados por enzimas extracelulares y, por tanto, despolimerizadas. El almidón es degradado por amilasas, y las carboximetilcelulosas, por celulasas. Se ha indicado que, de la gama de celulosas disponibles, las más resistentes al ataque son las metil- y etil-celulosas[31].

Valor del pH

El valor del pH de un producto afectará al grado de ionización de las sustancias utilizables; la carga eléctrica influirá en las paredes celulares de bacterias y hongos, determinará la producción y la actividad de los enzimas y, por consiguiente, regulará la disponibilidad de los nutrientes y la facilidad con que se asimilan por la célula microbiana. Sin embargo, puesto que los límites de tolerancia de crecimiento del pH difieren ampliamente para diversos microorganismos, el pH nunca deberá considerarse por sí mismo como un factor posible para contribuir a la autoesterilización de un producto. Las especies de *Pseudomonas*, que son contaminantes extremadamente comunes en las preparaciones de tocador pueden subsistir en intervalos de pH tan amplios como 3,0-11,0 y, aunque muchos cultivos de hongos proliferan más a pH ácido, también se sabe que sobreviven en cremas evanescentes a pH 9.

Presión osmótica

Las membranas vivas semipermeables, que rodean los cuerpos de todos los microorganismos, pueden romperse por cambios en la presión osmótica, y esto puede originar la contracción de la membrana y la deshidratación del microorganismo. Por esta razón, la presión osmótica puede tener un efecto limitante sobre el crecimiento. Concentraciones comprendidas entre 40 y 50 por 100 de glicerina y sorbitol inhiben a los microorganismos debido a la presión osmótica, y elevadas concentraciones de los electrólitos pueden ejercer un efecto limitante similar. Por tanto, los productos muy concentrados probablemente serán autoconservantes, aunque los que se diluyen, y se dejan reposar antes de usarse, pueden deteriorarse si se dejan durante un período de varios días. Por ejemplo, los champúes que frecuentemente se venden a peluqueros profesionales como concentrados para ser diluidos antes de usarse, suelen ser sensibles de degradación bacteriana cuando los concentrados se diluyen con agua contaminada, y se dejan abiertos durante largos lapsos durante su uso.

Tensión superficial y tensión de oxígeno

Completamente aparte del valor nutritivo de las bajas concentraciones de algunas moléculas de tensioactivo, la tensión superficial es, por sí misma, un factor que influye en el crecimiento. Muchas bacterias gram-negativas y, en particular, las coliformes, se desarrollan bien en medios abundantes en tensioactivos, mientras que la mayoría de los microorganismos gram-positivos no crecen bien a niveles de tensión superficial inferiores a 50 din/cm (0,05 N/m). Los microorganismos gram-negativos, particularmente la pseudomonas, prosperan en champúes, y también son contaminantes comunes en las fases acuosas de las emulsiones. Los tensioactivos catiónicos son tóxicos para muchos microorganismos; los aniónicos, para unos pocos, y los no iónicos, para casi ninguno. Por tanto, la tensión superficial *per se* no será un factor destacado limitante, aunque tendrá un efecto asociado con la presencia o ausencia de grupos tóxicos en las moléculas de tensioactivos. La mayoría de los microorganismos, bacterias y hongos que contribuyen al deterioro del producto son aerobios, y dependen de la disponibilidad de oxígeno para su metabolismo. El microclima, en la mayoría de los productos, con quizás la excepción de aquellos envasados a presión, casi invariablemente suministra el oxígeno suficiente para el crecimiento de los microorganismos con tal que sean favorables todos los otros factores.

Espectro antimicrobiano del sistema conservante

En un cosmético, como en el medio natural, existe competición entre los microorganismos por los nutrientes, de modo que un microorganismo sobrevivirá y crecerá con más éxito que otro. Así, donde un conservante es activo frente a un espectro limitado de microorganismos, el producto puede ser susceptible al deterioro por microorganismos menos sensibles[36].

Temperatura

La sensibilidad al ataque microbiano variará con la temperatura de almacenamiento, de modo que un cosmético conservado a temperatura ambiente está expuesto a deteriorarse por diferentes microorganismos desde los que proliferan en un producto mantenido en un medio cálido (por ejemplo, expuesto al sol o permaneciendo en un coche cálido). En general, las bacterias proliferan a temperaturas de 30-37 °C, y los hongos y levaduras, a 20-25 °C[36].

Requerimientos del conservante

Aún no se ha descubierto el conservante «ideal», que sea al mismo tiempo seguro y efectivo en todo tipo de preparación de tocador, y esto indica que la composición de cada nuevo producto debe estudiarse en detalle antes de seleccionar el conservante apropiado. Con el fin de evitar el fracaso del conservante se debe realizar un análisis cuidadoso de los factores que hagan posible facilitar el crecimiento de microorganismos en el producto, los ingredientes que posiblemente se pueden contaminar antes de utilizarse, y también aquellos que son aptos para influir negativamente en la eficacia de cualquier conservante finalmente seleccionado. Los requerimientos esenciales de un conservante son:

a) Ausencia de efectos tóxicos, irritantes o sensibilizantes a las concentraciones utilizadas en la piel, membranas mucosas y, en el caso de productos administrados oralmente, al tracto gastrointestinal.

b) Estabilidad al calor y almacenamiento prolongado.

c) Ausencia de incomptibilidad total con otros ingredientes en la fórmula y con el material de acondicionamiento, que pudiera originar la pérdida de efecto antimicrobiano.

Otros requerimientos son que el conservante debe ser activo a bajas concentraciones; debe retener su efecto en un intervalo amplio de pH; debe ser efectivo

Tabla 36.3.   Algunos conservantes utilizados en cosméticos y preparados de tocador

Acido *p*-hidroxibenzoico	Fenol
Acido benzoico	Cresol
Acido sórbico	Clorotimol
Acido dehidroacético	Metilclorotimol
Acido fórmico	Clorbutanol
Acido salicílico	*o*-Fenilfenol
Acido bórico	Diclorofeno
Acido vaníllico	Hexaclorofeno
Acido *p*-clorobenzoico	Paraclormetaxilenol
Acido *o*-clorobenzoico	Paraclormetacresol
Acido propiónico	Diclormetaxilenol
Acido sulfuroso	*p*-Clorofenilpropanodiol
Acido triclorfenilacético	β-Fenoxietilalcohol
	β-*p*-Clorfenoxietilalcohol
p-Hidroxibenzoato de metilo	β-Fenoxipropilalcohol
p-Hidroxibenzoato de etilo	Hidroxiquinolín sulfato potásico
p-Hidroxibenzoato de propilo	8-Hidroxiquinolina
p-Hidroxibenzoato de butilo	*p*-Clorfenilgliceril éter
p-Hidroxibenzoato de bencilo	Formaldehído
	Hexamina
Cloruro de benzetonio	Monoetilol dimetil hidantoína
Cloruro de benzalconio	2-Bromo-2-nitro-1,3-propanodiol
Bromuro de cetiltrimetil amonio	1,6-*Bis*-*p*-clorofenil diaguanidohexano
Cloruro de cetilpiridinio	Acetato fenilmercurio
Cloruro de dimetildidodecenil amonio	Borato fenilmercurio
Bromuro de β-fenoxi-etil-dimetil	Nitrato de fenilmercurio
dodecil amonio	
Tetrametiltiuramdisulfuro	Etil-mercuritio salicilato sódico
Cloruro de 1-(3-cloroalil)-3,5,7-triazonia-	Tetraclorsalicilanilida
adamantano	
5-Bromo-5-nitro-1,3-dioxán	Triclorsalicilanilida
6-Acetoxi-2,4-dimetil-*m*-dioxán	Triclorcarbanilida
Imidazolidinil urea	
Vanillín	
Etil vanillín	

frente a una gran gama de microorganismos; debe ser muy soluble a su concentración de eficacia; no debe tener olor ni color; no debe ser volátil; debe mantener su actividad en presencia de sales metálicas de aluminio, zinc y hierro; no debe ser corrosivo para tubos metálicos plegables y no dañar a la goma.

La tabla 36.3 ofrece una relación de algunos de los conservantes utilizados en cosméticos y preparados de tocador. También se han utilizado compuestos muy relacionados a los indicados en la tabla 36.3, y la inspección de la variedad de conservantes disponibles demuestra que es necesario un conocimiento profundo de los factores que influyen en la eficacia de un sistema particular antes de hacer la selección.

Las propiedades de algunos conservantes individuales han sido tratadas por GUCKLHORN[37], ROSEN y BERKE[36], CROSHAW[38], y COWEN y STEIGER[39]. La tabla 36.4 expone las ventajas e inconvenientes de algunos grupos de conservantes admitidos.

Tabla 36.4. Ventajas y desventajas de algunos conservantes utilizados

Conservante	Ventajas	Desventajas
Alcoholes, por ejemplo, etanol, isopropanol	Amplio espectro	Volátil Se requieren elevadas concentraciones (15-20 por 100)
Compuestos cuaternarios	Mejores como agentes activos, por ejemplo, desodorantes	Inefectivos frente a ciertas pseudomonas, excepto a elevadas concentraciones, que son irritantes
	Desodorantes	Incompatibles con proteínas, aniónicos y no iónicos.
Acidos, por ejemplo, benzoico	Activo frente hongo	Dependientes del pH por la disociación
Formaldehído	Amplio espectro	Irritante (prohibido en algunos países)
	Barato	Volátil
	Soluble en agua	Olor desagradable
	Conserva actividad en presencia de tensioactivo	Químicamente muy reactivo Incompatible con proteínas
Parabenes (p-hidroxibenzoatos)	Baja toxicidad Relativamente no irritantes en amplio intervalo de pH	Más activos frente hongos y bacterias gram-positivas que frente bacterias gram-negativas Baja solubilidad en agua Reparto a favor de la fase oleosa Inactivados por no iónicos, proteínas
Mercuriales orgánicos, por ej., sales fenilmercúricas	Amplio espectro Estable	Elevada toxicidad e irritabilidad Inactivado por proteínas, aniónicos, pero en mucho menor grado por no iónicos
Fenólicos	Utiles como conservantes de envasado y como agentes activos	Baja solubilidad en agua Reparto en fase oleosa Volátil Incompatible con aniónicos por encima de la concentración crítica micelar y con no iónicos Irritantes

Datos reproducidos por gentileza de Miss B. Croshaw e *International Journal of Cosmetic Science*[38].

Factores que influyen en la efectividad de los conservantes

Disociación y pH

Las formulaciones de cosméticos y productos de tocador abarcan un amplio intervalo de pH y, puesto que los microorganismos de un tipo u otro son capaces de crecer entre pH 2 y pH 11, idealmente un conservante deberá ser efectivo en este intervalo[38]. En la práctica, muchos conservantes son dependientes del pH, la mayoría de ellos son más activos en medio ácido que en el alcalino. Algunos conservantes con un amplio límite de pH tienen el inconveniente de ser compuestos químicos de elevada reactividad (por ejemplo, formaldehído, y donadores de formaldehído), los cuales reaccionan con otros componentes de la formulación[39]. También el pH tiene efecto sobre la superficie de la célula microbiana[40], y afecta al reparto de un agente antimicrobiano entre la célula y el producto[41].

Para muchos conservantes, el efecto más pronunciado del pH sobre la actividad está sobre el propio agente antimicrobiano. Muchos ácidos débiles se utilizan como conservantes, y su actividad depende de la cantidad de ácido no disociado, el cual, a su vez, depende de la constante de disociación del pH del sistema (véanse tablas 36.5 y 36.6). Se ha sugerido que los aniones de los ácidos pueden inactivarse como consecuencia de la repulsión de la pared celular del microorganismo cargada negativamente. El ácido benzoico es un conservante excelente en su forma no disociada, pero es muy dependiente del pH, de modo que a pH 6 aproximadamente se requieren sesenta veces más ácido benzoico que a pH 3. De modo similar, el ácido sórbico está presente principalmente en forma no disociada (activa) a pH 4, pero solamente el 6 por 100 de esta forma está presente a pH 6. Un producto de adición de cloro del ácido sórbico[42] pretende ser más efectivo que el propio ácido sórbico, y ser afectado menos por el pH.

Tabla 36.5. **Constantes de disociación de ácidos utilizados como conservantes**

Conservante		Constante de disociación
Acido sulfuroso	H_2SO_3	$1,70 \times 10^{-2}$
Acido o-clorobenzoico	$o\text{-Cl} . C_6H_4COOH$	$1,20 \times 10^{-3}$
Acido salicílico	$o\text{-HO} . C_6H_4COOH$	$1,06 \times 10^{-3}$
Acido fórmico	$H\text{—COOH}$	$1,80 \times 10^{-4}$
Acido p-clorobenzoico	$p\text{-Cl} . C_6H_4COOH$	$1,05 \times 10^{-4}$
Acido benzoico	C_6H_5COOH	$6,30 \times 10^{-5}$
Acido p-hidroxibenzoico	$p\text{-HO} . C_6H_4COOH$	$3,00 \times 10^{-5}$
Acido sórbico	$CH_3CH : CHCH : CHCOOH$	$1,73 \times 10^{-5}$
Acido propiónico	C_2H_5COOH	$1,40 \times 10^{-5}$
Acido dehidroacético	$OCOCH(COCH_3)COCH : C(CH_3)$	$5,30 \times 10^{-6}$

Tabla 36.6. **Porcentaje de conservante no disociado en relación al valor de pH**

Conservante	pH 2	pH 3	pH 4	pH 5	pH 6	pH 7
Acido benzoico	99	94	60	13	1,5	0,15
Acido bórico	100	100	100	100	100	100
Acido dehidroacético	100	100	95	65	15,8	1,9
Acido p-clorobenzoico	99	91	52	9,7	1,06	0,107
Acido propiónico	100	99	88	42,0	6,7	0,71
Acido salicílico	90	49	8,6	0,94	0,094	0,0094
Acido sórbico	—	98	86	37	6,0	0,6

El ácido dehidroacético se enoliza para dar un ácido débil, y ha sido estudiado ampliamente como conservante, particularmente para alimentos[43-45]. Tiene una constante de disociación muy baja, lo cual indica que mantiene su actividad a valores de pH más elevados que la mayoría de los otros ácidos orgánicos y, por esta razón, alcanza una utilización más amplia. A pH 6, el 16 por 100 del ácido dehidroacético está en su forma no disociada, que es superior a la del ácido benzoico a pH 5. Se afirma que el anión del ácido dehidroacético es un antimicrobiano débil, de modo que a pH 7 este ácido mantendrá cierta actividad[36].

Los fenoles, entre los que se incluyen los parabenes, se comportan como ácidos débiles, y consecuentemente están menos dramáticamente afectados por el pH que los ácidos más fuertes. Por ejemplo, el metil Paraben, a pH 8,5, está, aproximadamente, un 50 por 100 sin disociar.

Las relaciones entre el pH y la efectividad de una gama de conservantes han sido ampliamente estudiados por varios investigadores[46-48]. SIMON[48] demostró que la actividad biológica de los ácidos débiles está influida de una manera regular por los cambios en el pH; en un estudio de noventa experimentos de pH implicando una amplia gama de ácidos y microorganismos de ensayos, demostró que la relación entre el pH y la actividad es bastante general para este tipo de conservantes. Cuando el pH del medio está por debajo del pKa, los cambios de pH son de escasa trascendencia, pero cuando el pH aumenta por encima del pKa, se requieren concentraciones más elevadas para producir una respuesta estándar.

Otros conservantes, por ejemplo, los catiónicos, son únicamente activos en forma ionizada. La actividad de cetrimida aumenta con el pH como consecuencia del aumento en la absorción celular[49]. Los compuestos de amonio cuaternario son activos a pH alcalino, pero se pierde progresivamente su actividad a valores de pH inferiores[39].

Algunos conservantes son dependientes del pH en virtud de su inestabilidad química. Por ejemplo, el 2-nitro-2-bromo-propanodiol (Bronopol) pierde actividad como resultado de la degradación por encima del pH 7 más rápidamente que a pH 4. Por otro lado, el hexametilén tetramina es estable y se inactiva por encima de pH 7, puesto que se difunde por descomposición química con producción de formaldehído de acción antimicrobiana[39].

COWEN y STEIGER[30] dan el intervalo de pH óptimo para varios conservantes.

Con objeto de utilizar un conservante económico y efectivo, es necesario saber si existe una correlación entre el pH y la actividad. Si este aspecto de formulación se hubiese estudiado más profundamente en el pasado, se hubiera ahorrado una gran cantidad de dinero por muchos fabricantes que utilizan conservantes que no son efectivos en las condiciones de pH prevalecientes en sus productos.

Concentración del conservante

No pueden existir reglas rígidas y fijas sobre las concentraciones óptimas que se deben utilizar en ciertos conservantes. Esto queda aclarado en los párrafos anteriores, que mencionan la multitud de factores que contribuyen al crecimiento de los microorganismos en los productos, y la efectividad de los conservantes en estos medios. Algunos productos, debido a la concentración de sustancias en su fase acuosa, son virtualmente autoconservantes sin que sea necesario la adición de conservantes, mientras que otros pueden proporcionar un medio nutritivo para el crecimiento de microorganismos y, por tanto, requieren una concentración bastante elevada de un conservante potente.

Las concentraciones efectivas de los conservantes varían desde tan bajas como el 0,001 por 100, en el caso de compuestos mercúricos orgánicos, hasta el 0,5 por 100 o incluso el 1 por 100 de tales sustancias como ácidos débiles, dependiendo del pH del producto.

La disponibilidad del conservante para los microorganismos es requerida para inhibirlos y es probablemente más importante que la propia concentración total. La «disponibilidad» en este contexto puede definirse en concordancia con el mecanismo de acción del conservante en particular, y puede depender de la permeabilidad a través de la pared celular (si es éste el mecanismo), el flujo (si es importante el grado de difusión) o el grado de adsorción (si el conservante actúa recubriendo la superficie del microorganismo). También tiene influencia en la actividad del conservante la distribución, o reparto, del conservante entre las fases del producto. Las propiedades de reparto de los conservantes se tratan posteriormente en este capítulo.

Existen ciertas ventajas al utilizar los conservantes en asociación más que como únicos, como son las siguientes: a) la ampliación del espectro de actividad antimicrobiana; b) el uso de concentraciones más bajas de cada uno de los conservantes, de este modo se evitan problemas de toxicidad o insolubilidad; c) se reduce la posibilidad de supervivencia de un microorganismo resistente a uno de los conservantes, con tal que él o los otros conservantes del sistema actúen por un mecanismo diferente; d) la actividad antimicrobiana de la asociación puede ser superior a los efectos aditivos de los conservantes por separado.

Frecuentemente se utilizan en asociación los ésteres de p-hidroxibenzoato, el éster metílico en la fase acuosa de una emulsión y el éster propílico en la fase oleosa. La adición del conservante a la fase oleosa no es tanto para prevenir la multiplicación de los microorganismos en esta fase, ya que raramente se produce esto, sino para evitar la difusión o reparto del éster de metilo de la fase acuosa a la fase oleosa; la presencia del éster propílico en la fase oleosa tenderá a estabilizar la distribución entre las fases. BEAN et al.[50] han examinado la actividad del fenol frente a E. Coli en dispersiones aceite-agua y determinaron la distribución del fenol entre aceite y agua en dispersiones de parafina líquida y aceite de cacahuete. La determinación de los tiempos de extinción del microorganismo en los sistemas demostró que la actividad bactericida está regulada por la concentración de fenol en la fase acuosa y la proporción de aceite a agua.

Los parabenes se han utilizado en asociación con otros conservantes, por ejemplo, fenoxietanol. Esta asociación (comercializada como Phenonip) reivindica tener un amplio espectro de actividad antimicrobiana, manteniéndose la actividad en presencia de tensioactivos y proteínas[38]. Se ha publicado un efecto sinérgico entre Phenonip y hexaclorofeno, cloruro de cetilpiridinio, tiomersal o diclorofeno[51]. Se ha hallado que la imidazolidinil urea actua sinérgicamente con otros conservantes, incluyendo metil y propil parabenes, aumentando la capacidad antimicrobiana del sistema conservante, y el espectro de actividad antimicrobiana[36].

El sinergismo también se ha encontrado que se presenta con asociaciones de cloruro de benzalconio o clorhexina con algunos alcoholes aromáticos[52]. Hugbo[53] ha publicado el sinergismo entre *p*-cloro-*m*-cresol y cloruro de benzalconio, *m*-cresol y acetato de fenilmercurio, y cloruro de benzalconio y acetato de fenilmercurio.

Coeficiente de reparto

La preservación de las formulaciones que contienen aceite y agua se complica por la capacidad de distribuirse los propios conservantes entre estas dos fases. Puesto que los microorganismos solamente se desarrollan en la fase acuosa, es importante que el conservante no se distribuya por sí mismo, de tal modo que deje una concentración inefectiva en esta fase. Idealmente, un conservante deberá tener una elevada solubilidad en agua, y baja solubilidad en aceite, esto es, tener un coeficiente de reparto aceite-agua bajo. Para sistemas simples, donde no están presentes emulgentes, la concentración del conservante en la fase acuosa (C_w) puede calcularse por la siguiente ecuación:

$$C_w = \frac{C(\phi + 1)}{(K_w^o \phi + 1)}$$

donde C es la concentración total de conservante, ϕ es la relación aceite-agua y K_w^o es el coeficiente de reparto aceite-agua[54]. La concentración de conservante en la fase acuosa está influida por la relación aceite-agua. Como norma general, cuando $K_w^o < 1$ la concentración acuosa aumenta al aumentar la concentración de aceite y, cuando $K_w^o > 1$, un aumento en la proporción de aceite disminuye la concentración acuosa.

El coeficiente de reparto por sí mismo varía con el pH y la naturaleza del aceite. Algunos aceites son predominantemente hidrocarburos, mientras que otros, por ejemplo, aceites vegetales, contienen átomos de oxígeno. Conservantes, tales como fenoles clorados, forman puentes de hidrógeno con el último tipo de aceites, dando lugar a un elevado coeficiente de reparto y, de este modo, inutilizan al conservante para sistemas que contienen este tipo de aceite. No obstante, los fenoles clorados son conservantes útiles para formulaciones basadas en aceites que son predominantemente hidrocarburos[39]. Cowen y Steiger[39] proporcionan las solubilidades de algunos conservantes en aceite y agua.

Varios investigadores han demostrado que la adición de propilen glicol a la fase acuosa de una emulsión reduce el coeficiente de reparto y, de este modo, hace más útil el conservante en la fase acuosa. De Navarre[55] halló que el propilen glicol es un conservante fiable al 16 por 100 de muchos productos cosméticos e indicó que sus propiedades antimicrobianas eran tres o cuatro veces superiores a las de una cantidad equivalente de glicerina. El propilen glicol no parece actuar únicamente por su efecto osmótico, mostrando efectos tóxicos donde algunos microorganismos a concentraciones altas.

Para sistemas que contienen fases oleosa y acuosa y un agente emulsificante, la concentración del conservante en la fase acuosa puede, además, reducirse por unión o solubilización del conservante por el tensioactivo. Existe voluminosa literatura sobre la inactivación de los conservantes por los tensioactivos, particularmente los no iónicos, y algunos aspectos de la inactivación se tratan en una sección posterior de este capítulo.

Sensibilidad de los microorganismos al conservante

Algunos tensioactivos no iónicos, especialmene Tween 80, polietilen glicol 1000 monocetil éter y polietilen glicol 400 laurato, se ha encontrado que son capaces de ejercer un efecto «protector» sobre los microorganismos. JUDIS[56] demostró que el Tween 80 protege al *E. coli* de los efectos letales del *p*-cloro-*m*-xilenol, evitando en parte la pérdida del contenido celular, como se demostró por la liberación de glutamato radio-marcado que previamente se añadió al medio de cultivo en donde se desarrollaban los microorganismos. Un fenómeno similar ha sido observado por WEDDERBURN[57] utilizando célculas de diferentes bacterias suspendidas en soluciones no iónicas, y posteriormente lavadas perfectamente en solución salina antes de exponerlas al medio que contenía un 0,1 por 100 de ésteres de *p*-hidroxibenzoato. El Tween 80 y alguno de los ésteres de propilen glicol protegen a los microorganismos gram-negativos de los efectos inhibidores del conservante.

Interacción entre los ingredientes y los conservantes

Además de la incompatibilidad entre los ingredientes utilizados en los productos y los conservantes, los factores físicos —tales como solubilización, adsorción o unión con puntos de actividad— pueden producir la inactivación de sistemas que por otra parte son químicamente compatibles.

Agentes tensioactivos. Ciertos tensioactivos catiónicos tienen marcadas propiedades antimicrobianas, y su efecto es aditivo cuando se utilizan en asociación con otros antisépticos o conservantes. La eficacia antimicrobiana de los catiónicos varía según la longitud de la cadena hidrófoba, y los compuestos más eficaces tienen una longitud de cadena alquílica de aproximadamente doce a catorce átomos de carbono.

Los jabones y tensioactivos aniónicos presentan suaves influencias antimicrobianas a elevadas concentraciones, pero tienden a ser soporte del crecimiento de bacterias gram-negativas y hongos a bajas concentraciones.

En general, la preservación de emulsiones estabilizadas, tanto con jabón como agentes tensioactivos aniónicos, no presenta muchos problemas, porque, cuando estos agentes se utilizan como emulsificantes en cremas, la concentración del tensioactivo en la fase acuosa es tolerablemente alta, y habitualmente presenta un medio que es hostil al crecimiento de microorganismos. No obstante, estas sustancias disminuyen en cierto grado la actividad de muchos conservantes, y esto es el resultado de la solubilización de los conservantes en las micelas de los tensioactivos. Por debajo de la concentración micelar crítica (CMC) de una solución de jabón o detergente aniónico, los conservantes y antisépticos tienden a ser potencializados en su acción, mientras que, por encima de la CMC, disminu ye la actividad. Bean y Berry[58, 59] explican el fenómeno fisicoquímico asociado con la eficacia de los conservantes en las soluciones acuosas de jabones o detergentes aniónicos.

En la actualidad, los tensioactivos no iónicos son ampliamente utilizados como emulsificantes para cremas, y también como solubilizantes de perfumes en productos no emulsificados. La relación entre estas sustancias y los conservantes es, por tanto, de gran importancia. Los agentes tensioactivos no iónicos inactivan conservantes en un grado superior al de los jabones y detergentes aniónicos o catiónicos y, a diferencia de los otros tensioactivos, la mayoría de los no iónicos no tienen propiedades inhibitorias del crecimiento, aumentando, de este modo, la necesidad de una preservación adecuada de sistemas adecuados que los contienen. No poseen efectos desnaturalizantes de las proteínas bacterianas, y muchos se utilizan por las bacterias y hongos como fuente de energía. Por esta razón, sólo la ausencia de un conservante eficaz en productos que contienen no iónicos se manifiesta desagradablemente en un tiempo notablemente corto. Sin embargo, algunos tensioactivos no iónicos, especialmente la mayoría de octil y nonilfenoles hidrófobos, han demostrado poseer propiedades inhibitorias del crecimiento[60]. Allwood[60] demostró que las asociaciones de polioxietilen octil y nonil fenoles, y algunos antibacterianos, por ejemplo, el 2-nitro-2-bromo-propanodiol, producen sinergismo.

Existe abundante literatura sobre el asunto de la incompatibilidad de los conservantes no iónicos. La teoría fundamental ha sido tratada por Kostenbauder[61, 62], y ha sido recientemente desarrollada por Kazmi y Mitchell[63 - 65] y otros[66, 67]; también han revisado esta materia Manowitz[68], Wedderburn[69], Russell[40] y Schmolka[70].

El balance hidrófilo-lipófilo (*hydrophile-lipophile balance*, HLB) de los tensioactivos no iónicos influye en su efecto en la actividad del conservante. Los no iónicos más oleosolubles, teniendo valores HLB de, aproximadamente, 3-6, que se utilizan con frecuencia en emulsiones agua-aceite, tienen un efecto inactivante superior en conservantes comúnmente utilizados, que aquellos con valores de HLB más altos[71].

El mecanismo de interacción entre los tensioactivos no iónicos y conservantes ha llamado mucho la atención, y existen pruebas para defender la opinión de que la interacción se atribuye en parte a la solubilización micelar de los conservantes por los tensioactivos no iónicos y también a la formación de complejos. Los complejos parecen formarse por puentes de hidrógeno entre el grupo hidroxilo fenólico de ciertos conservantes y el oxígeno básico del grupo éter de los aductos de óxido de etileno. Sin embargo, este mecanismo no puede explicar totalmente las interacciones no iónico-conservantes, puesto que se podría esperar un elevado grado de puentes de hidrógeno y, en consecuencia, inactivación, cuando están presentes carboximetilcelulosa y goma tragacanto, si bien estas sustancias no inactivan los conservantes en algo parecido al mismo grado que, por ejemplo, los ésteres de polietilen glicol de elevado peso molecular.

Coates y Richardson[72] han examinado la actividad del cloruro de cetilpiridinio en soluciones acuosas de polietilen glicol, y hallaron que, excepto para muy elevadas concentraciones, la actividad se reduce por la presencia de glicol, aunque no tanto como se predecía por datos de enlaces. Ya que el polietilen glicol no forma micelas, estos investigadores sugieren que la interacción puede deberse a una atracción entre el anillo de piridinio deficitario de electrones del agente antibacteriano y los enlaces de poliéter del glicol ricos en electrones.

Los conservantes que parecen estar menos afectados por la presencia de los tensioactivos no iónicos son el formaldehído, ácido sórbico, ácido benzoico y ácido dehidroacético[57].

Los tensioactivos no iónicos forman micelas en soluciones acuosas a muy bajas concentraciones y, por esta razón, cuando se utilizan, tanto como emulsiones como solubilizantes, siempre se presentarán a concentraciones por encima de su CMC. Para ser efectivos, los conservantes deben estar en solución y «disponibles» en la fase acuosa de un producto, y las características hidrófilas-lipófilas del conservante influirán en su relación con el no iónico. Los conservantes más lipófilos parecen estar ligados en grado mayor que los compuestos más solubles en agua, y PATEL y KOSTENBAUDER[73] han estudiado el efecto del Tween 80 en p-hidroxibenzoato de metilo y p-hidroxibenzoato de propilo. El éster propílico resultó tener una mayor afinidad por el Tween 80 que el éster metílico. Al 5 por 100 de Tween 80, existe un 22 por 100 de p-hidroxibenzoato de metilo con conservante libre; en condiciones similares, únicamente existe un 4,5 por 100 del p-hidroxibenzoato de propilo en estado libre. La interacción entre el tensioactivo no iónico cetomacrogol y ácido benzoico, ácido p-hidroxibenzoico, metilparabenes, propilparabenes y cloroxilenol ha sido investigada, y los fenómenos de reparto y enlace han sido tratado por KAZMI y MITCHELL[65]. KONNING[66] describe la interacción entre el fenol o clorocresol y polisorbato 80 en sistemas aceite de cacahuete-agua, y estudia el efecto de la alteración de la concentración del tensioactivo y la proporción de aceite sobre la concentración del conservante en la fase acuosa.

BALEY et al.[67] han investigado las propiedades bactericidas de algunos compuestos de amonio cuaternario en sistemas dispersos. La concentración de cuaternario en la fase acuosa fue variada utilizando diferentes hidrocarburos, diferentes concentraciones de hidrocarburos y diferentes alcoholes tensioactivos, y se demostró que la actividad bactericida correspondía a la concentración del conservante libre en la fase acuosa.

Se han hecho intentos para describir los sistemas matemáticamente con el fin de poder calcular la cantidad de conservante requerido para producir una conservación eficaz en una solución de tensioactivo o sistema emulsionado. KAZMI y MITCHELL[65] han deducido ecuaciones diferentes para soluciones de tensioactivos y para sistemas emulsionados que se encontraron que se correlacionaban con valores determinados experimentalmente. En otro trabajo[64], desarrollaron la teoría de la capacidad. En un sistema solubilizado, las micelas actúan de almacenes del conservante. Cualquier pérdida de conservante de la fase acuosa —por ejemplo, debido a la interacción con microorganismos, ingredientes del producto o envase— originará un ajuste de la concentración del conservante en las otras fases hasta que se reestablezca el equilibrio. Se proporciona un método para calcular la capacidad de las soluciones de tensioactivos y emulsiones. No obstante, puesto que estos sistemas son complejos y no se involucran muchos factores variables, la concentración de conservante dada por consideraciones matemáticas puede considerarse únicamente como una concentración de partida, que debe someterse a evaluación microbiológica en el producto.

SCHMOLKA[70] ha investigado los efectos de los tensioactivos no iónicos sobre agentes antimicrobianos catiónicos, y da métodos por los cuales se puede influir en la interacción para crear un producto satisfactoriamente conservado.

PARKER[74] ha revisado los métodos utilizados para medir la interacción entre conservantes y macromoléculas empleadas en cremas.

Los polímeros hidrofílicos, incluyendo polietilen glicoles de elevado peso moleclar, goma tragacanto, metilcelulosa, carboximetilcelulosa y polivinil pirrolidona, tienen sólo un efecto marginal en la reducción de la eficacia de la mayoría de los conservantes. Los compuestos de amonio cuaternario pierden actividad en presencia de lanolina y metilcelulosa[36]. La figura 36.1 resume algunos de los trabajos que demuestran el grado de unión de p-hidroxibenzoato de metilo con varias macromoléculas.

Algunos investigadores han publicado la adición con éxito de ciertas sustancias a la fase acuosa de las emulsiones para minimizar el efecto de inactivación de tensioactivos no iónicos sobre los conservantes. Sustancias tales como propilen glicol, glicerina y hexilenglicol modifican el coeficiente de reparto del conservante entre la fase de la emulsión, de modo que hacen más disponible al conservante

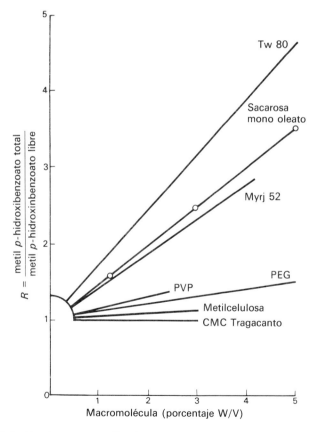

Figura 36.1. Relación de concentración de conservante total a libre en presencia de diferentes concentraciones de macromoléculas (R valor 1,0 corresponde a complejos no mensurables).

en la fase acuosa. También han sido útiles para este fin el alcohol etílico, el propanodiol, el butanodiol y el metilpentanodiol[75].

Influencia de las partículas sólidas en conservantes. Se utilizan en cosméticos y preparados de tocador un gran número de diferentes sólidos insolubles. Estos incluyen talco, coalín, dióxido de titanio, ácido tartárico, óxido de zinc y sulfato cálcico, así como sólidos insolubles utilizados para cremas de color, y los pigmentos naturales y sintéticos presentan superficies sobre las que se producen adsorción del conservante. El grado de esta adsorción depende de la naturaleza del sólido, el tipo de conservante y el pH del sistema. Para todo sólido en particular, conociendo la carga eléctrica superficial en condiciones determinadas del producto, área superficial total presentada a la fase acuosa y todo mecanismo de intercambio iónico que se pueda producir, se pueden hacer predicciones razonables sobre la cantidad de conservante perdido en la superficie.

McCarthy[76] ha estudiado los efectos de sólidos particulares sobre varios conservantes comúnmente utilizados, y ha cuantificado la pérdida del principio activo debido a la adsorción y a factores asociados con cambios en pH. Clarke y Armstrong[77] demostraron que el caolín adsorbía ácido benzoico, y el grado de adsorción puede ajustarse regulando el *p*H.

Los tensioactivos se adsorben en las superficies de los sólidos de modo que el orden de adición de los ingredientes durante la fabricación puede influir en la adsorción del conservante. Si el conservante se disuelve en una mezcla pastosa que contiene las partículas sólidas suspendidas, se producirá una adsorción mayor a la que se produce si se añade después que las superficies están recubiertas con tensioactivo.

La actividad de un conservante puede reducirse por interacción con, o pérdida a través de, el envase o cierre. Se ha documentado bien[4, 40] la interacción de conservantes con goma. Existe un interés creciente en las interacciones entre conservantes y plásticos. Los compuestos fenólicos y de amonio cuaternario se considera que reaccionan con poliuretano[39]. Los parabenes, ácidos benzoicos, sórbico y salicílicos se adsorben por nylon, cloruro de polivinilo y polietileno[78].

Selección de conservante

Aunque no es posible establecer una serie de «reglas» que pueda seguir un formulador, con frecuencia pueden evitarse semanas de trabajo considerando sobre una base teórica los factores que probablemente influirán en la preservación de un nuevo producto. Este planteamiento, unido a ensayos usuales de laboratorio con varias asociaciones de componentes de la fórmula, puede ahorrar tiempo y frustraciones, mientras no se haga ninguna sustitución sin ensayo microbiológico profundo de la fórmula final.

Frecuentemente, la complejidad de las fórmulas modernas supone que existe variedad de sustancias presentes, algunas de las cuales actuarán a favor de mantener buenas cualidades, mientras que otras actuarán frente a cualquier conservante seleccionado; la hostilidad relativa a los microorganismos, o el valor nutritivo de la fórmula por sí misma, son también de importancia.

Los pasos lógicos a seguir antes de seleccionar un conservante se relacionan a continuación:

1. Comprobar los ingredientes en cuanto a la posibilidad de contaminación (por ejemplo, agua, sustancias de origen natural, material de acondicionamiento, etc.).

2. Considerar qué sustancias pueden proporcionar fuentes de energía para el crecimiento microbiológico (por ejemplo, glicerina, sorbitol, etc., a concentraciones inferiores al 5 por 100; tensioactivos no iónicos a casi cualquier concentración útil; jabones y tensioactivos aniónicos a concentraciones inferiores aproximadamente al 15 por 100, proteínas, hidratos de carbono, derivados de celulosa y gomas naturales).

3. Determinar el pH de la fase acuosa del producto antes de intentar usar cualquier conservante que dependa fuertemente de estar en forma no disociada para su actividad (véase tabla 36.6 para porcentajes de conservantes no disociados en relación al pH). Considerar cambios del pH para incrementar la actividad antimicrobiana.

4. Dependiendo de las relaciones de agua y aceite presentes en la fórmula, estimar si ciertos conservantes se repartirán entre las dos fases, posiblemente dejándolos insuficientes en solución en la fase acuosa para ser efectivas. Decidir si todas las sustancias en solución en la fase acuosa son idóneas para reducir el coeficiente de reparto (por ejemplo, propilen glicol y hexilen glicol) y, de este modo, tender a colaborar en la efectividad del conservador o, por el contrario, aumentan el coeficiente de reparto (por ejemplo, agentes tensioactivos), reduciendo, así, su efectividad. Considerar la posibilidad de añadir agentes que alteren el coeficiente de reparto o CMC; por ejemplo, la urea aumenta la CMC de los tensioactivos no iónicos, reduciendo, así el número de micelas y el grado de inactivación del conservante[70].

5. Como guía, estimar la relación aproximada del total de conservante libre en presencia de macromoléculas en la formulación, y multiplicar la concentración efectiva normal por el factor apropiado (véase tabla 36.7). Las fórmulas derivadas por KAZMI y MITCHELL[63], como se describió anteriormente, pueden utilizarse para estimar la concentración total de conservante a añadir a sistemas solubilizados o emulsiones estabilizadas por tensioactivos no iónicos para obtener la concentración requerida de conservante libre en la fase acuosa. Las ecuaciones que relacionan la capacidad conservante para la concentración de tensioactivo, y la interacción entre tensioactivo y conservante, también pueden proporcionar datos útiles[64].

6. Elegir el menos tóxico de los posibles conservantes para el sistema, con el fin de que se puede incluir la cantidad suficiente para proporcionar una vida comercial prolongada.

Aunque es tentador considerar en primer lugar, en toda fórmula nueva, aquellos conservantes que han pasado el ensayo del tiempo, y son bien conocidos, se deben ensayar varias opciones menos evidentes en sistemas que parecen difíciles de conservar. Algunas de tales sustancias son:

El *bronopol* (2-bromo-2-nitro-1,3-propanodiol) que, según CROSHAW *et al.*[79], es activo a bajas concentraciones frente a especies *Pseudomonas*, y sólo se reduce ligeramente su actividad por los no iónicos, y tiene baja toxicidad.

Tabla 36.7. Relaciones aproximadas de conservante total a libre en presencia de macromoléculas

Conservante	2 por 100 Tween 80	5 por 100 Tween 80	2 por 100 Myrj 52	5 por 100 Myrj 52	2 por 100 PEG 4000	5 por 100 PEG 4000	2 por 100 Metil celulosa	5 por 100 Metil celulosa
	Factor por el cual se debe multiplicar la concentración normal de conservante							
Metilo, p-hidroxibenzoato	2,5	4,5	2,0	3,0	1,2	1,5	1,05	1,25
Etilo, p-hidroxibenzoato	5,0	11,0	3,0	5,0	1,3	1,6	—	—
Propilo, p-hidroxibenzoato	12,5	27,0	6,0	13,5	1,4	1,7	—	—
Butilo, p-hidroxibenzoato	30,0	63,0	18,0	40,0	—	—	—	—
Fenol	1,6	2,5	—	—	1,2	1,25	—	—
Acido sórbico	1,8	2,9	1,7	2,7	1,1	1,2	—	—
Cetilpiridinio, cloruro	38,0	60,0	—	—	—	—	—	—
Benzalconio, cloruro	3,0	5,5	—	—	—	—	—	—

La *clorhexidina* (*bis*(*p*-clorofenil-diaguanido)hexano) es un agente antimicrobiano de amplio espectro con un buen historial de seguridad.

El *ácido dehidroacético*, que es apropiado para fórmulas de *p*H bajo, no es relativamente afectado por la presencia de elevadas concentraciones de emulsificantes no iónicos, y parece seguro para ser utilizado en la piel.

El *imidazodinil urea* no depende del *p*H, tiene elevada solubilidad en agua, no es tóxico, ni irritante y no es sensibilizante. Es activo frente a bacterias gram-positivas y gram-negativas, pero selectivamente activo frente a levaduras y hongos. Retiene su actividad en presencia de muchos ingredientes cosméticos, incluyendo tensioactivos, y frecuentemente actúa sinérgicamente con otros conservantes, por ejemplo, parabenos[36].

Mezclas de conservantes, que son efectivos frente a diferentes microorganismos, también son con frecuencia útiles. Por ejemplo, el alcohol *β-p*-fenoxietílico, que es muy activo frente a bacterias gram-negativas y hongos, puede utilizarse con un compuesto de amonio cuaternario, tal como cloruro de benzalconio, que actúa frente a bacterias gram-positivas a muy altas diluciones. Además, existen ventajas en la utilización de asociaciones, que no son sólo activas frente a una amplia gama de microorganismos, sino que también actúan sinérgicamente, por ejemplo, imidazolidinil urea y parabenos.

Aspectos de seguridad

Los conservantes son comúnmente ingredientes costosos, y siempre es recomendable utilizarlos a la misma concentración efectiva. Sin embargo, el coste es secundario respecto a la cuestión más importante de seguridad para el consumidor.

Si los ensayos para medir la efectividad de ciertos conservantes demuestran que se requiere varias veces la concentración habitual para lograr el efecto antimicrobiano deseado (debido al reparto incrementado en la fase no acuosa, enlaces físico-químicos, o factores que influyen en la disociación), es prudente considerar la toxicidad del conservante a la concentración más elevada antes de continuar. Aunque un conservante puede parcialmente acomplejarse en un producto, y la fracción remanente en la fase acuosa presente no es mayor que la utilizada de modo seguro en otras fórmulas, la relación de acomplejado a conservante libre es improbable que se mantenga inalterada, cuando el producto se utiliza de hecho. Por tanto, desde un punto de vista toxicológico, la cantidad **total** es importante más que aquella fracción que actúa como conservante en el vehículo particular. La aplicación del producto a la piel, por ejemplo, alterará el equilibrio original del conservante entre las varias fases del producto, y casi con certeza producirá la liberación del conservante previamente acomplejado. La evaporación de agua aumentará la concentración del conservante disponible para la piel, y puede producir una irritación primaria o, en algunos casos, sensibilización.

Sin embargo, más que una línea de división definida entre una concentración tóxica y no tóxica de conservante, existe un razonable espectro continuo de toxicidad, variando desde concentraciones muy bajas, a las cuales pocos individuos pueden mostrar reacción adversa, hasta concentraciones elevadas, donde serán más numerosas tanto las irritaciones primarias, como las respuestas alérgicas. La toxicología de los ésteres *p*-hidroxibenzoatos ha sido muy estudiada, y no se ha publicado ninguna irritación primaria después de su uso a concentraciones hasta, aproximadamente, de un 0,3 por 100. Concentraciones entre el 5 y el 10 por 100 se han utilizado en polvo, ungüentos y soluciones para tratar pie de atleta e incluso a estas concentraciones, no han sido numerosas las reacciones adversas. Casos de sensibilización a los ésteres *para*-hidroxibenzoatos han sido publicados por HJORTH y TROLLE-LESSEN[80, 81], y también por SARKANY[82]. Demostraron que es necesario utilizar concentraciones más elevadas de conservante que las que normalmente se utilizan en los productos para identificar alergias cutáneas verdaderas en su prueba del parche estándar de cuarenta y ocho horas. Estos resultados fueron posteriormente confirmados en los EE. UU., por SCHORR[83], quien encontró que la alergia generalmente se produce cuando las dermatitis crónicas de contacto causadas por otras sustancias químicas se tratan con cremas y lociones que contienen ésteres *para*-hidroxibenzoatos. Después de un intenso estudio, concluyó que estos conservantes son relativamente seguros en comparación con otros comúnmente utilizados sobre la base de su potencial sensibilización. Sin embargo, las soluciones saturadas pueden causar irritación del ojo[36].

También se han utilizado ácido sórbico y benzoico en productos a concentraciones alejadas en exceso de aquellas requeridas para la conservación normal. El ácido benzoico parece tener una patente de sanidad razonablemente clara, pero el ácido sórbico ha ocasionado irritaciones primarias caracterizadas por eritema y picor a concentraciones inferiores al 0,5 por 100[84].

La sensibilización al ácido sórbico ha sido publicado por HJORTH y TROLLE-LASSEN[80], sí como por SCHORR[83], que realizaron estudios comparativamente grandes. En éstos encontraron que la incidencia de sensibilización al ácido sórbico es algo inferior a la de los ésteres del ácido *para*-hidroxibenzoico, y concluyeron que si se utiliza a concentraciones de aproximadamente un 0,2 por 100, es improbable que constituya un riesgo a la seguridad.

Existe escasa literatura para indicar los efectos adversos causados por el ácido dehidroacético; su amplio uso como conservante alimentario, y el hecho de que se afecta relativamente poco en presencia de los emulsificantes no iónicos, indican que merecen más consideración como conservante de preparados de tocador que la que alcanzó en el pasado.

Los compuestos orgánicos de mercurio son, claramente, venenos reconocidos. Aunque, durante varios años, aparentemente se han utilizado con seguridad a concentraciones inferiores al 0,01 por 100, presentan riesgos de toxicidad para quienes los manejan en forma concentrada en las fábricas. Varios científicos importantes han desaconsejado el uso del acetato, borato, nitrato fenilmercúrico y también metiolato, en base a su capacidad para penetrar la piel y ser nocivos para el hígado y los riñones.

En los EE. UU., la Administración de Alimentación y Medicamentos ha legislado[85] que los conservantes mercúricos no deben utilizarse en cosméticos. Se hizo una excepción en el caso de los cosméticos del área ocular, porque los compuestos mercúricos (hasta un límite de 50 ppm) son muy eficaces en la prevención de contaminación por *pseudomonas;* la infección ocular de *pseudomonas* puede conducir a graves lesiones o ceguera.

Los compuestos de amonio cuaternario han sido ampliamente ensayados en cuanto a irritación cutánea y propiedades sensibilizantes se refiere. A concentraciones inferiores al 0,1 por 100, la mayoría de los que comúnmente se utilizan como conservantes parecen ocasionar poca o ninguna irritación; concentraciones más elevadas pueden causar eritema y sequedad de piel. CRUICKSHANK y SQUIRE[86] han publicado casos de sensibilización a cetrimida a concentraciones de, aproximadamente, el 1 por 100. Su substantividad a la piel humana ha ocasionado preocupación sobre la seguridad de la fábrica[87].

El formaldehído es bien conocido por ser un irritante cutáneo, y por esta razón y otras de volatilidad y olor, no ha sido ampliamente utilizado como conservante. En algunos países, tales como Japón y Suecia, está prohibido su uso[36]. Agentes de liberación lenta de formaldehído parecen poseer menor potencial sensibilizante[39].

Los umbrales de toxicidad de los conservantes dependerán, no sólo de las concentraciones a las cuales se utilizan, sino también del vehículo. Una determinada concentración de un conservante determinado puede ser bastante inocua en un sistema, mientras que la misma cantidad podría producir respuestas cutáneas adversas en otro, debido a la presencia de sustancias que incrementan su penetración a través de la piel.

Ensayos de efectividad de conservantes

Ensayos iniciales de selección

Los ensayos en placas de agar se pueden utilizar para obtener una ligera indicación de si un conservante en particular es idóneo para ser eficaz, pero los resultados deben interpretarse con cautela.

El ensayo normalmente implica el uso de placas de agar sembradas con una variedad de microorganismos; se cortan pocillos en el agar sembrados, y pequeñas cantidades del producto del ensayo se colocan en los pocillos antes de incubar las placas. Bacterias gram-negativas y gram-positivas, junto con hongos típicos que frecuentemente contaminan los preparados de tocador, se relacionan

Tabla 36.8. Contaminantes típicos de preparaciones de tocador

Bacterias gram-positivas	Bacterias gram-negativas
Staphylococcus aureus	*Pseudomonas aeruginosa*
Streptococcus mitis	*Escherichia coli*
Bacillus subtilis	*Enterobacter aerogenes*
Hongos	Levaduras
Arpergillus niger	*Monilia albicans*
Penicillum crysogenum	*Candida*
Alternaria solani	

en la tabla 36.8, y los ensayos confirmatorios de la preservación se deben realizar utilizando microorganismos de éstos o tipos similares.

En este tipo de ensayo, algunos de los conservantes se difundirán inevitablemente dentro del agar dejando una concentración menor a la que originalmente está presente en el producto en el pocillo. Aunque esta clase de ensayo puede proporcionar una rápida indicación si el conservante muestra alguna posibilidad de ser efectivo en el producto, de ningún modo es definitivo, y no debe utilizarse como sustituto de evaluaciones a largo plazo y más rigurosas.

Puesto que en la actualidad no se conocen totalmente todos los factores que regulan la efectividad del conservante, es casi imposible predecir con certeza si un conservante determinado será efectivo en un sistema en particular. En consecuencia, durante las primeras etapas de formulación se deben realizar algunos ensayos microbiológicos para comprobar la compatibilidad del conservante en el nuevo sistema.

Ensayos de inoculación

Los métodos, en que un conocido número de bacterias u hongos se introducen en el producto y periódicamente se toman muestras para estimar la supervivencia, son con mucho los más fiables. Se han propuesto varios procedimientos de ensayo[6, 88, 89], y han sido revisados por COWEN y STEIGER[90]. En general, comprobar la resistencia de un producto a la contaminación bacteriana implica la inoculación de una muestra de tamaño apropiado (por ejemplo, 10 g) de producto con el microorganismo de ensayo para dar una concentración final de 10^5-10^7 microorganismos g^{-1}. La cantidad de supervivientes en la muestra se determina a intervalos de tiempo después de almacenar a la temperatura ambiente. El estándar que se debe cumplir para que un producto pueda considerarse efectivamente preservado varía dependiendo del uso a que se destina. Las diferencias de opinión respecto a la interpretación de los resultados se reflejan por los diferentes estándares establecidos por los ensayos de USP, Sociedad de Químicos Cosméticos y *Toilet Goods Association*.

Pueden ser más significativos los ensayos de larga duración, en que se utiliza un número más reducido de microorganismos, y las muestras se observan en relación a alteraciones de su características físicas durante varios meses. Los productos inoculados con microorganismos productores de esporas sólo se observan en cuanto a alteraciones físicas, ya que el muestreo microbiológico no es real, pues las esporas pueden mantenerse latentes en el producto y germinarán cuando se transfieran a un medio de cultivo nutritivo. En muestras inoculadas con microorganismos vegetativos se puede comprobar una disminución gradual en número durante un período de tiempo si el conservante es efectivo, pero, con hongos y microorganismos productores de esporas, sólo se puede esperar la aparición de la alternación visible y esto, algunas veces, tarda varios meses en ocurrir.

Se conoce que los ensayos de inoculación conducen a conclusiones erróneas cuando los microorganismos, introducidos artificialmente en el producto, han muerto en poco tiempo, y el producto se considera adecuadamente preservado. Después, más tarde, quizás durante la fabricación en la factoría o en el almacenamiento, el producto presenta los efectos de contaminación. Una razón de esto es que se utilizaron cepas erróneas de microorganismos durante el ensayo, y no se previeron tiempo y condiciones idóneas para la adaptación de los microorganismos a su medio. Los microorganismos del ensayo se deben seleccionar para representar los tipos de microorganismos que se conocen ser frecuentes contaminantes del producto, por ejemplo, especies *pseudomonas*, y aquellos con que el producto es probable que entre en contacto, por ejemplo, especies de *staphilococcus*. Además, deben utilizarse microorganismos aislados del medio de fabricación, materias primas y, cuando sea posible, de productos contaminados (preferiblemente de la misma fórmula o similar). En el ensayo de champúes, por ejemplo, el agua de la red proporciona una fuente adecuada de microorganismos de ensayo[8].

El mantenimiento de los microorganismos de ensayos es crucial, pues su resistencia está influida marcadamente por el medio en que se han desarrollado. Para garantizar la resistencia adecuada, los microorganismos de ensayo deben desarrollarse en un medio que contenga el conservante o producto a baja concentración[91]. Los contaminantes del producto pueden mantenerse en preparaciones no conservadas o inadecuadamente conservadas[88, 92].

Los medios de cultivos mezclados pueden utilizarse inicialmente para deducir la cantidad de ensayos requerida para evaluar la suficiencia del sistema conservante, mientras que el contraste con el cultivo puro se puede emplear para proporcionar información más detallada acerca de la adecuidad del conservante frente a microorganismos específicos[93].

La mayoría de los ensayos se realizan durante un mínimo de veintiocho días, siendo el producto muestreado en cuanto a microorganismos viables en diferentes intervalos de tiempo, dependiendo de la frecuencia probable de utilización durante este período. La lenta adaptación de los microorganismos a su medio hace esencial ensayar durante tiempo suficiente para determinar si las bacterias y los hongos inoculados se desarrollarán después de un período de latencia, y, en algunos casos, pueden ser demasiado cortos ensayos que duren hasta seis meses.

También se deben realizar ensayos en productos que han sido almacenados durante intervalos de tiempo especificados a temperaturas y a humedades a las que el producto probablemente se encuentra durante su aplicación, con el fin de garantizar que la adecuada actividad del conservante se mantenga durante toda la vida comercial[92]. Un ensayo químico paralelo del conservante proporciona información valiosa adicional.

Los productos pueden ensayarse utilizando una inoculación simple o utilizando un ciclo de inoculación en muestras[8]. El último método, en que la muestra se somete a más de un contraste, ha sido propugnado por varios investigadores[90], pues se le considera más representativo de las condiciones de uso, y tiene la ventaja de indicar en qué punto puede fracasar el sistema conservante. Una crítica de la capacidad del ensayo es que puede conducir a una excesiva preservación, con el consiguiente uso de concentraciones del conservante dermatológicamente inseguras. El equilibrio entre exceso y defecto de preservar un producto dependerá del número de contrastes, que sólo pueden seleccionarse después de un período de experimentación[90].

En todo caso, el contraste deberá tener lugar con el producto en el envase en que se utilizará por el consumidor[92].

Legislaciones actuales en Gran Bretaña referentes al control de calidad microbiológica de cosméticos y uso de conservantes

Han sido publicadas límites y directrices microbianas para productos cosméticos por varias asociaciones de industrias nacionales, incluyendo *Cosmetic, Toiletry and Perfumery Association* (CTPA) de Gran Bretaña. En 1967, la Sociedad de Químicos Cosméticos de Gran Bretaña celebró una reunión de trabajo para redactar un código de prácticas para la industria de cosméticos[6]. Este código de prácticas, que se publicó·en 1970, cubre muchos aspectos de la garantía de calidad, incluyendo el diseño y procedimiento de los procesos de fabricación para minimizar la contaminación, procedimientos en los ensayos microbiológicos y factores que influyen en la selección de los conservantes. También la reunión de trabajo inició varios estudios de calidad microbiológica de los productos de Gran Bretaña; basado en esta información, CTPA publicó en 1975 una serie de límites y directrices microbiológicos recomendados[94]. Estos indican que cosméticos y productos de tocador deberán cumplir con los límites siguientes:

Bacterias aerobias	Menos de 1.000 colonias por gramo o mililitro.
Levaduras y hongos	Menos de 100 colonias por gramo o mililitro.
Productos destinados a uso en el área ocular y bebés	Menos de 100 colonias por gramo o mililitro.
Micoorganismos patógenos	Siempre que se observe un número significativo de colonias, deberá excluirse la presencia de microorganismos patógenos.

Conservantes

Una enmienda propuesta a las directivas cosméticas de la CEE[95] contiene una lista de conservantes de aplicación en cosméticos y productos de tocador. Esta lista se divide en dos partes. La primera incluye once conservantes que se consideran aceptables para uso en cosméticos, mientras que la segunda parte es una «lista provisional» de cincuenta y seis conservantes que pueden considerarse aceptables y sujetos a la aportación de información adicional en relación a su seguridad durante el período hasta 1982. En el momento de la redacción de este texto, no se ha incorporado la enmienda a la directiva.

REFERENCIAS

1. Rodgers, J. A., Berka, S. Y. and Artest, E. G., *Developments in Industrial Microbiology*, Vol. 15, New York, Plenum Press, 1974, p. 217.
2. Dunnigan, A.P., *Drug. Cosmet. Ind.*, 1968, **102**(6), 43.
3. Duke, A. M., *J. appl. Bact.*, 1978, **44**, Sxxxv.
4. Allwood, M. C., *J. appl. Bact.*, 1978, **44**, Svii.
5. Halleck, F. E., *Developments in Industrial Microbiology*, Vol. 12, New York, Plenum Press, 1971, p. 155.

6. Van Abbé, N. J., Dixon, H., Hughes, O. and Woodroffe, R. C. S., *J. Soc. cosmet. Chem.*, 1970, **21**, 719.
7. Smart, R. and Spooner, D. F., *J. Soc. cosmet. Chem.*, 1972, **23**, 721.
8. Flawn, P. C., Malcolm, S. A. and Woodroffe, R. C. S., *J. Soc. cosmet. Chem.*, 1973, **24**, 229.
9. Breach, G. D., *J. Soc. cosmet. Chem.*, 1975, **26**, 315.
10. Sokolski, W. T., Chidester, C. G. and Honeywell, G. E., *Developments in Industrial Microbiology*, Vol. 3, New York, Plenum Press, 1962, p. 179. .
11. Baker, J. H., *J. Soc. cosmet. Chem.*, 1959, **10**, 133.
12. Wolven, A. and Levenstein, I., *TGA Cosmet. J.*, 1969, **1**, 34.
13. Dunnigan, A. P. and Evans, J. R., *TGA Cosmet. J.*, 1970, **2**, 39.
14. Wilson, L. A., Kuehne, J. W., Hall, S. W. and Ahearn, D. G., *Am. J. Ophthal.*, 1971, **71**, 1298.
15. Wolven, A. and Levenstein, I., *Am. Cosmet. Perfum.*, 1972, **87**, 63.
16. Myers, G. E. and Pasutto, F. M., *Can. J. pharm. Sci.*, 1973, **8**, 19.
17. Ahearn, D. G., Wilson, L. A., Julian, A. J., Reinhardt, D. J. and Ajello, C., *Developments in Industrial Microbiology*, Vol. 15, New York, Plenum Press, 1974, p. 211.
18. Jarvis, B., Reynolds, A. J., Rhodes, A. C. and Armstrong, M., *J. Soc. cosmet. Chem.*, 1974, **25**, 563.
19. Baird, R. M., *J. Soc. cosmet. Chem.*, 1977, **28**, 17.
20. Ahearn, D. G. and Wilson, L. A., *Developments in Industrial Microbiology*, Vol. 17, New York, Plenum Press, 1976, p. 23.
21. Morse, L. J., Williams, H. L., Green, F. P., Eldridge, E. E. and Rotta, J. R., *New Engl. J. Med.*, 1967, **277**, 472.
22. Morse, L. J. and Schonbeck, L. E., *New Engl. J. Med.*, 1968, **278**, 376.
23. Sykes, G., Microbiological control during manufacture, Society of Cosmetic Chemists of Great Britain Symposium, *Microbiological Safety of Toiletries and Cosmetics*, February 1976.
24. Goldman, C. L., *Drug Cosmet. Ind.*, 1975, **117**(7), 40.
25. Favero, M. S., Carson, L. A., Bond, W. W. and Peterson, N. J., *Science*, 1971, **173**, 826.
26. Malcolm, S. A. and Woodroffe, R. C. S., *J. Soc. cosmet. Chem.*, 1975, **26**, 277.
27. Bruch, C. W., *Drug Cosmet. Ind.*, 1972, **110**(6), 32.
28. Davis, J. G., *J. Pharm. Pharmacol.*, 1960, **12**, Suppl.29T.
29. Anon, *Drug Cosmet. Ind.*, 1968, **103**, (12), 53.
30. De Gray, R. J. and Killian, L. N., *Developments in Industrial Microbiology*, Vol. 3, New York, Plenum Press, 1962, p. 296.
31. Beveridge, E. G., *Microbial Aspects of the Deterioration of Materials*, London, Academic Press, 1975, p. 213.
32. Bennett, E. C., *Developments in Industrial Microbiology*, Vol. 3, New York, Plenum Press, 1962, p. 273.
33. Barr, M. and Tice, L. F., *J. Am. pharm. Assoc. sci. Ed.*, 1957, **46**, 480.
34. Sawyer, C. N. and Ryckman, D. W., *J. Am. Water Wks Assoc.*, 1957, **49**, 480.
35. Yu-chih Hsu, *Nature*, 1965, **207**, 385.
36. Rosen, W. E. and Berke, P. A., *J. Soc. cosmet. Chem.*, 1973, **24**, 663.
37. Gucklhorn, I. R., *Manuf. Chem. Aerosol News*, 1969–1971, **40–42** (*passim*).
38. Croshaw, B., *J. Soc. cosmet. Chem.*, 1977, **28**, 1.
39. Cowen, R. A. and Steiger, B., *Cosmet. Toiletries*, 1977, **92**, 15.
40. Russell, A. D., *Microbios*, 1974, **10**, 151.
41. Bean, H. S., *J. Soc. cosmet. Chem.*, 1972, **23**, 703.
42. British Patent 998 189, Farbwerke Hoechst AG, 5 October 1960.
43. Wolf, P. A. and Westveer, W. M., *Arch. Biochem.*, 1950, **28**, 201.
44. Von Schelhorn, M., *Dtsch. Lebensm. Rundsch.*, 1952, **48**, 15.
45. Von Schelhorn, M., *Fol. Techol., Champaign*, 1953, **7**, 97.
46. Bandelin, F. J., *J. Am. pharm. Assoc. sci. Ed.*, 1958, **47**, 691.

47. Entrekin, D. N., *J. pharm. Sci.*, 1961, **50**, 743.
48. Simon, J., *New Phytol.*, 1952, **51–52**, 163.
49. Sykes, G., *Disinfection and Sterilization*, London, E. & F. N. Spon, 1965.
50. Bean, H. S., Richards, J. P. and Thomas, J., *Boll.chim.-farm.*, 1962, **101**, 339.
51. Boehm, E. E. and Maddox, D. N., *Am. Perfum. Cosmet.*, 1970, **85**, 31.
52. Richards, R. M. E. and McBride, R. J., *J. pharm. Sci.*, 1973, **62**, 2035.
53. Hugbo, P. G., *Can. J. pharm. Sci.*, 1976, **11**, 17.
54. Bean, H. S., Konning, G. H. and Malcolm, S. A., *J. Pharm. Pharmac.*, 1969, **21** 173S.
55. De Navarre, M. G., *Chemistry and Manufacture of Cosmetics*, Vol. 2, 2nd edn, Princeton, NJ, Van Nostrand, 1962, p. 257.
56. Judis, J., *J. pharm. Sci.*, 1962, **57**, 261.
57. Wedderburn, D. L., *J. Soc. cosmet. Chem.*, 1958, **9**, 210.
58. Bean, H. S., and Berry, H., *J. Pharmacol.*, 1951, **3**, 639.
59. Bean, H. S. and Berry, H., *J. Pharm. Pharmacol.*, 1953, **5**, 632.
60. Allwood, M. C., *Microbios*, 1973, **7**, 209.
61. Kostenbauder, H. B., *Am. Perfumer. Arom.*, 1960, **75**(1), 28.
62. Kostenbauder, H. B., *Developments in Industrial Microbiology*, Vol. 3, New York, Plenum Press, 1962, p. 286.
63. Kazmi, S. J. A. and Mitchell, A. G., *J. pharm. Sci.*, 1978, **67**, 1260.
64. Kazmi, S. J. A. and Mitchell, A. G., *J. pharm. Sci.*, 1978, **67**, 1266.
65. Kazmi, S. J. A. and Mitchell, A. G., *J. Pharm. Pharmacol.*, 1971, **23**, 482.
66. Konning, G. H., *Can. J. pharm. Sci.*, 1974, **9**, 103.
67. Baley, G. J., Peck, G. E. and Banker, G. S., *J. pharm. Sci.*, 1977, **66**, 696.
68. Manowitz, M., *Developments in Industrial Microbiology*, Vol. 2, New York, Plenum Press, 1962, p. 65.
69. Wedderburn, D. L., *Advances in Pharmaceutical Science*, Vol. 1, London, Academic Press, 1964, p. 196.
70. Schmolka, I. R., *J. Soc. cosmet. Chem.*, 1973, **24**, 577.
71. Tilbury, R. H., *Specialities*, 1965, **1**(11), 3.
72. Coates, D. and Richardson, G., *J. appl. Bact.*, 1973, **36**, 240.
73. Patel, N. K. and Kostenbauder, H. B., *J. Am. pharm. Assoc. sci. Ed.*, 1958, **47**, 289.
74. Parker, M. S., *J. appl. Bact.*, 1978, **44**, Sxxix.
75. Poprzan, J. and De Navarre, M. G., *J. Soc. cosmet. Chem.*, 1959, **10**, 81.
76. McCarthy, T. L., *J. Mond. Pharm.*, 1969, **4**(12), 321.
77. Clarke, C. D. and Armstrong, N. A., *Pharm. J.*, 1972, **211**, 44.
78. Armstrong, N. A., *Am. Cosmet. Perfum.*, 1972, **87**, 45.
79. Croshaw, B., Groves, M. J. and Lessel, B., *J. Pharm. Pharmacol.*, 1964, **16**, suppl. 127T.
80. Hjorth, N. and Trolle-Lassen, C., *Trans. Rep. St. John's Hosp. Derm. Soc., Lond.*, 1963, **49**(10), 127.
81. Hjorth, N., *Acta derm.-vener., Stockh.*, 1961, **41**, (Suppl. 46), 97.
82. Sarkany, I., *Br. J. Dermatol.*, 1960, **72**(10), 345.
83. Schorr, W. F., *Am. Perfum. Cosmet.*, 1970, **85**, 39.
84. Fryklof, L. E., *J. Pharm. Pharmacol.*, 1958, **10**, 719.
85. Federal Register, 37 F.R. 12967, 30 June 1970.
86. Cruickshank, C. N. D. and Squire, J. R., *Br. J. ind. Med.*, 1949, **6**, 164.
87. Smith, J. L., *Cosmet. Toiletries*, 1977, **92**, 30.
88. Halleck, F. E., *TGA Cosmet. J.*, 1970, **2**(1), 20.
89. *United States Pharmacopeia* XIX, Easton, Pa., Mack Publishing Company, 1975.
90. Cowen, R. A. and Steiger, B., *J. Soc. cosmet. Chem.*, 1976, **27**, 467.
91. Cowen, R. A., *J. Soc. cosmet. Chem.*, 1974, **25**, 307.
92. Moore, K. E., *J. appl. Bacteriol.*, 1978, **44**, Sxliii.
93. Cosmetic Toiletry and Fragrance Association Preservation Sub-Committee, *CTFA Cosmet. J.*, 1973, **5**(1), 2.

94. Cosmetic, Toiletry and Perfumery Association Ltd, *Code of Good Practice for the Toiletry and Cosmetic Industry; Recommended Microbiological Limits and Guidelines to Microbiological Quality Control*, 1975.
95. *Off. J. European Communities*, 1979, No. C 165/52, 2 July.

37

Antioxidantes

Introducción

La capacidad del oxígeno atmosférico de actuar como agente oxidante para grasas, ácidos grasos y muchas otras sustancias orgánicas es de importancia comercial. En algunos casos, el fenómeno puede utilizarse beneficiosamente, pero, en los cosméticos, normalmente los efectos de la oxidación son deteriorantes, y pueden conducir a una descomposición completa. Aunque la literatura sobre los cambios químicos y físicos implicados en la oxidación es extensa, y se remonta al siglo XVIII [1], es tan sólo en los últimos treinta y cinco años cuando se ha comprendido el mecanismo implicado con cierto grado de certeza.

Dos de los problemas asociados con una comprensión de las reacciones generales de oxidación son el amplísimo espectro de sustancias orgánicas que están sujetas a este tipo de descomposición y, en segundo lugar, el gran número de factores que pueden afectar tanto a la velocidad como al curso de las reacciones. Entre estos últimos, pueden enumerarse los efectos de la humedad, concentración de oxígeno, temperatura, radiación ultravioleta y la presencia o ausencia de anti- y pro-oxidantes. En los primeros estudios de las reacciones de oxidación, no se consideraron ser importantes muchas de las anteriores condiciones del medio y, por tanto, no se controlaban, de modo que los resultados obtenidos no tienen valor en muchos casos. Otro problema con el que las teorías generalizadas de oxidación que fueron desarrolladas de estos primeros trabajos, fue que se encontró dificultad para aplicar los resultados de sustancias simples de referencia tales como oleato de metilo o linoleato de metilo a sustancias más complejas que se encuentran en la Naturaleza, tales como aceite de semilla de girasol o soja, particularmente a elevadas temperaturas, a veces alcanzadas durante la purificación o procesamiento de estos productos. Se encontraron otras dificultades cuando el esquema general de oxidación se aplicó a sustancias orgánicas diferentes a las grasas y sus derivados.

Teoría general de la autooxidación

La mayor parte del trabajo desarrollado sobre una teoría general de autooxidación se relacionó con las reacciones de sustancias olefínicas y, por consiguiente, el estudio de la reactividad del doble enlace carbono-carbono es de suma importancia. Esta reacción fue primero estudiada por SCHÖNBEIN[2], utilizando aceite de almendras; no fue hasta casi medio siglo después, cuando ENGLER et al.[3,4] estudiaron el efecto de los peróxidos orgánicos en la oxidación, y comenzaron a formular la moderna teoría de oxidación. ENGLER creyó que la reacción era debida al oxígeno molecular más que al oxígeno atómico produciendo una sustancia R_1—O—O—R_2, que a su vez podía oxidar otras sustancias oxidables, cuando se liberaba el oxígeno «molecular activado» débilmente ligado. Esto condujo a FAHRION[5] a suponer la formación de un peróxido cíclico que podría, en fases posteriores de la reacción de oxidación, reestructurarse para formar compuestos dihidroxietilénicos o hidroxicetónicos junto a éteres más estables. Hasta el desarrollo de la moderna teoría de oxidación en cadena, esta teoría del anillo peróxido fue generalmente aceptada por la mayoría de los investigadores del tema. Sin embargo, el mecanismo nunca se desarrolló, y de modo creciente se puso de manifiesto que el mecanismo de autooxidación era más complejo.

En fecha bastante reciente, STAUDINGER[6] sugirió, partiendo de estudios utilizando *asim*-difeniletileno, $(C_6H_5)C\text{-}CH_2$, que la formación del anillo peróxido era la segunda fase de la reacción, y que la oxidación primaria implica la adición de una molécula de oxígeno por medio del enlace de etileno para formar un monóxido, que posteriormente se transformaba a peróxido cíclico:

$$(C_6H_5)_2C\!\!=\!\!CH_2 \rightarrow (C_6H_5)_2\underset{\underset{\displaystyle O}{\overset{\displaystyle \|}{O}}}{\underset{\diagdown \diagup}{C\!\!-\!\!CH_2}} \rightarrow (C_6H_5)_2\underset{O\!\!-\!\!O}{\overset{\mid \quad \mid}{C\!\!-\!\!CH_2}}$$

El problema de la teoría de la oxidación del peróxido cíclico fue que sólo se pudo demostrar indirectamente la existencia de tales compuestos. La mayoría de las pruebas de su existencia provinieron de las determinaciones de los índices de carbonilo, dieno, hidroxilo, yodo, peróxido y saponificación. Estos se tomaron en consideración junto con las determinaciones del peso molecular y del oxígeno total absorbido. El problema fue que los resultados obtenidos analíticamente fueron poco fiables, ya que la sustancia oxidante generalmente era un producto natural, no fraccionado, que podía mostrar, en caso necesario, variaciones entre lotes en la proporción de los componentes individuales y, como consecuencia, manifestar comportamientos oxidativos variables. Tampoco se tuvo en consideración que no eran estrictamente cuantitativas muchas de las técnicas analíticas utilizadas.

Junto con la teoría del anillo de peróxido existía la sugerencia, debida a FOKIN[7] de que la fase inicial en la oxidación era la formación en el enlace etileno de un epóxido del tipo que podía aislarse de muchos perácidos oxidantes y otras mezclas oxidantes, pero es dudoso si estos representaban productos primarios en la reacción normal de oxidación.

El desarrollo de la teoría moderna de la autooxidación puede decirse que comenzó a partir del aislamiento de un peróxido de ciclohexeno por STEPHENS, en 1928[8]. En base a las teorías entonces en boga, él supuso que éste era un producto saturado con una posible fórmula:

$$\begin{array}{c}
CH_2 \\
CH_2 \quad\quad CH \\
CH_2 \quad\quad CH \!>\! O \\
CH_2 \\
\end{array}$$

Sin embargo, FARMER y SUNDRALINGAM[9] demostraron que esta interpretación era incorrecta, y que el compuesto de STEPHENS era un hidroperóxido insaturado:

$$\begin{array}{c}
CH\!\!-\!\!OOH \\
CH_2 \quad\quad CH \\
CH_2 \quad\quad CH \\
CH_2 \\
\end{array}$$

FARMER *et al.*[10-15] desarrollaron estas observaciones dentro de la teoría de la autooxidación actual, generalmente aceptada por medio de un mecanismo de radical libre, implicando la formación de hidroperóxidos. Según esta teoría, la reacción implica la adición de una molécula de oxígeno a un átomo de carbono α-respecto al doble enlace; aunque un trabajo más reciente ha sugerido que ésta no es probablemente la reacción primaria, pudiera parecer que es la reacción responsable de la propagación del mecanismo en cadena. HARGRAVE y MORRIS[16] han sugerido que puede existir una vía alternativa para la reacción entre un radical peroxi y una molécula de olefina, y que el oxígeno podría distribuirse entre los grupos hidroperóxido y diperóxido. Se pensó que la ruptura de la olefina durante la oxidación conduce también a la formación de compuestos carbonilo y carbinol.

De estos estudios de compuestos individuales oxidables se desarrolló un esquema cinético general para la autooxidación[17,18], y puede representarse así:

Iniciación $\quad\quad RH \xrightarrow{r_i}$ radicales libres $(R^{\cdot}, RO_2^{\cdot}, etc.)$

Propagación $\quad\quad R^{\cdot} + O_2 \xrightarrow{k_2} RO_2^{\cdot}$

$\quad\quad\quad\quad\quad\quad RO_2^{\cdot} + RH \xrightarrow{k_3} ROOH + R^{\cdot}$

$\quad\quad\quad\quad\quad\quad RO_2^{\cdot} + RO_2^{\cdot} \xrightarrow{k_4}$

Terminación $\quad\quad RO_2^{\cdot} + R^{\cdot} \xrightarrow{k_5}$ $\Big\}$ Productos que no propagan

$\quad\quad\quad\quad\quad\quad R^{\cdot} + R^{\cdot} \xrightarrow{k_6}$

donde RH es una olefina y $RO_2^{\cdot}$ y $R^{\cdot}$ son radicales libres hidroperóxido y olefínico.

Este esquema muestra un mecanismo típico de reacción de radicales libres, donde los radicales libres de origen externo catalizan o inhiben la reacción, y donde puede demostrarse que la velocidad depende de la raíz cuadrada de la intensidad de la luz.

Puede demostrarse que la reacción $R^{\cdot} + O_2 \rightarrow RO_2^{\cdot}$ es extremadamente rápida, lo cual significa que, a la mayoría de las presiones normales de oxígeno, las reacciones finales $R^{\cdot} + R^{\cdot} \rightarrow$ y $R^{\cdot} + RO_2^{\cdot} \rightarrow$ pueden ignorarse cuando la concentración de $RO_2^{\cdot}$ exceda ampliamente a $R^{\cdot}$.

Las ecuaciones de la velocidad determinadas experimentalmente para la oxidación olefínica bajo varias condiciones demuestran que es aplicable una ecuación común:

$$\text{Velocidad} = R_1^{1/2}\, k[\text{RH}] \cdot \frac{[O_2]}{k'[\text{RH}] + [O_2]}$$

donde R_1 es la velocidad de formación de portadores de cadena, y k y k' son constantes. Se ha demostrado que, debido a que $(k_4 k_6 R_1)^{1/2}$ es despreciable en reacciones de cadenas de gran longitud, podría ser la correlación completa entre las ecuaciones experimentales y teóricas:

$$\frac{-d[O_2]}{dt} = R_1^{1/2} \cdot \frac{k_3}{(k_4)^{1/2}} \cdot [\text{RH}] \frac{k_2 (k_4)^{1/2}[O_2]}{k_3(k_6)^{1/2}[\text{RH}] + k_2(k_4)^{1/2}[O_2] + (k_4 k_6 R_1)^{1/2}}$$

URI[19] ha aplicado las condiciones de estado estacionario y elaboró las siguientes ecuaciones cinéticas:

$$d[R^{\cdot}]/dt = r_1 - k_2[R^{\cdot}][O_2] + k_3[RO_2^{\cdot}][\text{RH}]$$

$$d[RO_2^{\cdot}]/dt = k_2[R^{\cdot}][O_2] - k_3[RO_2^{\cdot}][\text{RH}] - k_4[RO_4^{\cdot}]^2$$

$$d[\text{ROOH}]/dt = (r_1/k_4)^{1/2} \times (k_3[\text{RH}])$$

A concentraciones bajas de oxígeno, las reacciones de terminación que involucran a $R^{\cdot}$ se hacen significativas y tendrán que modificarse estas cinéticas para tener en cuenta este hecho. Así, URI propuso una ecuación de la velocidad más general equivalente a la de BOLLAND[17] y BATEMAN[18] para la formación de peróxido:

$$d[\text{ROOH}]/dt = (r_1/k_4)^{1/2} \cdot k_3[\text{RH}] \frac{k_2(k_4)^{1/2}[O_2]}{k_3(k_6)^{1/2}[\text{RH}] + k_2(k_4)^{1/2}[O_2]}$$

Posteriormente, sugirió que, suponiendo que $k_6 = k_4$, ésta puede simplificarse a:

$$d[\text{ROOH}]/dt = (r_1/k_4)^{1/2} \cdot k_3[\text{RH}] \frac{k_2[O_2]}{k_3[\text{RH}] + k_2[O_2]}$$

Oxidación de sistemas monoinsaturados

Debido a la baja velocidad de autooxidación en sistemas monoinsaturados, es normal estudiar la reacción catalizada. Si se compara la velocidad de oxidación de compuestos con uno, dos y tres dobles enlaces, respectivamente, las relaciones son aproximadamente del orden de 1:12:20[19]. Uno de los primeros estudios fue el de FARMER y SUTTON[12], que intentaron extraer un hidroperóxido puro del oleato de metilo oxidante utilizando una técnica de destilación molecular y por cromatografía. Este trabajo se continuó por otros investigadores[20, 21] para obtener concentrados de hidroperóxidos partiendo del oleato de metilo oxidante. Originalmente, FARMER sugirió que una mezcla variable de mono- y dihidroperóxidos se formaba en el átomo de carbono octavo y undécimo de la cadena de oleato. PRIVET y NICKELL[22] demostraron que los α-hidroperóxidos predichos por la teoría general se formaban aproximadamente en las mismas proporciones. No es cierto que se formen solamente los hidroperóxidos de la oxidación de los compuestos mono- insaturados, ya que el análisis polarográfico[23] indica una onda significativa en una región normalmente no asociada con los hidroperóxidos. Se ha sugerido que esta onda corresponda a hidroperóxidos cíclicos.

El problema con el mecanismo en cadena del hidroperóxido para la oxidación de monoolefinas es que se requiere una gran cantidad de energía para romper un enlace C—H α-metilénico, y FARMER[14] y otros investigadores[24–25] sugirieron que debe existir un primer pequeño ataque al doble enlace, y que los productos de este ataque inician la reacción normal α-metilénica en cadena.

Debido a la resonancia alrededor del doble enlace, puede demostrarse que el hidroperóxido produce un cambio de doble enlace[15] en la monoolefina oxidante.

Oxidación de sistemas poliinsaturados no conjugados

La velocidad de oxidación de sistemas poliinsaturados no conjugados es mucho más rápida que la de los que contienen un único doble enlace. Esto se debe a la activación provocada por la presencia de un grupo metileno adyacente a dos dobles enlaces. La presencia de este tipo de compuesto en las grasas y aceites utilizados en cosméticos es la principal fuente de enranciamiento por oxidación.

Si bien FARMER[26] observó que en las primeras fases de la oxidación el oxígeno se utilizaba para formar el peróxido, y que los dobles enlaces se mantenían inalterados, también pronto se encontró que los dobles enlaces originalmente no conjugados mostraban una disposición conjugada[12], que no era debida a la estructura peróxido. El grado de conjugación encontrado (70 por 100) se tomó como prueba del ataque al azar sobre los radicales libres resonantes procedentes del núcleo linoleato; sin embargo, BERGSTRÖM[27] encontró imposible aislar el 11-hidroxiestearato de la oxidación del linoleato, a pesar de que el producto hidrogenado de la oxidación permitió aislar el 9 y 13-hidroxiestearatos. Uno de los principales problemas fue que la prueba ultravioleta estaba basada sobre la comparación con *trans*, el ácido *trans*-10,12-octadecadienoico con un coeficiente de extinción de 32.000. No obstante, se puede demostrar que se

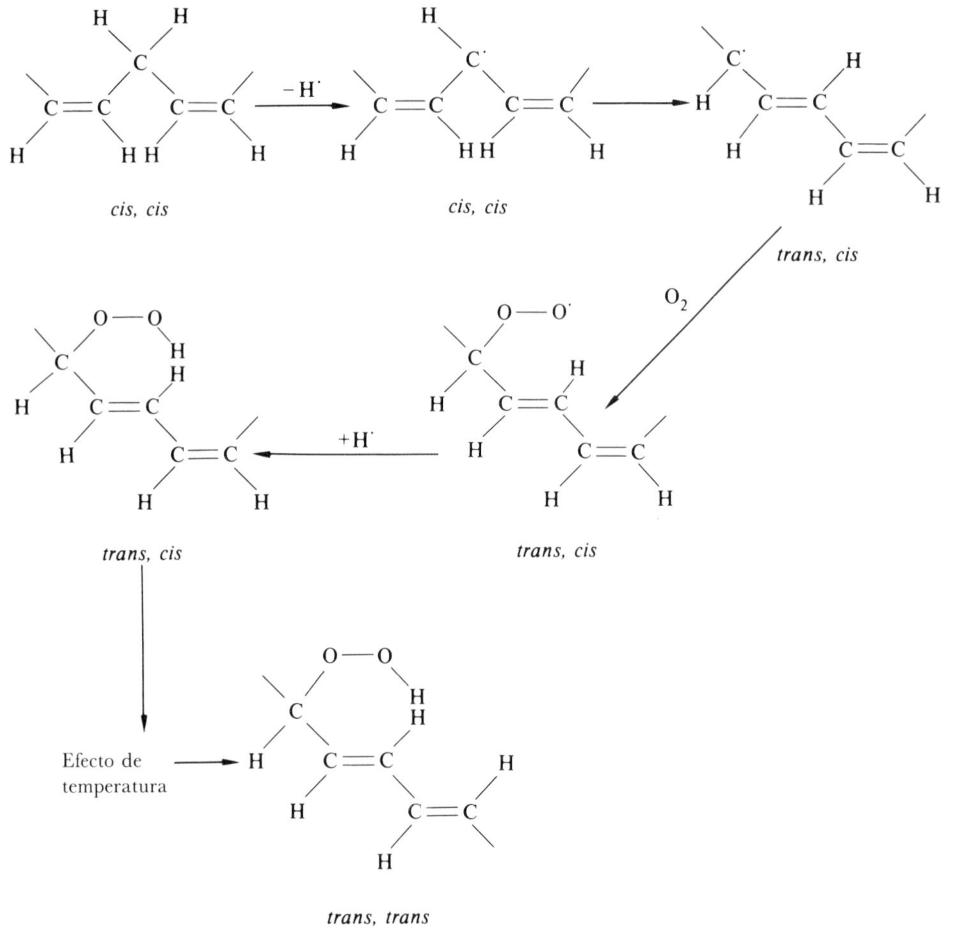

Fig. 37.1. Oxidación de sistemas no conjugados poliinsaturados (según Holman[29]).

puede producir isomerismo *cis*, *trans*, y también que el grupo peróxido y su posición afectan al coeficiente de extinción. Estos problemas sugirieron que podría ser incorrecto el valor de 70 por 100 de conjugación. PRIVETT *et al.*[28] sugirieron que se conjuga hasta el 90 por 100 del hidroperóxido, y se compone de isómeros *cis*, *trans*. Sin embargo, también debe considerarse el efecto de la temperatura, ya que a 24 °C el isómero *cis*, *trans* parece que transforma y da como resultado la forma *trans*, *trans* más estable. Esto condujo a HOLMAN[29] a sugerir un mecanismo de oxidación que consideraba estas observaciones (véase Fig. 37.1).

La oxidación de estos compuestos es, por tanto, según la reacción normal general en cadena hidroperóxido desarrollada por FARMER, pero puede demostrarse que se requiere un radical libre de iniciación, ya que los linoleatos altamente purificados, y compuestos similares, presentan un período muy largo de inducción[30].

Con radicales linoleato, que contienen tres dobles enlaces no conjugados, existe una resonancia más complicada y, en las últimas fases de oxidación, se podrían formar diperóxidos. No obstante, a bajas temperaturas, parecen formarse aproximadamente un 60 por 100 de monohidroperóxidos monómeros dienos *cis*, *trans* conjugados[31].

Oxidación de sistemas conjugados poliinsaturados

Aunque no estudiados con la misma extensión que los sistemas anteriores, la oxidación de sistemas conjugados poliinsaturados es importante, y la prueba disponible sugiere que este mecanismo oxidativo puede diferir en varios aspectos. Los productos oxidativos parecen ser peróxidos polímeros no cíclicos producidos por la adición de oxígeno al sistema de dieno[32,33]. El ataque del oxígeno sobre estos compuestos produce tanto adición 1,2 como 1,4 aparentemente junto con una proporción de α-hidroperóxidos. Sin embargo, diferencias isoméricas muy simples en la sustancia estudiada parecen producir cambios profundos en los productos de oxidación.

Así, ALLEN *et al*.[34], estudiando la oxidación de 9,12 y 10,12-linoleato de metilo, encontraron que, mientras en las primeras fases de la reacción del primer compuesto, todo el oxígeno estaba en la forma de peróxido, en la oxidación del último compuesto no se producía peróxido en las fases iniciales. La reacción está acompañada por la desaparición de la conjugación de los dobles enlaces, que estaba directamente relacionada con la cantidad de oxígeno absorbido, sugiriendo alguna forma de polimerización carbono-oxígeno. También los catalizadores metálicos han demostrado tener efectos mucho menores sobre la oxidación de los sistemas conjugados, sugiriendo que la descomposición de los peróxidos no desempeñaba un papel importante en su oxidación[35]. La velocidad relativa de oxidación de los correspondientes sistemas conjugados y no conjugados plantea dudas, y la literatura parecen sugerir velocidades de oxidación tanto diferentes como similares, dependiendo de las condiciones experimentales[34,36,37]. La formación del polímero parece causar impedimento estérico, reduciendo, de este modo, una oxidación posterior, aunque el incremento correspondiente en la viscosidad, como tal, no evita la oxidación incluso aunque disminuya la velocidad de difusión de oxígeno en el sistema. Los productos de oxidación de estos sistemas varían mucho más. La oxidación de oleostearato parece producir un peróxido cíclico con fórmula:

$$—CH=CH—CH=CH—CH—CH—$$
$$R—CH \qquad O$$
$$CH—O$$
$$R^1$$

aunque es posible una posterior oxidación[38]. Las cinéticas totales de oxidación parecen simplificarse a:

$$dO_2/dt = k[\text{Producto}]^{1/2} \cdot [\text{Ester}]$$

Estas cinéticas sugieren que la propagación es por polimerización, pero otros estudios han indicado un mecanismo autocatalítico[36, 39], si bien O'NEILL[40], estudiando la oxidación a la luz ultravioleta del eleoestearato de metilo, encontró una mezcla compleja de productos sugiriendo que tenían lugar simultáneamente ambos procesos polimérico y autocatalítico.

Oxidación de sistemas saturados

En condiciones normales de los «experimentos» de oxidación, la mayoría de los compuestos saturados parecen ser inertes, aunque muchas sustancias insaturadas sufren un lento proceso oxidativo a temperaturas elevadas. Si las velocidades de oxidación de los compuestos estearato de metilo; oleato de metilo; linoleato de metilo; linolenato de metilo se comparan a 100 °C, la relación de reacción es 1:11:114:179[19].

La velocidad de oxidación de compuestos hidrocarbonos saturados aumenta con la longitud de la cadena y, mientras que el producto inicial es un hidroperóxido, parece ser al azar la posición de ataque del oxígeno[41, 42]. Como productos secundarios se forman, en una fase inicial, alcoholes y cetonas, que pueden experimentar ellos mismos una posterior oxidación.

PAQUOT y de GOURSAC[43] ha estudiado el comportamiento oxidativo a elevadas temperaturas de varios ácidos grasos saturados y sus derivados, y se ha demostrado que, en condiciones experimentales, se oxidó aproximadamente el 50 por 100 de la sustancia. El ataque en β originó la producción de ácido oxálico y ácidos grasos de longitudes de cadenas más cortas. También se detectaron cantidades pequeñas de lactonas y metil cetonas.

Autooxidación de aldehídos

Los aldehídos aromáticos, y en particular el benzaldehído, parecen haber sido las sustancias más frecuentes de estudio. ALMQUIST y BRANCH[44] demostraron que inicialmente se formaba un peróxido, la cantidad del cual descendía posteriormente debido al efecto catalítico del ácido benzoico formado. Este efecto catalítico aumentaba la reacción del benzaldehído y del ácido perbenzoico inicialmente formado. Estos dos compuestos componen un aducto cuya velocidad de descomposición a ácido benzoico determina el orden de reacción:

$$C_6H_5CHO + C_6H_5C\overset{O}{\diagup}\!\!-OOH \rightleftharpoons C_6H_5COO \cdot \overset{O}{\diagdown}CC_6H_5$$
$$\underset{OH}{|} \quad \downarrow$$
$$C_6H_5\,CO_2H$$

BÄCKSTRÖM estudió la posibilidad de que el ácido benzoico era formado por una reacción en cadena que pudiera estar influida por la luz[45], si bien, posteriormente, se demostró que también se presentaba la catálisis de metales pesados[46]. WATERS y WHICKHAM-JONES[47] hallaron que la velocidad de oxidación era proporcional al cuadrado de la concentración del benzaldehído, y a la raíz cuadrada de la concentración del peróxido de dibenzoilo, e independiente de la concentración de oxígeno.

COOPER y MELVILLE[48] han demostrado, utilizando decanal, que otros aldehídos orgánicos se oxidan a través de un mecanismo similar de radicales libres. Demostraron que la molécula de oxígeno reaccionaba directamente con el aldehído y que, con la iniciación fotoeléctrica, la luz era directamente responsable de la formación de los radicales libres.

Oxidación de cetonas

La oxidación de cetonas ha sido menos estudiada que la de aldehídos, y parece requerir una elevada temperatura para producir la descomposición. SHARP[49] halló que se requería una temperatura superior a los 100 °C, y el hidroperóxido inicialmente producido se descomponía rápidamente para dar una mezcla de ácidos y aldehídos.

Antioxidantes

Mecanismo general

Si son válidas las reacciones generales de propagación en cadena para la oxidación, entonces es concebible que la supresión de la oxidación podría producirse bien suprimiendo la formación de los radicales libres o bien introduciendo en el sistema material que pudiera reaccionar con los radicales libres según se forman, y, de este modo, prevenir la formación de la cadena de reacciones. No se puede prevenir totalmente la formación de radicales libres y, por tanto, son importantes las sustancias que se comportan como aceptores de los radicales libres antioxidantes.

BOLLAND y TEN HAVE[50] estudiaron el efecto de hidroquinona (AH) en la oxidación de linoleato de etilo (RH). Sugirieron que este compuesto reaccionaba con los radicales libres para dar:

$$\left. \begin{array}{l} R^{\cdot} + AH \xrightarrow{k_7} \\[1em] RO_2^{\cdot} + AH \xrightarrow{k_8} \end{array} \right\} \text{productos inactivos}$$

Esto condujo a la ecuación de velocidad:

$$r_a = -d[O_2]/dt = r_i k_3 [RH]/k_2 [AH]$$

donde r_a es la velocidad de oxidación en presencia del antioxidante y r_i es la velocidad de iniciación de cadenas, y donde la reacción $R^{\cdot} + AH$ se ignora por ser de escasa importancia en las reacciones antioxidantes. Sin embargo, DAVIES[51] supone que los radicales libres inicialmente formados son R˙ y, de este modo, la ecuación de la velocidad, en presencia de antioxidantes, se transformará en:

$$r_a = -d[O_2]/dt = r_i(1 + k_3[RH]/k_2[AH])$$

La posibilidad de que esta ecuación sea significativa, al menos en las fases iniciales de oxidación, ha sido puesta en duda por BOLLAND y TEN HAVE, quienes demostraron que, cuando la reacción implica radicales RO_2, el valor de $(r_a/r_u^2)[AH][RH]$ era una constante con un valor dependiente de los coeficientes de reacción k_4/k_3k_2; r_u es la velocidad de oxígeno absorbido en ausencia de antioxidante. Un tratamiento similar para las reacciones que implican radicales R˙ no conduciría a una constante. Estos autores[50, 52] fueron capaces de demostrar que, con hidroquinona (ahora designada como AH_2), la reacción se produce en dos fases que implican la formación intermedia de un radical de semiquinona. Así:

$$RO_2 + AH_2 \xrightarrow{k_9} ROOH + AH˙$$

$$AH˙ + AH˙ \xrightarrow{k_{10}} A + AH_2$$

Se ha demostrado que la constante de velocidad (k_9) es aproximadamente la misma para radiales RO_2 diferentes y, por tanto, es de posible importancia en la determinación de la eficacia del antioxidante[48]. Excepto en el período de inducción inicial y las fases de oxidación finales, se encontró que una representación de $1/r_a$ respecto al tiempo era una línea recta, y que la velocidad de iniciación estaba compuesta de elementos debidos a la temperatura y la intensidad de la luz, de modo que:

$$r_i = k_i[RCHO][O_2] + I$$

donde I era la intensidad de luz.

BOOZER et al.[53] propusieron un mecanismo que implica la formación intermedia de un complejo entre el radical libre RO_2 y el antioxidante. Esto podría seguirse por una reacción posterior de velocidad controlada con radicales RO_2 posteriores:

$$RO_2 + AH \xrightarrow{\text{rápida}} [RO_2 + AH]˙ \xrightarrow[\text{velocidad controlada }(k_{in})]{RO_2} \text{productos}$$

La ecuación de velocidad de esta reacción podría ser:

$$r_a = -d[O_2]/dt = \{k_3[RH]/(r_i/k_{in}[AH])\}^{1/2}$$

Estas cinéticas han demostrado que cuentan para las cinéticas de oxidación de tetralina en clorobenzeno con fenol y N-metilanilina como inhibidores y azoisobutironitrilo como iniciador. Sin embargo, el mecanismo de BOOZER parece producirse únicamente con antioxidantes débiles donde la eliminación de hidrógeno por radical $RO_2^{\cdot}$ del antioxidante AH es demasiado lenta en comparación con su eliminación de hidrógeno de especies RH oxidantes.

Comparación de la eficacia antioxidante

La comparación de muchos oxidantes prácticos fue revisada por OLCOTT[54], BANKS[55], LOVERN[56] y LEA[57]. La mayoría de los primeros datos estaban basados en la duración del período de inducción más que en la cinética de inhibición. ROSENWALD[58] demostró que el efecto antioxidante por unidad de concentración parece depender de la concentración de antioxidante. Se encontró una ecuación:

$$\log \text{ de período de inducción} = r + s \log[\text{AH}]$$

(donde r y s son constantes que pueden tener tantos valores positivos como negativos). URI[59] destacó el peligro de extrapolar resultados comparativos obtenidos a temperaturas elevadas, a temperaturas más bajas o de extrapolar resultados de una fase homogénea a sistemas emulsificados de dos componentes.

Se han investigado muchos factores químicos en la comparación de la eficacia del antioxidante. Aunque puede demostrarse que parece existir una correlación entre el potencial de oxidación-reducción y la eficacia antioxidante de los fenoles, es posible que esto sea fortuito. La energía de activación es un criterio mejor para las reacciones químicas, y antes de utilizar el potencial de oxidación-reducción, es importante demostrar que corre paralelo con los cambios de la energía de activación. Otro problema es que, mientras algunos sistemas fenólicos presentan productos finales bien definidos, pero reversibles, por ejemplo quinona procedente de hidroquinona, otros tienen productos finales irreversibles o parcialmente irreversibles[60].

BOLLAND y después TEN HAVE[52] describen la eficacia antioxidante, como medida por la constante de velocidad para la reacción $RO_2^{\cdot} + \text{AH} \rightarrow \text{ROOH} + \text{A}^{\cdot}$, para el potencial de oxidación-reducción y representando log (la eficacia relativa) frente al potencial de oxidación-reducción obtuvieron una relación aproximadamente en línea recta. Sugirieron que la eficacia aumenta en relación con la disminución en la energía de disociación del enlace A—H y que se alcanzaría finalmente un límite cuando $\text{AH} + O_2 \rightarrow HO_2 + \text{A}^{\cdot}$ llegue a ser una reacción significativa. Esta opinión ha sido contrastada por URI[59], que considera que la reacción $\text{A}^{\cdot} + O \rightarrow AO_2^{\cdot}$ es mucho más crítica.

También es importante la estructura química, en particular la forma y posición de los sustituyentes, cuando se considera la eficacia relativa del antioxidante[51]. La observación básica es que los grupos repelentes de electrones aumentarán la eficacia antioxidante, mientras que la incorporación de grupos atrayentes de electrones en un antioxidante disminuirán su eficacia. El efecto polisustitución parece ser aditivo, pero pueden interferir los factores estéricos con la comparación directa, particularmente cuando la sustitución es en la posición *orto*. También debe recordarse que la adición de oxígeno a un enlace fenólico —O—H simple podría conducir a una estructura —O—O—O imposible.

También existen problemas especiales en la selección y eficacia relativa de antioxidantes en los preparados emulsificados y solubilizados. Con las emulsiones es una ventaja que el antioxidante esté presente en la interfase entre la gota de aceite y la fase continua acuosa. Por tanto, el antioxidante deberá presentar un equilibrio adecuado entre los grupos lipófilos y lipófobos. Si existe en ambas fases, entonces la fase acuosa se descompondrá para dar radicales libres que pueden iniciar la oxidación del aceite.

Sinergismo

Se dice que el sinergismo se produce cuando dos o más antioxidantes presentes en un sistema muestran un efecto total superior al que se puede estimar por una simple adición de sus efectividades individuales. Aunque este fenómeno es bien conocido, la mayoría de los sistemas se han estudiado sobre una base empírica. El fenómeno está asociado con dos sistemas separados: a) mezclas de aceptores de radicales libres, y b), agentes quelantes de metales.

Mezclas de aceptores de radicales libres. Podría parecer que el efecto de la mezcla de aceptores de radicales libres es debido tanto a factores estéricos como a cambios en la energía de activación.

En un sistema sinérgico que involucre a una sustancia, tal como ácido ascórbico (BH), que tiene un bajo factor estérico e hidroquinona (AH), en que no serán importantes los factores estéricos, URI[59] ha sugerido que podrían tener lugar las siguientes reacciones:

$$RO_2^. + AH \longrightarrow RO_2H + A^.$$
$$A^. + BH \longrightarrow B^. + AH$$

De este modo se elimina la posible desaparición de A por reacción con oxígeno, y se regenera antioxidante efectivo AH. Por sí mismo, el BH no produciría efecto alguno antioxidante significativo, pues la reacción:

$$RO_2^. + BH \longrightarrow RO_2H + B^.$$

se evitaría por factores estéricos.

Agentes quelantes de metales. El efecto normal de los agentes quelantes de metales es reaccionar con los iones metálicos prooxidantes y, de este modo, evitar su efecto catalítico en la reacción de oxidación normal, de reacción en cadena. Por esto, esta reacción no previene que se realice la oxidación normal, sino únicamente retarda la formación del peróxido, mientras que, al mismo tiempo, prolonga el período de inducción. Los prooxidantes metálicos, que ya están presentes como parte de las estructuras complejas orgánicas, no están afectados generalmente por agentes quelantes. La estabilización se alcanza por reacción del metal con ácidos orgánicos del tipo ácido tartárico o cítrico o con sustancias tales como ácido etilendiaminotetracético (EDTA).

PROSPERIO[61] y LOZONCZI[62] han publicado recientes revisiones de sistemas sinérgicos de antioxidantes.

En la Tabla 37.1 se dan antioxidantes y sistemas sinérgicos típicos utilizados en cosméticos.

Tabla 37.1. Antioxidantes para uso en sistemas cosméticos

Sistemas acuosos

Sulfito sódico	Acido ascórbico
Metabisulfito sódico	Acido isoascórbico
Bisulfito sódico	Tioglicerol
Tiosulfato sódico	Tiosorbitol
Formaldehido sulfoxilato sódico	Acido tioglicólico
Acetona metabisulfito sódico	Clorhidrato de cisteína

Sistemas no acuosos

Palmitato de ascorbilo	Hidroxianisolato butilado
Hidroquinona	α-Tocoferol
Galato de propilo	Fenil α-naftilamina
Acido nordihidroguayarético	Lecitina
Hidroxitolueno butilado	

Sistemas sinérgicos

Antioxidante	*por ciento*	*Sinérgicos*
Galato de propilo	0,005-0,15	Acido cítrico y fosfórico
α-Tocoferoles	0,01-0,1	Acido cítrico y fosfórico
Acido nordihidroguayarético (NDGA)	0,001-0,01	Acidos ascórbico, fosfórico, cítrico (25,50 por 100 de contenido de NDGA) y BHA
Hidroquinona	0,05-0,1	Lecitina, ácido cítrico y ácido fosfórico, BHA, BHT
Hidroxianisolato butilado (BHA)	0,005-0,01	Acidos cítrico y fosfórico, y lecitina, BHT, NDGA
Hidroxitolueno butilado (BHT)	0,01	Acidos cítrico y fosfórico hasta doble del peso de BHT y BHA

Medida de oxidación y evaluación de la eficacia del antioxidante

Pueden ser similares los ensayos para medir la oxidación y evaluar la eficacia del antioxidante y, en general, se diseñan para medir tanto la velocidad de oxidación (por medición directa del oxígeno absorbido o la formación de los productos de la descomposición), como la prolongación del período de inducción. Muchos de los ensayos utilizados se aceleran artificialmente con el uso de radiación ultravioleta o temperatura elevada, y la extrapolación de tales resultados a las condiciones normales de almacenamiento se supone que depende de posibles cambios en las reacciones de oxidación sujetas a las condiciones de aceleración. Un problema secundario es que muchas asociaciones de antioxidantes se ensayan sobre aceite o grasa puros, y no se consideran otras sustancias presentes en la formulación que pueden alterar materialmente la eficacia total del sistema. Cualesquiera que sean las indicaciones que se den en ensayos acelerados, es imperativo que se utilicen ensayos de almacenamiento de larga duración para confirmar la selección del conservante.

Una dificultad es que las técnicas comunes, tales como la determinación de los índices de hidroxilo y yodo, son frecuentemente mal interpretadas debido a la interferencia de otros productos del sistema de oxidación, particularmente peróxidos, y los métodos de evaluación de la eficacia del antioxidante basados en tales índices pueden sugerir deducciones completamente falsas de la eficacia. Incluso las estimaciones normales de los índices de peróxido deben considerarse con un grado de reserva, ya que no son muy específicas, y las reacciones implicadas pueden no ser estequiométricas. Sin embargo, este es el método más común de medir la oxidación y la eficacia del antioxidante, a pesar de que el peróxido medido es el peróxido no descompuesto, y realmente indica que los peróxidos se están formando más rápidamente que se descomponen. Esta situación no se aplica necesariamente a las fases últimas de la oxidación, que sólo presentan valores pequeños de peróxido.

Determinación de peróxidos

Se dispone de un gran número de métodos para la determinación de los peróxidos, pero los resultados, aunque reproducibles dentro de una serie dada de condiciones, son difíciles de comparar de un investigador a otro, ya que las técnicas experimentales diferentes proporcionarán valores discordantes incluso en el mismo sustrato. La técnica normalmente implica la liberación de yodo de yoduro sódico o potásico en presencia del peróxido. Lea[63] demostró que el sistema debería acidificarse durante esta liberación, mientras Knight[64] demostró que la presencia de otros grupos funcionales no interfieren y Swift[20] definió que un mol de yodo se libera de un mol de hidroperóxido del oleato de metilo. El método de Lea[65], de calentar con ácido acético glacial y cloroformo en presencia de yoduro potásico sólido y atmósfera de nitrógeno, pretende detectar tan poco como 10^{-6} equivalentes de peróxido por gramo de grasa. Cuando ésta enfría la mezcla de la reacción se le añade solución de yoduro potásico al 5 por 100 y se hace un análisis volumétrico con tiosulfato sódico 0,002 N. Una modificación, que es de uso común, se debe a Wheeler[66] quien, aunque continúa utilizando disolvente cloroformo-ácido acético glacial (50 ml), utilizó 1 ml de solución saturada de yoduro potásico y 3-10 g del aceite sometido a investigación.

Ambos métodos, y muchas otras variaciones, proporcionan índices de peróxido conflictivos. Se ha observado que el disolvente utilizado y la condición de acidez ocasionan variaciones[67], y una técnica modificada de Wheeler utilizando ácido sulfúrico y los pesos idénticos de muestras pretende proporcionar índices más reproducibles[68]. La importancia del tamaño constante de muestra ha sido demostrada por numerosos investigadores, aunque también la tiene la presencia de una atmósfera inerte para prevenir posteriores oxidaciones durante la determinación[69-71].

Otros métodos de análisis

Químico. Se han empleado otros métodos químicos para detectar el enranciamiento, pero todos adolecen en cierto grado del problema de no reproductividad, y dificultad de interpretar los resultados. Sin embargo, son todavía ocasionalmente utilizados y, por tanto, dignos de mención.

El ensayo de KREIS, primero descrito en 1902, es uno de los más frecuentemente empleados para determinar el enranciamiento por oxidación. En este ensayo se agita 1 ml de aceite (o grasa fundida) con 1 ml de ácido clorhídrico durante un minuto; posteriormente se añade 1 ml de solución al 1 por 100 de floroglucinol en éter y la agitación se continúa durante otro minuto. Una coloración rosa o roja en la capa inferior de ácido se considera indicativa de enranciamiento, la cantidad de ésta es aproximadamente (aunque no exactamente) proporcional a la intensidad del color. Una modificación preferible de este método fue sugerida por *Committee of the American Oil Chemists' Society*, en que el color se mide por medio de estándares de vidrios de color en un tintómetro Lovibond.

Esta coloración roja se produce por epihidrín aldehído,

$$CH_2\!-\!O\!-\!CH\!-\!CHO$$

pero debe recordarse que una grasa no está necesariamente rancia si responde a este ensayo. Aceites vegetales frescos y crudos pueden producir colores similares, aunque estos generalmente desaparecen en el refinado. Los aceites y aldehídos esenciales, a veces presentes en ciertos artículos de tocador y productos cosméticos, pueden dar resultados positivos; por tanto, tales ensayos deben realizarse en el producto no perfumado.

JONES[72] ha descrito un ensayo modificado de KREIS aplicable a los preparados cosméticos, en que se emplea aireación junto con un reactivo de absorción modificado. Este ensayo elimina la interferencia de otras muchas sustancias. Las instrucciones se dan en el artículo original para varios tipos de cosméticos analizados.

En ensayo SCHIFF para aldehídos se muestra ligeramente más sensible, pero la evaluación colorimétrica no es tan fácil en este ensayo y no ofrece ventajas en particular. Puesto que se encuentra con facilidad en cualquier libro de texto, no se describe el procedimiento exacto.

SCHIBSTED[73] desarrolló este ensayo específicamente para aldehídos de elevado peso molecular. Sin embargo, se deben seguir cuidadosamente las condiciones estipuladas, y para ello se debe consultar la publicación original.

LEA[74] ha ideado un método por el que las cantidades relativamente pequeñas de aldehídos en una grasa rancia pueden medirse por una simple valoración volumétrica con bisulfito sódico. Algunos ensayos preliminares con aceite de algodón parecen indicar que este método se correlaciona más estrechamente con el ensayo organoléptico que con el ensayo de KREIS.

Otro ensayo que ha sido sugerido para la determinación de enranciamiento por oxidación es el que emplea una solución al 0,025 por 100 de azul de metileno en alcohol. Se añaden aproximadamente 2 ml de este reactivo a 20 ml del aceite o grasa, se agita y la cantidad de reducción del color se toma como medida de su enranciamiento.

LEA[75] indica que el método aerobio del tiocianato férrico, aunque da resultados elevados en presencia de oxígeno atmosférico y valores demasiado bajos en su ausencia, muestra una reproductibilidad excelente, requiere mucha menos sustancia que el método yodométrico y, bajo una serie de condiciones, da resultados directamente proporcionales a los valores yodométricos.

El ensayo acelerado más comúnmente utilizado es el conocido como ensayo de aireación, método de oxígeno activo o ensayo de estabilidad de SWIFT[75]. La muestra se mantiene a 97,8 °C y se airea con un flujo estándar de aire. De cuando en cuando se toman muestras y se valora el grado de enranciamiento, bien organilépticamente o químicamente, hasta alcanzar un valor predetermina-do. Generalmente, el valor de peróxido se selecciona como criterio químico. Las modificaciones de éste implican otras temperaturas, por ejemplo 100 °C; a esta temperatura, el tiempo requerido para alcanzar un grado dado de enranciamiento es aproximadamente del 40 por 100 del que se obtiene en el ensayo SWIFT. BECKER, GAUDER y HERMANN[77] describen un tipo de ensayo SWIFT y LEA[78] un ensayo acelerado de autooxidación en que la grasa y el agua se mantienen en contacto más estrecho posible.

Cromatografía. La presencia y concentración del hidroxianisol butilado (BHA), hidroxitolueno butilado (BHT) y alquil galatos puede determinarse por cromatografía de capa fina, que permite la identificación de 2 μg de BHA, 4 μg de BHT y 1 μg de alquil galato con *p*-nitroanilina diazotizada[79]. También, DOOMS-GOOSENS[80] ha utilizado un método cromatográfico para la identificación de antioxidantes. Aisló su material por adición de sulfato sódico anhidro, seguido por la solubilización con éter de petróleo, y extracción final con acetonitrilo. Una placa de «silica gel» se utilizó en combinación con una solución de desarrollo de éter de petróleo-benceno-ácido acético.

Determinación del oxígeno absorbido. La determinación directa del oxígeno absorbido puede realizarse utilizando el respirómetro de volumen constante WARBURG o el manómetro diferencial Barcroft. UMBREIT, BURRIS y STAUFFER[81] dan los métodos detallados para utilizar estos instrumentos. En esencia, el método implica la medida del oxígeno absorbido en presencia y ausencia de antioxidante, y permite medir tanto la velocidad de oxidación como la duración del período de inducción. El final de esta última función puede ser difícil de determinar, y frecuentemente se utiliza el tiempo para una absorción arbitraria de oxígeno para expresar el final del período de inducción. SPETSIG[82] y LEW y TAPPEL[83] han descrito el uso del aparato Warburg para la medida de la velocidad de oxidación en una emulsión estable, mientras que CARLESS y NIXON[84, 85] han utilizado el método para estudiar la oxidación tanto en aceites emulsionados como solubilizados de interés cosmético. Por este método[86] se ha estudiado el efecto de la actividad antioxidante y la concentración de peróxido presente en un sistema de ácido linoleico. BERNER *et al*[87] realizaron un estudio detallado de la oxidación acelerada de hemina en una emulsión a 45 °C. Se añadió el antioxidante a la grasa antes de la emulsificación y, posteriormente, se midió el oxígeno absorbido. El efecto de los antioxidantes fue aumentar el período de inducción. La antigüedad y pureza de la hemina, *p*H e índice peróxido de la grasa y la temperatura afectan al período de inducción. Se estudió la actividad de BHA, galato de propilo, *tert*-butil hidroquinona, tocoferol y sustancias sinérgicas (EDTA, ácido ascórbico y ácido cítrico).

Espectrofotometría. Mitchell[88] fue el primero en utilizar el análisis ultravioleta, y después se mejoró y extendió el método. Los ácidos grasos con insaturación conjugada absorben a 230-375 μm, siendo la insaturación dieno a 234 μm, y 268 μm con trienos. CHIPAULT y LUNDBERG[89] hallaron una relación directa entre el índice de peróxido y ε a 232,5 μm.

Posiblemente de mayor valor es la espectrofotometría infrarroja, que se puede utilizar para identificar hidroxilo, hidroperóxido, carboxilo y otros muchos grupos. Sin embargo, la técnica presenta poca utilidad para estudios cuantitativos de la peroxidación, a pesar de que MORRIS[90] ha revisado sus aplicaciones. Las bandas a 3,0; 6,0 y 10,0 μm presentan las principales regiones involucradas, y, por el momento, se utiliza en la determinación de los cambios estereoisoméricos durante el curso de la oxidación. El espectro infrarrojo de algunos alquil hidroperóxidos se caracteriza por débil absorción en la región 11,4-11,8 μm[91].

Selección del antioxidante

El antioxidante ideal debe ser estable y efectivo en un intervalo amplio de pH y ser soluble en su forma oxidada, y sus compuestos de reacción deben ser incoloros e inodoros. Otros requerimientos obvios y esenciales son que no debe ser tóxico, ser estable y compatible con los ingredientes en los productos y sus envases.

La lista de antioxidantes efectivos permitidos en los EE. UU. para utilizarlos en productos alimenticios incluyen las sustancias citadas en la tabla 37.2.

Tabla 37.2. Antioxidantes efectivos para alimentos permitidos en los EE. UU.

Resina guaiacum
Tocoferoles
Lecitina
Galato de propilo
Hidroxianisol butilado (BHA)
Hidroxitolueno butilado (BHT)
Trihidroxibutirofenona
Acido ascórbico
Palmitato de ascórbilo
Citrato de monoisopropilo
Acido tiodipropiónico
Tiodipropionato de dilaurilo

Antioxidantes fenólicos

Resina guaiacum

La resina guaiacum tiene considerable carácter fenólico, pero es un antioxidante menos eficaz que la mayoría de los otros fenólicos mencionados anteriormente. Es más eficaz en aceites animales que en vegetales, y posee una ventaja sobre algunos otros antioxidantes: es igualmente efectivo en presencia y ausencia de agua y no se afecta seriamente por el calor.

Acido nordihidroguayarético

El NDGA comparte muchas de las propiedades de la resina guaiacum, pero es más efectivo peso a peso. HIGGINS y BLACK[92] resumen sus estudios sobre la protección de la manteca de cerdo con NDGA del modo siguiente: la manteca de cerdo pura de bajo índice inicial de peróxido se protegió frente al desarrollo del enranciamiento oxidativo con un 0,003 por 100 de NDGA, comparado con el requerimiento de un 0,006 por 100 de galato de propilo. El efecto estabilizador fue proporcional a la concentración de antioxidante en el intervalo 0,003-0,03 por 100. Un efecto sinérgico se presenta con un 0,003 por 100 de NDGA y un 0,75 por 100 de ácido cítrico. Por supuesto, esto procede del efecto secuestrante del ácido cítrico sobre metales pesados. El NDGA es soluble en grasa a concentraciones hasta aproximadamente un 0,005 por 100 a 45 °C, y no cristaliza demasiado al enfriarse. En 1968 se eliminó de la lista permitida de los EE. UU.

Tocoferoles

Estas sustancias naturales no son ampliamente utilizadas en la práctica debido a su elevado precio. Tienen cierto efecto antioxidante con las grasas animales, tales como sebo y ácidos grasos destilados, especialmente en presencia de sustancias sinérgicas, tales como ácido cítrico, lecitina, o ácido fosfórico, pero adolecen de escaso valor en la conservación de aceites vegetales. ISSIDORIDES[93] ha demostrado que la acción del ácido cítrico con los tocoferoles no es únicamente un efecto secuestrante, sino también deriva de la regeneración del tocoferol en el estado reducido. SISLEY[94] da un método para la obtención de tocoferoles mezclados con lecitina como sinérgico extrayendo aceite del germen de trigo con dicloroetileno.

Galatos

Los galatos constituyen una de las clases más importantes de antioxidantes. El éster propilo es el único permitido en productos alimenticios en la mayoría de los países, pero los galatos de metilo, etilo, propilo, octilo y dodecilo se utilizan comúnmente en los cosméticos. Por sí mismo el ácido gálico es un poderoso antioxidante, pero tiende a volverse azul en presencia de trazas de hierro.

Muchos investigadores han descrito las valiosas propiedades antioxidantes de los ésteres del ácido gálico. BOEHM y WILLIAMS[95] hallaron que, para las consideraciones prácticas y comerciales de fácil solubilidad a bajas temperaturas, acidez y color, y desde el punto de efectividad general, el galato de propilo normal (esto es, propil-3,4,5-trihidroxibenzoato normal) es el antioxidante destacado entre los ésteres del ácido gálico investigados. Estos investigadores hallaron que la protección proporcionada por un 0,1 por 100 del galato de propilo normal en la manteca de cerdo es igual a la que se obtiene por diez veces benzoina Siam, y probablemente superior a la de treinta veces benzoina Sumatra. PEREDI[96] demostró un incremento diez veces en el tiempo de almacenamiento de la manteca de cerdo en presencia de un 0,01 por 100 de galato de propilo o etilo. Sin embargo, TOLLENAAR[97] sugirió que los galatos no son apropiados para la antioxidación de aceites vegetales.

STIRTON, TURER y RIEMENSCHNEIDER[98] dieron una recomendación adicional de los ésteres del ácido gálico. Compararon las actividades antioxidantes del ácido *nor*dihidroguyarético (NDGA), galato de propilo, benzil hidroquinona, alfa-tocoferol y sus asociaciones sinérgicas con ácido cítrico, palmitato de *d*-isoascorbilo y lecitina en varios sustratos grasos: oleato de metilo, linoleato de metilo, linolenato de metilo y ésteres de metilo destilados de la manteca de cerdo. El ácido de *nor*dihidroguayarético y el galato de propilo superaron la actividad antioxidante de otras sustancias. El ácido cítrico mostró marcado efecto sinérgico con cada uno de los antioxidantes; las asociaciones más efectivas fueron las del ácido cítrico con el ácido *nor*dihidroguayarético y con el galato de propilo.

La posible toxicidad del galato de etilo ha sido investigada a fondo, y no se han observado síntomas de toxicidad en ratones a los que se les administraron, por vía oral o subcutánea, dosis masivas de galato de etilo, en concentraciones bastante superiores a las que podría administrarse a los seres humanos cuando reciben alimentos estabilizados frente a la oxidación con el éster[99].

BOEHM y WILLIAMS[95] publicaron que 0,5 g de galato de propilo fue administrado oralmente a cada uno de ellos durante seis días consecutivos. Un examen de orina durante este tiempo, y durante seis días posteriores, demostró que no había presencia de albúmina, y no observaron contenidos de sedimentos anormales, presentando una completa ausencia de corpúsculos rojos de sangre o desviación de ninguna clase. También citan los ensayos farmacológicos recibidos de los Laboratorios Farmacológicos del Colegio de la Sociedad Farmacéutica (Universidad de Londres) que se concluyen del modo siguiente:

1. El trihidroxibenzoato de propilo normal es menos tóxico que el pirogalol, cuando se administra por vía oral a ratones (ensayos agudos).

2. No existen efectos cutáneos agudos observables cuando se deja en contacto a cobayas afeitadas una solución de galato de propilo normal al 10 por 100 en propilen glicol durante cuarenta y ocho horas, o a la piel humana durante veinticuatro horas. Esto contrasta favorablemente con el efecto eritematoso producido en condiciones similares por una solución al 10 por 100 de pirogalol en propilen glicol.

WILLIAMS[100] proporciona las solubilidades de galatos en diferentes aceites (Tabla 37.3).

PEEREBOOM[101] ha recomendado las mezclas de galatos de octilo y dodecilo con BHT y BHA (véase posteriormente) para la estabilización de las grasas y, en general, se puede decir que el galato de propilo a una concentración del 0,01-0,1 por 100 es superior a cantidades iguales de NDGA, tocoferol, resina guaiacum, sesamol, lecitina, o hidroquinona para la conservación de grasas vegetales. GEARHART[102] demostró que el galato de propilo proporciona una protección superior en presencia de BHT.

Tabla 37.3.   Solubilidades de los galatos en diferentes aceites a 20 °C

	Aceite de almendra (por ciento)	Aceite ricino (por ciento)	Aceite mineral (por ciento)	Aceite cacahuete (por ciento)
Acido gálico	—	—	—	0,01
Galato de metilo	0,30	—	—	—
Galato de etilo	0,40	—	—	0,01
Galato de propilo	2,25	22,0	0,5	0,05
Galato de octilo	3,00	18,0	0,005	0,30
Galato de dodecilo	3,50	21,0	0,01	0,40

Hidroxianisol butilado (BHA)

El BHA está compuesto fundamentalmente por dos isómeros, 2- y 3-*tert*-butil-hidroxianisol. Es raramente utilizado solo, ya que su actividad en la mayoría de los sistemas es menor que la del galato de propilo, pero forma varias mezclas sinérgicas muy útiles con los ésteres de galato. Así una mezcla del 20 por 100 de BHA, 6 por 100 de galato de propilo, 4 por 100 de ácido cítrico y 70 por 100 de propilen glicol se utiliza comúnmente tanto en la industria de alimentación como en la cosmética. Si tal mezcla se utiliza a concentraciones de aproximadamente un 0,025 por 100 de antioxidante total, se puede proteger tanto a la mayoría de los aceites animales y vegetales, como a los ésteres grasos, tales como oleato de metilo.

OLCOTT y KUTA[103] han observado un interesante efecto sinérgico entre BHA y aminas tales como octadecilamina, tri-iso-octilamina, y prolina. No se ha encontrado efecto sinérgico con BHT. La prolina es particularmente útil en el tratamiento de aceites vegetales.

Hidroxitolueno butilado (BHT)

El BHT es el 2,6-di-*tert*-butil-4-metilfenol, comercializado como BHT por Kodak Chemical Co., como Topanol O y OC (grado purificado) por ICI, y como Ionol e Ionol CP por Shell Chemical Corporation. También se puede denominar di-*tert*-butil-p-cresol, DBPC.

El BHT es ampliamente utilizado como antioxidante para ácidos grasos y aceites vegetales, y posee varias ventajas sobre los demás antioxidantes fenólicos por estar libre todo olor fenólico, su estabilidad al calor y su baja toxicidad. Fue aprobado su uso en alimentos en los EE. UU. en 1954, a concentraciones no superiores al 0,01 por 100. Normalmente, en cosméticos que contienen sustancias insaturadas, debe utilizarse a concentraciones del 0,01-0,1 por 100, con adición de un agente secuestrante apropiado, tal como ácido cítrico o EDTA. El BHT no es sinérgico con los ésteres de galato.

La autooxidación de sustancias grasas tiene lugar con un coeficiente de velocidad logarítmico, de modo que es importante detener tal oxidación tan pronto como sea posible en la vida de una sustancia. En la actualidad, algunos fabricantes de ácidos grasos, etc., suministran sus productos con BHT u otros antioxidantes adecuados ya incorporados, de modo que la oxidación se refrena inmediatamente después de la fabricación.

Trihidroxibutirofenona

KNOWLES *et al.*[104] han publicado que algunas de las 2,4,5-trihidroxifenonas, especialmente las butirofenonas, tienen efectos destacados con manteca de cerdo aceite de cacahuete y sebo. Aunque el producto es un aditivo alimenticio reconocido en los EE. UU. no parece ser ampliamente utilizado en la industria cosmética.

Antioxidantes no fenólicos

Muchos de los antioxidantes no fenólicos son agentes quelantes. El ácido ascórbico y el palmitato de ascorbilo parecen actuar deteniendo el proceso radical libre de oxidación. Los ésteres de ascorbilo son especialmente efectivos en aceites vegetales, y proporcionan una excelente mezcla sinérgica con fosfolípidos, tales como lecitina y tocoferol[105].

Entre los agentes secuestrantes se utilizan ampliamente los tiodipropionatos, habitualmente, generalmente en asociación con antioxidantes fenólicos. Los ésteres de alcoholes grasos tienen mayor solubilidad en aceites.

El citrato de monoisopropilo tiene una acción secuestrante similar a la del ácido cítrico, pero una solubilidad superior en grasa.

La lecitina es una sustancia sinérgica afectiva para muchos antioxidantes fenólicos, principalmente debido a que es un fosfato soluble en aceite con excelentes propiedades secuestrantes. Los miembros de otras clases de agentes secuestrantes solubles en aceite son MECSA (éster mono-octadecilo del ácido carboximetilmercapto succínico) y METSA (éster mono-octadecilo de ácido tiosuccínico). En ciertas condiciones, estas sustancias pueden actuar como afectivos antioxidantes en concentraciones tan bajas como 0,005 por 100: véase la revisión de EVANS *et al.*[106]. Poseen la desventaja de que se descomponen al calentar, y, por tanto, se debe añadir, como el perfume, durante la fase de enfriamiento de la fabricación.

En general, el efecto de todo antioxidante verdadero (esto es, que detiene la cadena) puede mejorarse con la selección idónea de un agente secuestrante apropiado para disminuir la iniciación de las reacciones en cadena al principio. Se deben siempre considerar los ácidos cítrico, fosfórico, tartárico y etilendiamina tetracético, como posibles aditivos para un sistema que esté insuficientemente protegido frente a la oxidación, antes de incluir más sustancia fenólica. El uso de tales agentes secuestrantes es más económico, y es menos propenso a originar el desarrollo de cambio de color u olor, que el uso de concentraciones altas de fenoles. De las sustancias fenólicas, probablemente el BHT es la más universalmente utilizada, pero cada sistema tiene sus peculiaridades que se debe estudiar en primer lugar.

Fotodescomposición

Otra forma de descomposición encontrada en ocasiones es la causada por la luz en el espectro visible o ultravioleta. Generalmente, tal fotodescomposición se manifiesta por sí misma, atenuando el color del producto o desarrollando decoloración.

El acondicionamiento en envases opacos o estuchados en cajas para excluir toda luz es, sin duda, una forma lógica de evitar este tipo de descomposición, pero esto no es siempre deseable, ni incluso necesario. Con frecuencia es posible estuchar o empaquetar en materiales transparentes adecuadamente coloreados o que contengan un absorbente ultravioleta para eliminar por filtración las porciones perjudiciales del espectro. En ciertos casos en que la energía ultravioleta es la causante de la descomposición, el absorbente ultravioleta se puede incorporar al producto. Mecca ha publicado[107] que el ácido úrico al 0,02-0,5 por 100 podría proteger soluciones coloreadas con FD&C azul núm. 1, D&C amarillo núm. 10, FD&C verde núm. 8 y cochinilla, expuestos a la luz solar directa, mientras que las soluciones de control sin ácido úrico fueron completamente decoloradas.

Con frecuencia, la alteración inducida por el ultravioleta implica la presencia de trazas de metales, especialmente hierro, y cuando este es el caso el agente de filtro puede reforzarse, o en algunos casos reemplazarse, por agente quelante, tal como el ácido etilendiamino tetra-acético (EDTA). La permeabilidad de las paredes celulares de algunas bacterias, notablemente las *p-seudomonas aeroginosa* gram-negativa, se altera por el EDTA; SMITH[108] encontró que la adición de concentraciones en la región del 0,05 por 100 mejora grandemente la potencia antibacteriana de los antisépticos fenólicos. Así, pequeñas cantidades de esta sustancia podrían servir para dos finalidades útiles en los sistemas protectores proyectados para la descomposición ultravioleta y sensibles a la especie omnipresente *pseudomonas*.

REFERENCIAS

1. Chastaing, P., *Ann. chim. Phys.*, 1799, **11**, 190.
2. Schönbein, C. F., *J. makromol. Chem.*, 1858, **74**, 328.
3. Engler, C. and Wild, W., *Ber. Dtsch. Chem. Ges.*, 1897, **30**, 1669.
4. Engler, C. and Weissberg, J., *Ber. Dtsch. Chem. Ges.*, 1898, **31**, 3046, 3055.
5. Fahrion, W., *Chem.-Ztg.*, 1904, **28**, 1196.
6. Staudinger, H., *Ber. Dtsch. Chem. Ges.*, 1925, **58**, 1075.
7. Fokin, S., *Z. angew. Chem.*, 1909, **22**, 1451.
8. Stephens, H. N., *J. Am. chem. Soc.*, 1928, **50**, 568.
9. Farmer, E. H. and Sundralingam, A., *J. chem. Soc.*, 1942, 121.
10. Farmer, E. H., *Trans. Faraday Soc.*, 1942, **38**, 340, 356.
11. Farmer, E. H., Bloomfield, G. F., Sundralingam, A. and Sutton, D. A., *Trans. Faraday Soc.*, 1942, **38**, 348.
12. Farmer, E. H. and Sutton, D. A., *J. chem. Soc.*, 1943, 119, 122.
13. Farmer, E. H., Kock, H. P. and Sutton, D. A., *J. chem. Soc.*, 1943, 541.
14. Farmer, E. H., *Trans. Inst. Rubber Ind.*, 1945, **21**, 122.
15. Farmer, E. H. and Sutton, D. A., *J. chem. Soc.*, 1946, 10.
16. Hargrave, K. R. and Morris, A. L., *Trans. Faraday Soc.*, 1956, **52**, 89.
17. Bolland, J. L., *Q. Rev. chem. Soc.*, 1949, **3**, 1.
18. Bateman, L., *Q. Rev. chem. Soc.*, 1954, **8**, 147.
19. Uri, N., *Autoxidation and Antioxidants*, ed. Lundberg, W. O., New York & London, Interscience, 1961, Vol.1,p. 66.

20. Swift, C. E., Dollear, F. G. and O'Connor, R. T., *Oil Soap*, 1946, **23**, 355.
21. Privett, O. S., Lundberg, W. O. and Nickell, C., *J. Am. Oil Chem. Soc.*, 1953, **30**, 17.
22. Privett, O. S. and Nickell, C., *Fette Seifen*, 1959, **61**, 842.
23. Willits, C. O., Ricciuti, C., Knight, H. B. and Swern, D., *Analyt. Chem.*, 1952, **24**, 785.
24. Bolland, J. L. and Gee, G., *Trans. Faraday Soc.*, 1946, **42**, 236.
25. Gunstone, F. D. and Hilditch, T. P., *J. chem. Soc.*, 1946, 1022.
26. Farmer, E. H. and Sutton, D. A., *J. chem. Soc.*, 1942, 139.
27. Bergström, S., *Nature*, 1945, **156**, 717.
28. Privett, O. S., Lundberg, W. O., Khan, N. A., Tolberg, W. E. and Wheeler, D. H., *J. Am. Oil Chem. Soc.*, 1953, **30**, 61.
29. Holman, R. T., *Progress in the Chemistry of Fats and Other Lipids*, ed. Holman, R. T., Lundberg, W. O. and Malkin, T., London, Pergamon Press, 1954, Vol. 2, p. 51.
30. Nixon, J. R. and Carless, J. E., *J. Pharm. Pharmacol.*, 1960, **12**, 348.
31. Privett, O. S., Nickell, C., Tolberg, W. E., Paschke, R. F., Wheeler, D. H. and Lundberg, W. O., *J. Am. Oil Chem. Soc.*, 1954, **31**, 23.
32. Kern, W., Heinz., A. R. and Höhr, D., *Makromol. Chem.*, 1956, **18/19**, 406.
33. Privett, O. S., *J. Am. Oil Chem. Soc.*, 1959, **36**, 507.
34. Allen, R. R., Jackson, A. H. and Kummerow, F. A., *J. Am. Oil Chem. Soc.*, 1949, **26**, 395.
35. Jackson, A. H. and Kummerow, F. A., *J. Am. Oil Chem. Soc.*, 1949, **26**, 460.
36. Myers, J. E., Kass, J. P. and Barr, G. O., *Oil Soap*, 1941, **18**, 107.
37. Holman, R. T. and Elmer, O. C., *J. Am. Oil Chem. Soc.*, 1947, **24**, 127.
38. Allen, R. R. and Kummerow, F. A., *J. Am. Oil Chem. Soc.*, 1951, **28**, 101.
39. Brauer, R. W. and Steadman, L. T., *J. Am. chem. Soc.*, 1944, **66**, 563.
40. O'Neill, L. A., *Chem. Ind. (London)*, 1954, 384.
41. Benton, J. L. and Wirth, M. M., *Nature*, 1953, **171**, 269.
42. Wibaut, J. P. and Strang, A., *Proc. Koninkl. Ned. Akad. Wetenschap.*, 1952, **55B**, 207.
43. Paquot, C. and de Goursac, F., *Oléagineux*, 1950, **5**, 349.
44. Almquist, H. J. and Branch, G. E. K., *J. Am. chem. Soc.*, 1932, **54**, 2293.
45. Bäckström, H. L. J., *Z. physik. Chem.*, 1934, **25B**, 99.
46. Cook, A. H., *J. chem. Soc.*, 1938, 1768.
47. Waters, W. A. and Wickham-Jones, C., *J. chem. Soc.*, 1951. 812.
48. Cooper, H. R. and Melville, H. W., *J. chem. Soc.*, 1951, 1984, 1994.
49. Sharp, D. B., Whitcomb, S. E., Patton, L. W., and Moorhead, A. D., *J. Am. chem. Soc.*, 1952, **74**, 1802.
50. Bolland, J. L. and ten Have, P., *Trans. Faraday Soc.*, 1947, **43**, 201.
51. Davies, D. S., Goldsmith H. L., Gupta, A. K. and Lester, G. R. *J. chem. Soc.*, 1956, 4926, 4931, 4932.
52. Bolland, J. L. and ten Have, P., *Discussions Faraday Soc.*, 1947, **2**, 252.
53. Boozer, C. E., Hammond, G. S., Hamilton, C. E. and Sen, J. N., *J. Am. chem. Soc.*, 1955, **77**, 3233, 3238.
54. Olcott, H. S. and Mattill, H. A., *J. Am. chem. Soc.*, 1936, **58**, 2204.
55. Banks, A., *J. Soc. chem. Ind.*, 1944, **63**, 8.
56. Lovern, J. A., *J. Soc. chem. Ind.*, 1944, **63**, 13.
57. Lea, C. H., *Research*, 1956, **9**, 472.
58. Rosenwald, R. H. and Chenicek, J. A., *J. Am. Oil Chem. Soc.*, 1951, **28**, 185.
59. Uri, N., *Autoxidation and Antioxidants*, ed. Lundberg, W. O., New York & London, Interscience, 1961, Vol. 1, p. 133.
60. Fieser, L. F., *J. Am. chem. soc.*, 1930, **52**, 5204.
61. Prosperio, G., *Riv. Ital. Essenze, Profumi, Piante Off., Aromi., Sopeni, Cosmet., Aerosol.*, 1977, **59**, 424.
62. Lozonczi, B. and Lozonczi, Mrs. B., *Olaj. Szappan Kosmit.*, 1977, **26**, 115.

63. Lea, C. H., *Food Investigation*, Special Report No. 46, Dept. Scientific and Industrial Research, 1938.
64. Knight, H. B. and Swern, D., *J. Am. Oil Chem. Soc.*, 1949, **26**, 366.
65. Lea, C. H., *Proc. R. Soc. (London)*, 1931, **108B**, 175.
66. Wheeler, D. H., *Oil Soap*, 1932, **9**, 89.
67. Nakamura, M., *J. Soc. chem. Ind. (Japan)*, 1937, **40**, 206, 209, 210.
68. Stansby, M. E., *Ind. Eng. Chem., Analyt. Edn.*, 1941, **13**, 627.
69. Lea, C. H., *J. Soc. chem. Ind. (London)*, 1946, **65**, 286.
70. Stuffins, C. B. and Weatherhall, H., *Analyst*, 1945, **70**, 403.
71. Volz, F. E. and Gortner, W. A., *J. Am. Oil Chem. Soc.*, 1947, **24**, 417.
72. Jones, J. H., *J. Am. Oil Chem. Soc.*, 1944, **21**, 128.
73. Schibsted, H., *Ind. Engng. Chem., Analyt. Edn.*, 1932, **4**, 204.
74. Lea, C. H., *Ind. Engng. Chem., Analyt. Edn.*, 1934, **6**, 241.
75. Lea, C. H., *J. Sci. Fd. Agric.*, 1952, **3**, 286.
76. Wheeler, D. H., *Oil Soap*, 1933, **10**, 89.
77. Becker, E., Gander, K. F. and Herman, W., *Fette Seifen Anstr.-Mittel*, 1957, **59**, 599.
78. Lea, C. H., *J. Soc. chem. Ind. (London)*, 1936, **55**, 293T.
79. Guven, K. C. and Guven, N., *Eczacilik Bul.*, 1974, **16**, 93.
80. Dooms-Goosens, A., *J. Pharm. Belg.*, 1977, **32**, 213.
81. Umbreit, W. W., Burris, R. H. and Stauffer, J. F., *Manometric Techniques* (Rev. Edn), Minneapolis, Burgess Publishing Co., 1957.
82. Spetsig, L. O., *Acta Chem. Scand.*, 1954, **8**, 1643.
83. Lew, Y. T. and Tappel, A. L., *Fd. Technol., Champaign*, 1956, **10**, 285.
84. Carless, J. E. and Nixon, J. R., *J. Pharm. Pharmacol.*, 1957, **9**, 963 and 1960, **12**, 348.
85. Nixon, J. R., Ph.D Thesis, London, 1958.
86. Ozawa, T., Nakamura, Y. and Hiraga, K., *Shokuhin Eiseigaku Zasshi*, 1972, **13**, 205.
87. Berner, D. L., Conte, J. A. and Jacobson, G. A., *J. Am. Oil Chem. Soc.*, 1974, **51**, 292.
88. Mitchell, J. H., Kraybill, H. R. and Zscheile, F. P., *Ind. Engng. Chem., Analyt. Edn.*, 1943, **15**, 1.
89. Chipault, J. R. and Lundberg, W. O., *Hormel Inst. Univ. Minn., Ann. Rpt.*, 1946, 9.
90. Morris, S. G., *J. Agr. Food Chem.*, 1954, **2**, 126.
91. Williams, H. R. and Moser, H. S., *Analyt. Chem.*, 1955, **27**, 217.
92. Higgins, J. W. and Black, H. C., *Oil Soap*, 1944, **19**, 277.
93. Issidorides, A., *J. Am. chem. Soc.*, 1951, **73**, 5146.
94. Sisley, J. P., *Perfum. Essent. Oil Rev.*, 1955, **46**, 117.
95. Boehm, E. and Williams, R., *Q. J. Pharm, Pharmacol.* 1943, **16**, 232.
96. Peredi, J., *Hung. Tech. Abstr.*, 1955, **7**, 24.
97. Tollenaar, F. D. and Vos, H. J., *J. Am. Oil Chem. Soc.*, 1958, **35**, 448.
98. Stirton, A. J., Turer, J. and Riemenschneider, R. W., *Oil Soap*, 1945, **22**, 81.
99. Hilditch, T. P. and Lea, C. H., *Chem. Ind.*, 1944, 70.
100. Williams, R., *Am. Perfum. Aromat.*, 1959, **73**(2), 39.
101. Peereboom, J. W. C., *Am. Perfum. Aromat.*, 1959, **73**(2), 27.
102. Gearhart, W. M. and Stuckey, B. N., *J. Am. Oil Chem. Soc.*, 1955, **32**, 386.
103. Olcott, H. S. and Kuta, E. J., *Nature*, 1959, **183**, 1812.
104. Knowles, M. E., Bell, A., Tholstrup, C. E. and Pridgen, H. S., *J. Am. Oil Chem. Soc.*, 1955, **32**, 158.
105. Lundberg, W. O., *Manuf. Confec.*, 1953, **33**(4), 19, 67.
106. Evans, C. D., Schwab, A. W. and Cooney, R. M., *J. Am. Oil Chem. Soc.*, 1954, **31**, 9.
107. Anon, *Drug Cosmet. Ind.*, 1965, **97**, 97.
108. Smith, G., *J. med. Lab. Technol.*, 1970, **27**, 203.

38

Emulsiones

Introducción

Todo trabajador de laboratorio de cosméticos sabe que las emulsiones son mezclas relativamente estables de aceites, grasas y agua, y se fabrican mezclando juntas sustancias solubles en aceite y solubles en agua en presencia de un agente emulsificante. Las emulsiones —cremas y lociones— constituyen una parte muy importante del mercado de los cosméticos; se consume mucho tiempo en el desarrollo de nuevas materias primas, tanto por proveedores como por las compañías cosméticas.

Las fórmulas, para emulsiones cosméticas buenas y estables, son suministradas por libros y literatura de los proveedores, y no es difícil, incluso para un técnico de laboratorio principiante, fabricar una emulsión satisfactoria siguiendo las simples instrucciones escritas. Sin embargo, claramente, ningún químico cosmético puede considerarse competente hasta que comprende cómo formular las emulsiones por sí mismo, y cómo incorporar en ellas ciertas características deseadas. Con el fin de lograr esto, debe aprender algo de los fundamentos de la tecnología de la emulsión. Que esto se alcance dependerá de las inclinaciones del individuo, pero el propósito de este capítulo es simplemente proporcionar una información suficientemente detallada de estos fundamentos como para permitir al lector experimentar por sí mismo con el conocimiento, y crear ideas por sí solo. Una información más detallada se puede obtener de las referencias citadas al final del capítulo.

Principios básicos

El punto de partida de este estudio es el recuerdo de que ciertas sustancias muestran «afinidad» mutuamente y otras no. Una simple ilustración de este punto es que el agua y el etanol son totalmente miscibles. Sus moléculas pueden coexistir unas junto a las otras, y no muestran tendencia a separarse en zonas discretas pobladas en gran parte o exclusivamente por su propia clase. Estas dos sustancias muestran una «afinidad» entre sí que no se comparte por el aceite mineral y el agua. Esta idea de «afinidad» desempeña una parte importante en la tecnología de la emulsión y está relacionada con la manera en la que las moléculas individuales parecen atraer a sus vecinas en un medio dado. Las moléculas de la misma sustancia —por ejemplo, agua— ejercen una influencia atrayente sobre las otras, y si no fuera por el hecho de que, en circunstancias normales, cada molécula está atraída por muchas otras de su alrededor en todas las direcciones, cada dos moléculas se unirían. Este fenómeno se denomina «cohesión», y la fuerza de cohesión entre las moléculas se atribuye a su «energía cohesiva». La magnitud de estas fuerzas de cohesión no depende únicamente del tamaño de las moléculas que intervienen, sino también de su constitución química. El principio básico es que «semejante atrae a semejante». Las moléculas afines, tales como agua y etanol, no muestran tendencia a separarse debido a que las fuerzas de cohesión entre las moléculas de agua y etanol son similares en magnitud a aquellas que existen entre agua y agua o etanol y etanol. Sin embargo, cuando se introduce el aceite mineral en el agua, las fuerzas de cohesión entre el agua y el aceite mineral son despreciables comparadas con las que existen entre las moléculas de las dos sustancias mismas, y se produce rápidamente la separación.

La «afinidad» se manifiesta por sí misma, no sólo como solubilidad, sino también en el concepto de «fase». Cuando dos o más sustancias en contacto coexisten como claramente diferentes y se separan en entidades, cada una de ellas se considera como una «fase» (Tabla 38.1). En sistemas de dos fases, una de ellas se puede distribuir como un gran número de entidades distintas y separadas en la otra. En estas circunstancias, la primera se conoce diferencialmente como fase «interna», «dispersa» o «discontinua», y la última, como fase «externa» o «continua». Cuando una sustancia se dispersa en un estado finamente dividido dentro de la otra de este modo, la superficie de contacto entre las dos fases es enormemente grande. Por tanto, no es sorprendente que muchas de las características manifestadas por tal sistema dependan fundamentalmente de las naturalezas química o física de las dos superficies y la interacción entre ellas. Esto es ciertamente exacto en las emulsiones cosméticas.

Tabla 38.1. Algunos sistemas frecuentes de dos fases

Fase continua	Fase dispersa	Sistema
Gas	Sólido	Humo
Gas	Líquido	Aerosol
Líquido	Gas	Espuma
Líquido	Sólido	Dispersión
Líquido	Líquido	Emulsión
Sólido	Gas	Espuma

Propiedades de superficie

En general, las capas más externas de las sustancias exhiben propiedades muy diferentes a las de la totalidad, esto es debido totalmente al medio en que se encuentran las moléculas de la superficie. En la figura 38.1, *A* representa una molécula de cualquier modo en el interior de un líquido. *A* está rodeada por otras moléculas que, si están lo suficientemente próximas, ejercen una atracción apreciable sobre ella. Estas moléculas podrían ser contenidas en una esfera, centro *A*, con un radio muy pequeño pero limitado (representando en la figura por una línea destacada de puntos alrededor de *A*) la «esfera de actividad molecular». Puesto que existen muchas moléculas atrayendo a *A* en cualquier dirección, y atrayéndola en dirección opuesta, no existe una fuerza resultante de cohesión sobre *A*. Esto está lejos de la realidad de una segunda molécula, *B*, situada en la superficie del líquido. Aquí, las fuerzas de atracción por debajo de *B* no son exactamente anuladas por la atracción de otras moléculas por encima de ella, y una fuerza resultante *F* se ejerce sobre *B*, tendiendo a empujarla hacia el interior del líquido. (Se debe destacar que *B* está muy cerca de la superficie y que la figura 38.1 está muy exagerada por razones de claridad.)

Esta misma consideración se aplica a todas las superficies, tanto gas, líquida o sólida, aunque es en gases y líquidos, en los que las moléculas tienen considerable movilidad, donde su efecto es claramente observable para determinar la forma de la sustancia. Puesto que las fuerzas internas sobre las moléculas en una superficie líquida tienden a trasladar las moléculas hacia el interior, la superficie tiende a contraerse, y se hace tan pequeña como sea posible, de modo que el área superficial será la mínima para un volumen dado de líquido. Puesto que una esfera es la forma que tiene el área superficial mínima para un volumen dado, si no actúan otras fuerzas sobre el líquido, se debe esperar que tome una forma esférica. Masas relativamente grandes de líquido están sujetas a fuerzas de gravedad proporcionalmente grandes; por esta razón, tomarán la forma de todo recipiente que los contenga (por ejemplo, un vaso de precipitados o probeta). Sin embargo, para masas muy pequeñas, tales como pueden encontrarse en gotitas de fase interna en las emulsiones cosméticas, las fuerzas de la gravedad desempeñan un papel relativamente menor, y las gotitas pueden ser esféricas en grado elevado de aproximación.

A causa de la fuerza resultante hacia el interior sobre las moléculas superficiales, se dice que todas las superficies poseen «tensión superficial» y la magnitud de la tensión superficial depende de *F*. Es evidente que, si las moléculas de la sustancia de encima de la superficie del líquido poseen una atracción escasa o no

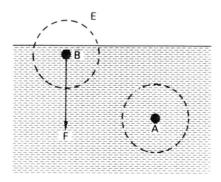

Fig. 38.1. Explicación molecular de la tensión superficial.

medible para B, entonces la magnitud de F depende principalmente de las propiedades del propio líquido. Si el aire, gas o sólido de encima de la superficie del líquido muestra cierta afinidad por B, entonces F y la tensión superficial serán menores. Cada fase es una frontera o interfase cuyas características, incluyendo la tensión superficial, dependen de la influencia de las sustancias de ambos lados.

Principios de estabilidad de la emulsión

Es una observación muy correcta que una mezcla de aceite y agua puede emulsificarse por agitación. Cuanto más enérgica es la agitación más pequeño es el tamaño de las gotitas de la fase dispersa. Sin embargo, más pronto o más tarde, las gotículas de la fase dispersa se hacen notablemente más grandes, ya que se reúnen hasta que se reconstituyen las dos capas iniciales («separación de fases»). Es importante comprender las razones de la emulsificación o coalescencia. Existen dos modos complementarios de describir estos fenómenos, y ambos se exponen brevemente. Una explicación es mecánica y la otra es termodinámica; las dos son igualmente importantes.

Modelo mecánico de emulsificación y coalescencia

Cuando una mezcla de aceite y agua en reposo formada por dos capas simples se agita, grandes volúmenes de una fase inevitablemente se quedan aislados y atrapados dentro de la otra fase. El destino de estos glóbulos aislados dependen en parte de la turbulencia que encuentran en sus alrededores inmediatos. Si el tamaño de las corrientes de remolino locales es más pequeño que el de los glóbulos, éstos se romperán en varias gotas más pequeñas bajo la influencia de la fuerza de cizalla ejercida por el remolino. Esta fuerza de cizalla está en oposición con la tensión superficial en la interfase entre la gota y el líquido. A medida que el tamaño de la gotita se reduce, debe encontrar remolinos más pequeños, y más potentes —y, por tanto, mayor turbulencia— para hacerla más pequeña. Por esto, el tamaño de la gotícula final depende casi exclusivamente de la tensión superficial en la interfase y del grado de turbulencia producido en la fase continua.

Aún en el momento en que las gotitas de la fase dispersa se están rompiendo, no obstante, simultáneamente están coalesciendo. El proceso de la coalescencia puede ser considerado en varias fases. Primeramente, las gotitas tienen suficiente movilidad como para moverse por la fase continua para encontrarse unas con otras. Cuando chocan unas con otras, muy pocas colisiones dan por resultado coalescencia inmediata. La fina película entre dos gotitas que chocan puede provocar su rebote. Si no rebotan se adhieren unas a otras; ésta es la siguiente fase esencial del proceso, y en ocasiones se denomina como «agregación» o «floculación». Finalmente, la película de fase continua que interviene puede ser eliminada hasta el punto en que puede romperse, permitiendo que se combinen los contenidos de las dos gotículas para formar una gotita más grande con menor área superficial total.

La velocidad de la coalescencia se determina por el más lento de estos procesos. Si la viscosidad de la fase externa es elevada y el volumen total de la fase interna es pequeño, entonces la baja movilidad de las gotas diseminadas de la fase dispersa puede determinar totalmente la velocidad de coalescencia. Si las gotitas de la fase interna son uniformemente pequeñas, la adhesión determina la velocidad de coagulación. Las fuerzas que gobiernan la colisión y la adhesión para las gotitas líquidas son las mismas que las que gobiernan a los sólidos suspendidos en líquidos o en otros sólidos. La facilidad de adhesión aumenta con el tamaño de partícula de las más grandes de las dos entidades adherentes así, unos pocos glóbulos grandes en una emulsión, que en otro aspecto es de gotitas de tamaño pequeño, pueden aumentar notablemente la velocidad de coalescencia. Cuando los grumos de la fase interna agregada ascienden a la parte superior o caen al fondo de una emulsión, el efecto frecuentemente se denomina «cremado». En esta etapa, la agitación posterior redispersa estos agregados y se recupera la emulsión. Sin embargo, una vez que los agregados han experimentado la coalescencia, y se ha producido la separación de fases, es más difícil volver a formar la emulsión. Con frecuencia se indica que la velocidad a que las partículas se sumergen o flotan en los líquidos —tanto si son partículas simples como si son aglomerados— se predice por la Ley de Stokes, una forma de la cual es la siguiente:

$$K = \frac{2}{9} \cdot g \cdot \frac{r^2(d_1 - d_0)}{v}$$

donde K es la velocidad final de una esfera, r el radio, y d_1 la densidad que cae en un líquido de densidad d_0 y viscosidad v. Aunque la Ley de Stokes puede aplicarse sólo muy aproximadamente a la mayoría de las emulsiones, sirve como modelo muy sencillo para el movimiento de las gotitas de la fase interna por la fase externa.

Descripción termodinámica de emulsificación y coalescencia

Cuando el área superficial de un líquido se aumenta (p. ej., por agitación), las moléculas del interior emergen a la superficie. Lo hacen frente a la fuerza de atracción de las moléculas vecinas y, por consiguiente, siempre se requiere cierto trabajo o energía mecánica para aumentar el área superficial. También, la superficie tiende a enfriarse y, por tanto, el calor fluye hacia ella del entorno. Por tanto, hay un aumento de la energía superficial equivalente a la suma de la energía mecánica consumida y la energía calorífica absorbida. La relación entre el incremento en la energía superficial, ΔS, asociada con un incremento en el área superficial, ΔA, es la siguiente:

$$\Delta S = T \cdot \Delta A$$

donde T es la tensión superficial interfacial entre el líquido y su entorno. Por tanto, puede observarse que la tensión superficial no es más que el incremento en la energía superficial asociada con el incremento por unidad del área superficial.

Es un principio bien conocido en mecánica que un objeto está en el equilibrio estable cuando su energía potencial es mínima. Por tanto, teniendo oportunidad, la emulsión perderá su exceso considerable de energía hacia su entorno en forma de calor por coalescencia de las gotitas de la fase interna y separación de fases.

Estabilización de las emulsiones cosméticas

El problema a que se enfrenta el formulador cosmético, habiendo decidido una emulsión, es cómo prevenir este sistema termodinámicamente inestable de la separación en capas. En función de las consideraciones de los últimos párrafos se pueden hacer las siguientes consideraciones:

a) Aumentando la viscosidad de la fase externa, disminuirá la movilidad de las gotitas de la fase interna haciendo más difícil para ellas chocar unas con otras.

b) Asegurando que la fase interna es del tamaño de gota más pequeño y más uniforme posible, disminuirá la probabilidad de adhesión entre dos gotas.

c) Aumentando la solidez mecánica de la interfase, se hará ésta menos sensible a la ruptura con la coalescencia resultante de las gotas adheridas.

d) Disminuyendo la tensión superficial, disminuirá la «fuerza conductora» termodinámica para la coalescencia.

Se destaca que el aumento en la estabilidad que resulta de la formación de las gotitas de la fase interna de muy pequeño tamaño representa una anomalía aparente. Ya se ha demostrado que disminuyendo el tamaño de gotita se causa un rápido aumento del área superficial, y también que una gran área superficial puede únicamente lograrse, en un sistema dado, por una mayor energía absorbida. Tal sistema posee, por tanto, un elevado exceso de contenido de energía, que parece estar en conflicto con la regla de que sistemas de alto contenido de energía son menos estables que aquellos de bajo contenido de energía. Aparentemente, pues, el efecto estabilizante de una baja probabilidad de adhesión entre las gotitas de la fase interna compensa la influencia de exceso de energía superficial libre para provocar la coalescencia.

Tensioactivos y emulsificantes

Volviendo a las recomendaciones indicadas anteriormente, puede observarse que las sugerencias *c*) y *d*) se relacionan directamente con la interfase entre la gotita de la fase interna y su medio. Aunque el efecto, descubierto por accidente (pues es anterior a que se hubiesen desarrollado las teorías de la química y la física), se ha demostrado que es posible estabilizar emulsiones al proveer de una barrera física en la interfase que no sólo reduzca la probabilidad de su ruptura, sino que realmente prevenga que las gotitas se toquen unas con otras, al mismo tiempo que se hace más fácil la emulsificación al reducir la tensión superficial interfacial. La posibilidad de hallar sustancias que emigren y existan en una interfase aceite-agua se deriva de la idea de la afinidad química; todo lo que es necesario es que al menos parte de la sustancia debe mostrar una afinidad para el aceite y parte para el agua (aunque ninguna de las afinidades debe ser excesivamente fuerte para arrollar la otra). Toda esta sustancia debe estar ligada a la emigración hacia la interfase con el fin de satisfacer estas predisposiciones y, así, aparentemente, lo hacen. Inevitablemente, las sustancias que poseen estas características se han denominado «agentes tensioactivos» y esto se puede acortar por «tensioactivo», una palabra que se puede utilizar como nombre y como adjetivo. Los tensioactivos tienen una gran variedad de usos en la industria, distintos a los de formación y estabilización de las emulsiones cosméticas; pueden utilizarse, por ejemplo, como solubilizantes, humectantes o agentes de extensividad. Estas funciones están todas relacionadas con su papel en la emulsificación, pero cuando se diseñan y se utilizan para el último fin deben denominarse agentes emulsificantes o «emulsionantes».

Las emulsiones cosméticas se estabilizan casi invariablemente con emulsionantes y pueden considerarse como «aceite-agua» (con agua como fase continua) o «agua-aceite» (donde el agua es la fase interna). Con muy pocas excepciones, tal cuadro sencillo es muy aproximado, pues las dos fases tendrán alguna afinidad mutua una hacia otra, ocasionando la probable formación de otras fases de composición intermedia. Sin embargo, por claridad se adoptan los modelos aceite-agua y agua-aceite en la exposición posterior. Sin embargo, es importante tener en cuenta que incluso estos sistemas simples de emulsión no pueden considerarse por más tiempo que estén formados por dos fases una vez que se ha añadido el emulsionante (aunque, por desgracia, frecuentemente se comete este error). En la actualidad, la interfase, que contiene al emulsionante, se debe considerar como una tercera fase.

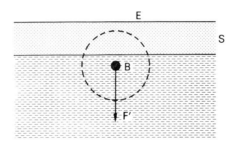

Fig. 38.2.   Reducción de la tensión superficial por un tensioactivo

La figura 38.2 ilustra la misma superficie líquida descrita en la figura 38.1, pero ahora una fina capa de tensioactivo, S, ha ocupado la interfase. La afinidad de S hacia la molécula superficial, B, es mucho mayor que la del medio original, E, y la fuerza resultante hacia el interior; F', es menor a la anterior. Por tanto, la tensión superficial entre el líquido y S es menor que aquella entre el líquido y E. Se hace referencia a esto como «una disminución de la tensión superficial entre el líquido y E', aunque puede observarse que esto no es rigurosamente cierto. Al mismo tiempo, la tensión superficial entre S y E es menor que la de entre el líquido y E por las mismas razones.

Tipos de emulsionantes

En la actualidad, es tal el número y variedad de agentes emulsionantes disponibles comercialmente que su clasificación puede considerarse una tarea desalentadora, ciertamente, existen manuales dedicados exclusivamente a esto. Por fortuna, el problema de seleccionar entre la variedad desconcertante de productos se hace más fácil gracias a la clasificación de los emulsionantes según su tipo químico y su modo de acción.

Sin embargo, antes de proceder a describir los tipos de emulsionantes de mayor importancia comercial se debe hacer una distinción entre éstos (que actúan a nivel molecular) y ciertos sólidos finamente divididos que también exhiben propiedades estabilizantes de emulsión. Indudablemente, tales sólidos actúan emigrando a la interfase de la emulsión, formando una barrera contra la coalescencia: resulta que la superficie de tales sólidos no debe ser predominantemente humedecible con agua (hidrófila) o humectable con aceite (lipófila). Tales polvos tienen poco valor como emulsificantes cosméticos, pero, puesto que muchas emulsiones cosméticas también contienen polvos suspendidos (p. ej., cremas base líquidas), se debe tener presente que éstos pueden desempeñar posiblemente alguna participación en la decisión de la estabilidad del producto.

La figura 38.3 es una representación esquemática de una molécula del tipo más convencional de tensioactivo. La molécula puede considerarse como compuesta de dos partes: un grupo amante del agua o hidrófilo en un extremo (H) y un grupo amante del aceite o lipófilo en el otro extremo (L). Puesto que el grupo lipófilo es generalmente una cadena hidrocarburo, es frecuente representarla en el esquema como una «cola» como en la figura 38.3. Es fácil observar cómo la molécula podría comportarse si se dispersa en un líquido simple: en la figura 38.4a, el tensioactivo se ha dispersado en aceite. Puesto que las fuerzas de cohesión entre la porción hidrófila de la molécula y las moléculas del aceite son despreciables comparadas a las de entre los extremos hidrófilos de las moléculas entre ellas, las moléculas se orientan, como se indica, en racimos o «micelas». A las partes lipófilas de las moléculas del tensioactivo, experimentando comparativamente grandes fuerzas de cohesión de las moléculas del aceite, se les facilita la exposición hacia el medio oleoso.

La figura 38.4b indica la orientación opuesta, que se encuentra cuando las mismas moléculas se dispersan en agua o medio hidrófilo. Las mismas reglas se aplican aquí igual que antes excepto, como podría esperarse, que el extremo lipófilo de la molécula se agrupa muy apretadamente con el fin de liberarse del medio acuoso.

En la figura 38.4.c se ha añadido el aceite al agua y, como es natural, el tensioactivo emigró a la interfase. Si ahora se forma una emulsión, cada gotita

Fig. 38.3. Molécula de tensioactivo

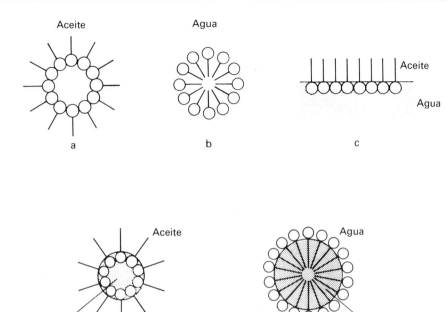

Fig. 38.4. Comportamiento de los tensioactivos en varios medios

de la fase interna se cubrirá con moléculas orientadas de tensioactivo. (La figura 38.4*d* ilustra una emulsión agua-aceite, y la figura 38.4*e*, una emulsión aceite-agua).

Es fácil de comprobar, experimentalmente, que tales capas interfaciales del tensioactivo estabilizan las emulsiones, y esto es debido sobre todo a que la interfase se hace menos propensa a la ruptura. Para comprender esto más claramente, sin embargo, es necesario examinar la química de los tensioactivos con mayor detalle.

Clasificación de los emulsionantes

Sólo existe un número limitado de variaciones químicas que pueden actuar en el tema del tensioactivo. Las referencias al extremo lipófilo de la molécula (o, al menos, las más importantes de ellas) son las siguientes:

1. Variación en la longitud de la cadena hidrocarburo.
2. Grado de insaturación de la cadena hidrocarburo.
3. Grado de ramificación de la cadena hidrocarburo.
4. Introducción y yuxtaposición de grupos arilo en la cadena hidrocarburo.

Para el extremo hidrófilo de la molécula, son posibles las siguientes variaciones:

1. Introducción de grupos terminales aniónicos ionizables.
2. Introducción de grupos terminales catiónicos ionizables.
3. Introducción de grupos anfóteros.
4. Introducción de otros grupos hidrosolubles pero «no ionizables», tales como hidroxilo o etoxilo.

Todas estas variaciones se han utilizado en la práctica, y la clasificación del tipo de tensioactivo depende, por costumbre, de la naturaleza de la terminal hidrófilo de la molécula. Por tanto, los emulsionantes puede ser «aniónicos», «catiónicos», «anfóteros» o «no iónicos».

Equilibrio hidrófilo-lipofílico de los tensioactivos

Es raro el caso de que la afinidad que la terminal lipófila de la molécula de tensioactivo tiene hacia la fase oleosa es igual a la afinidad que la terminal hidrófila de la molécula presenta hacia la fase acuosa. Evidentemente, la relación de estas afinidades desempeña una parte importante en decidir el comportamiento del emulsionante en un sistema emulsión y, por tanto, afortunadamente se dispone de un medio relativamente simple de valorar este equilibrio, al menos, para ciertos tipos de emulsionantes. El punto fundamental es que el poder humectante acuoso u oleoso parece ser una propiedad relacionada con ciertos átomos o grupos químicos de la molécula de tensioactivo. En otras palabras, estas entidades contribuyen a la humectabilidad de un modo predecible, de manera que el valor de cada uno puede añadirse al conjunto con el fin de obtener un valor del compuesto. Por ejemplo, en emulsionantes no iónicos que constan de cadenas alquílicas ligadas a cadenas polioxietileno, cada átomo de oxígeno es equivalente en poder humectante de agua al poder humectante de aceite de tres grupos CH_2. Un grupo de óxido de etileno ($-CH_2 \cdot CH_2-0-$) está, por tanto, equilibrado por cada grupo $-CH_2-$ de la alquílica. Este punto importante se ilustra haciendo referencia a la siguiente fórmula generalizada para los productos de condensación del óxido de etileno y el alcohol estearílico, es decir, éteres de polietilen glicol del alcohol estearílico:

$$\overset{\displaystyle O}{\underset{CH_2-CH_2}{\diagup \diagdown}} \qquad \text{óxido de etileno}$$

$CH_3(CH_2)_{16}CH_2OH$ alcohol estearílico

$CH_3(CH_2)_{16}CH \vdots (OCH_2CH_2)_n OH$ éteres de polietilen glicol del alcohol estearílico

(n varía entre 2 y 30 en la mayoría de las formas comerciales.) La línea punteada indica el «punto de equilibrio» de la molécula; los grupos a la izquierda son oleosolubles, y los de la derecha, hidrosolubles. Contando cada grupo $-CH_2-$ o grupo $-CH_3-$ como unidad, la terminal lipófila de las moléculas se adiciona hasta 18, y la terminal hidrófila, a $3 + n$ ($O = 3$; $-CH_2CH_2O- = 1$). Por tanto, si n es menor que 15, las tendencias lipofílicas de la molécula superan sus propiedades hidrófilas, mientras que es cierta la inversa para valores de n superiores a 15. Además, cuanto mayor es la diferencia en valor numérico entre los dos lados, mayor es el desequilibrio en la afinidad relativa presentada por la molécula para las dos fases.

El equilibrio hidrófilo-lipófilo es una propiedad importante del emulsionante, puesto que determina el tipo de emulsión que tiende a producir. La simple naturaleza aditiva de este fenómeno, tal como se aplica a los emulsionantes no iónicos, condujo a Atlas Chemical Company a idear una escala lineal que permite que el equilibrio total de cada emulsionante se pueda expresar como un número sencillo: el número HLB *(hydrophilic-lipophilic balance)*[1]. Esto es simplemente el peso por ciento del contenido hidrófilo de la molécula dividido por un factor arbitrario de 5. Así, si un emulsionante no iónico fuese 100 por 100 hidrofílico, tendría un valor HLB de 100/5 o 20. Por tanto, la escala HLB se extiende (en teoría) desde 20, para una molécula totalmente hidrófila, hasta 0, para una totalmente lipófila. En el caso de los éteres de polietilen glicol del alcohol estearílico citado anteriormente, se podría calcular el HLB como sigue:

Peso molecular de la cadena lipófila estearílica, $C_{18}H_{37} = 253$.

Peso molecular de la terminal hidrófila de la molécula $= 44n$ (grupos etóxilos) $+ 17$ (oxígeno e hidrógeno restantes).

Si $n = 3$,
$$\text{peso molecular total} = 253 + [(44 \times 3) + 17]$$
$$= 253 + 149 = 403$$

$$\text{HLB} = \frac{149}{403} \times \frac{100}{5} = 7,4$$

Si $n = 20$,
$$\text{peso molecular total} = 253 + 897 = 1150$$

$$\text{HLB} = \frac{897}{1150} \times 20 = 15,6$$

El valor de HLB sólo puede determinarse por este modo sencillo para emulsionantes no iónicos de composición conocida y definida. También el concepto es aplicable a emulsionantes aniónicos y catiónicos, aunque es posible exceder el límite teórico superior a 20 con estas sustancias. Esto no quita méritos prácticos al sistema HLB, pero significa que han de utilizarse métodos alternativos de determinación de los valores HLB. Esto se describirá posteriormente.

La figura 38.5 resume las aplicaciones de tensioactivos de varios valores de HLB.

Influencia estabilizadora de la fase del tensioactivo en la interfase

En la figura 38.2 se ha visto que la película interfacial del tensioactivo —tercera fase de una emulsión estabilizada— produce dos nuevas tensiones

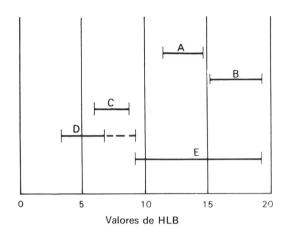

Fig. 38.5. Aplicaciones prácticas de tensioactivos de varios valores de HLB
A   Detergentes
B   Solubilizantes
C   Humectantes superficiales
D   Emulsiones agua-aceite
E   Emulsiones aceite-agua

superficiales interfaciales, una entre el tensioactivo, S, y el líquido original (al que ahora identificamos como la fase agua) y otra entre S y E, el medio exterior de la fase acuosa, que ahora corresponde a la fase oleosa. Estas nuevas tensiones superficiales se designarán T_{ws} y T_{so} respectivamente. Claramente, puesto que ambas tensiones dependen de la afinidad de los terminales apropiados de las moléculas de tensioactivo orientados hacia su medio acuoso u oleoso, la relación T_{so}/T_{ws} está directamente relacionada al valor HLB del tensioactivo. Si el HLB es elevado (superior a 10), entonces T_{so} es mayor que T_{ws}. Recordando que la fuerza neta hacia el interior, F, en las moléculas de una superficie es directamente proporcional a la tensión interfacial, la superficie del tensioactivo tiene tendencia a curvarse hacia el lado que tiene mayor tensión superficial, en este caso, hacia la fase oleosa[2, 3]. Con agitación mecánica, por tanto, tal sistema produciría inevitablemente una fase interna de aceite dispersa en agua. Para tensioactivos que tienen un valor bajo de HLB, tiene lugar la inversa, y el resultado final más probable es una emulsión agua-aceite.

Así se puede observar que la disminución relativa de la tensión superficial a cada lado de la interfase del tensioactivo colabora a determinar la naturaleza de la emulsión y la facilidad de la emulsificación. Sin embargo, no determina la estabilidad de la emulsión y éste es un punto que se debe destacar. Los factores esenciales que rigen la integridad de la película interfacial y su resistencia a la ruptura son su extensión, su carácter compacto y su carga eléctrica[4]. Una disminución de la tensión interfacial no es esencial para la estabilidad de una emulsión.

Factores que contribuyen a la resistencia de la película interfacial del tensioactivo

Quizás, el requerimiento más claro es que debe haber presente suficiente emulsionante para formar al menos una monocapa sobre la superficie de las gotitas de la fase interna, y esto, a su vez, dependerá del tamaño de la gotita [5, 6]. Es fácil verificar en el laboratorio que incluso la más estable emulsión cosmética puede transformarse en inestable al reducir progresivamente la cantidad de emulsificante utilizado en su producción. En efecto, la estabilidad puede mejorarse generalmente por un cierto exceso de emulsionante sobre el mínimo esencial. Existe evidencia [7] de que, cuando hay peligro de ruptura en la película interfacial, se aumenta la tensión interfacial en el punto amenazado y se emiten señales para reparar el fallo a las moléculas emulsionantes de reserva; en la fase continua se acercan éstas. Estas moléculas de repuesto de emulsionante reparan el daño. Parece que las mezclas de películas interfaciales (películas formadas por más de un agente emulsionante) son capaces de resistir aún más fácilmente la ruptura [5].

Hasta ahora se ha admitido que, existiendo emulsionantes suficientes, no hay impedimento para la formación de una película compacta, continua, de moléculas de emulsionante en la interfase. Esto, sin embargo, está lejos de la realidad. No solamente estas moléculas idénticas ocupan una monocapa, sino que están orientadas de modo que las moléculas vecinas tienen las partes idénticas de su estructura en estrecha proximidad. Como consecuencia del equilibrio de las fuerzas entre moléculas similares muy próximas, tal monocapa empaquetada muy apretada no es estable termodinámicamente, y las moléculas del emulsionante están obligadas a mantenerse separadas unas de otras, de modo que se debilita la resistencia de la película interfacial. En donde los terminales hidrófilos de las moléculas están ionizados (emulsionantes aniónicos o catiónicos), esta separación y debilitamiento están más exagerados por la repulsión de las cargas eléctricas semejantes yuxtapuestas.

El segundo fenómeno que tiende a interrumpir la continuidad de la monocapa interfacial es el simple impedimento estérico. Consideremos, por ejemplo, el problema experimentado por las moléculas adyacentes, tal como ésteres insaturados de polioxietilensorbitan indicado en la figura 38.6. Claramente no resulta fácil para tales moléculas empaquetarse de modo compacto en una monocapa orientada. También, la importancia de estos efectos estéricos puede ser juzgada por el hecho de que, mientras los jabones de iones metálicos monovalentes tienden a formar emulsiones aceite-agua, los jabones similares de iones metálicos polivalentes producen principalmente emulsiones agua-aceite. En este caso, el impedimento estérico prácticamente dicta la dirección de la curvatura de la interfase.

Una forma de superar estos problemas es incorporar una o más especies adicionales de moléculas de emulsionante en la película interfacial, en otras palabras, usar un sistema emulsionante mezcla. Es relativamente sencillo demostrar experimentalmente que las mezclas emulsionantes producen emulsiones más estables de una mezcla aceite-agua dado que los emulsionantes simples, sólo con tal que los emulsionantes seleccionados sean compatibles química y físicamente unos con otros. La selección de una asociación de moléculas aniónicas y catióni-

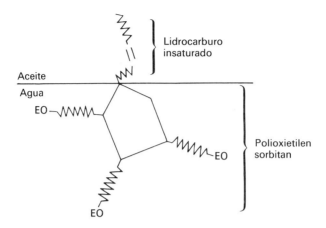

Fig. 38.6. Interfase aceite-agua mostrando la orientación de una molécula de un éster insaturado de polioxietilen sorbitan.

cas, por ejemplo, sería imprudente a causa de la asociación química y neutralización electroquímica de cargas. Sin embargo, esto no significa que tengan que ser de valores HLB similares. En efecto, frecuentemente se logran mejores resultados con una asociación de moléculas tensioactivas que tengan muy diferentes valores de HLB, asociados en cantidades tales, como para producir un HLB resultante próximo al óptimo para el sistema a ser emulsificado (este último punto será tratado posteriormente con más amplitud) [8]. La razón evidente de este fenómeno es que dos tipos de moléculas diferentes, alternando en la interfase, forman una película interfacial condensada mucho más compacta. En la figura 38.7a, la fase interna se ha rodeado por una interfase de moléculas de tensioactivo de bajo valor de HLB que, a causa del impedimento estérico y la repulsión mutua de entidades químicamente idénticas, ha formado sólo una película discontinua. La figura 38.7b demuestra que este tensioactivo parcialmente reemplazado por otros dos con muy diferentes valores HLB y composición química hace posible una película compacta firme y continua que actúa como una barrera mecánica

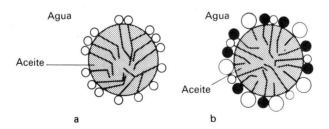

Fig. 38.7. Efecto de mezcla emulsionante sobre la estabilidad de la emulsión.
a Estabilidad pobre
b Estabilidad buena
o HLB bajo-insaturado
• HLB medio-insaturado
○ HLB alto-saturado

mucho mejor para la coalescencia. A veces, el segundo emulsionante puede tener ciertamente muy poco potencial emulsificante —esto es, puede tener un valor HLB próximo a cero— justamente lo suficiente para que pueda emigrar a la superficie y «aislar» las otras moléculas unas de otras. Los alcoholes cetílico y oleico funcionan de esta manera, y lo mismo el monoestearato de glicerilo.

Influencia de la carga eléctrica en la estabilidad de la emulsión

Consideremos una gotita de aceite estabilizado con estearato sódico en una emulsión aceite-agua. Los grupos carboxilatos cargados negativamente se proyectan hacia afuera de la película interfacial hacia el interior de la fase acuosa, mientras que las cadenas de hidrocarburo no polares encierran la gotita de aceite. Así, se explica la presencia de cargas eléctricas en la superficie de cada una de las gotitas, y la repulsión mutua de cargas similares colabora a evitar la coalescencia. Las condiciones de estabilidad óptimas existen, no es sorprendente, cuando la película interfacial está completamente cubierta con cargas[5, 6]. También, es obvio que las cargas opuestas se neutralizarán unas a otras; la asociación de emulsionantes aniónicos con catiónicos sólo puede dar por resultado una disminución de la estabilidad de la emulsión.

Lo más sorprendente (y es demostrable) es que existen también cargas en la interfase cuando se utiliza un sistema de emulsificación totalmente no iónico. Esto ha sido explicado por las fuerzas de fricción originadas en el movimiento de las gotitas de aceite en la fase continua. Se ha demostrado que puede resultar la carga eléctrica cuando dos líquidos, con diferentes constantes dialécticas, se mezclan, y que el de constante dialéctica más alta está siempre positivamente cargado, mientras que el otro, de constante dialéctica más baja, está siempre cargado negativamente[9]. (Por tanto, en las emulsiones no iónicas aceite-agua, las gotitas de aceite están siempre cargadas negativamente.)

Aunque no existe ningún método para medir directamente los potenciales superficiales en una emulsión, el «potencial zeta» puede evaluarse fácilmente midiendo la velocidad de las gotitas cargadas en un campo expuesto a corriente continua. Los valores medidos de los potenciales zeta de las asociaciones de emulsionantes no iónicos han demostrado ser sorprendentemente altos (aproximadamente 40 mV); quizá, incluso más interesante es el hecho de que, cuando el potencial zeta se representa gráficamente frente a HLB de la asociación de emulsionante, el potencial máximo zeta siempre se encuentra coincidente con el valor óptimo de HLB para el sistema particular estudiado.

Si están presentes iones móviles en la fase externa de una emulsión, están atraídos por las gotitas cargadas de la fase interna (si éstas tienen una carga opuesta) originando la formación de una doble capa eléctrica. La naturaleza y el efecto de esta doble capa son notablemente diferentes en las emulsiones aceite-agua y emulsiones agua-aceite (Fig. 38.8)[10]. El espesor de la doble capa alrededor de las gotitas de aceite en emulsiones aceite-agua alcanza únicamente 10^{-3} a 10^{-2} μm. Por tanto, la repulsión eléctrica se produce a distancias interglobulares muy pequeñas y esto da por resultado una barrera eléctrica muy considerable que hay que superar antes de que puedan originar la coalescencia de dos gotitas. Por otra parte, las dobles capas eléctricas alrededor de las gotitas de agua en el

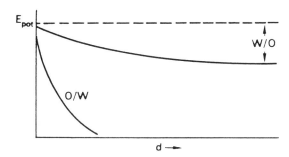

Fig. 38.8. Energía potencial (E_{pot}) de repulsión debida a las dobles capas eléctricas representadas frente a la distancia (d) entre gotitas de la fase interna.

aceite son muy difusas (varios μm de tamaño), y los potenciales eléctricos de las gotitas adyacentes se solapan, disminuyendo la barrera del potencial. Por tanto, la estabilidad de las emulsiones agua-aceite no pueden atribuirse a la repulsión eléctrica de las gotitas cargadas[11].

Otros factores que afectan a la estabilidad de las emulsiones

Se ha demostrado que la barrera física proporcionada por la capa molecular condensada de los emulsionantes en la interfase de una emulsión puede colaborar a evitar la coalescencia y cómo esta misma capa puede, por repulsión eléctrica e impedimento estérico, evitar que las gotitas se junten. Ambos fenómenos tienen una influencia estabilizante en la emulsión, pero intervienen otros factores que también pueden afectar a la estabilidad para mejorarla o empeorarla.

El simple cuadro dado por la ley Stokes demuestra que la movilidad de las gotitas de la fase interna se afecta por la viscosidad de la fase continua, la diferencia en densidad entre las fases oleosas y acuosas y el tamaño de las gotitas de la fase dispersa. De éstos, la diferencia de densidad entre las dos fases es menos sensible al control experimental, aunque es lógico que cuanto menor es la diferencia, menor es la probabilidad de que la fase interna flote en la superficie o se hunda en el fondo de la emulsión.

Viscosidad de la fase continua

La viscosidad es un parámetro importante, debido a que puede variar con facilidad, generalmente por la adición de un agente espesante o gelificante (con tal de que éste sea compatible con el sistema emulsionante). Aunque se dispone de un gran número de tales productos, el formulador se limita en su selección a causa de que el comportamiento reológico de la mayoría de las emulsiones está casi totalmente determinado por el de la fase externa o continua. Así, la viscosidad, tixotropia y el «tacto» en la aplicación de la emulsión total puede afectarse por el espesante seleccionado para la fase continua. El mecanismo de acción de muchos agentes espesantes es doble: en primer lugar, formando geles consistentes de moléculas largas, interenlazadas, que obstaculiza físicamente el flujo de la fase continua y de las partículas de la fase interna en el interior de ella; en segundo lugar, compiten químicamente con la fase interna por la fase externa disponible. Por ejemplo, la carboximeticelulosa sódica forma una dispersión similar a un gel, en agua, atrapando gotitas libres de agua y aceite dentro de sus intersticios en las emulsiones aceite-agua. Al mismo tiempo, las cadenas del polímero absorben agua y se hinchan, disminuyendo así la cantidad de fase continua disponible para las gotitas de aceite. Del mismo modo, el ácido esteárico libre (o complejos simples de él) cristalizarán gradualmente en emulsiones estabilizadas con jabones de sodio o trietanolamina, dando por resultado una estructura gel que gradualmente se va formando varias horas después de la fabricación. Además, si el alcohol cetílico en exceso de la cantidad requerida colabora a formar una película interfacial condensada y monocapa, incrementará la viscosidad de la fase continua por formación de micelas, atrapando agua dentro de cada una de las micelas y llenando la fase continua disponible. De la misma forma, las suspensiones de pigmentos aumentan la viscosidad de la fase continua, aunque esto es un caso muy especial, puesto que el grado de aumento de la viscosidad también depende mucho de las características superficiales de los pigmentos involucrados.

Relación de la fase oleosa a la fase acuosa

Aunque la proporción de la fase oleosa a la fase acuosa tiene un efecto marcado sobre tales parámetros, como el «tacto», y viscosidad total, y aparencia de la emulsión, puede también influir en la estabilidad. A mayor proporción de fase interna, mayor cantidad de gotitas. Por tanto, la probabilidad de colisión aumenta, y la distancia media que una gotita recorre para colisionar con otra («recorrido medio libre») se reduce. Todo esto aumenta la probabilidad de la coalescencia.

Temperatura

Se ha destacado ya que la estabilidad óptima se logra por la correcta selección de la asociación del emulsionante. Los emulsionantes seleccionados deben ser compatibles, de correcto valor HLB y tipo químico correcto. Estas dos últimas características dependen considerablemente de la solubilidad relativa de los terminales hidrófilo y lipófilo del tensioactivo en las fases acuosa y oleosa respectivamente. Sin embargo, la solubilidad depende mucho de la temperatura. Es improbable que, cuando la temperatura de una emulsión cambia, las solubilidades relativas de ambos terminales de todo el sistema emulsionante cambie en proporción exacta. En otras palabras, el HLB es en cierto grado una propiedad en sí misma dependiente de la temperatura. Por tanto, la variación de la temperatura disminuye la estabilidad de una emulsión. Esto es claramente algo que se debe tener presente cuando se formulan productos para climas diferentes.

Sin embargo, con frecuencia la estabilidad de las emulsiones se ensaya en el laboratorio almacenándolas a temperaturas elevadas y de frigorífico (y a veces ciclando entre estos dos extremos), con la esperanza de que tales métodos proporcionen una indicación rápida de la estabilidad durante el almacenamiento prolongado a una temperatura media. Tal práctica es muy cuestionable. El ensayo de la estabilidad de las emulsiones se trata más ampliamente después.

Concentración de iones en la fase acuosa

La constante dieléctrica de la fase oleosa de una emulsión no es lo bastante elevada para permitir que una especie química ionizable se disocie a cierto grado, y ya se ha visto que esto reduce la influencia estabilizadora de cualquier doble capa eléctrica cuando la fase continua es aceite. La disociación es un factor importante en las emulsiones aceite-agua, no sólo a causa de la influencia en los emulsionantes iónicos, sino también debido a los efectos de otras especies ionizables solubles en la solución, incluyendo iones hidrógeno e hidroxilo.

El valor pH de las emulsiones es un parámetro que frecuentemente se trata por varias razones, y no lo es menos por sus efectos sobre la estabilidad. Sin embargo, es necesario recordar que el pH es una medida de la actividad del ion hidrógeno en un medio acuoso. Que el término se deba aplicar estrictamente a una emulsión aceite-agua es una cuestión discutible, pues la influencia de la fase oleosa y emulsionantes en la actividad del ion hidrógeno es probablemente desconocida. Sin embargo, la costumbre que dicta la medida del pH de las emulsiones continuará cuando la fase continua es agua. En ninguna circunstancia se puede aplicar el concepto de pH cuando es aceite la fase continua.

No obstante, la influencia de la concentración del ion hidrógeno en las emulsiones aceite-agua es espectacular cuando se utiliza un sistema emulsionante ionizable a causa del cambio de sustancias que puede originarse. Los emulsionantes aniónicos se transforman en sales no ionizables en medio ácido, y también es cierta la inversa en los emulsionantes catiónicos. En ambos casos se pierde la solubilidad en agua y, por tanto, toda actividad emulsionante. El efecto del pH en emulsionantes anfóteros es menos espectacular, pero obviamente determina si predomina la forma aniónica o catiónica.

También tiene una influencia importante la presencia de otros iones móviles en solución en la fase externa. Como hemos visto, son atraídos por las gotitas cargadas de la fase dispersa. El potencial zeta cae conforme se añade más electrólito, y esto disminuye la estabilidad de la emulsión. Aún a concentraciones relativamente elevadas de electrólito y potenciales zeta próximos a cero, muchas emulsiones se mantienen estables. Esto puede ser debido a la estabilización estérica y a la barrera mecánica reforzada por una buena película interfacial.

Aspectos prácticos en la selección del emulsionante

Habiendo expuesto ya la estabilización de las emulsiones, es evidente que el formulador cosmético tiene un gran número de opciones de elección cuando estudia la composición de una nueva emulsión. Muchas de estas cuestiones estarán fijadas en su protocolo: la finalidad a que se destina la emulsión y las propiedades deseables que debe poseer. Una exposición detallada de la influencia de los componentes solubles en aceite o solubles en agua distintos al sistema emulsionante está fuera del objetivo de este capítulo, de modo que nuestro punto de partida en la selección de un sistema emulsionante adecuado es que ya han sido seleccionadas las composiciones de ambas fases.

Probablemente, la primera cuestión que se necesita fijar es la clasificación química del sistema emulsionante que se utilizará. A su vez, esto puede depender del contenido de las otras dos fases. Si el producto ha de ser alcalino, no se deben considerar los catiónicos. Podría ser igualmente imprudente utilizar un emulsionante aniónico en una emulsión de bajo pH y, si la concentración de electrólito en la fase acuosa ha de ser elevada, la mejor selección son los no iónicos. En conjunto, los miembros de este último grupo son probablemente los menos afectados por las incompatibilidades del resto de la formulación, aparte de la capacidad bien conocida de las cadenas de polioxietileno para desactivar ciertos conservantes. Desafortunadamente, no es posible una guía completa en la selección del tipo de emulsionante debido a que están implicados muchos y variados factores; el formulador debe experimentar por sí mismo para adquirir una buena experiencia práctica con el fin de ser capaz de llegar a una rápida decisión.

Determinación del HLB requerido

El valor de HLB óptimo o «requerido» del sistema emulsionante para una composición dada de fases aceite y agua proporciona un punto de partida útil en la selección de los emulsionantes que darán una emulsión de buena estabilidad. La determinación del valor HLB óptimo se basa en una serie de experimentos prácticos en los que se elaboran una serie de emulsiones, idénticas en muchos aspectos excepto por la variación en la relación de un par de emulsionantes. Estos emulsionantes son un par contrastado, uno lipófilo y otro hidrófilo, de valores HLB conocidos, por ejemplo, monoestearato de sorbitan (HLB 4,7) y monoestearato de polioxietilen sorbitan (HLB 14,9). Estos se mezclan en proporciones para dar valores HLB relacionados según la fórmula:

$$HLB = xA + (1 - x)B$$

donde x es la proporción de un tensioactivo que tiene un valor A de HLB y el otro tensioactivo posee un valor B. Esto es una relación lineal y, por tanto, puede calcularse gráficamente. Los valores HLB de la serie de mezclas se seleccionan de modo que se diferencien por un incremento de 2 a lo largo del intervalo limitado por los valores de los dos emulsionantes seleccionados. En el ejemplo anterior se podría considerar un intervalo de 4,7; 6; 8; 10; 12; 14,9. Para cada una de las emulsiones ensayadas se utiliza un exceso de emulsionante (aproximadamente el 10 por 100 del peso de la fase oleosa) y todas las emulsiones se elaboran exactamente del mismo modo. Por lo general, una o más de las emulsiones tendrá mejor estabilidad que las otras. Sin embargo, si demuestran ser uniformemente buenas, se deben repetir los ensayos utilizando menos emulsionante; debe utilizarse más emulsionante si la serie es uniformemente mala.

Alguna vez, dos asociaciones que tienen muy diferentes valores de HLB muestran una destacada idoneidad. En este caso, el valor inferior probablemente se
relaciona a una emulsión agua-aceite, y el valor elevado, a una emulsión aceite-
agua. Este procedimiento de tanteo proporciona ya al experimentador tener una
idea del valor HLB óptimo para su sistema. En esta fase, una determinación más
exacta puede lograrse elaborando una segunda serie de emulsiones utilizando el
mismo par emulsionante, pero mezclado para dar valores de HLB con incrementos inferiores próximos al valor obtenido en la primera serie de experimentos.
Por ejemplo, si se encontró el valor inicial 8, entonces se podría utilizar una serie
7,4; 7,6; 7,8; 8,0; 8,2; 8,4.

Determinación del mejor tipo químico

Habiendo encontrado el óptimo valor HLB, ahora es necesario hallar el
mejor tipo químico de emulsionante que se ha de usar. Puesto que esto está
relacionado con la mayor energía de cohesión de cada terminal de la molécula
de tensioactivo para su fase apropiada, ciertas selecciones preliminarmente teóricas pueden efectuarse sobre la base de la norma simple «semejante atrae a
semejante». Por ejemplo, si la fase oleosa contiene una elevada proporción de
moléculas insaturadas o muy ramificadas, entonces puede ser apropiada una
selección de emulsionante basada en oleatos o ésteres «iso». En difinitiva, sin
embargo, la selección final depende de ensayo a tanteo. Debe recordarse que la
mejor estabilidad se logrará con un sistema mezcla de emulsionante de valor
HLB óptimo.

Limitaciones del sistema HLB

La exposición precedente del uso del sistema de HLB y los apartados anteriores respecto a su base teórica no proporcionan más que una idea del concepto.
Se han realizado muchos estudios sobre las limitaciones del sistema y sobre la
posibilidad de perfeccionamiento, y ninguno de ellos detracta su utilidad general. Se recomienda al lector estudiar este concepto con mayor profundidad[12-15].

Orientación de las fases

Tres factores se combinan para determinar cuál de las fases será continua y
cuál de ellas estará dispersa en una emulsión cosmética: el tipo de sistema
emulsionante utilizado, la relación de volumen de fase ligera a pesada y el
método de fabricación. Estos tres factores están interrelacionados, pero cualesquiera de ellos puede ejercer una influencia controladora, al menos, durante la
formación inicial de la emulsión. Sin embargo, es bien conocido que se pueden
producir cambios espontáneos en la orientación de las fases: fenómeno conocido
como «inversión de fases».

Ya ha sido tratado el efecto del valor HLB de un sistema emulsionante.

Claramente, la fase que tiene la mayor tensión superficial interfacial tiende a producir una especie cóncava, de modo que, independientemente de otros factores, se convierte en la fase interna de la emulsión. Si las tensiones superficiales a ambos lados de la interfase son iguales —o próximas— entonces se puede esperar que se produzca la inversión. Se ha demostrado que existe un valor de HLB en el que se produce la inversón con más facilidad[16].

Relación de volumen

El cálculo teórico demuestra que el volumen máximo que puede ser ocupado por partículas esféricas uniformes es del 74 por 100 del volumen total líquido. Sin embargo, las emulsiones pueden prepararse con fases internas que alcanzan hasta el 99 por 100 del volumen total líquido[17]. Esto es posible porque las gotitas se distorsionan en su forma. En tales emulsiones, las partículas de la fase interna crecientemente se hacen angulosas conforme se amontonan juntas. No es sorprendente que el efecto de las concentraciones elevadas de fase interna sea producir emulsiones de viscosidad muy incrementada, y su capacidad para mantenerse estable depende fundamentalmente de la resistencia mecánica proporcionada por una película de tensioactivo interfacial fuertemente condensada y estructurada.

Método de fabricación

Aunque existen casos excepcionales, generalmente es difícil dispersar una fase en un tanque agitado si ocupa más del 74 por 100 del volumen total líquido. Sin embargo, cualesquiera que sea el líquido se puede dispersar en un amplio intervalo de volúmenes relativos (la región ambivalente) y para sistemas que no contengan emulsionante, con frecuencia, la selección de la fase dispersada depende de la manera en que se inicia la dispersión. Si se agita una simple mezcla de dos capas de fases acuosa y oleosa se tenderá a formar un sistema aceite-agua si el agitador se sitúa en la fase acuosa, o un sistema agua-aceite si el agitador se sumerge completamente en la fase oleosa, porque es más probable que la fase dispersa sea la que se lleve a la otra. Por la misma razón, si el recipiente es inicialmente llenado con una fase (previamente a la adición de la segunda fase), esta fase inicial será la continua.

Parece ser que la orientación de la emulsión también está afectada por el tipo de agitador utilizado y su velocidad. Para una velocidad de agitación dada, existe una relación de volumen (de fase ligera a pesada) por encima de la cual se dispersa la fase pesada, y una región de relación inferior de volumen por debajo de la cual se dispersa la fase más ligera. Entre estos límites se encuentra la región ambivalente o metaestable, donde también se puede dispersar cualesquiera de las fases, pero esto muestra un fuerte efecto de histéresis. Así, si a una velocidad de agitación constante se añade agua a una emulsión agua-aceite estable, el sistema se invertirá finalmente en el límite inferior de relación de volumen. Si ahora se añade aceite a esta emulsión, no se producirá la reinversión hasta que no se haya atravesado la región ambivalente y se alcance el límite superior. Se

puede aumentar esta región ambivalente añadiendo solutos que sean parcialmente solubles en ambas fases, tales como tensioactivos.

Conforme aumenta la velocidad de agitación, los puntos de inversión de
todas las relaciones de volumen tienden a aumentar asintóticamente a un valor
constante que depende del diseño de la agitación. También se ha observado que
para volúmenes iguales de fases a velocidad elevadas de agitación, la fase pesada
tiende a ser la continua.

Otro punto de interés es que el tamaño de la gotita de la fase dispersa varía
con la relación de volumen y es mayor cuando se dispersa la fase más ligera. Así,
en la inversión se produce etapa de cambio en el tamaño de gotita[18].

Estas observaciones proporcionan el fundamento de varios métodos de fabricación práctica de emulsiones.

Mecanismo de inversión de fase

La inversión de fases es un proceso espontáneo y, por tanto, puede estar
acompañado de una disminución del contenido de energía total del sistema. No
parece cambiar el aporte de energía en la inversión y, como consecuencia, la
emulsión debe examinarse como un cambio de energía dentro del propio sistema. Se ha observado que puede aumentar o disminuir el tamaño de la gota o el
área interfacial y, como consecuencia, puede aumentar o disminuir la energía
interfacial. Por esto, no parece posible que la inversión esté relacionada con la
reducción al mínimo de la energía interfacial.

La figura 38.9 es una representación esquemática de una inversión aceite-
agua a agua-aceite. Conforme se añaden cantidades crecientes de fase oleosa, se
produce la aglomeración de gotitas de aceite, englobando pequeñas cantidades
de agua entre ellas. Finalmente, en el punto de inversión, la película interfacial
en los puntos de contacto de las gotitas aglomeradas se reorientan de modo que
se forman gotitas de agua de forma inusual que pueden separarse por flotación[11].

El principal cambio observable en el punto de inversión es una disminución
marcada brusca en la viscosidad del sistema conforme las gotitas de la fase
dispersa se van empaquetando firmemente y de repente se transforman en la fase
continua. Parece probable, por tanto, que el cambio de energía que ocasiona la
inversión esté relacionada con el comportamiento de flujo y turbulencia.

Excepto cuando se utiliza a propósito, no se produce frecuentemente la
inversión de fases en la producción cosmética con tal de que el químico de
producción conozca las condiciones en las que puede producirse[16, 19]. Es probablemente cierto afirmar que, en el momento actual, la inversión no siempre
puede predecirse, pero que se pueden conocer las condiciones que aumentan el
riesgo y se puede explicar cuando se produce.

Evaluación de la estabilidad de la emulsión

Aunque todas las emulsiones perderán finalmente su exceso de energía rom-
piéndose, es lógicamente importante que todo producto comercial debe retener

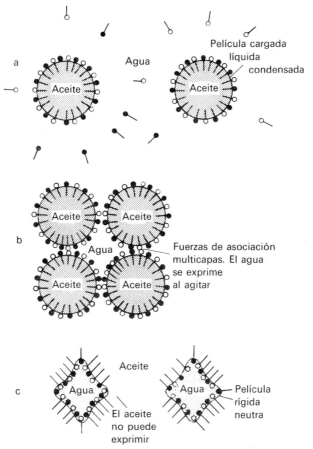

Fig. 38.9. Representación esquemática de la inversión de fases
o Na cetilsulfato
● Colesterol

su integridad a lo largo de su vida útil. En el caso de cremas y lociones cosméticas, el formulador tiene que tener presente que muy probablemente pueden tener que permanecer de seis a nueve meses en un estante sujetas a una variedad de condiciones de temperatura y humedad antes de que sean adquiridos. Después el comprador puede esperar que estos mismos productos resistan condiciones desfavorables de almacenamiento y maltratos microbiológicos durante un período posterior de tiempo de tres a seis meses (mayor en algunos casos) mientras están en uso.

La importancia del empaquetado en la protección del producto nunca se sobrevalora en exceso, pues ninguna emulsión debe lanzarse al mercado hasta que se ha garantizado la completa compatibilidad de producto y envase. Sin embargo, aún antes de esto, el químico necesita información acerca de la estabilidad relativa de su emulsión para guiarle en las fases iniciales de formulación y fabricación piloto. Evidentemente, es imposible esperar doce meses antes de que se pueda llegar a una conclusión; es así cómo han sido diseñados y utilizados en laboratorios de formulación los procedimientos de ensayo de almacenamiento denominados «acelerados». Estos ensayos toman dos formas complementarias: las que se diseñan para acelerar el proceso de envejecimiento de las emulsiones y las diseñadas para detectar el envejecimiento y medirlo de un modo objetivo[20-25].

Puesto que ninguna emulsión puede ser separada de su medio, no se pueden ignorar, en toda evaluación de estabilidad, la influencia de tales factores, como variación de temperatura, luz, vibración mecánica, oxígeno atmosférico y contaminación microbiológica. Por esta razón, casi todas las emulsiones cosméticas tienen que ser evidentemente sujetas a uno o más de los siguientes procesos de envejecimiento acelerado en algún momento de su desarrollo:

a)   Almacenamiento a temperatura ambiente durante nueve meses en envases de vidrio o plástico.

b)   Almacenamiento a 35-40 °C durante tres meses en envases de vidrio o plástico.

c)   Almacenamiento en envases parcialmente llenos a temperatura ambiente o elevada.

d)   Almacenamiento a bajas temperaturas (-5 a $+5$ °C) durante tres meses.

e)   Almacenamiento en cámaras con ciclo de congelación-descongelación (-5 a $+30$ °C, dos ciclos en veinticuatro horas).

f)   Ensayos de centrifugación.

g)   Ensayos de contraste microbiológico.

Ya se ha indicado que, puesto que el valor de **HLB** de una molécula de tensioactivo es dependiente de la temperatura, el hecho de que una emulsión se rompa rápidamente a temperatura elevada no es importante como guía para su comportamiento a temperaturas más normales durante períodos de tiempo más prolongados. Tales procedimientos de ensayos acelerados deben, por tanto, considerarse únicamente como una evaluación de la resistencia a los cambios de temperatura, y como mucho pueden únicamente estimarse como una indicación de la estabilidad ambiental normal.

La centrifugación acelera la velocidad de sedimentación al aumentar el valor de *g* según la ecuación de Stokes. No es seguro que tenga un efecto medible en la probabilidad de cohesión una vez que se han aproximado mucho unas partículas a otras. No obstante, la centrifugación proporciona un método simple y rápido de evaluar la estabilidad potencial de varias fórmulas emulsionadas[26, 27]. Cada laboratorio tiene su propia metodología detallada; una buena emulsión debe ser capaz de resistir hasta 5000-10 000 rpm en una centrífuga estándar de laboratorio durante treinta minutos sin mostrar signos de separación.

Se está prestando creciente atención a los métodos de evaluación de la emulsión que dan una medida de la velocidad del proceso de envejecimiento. El más antiguo, y probablemente el más ampliamente utilizado de éstos, es el examen al microscopio. El tamaño, la distribución y la forma de las gotitas de la fase dispersa pueden, al ojo experimentado, decir mucho sobre la emulsión y su probable estabilidad. En particular, la distribución irregular del tamaño y la agregación de las partículas son signos peligrosos que deben buscarse cuando se comparan el comportamiento del emulsionante de un sistema dado; evidentemente se prefieren los que dan gotitas de menor tamaño de partículas en idénticas condiciones.

Otro enfoque para la monitorización de la ruptura de la emulsión es monitorizar la constante dialéctrica[25] o conductividad eléctrica[28−31], de la mezcla. En especial, puede esperarse que la conductividad de las emulsiones aceite-agua disminuyan al aumentar el tamaño de gotita de la fase dispersa. La conductividad de una emulsión agua-aceite debería ser cero, pero, cuando las partículas de la fase dispersa alcanzan un tamaño crítico (dependiendo de la composición de la emulsión y el voltaje aplicado), vías continuas de fase acuosa conductora permiten fluir una corriente medible. Se puede decir, aunque no se utilice mucho, que las determinaciones de la conductividad tienen cierto valor en el estudio de las emulsiones agua/aceite y aceite/agua.

La viscosidad aparente de una emulsión depende parcialmente de la distribución del tamaño de las gotitas de la fase interna. Por tanto, el cambio de viscosidad es otro parámetro que puede monitorizar los cambios probables que afectan a la estabilidad de las emulsiones[32].

Generalmente, estas técnicas de almacenamiento y monitorización son de valiosa ayuda en la formulación, desarrollo de procedimientos de fabricación y en el control de producción.

Características de las emulsiones

Habiendo expuesto los factores que afectan a la estabilidad de las emulsiones cosméticas con cierto detalle, es apropiado volver a las otras características por las que son juzgadas por el usuario y los medios con los que se pueden controlar.

De principal importancia cuando se consideran las emulsiones cosméticas es su aspecto, ya que puede ayudar a determinar la atracción del cliente. Las emulsiones pueden variar mucho de aspecto, desde color blanco opaco brillante, pasando por traslúcido grisaceo, a transparente brillante. La opacidad es debida a dos factores interrelacionados: el tamaño de las gotitas de la fase interna y la diferencia entre los índices de refracción de las fases interna y externa. La luz es reflejada y refractada en cada una de las interfases entre gotitas y fase continua. Tales cambios de dirección son tan numerosos (debido al gran número de gotitas) que mucha de la luz escapa de la superficie de la emulsión en la misma dirección que penetró, esto es, retorna al observador. Sin embargo, si los índices de refracción de ambas fases son idénticos, o próximos, no se producen tales reflexiones y refracciones; la luz viaja sin obstáculos a través de la emulsión que tiene un aspecto transparente brillante. Esto se aplica sin que importe el tamaño de las gotitas de la fase interna. Sin embargo, si las gotitas son grandes, cada rayo de luz encuentra solamente un pequeño número de interfases durante su paso a través de la emulsión. Luz suficiente se refleja de retorno hacia el observador para hacer evidente la presencia de las gotitas, pero la masa de luz, que se refracta, puede encontrar camino a su través. Esto explica el aspecto globular de las emulsiones en estado avanzado de agregación y separación. Conforme disminuye el tamaño de partícula de la fase interna, aparece el familiar blanco lechoso: si continúa la reducción de tamaño, el color toma un tono azulado, haciéndose gris, semitransparente y, finalmente, transparente.

Estos cambios de aspecto se producen conforme el tamaño de partícula de las gotitas se aproxima al de la longitud de onda de la misma luz. La probabilidad de que un rayo de luz colisione con una partícula diminuta y se refleje en ella, es muy reducida, una vez que las partículas se hacen tan pequeñas que son comparables en tamaño a la longitud de onda de la luz. En estas circunstancias, la mayoría de los rayos pasan a través de la emulsión sin ser reflejados o refractados, y la emulsión se presenta transparente.

A medida que el tamaño de la gotita se aproxima a la longitud de onda del extremo rojo del espectro, la luz reflejada o refractada se forma con longitudes de ondas cada vez más pequeñas en el extremo azul del espectro hasta que, finalmente, las partículas se hacen demasiado pequeñas para interaccionar de modo alguno.

En la práctica, es difícil formular emulsiones en las que ambas fases tengan índices de refracción similares; más frecuentemente se encuentran microemulsiones, aunque incluso éstas no son comunes (Tabla 38.2).

El brillo de la emulsión es una función de la uniformidad microscópica de su superficie. Para brillo y uniformidad máximos, las partículas de la fase interna deben ser relativamente pequeñas e incluso en la distribución, y no deben tener inclusiones en la fase interna, tales como cristales grandes de ácido esteárico o sustancia inorgánica de gran tamaño de partícula.

Tabla 38.2. Efecto del tamaño de partículas de la fase interna sobre el aspecto de la emulsión

Tamaño de la gotita de la fase interna	*Aspecto de la emulsión*
$\geqslant 0,5$ mm	Glóbulos claramente visibles
0,5 mm a 1 mm	Blanco lechoso
1 μm a 0,1 μm	Blanco azulado
0,1 μm a 0,05 μm	Gris, semitransparente
< 0,05 μm	Translúcido o transparente

Propiedades reológicas

El comportamiento reológico de las emulsiones es un tema importante, no sólo debido a su influencia sobre el «tacto» y aceptabilidad para el consumidor, sino también debido a su repercusión en el proceso de fabricación. La ciencia de la reología está relacionada con la materia que se deforma o fluye por fuerzas aplicadas.

La figura 38.10 representa una emulsión que fluye uniformemente bajo una fuerza constante por una tubería. La capa *A*, en contacto con la tubería, está prácticamente estacionaria, pero la parte central, *C*, de la emulsión se mueve relativamente deprisa; en este sentido, la emulsión no sólo fluye, sino que es deformada. En otras capas entre *A* y *C* (tal como *B*), la emulsión tiene una velocidad menor a *C*, y la magnitud de las velocidades está representada por la longitud de las líneas en flecha de la figura. Puesto que las velocidades de las

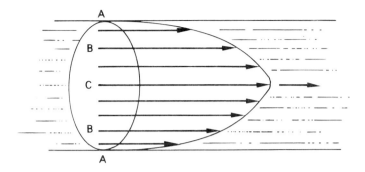

Fig. 38.10. Diferentes velocidades de flujo de las capas de emulsión en una tubería.

capas adyacentes son diferentes, se genera una fuerza de fricción entre ellas, lo mismo que en el caso de dos superficies sólidas moviéndose una sobre la otra.

Fue NEWTON quien primero sugirió que esta fuerza de fricción, F, era proporcional al área de la superficie considerada y al gradiente de velocidad de la parte del líquido en el punto que se considera. Por tanto:

$$F = \eta A \times \text{gradiente de velocidad}$$

donde A es ahora un área y la constante de proporcionalidad, η, es conocida como coeficiente de viscosidad[33].

Cuando las sustancias se someten a la deformación del tipo ilustrado en la figura 38.10, frecuentemente se dice que están bajo la influencia de fuerzas de «cizalla». Por tanto, la cantidad F/A es conocida como «tensión de cizalla» por unidad de área. De acuerdo con esto, el gradiente de velocidad es análogamente denominado «velocidad de cizalla». De este modo, la viscosidad de las emulsiones y otros líquidos puede definirse como la tensión de cizalla de empuje dividida por su velocidad:

$$\eta = \frac{F'}{S}$$

Donde $F' = F/A$ y S es el gradiente de velocidad, o valor de cizalla.

Evidentemente, para todos los líquidos que se ajustan a la ecuación anterior, la viscosidad es independiente del valor de cizalla; si la emulsión se fuerza dos veces más por la tubería, fluirá con velocidad dos veces mayor. De tales sustancias se dice que presentan comportamiento «newtoniano», e incluyen agua, aceites hidrocarburos y ciertos otros líquidos, tales como aceites de siliconas de baja viscosidad. Sin embargo, muchos líquidos, incluyendo la gran mayoría de las emulsiones, muestran desviaciones de este modelo sencillo y, por tanto, se consideran como «no newtonianos».

En la figura 38.11, la línea A ilustra la relación entre la viscosidad y el valor de cizalla para un líquido newtoniano; la curva B ilustra el caso de que la viscosidad apreciablemente disminuye cuando aumenta el valor de cizalla. En algunos casos, debe aplicarse una cierta fuerza antes de que se produzca algo de

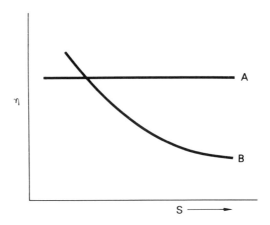

Fig. 38.11. Viscosidad (η) frente al valor de cizalla (S) para un líquido newtoniano (A) y para una sustancia pseudoplástica (B).

cizalla (o flujo); de tales sustancias se dice que presentan comportamiento «plástico». Por otra parte, muchos líquidos sólo presentan una disminución de la viscosidad cuando el valor de cizalla aumenta desde cero, y éstos se denominan «pseudoplásticos». Las sustancias que dilatan se «consolidan»conforme aumenta el valor de cizalla; emulsiones de este tipo se encuentran raramente. Mucho más comunes son las emulsiones que presentan un grado de comportamiento «tixotrópico». Las sustancias tixotrópicas manifiestan un comportamiento reversible, en otras palabras, después de una disminución de la viscosidad ocasionada por aumento del valor de cizalla, una inmediata disminución de la cizalla produce un aumento correspondiente en la viscosidad aparente. Este aumento no puede ser inmediato, y la recuperación puede ser lenta. La mayoría de las emulsiones no son newtonianas y presentan cierto grado de comportamiento tixotrópico, aunque no siempre se logra la recuperación completa de la viscosidad inicial[34].

Dos factores contribuyen a la viscosidad de las emulsiones: la viscosidad de la fase externa que ha sido ya tratada y la relación de fase interna a fase externa. La viscosidad aparente aumenta con la proporción de la fase interna. En casos extremos, donde ésta excede al 74 por 100 del volumen total, la emulsión se transforma de tal modo que tiene una consistencia similar a pasta, y el examen al microscopio muestra que la forma esférica habitual de las gotitas de la fase interna se vuelven angulares y se distorsionan[17]. Tal viscosidad se conoce como viscosidad «estructural», y puede lograrse con emulsiones de cualquier tipo[34].

Finalmente, debe destacarse que el aire atrapado en la emulsión puede ocasionar un considerable aumento en la viscosidad aparente, particularmente si está muy finamente dividido.

Propiedades de aplicación

Las propiedades en uso de las emulsiones cosméticas pueden considerarse como las que se manifiestan durante su aplicación a la piel o al pelo (el «tacto») y los posteriores efectos cuando se ha aplicado el producto. Ambos tipos de propiedades son importantes, puesto que incluso los productos más efectivos no atraerán al consumidor si el «tacto» en la aplicación inicial es desagradable.

El tacto inicial de una emulsión depende en gran parte de la fase externa; así, una emulsión aceite-agua tendrá un tacto como el agua, cualquiera que sea lo que se dispersa en la fase acuosa. Los espesantes dispersables en agua y aditivos, tales como glicerina, sorbitol y glicoles, ejercerán cierto efecto. Las emulsiones agua-aceite presentarán un tacto oleoso, pero el ser pegajosas o no, por ejemplo, depende de la selección de los ingredientes de la fase oleosa. También la viscosidad desempeña un papel importante en el efecto inicial de una emulsión: viscosidades elevadas tienden a proporcionar una crema «rica».

Durante la aplicación, algunos emulsionantes tienden a originar aspecto blanco espumoso, frecuentemente denominado «jabonoso». Los emulsionantes aniónicos son particularmente propensos a esto, y el efecto no se considera siempre ventajoso, pues prolonga el tiempo de aplicación.

A medida que el agua y otros ingredientes volátiles se evaporan, «el tacto» cambia. Se invierten las emulsiones aceite-agua; esto puede suceder brusca o gradualmente, pero la diferencia en el «tacto» cuando esto sucede, aunque es fácil de detectar, es algo difícil de describir en palabras.

Finalmente, los efectos posteriores están determinados por la selección de los ingredientes de la fase oleosa (que pueden ser grasientos o no) y de cualesquiera de los ingredientes de la fase acuosa no volátil.

Determinación del tipo de emulsión

Se han propuesto muchos métodos para la determinación de la identidad de las fases externas de las emulsiones. Aunque cada uno de ellos tiene sus inconvenientes, cabe esperar una asociación de los tres métodos siguientes para dar una indicación fiable de la orientación de una emulsión:

a) La emulsión se somete a una tensión eléctrica [28]. Si no fluye la corriente, la fase externa no es conductora (esto es, oleosa). Si fluye una corriente apreciable, la fase externa es conductora (o sea, acuosa). Si fluye una pequeña corriente, esto puede indicar una emulsión doble o una inversión gradual.

b) Las emulsiones aceite-agua se dispersarán fácilmente en agua; las emulsiones agua-aceite se dispersarán fácilmente en aceite.

c) Los tintes solubles en agua se extenderán en las emulsiones aceite-agua; los tintes solubles en aceite, en las emulsiones agua-aceite.

Control de calidad y análisis de la emulsión

Las siguientes propiedades de las emulsiones son las más comúnmente examinadas para fines de análisis y control de calidad.

Color, olor y aspecto general

Peso por milímetro. En el comercio se dispone de varias clases de picnómetros para usar con las emulsiones.

Viscosidad aparente. En la industria de los cosméticos se utilizan varios métodos de determinación de esta propiedad. Todavía es mejor la medida de la viscosidad aparente en dos velocidades de cizalla (preferentemente con una diferencia de diez veces en el valor de cizalla), puesto que la relación de las dos lecturas da una indicación del grado del comportamiento no-newtoniano (Fig. 38.11).

Concentración de ion hidrógeno. La medida del pH ha sido tratada anteriormente.

Contenido de agua. Probablemente el mejor método es la titulación Karl Fischer.

Contenido volátil. Se suele medir por la pérdida de peso durante veinticuatro horas en una estufa a 110 °C.

Estabilidad. Ya se ha tratado.

Indentidad química de las fases separadas. Se puede requerir con finalidad de evaluación de emulsiones de composición desconocida o para comprobar que ciertos ingredientes claves (por ejemplo, conservantes) se han añadido a la emulsión que se somete a examen. Este es un asunto bastante especializado y normalmente se reserva para el experto químico analítico, aunque análisis de este tipo se citan a veces en la literatura general.

REFERENCIAS

1. Griffin, W. G., *J. Soc. cosmet. Chem.*, 1949, **1**, 311.
2. Bancroft, W. D., *J. Phys. Chem.*, 1913, **17**, 501.
3. Bancroft, W. D., *J. Phys. Chem.*, 1915, **19**, 215.
4. King, A., *Trans, Faraday Soc.*, 1941, **37**, 168.
5. Schulman, J. H.. and Cockbain, E. G., *Trans, Faraday Soc.*, 1940, **36**, 651.
6. Alexander, E. A., and Schulman, J. H., *Trans. Faraday Soc.*, 1940, **36**, 960.
7. Hildebrand, J. H., *J. Phys. Chem.*, 1941, **45**, 1303.
8. Griffin. W. G., Emulsions, in *Encyclopaedia of Chemical Technology*, ed. Kirk R. E. and Othmer, D. F., Vol. 8, 2nd edn, New York, Interscience, 1965, p. 137.
9. Coehn, A., *Ann. Phys. Chem.*, 1898, **66**, 217.
10. Lange, H., *J. Soc. cosmet. Chem.*, 1965, **16**, 697.
11. Schulman, J. H. and Cockbain, E. G., *Trans. Faraday Soc.*, 1940, **36**, 661.
12. Neuwald, F.. *Sci. Pharm.*, 1964, **32**(2), 142.
13. Riegelman, S. and Pichon, G., *Am. Perfum.* 1962, **77**(2), 31.
14. Sherman, P., *Rheology of Emulsion*, Proc. Symp. Brit. Soc. Rheology, Harrogate, 1962.
15. Riegelman, S., *Am. Perfum.* 1962, **77**(10), 59.
16. Becher, P., *J. Soc. cosmet. Chem.*, 1958, **9**, 141.
17. Griffin, W. G., Emulsions, in *Encyclopaedia of Chemical Technology*, ed. Kirk, R. E. and Othmer, D. F., Vol. 8, 2nd edn, New York, Interscience, 1965, p. 121.
18. Marsland, J. G., *Heterogeneous Liquid Systems*, Notes for Postgraduate Course in Mixing Technology, Bradford University, 1976.
19. Haynie, F. H. Jr., Moses, R. A. and Yeh, G. C., *A.I.Ch.E.J.*, 1964, **10**, 260.
20. Lachman, L., *Am. Perfum.*, 1962, **77**(10), 59.
21. Wilkinson, J. B., *Am. Perfum.*, 1962, **77**(10), 105.

22. Kennon, L., *J. Soc. Cosmet. Chem.*, 1966, **17,** 313.
23. Sherman, P., *Soap. Perfum. Cosmet.* 1971, **45**(11), 693.
24. Jass, H. E., *J. Soc. cosmet. Chem.*, 1967, **18,** 591.
25. Kaye, R. C. and Seager, H., *J. Pharm. Pharmacol.*, 1965, **17,** Suppl. No. 12, 92S.
26. Rehfeld, S. J., *J. Phys. Chem.*, 1962, **66,** 1966.
27. Vold, R. D. and Groot, R. C., *J. Phys. Chem.*, 1962, **66,** 1969.
28. Holzner, G. W., *Seifen Öle Fette Wachse*, 1966, **92**(12), 299.
29. Mrukot, M. and Schmidt, M., *Parfum. Kosmetik*, 1976, **57,** 337.
30. Brandau, R. and Bold, K. W., *Fette Seifen Anstrichmitt.*, 1977, **79**(9), 381.
31. Ludwig, K. G. and Hameyer, P., *Parfum. Kosmetic*, 1974, **55**(9), 253.
32. Sherman, P., *J. Soc. cosmet. Chem.*, 1965, **16,** 591.
33. Minard, R. A., *Instrum. Control Syst.*, 1959, **32**(6), 876.
34. Shaw, A. M. *Chem Engineering*, 1950, **116,** Jan.

Lecturas de ampliación: Generales

35. Manegold, E., *Emulsionen*, Heidelberg, Verlag Strassenban Chemie und Tecknik, 1952.
36. Sumner, C. G., in *Theory of Emulsions and Their Technical Treatment*, ed. Clayton, London, Churchill, 1954.
37. Becher, P., *Emulsions: Theory and Practice*, New York, Reinhold, 1965.
38. Adam, N. K., *Physics and Chemistry of Surfaces*, London, Oxford University Press, 1941.
39. Davies, J. T., *Interfacial Phenomena*, New York, Academic Press, 1963.

Lecturas de ampliación: Estabilidad de emulsiones

40. Lange, H. and Kurzendörfer, C–P. *Fette Seifen Anstrichmitt.*, 1974, **3,** 116.
41. Woods, D. R. and Burrill, K. A., *J. Electroanal. Chem.*, 1972, **37,** 191.
42. Garetti, E. R., *J. Pharm. Sci.*, 1965, **54**(11), 1557.
43. Lin, T. J., Kurihara, H. and Ohta, H., *J. Soc. cosmet. Chem.*, 1973, **24**(13), 797.
44. Sonntag, H., Netzel, J., and Klare, H., *Kolloid*, 1966, **211**(1–2), 111.
45. Rimlinger, G., *Am. Per.*, 1967, **82**(12), 31.
46. Miller, A., *Drug Cosmet. Ind.*, 1965, **97**(11), 679.
47. Vold, R. D. and Groot R. C., *J. Soc. cosmet. Chem.*, 1963, **14,** 233.
48. Boyd, J., Parkinson, C. and Sherman, P., *J. Colloid Interface Sci.*, 1972, **41**(2), 359.

39

La fabricación
de cosméticos

Introducción

Probablemente sea cierta la afirmación de que los métodos de fabricación de la industria han evolucionado principalmente por la experiencia práctica y los principios que se han seleccionado por analogía, procedentes de otras industrias, más que por propios y profundos estudios fundamentales. Mientras abunda la literatura con trabajos publicados de investigadores en las áreas de desarrollo y eficacia de productos, poco parece haberse publicado sobre una tecnología de producción en las últimas décadas. Esto no indica necesariamente que los fabricantes de cosméticos no necesiten mejorar sus equipos de producción; por el contrario, los problemas de producción —especialmente los asociados con procesos a relativa gran escala— continúan acusando dificultades, incluso en las factorías más grandes y mejor equipadas.

El obstáculo más importante para mejorar los procesos en la mayoría de las plantas es la enorme variedad de tipos de productos, cada uno de los cuales con su propia serie de características físicas y químicas, que han de ser considerados durante el transcurso de un año. Generalmente es de gran importancia la necesidad de flexibilidad, y esto conduce a un compromiso, y a encontrarse alejados de un equipo especialmente diseñado para realizar tareas específicas, excepto en las grandes plantas de fabricación.

Particularmente importante es, como consecuencia, que ingenieros químicos y químicos de producción de la industria cosmética comprendan los principios básicos y características de la planta a su disposición y deben estar a la expectativa en la búsqueda del nuevo equipo que realice aún más eficazmente las tareas de las que son responsables.

Mientras la fabricación de cosméticos está relacionada con una amplia gama de procesos, existen bastantes elementos comunes para permitir una visión general relativamente sencilla del tema; esto ayuda considerablemente en el estudio de los principios básicos de la tecnología de producción de cosméticos.

La primera fase en este proceso de simplificación es la división del tema en dos partes: fabricación a granel y fabricación unitaria.

Fabricación del producto a granel

El tema completo de la fabricación de cosméticos a granel se puede describir satisfactoriamente haciendo referencia a tres tipos de procesos: mezcla, bombeo y filtración (como se verá, el proceso de transferencia de calor se puede considerar lícitamente como un proceso de mezcla). De estos procesos, el más importante, destacadamente, es la mezcla.

La tabla 39.1 representa un método práctico de clasificar los procesos de mezcla más comúnmente encontrados en la industria cosmética. Todo proceso de fabricación de cosméticos sencillos contiene al menos una operación de mezcla, y frecuentemente está implicado más de un tipo. Por ejemplo, la fabricación de una crema base pigmentada tipo emulsión puede incluir:

a) Mezcla seca previa de pigmentos y excipiente (tipo lb).

b) Disolución separada de sustancias lipo e hidrosolubles en su fase adecuada (tipo 2, ejemplo *a*, y tipo 3a).

c) Dispersión o suspensión de pigmentos en la fase oleosa o acuosa (tipo 2, ejemplo *b*).

d) Mezcla de dos fases para formar una emulsión, posiblemente con la formación *in situ* de un jabón como parte del emulsionante (tipo 3a y 3b).

e) Ajuste de pH (tipo 3a).

f) Desaireación de la masa (tipo 4).

g) Enfriamiento a temperatura ambiente y bombeo a un depósito de almacenamiento (tipo 5a).

Tabla 39.1. Campo de operaciones de mezcla en la industria cosmética

Tipo de mezcla	*Ejemplos*

1) Sólido-sólido:
    a) Separador.
    b) Cohesivo.
	
	Ninguno.
	Polvos faciales, sombras de ojos y todas las mezclas secas.

2) Sólido-líquido:	*a)* Disolución (colorantes hidrosolubles, conservantes, tensioactivos en polvo, etc.). *b)* Suspensiones y dispersiones (pigmentos en aceite de ricino y en otros líquidos).

3) Líquido-líquido:
    a) Miscibles.
 	
    b) Inmiscibles.
	
	a) Reacciones químicas (formación de jabones a partir de ácidos y bases).
	b) Control pH.
	c) Mezclas (preparaciones alcohólicas, productos transparentes para brillo de labios).
	a) Extracción (ninguna).
	b) Dispersión (emulsiones).

4) Gas-líquido.	*a)* Absorción (ninguna). *b)* Dispersión (aireación y desaireación).

5) Distributiva:
    a) Transporte de fluidos.
 	
    b) Flujo limitado.
	
	Transferencia de calor (durante emulsionamiento y otras fabricaciones).
	Bombeo (pastas y otros productos de elevada viscosidad).

No sólo todas estas operaciones son diferentes unas de otras, sino que, en cada una de las fases, las características de la masa son bastante diferentes y requieren un conjunto diferente de características del proceso para lograr un proceso económico óptimo. Como consecuencia, no es sorprendente que lo óptimo se alcance raramente.

El tema del bombeo no se separa claramente de la mezcla, puesto que implica el flujo forzado de producto. Todo flujo introduce, naturalmente, un elemento de mezcla si el producto no es ya homogéneo. Además, puesto que el flujo es un elemento común de ambos procesos, se deben considerar las mismas características del producto (por ejemplo, comportamiento reológico).

Generalmente la filtración no es una operación unitaria de gran importancia en la fabricación de cosméticos, excepto en la producción de preparaciones alcohólicas (colonias, postafeitados y perfumes). Es posible considerar la filtración como una no-mezcla, y ciertamente las características de flujo del producto filtrado son, una vez más, de gran importancia. Se discute en otra parte de este libro el empleo de filtros submicrométricos para la esterilización de agua.

Fabricación unitaria

La mayoría de los productos cosméticos se envasan a partir de la masa a granel en maquinaria especialmente diseñada para manipular las unidades de un tipo particular de producto. Aunque es cierto que se debe tener mucho cuidado en la selección e instalación de tal maquinaria, los principales problemas encontrados están frecuentemente relacionados con las características de las mismas máquinas, más que con la fabricación o procesado del producto. No obstante, al menos existen dos áreas donde es importante comprender las unidades básicas del producto y sus características para lograr una producción eficaz: Son los procesos de moldeo (barras de labios, barras basadas en ceras, geles alcohol-estearato) y procesos de comprensión (compacto de sombras de ojos, polvos coloretes y faciales).

Una descripción de la fabricación unitaria comprendería todas las operaciones de envasado y empaquetado; sin embargo, para los fines de este capítulo, la exposición se limitará a la fabricación a granel.

MEZCLA, Y LA FABRICACIÓN DE PRODUCTOS COSMETICOS A GRANEL

Definición de términos

El objeto de una operación de mezcla es reducir la no homogeneidad en el material a mezclar. Como muestra la figura 39.1, la no homogeneidad puede ser de identidad física o química, o de calor. Además, en los procesos exigidos por la fabricación de cosméticos se diseña la mezcla para que sea permanente —o tan permanente como sea posible hacerla— como distintivo de aquellas operaciones (tales como extracción y separación) que se basan en una posible no-mezcla para alcanzar el objetivo deseado.

Es evidente que el grado a que se puede reducir la no homogeneidad depende de la eficacia de los aparatos de mezcla utilizados, y también de las características físicas de las sustancias que componen la mezcla. Para líquidos miscibles, se puede producir la homogeneidad a nivel molecular mientras la mezcla de polvos limita la homogeneidad a los tamaños de las mismas partículas de los polvos. Cuando se examina una mezcla en cuanto a calidad, la *escala de escrutinio* —aumento a que se examina la mezcla— debe variar de unos productos a otros. A una escala aceptable de escrutinio, *mezcla perfecta* implica que todas las muestras retiradas de la mezcla tienen exactamente la misma composición. Esto raramente se alcanza. La *mezcla aleatoria* se alcanza si la probabilidad de encontrar una partícula de un componente dado en una muestra es la misma que la proporción de este componente en la mezcla total. La mezcla aleatoria es el objetivo de todas las operaciones industriales de mezcla y, aunque las muestras retiradas de tales mezclas no sean idénticas, las variaciones han de ser muy pequeñas. No obstante, esto no es verdad si la escala de escrutinio se reduce suficientemente.

La mezcla únicamente se realiza por movimiento relativo entre las partículas de los componentes que forman la mezcla. Se han identificado tres mecanismos básicos para lograr el movimiento relativo: flujo de masa, mezcla por convección, y mezcla por difusión. El *flujo de masa* (que incluye la mezcla por cizalla, reducción, plegado, volteo) tiene lugar en pastas y sólidos, cuando relativamente grandes volúmenes de mezcla están separados primeramente, y después se redistribuyen en otra parte de la caldera de la mezcla. La *mezcla por convección* implica el establecimiento de modelos de circulación en el interior de la mezcla. Finalmente, la *mezcla por difusión* se presenta por colisión de partículas y desviaciones de la línea recta. En líquidos miscibles de suficiente baja viscosidad, la energía térmica que poseen las moléculas constituyentes de la mezcla puede ser suficiente para alcanzar una buena calidad de mezcla por difusión térmica sin aplicar energía adicional, aunque este proceso es en general excesivamente lento para fines industriales.

Sin embargo, es incorrecto suponer que el movimiento relativo entre partículas en mezcla, realizado según estos mecanismos, conduce siempre a una calidad mejorada de mezcla; por el contrario, muchos problemas de mezcla surgen de la tendencia de las partículas a mezclar, a segregarse durante los intentos de mezclarlas. La *segregación* se define como la preferencia de las partículas de un componente a estar en uno o más lugares de un mezclador en lugar de otros. El grado de la no uniformidad en una mezcla imperfecta se denomina a veces como «grado de segregación», y la «intensidad de segregación» es la diferencia en composición entre los grumos o volúmenes colindantes. Afortunadamente, la segregación no es un problema importante en la fabricación de cosméticos, aunque ostensiblemente se manifiesta alguna vez (como, por ejemplo, en la flotación de pigmentos durante el proceso de fabricación de barras de labios).

MEZCLA SOLIDO-SOLIDO

La tabla 39.1 diferencia entre dos tipos de operaciones de mezcla sólido-sólido: la concerniente a polvos segregados y la de polvos no segregados o cohesivos. La diferencia esencial entre estas dos categorías está relacionada con las propiedades de los mismos polvos, en particular, a la libertad con que las partículas individuales pueden moverse independientemente de su entorno. Los polvos que fluyen libremente exhiben muchas ventajas para los procesos (tales como facilidad de almacenamiento, facilidad de fluir de tolvas, flujo uniforme de producto), pero tienen el inconveniente de tender a segregarse a menos que las partículas que las forman sean de muy similar forma y tamaño. Por otra parte, el polvo cohesivo carece de movilidad y las partículas individuales están unidas juntas, y se mueven como grumos o agregados. Aunque no parece ser problema la segregación (excepto, como se verá, a muy pequeña escala de escrutinio), los polvos cohesivos son difíciles de almacenar y no fluyen fácilmente de las tolvas.

En una masa de polvo, existen fuerzas que trabajan con tendencia a unir unas partículas con otras, y están equilibradas con la masa gravitacional de las partículas que ocasiona que se separen otra vez. Aunque las fuerzas de unión, para un polvo dado, son independientes en gran parte del tamaño de partícula, evidentemente su masa gravitacional no lo es. Por esta razón, las partículas se unirán juntas sólo cuando sean suficientemente pequeñas las fuerzas gravitacionales que actúan sobre ellas para ser inferiores a las fuerzas de unión. Los polvos compuestos principalmente por estas partículas presentan características cohesivas, y los que están formados por partículas mayores tienden a flotar libremente.

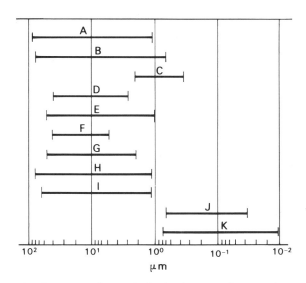

Fig. 39.1. Intervalos de tamaño de partícula de algunos polvos comúnmente usados en cosméticos.

A) Dióxido de titanio.
B, C) Carbonatos magnésicos.
D) Mica.
E) Estearato de zinc.
F, G, H) Micas recubiertas con dióxido de titanio.
I) Talco.
J) Pigmentos orgánicos.
K) Pigmentos inorgánicos.

Como consecuencia, en una primera aproximación, la división entre los dos tipos de polvo es la basada en el tamaño, siendo el tamaño crítico aproximadamente 50 μm; por debajo de este tamaño de partícula, los polvos son cohesivos.

La figura 39.1 muestra el intervalo de tamaños de partícula de los grados comerciales de algunos polvos comúnmente utilizados en producción de cosméticos; por deducción se observará que todos son predominantemente cohesivos por naturaleza.

Naturaleza de los enlaces interpartículas

La naturaleza de las fuerzas de enlace entre partículas de polvo es de fundamental importancia para muchas industrias, y actualmente son bien conocidas[1-4]. No obstante, las características, que es esencial que conozca el químico de producción de cosméticos, son las que siguen:

1)   Las fuerzas que actúan a distancias muy pequeñas. Las partículas deben entrar en contacto muy íntimo para obtener máxima fuerza de aglomeración (como en la compresión).

2)   Las fuerzas que son muy aumentadas por la presencia de todo líquido, particularmente si fácilmente presentan la capacidad de humectar y extenderse por la superficie de las partículas.

3)   Fuerzas que son mucho más débiles que las que mantienen juntas a las mismas partículas; es decir, es mucho más fácil romper los aglomerados que una partícula primaria.

4)   La probabilidad de unión de una pequeña partícula a otra más grande es mucho mayor que la unión de una partícula a otra del mismo tamaño.

Fabricación de productos polvos pigmentados

Los polvos sombras de párpados, polvos faciales y polvos coloretes están compuestos de los siguientes tipos de sustancias:

Talco.
Pigmentos.
Agentes perlantes.
Aglutinantes líquidos.
Conservantes.

El orden en que se mezclan estos ingredientes, y el proceso por el cual se realiza la mezcla, dependen en gran parte del tipo de equipo de que se dispone. Un producto polvo satisfactorio, cuando se examina a gran aumento, se ve que está constituido por pequeños aglomerados, o sencillas partículas de pigmentos adheridos o cubriendo la superficie de partículas mayores de talco. Los polvos impropiamente procesados contienen aglomerados más grandes de pigmentos que existen como entidades discretas y separadas de toda partícula de talco. Cuando se frotan, por ejemplo entre los dedos y superficie de la piel, tales polvos impropiamente procesados cambian de tonalidad, pues estos aglomerados se rompen, y los grupos de pigmentos más pequeños de este modo liberados siguen su tendencia natural de recubrir las partículas más grandes. Este proceso frecuentemente es calificado como «extensión» de pigmentos en talco.

El procesado de productos polvo pigmentados a granel está dominado por la necesidad de alcanzar una «extensión» adecuada a escala industrial. De todos los aparatos que se han ensayado de cuando en cuando, ninguno ha resultado ser más popular que el molino de martillos (Fig. 39.2). El molino de martillos se diseñó como una máquina de triturar. Consiste en un eje rotor provisto de martillos que oscilan libres montados en una carcasa que está equipada con placa rompedora, contra la cual se disgrega la alimentación, principalmente por impacto proporcionado por los martillos. La velocidad muy elevada a que se mueven los martillos ($60\text{-}100 \text{ ms}^{-1}$) incrementa la probabilidad de que un martillo entre en contacto con cada una de las partículas, y el tiempo de permanencia de las partículas en la cámara se aumenta colocando un tamiz de tamaño variable en la salida.

Los molinos de martillos son muy eficaces en la molienda de partículas frágiles en el intervalo de 1500-50 μm, pero por debajo de este tamaño su eficacia (probabilidad de impacto directo) decae rápidamente. Esto es ventajoso, puesto que significa que los talcos y micas cosméticos lo atraviesan sin ser sustancialmente alterados. Sin embargo, al mismo tiempo, la muy alta velocidad de los martillos y el flujo de aire dentro de la cámara aseguran que existan suficientes impactos secundarios (partícula-pared y partícula-partícula) para romper los aglomerados de pigmento mucho más débiles, que pueden ser de hasta 50 μm de diámetro. Así se estabilizan las fracciones de aglomerados desintegrados al llegar a estar recubiertos por partículas mayores de talco y que después no cambiarán por pasos posteriores por el molino.

No obstante, el molino de martillos tiene ciertas desventajas en su función, como extensor de pigmentos en talco. Por ejemplo, la mayoría de la energía extremadamente alta que se utiliza se pierde y se disipa principalmente en calentar el polvo. Por consiguiente, desde el punto de vista de consumo de energía, un molino de martillos utilizado de este modo es muy poco eficaz. La velocidad de alimentación, y como consecuencia el tiempo de proceso, es muy lento, pero especialmente para todos los tamaños de lotes más pequeños. Los intentos para aumentar la velocidad del proceso sustituyendo por tamices de salida de mayor diámetro conducen frecuentemente a extensiones inadecuadas,

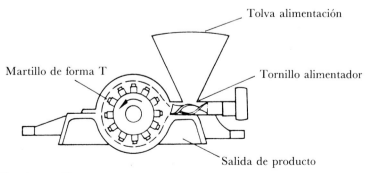

Fig. 39.2. Molino de martillos.

necesitando un segundo o tercer pase por el molino. Por otra parte, aumentando el tiempo de permanencia del polvo en el interior de la cámara de trituración, disminuyendo el tamaño de la malla, puede ocasionar el bloqueo del tamiz con polvo compactado, dando lugar a un sobrecalentamiento y daño para la máquina y el producto. Quizá la mayor desventaja de todas, sin embargo, sea que el molino de martillos es un aparato de proceso continuo para poder ser utilizado en el procesado por lotes. Por esta razón se debe alimentar con mezcla de polvo que ha sido ya eficazmente mezclada, pues de otro modo el color del producto molido cambia a medida que pasa cada una de las porciones de masa sin mezclar. Esta mezcla preliminar debe ser lo suficientemente eficaz, aunque no es necesaria para lograr cierta extensión en esta fase.

Puesto que la premezcla es una operación adicional y añade tiempo al proceso, el mezclador que se seleccione debe ser lo más eficaz posible. Probablemente el más extensamente usado es el «mezclador de cinta», que comprende un bidón horizontal conteniendo un eje axial rotor que lleva paletas de tipo cinta. En tal aparato, la premezcla puede tener lugar entre veinte y sesenta minutos. Actualmente se dispone de otros mezcladores que utilizan más elevada energía de entrada, pero son más rapidos. La tabla 39.2 resume las propiedades de algunos de los mezcladores de polvo más convencionales. Puesto que es relativamente fácil alcanzar una buena calidad de mezcla (a gran escala de escrutinio) en polvos cohesivos, cualquier aparato mezclador producirá finalmente una distribución de uniformidad satisfactoria de los componentes a condición de que no posea lugares muertos donde la mezcla no se poduzca.

Es usual añadir el líquido aglutinante durante la fase preliminar de mezcla. El aglutinante se puede verter por un orificio adecuado del mezclador, aunque muchos químicos de producción prefieren pulverizarlo en la cámara del mezclador como aerosol mediante un aparato venturi o similar. Este procedimiento ayuda a distribuir el líquido más uniformemente y evita la formación de zonas húmedas y grumos en el cuerpo del polvo. La separación de grandes aglomerados que se realiza posteriormente en el molino garantiza la terminación del proceso de humectación, con tal de que se haya seleccionado correctamente el aglutinante. Si éste apareciera aún no uniformemente distribuido después del paso del polvo a través del molino, frecuentemente el producto se puede recuperar pasándolo por un tamiz de malla tan fina como sea posible.

Los agentes perlantes, específicamente dióxido de titanio recubierto de micas, presentan un problema especial. Muchos de estos materiales frágiles, que dependen de su tamaño para lograr el efecto deseado, son propensos a la desintegración en el molino de martillo. Por esta razón, usualmente se mezclan en la masa después de su paso por el molino, necesitándose una operación adicional de mezcla. La perla se puede añadir a la masa en el mismo aparato usado para realizar la mezcla previa, y a veces puede ser necesario pasar finalmente la masa por un tamiz para romper los aglomerados perlados y garantizar su distribución uniforme.

Corrección de color del lote

No es raro para la masa de producto polvo, aunque se haya procesado correctamente, que requiera corrección de color para obtener una comparación

Tabla 39.2. Mezcladores convencionales de polvo

Tipo de mezclador	Partidas/ continuo	Principal mecanismo mezclador	Velocidad de mezcla	Facilidad de limpieza	Consumo de energía	Calidad de extensión
Tambor horizontal	P	Difusión	Pobre	Buena	Bajo	Pobre
Tipo Löedige	P	Convección	Buena	Regular	Medio	Regular
Mezclador de cinta	P o C	Convección	Pobre	Regular	Bajo	Pobre
Mezclador Nauta	P	Convección	Buena	Pobre	Bajo	Pobre
Mezclador V (con cuchillas)	P	Difusión	Pobre	Buena	Medio	Desconocida
Airmix	P	Convección	Buena	Regular	Bajo	Desconocida

satisfactoria con el estándar. Es necesario el paso por el molino, puesto que toda adición de pigmento o talco exige ser extendida. El procedimiento común es como sigue. Después de que se ha terminado la mezcla previa, una cantidad pequeña de la masa (generalmente 5 kg), que se supone representativa de la totalidad, se pasa por el molino. Se examina en el laboratorio y, si es necesario, se especifica la adición de pigmento. Esta corrección se añade a los 5 kg del producto molido, se mezcla de modo basto manualmente y se vuelven a moler los 5 kg. La muestra pasada dos veces por el molino se retorna al resto de la masa y se vuelve a mezclar en el mezclador original. Posteriormente, se retiran 5 kg y se repite el proceso hasta obtener el ajuste.

Existen algunas variaciones menores de este procedimiento que se adoptan para cumplir con determinadas compañías; la más importante de éstas es el uso de pigmentos previamente extendidos sobre talco y almacenado como tal. Esto tiene la ventaja de acortar el proceso de corrección.

Cuando los agentes perlantes son parte de la formulación, a menos que se suministre un estándard no perlado, la perla se debe añadir en la correcta proporción a la muestra de laboratorio antes de que se contraste el color. Solamente se añade la perla a la masa en la última fase del proceso de fabricación.

Alternativas al molino de martillos

Las desventajas del molino de martillos en su empleo para la extensión del polvo ha conducido a la búsqueda de otras máquinas que realicen esta función más satisfactoriamente. El equipo ideal debería poseer las siguientes condiciones:

a) Debe ser capaz de moler partículas blandas en el intervalo de tamaño 50-0,5 μm sin dañar las partículas de talco o mica de similar diámetro.

b) Debe ser un aparato de baja energía, consumiendo poca potencia él mismo, sin calentar excesivamente la mezcla de polvo.

c) Debe ser un artificio de procesar la partida capaz de realizar, en una sola operación, la mezcla y extensión.

d) Debe ser rápido: tiempos de procesado inferiores a diez minutos serían aceptables.

e) No debe ocasionar una excesiva aireación del polvo (puesto que esto ocasiona problemas en el procesado posterior).

f) Debe ser fácil de limpiar.

g) No debe variar su eficacia con las propiedades de cohesión del polvo; no debe ser afectado por características pobres de fluidez.

h) Debe ser silencioso y limpio durante la operacón.

Otros aparatos de trituración han demostrado producir extensión, especialmente los molinos de pernos y los molinos de energía fluida, pero ninguno parece trabajar tan eficazmente como el molino de martillos. Sin embargo, en años recientes el desarrollo de mezcladores de polvo de elevada velocidad, que también son capaces de producir cierto grado de extensión, ha llevado a la industria a situarse más próxima al ideal. Dos tipos merecen citarse en particular. El primero de ellos es descrito mejor como mezclador vertical de torbellino. La mezcla de polvo se coloca en una cámara cilíndrica vertical y después se acelera hacia fuera y arriba en un movimiento torbellino fluidificado. El movimiento se produce por aire comprimido inyectado secuencialmente y procedente de una serie de toberas situadas en una sección inferior de forma cónica; alternativamente, se puede usar un equipo helicoidal de agitación de diseño «pobre aerodinámico» que gira rápidamente en la base perforada del mezclador. La mezcla y la dispersión tienen lugar en el punto de transformación de las partículas de polvo (en el punto superior del mezclador) por colisiones partícula-partícula. El segundo tipo de mezclador de elevada velocidad frecuente se describe como un aparato «arar-cortar» a causa de la forma no usual de las aletas de mezcla que rotan en árbol axial en una cámara cilíndrica horizontal de mezcla. Estas aletas dan lugar a que el polvo de todas las partes de la cámara se proyecte de tal modo, que pasa su totalidad a través de una zona ocupada por una serie de hojas que giran a gran velocidad situadas en un eje independiente denominado «troceador» *(chopper)*. El troceador es responsable en gran parte de la extensión de polvo y se puede conectar o desconectar independientemente del motor axial principal.

Ambos tipos de mezcladores se han empleado como sustitución total o completa de la combinación tradicional mezclador-molino de martillos. El tipo «arar-cortar» *(plough-shear type)* también se puede utilizar para procesado húmedo.

Almacenamiento de polvos cosméticos

Dos factores tienen un efecto importante en los polvos cosméticos almacenados: la humedad y la presión. No siempre se valora que un pequeño aumento en la humedad relativa pueda incrementar la humedad suficiente en el polvo almacenado para alterar el principal mecanismo de enlace partícula-partícula, aumentando la fuerza del enlace de los aglomerados por un factor de 2 o más. Tal incremento en la cohesión puede perceptiblemente empeorar los problemas de manipulación y flujo ya inherentes a los polvos cosméticos y puede cambiar las características de procesado de (por ejemplo) una sombra de párpados, al punto que todas las características de la máquina de compactar han de ser modificadas para compensarlas.

Del mismo modo, la masa de polvo que ha sido almacenada en contenedores grandes verticales presentan dificultades crecientes en las características de flujo a medida que el contenedor se vacía gradualmente. Las capas inferiores, que se han comprimido por el peso del polvo situado por encima, se hace más cohesivo a medida que se aproxima al fondo. Por esta razón, es bastante mejor almacenar el polvo en un gran número de pequeños contenedores bien cerrados que en grandes recipientes cubiertos sin hermeticidad.

PROCESOS DE MEZCLA DE LIQUIDOS

A parte del procesado de polvo «seco» ya expuesto, los procesos restantes listados en la tabla 39.1, que incoporan líquidos, se presentan en suficiente gran número como para considerar las características del fluido a mezclar. Aunque existen semejanzas entre el flujo de polvos y el flujo de líquidos, es evidentemente más fácil establecer y exponer los modelos de flujo de los últimos. En general, esto hace a los procesos de mezcla más fáciles de realizar y, como consecuencia, se dispone para escoger de una mayor variedad de equipo.

No obstante, incluso para líquidos, la ciencia de mezclar no se ha desarrollado suficientemente como para hacer posible el mezclador óptimo que ha de ser diseñado, para una tarea dada a partir de cálculos puramente teóricos. Mucho del conocimiento que ahora tenemos es empírico, y se ha acumulado a partir de experiencia utilizando ensayos prácticos; disponemos de escasos conocimientos de muchos de los procesos de mezcla que intervienen.

Principios generales de la mezcla de fluidos

No sólo hay una gran variación en forma y propiedades físicas de las sustancias que la industria de cosméticos necesita mezclar, sino que también existe una divergencia de finalidades. Algunas operaciones de mezcla pueden considerarse como una mezcla simple, por ejemplo la mezcla de soluciones de color en la masa de líquidos miscibles, y la mezcla de aceites, alcohol y agua en perfumes y colonias. Por otra parte, la formación de una emulsión, la suspensión de un agente gelificante y la distribución de aglomerados de pigmentos en líquidos viscosos, implican todos las división de uno de los constituyentes de la mezcla en partículas más finas durante el proceso de la mezcla. Por esta razón se denomina mezcla «dispersiva» para distinguirla de la mezcla simple.

A escala industrial, la mezcla se presenta como resultado del flujo forzado de la masa en el interior del recipiente mezclador. Se distinguen dos tipos de flujo, laminar y turbulento. El flujo laminar se presenta cuando las partículas del fluido se trasladan a lo largo de líneas de corriente paralelas a la dirección de flujo. El único modo de transferencia de masa es por difusión molecular entre capas adyacentes de fluido (movimiento browniano). En el flujo turbulento, los elementos del fluido se trasladan, no sólo en trayectorias paralelas, sino también en trayectorias irregulares y al azar, produciéndose de este modo remolinos que transfieren materia de una capa a otra. Por esta razón, la mezcla turbulenta es rápida comparada con otros mecanismos de mezcla.

Cuando un líquido en reposo se agita lentamente, el flujo es laminar, pero a medida que aumenta la velocidad se transforma en turbulento; así, la velocidad es un factor significativo en determinar el tipo de flujo producido en el recipiente mezclador. Una ayuda valiosa para describir el punto crítico en que el flujo laminar se transforma en turbulento se debe a REYNOLDS, quien, en 1883, demostró, por vez primera, la turbulencia. El número que lleva su nombre, Re, se calcula para recipientes en agitación como sigue:

$$\mathrm{Re} = \frac{D^2 N \rho}{\eta} \tag{1}$$

donde D es el diámetro del agitador, N es la velocidad del agitador (rpm), ρ es la densidad de la mezcla y η su viscosidad.

Aunque se conoce poco acerca del mecanismo de turbulencia, la experiencia ha demostrado que, en tanques agitados, el comienzo de la turbulencia se presenta a números Reynolds de aproximadamente 2×10^3. Para desarrollar completamente la turbulencia se requieren números Reyolds superiores a 10^4, y se encuentran en muchos procesos de mezcla de cosméticos. Fácilmente se puede observar que se hace más difícil de alcanzar la turbulencia a medida que se incrementa la viscosidad. Por debajo de 10-100 países, el flujo turbulento se logra sin necesidad de una cantidad excesiva de energía, y esta gama de viscosidades cubre muchos productos cosméticos. Para pastas de elevada viscosidad, sin embargo, la mezcla plantea ciertos problemas, puesto que el modelo de flujo en el mezclador es invariablemente laminar. En estas circunstancias, la mezcla distributiva (corte y envoltura) es más utilizada que la mezcla turbulenta. La turbulencia no sólo proporciona una mezcla rápida, sino también influye en la dispersión: es importante comprender el por qué.

Se ha destacado en el capítulo 38 que, cuando los líquidos fluyen, existe una relación sencilla entre las fuerzas que motivan el movimiento, F, y el gradiente de velocidad entre las capas de líquido que se trasladan en el punto de medida, y las capas estacionarias o en movimiento más lento adyacentes a ellas:

$$F = \eta A \times \text{gradiente velocidad}$$

donde A es la superficie transversal de la masa de líquido que se investiga y η es la constante de proporcionalidad, denominada coeficiente de viscosidad. F/A se denomina generalmente «tensión cizalla», y el gradiente de velocidad es el «valor de cizalla». Si se admite la ecuación, a medida que la velocidad de flujo aumenta, también aumenta la tensión de cizalla, y así lo hace la fuerza que rompe los enlaces débiles, que mantienen juntos los aglomerados de pigmentos, u otra fase inmiscible en pequeñas gotas. Es evidente que las fuerzas de cizalla también son producidas cuando los líquidos fluyen en condiciones laminares, pero en estas circunstancias la energía empleada para generar el flujo se disipa principalmente como calor.

Durante el flujo turbulento, la energía se disipa en desorden; los torbellinos se producen en tamaño e intensidad dependientes de la viscosidad del líquido y de F. La reducción de tamaño sólo puede presentarse de modo efectivo si el torbellino es inferior que la gota o agregado. Como consecuencia, para un líquido de viscosidad dada, el tamaño de gota de una emulsión o tamaño fragmentado de aglomerados dispersos de pigmentos dependen fundamentalmente del aporte de energía procedente del agitador, gradiente de velocidad y naturaleza de las fuerzas que mantienen unidas las entidades a desintegrar.

Desafortunadamente, el modelo sencillo mostrado en la ecuación (2) tiene aplicación limitada en la fabricación de cosméticos. La mayoría de los productos exhiben un comportamiento no ideal (no newtoniano) que suele describirse más adecuadamente por la expresión:

$$F = (\eta_{ap})^n A \times \text{gradiente velocidad} \tag{3}$$

En este caso, η_{ap} se denomina «viscosidad aparente» y n es generalmente un valor entre 0 y 1. El nombre dado a este tipo de comportamiento es «pseudoplástico» y la diferencia básica entre sustancias que presentan esta propiedad e ideal o los fluidos «newtonianos» está ilustrada en la figura 39.3. Como puede observarse, la pseudoplasticidad se manifiesta por una caída en la viscosidad al aumentar el valor de cizalla a temperatura constante. Muchos líquidos cosméticos manifiestan este comportamiento, especialmente emulsiones y suspensiones de partículas del orden de 1 μm o inferiores de tamaño. La pseudoplasticidad es reversible en cierto grado; en otras palabras, cuando se deja sin agitar un tiempo suficiente, el fluido recupera algo o la mayor parte de su viscosidad original. La magnitud del efecto pseudoplástico es variable con la identidad del producto, aunque no es rara la caída del 25 por 100 en la viscosidad cuando se dobla la velocidad de cizalla.

Un tipo relacionado con el comportamiento no-newtoniano es la propiedad de «elasticidad». Como su nombre indica, los fluidos elásticos poseen la capacidad de ser deformados por la acción de la cizalla, para recuperar su estructura rápidamente con la posterior recuperación de la energía absorbida durante la deformación. Probablemente es acertado considerar el comportamiento elástico como un extremo de pseudoplasticidad en que el tiempo de recuperación es muy pequeño. Realmente, es cierto que todos los fluidos pseudoplásticos manifiestan algún grado de elasticidad.

Merecen ser citados otros tres tipos de comportamiento reológico, aunque se encuentran menos frecuentemente en los procesos cosméticos. Los verdaderos fluidos «plásticos» presentan curvas de viscosidad frente a la velocidad de cizalla similares a las de las sustancias pseudoplásticas, pero en este caso se debe aplicar cierta fuerza antes de que se presente un efecto cizalla (o flujo). Las sustancias dilatables muestran el efecto contrario, la viscosidad aumenta con el valor de cizalla (Fig. 39.3).

El término «tixotrópico» se emplea frecuentemente de modo erróneo para describir comportamientos pseudoplásticos. Los líquidos tixotrópicos presentan una caída de la viscosidad con el tiempo a valor *constante* de cizalla.

Equipo de mezcla para fluidos

En la mezcla de fluidos, generalmente está presentada la totalidad de los tres mecanismos: flujo de masa, difusión turbulenta y difusión molecular. No obstan-

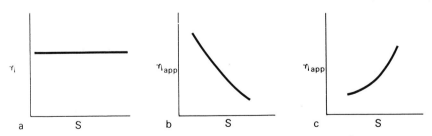

Fig. 39.3. Valor de cizalla (S) representado frente viscosidad (η) o viscosidad aparente (η_{ap}).
a) Sustancia newtoniana.
b) Sustancia pseudoplástica.
c) Sustancia dilatable.

te, cuando aumenta la viscosidad, es más difícil que se forme la turbulencia, y son menos importantes las partes que intervienen por difusión turbulenta y molecular. Como consecuencia, el equipo de mezcla se puede dividir en dos categorías que dependen de si prevalecen o no las condiciones turbulentas, tal como sigue:

Mezcladores cizalla laminar distributivo	*Mezcladores turbulentos*
Tornillo helicoidal-mezclador cinta.	Recipiente agitado con turbina.
Mezcladores dos hojas.	Tuberías.
Amasadores.	Mezcladores a chorro.
Artificios de extrusión.	Sistema de rociado.
Calandradores.	Mezcladores de cizalla alta velocidad.
Mezcladores estáticos: bajo Re.	Mezcladores estáticos: alto Re.

Fluidos de viscosidad baja o media

La forma más común de mezclar líquidos de baja o media viscosidad es la realizada por convección forzada en recipientes agitados o provistos de agitador. El movimiento del líquido que se produce en el recipiente debe ser suficientemente intenso como para mantener la turbulencia. Puesto que no es probable que se genere una turbulencia uniforme por la totalidad del contenido del recipiente a escala de producción, el fluido debe circular continuamente por todos los lados del recipiente, de modo que todo pase por las zonas donde se desarrolla la turbulencia. Así, el número de parámetros básicos importantes de mezcla son dos: la magnitud de turbulencia y la velocidad de circulación de los contenidos.

El movimiento del líquido suele producirse por un mezclador mecánico, generalmente una hélice rotatoria de algún tipo: se pueden diferenciar dos. En el primero de ellos, cuyo ejemplo es el disco rotatorio, el momento se transfiere de la hélice al líquido principalmente por fuerzas de cizalla. Cuando el agitador gira, la capa de líquido inmediatamente adyacente a él gira con él. Entonces la resistencia viscosa provoca el movimiento de las capas próximas, y así sucesivamente hasta que los contenidos totales del recipiente se ponen en movimiento. Con la finalidad de producir una mezcla eficaz, tales sistemas necesitan que funcionen a elevado número de Reynolds y desarrollar una relativa elevada fuerza de cizalla, y como consecuencia una de las principales aplicaciones es en emulsificación.

Bastante más comunes, sin embargo, son los mezcladores del segundo grupo que transmiten su momento a través de la presión ejercida por el agitador de hélice al líquido (esto es, en dirección al flujo). En este grupo se incluyen paletas, turbinas y hélices que ejercen presión sobre el líquido cuando giran. Esto tiene como consecuencia el desplazamiento de parte del líquido en su trayectoria en las zonas circundantes y la formación de un modelo de flujo rotatorio en el líquido. Adicionalmente, la disminución de la presión detrás de las hojas impulsa al líquido del contorno, cuyo efecto es producir remolinos turbulentos alrededor de las hojas, especialmente en sus extremos. Tal turbulencia está claramente localizada y, por tanto, es de valor limitado. No obstante, cuando la velocidad de agitador aumenta, la fuerza centrífuga que actúa sobre el líquido aumenta, dando lugar a un flujo de líquido alejado de la periferia del agitador, desplazando e impulsando a otro líquido e induciendo una posterior turbulencia. El intercambio del momento del líquido fluyente con su contorno origina una pérdida de velocidad a medida que aumenta la distancia del agitador, y de este modo varían el modelo de flujo y la eficacia de la mezcla según la viscosidad y comportamiento del flujo del líquido, diseño del agitador y recipiente y la velocidad de rotación del mismo agitador.

Modelos de flujo. Los modelos de flujo en recipientes con agitación se pueden reducir a tres tipos principales: tangencial, radial y axial.

En el flujo tangencial, el líquido se traslada paralelo a la dirección del agitador. El movimiento del líquido hacia el contorno es moderado, y existe poco movimiento vertical a las hojas excepto en remolinos próximos a los extremos. El flujo tangencial puede ser observado en mezcladores de tipo paletas cuando trabajan a baja velocidad o en líquidos de suficiente viscosidad que evitan el flujo centrífugo de donde se produce (Fig. 39.4).

En el flujo radial, el líquido se proyecta hacia el exterior a partir del agitador por fuerzas centrífugas. Si el líquido en movimiento choca contra las paredes del recipiente, se divide en dos fracciones, recirculando hacia el agitador, donde es reimpulsado. La turbulencia posterior y la mezcla se inducen por el desdobla-

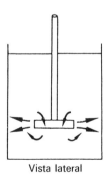

Vista lateral

Vista superior

Fig. 39.4.   Flujo tangencial.

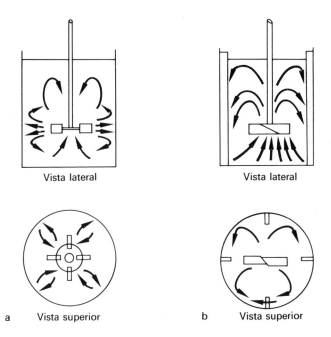

Vista lateral   Vista lateral

a   Vista superior   b   Vista superior

Fig. 39.5. *a*) Flujo radial. *b*) Flujo axial.

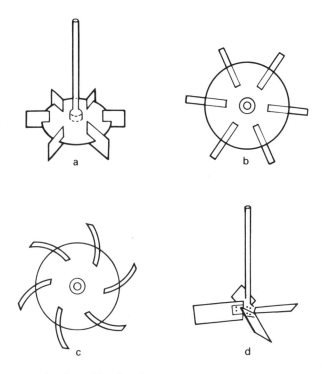

a

b

c

d

Fig. 39.6. Diseños varios de turbina impelente.

miento del flujo en la pared. Generalmente, existe cierto elemento de flujo radial en recipientes sometidos a agitación, pero las turbinas de hojas planas producen modelos de flujo que principalmente son radiales (Fig. 39.5a).

El flujo axial, como su nombre indica, tiene lugar paralelo al eje de rotación. Generalmente, las hojas del agitador impulsor o propulsor están orientadas de modo que el líquido se desplace axialmente; la dirección del flujo puede ser de la parte superior al fondo del recipiente o viceversa (Fig. 39.5b).

De modo general, el modelo de flujo más difícil de mantener es el flujo axial.

Agitadores impelentes para líquidos de baja y media viscosidad

Los *agitadores de paletas* son sencillos y económicos, pero muy ineficaces para todo, especialmente para los líquidos de baja viscosidad. Principalmente, producen flujo tangencial y suelen estar instalados centralmente, por su diámetro grande con relación al del tanque.

Las *turbinas* son probablemente el tipo de agitador impelente más común empleado en el procesado de cosméticos, puesto que pueden aplicarse a una amplia gama de viscosidades y densidades. Para líquidos de baja viscosidad, a veces se emplea el agitador impelente de hojas planas (Fig. 39.6a y b). Para sustancias muy viscosas, las hojas se orientan hacia atrás en dirección opuesta a la de rotación, puesto que esto requiere un impulso rotatorio menor de partida y parece dar una mejor transferencia de energía del agitador impulsor al líquido (Fig. 39.6c).

La figura 39.6d ilustra un agitador *impulsor de flujo axial* fijado con orientación. No obstante, utilizado sin deflectores, el componente axial generado por tales turbinas permanece secundario con relación al componente de flujo radial. Típicamente, los agitadores impelentes de este tipo se emplean a velocidades de rotación de 100-200 rpm, a diferencia de los agitadores de paletas de baja velocidad (15-50 rpm).

Los *agitadores mezcladores propelentes* limitan su uso a fluidos de baja viscosidad. Tienen hojas orientadas, cuyo ángulo varía a lo largo del centro al extremo. Los modelos de flujo desarrollados y los agitadores mezcladores propelentes poseen un elevado componente axial, y la velocidad de circulación es elevada. Generalmente son de relativo pequeño diámetro, y característicamente poseen tres hojas, y se utilizan a velocidades comprendidas entre 450-2500 rpm. Tales agitadores se utilizan ampliamente en la industria de cosméticos para operaciones de mezclas sencillas, pero no son tan adecuados para suspensión de partículas que sedimentan rápidamente o para la disolución de sustancias pesadas poco solubles.

Muchos agitadores portátiles son del tipo propulsor. Si el agitador mezclador se instala centralmente en el tanque mezclador (Fig. 39.7a) a causa de la impulsión del líquido sobre el agitador impulsor, la superficie se depresiona y se forma un cono. Generalmente se deben evitar los conos por su baja turbulencia y el aire atrapado que ocasionan. No obstante, cuando se montan excéntricamente (Fig. 39.7b) se aumenta la turbulencia y se evita el cono.

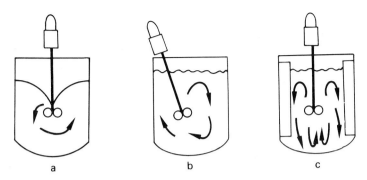

Fig. 39.7. Mezcladores portátiles.

Influencia de la forma del recipiente

En general, la ausencia de ángulos suaves y redondeados en recipientes destinados a mezclas contribuye a la turbulencia, y es de esperar que mejoren los tiempos de mezcla. Un caso extremo es la introducción de deflactores alrededor de la circunferencia del recipiente de sección transversal cilíndrica (Fig. 39.7c). Es fácil visualizar cómo la introducción de deflectores interfiere con el modelo de flujo generado por agitadores impulsores de flujo tangencial y radical y evitan la formación del cono en mezcladores instalados centralmente. La experiencia demuestra que los deflactores mejoran el flujo axial y aumentan la turbulencia.

También es evidente que la relación entre las dimensiones del tanque es un factor importante en la determinación de la eficacia de todo proceso de mezclado. Por ejemplo, es razonable realizar mezclas sencillas, tal como alcohol-agua, en recipientes cilíndricos altos de pequeña sección transversal utilizando un agitador propelente (con elevado flujo axial). En la producción de una emulsión de viscosidad media usando una turbina de flujo radial, evidentemente sería deseable mantener la altura del recipiente tan pequeña como sea posible para una capacidad dada.

Mezcla en líquidos no newtonianos de viscosidad baja o media

Muchos líquidos —tal vez la mayoría— relacionados en el proceso de cosméticos son del tipo reológico cizalla-fluidificante y elástico. Evidentemente, si el líquido es ya de baja viscosidad, el efecto cizalla-fluidificante puede no ser destacable. Por otra parte, líquidos más viscosos que presentan estas características originan problemas considerables al fabricante de cosméticos. El fluido próximo al agitador impelente que rota es sometido a un esfuerzo cizalla a elevada velocidad, y de este modo se hace relativamente móvil, pero cuando se encuentra bombeado lejos del agitador impelente, se halla en zonas de flujo de menor intensidad y, como consecuencia, de viscosidad mucho más elevada. Por tanto, la turbulencia disminuye rápidamente, decreciendo el ciclo en el recipiente y disminuyendo el proceso de mezcla. Además, toda elasticidad mostrada por el líquido se manifiesta en la absorción de energía por deformación de una variedad convertible; de este modo se disminuye aún más la turbulencia.

Fluidos de elevada viscosidad

Cuando aumenta la viscosidad de la mezcla, la dificultad se hace creciente —y finalmente imposible— para producir turbulencia en recipiente. A viscosidades de 1000 poises y superiores, el flujo inevitablemente es laminar, el consumo de energía elevado y la velocidad de mezcla extremadamente baja. En tales sistemas, el aporte de energía no se utiliza para crear desorden, sino para originar calor. La velocidad de subida de la temperatura depende del aporte de energía, conductividad térmica del mezclador y eficacia de las superficies refrigerantes, pero el intervalo de 1 a 30 °C por minuto incluye muchos procesos cosméticos de mezcla de este tipo. Generalmente es difícil o imposible, durante la mezcla industrial de sustancias altamente viscosas, dispersar calor más rápidamente de lo que es generado. Esto es particularmente cierto si el mezclador es de elevada capacidad (en el cual la relación volumen a superficie de intercambio de calor es elevado), y si se dejan formar películas apreciables de líquido enfriado en las paredes del recipiente; así los contenidos se aíslan de un enfriamiento posterior. El incremento en temperatura asociado a tales procesos tiene evidentemente tanto ventajas como inconvenientes. Por una parte, una elevación de la temperatura puede ocasionar una disminución de la viscosidad, haciendo más eficiente la mezcla, y también puede ayudar en la fusión o disolución de alguno de los componentes de la mezcla. Progresando aún más, la disminución de la fuerza de cizalla, provocada por la caída en la viscosidad, disminuye la eficacia del proceso dependiente de esta fuerza (tal como rotura y dispersión de los aglomerados de pigmentos), y también la elevación de temperatura puede dañar el producto ocasionando la degradación térmica de componentes muy sensibles al calor, tales como conservantes y perfumes.

La relativa elevada aportación de la energía requerida para mezclar sustancias viscosas también influye en la construcción mecánica de la maquinaria de mezcla y el método con que se realiza el mezclado.

Tipos de agitadores impelentes y mezcladores para fluidos de elevada viscosidad

Las turbinas y agitadores propelentes, ya mencionados, trabajan mejor en condiciones de flujo turbulento a relativas elevadas velocidades de rotación. En líquidos viscosos, dado que tales velocidades se alcanzan difícilmente, el flujo se limita a regiones muy próximas al agitador impelente, y existen grandes regiones estancadas donde no se produce mezcla alguna sin el empleo de algún mecanismo secundario. Para eliminar estas regiones estancadas se utilizan grandes agitadores impelentes, como paletas, rejillas, anclas y hojas; éstos barren una proporción mucho mayor del recipiente y producen un flujo más amplio. Generalmente, tales agitadores impelentes se proyectan para tener un espacio libre próximo a las paredes, proporcionando cierto grado de raspado de paredes. Esto ayuda a eliminar la formación de sustancias no mezcladas en las paredes, proporciona una región de elevada fuerza de cizalla para dispersar agregados y grumos, y mejora la trasferencia de calor de la pared hacia la masa.

Tales agitadores impelentes proporcionan un flujo amplio, pero sólo de los tipos tangencial y radial. Casi está totalmente ausente el flujo axial y, como consecuencia, la mezcla de parte superior al fondo. Por esta razón se han introducido diseños más complejos, tales como el tonillo y la banda helicoidales (Fig. 39.8). Estos son más eficaces para la mezcla de fluidos viscosos, pero su comportamiento es pobre comparado con el de algunos agitadores impelentes más convencionales para mezcla de media y baja viscosidades. La consecuencia es que raramente se emplean en la fabricación de cosméticos.

El flujo axial no se puede lograr introduciendo deflectores, como cuando se mezclan fluidos de inferior viscosidad, pero se ha logrado cierto éxito usando combinaciones de agitador impelente-tubería a presión. Como su nombre indica, el tubo o presión es un espacio tubular, cerrado y orientado axialmente dentro de la cámara principal de mezcla que contiene un agitador impelente o algún otro tipo de flujo forzado de la mezcla a lo largo de él. Se han utilizado con éxito para favorecer el flujo axial de la mayoría de los líquidos, incluso los de muy elevada viscosidad, pequeños agitadores impelentes o tornillos helicoidales diseñados para llenar la mayor parte de la sección transversal de tal tubo.

Una solución alternativa al problema creado por la ausencia de flujo en medios viscosos es el empleo de agitadores impelentes que progresivamente barren los contenidos totales del recipiente mientras que la mezcla permanece estacionaria. Ejemplos de esto incluye el mezclador tipo «Nauta», en el cual un tornillo helicoidal barre las paredes de una cámara cónica de mezcla.

Para productos aún más viscosos, como rimel y pastas muy espesas, se utilizan equipos que presentan un maś elevado grado de mezcla distributiva. Tales mezcladores se han diseñado para producir flujo de masa y fuerza laminar

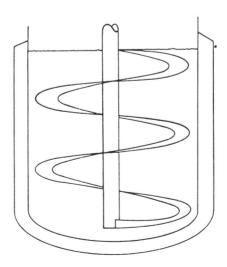

Fig. 39.8. Agitador impelente helicoidal.

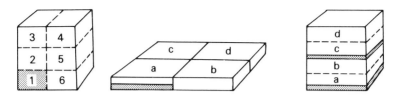

Fig. 39.9.   Mecanismo distributivo de mezcla.

de cizalla por redistribución espacial de los elementos de la mezcla. Quizá el mezclador de este tipo más comúnmente utilizado sea el planetario de acción sencilla o doble o el meclador de doble hoja para «pastas». Sus características esenciales implica el corte y pliegue de un volumen de la mezcla y la sustitución física de él en otra parte del mezclador donde se corta y se pliega otra vez. Un ejemplo de este mecanismo distributivo se ilustra en la figura 39.9, en la cual, por claridad, se ha aislado un volumen de una mecla y dividido en seis segmentos iguales, uno de los cuales consta de un componente menor negro[5]. El cubo es comprimido a una cuarta parte de su altura inicial, cortado y reordenado como queda mostrado. La redistribución del componente menor se ha logrado cuando, habiendo repetido el proceso bastante frecuentemente, se logre al final el nivel deseado de homogeneidad.

Una innovación más reciente es el denominado mezclador estático, del cual actualmente se dispone comercialmente de varios diseños. Los mezcladores estáticos son esencialmente aparatos mezcladores intercalados en línea, en los cuales las mezclas fluyen por una tubería donde se cortan y pliegan por una serie de elementos helicoidales en un tubo circular (Fig. 39.10). Estos elementos (que no se mueven, de ahí el nombre estático) giran la mezcla fluyente a un ángulo de 180°. Puesto que los elementos alternativos muestran pasos opuestos y están desplazados 90° uno de otro, esto ocasiona que la masa fluyente invierta la dirección en cada unión y, de este modo, los bordes conductores de cada elemento se convierten en artificio cortante, desdoblador y replegante de la mezcla en sí misma.

Finalmente se deben mencionar los expelentes, en que un tornillo helicoidal fuerza la masa de la mezcla a fluir descendiendo un tubo. Aquí, la presión generada puede ser enorme, como un transportador de jabón, y tal energía puede originar que sustancias con la viscosidad del jabón de tocador experimenten flujo laminar. El modelo real de flujo producido es complejo, siendo una asociación de presión y flujo obstacularizada dentro del tubo[6].

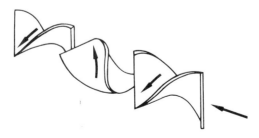

Fig. 39.10.   Mezclador estático.

Mezcladores de elevada fuerza de cizalla y equipo de dispersión

El equipo de mezcla que ha sido tratado hasta el momento en este capítulo está diseñado fundamentalmente para producir en la masa de mezclas líquidas modelos de flujo de suficiente intensidad que hagan posible la mezcla. En la mayoría de los casos, el modelo de cizalla y turbulencia que se desarrolla dentro de la mezcla varía según la viscosidad de la masa, el método de producir el flujo y el volumen en la mezcla que se considera. Sin embargo, para ciertas aplicaciones es deseable generar un grado muy intenso de fuerza de cizalla en la mezcla, y se dispone de equipos especializados para esta finalidad. Los usos de tal maquinaria se aplican en la fabricación de cosméticos incluyendo molienda de aglomerados de pigmentos y su dispersión en líquidos, fraccionamiento rápido y dispersión de agentes gelificantes (por ejemplo, bentonas, derivados de celulosa y alginatos) y reducción de tamaño de gotitas de fase interna en productos en emulsión.

El principio básico por el que trabajan los mezcladores de elevada fuerza de cizalla es el forzar la mezcla a través de intersticios muy estrechos a la más alta velocidad posible. Esto se puede ilustrar con la referencia a un aparato extensamente aplicado en que la mezcla impulsada por un rotor a elevada velocidad, que se mueve muy próximo a un estator envolvente, y que puede o no contener perforaciones a través de las cuales se fuerza la mezcla.

La figura 39.11 es una representación esquemática de una de las hojas de la turbina separada por un intersticio muy pequeño, h (unas pocas milésimas de pulgada), del estator. Si la velocidad del rotor es v, el valor de fuerza de cizalla γ está dada por:

$$\gamma = \frac{v}{h} \tag{4}$$

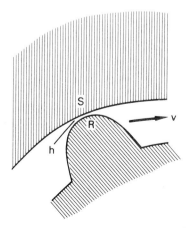

Fig. 39.11.   Principio de un mezclador rotor-estator de elevada fuerza cizalla. S = estator, R = rotor.

(γ tiene un valor típico de 100-500 s^{-1}). De la definición básica de viscosidad dada en la ecuación (2) se deduce que para un líquido newtoniano que tiene una viscosidad η,

$$\eta = \frac{h\tau}{v} \qquad (5)$$

o

$$\tau = \frac{\eta v}{h} \qquad (6)$$

donde τ es la fuerza de cizalla. Así se puede comprobar que la fuerza de cizalla necesaria para dispersar aglomerados o reducir tamaño de pequeñas gotas aumenta al incrementarse la viscosidad de la mezcla, aumentando la velocidad del rotor o disminuyendo la luz entre rotor y estator. En líquidos no newtonianos para que la viscosidad aparente, η_{ap}, está dada por

$$\eta_{ap} = \frac{\tau}{\gamma^n} \qquad (7)$$

la correspondiente fuerza de cizalla es

$$\tau = \eta_{ap}\left(\frac{v}{h}\right)^n \qquad (8)$$

Este tratamiento sencillo no da un cuadro completo. La fuerza de cizalla se puede aumentar aún más por la perforación del estator, y el modelo de flujo se puede alterar drásticamente en la cabeza cortante diseñando el conjunto encerrándola. Generalmente se dispone con el mezclador la selección de diseños de estatores intercambiables, haciendo posible usar el tipo más apropiado para una tarea particular. Con algunos diseños, es posible usar una capacidad considerable de bombeo forzado por el rotor a elevada viscosidad.

Generalmente, un mezclador-estator de elevada fuerza de cizalla se puede utilizar, bien para un proceso de cargas en un tanque mezclador, o como aparato en línea cuando se encierra en una cámara adecuada de envoltura total. Empleado como mezclador de cargas, es capaz de generar una turbulencia considerable por la gran velocidad con que el fluido sale bombeado de la cabeza de mezclado. Como con otros aparatos, sin embargo, esta elevada energía se incrementa transformada en calor al aumentar la viscosidad de la mezcla. Una desventaja importante para ciertos procesos es la tendencia del mezclador a incorporar aire cuando se utiliza en el modo de entrada en la zona superior. Por tal razón, estos aparatos se incorporan frecuentemente al fondo de los recipientes de procesado.

El rotor-estator es generalmente más eficaz cuando se usa como mezclador en línea, particularmente cuando el tiempo de mezcla necesario es reducido para asegurar que toda porción de la mezcla ha pasado a través de la cabeza mezcladora (especialmente en mezclas viscosas). Otra desventaja es que los extremos del rotor pueden desgastarse muy deprisa, originando un incremento en la luz de separación y disminuyendo la eficacia. Puesto que no es posible su ajuste, esto se debe remplazar a considerable costo.

Otro aparato rotor-estator de elevada fuerza de cizalla de uso común es el molino coloidal o molino de muela. Tal equipo se pensó comúnmente como aparato de molienda; esto es válido para ilustrar la finura de la línea divisoria entre mezcla y molienda con el equipo de alta cizalla. Aunque es cierto que los molinos coloidales se pueden usar en la molienda de materiales muy blandos en una suspensión, en la industria cosmética encuentran aplicación para la dispersión de pigmentos y reducción de tamaño de gotas de la fase interna de las emulsiones. En principio, el molino coloidal consta de un elemento cónico de rotación rápida (que puede ser dentado o con surcos) y un estator cónico similar en el cual ajusta el primero. La mezcla fluida se fuerza a través de la pequeña luz entre rotor y estator (0,5-0,05 mm) como anteriormente. La figura 39.12 ilustra el diseño de los molinos coloidales con más detalle.

Los molinos coloidales se usan exclusivamente como aparatos en línea o continuos. Pueden estar refrigerados por agua y ajustarse a medida que se gastan las partes móviles.

Para productos más viscosos, un aparato alternativo es el molino de triple rodillo (Fig. 39.13). El aparato está constituido por tres rodillos de acero que rotan en las direcciones que se indican en el esquema. Cada uno de los rodillos está refrigerado con agua y mecanizado con gran precisión, de modo que las luces entre cada par de rodillos se pueden ajustar muy finamente. El producto se aplica en la parte superior del rodillo, *A*, pasa entre *A* y *B* y da la vuelta por el lado inferior de *B* entre los rodillos *B* y *C*. Conforme atraviesa cada apertura de luz entre rodillos, el producto está sujeto a enormes fuerzas de compresión que particularmente son efectivas en la molienda de aglomerados de pigmentos. Rigurosamente hablando, por tanto, el molino tricilíndrico no es un aparato de

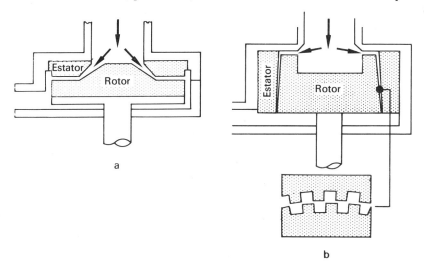

Fig. 39.12.   Molinos coloidales.
a) Tipo muela.   *b*) Tipo dentado.

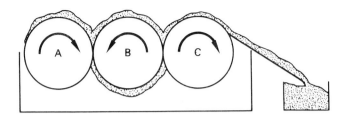

Fig. 39.13. Molino tricilíndrico.

elevada fuerza de cizalla, sino un aparato de compresión. Sin embargo se incluye aquí como una alternativa práctica a los mezcladores rotor-estator para realizar dispersiones eficaces de pigmentos en líquidos, particularmente en líquidos viscosos.

Quizás la fuerza más elevada de cizalla de todas se genera por una válvula homogeneizadora, que aún se emplea ampliamente en la producción de emulsiones con fase interna de gotas muy finas. Una válvula homogeneizadora (figura 39.14) es sencillamente una bomba de elevada presión que fuerza el producto a través de pequeños orificios a presiones de hasta 350 atmósferas (354 bares).

Una alternativa interesante de la válvula homogeneizadora, y que ha encontrado empleo creciente en la fabricación de cosméticos, es el homogeneizador de ultrasonidos. Cuando una energía ultrasónica de elevada intensidad se aplica a líquidos, se presenta el fenómeno conocido como cavitación. La cavitación es compleja y no está completamente explicada. Según las ondas ultrasónicas se propagan a través del fluido, se forman zonas de compresión y enrarecimiento, y las cavidades se producen en zonas enrarecidas. Conforme se transmite la onda, estas cavidades se colapsan y cambian a una zona de compresión, y se ha

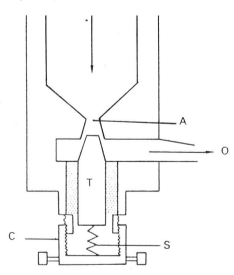

Fig. 39.14. Válvula homogeneizadora.
El líquido en *I* es forzado a través del asiento de válvula en *A* y sale vía *O*. *T* es un eje con diámetro decreciente cuya posición puede ser ajustada por la cabeza de tornillo *C*. *S* es un muelle potente contra el que se hace pasar el producto a través del orificio estrecho de la válvula.

demostrado que la presión en estas cavidades, exactamente antes de colapsar, puede llegar a ser hasta de mil atmósferas. La mayoría de los efectos de la radiación ultrasónica en líquidos se atribuye a ondas poderosas de choque producidas inmediatamente después del colapso de tales cavidades. Un diseño de homogeneizador ultrasónico está ilustrado en la figura 39.15.

Ninguna descripción de equipo dispersante es completa sin mencionar los molinos de bolas y los molinos de arena. En ambos aparatos la rotura de aglomerados se logra por roce entre elementos de molienda en movimiento rápido que toman la forma de guijarros, bolas o (en el caso molinos de arena) partículas más finas del tipo arena < 1 mm diámetro. El movimiento de estas partículas trituradoras se logra de varios modos. En el molino de caída, los elementos caen unos sobre otros, cuando el tambor horizontal rota sobre muñones (Fig. 39.16). Los molinos de arena pueden ser cilindros horizontales o verticales, en los que el medio de molienda se agita con un agitador rotatorio (Fig. 39.17), mientras que en los molinos de vibración el movimiento de la totalidad de la cámara se origina por levas excéntricas, por pesos desequilibrados en un eje movido por transmisión, o eléctricamente.

Los pequeños molinos de bolas y los molinos de arena se utilizan ampliamente en la dispersión de pigmentos en líquidos (como, por ejemplo, en la producción de pastas de barras de labios en aceite de ricino) y para la dispersión de bentonas en medios de lacas de uñas. Aunque son muy eficaces, su principal inconveniente es el tiempo extremadamente largo de limpieza que se requiere cuando se cambia de un color a otro. Por esta razón, muchos usuarios prefieren mantener juegos separados de medios de molienda para cada uno de los diferentes colores que desea producir.

El mecanismo básico por el cual los molinos de este tipo producen su efecto es el roce entre los elementos de molienda. Se desarrolla muy escasa fuerza de cizalla.

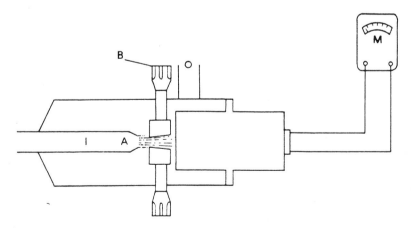

Fig. 39.15. Homogeneizador ultrasónico.
El producto bastamente mezclado entra en *I* y, pasando a través del orificio *A*, se somete a una intensa energía ultrasónica por vibración de la hoja *B*. El producto tratado sale vía *O*. El medidor, *M*, y el aparato de «giro» en *B* combinados permiten al operador alcanzar el efecto máximo con cada diferente tipo de producto.

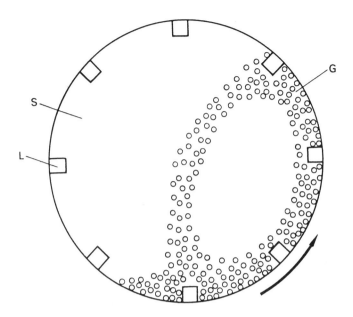

Fig. 39.16.   Molino de bolas mostrando el modelo de cilindro rotatorio:
G Medio de trituración.
L Elementos de elevación.
S Suspensión.

Parámetros medibles de mezcla

La ciencia de la mezcla está lejos de ser completa. Los diseñadores de equipos de mezcla aún no han sido capaces de producir, a partir de los fundamentos primarios, la pieza óptima de equipo para una tarea específica, aunque están en posesión de todos los parámetros y características fundamentales del proceso y de la mezcla que desean. Una de las razones de esto es que la descripción matemática completa del modelo de flujo de fluido en cada uno de los recipientes de mezcla es extremadamente difícil y compleja de alcanzar. No obstante, el progreso se ha realizado utilizando la herramienta matemática del análisis dimensional[7-10]. El químico de procesos cosméticos debe animarse a seguir tales conocimientos que le conducen, si lo hace, a una comprensión más compleja del equipo que dispone y de los procesos con que debe trabajar. No obstante, como ilustración de la utilidad práctica de los datos que surgen del estudio analítico, resulta útil la descripción de la relación entre algunos de los parámetros destacables.

Consumo de energía. El consumo de energía es de gran importancia para la economía del proceso de mezcla. La elección de equipo erróneo conduce al consumo de grandes cantidades de energía que son necesarias para lograr el deseado resultado final. Por otra parte, se debe disponer de suficiente energía y aplicarla al fluido para asegurar que el punto final del proceso de mezcla se puede alcanzar en un tiempo razonable[8-10]. El análisis dimensional requiere

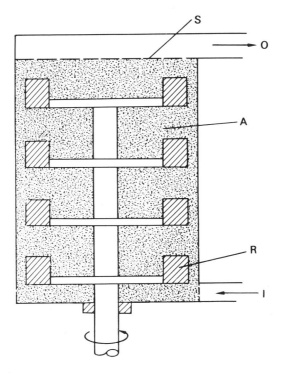

Fig. 39.17. Molino de arena.
I Alimentación de la suspensión.
O Descarga de la suspensión.
S Tamiz.
R Agitador rotatorio.
A Bolas de vidrio, arena o perdigones.

que la aportación de energía se describa en forma de un número adimensional, P_o, que es análogo al factor de fricción o coeficiente de resistencia:

$$P_o = \frac{P}{D^5 N^3 \rho} \qquad (9)$$

donde P es la energía impartida al líquido de densidad ρ, y D es el diámetro del agitador impelente que tiene una velocidad rotatoria N. Para muchos elementos de equipo de mezcla, P es mensurable a partir de datos de consumo eléctrico (con tal que se desprecien las pérdidas por fricción en cajas de cambios y cojinetes) y, por tanto, se puede calcular P_o.

Se ha destacado anteriormente en la ecuación (1) que otro término sin dimensiones, el número Reynolds (Re), es útil para describir el comienzo de la turbulencia. La relación entre P_o y Re tiene la forma general indicada en la figura 39.18. El valor de la gráfica, tal como está representada, proporciona la interdependencia del flujo y el comportamiento de la mezcla, así como las características de diseño y operación del mezclador. Esto ayudará al ingeniero de procesos a elegir, no sólo el mejor equipo para una tarea determinada, sino también las mejores condiciones en las cuales hay que operar.

La figura 39.18, por ejemplo, muestra que, cuando el flujo en el recipiente mezclador es no-turbulento, la energía que el agitador aplica a la mezcla cae rápidamente conforme aumenta la velocidad del agitador, hasta que, a un número de Reynolds aproximado de 200, se mantiene nivelado. Si el recipiente no tiene deflectores (curva 5), la energía aportada disminuye otra vez cuando se produce la formación del vórtice. En este momento la máxima aportación de energía que se puede lograr se presenta cuando el vórtice alcanza justamente la turbina.

Las otras curvas muestran el efecto de la anchura de cuatro diferentes deflectores. Cuando la velocidad creciente del agitador ha llegado a Re 10^4, la turbulencia se ha desarrollado completamente. Obsérvese que en este punto la aportación de energía se hace independiente del número de Reynolds, y dependiente de la superficie del deflector. La misión del químico de producción es seleccionar el número de Reynolds y el grado de deflector con que logrará el resultado final deseado con el aporte mínimo de energía.

Tiempo de mezcla. Otro parámetro importante mensurable es el tiempo de mezcla, t_m. Este es el tiempo consumido para conseguir el grado deseado de homogenidad en el mezclador. Existen muchos métodos por los que se puede medir esta característica, pero quizás el más evidente sea el tiempo consumido para que un colorante soluble llegue a estar uniformemente disperso en el recipiente de mezcla (como, por ejemplo, en la fabricación de champú con color). La relación entre el tiempo de mezcla, t_m, y el grado de uniformidad puede claramente ponerse de manifiesto si es factible establecer cierto índice de mezcla.

Un ejemplo sencillo de esto sería la relación de intensidad de color entre la parte superior y fondo del contenido del mezclador a intervalos posteriores a ser añadido el colorante a la parte superior (de este modo, la uniformidad se logra cuando el índice de mezcla, M, se aproxima a la unidad). Este experimento relativamente sencillo dará lugar a una curva similar a la representada en la

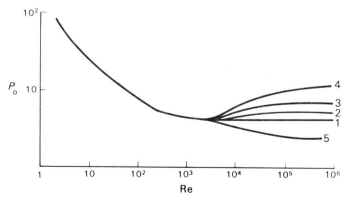

Fig. 39.18.   Relación entre número de potencia, P_o, y número de Reynolds, Re. 1,2,3,4 representan grados crecientes de deflectores:
5 representa un tanque sin deflector.

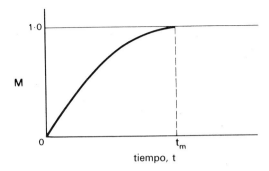

Fig. 39.19. Indice de mezcla, M, representado frente al tiempo para dar el tiempo de mezcla, t_m.

figura 39.19. Puesto que la aproximación de M a la unidad es asintótica, el t_m es difícil de medir de modo preciso, a menos que se disponga de un colorímetro u otro artificio de medida óptica del color.

Una vez que se ha establecido el t_m, no obstante, una idea útil de los parámetros que controlan la velocidad de mezcla puede deducirse a partir de relaciones, tales como las que se muestran en la figura 39.20[8, 10]. En la figura 39.20a (que relaciona un líquido viscoso en que no se ha alcanzado), t_m, el tiempo de mezcla, se ha sustituido por el producto de la velocidad rotacional N y t_m, esto es, el número de revoluciones del agitador impelente.

Es interesante observar que, para los fluidos newtonianos, la misma representación se obtiene cualquiera que sea la viscosidad del medio y la velocidad del agitador impelente. En otros términos, sólo el número de revoluciones del agitador impelente determina el cambio en el índice de mezcla. Esto no se cumple en fluidos no newtonianos; las representaciones A, B y C en la figura 39.20b representan líquidos que presentan divergencias creciente del comportamiento newtoniano. Esto ilustra las dificultades, ya mencionadas, de mezcla de medios no newtonianos, en los que el flujo se amortigue rápidamente en regiones de elevada viscosidad lejos de la vecindad de la hoja de agitador impelente.

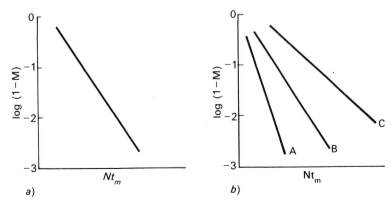

Fig. 39.20. Indice de mezcla, M, representado frente al número de revoluciones, Nt_m
a) Fluidos newtonianos. b) Fluidos no newtonianos.

El tiempo de mezcla se puede convertir en otro de los grupos sin dimensiones, por ejemplo $t_m ND^3/v$, donde $v = $ volumen. La relación entre tiempo de mezcla y el desarrollo de turbulencia se puede explicar de este modo. La figura 39.21 muestra la forma general de las curvas más comúnmente obtenidas representando números adimensionales de tiempo de mezcla frente al número de Reynolds[9, 10]. Se observa cómo disminuye rápidamente el tiempo de mezcla cuando Re aumenta en la región laminar. No obstante, una vez que se ha establecido la turbulencia completa, los incrementos posteriores de la velocidad del agitador impelente tienen poco efecto.

Capacidad de bombeo y velocidad principal. Quizá el concepto más valioso que se deduce del estudio analítico de la mezcla relaciona el modo en que la energía suministrada por cada tipo de agitador impelente se transmite realmente al fluido. Esta relación se representa generalmente como

$$P \propto QH \tag{10}$$

donde Q es la capacidad de bombeo del agitador impelente (volumen de fluido desplazado por el agitador impelente en litros por minuto) y H la velocidad principal, relacionada con la velocidad de cizalla que experimenta el líquido que se aleja del agitador impelente. Un gran agitador impelente de movimiento lento produce, por ejemplo, una gran cantidad de bombeo y una lenta velocidad, mientras que un agitador pequeño, trabajando a elevada velocidad, origina un volumen más bajo de fluido bombeado, pero una velocidad principal mucho más grande. Algunos procesos de producción de cosméticos —quiza la mayoría— requieren de una capacidad de bombeo elevada; otros precisan una elevada velocidad de cizalla o velocidad principal. Por esto, es útil conocer los parámetros que afectan a estas funciones y cómo se interrelacionan. Para operaciones de mezclas sencillas (fabricación de champúes o colonias, por ejemplo) la capacidad de bombeo es frecuentemente de mayor importancia. En condiciones de flujo laminar, el número de circulaciones completas de una masa («renova-

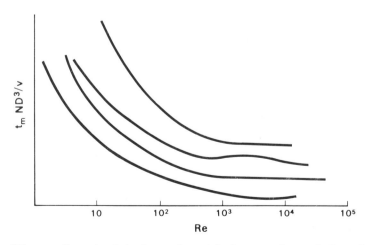

Fig. 39.21. Número adimensional de tiempo de mezcla frente a número de Reynolds.

ción») requerido para alcanzar la homogeneidad es aproximadamente tres. Para una operación con turbina en condiciones turbulentas, esto se reduce aproximadamente a 1,5. No obstante, dado que sólo una cantidad fija de energía dispone del motor, no es probable que una turbina relativamente pequeña tenga suficiente capacidad de bombeo para forzar a un líquido bastante viscoso para alcanzar esta cantidad.

No es sorprendente que el factor que determina si la energía se utiliza como capacidad de bombeo o como velocidad principal sea la relación del diámetro del agitador al diámetro del tanque (D/T). Experimentos han establecido la siguiente relación en una amplia gama de condiciones

$$\left(\frac{Q}{H}\right)_P \alpha \left(\frac{D}{T}\right)^{2,66} \tag{11}$$

donde el primer término es la relación de Q a H a energía constante. Como se muestra en la figura 39.22, no obstante, tiene poca importancia para relaciones D/T por debajo de 0,6[12]. El flujo total incluye al flujo generado por atracción de líquido en reposo al flujo continuo procedente del cabezal del agitador impelente, y puede ser varias veces mayor que Q.

El cuadro se completa por la relación entre el consumo de energía y la relación D/T para iguales resultados de proceso en un recipiente dado (Fig.

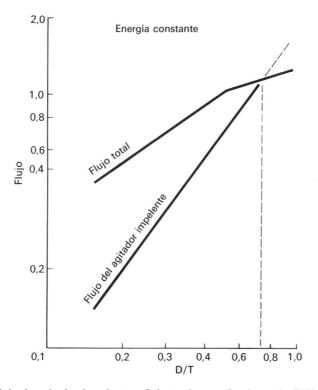

Fig. 39.22. Flujo de agitador impelente y flujo total como funciones de D/T.

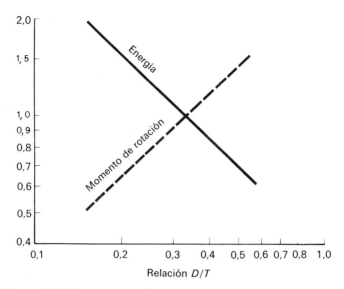

Fig. 39.23.   Efecto del D/T en consumo de energía y momento rotatorio.

39.23). El uso de una relación mayor D/T disminuye la energía requerida para alcanzar el mismo resultado final. Al mismo tiempo, esto implica el empleo de velocidad de agitación más baja, lo que inevitablemente significa que aumenta drásticamente el momento de rotación necesario para girar el mezclador[12]. La cantidad de momento de rotación que un mezclador dado es capaz de proporcionar depende principalmente de su construcción. Por tanto, se convierte en una cuestión económica la inversión de un mezclador robusto (y, por tanto, caro) para reducir el consumo de energía necesario para alcanzar una calidad dada de mezcla.

Paso a escala industrial

No es raro para un producto que se ha desarrollado y elaborado con éxito en el laboratorio (utilizando agitadores y vasos de precipitados) presentar características bastante diferente cuando se realizan a escala industrial. Esto no se debe a la incompetencia del departamento de fabricación, sino que representa la diferencia en las condiciones experimentadas por el producto por el cambio de escala. Aún cuando se disponga de una planta piloto de escala intermedia, no hay garantía de que no se encuentren problemas serios durante la fabricación de la primera carga a escala completa. Por tanto, el estudio a escala industrial es de importancia fundamental para la producción eficaz de cosméticos. Desafortunadamente, también es un tema muy complejo, pues las variables que determinan la distribución de fuerzas en el interior del recipiente de procesado varían considerablemente cuando cambia la escala[12].

Las magnitudes que se consideran más frecuentemente a escala industrial son energía total, energía por unidad de volumen de líquido, velocidad del agitador impelente, diámetro del mismo, flujo a partir de él, flujo por unidad de volumen, velocidad periférica, relación D/T y número de Reynolds. Para un incremento de diez veces en escala en recipientes geométricamente similares, es imposible mantener todas estas constantes. Por ejemplo, si la energía por unidad de volumen se mantiene constante durante el cambio de escala de 200 litros a 2 toneladas, entonces varían todos los restantes parámetros.

La tarea del químico de procesos es, por tanto, comprender qué características son las que controlan el proceso, de modo que conozca los parámetros que se deben mantener constantes y aquellos que se puede permitir que varíen. Por ejemplo, la fabricación de una emulsión requiere que la turbulencia (número de Reynolds) se mantenga constante para lograr un tamaño de gota determinado de la fase interna. Al mismo tiempo, el flujo debe ser grande para garantizar que todos los componentes pasan por las zonas de turbulencia.

En general se puede afirmar que no siempre hay suficiente conciencia por parte del químico de procesos respecto al problema que surge al paso a escala industrial. Carece de importancia que se produzca un nuevo producto magnífico en el laboratorio si es imposible fabricarlo en la factoría. La experimentación en plantas piloto puede ser una herramienta valiosa al escoger el equipo y los procesos necesarios para la producción a escala real, pero no es así, si el estudio se realiza de manera superficial. Este es un campo donde un conocimiento básico de los procedimientos de mezcla, y el deseo de experimentar, demostrarán ser muy fructíferos.

MEZCLA SOLIDO-LIQUIDO

La producción de un producto cosmético frecuentemente implica la incorporación de una sustancia sólida pulverizada dentro de un líquido. El objetivo puede ser disolver completamente el polvo (tal como sal o conservantes en agua), efectuar una dispersión coloidal de partículas hinchables en agua (como con bentonas y otros agentes gelificantes) o simplemente dispersión de sustancias insolubles, tales como pigmentos. Se dispone de una variedad grande de equipos de mezcla para realizar eficazmente esto con una amplia gama de tamaños de partículas de polvos y características de superficie y con una gama de diferentes líquidos de viscosidad variable.

Quizás el más fácil de realizar de estos procesos sea la disolución de un sólido de tamaño bastante grande, y superficies lisas, tal como sal. La incorporación inicial de cada uno de los cristales en el líquido implica el completo reemplazamiento de la superficie aire-sólido por la superficie líquido-sólido. Esto se puede considerar un proceso de tres fases de adhesión, immersión y extensión (Fig. 39.24). La immersión es completa cuando todo el aire ha sido desplazado y la superficie del cristal está completamente humedecida por el líquido. Este proceso se facilita por la baja tensión superficial y el pequeño ángulo de contacto entre líquido y sólido.

Sin embargo, no todos los polvos utilizados en cosméticos poseen tan favorable tamaño y características superficiales. La mayoría son tamaños de partícula extremadamente pequeñas, y, como se ha destacado anteriormente, muy aglomerados. Cada uno de los aglomerados tiene una estructura compleja con una

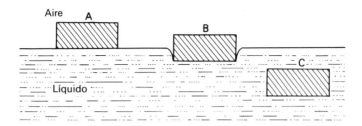

Fig. 39.24. Inmersión de un sólido en un líquido.
A) Adhesión.   *B*) Inmersión.   *C*) Extensión.

superficie no lisa y está perforado por cavidades de forma irregular. El completo humedecimiento de tales estructuras, comprendiendo la penetración del líquido en todas las crestas y cavidades, junto con la expulsión de aire, es mucho más difícil. Se debe destacar, por ejemplo, que la penetración en las cavidades precisa un ángulo pequeño de contacto y una elevada tensión superficial, en conflictividad con las condiciones para una fácil humectación.

Aún más compleja es la immersión de polvos que se hinchan en el líquido para formar dispersiones de tamaño coloidal, pues las partículas del exterior de cada una de la masa aglomerada tiende a hincharse y a adherirse unas con otras, disminuyendo la penetración del líquido al núcleo, que permanece seco.

Los polvos que son de tamaño suficientemente pequeño como para formar aglomerados son los más comúnmente utilizados en la fabricación de cosméticos. En estado seco captan una gran cantidad de aire (un saco de dióxido de titanio grado cosmético, por ejemplo, contiene sólo el 25 por 100 de polvo junto con un 75 por 100 de aire). La mayoría de este aire debe ser expulsado si hay que obtener una mezcla fina uniforme.

La immersión sólo es la primera fase en la producción de dispersiones cosméticas de calidad. Aunque los aglomerados estuviesen uniformemente distribuidos, los más grandes de ellos dan lugar a «grumos». Posteriormente, para los pigmentos sólo se puede desarrollar el máximo color cuando estos aglomerados se desmenuzan y queda expuesta la máxima superficie posible de pigmento. Como consecuencia, la destrucción de aglomerados —desaglomeración— es la fase siguiente en el proceso de producción.

Las fuerzas que mantienen unidos estos aglomerados son precisamente las mismas que las descritas anteriormente en este capítulo en la sección de mezcla de polvos. La diferencia evidente, naturalmente, es que estos aglomerados están situados en un medio líquido, las características físico-químicas del cual pueden entrar en la estimación de la fuerza de unión, facilidad de separación y posibilidad de reaglomeración. Como consecuencia, el tratamiento teórico de la interacción partícula— partícula en medios líquidos aún es más complejo que para sólidos secos, aunque sobre esto se ha estudiado y publicado intensivamente.

En procesos cosméticos, la desaglomeración de partículas sólidas en medio líquido se puede realizar con diferentes máquinas. En la fabricación de barras de labios, por ejemplo, los pigmentos «se muelen en» aceite de ricino preparando una mezcla grosera que posteriormente se pasa por un molino tricilíndrico, o después es molido en un molino coloidal, molino de bolas o molino de arena.

Específicamente se utilizan estas máquinas porque trabajan de modo efectivo con el medio de viscosidad de la pasta de las barras de labios.

Para medios menos viscosos (por ejemplo, la dispersión de pigmentos en la fase acuosa de una emulsión) se utiliza frecuentemente un aparato de elevada fuerza de cizalla del tipo rotor-estator. En este caso, el tiempo de proceso se puede acortar garantizando que el contenido total del recipiente se lleva a la zona de captación del centro de cizallamiento por una agitación secundaria. Como en toda desaglomeración, la fuerza de cizalla es responsable en gran parte de la desaglomeración parcial del aglomerado.

Para polvos solubles, el enorme incremento de la interfase sólido-líquido, que se efectúa en la immersión y desaglomeración, asegurará que el proceso real de disolución pueda tener lugar a la máxima velocidad posible. Para polvos insolubles, sin embargo, permanece el problema de mantener una buena dispersión estable.

Generalmente, la desaglomeración es un fenómeno reversible y se debe admitir que simultáneamente tiene lugar el proceso contrario: «floculación».

Cuando se consideró la dispersión polvo-polvo se destacó que la estabilización se podía alcanzar introduciendo partículas de mayor tamaño a las que se adhieran las desintegradas de los aglomerados. En algunos casos esto se puede aplicar a sistemas sólido-líquido —por ejemplo, por preextensión de pigmentos en talco antes de añadirlos a la base líquida del maquillaje—, pero, en muchos casos, todas las partículas sólidas son de tamaño excesivamente pequeño para que esto se pueda hacer. En estas circunstancias se pueden aplicar normas similares a las empleadas en la tecnología de la emulsión. Así, la velocidad de floculación se puede disminuir por alguno o todos los siguientes mecanismos:

a) Uso de agentes tensioactivos (a veces como recubrimiento polímero del sólido pulverizado) para inhibir la floculación por impedimento estérico.

b) Manipulación de las cargas electrostáticas en las superficies de las partículas sólidas.

c) Manipulación de la viscosidad de la dispersión.

Los agentes tensioactivos desempeñan una parte en las dos fases del proceso de fabricación de una dispersión estable. Ya se ha visto que la disminución del ángulo de contacto sólido-líquido aumenta la velocidad del proceso de humectación. En la práctica, frecuentemente los mejores resultados no se obtienen con un tensioactivo, que disminuye considerablemente la tensión superficial del líquido, sino con lo que a veces se describe como «agente tensioactivo activador», que reduce la tensión interfacial entre sólido y líquido. Estos activadores tensioactivos (que también se denominan como «dispersantes» o «agentes humectantes») pueden, si se seleccionan adecuadamente, proporcionar una mejora inmediata en la calidad de la dispersión que se manifiesta por el incremento súbito en la intensidad de color.

Las normas de selección de un agente humectante o dispersante son similares a las utilizadas para los tensioactivos en las emulsiones; parte de la molécula debe tener afinidad hacia el medio líquido y parte hacia el sólido. Evidentemente, si aquellas partes de la molécula que tienen afinidad hacia el líquido son grandes y están presentes en número suficiente, por recubrimiento alrededor de cada una de las partículas sólidas pueden formar una barrera física que evite que las partículas lleguen a un acercamiento suficientemente próximo para reaglomerarse. De este modo, una dispersión de óxido de hierro en aceite de ricino se puede estabilizar con la adición de un agente humectante que tenga un terminal hidrófilo que se adhiera a la superficie de óxido, y una larga o terminal de ácido insaturado con capacidad de dirigirse hacia el medio aceite de ricino alrededor de cada una de las partículas.

Cuando el medio líquido tiene una suficiente y elevada constante dieléctrica, se pueden estabilizar otros tipos de dispersión por tensioactivos activadores que poseen cargas electrostáticas residuales asociadas con ellos, evitando la floculación de partículas por repulsión mutua de cargas iguales.

Una diferencia significativa existe, sin embargo, entre las emulsiones (donde las dos fases forzosamente presentan afinidades químicas muy diferentes) y las dispersiones de sólidos, en que, por ejemplo, una superficie hidrófila puede dispersarse en agua. Cuando esto sucede, tal semejanza de afinidades es una ventaja. Esto ha originado el procesado de polvos para recubrir su superficie con una sustancia química (generalmente polímero) de características adecuadas para facilitar la humectación y la dispersión. En ningún otro caso, esto está más claramente ilustrado que en los grados del dióxido de titanio hidrófilos y lipófilos. En este ejemplo, el mismo grado de dióxido de titanio se recubre con diferentes resinas para modificar la superficie de tal modo que se haga humectante, bien con agua o con aceite.

En medio acuoso, existe la posibilidad para las superficies de partículas de estar electrostáticamente cargada. Esto es una consideración importante en el estado de la floculación. Por ejemplo, el efecto del pH en la calidad de las dispersiones de pigmentos en productos basados en emulsiones, frecuentemente, se descuida hasta ocasionar un problema que origina la aparición de un cambio de color inesperado. Para tales dispersiones, particularmente superficies de óxido, en las cuales la repulsión electrostática es una parte del mecanismo de estabilización, la floculación puede presentar rápidamente cuando se aproxima al punto isoeléctrico, si se permite que varíe el pH durante la fabricación.

Naturalmente, puesto que las partículas se tienen que mover unas hacia otras para flocular, la viscosidad del medio, a través del cual se han de mover, desempeña un papel en la velocidad de floculación. No obstante, es necesario distinguir entre viscosidad de la dispersión total que, como se mostrará, está influida por el contenido de sólidos, y la viscosidad intrínseca del mismo medio líquido; esta última es la que influye predominantemente en la velocidad de floculación en dispersiones de contenido bajo de sólidos. La adición de gomas tixotrópicas a las lacas de uñas y espesantes coloidales a la fase acuosa de emulsiones sirve para disminuir la floculación sin influir materialmente en el mismo proceso básico de floculación. Por esta razón, el recalentamiento de productos pigmentados líquidos en cremas de maquillaje ocasiona, a veces, cambios inesperados de tono de color que erróneamente suelen atribuirse a la inversión de fases. Lo cierto es que la velocidad de floculación de una dispersión intrínsecamente inestable se ha aumentado a causa de una caída de la viscosidad ocasionada por el proceso de calentamiento.

Independientemente de la viscosidad de la fase líquida, en general la realidad es que la viscosidad de la dispersión aumenta con el contenido de sólidos, así aumenta la dificultad de mantener una buena dispersión. Para un contenido dado de sólidos, la viscosidad disminuye con el tamaño de partícula de la fase sólida, y de este modo la desaglomeración está acompañada, generalmente, de una caída en la viscosidad, así como de una acentuación del color. Del mismo modo, la sustitución de un pigmento por otro con diferente tamaño de partícula puede dar lugar a un cambio de viscosidad, y de este modo, por ejemplo, para lograr la viscosidad óptima de la dispersión de pigmentos en aceite de ricino, se debe variar la relación de pigmento a aceite de un color a otro.

Suspensión de sólidos en tanques agitados

Si un sólido, en particular, se dispersa en un líquido en que no se disuelve y la suspensión así formada se deja reposar en un recipiente, con el tiempo tiene lugar un cierto grado de sedimentación o flotación cuando las densidades de los dos componentes son diferentes. Cuando las partículas están presentes a la suficiente baja concentración como para tener efecto despreciable en la viscosidad de la suspensión, la resuspensión se logra estableciendo en el líquido modelos de flujo de turbulencia suficiente. La suspensión de sólidos en tanques agitados se encuentra frecuentemente en el procesado de cosméticos, bien como ayuda a la disolución o como medio de obtener una buena dispersión de partículas antes de modificar la viscosidad del medio líquido por gelificación o enfriamiento. Aunque se ha expuesto anteriormente la teoría de los modelos de flujo en tanques agitados, es necesario reiterar que el flujo axial es de importancia primordial en el movimiento de partículas que se alejan de la superficie o fondo de un tanque, y esto se logra mejor con el empleo de deflectores. Estos son esenciales para la suspensión eficaz de partículas.

Tres situaciones se pueden reconocer durante la producción de una suspensión: suspensión completa, suspensión homogénea y la formación de bandas en fondo o ángulos.

La *suspensión completa*[13-17] se produce cuando todas las partículas están en movimiento y ninguna permanece estacionaria en el fondo o la superficie más que por corto tiempo. En tales condiciones, al fluido se presenta la superficie total de las partículas, asegurando con ello la máxima superficie de disolución o reacción química. La suspensión completa se logra cuando el agitador ha alcanzado «la velocidad de completa suspensión» N_s. En este punto, hay normalmente un descenso de la concentración de sólidos con la altura del tanque, con una zona líquida transparente en la superficie. La concentración disminuye y la profundidad del líquido transparente se incrementa rápidamente al aumentar el tamaño de partícula y las diferencias de densidad. Un resumen de los factores que contribuyen al establecimiento de N_s y la suspensión completa se obtiene de la siguiente correlación[14]:

$$N_s = \frac{S v^{0,1} d^{0,2} [(g\Delta\rho)/\rho]^{0,45} X^{0,13}}{L^{0,85}}$$

donde S = una constante
          v = viscosidad
          d = tamaño de partícula (cm)

g = fuerza debida a la gravedad
$\Delta\rho$ = diferencia de densidad entre partícula y fluido
ρ = densidad del fluido
X = porcentaje p/p de sólidos en suspensión
L = diámetro del agitador (m).

La *suspensión homogénea* se produce cuando la concentración de partícula y (para una gama de tamaños) la distribución de tamaños son la misma en la totalidad del tanque. La velocidad de la suspensión homogénea es siempre considerablemente más elevada que N_s y más difícil de alcanzar y medir. No obstante, la suspensión homogénea es muy deseable para ciertos tipos de aplicaciones cosméticas y particularmente para procesos continuos. En la práctica, para tales procesos el requisito es sólo que la distribución y concentración del tamaño de partícula en descarga y en el recipiente sean los mismos.

A veces las partículas más pesadas se acumulan en ángulos o en el fondo del recipiente en zonas relativamente estancadas para formar bandas[18]. Esto puede tener la ventaja práctica de un ahorro muy grande en el consumo de energía comparado con la energía que puede ser necesaria para alcanzar la suspensión completa (con tal, naturalmente, que este ahorro compense la pérdida de sólidos activos en las bandas).

En general se puede decir que el agitador propulsor o turbinas con un ángulo de 45° ofrece la mayor ventaja para la suspensión rápida para el consumo más bajo de energía —particularmente si se introducen tubos de aire—. Si, por otra parte, se necesitan usar agitadores de flujo radial, éstos deben ser de relativa gran relación de longitud de diámetro y se deben colocar próximos al fondo del tanque, y las paletas de la turbina deben colocarse a lo largo del eje para evitar problemas con las zonas centrales estancadas.

MEZCLA LIQUIDO-LIQUIDO

Como se indica en la figura 39.1, es conveniente considerar por separado el caso en que los componentes líquidos son mutuamente solubles y el caso en que alguno o todos ellos coexistan como fases separadas (esto es, son escasa o parcialmente solubles unos en otros).

Líquidos miscibles

La mezcla de líquidos miscibles representa, quizá, la operación de mezcla más sencilla en la fabricación de cosméticos. Ya se han citado varios ejemplos y no se necesita ninguna aportación más, excepto reiterar que es importante seleccionar el equipo de mezcla más adecuado a las viscosidades de varios de los componentes para realizar la operación eficazmente.

Líquidos inmiscibles

Prácticamente, la única representación de esta categoría de operación de mezcla son las emulsiones. La teoría de las emulsiones se ha expuesto al completo en el capítulo 38; brevemente todas las emulsiones cosméticas constan de dos líquidos principales inmiscibles, uno disperso como gotas finas en el otro y separados por una capa de agente tensioactivo a cada uno de los lados de la frontera líquido-líquido. (Esto es una visión sencilla. En la práctica, las dos fases principales no son siempre líquidas a la temperatura ambiente y el número total de fases que intervienen puede ser más de tres; esto en modo alguno invalida una exposición general del proceso capaz de fabricar emulsiones.)

El proceso de emulsificación

Las dos fases mayoritarias (que se denominan «aceite» y «agua»), junto con el emulsionante, se llevan bajo condiciones turbulentas. Dependiendo de las condiciones prevalentes, una de las fases mayoritarias se divide en gotitas (predominantemente por la acción de la fuerza de cizalla ocasionada por remolinos turbulentos) y se distribuye en la totalidad de la otra fase (continua) mayoritaria.

Mientras las gotitas permanezcan de mayor tamaño que el remolino, continuarán dividiéndose en gotas aún más pequeñas. Finalmente se alcanza un punto en este proceso en que la energía aplicada para originar la turbulencia no puede suministrar la fuerza de cizalla necesaria para reducir aún más el tamaño de la partícula. En toda esta fase existe una emulsión que contiene gotitas de un cierto diámetro medio, pero dentro de un intervalo $d_{mín}$ a $d_{máx}$. Siempre que se haya seleccionado correctamente, el emulsionador previene la coalescencia rápida de estas gotas y se forma una emulsión estable.

Para obtener productos de la máxima estabilidad que se puedan elaborar uniformes de carga a carga, es deseable mantener el intervalo de tamaño de gotita lo más pequeño posible. En un tanque de agitado, el tamaño de gotita es inferior en las proximidades del agitador impelente, en la zona de turbulencia más grande, mientras que el tamaño máximo de gota se encuentra en la zona en reposo del tanque. Así, se ha comprobado que $d_{mín}$ está determinado por la potencia disponible para generar turbulencia y $d_{máx}$ depende de la eficacia de la maquinaria mezcladora ajustada al tanque para producir una buena velocidad de circulación (como llevar todo el contenido por la región de máxima turbulencia).

Superpuesto al efecto de modelos de circulación en el recipiente, existe un factor adicional que afecta al intervalo de tamaño de partículas de las gotas. Consideraciones teóricas demuestran que el tamaño medio de la gota es proporcional a $N^{-6/5}$ (donde N es la velocidad del agitador) mientras que $d_{mín}$ es proporcional a $N^{-3/4}$. Para un recipiente y agitador dados, por tanto, el efecto de aumentar la velocidad del agitador debería reducir el intervalo de tamaño de partícula a un mínimo, después del cual un aumento posterior de la velocidad conduciría a inestabilidad y rápida coalescencia (Fig. 39.25). En la práctica, la coalescencia no tiene lugar si está presente un emulsionante adecuado; no obstante, la gráfica demuestra la importancia de alcanzar la velocidad correcta de agitar para reducir el intervalo de tamaño de partícula a un mínimo.

Orientación de fases. En toda emulsión la orientación de las fases (esto es, si la fase aceite o agua es la continua se determina principalmente por la selección del

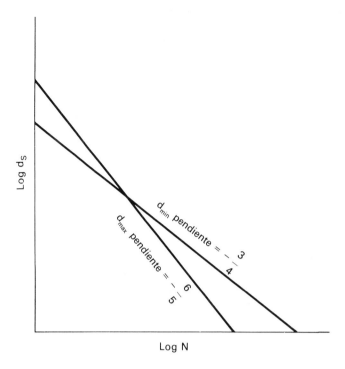

Fig. 39.25. Relación entre tamaño de gota, d_s, y la velocidad del agitador, N.

emulsionante y la relación de volumen de aceite a agua. Sin embargo, generalmente, existe un intervalo en la relación de volumen en que cualesquiera de las
fases pueden ser dispersadas, dependiendo del modo de fabricación. Si una
mezcla en reposo de dos fases coexistentes en dos capas (una por encima de la
otra) es agitada, la fase en que se ha colocado el agitador es la más probable que
forme la fase continua en la emulsión resultante. En otros términos, las gotas se
atraen hacia la fase en que está colocado el agitador impelente. Si, inicialmente,
sólo una fase está presente en el recipiente de mezcla que contiene el agitador,
una segunda fase añadida inevitablemente formará la fase dispersa o discontinua. Si, no obstante, la adición continuada de la segunda fase, combinada con la
selección de emulsionante, conduce finalmente a una relación de volumen en
que el sistema es más estable con la fase añadida siendo continua, entonces la
emulsión espontáneamente se invierte para alcanzar este resultado final. Cuando
se produce la inversión, muy frecuentemente, va acompañada por un cambio en
tamaño de gota. Cuando con este cambio disminuye, entonces la inversión
origina una emulsión más estable y proporciona un método valioso de fabricación.

Adición de tensioactivo. En un proceso de fabricación de emulsiones por cargas,
existen cuatro métodos posibles de añadir el emulsionante. El primero de ellos
implica la disolución (o dispersión) del agente emulsionante en agua, a la que se
añade el aceite. Se produce inicialmente una emulsión aceite en agua, pero tiene
lugar la inversión agua en aceite si se necesita más aceite.

Como alternativa, el emulsionante se puede añadir a la fase oleosa; entonces la mezcla se añade directamente al agua para formar una emulsión aceite en agua, o el agua se puede añadir a la mezcla para formar una emulsión agua en aceite. Muchas emulsiones, por otra parte, están estabilizadas por jabones que se forman en la interfase entre las dos fases. En este caso, el terminal del ácido graso del jabón se disuelve en el aceite y el componente alcalino se disuelve en el agua. Las dos fases se ponen juntas en contacto en cualquier orden.

Finalmente, el método menos utilizado es el que agua y aceite se añaden alternativamente al agente emulsionante. Generalmente, la mejora en la calidad del producto obtenida en el caso de este método no justifica la complicación que ocasiona en el proceso de fabricación.

Equipo de proceso por cargas. De la exposición anterior se deduce que existen al menos dos elementos importantes de elaboración de emulsiones, es decir, fuerzas de cizalla (para la emulsificación y proceso de reducción del tamaño de partícula) y flujo (para llevar la totalidad del contenido del recipiente a través de la zona de elevada fuerza de cizalla). También el flujo es importante en el calentamiento y enfriamiento de la emulsión. La mayoría de los recipientes de elaboración de emulsiones están equipados con una camisa por la que circula vapor o agua caliente para calentar el contenido, y agua fría para refrigerarlo. Así, es evidente que el mecanismo de mezcla, para ser eficaz, debe ser capaz de proporcionar un flujo adecuado hacia y a partir de las paredes del recipiente.

Por estas razones, la mayoría de los recipientes de elaboración de emulsiones por cargas que contienen una turbina de elevada fuerza de cizalla y un aparato rotor-estator (típicamente, el fondo o entrada lateral más que en la entrada elevado para disminuir la posibilidad de atrapamiento de aire), aparato mezclador de elevado flujo, pequeña fuerza de cizalla que puede girar por medio de motor separado. Este aparato de elevado flujo es de diseño variable; el más popular es un agitador de barras en que los brazos están inclinados aproximadamente 45° respecto a la horizontal, de modo que constituyan un elemento de flujo axial. En diseños más complejos un eje central lleva más hojas que recorren la zona entre el primer juego y juegos de hojas rotatorias en direcciones contrarias. Cualquiera que sea su diseño, la armadura que porta las hojas exteriores lleva, normalmente, hojas rascadoras plásticas provistas de muelles para evitar la formación de productos en la pared interna del recipiente, que interferirían con el eficaz intercambio de calor a través de la superficie (Fig. 39.26).

El motor principal es accionado por electricidad o aire (hasta aproximadamente 100 psi o 9 bar). Las ventajas de los motores accionados por aire son que pueden variar infinitamente en velocidad, sensibilidad de momento de torsión (y, como consecuencia, menos probables averías cuando se someten a cargas repentinas) y no constituyen peligro en la elaboración de sustancias de baja temperatura de explosión, y generalmente requieren menos mantenimiento. Los motores eléctricos pueden ser construidos para cumplir con alguna de estas ventajas (con embragues deslizantes y antiexplosivos).

Este tradicional sistema de agitador impelente de barras padece del grave inconveniente del limitado flujo axial. Este no es destacable en recipientes pequeños (por debajo de 600 litros de capacidad), pero llega a ser un problema de importancia en tanques de mayor capacidad. Una solución al problema es proporcionar una transferencia de los contenidos del fondo a la superficie por

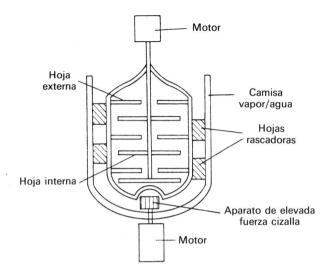

Fig. 39.26. Planta de procesado de emulsiones por cargas.

medio de una bomba y una tubería externa. Una disposición más satisfactoria
para la fabricación de emulsiones de media y baja viscosidades es el agitador de
barras por uno o más agitadores impelentes de flujo axial montados centralmente en un único eje. Aunque se hace más difícil proveer de rascadores de
paredes, el excelente flujo alrededor de las paredes del recipiente hace que sea
menos necesario el rascado.

El problema de garantizar que todo el producto atraviese la zona de alta
fuerza de cizalla ha conducido a la idea de pasar la carga por un circuito externo
que contenga un homogeneizador en línea; éste puede ser un aparato rotor-
estator, molino coloidal u homogeneizador de válvula.

Proceso continuo. A la vista de las dificultades encontradas en la fabricación de
grandes cargas de emulsión, una ampliación lógica de un circuito externo con
homogeneizador de línea es una planta de proceso continuo. Una forma sencilla
de tal planta está ilustrada esquemáticamente en la figura 39.27. Tal planta se
denomina más correctamente como «cargas continuas», puesto que, en esencia,
se fabrica una carga sencilla al tiempo. Para productos de largas series, sería
adecuada una verdadera planta continua tal como se indica en la figura 39.28.
En este caso, la adición de segundos recipientes A' y B' (que duplican exactamente A y B respectivamente), junto con las válvulas de tres vías, V_1 y V_2,
significa que una segunda carga de cada una de las fases se puede preparar
mientras se está utilizando la primera. De este modo se asegura un suministro
continuo de cada una de las fases por giro en una válvula. En la realidad, las
plantas continuas tienden a ser ligeramente más complejas que la ilustrada en los
esquemas con inclusión de retirada de muestras y otras características sofisticadas. No obstante, la fabricación continua es muy práctica, y, para algunas
aplicaciones, un método extremadamente económico de elaborar las emulsiones.

Temperatura de la emulsión. La primera razón para elevar la temperatura de las
fases durante la fabricación de la emulsión es garantizar que ambas permanecen

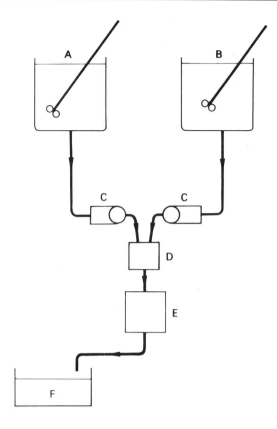

Fig. 39.27. Planta de emulsiones: procesado continuo-simple.
Las dos fases se preparan por separado en los tanques A y B, después se bombean en proporciones correctas vía bombas medidoras, C, a un premezclador en línea, D (tal como un mezclador estático), y luego a través de un homogeneizador, E. Finalmente, la emulsión formada se bombea a F, que puede ser un tanque de almacenamiento o la tolva de un recipiente de llenado. Se puede incorporar un cambiador de calor entre E y F para un enfriamiento rápido.

en estado líquido. En particular, la fase oleosa puede contener grasas y ceras que son sólidas a temperatura ambiente; tiene poca importancia elevar la temperatura de la fase oleosa muy por encima de a la que éstas licúan. El calentamiento excesivo de las fases durante la fabricación prolonga el tiempo de fabricación y desperdicia energía.

Si la fase acuosa es líquida a temperatura ambiente se acostumbra calentar a aproximadamente 5 °C por encima de la temperatura seleccionada para la fase oleosa (de este modo no se provoca una solidificación súbita de la última durante la mezcla). Sin embargo, existe una alternativa interesante: emulsificación entre la fase oleosa caliente y la fase acuosa fría. La planta para este procedimiento se ilustra en la figura 39.29, que muestra que la mezcla de las fases y la homogeneización tiene lugar simultáneamente. La ventaja evidente de tal método es el ahorro de tiempo y energía al no tener que calentar la fase acuosa.

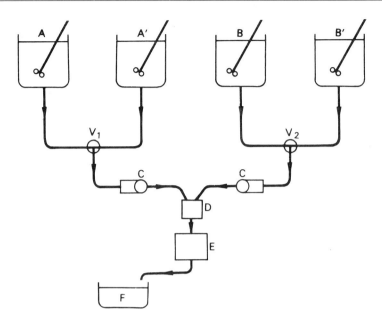

Fig. 39.28. Planta de emulsiones: procesado continuo para productos de grandes series.

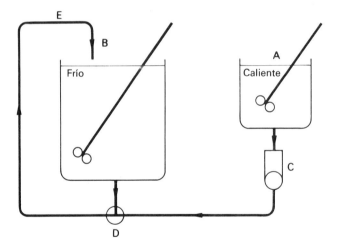

Fig. 39.29. Planta de emulsiones: procesado caliente/frío.
La fase caliente oleosa procedente del tanque *A*, y la fase acuosa fría del tanque *B*, se bombean a un homogeneizador en línea en *D*, y de aquí al tanque principal *B* por *E*.

REFERENCIAS

1. London, F., *Z. Phys. Chem*, 1930, **11**, 222.
2. Lippschitz, E. M., *Soviet Phys. JEP·T*, 1956, **2**, 73.
3. Manegold, E., in *Kapillarsysteme*, Heidelberg, Verlag Strassenbau, Chemie und Technik, 1955, p. 524.

4. Rumpf, H., Strength of Granules and Agglomerates, in *Agglomeration*, ed. Knapper, New York, Wiley, 1974.
5. Spencer, R. S. and Wiley, R. M., *J. Colloid Sci.*, 1951, **6**, 133.
6. Mohr, W. D., Saton, R. L. and Jepson C. H., *Ind. Eng. Chem.* 1957, **49**, 1857.
7. Bridgeman, P. W, *Dimensional Analysis*, New Haven, Yale University Press, 1931.
8. Hoogendoorn, C. J. and den Hartog, A. P., *Chem. Eng. Sci.*, 1967, **22**, 1689.
9. Rushton, J. H., Costich, E. W. and Evrett, H. J., *Chem. Eng. Progress*, 1950, **46**, 395.
10. Rushton, J. H., Costich, E. W. and Evrett, H. J., *Chem. Eng. Progress*, 1950, **46**, 467.
11. Nagata, S., Yanagimoto, M. and Tokiyama, T., *Mem. Fac. Eng., Kyoto Univ.*, 1956, **18**, 444.
12. Oldshue, J. Y. and Sprague, J., *Paint Varn. Prod.*, 1974, **64**, 19.
13. Zweitering, T. N., *Chem. Eng. Sci.*, 1958, **8**, 244.
14. Nienow, A. W., *Chem. Eng. Sci.*, 1968, **23**, 1453.
15. Pavlushenko, I. S., *Zh. Prikl. Khim.*, 1957, **30**, 1160.
16. Oyama, Y. and Endoh, K., *Chem. Eng.(Tokyo)*, 1956, **20**, 66.
17. Weisman, J. and Efferding, L. E., *A. I. Ch. E. J.*, 1960, **6**, 419.
18. Oldshue, J. Y., *Ind. Eng. Chem.*, 1969, **61**, 79.

40

Aerosoles

Introducción

A pesar del hecho de que han existido una serie de patentes relacionadas con el empaquetado de productos a presión que se remontan a tiempos tan remotos como 1899[1], no fue hasta los años 40 cuando el principio se aplicó para la presentación de productos al consumidor. En 1943, como resultado de la investigación de control de plagas, a GOODHUE y SULLIVAN se les otorgó una patente de EE. UU.[2] para un envase portátil aerosol, en forma de un pesado recipiente de metal resistente a la presión, lleno con insecticida y diclorodifluormetano y poseyendo una presión interna de aproximadamente 70 psi (483 kPa). Estos aerosoles portátiles fueron utilizados en aquel tiempo por las fuerzas armadas de los EE. UU.

En 1947, los reglamentos de EE. UU. relacionados con los envases a presión se modificaron para hacer posible el empleo de los envases de paredes de hojalata más adecuados al mercado consumidor. Después siguió un rápido desarrollo de envases y válvulas dando lugar al surgimiento de una nueva industria de envasado. Debido a que el envase antecesor (insecticida del período de guerra) descargaba su producto como verdadero aerosol, todos los envases descendientes a presión, independientemente de la forma física del producto descargado, se han llamado posteriormente «aerosoles». Aunque para muchos productos el término «envase a presión» es más exacto, aún se emplea ampliamente la denominación original.

La nueva forma de envasado gozó de un espectacular ritmo de crecimiento. Así, en EE. UU., un mercado de unos 5 millones de unidades en 1947, se incrementó a 2000 millones en 1967. El envasado mundial[3] fue próximo a 4000 millones en 1968 y se incrementó a 6000 millones en 1978.

Más de 6500 millones se llenaron en 1980[4], aproximadamente un tercio en EE. UU. y otro tercio en Europa. En estas dos áreas geográficas, los productos personales —principalmente lacas capilares y desodorantes antitranspirantes— forman cerca de la mitad del mercado, constituyendo la mayoría de los restantes con los productos para el hogar (insecticidas, pulidores y ambientadores). Para el resto del mundo predominan los insecticidas universales, pero el mayor crecimiento futuro es esperado en los productos de cuidado personal.

EL AEROSOL

Todo aerosol consta de un envase estanco para el gas, una válvula de cierre, un pulsador y un capuchón protector; en la mayoría de los envases existen tubos de alimentadores sumergidos.

La operación de un aerosol se basa en la descarga de su contenido por la presión del gas comprimido o fase gaseosa generada por un propulsor existente en el envase en forma líquida. El envase puede estar construido de metal, vidrio o plástico, siendo los más extensamente utilizados los de hojalata y aluminio.

Las válvulas difieren en diseño, y la mayoría funciona por presión del dedo hacia abajo; también se dispone de algunas válvulas, que funcionan por inclinación (presión lateral). Generalmente, la entrada de las válvulas está conectada a un tubo sumergido de alimentación que llega casi hasta el fondo del envase para permitir que el líquido fluya a la válvula, cuando el envase está en posición hacia arriba. Los envases desprovistos de tubos de alimentación están diseñados para funcionar en posición invertida.

La forma de descarga del producto se determina principalmente por el diseño del pulsador unido a la válvula, especialmente por la forma y el tamaño del orificio. Cuando se acciona la válvula, la presión interna del envase fuerza el concentrado líquido a través del tubo de alimentación hacia el pulsador, y entonces es descargado a la atmósfera en forma de gas, niebla, pulverización o espuma.

ENVASES

Se dispone de envases de hojalata y aluminio, vidrio recubierto de plástico, y plástico. En EE. UU. se encuentran botes de acero estirado sin costura, generalmente lacados interiormente y provistos de una base de hojalata.

Hojalata

Más de la mitad de los aerosoles del mundo se envasan en recipientes de hojalata de tres piezas con las costuras laterales soldadas. Se dispone de muchos tamaños desde 4 oz (150 ml) a 30 oz (1000 ml). La cantidad de recubrimiento de estaño aplicado varía con el componente —cuerpo, cono o cúpula— y el país de origen, siendo E2,8 ($2,8 \ gm^{-2}$) generalmente utilizado para cuerpos en América y Europa.

Existen tres tipos de soldaduras generalmente usadas para hacer la costura lateral:

1. Sistema 2/98 estaño-plomo (soldadura mezcla o estándar).
2. Sistema Duocom (antimonio-estaño).
3. Sistema 100 por 100 de estaño (soldadura simple).

La ventaja de emplear soldante simple (100 por los de estaño) es que no facilita la corrosión interna o externa que se puede presentar con el soldante mezcla; no obstante, a causa de su resistencia inferior está llamado a dar problemas a elevadas presiones internas.

Actualmente, en Gran Bretaña[5] sólo se fabrican envases con costuras fundidas y este tipo de costura está gradualmente desplazando a la costura con soldantes en otros países. El proceso se basa en tecnología más que artesanía y, por tanto, tiene potencial de desarrollo posterior. La soldadura por fusión es más fuerte que la lámina del cuerpo, permitiendo envasar formulaciones de presiones más elevadas. El ancho de costura es sólo una cuarta parte que el de botes con costura con soldantes y así es posible lograr casi una decoloración completa alrededor.

Aluminio

Los botes de aluminio son de dos tipos principales:

1. Envases de una pieza, monobloques, disponibles en tamaños de hasta 36 oz (1200 ml).
2. Envases de dos piezas en tamaños de hasta 20 oz (750 ml).

También difieren en el perfil del cuello; el del monobloque es en forma de reborde enrollado, mientras que el envase de dos piezas tiene rebordes sólidos que no son tan consistentes como los enrollados y son más propensos a aristas y dientes.

Los botes de dos piezas tienen un cuerpo de aluminio y una base de aluminio u hojalata con costuras. Este último tipo presenta la ventaja de permitir el empleo de un baño magnético de agua, pero esto está compensado con una probabilidad mayor a la corrosión. Frecuentemente, tanto la hojalata como el aluminio requieren protección de la corrosión del contenido del envase. Generalmente, esto se logra por lacado, o, en el caso del aluminio, por anodizado (véase posteriormente, en este capítulo, Corrosión).

Vidrio sin recubrir

Los envases aerosoles de vidrio sin recubrir son atractivos, con libertad de forma, pero como medida de seguridad[6] sólo deben ser utilizados a bajas presiones (entre 15 y 20 psi; 103-138 kPa).

Vidrio recubierto de plástico

El ejemplo de envases de vidrio recubiertos de plástico está restringido por consideraciones de presión. VINSON[7] recomendó un recubrimiento de PVC con un espesor no inferior de 0,015 pulgadas (0,38 cm).

Las válvulas para estos envases son más caras, pues se usan válvulas de frasco en lugar de las válvulas estandarizadas de una pulgada, y no se producen en grandes cantidades. El método de agrafado es diferente e implica un agrafado externo o estampado. El índice de rechazo de las válvulas de frasco es grande.

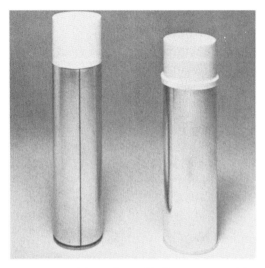

Fig. 40.1. Envases aerosoles de hojalata. Bote *Frimline* con capuchón y bote «Regular» con capuchón *Top Hat.* (Cortesía de Metal Box Ltd.)

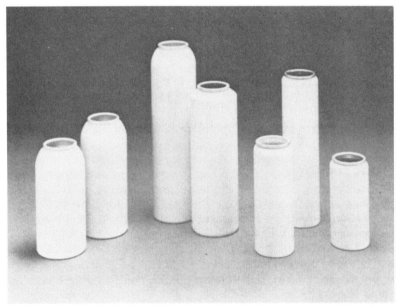

Fig. 40.2. Envases aerosoles de aluminio.

Las ventajas de los envases de vidrio son el no ser reactivos, y no ocasionan problemas de corrosión, pues las válvulas no están en contacto con el metal.

En las figuras 40.1, 40.2 y 40.3 hay ejemplos seleccionados de varios tipos de envases de metal y vidrio de los que se disponen actualmente.

Fig. 40.3.   Envases aerosoles de vidrio. (Cortesía de Max Factor Ltd.)

Envases de plástico

Los envases de plástico para aerosoles son los de más reciente incorporación a este campo de la tecnología. Combinan las ventajas de seguridad, y estar exentos de corrosión. No obstante, son bastante caros y en algunos casos se pueden presentar interacciones entre perfume y plástico o plastificante presente. Los materiales plásticos utilizados incluyen poliacetal y polipropileno.

Consideraciones de seguridad

Los envases actuales de metal, especialmente los que no tienen costura lateral, pueden utilizarse con seguridad hasta 100 psig (690 kPa) a 21 °C, pero los envases de vidrio que contienen gas propulsor licuado sólo son adecuados para presiones más bajas. Además, requieren tener cubierta protectora de metal, cartón o plástico, que puede estar integrada al envase de vidrio.

VALVULAS

La parte más importante del envase provisto de mecanismo de descarga es la válvula. Se dispone de muchos tipos de válvulas, siendo los fabricantes más importantes Precision Valve Corp., Aerosol Research and Development, Risdon

Manufacturing Co., Newman-Green Valve Co., Seaquist, Ethyl Corporation y Coster Tecnologie Speciali S.p.A.

Los detalles de construcción y operación de algunos de los principales tipos de válvula se esquematizan a continuación (véase Fig. 40.4).

La válvula es el mecanismo para descargar el producto del envase, y en la tecnología aerosol el término denomina al conjunto entero que esta sellado en el envase aerosol, incluyendo el vástago, muelle y carcasa, o cuerpo de la válvula, la cápsula de metal en donde se monta, el tubo de alimentación (cuando existe) que conecta la válvula con el contenido del envase, y finalmente, el pulsador o extremo pulverizador a través del cual el producto descarga en la atmósfera. La Fig. 40.4 ilustra el montaje del conjunto de una válvula típica y muestra la trayectoria de la inyección del propulsor durante la fase de llenado. La junta, que puede ser de muchos materiales (por ejemplo nitrilo, neopreno, butilo o Viton), desempeña un papel vital en la operación del aerosol y mantenimiento de la integridad del envase durante su vida. Como consecuencia es importante aplicar meditados cuidados y atención a la correcta selección de las juntas, para lograr una completa compatibilidad con el producto y garantizar el funcionamiento óptimo de la válvula. La válvula determina la velocidad de descarga del producto, la forma en que se descarga —pulverización, espuma, crema o polvo— y, en el caso de pulverizaciones, la finura, el perfil y el patrón de la pulverización. Utilizando válvulas dosificadoras, también es posible descargar una predeterminada cantidad de producto cada vez que se hace actuar a la válvula. La elección de válvula y sus varios componentes es absolutamente tan importante en determinar el éxito del producto, como la selección de la composición del propulsor y la elección de los componentes del producto.

Componentes

Los componentes básicos del mecanismo de la válvula son:

1. Tubo de alimentación a través del cual el producto se descarga desde el fondo del recipiente en la carcasa. Generalmente se fabrica en polietileno o polipropileno.

2. Carcasa o cuerpo que contiene todos los componentes totales de la válvula y que son protegidos por la cápsula engastada.

3. Válvula que transmite el producto desde la carcasa o cuerpo al pulsador o extremo del pulverizador y que actúa como cámara de expansión.

4. El vástago, un componente de la válvula en donde se coloca el pulsador.

5. La junta que cierra el orificio del vástago cuando la válvula está cerrada.

6. El muelle, que retorna al vástago para cerrar la válvula cuando la presión cesa en el pulsador.

7. El pulsador (extremo pulverizador), que actúa en la válvula y controla la descarga del producto. Se puede fabricar de varios plásticos, incluyendo nilón, polietileno, propileno y acetal. El tamaño del orificio del pulsador varía dentro de una gama grande, dependiendo del producto a ser descargado.

8. La cápsula engastada, que está agrafada alrededor de la carcasa o cuerpo y montada en el recipiente.

9. El revestimiento interno o junta interna, que está suelta o fija en el borde de la cápsula de la válvula para formar un cierre estanco cuando se agrafa en el cuello del recipiente.

Operación

La presencia de un gas comprimido o licuado en el envase estanco eleva la sobrepresión entre el espacio del vapor dentro del envase y la atmósfera circundante. Cuando la válvula se abre, el producto se impulsa desde la base del envase a través del tubo de alimentación a la carcasa o cuerpo de la válvula, y después, a través de circuito abierto, al vástago de la válvula, y por el orificio del vástago a la cámara de expansión formada por el vástago de la válvula y la conducción al pulsador, y finalmente se proyecta a la atmósfera en forma de chorro, pulverización fina o basta o espuma dependiendo del diseño de la válvula y pulsador, así como del sistema propulsor.

Tipos de válvulas

Hay muchos tipos de válvulas diseñados para las distintas finalidades y necesidades. Algunas de la variaciones se describen a continuación:

Válvulas estándares

Estas válvulas están diseñadas para realizar la función de controlar la descarga del producto del envase por un modo sencillo de abierto-cerrado, rompiendo o efectuando el cierre dentro de la válvula. La velocidad de descarga está regida por el orificio en la junta o por el de salida final, el que sea más pequeño, y se selecciona según los requerimientos. Existen varias variaciones del mecanismo que entra en la definición de válvulas estándares; incluyen pulsadores de acción vertical o inclinación, vástagos de válvula formando parte del todo o separados móviles y varios diseños de muelles y juntas.

Válvulas de espuma

Las válvulas utlizadas para descargar espumas son esencialmente válvulas provistas de anchos pasos no obstruibles en la zona de salida del orificio de cierre. Este paso, que termina en un chorro de espuma, sirve como cámara de expansión en donde se forma la espuma. El tipo de espuma está regulado por la composición y proporción de producto y propulsor.

Válvulas de polvo

También éstas son poco diferentes de las válvulas estándares, y el principal requerimiento es un paso de fluido suave en ambos lados de la junta de la válvula para la suspensión del polvo y propulsor, de modo que exista la mínima posibilidad de depósito de polvo que interfiera con la operación de la válvula. Es esencial la correcta elección de ingredientes en polvo y propulsor.

Risdon Company[8] reivindica haber superado el problema de bloqueo de la válvula por polvos gracias a una válvula «desliza-y-limpia» en que el orificio interno medidor es un vástago móvil que se limpia él mismo pasando por la junta cada vez que el pulsador deja de actuar. La pared del vástago que tiene el orificio es fina, de modo que la película de polvo en el orificio se rompe por la presión cuando se abre la válvula. Varias otras compañías, especialmente Precision Valve Corporation, han introducido con éxito válvulas de golpe largo para evitar la formación de polvo y bloqueo del orificio.

Válvulas de pulverización por micronización mecánica

Las válvulas estándares sirven principalmente para abrir y cerrar el envase a la atmósfera, y no tienen una especial misión de micronizar el producto, salvo la vaporización del propulsor. Una micronización adicional se puede proporcionar por medio de una cámara de expansión o turbulencia en el pulsador. El producto cuyo flujo se acelera por medio de estrangulamientos pasa a la cámara tangencialmente, de modo que se mueve en espiral, y las gotas se dividen por colisión unas con otras y con las paredes de la cámara abandonando ésta por un orificio a elevada velocidad.

HARRIS y PLATT[9] destacaron que un producto que sale del pulsador con buenas características forma un amplio cono hueco, mientras que si contiene una proporción de propulsador miscible forma un cono más estrecho y sólido.

Las válvulas con micronizador se emplean para descargar perfumes y lacas capilares, especialmente si se basan en sólo propulsor 12.

Válvulas pulverizadoras de productos acuosos

Las pulverizaciones de productos acuosos con propulsores hidrocarburos, por ejemplo insecticidas y ambientadores, requieren una micronización más intensa. Esto se puede lograr con válvulas especiales que tienen dos entradas en la cámara de la carcasa o cuerpo de la válvula. Una entrada, orificio de la fase de vapor, admite vapor propulsor y el otro estrechado, recibe el producto vía tubo de alimentación de la válvula y puede ser capilar. El orificio estrecho es necesario para evitar la vaporización del propulsor en el tubo de alimentación que ocasionaría la cavitación del producto. El vástago tiene un orificio grande interno para expulsar el volumen expandido de gotas y vapor.

Válvulas dosificadoras

Cuando se desea descargar una cantidad fijada de producto en cada actuación sobre el propulsor, esto se logra con una cámara con orificio de entradas y ¹⁻ᵈᵃˢ provistas de cierres. Con el pulsador en posición cerrada la salida de la válvula está cerrada y abierta la entrada, haciendo posible así, llenar la cámara del envase. La depresión del pulsador cierra la entrada, captando un volumen dosificado de producto (generalmente de orden de 50 μl) y así se abre la salida permitiendo la descarga del producto para su uso.

Válvula de cantidad de descarga controlada. Orificios fase vapor

Una válvula es básicamente un mecanismo de abrir-cerrar, pero a veces es posible controlar la cantidad de descarga, bien por medio del grado en que se ha presionado el pulsador o usando una válvula de descarga variable. El orificio regulador en una válvula estándar es generalmente el orificio dosificador interno, que normalmente no es inferior a 0,010 pulgadas (0,254 mm).

Cantidades inferiores de descarga se pueden conseguir con los métodos siguientes:

1. Sustituyendo el tubo de alimentación normal calibre 0,15 pulgadas (3,8 mm) por un tubo capilar de calibre 0,04-0,10 pulgadas (1,01-2,54 mm) o microcapilar de 0,014-0,17 pulgadas (0,35-0,43 mm).

2. Usando una carcasa o cuerpo de válvula cuyo orificio en el fondo se limite a 0,008-0,025 pulgadas (0,02-0,63 mm).

3. Usando un orificio de fase vapor. Esto es un pequeño orificio en el lateral de la carcasa, conectando el espacio superior del envase con el interior de la carcasa para introducir vapor propulsor en la válvula en este punto. Esto se puede utilizar para mejorar la micronización (véase la válvula descrita en «válvulas pulverizadoras de productos acuosos») o para permitir un retorno rápido de la fase líquida remanente en el tubo de alimentación y minimizar el posible bloqueo por productos dispersos. Un orificio para la fase de vapor tiene ventajas tales como:

a) Hacer posible que el aerosol pueda ser utilizado tanto en posición vertical como invertida, cuando propulsor y producto entran en la carcasa por el orificio normalmente destinado al otro.

b) Disminuye el efecto refrescante reduciendo la cantidad que descarga y reduciendo el tamaño de partícula que acelera la evaporación antes de que la pulverización alcance la zona objetivo.

c) Permite un llenado más rápido en presencia de carcasas o cuerpo de válvula de baja descarga, que normalmente exige llenado por debajo de la cápsula, excepto con la nueva generación de válvulas.

No obstante, el orificio de la fase vapor puede originar la pérdida excesiva de propulsor procedente del espacio superior, con riesgo de una descarga incompleta de producto, o un cambio en el patrón de pulverización a medida que se vacía el envase. Esto se puede evitar garantizando que el orificio es del tamaño requerido y que existe una cantidad adecuada presente de propulsor.

Válvulas de llenado rápido

En la década de los setenta y hasta los años 80 se mantuvo la demanda de válvulas que permitieran un llenado aún más rápido de envase aerosol. A esto se llegó en parte a causa de los cambios de propulsores y requisitos de válvulas de descarga más baja, y en parte a causa de una necesidad de incrementar las velocidades de rendimiento de las líneas de producción. Varias compañías de válvulas, especialmente Metal Box Company, Gran Bretaña, con su válvula CL-F, han desarrollado sistemas en que el propulsor también tiene otro camino independiente *(by pass)* del seguido en la descarga durante la operación de llenado, y de este modo se asegura una carga de propulsor rápida, independiente del tamaño de los orificios del interior de la válvula. Tales válvulas también se pueden utilizar para la inyección directa de gases comprimidos a botes estándares utilizando equipo estándar.

Válvulas para transferencia

Estas válvulas se utilizan para proporcionar una conexión con flujo suave entre los vástagos de dos válvulas con sus pulsadores eliminados. Se emplean para recargar envases más pequeños de uso diario, por ejemplo, lacas capilares en envases «madre e hija», para recargar encendores de cigarrillos con butano líquido y en el laboratorio de botes a presión aerosoles con propulsores de otros botes.

Válvulas especiales

Una inovación aparecida en 1968 fue la válvula Risdon, diseñada para trabajar eficazmente en cualquier posición desde vertical a invertida, sin pérdida de gas vapor[10]. La válvula tiene, además del ensamblado usual, un doble tubo de alimentación con una conexión de transferencia que abre y cierra con una válvula de bola que permite el flujo del producto entre los tubos cuando se inclina el envase. Se indica que la válvula se puede utilizar con todos los tipos de propulsores y pulsadores.

PROPULSORES

La característica diferencial y esencial de un aerosol es el propulsor, que puede ser gas licuado (que se evaporará a la presión atmosférica), gas comprimido o una mezcla de los dos.

Propulsores de gas licuado

La mayoría de los aerosoles emplean propulsor gas licuado, que son propulsores que están en estado gaseoso a presión atmosférica y temperatura ambiente, pero que se licúan por compresión. Cuando está licuado su presión de vapor variará con la temperatura. La elevada presión de vapor de algunos compuestos de temperatura de ebullición más baja se puede reducir usando depresores, logrando así la compatibilidad de presión con los envases aerosoles comunes y también proporcionar características de pulverización aceptables para el consumidor.

La característica importante de un propulsor gas licuado, a diferencia de los gases comprimidos, es que mientras algo de propulsor está aún presente en el envase en forma licuada, la presión interna dentro del envase será constante a una temperatura dada, independientemente de la cantidad de producto o propulsor que se ha descargado. Cuando en el envase a presión aumenta el volumen superior, se evapora más propulsor líquido para mantener la presión interna en un valor prácticamente constante. Esto garantiza que las características de la pulverización de un envase prácticamente no cambian, con independencia de que el envase esté lleno, medio lleno o casi vacío y, por tanto, se garantiza el funcionamiento uniforme durante la vida del aerosol. Evidentemente la temperatura de uso afecta a las características de pulverización.

Las características de la pulverización difieren a temperaturas extremas, puesto que están afectadas directamente por la presión que depende de la temperatura. Las fugas normales experimentadas a través de las válvulas y soldaduras de aerosoles correctas aumenta a temperaturas elevadas. A muy altas temperaturas tienen lugar la deformación y rotura por la influencia existente de elevadas presiones internas.

Los propulsores gases licuados incluyen hidrocarburos clorofluorados, hidrocarburos y éter dimetílico.

Propulsores hidrocarburos clorofluorados

Los propulsores hidrocarburos clorofluorados más importantes son triclorofluormetano, diclorodifluormetano, diclorotetrafluoretano y sus mezclas.

Además de los «Freons» de E.I. du Pont de Nemours Co., USA, que fueron los primeros en producirse a escala comercial, los nombres comerciales con que se venden estos productos incluyen:

Algofrene (Montecatini Societa, Italia)
Arcton (Imperial Chemical Industries Limited, Gran Bretaña)
Forane (Elektrochimie Ugine, Francia)
Frigen (Hoechst Chemicals, Alemania)
Isceon (ISC Chemicals Limited, Gran Bretaña)

Se emplean códigos internacionales para los distintos compuestos hidrocarburos clorofluorados y se interpretan como sigue:

a)   El número de la derecha representa el número de átomos de flúor.

b)   El segundo número, contando por la derecha, representa el número de átomos de hidrógeno + 1.

c)   El tercer número, contando por la derecha, representa el número de átomos de carbono − 1.

d)   Las valencias restantes se completan con átomos de cloro.

e)   El cuarto número, si existe, es el número de dobles enlaces y un prefijo C indica que el compusto es cíclico.

f)   A la inversa, si se añade 90 al número de código, los últimos tres dígitos, comenzando a partir de la derecha, proporcionan el número de átomos de flúor, hidrógeno y carbono, respectivamente con átomo de cloro para completar las exigencias de valencias.

En la tabla 40.1 se dan los datos de pesos moleculares, presiones de vapor y temperatura de ebullición para los tres propulsores hidrocarburos clorofluorados más comúnmente utilizados.

Tabla 40.1.   Propiedades de los propulsores hidrocarburos clorofluorados

Propulsor	Núm. código	Fórmula	Peso	Temperatura	Presión vapor a 21 °C (psig)	(kPa)
Diclorodifluormetano	12	CCl_2F_2	120,9	− 29,8 °C	70,2	484
Triclorofluormetano	11	CCl_3F	137,4	− 23,8 °C	13,4	92,5
Diclorotetrafluoretano	114	$C_2Cl_2F_4$	170,9	− 3,6 °C	12,9	88,9

El propulsor 12 se puede usar por sí mismo, sin depresores de presión auxiliares, tal como en los pulverizadores para la higiene femenina. Más generalmente se asocia este propulsor con depresores de presión intencionadamente incorporados a la formulación del producto o se incorporan evidentemente para alcanzar presiones internas más bajas compatibles con los envases comúnmente disponibles.

El depresor tradicional de presión propulsor 11 puede, en ciertas condiciones, ocasionar corrosión en envases metálicos en presencia de agua o alcoholes inferiores. En estas circunstancias, o cuando existe un efecto adverso sobre ciertos perfumes, es aconsejable sustituirlo por el propulsor 114. El propulsor 114 es extremadamente estable; ejerce una baja presion de 13 psig (90 kPa) a 21 °C, y esto le hace que generalmente no sea utilizable aisladamente a temperatura ambiente.

Mezclando los propulsores 11, 12 y 114 se pueden obtener todas las presiones requeridas en la práctica. Puesto que estas mezclas obedecen a la Ley de Raoult, se pueden predecir sus características de presión. No obstante, si se mezcla con otros tipos de propulsores o con disolventes (por ejemplo, etanol) las mezclas resultantes se desvían de la ley de Raoult.

La mezcla de propulsores más comúnmente usada contiene partes iguales en peso de los propulsores 11 y 12, y presenta una presión de aproximadamente 37 psig (255 kPa) a 21 °C; se utiliza en aplicaciones tales como insecticidas y ambientadores especiales basados en disolventes. Mezclas en diferente relación proporcionan presiones diferentes más adecuadas para pulverizaciones capilares, desodorantes y antitranspirantes. Mezclas de propulsores 12/114 en relación de pesos que oscilan entre 10/90 y 40/60 se usan para proporcionar la presión de productos tales como cremas de afeitar, colonias y perfumes.

Las presiones de vapor ejercidas por las variadas mezclas de los propulsores 11 y 12 y propulsores 12 y 114 a 21 °C se dan en la tabla 40.2.

Tabla 40.2. Presiones de vapor de mezclas de propulsores

Mezcla de propulsores 11/12 relación en peso	Presión vapor a 21 °C (psig)	(kPa)	Mezcla de propulsores 114/12 relación en peso	Presión vapor a 21 °C (psig)	(kPa)
70/30	23	158	90/10	20	138
65/35	27	186	85/15	24	165
60/40	30	207	80/20	27	186
50/50	37	255	70/30	34	234
40/60	44	303	60/40	40	276
35/65	47	324	50/50	46	317
30/70	51	352	40/60	51	352

Los hidrocarburos clorofluorados 11, 12 y 114 se caracterizan por un elevado grado de estabilidad y bajo índice de toxicidad; en el Capítulo 25, bajo el encabezamiento de lacas aerosoles, se han revisado los estudios de la posibilidad de que los hidrocarburos clorofluorados sean tóxicos por inhalación. No forman mezclas explosivas con el aire. Tampoco son inflamables y, además, disminuyen la inflamabilidad de las formulaciones aerosoles que incluyen disolventes inflamables.

Controversia sobre hidrocarburos clorofluorados y ozono. La hipótesis de que las emisiones de hidrocarburos clorofluorados a la atmósfera provocan disminución de ozono y así se incrementa la cantidad de radiaciones ultravioleta perjudiciales que llegan a la superficie de la Tierra, se postuló por vez primera por ROWLAND y MOLINA en 1974[11].

Desde entonces se ha realizado un gran esfuerzo de investigación en los intentos de revalidar la teoría. Aunque esto ha aumentado nuestro conocimiento, se ha demostrado que nuestra comprensión de la atmósfera es mucho menos completa de lo que se había supuesto. La atmósfera se ha revelado como un sistema muy complejo e interligado, y considerar un efecto sencillo o secuencia de reacciones de modo aislado puede conducir a resultados muy erróneos.

Númerosos informes, por ejemplo el de BRASSEUR[12], se han escrito revisando el desarrollo científico junto con los cálculos de la disminución potecial de ozono. Tales cálculos, que se basan en muchos supuestos, se pueden considerar como pronósticos dudosos, puesto que son una mezcla de ciencia incierta y escenarios inciertos proyectados hacia muchas décadas futuras. La investigación del problema continúa, y se preparan nuevas conclusiones científicas a medida que se dispone de más información.

El tratamiento estático de lo datos de medidas reales del ozono ha fracasado en revelar la tendencia a la disminución.

A pesar de la ausencia de revalización científica de la teoría de Rowland-Molina, algunos países han legislado el empleo de hidrocarburos clorofluorados en aerosoles.

Propulsores hidrocarburos

Los hidrocarburos, tales como propano, *n*-butano e isobutano, que poseen un bajo índice de toxicidad[13], se han usado en envases aerosoles como propulsores económicos, estables y no corrosivos que se manipulan de modo seguro en las operaciones de transporte, almacenamiento y llenado[14-16]. Se utilizan en elementos basados en agua para crear productos finales no inflamables que no presentan peligro de corrosión. Se mezclan con otros propulsores y disolventes para disminuir el costo total, y en algunos casos realmente para mejorar el producto.

Estos hidrocarburos, que deben estar relativamente libres de impurezas, se pueden mezclar entre sí y con hidrocarburos clorofluorados para obtener las presiones de vapor requeridas para la carga propulsora del contenido para descargar satisfactoriamente los productos aerosoles.

Propano, n-butano e isobutano son los únicos hidrocarburos que se presentan naturalmente y que tienen estabilidad y propiedades que los hacen útiles para ser empleados a escala comercial. Estos hidrocarburos se separan fácilmente de las mezclas naturales para dar propulsores estables libres de olor en grandes volúmenes a bajo costo. Sus propiedades físicas se dan en la tabla 40.3. Los hidrocarburos se emplean aisladamente, como en productos basados en agua, tales como cremas de afeitar, limpiacristales, ambientadores y almidones pulverizados. También se pueden usar solos o combinados con otros propulsores para descargar muchos productos que no contienen agua.

Los hidrocarburos, con su bajo peso específico, son más ligeros que la mayoría de los productos, de modo que los hidrocarburos licuados flotarán en la superficie del producto cuando son inmiscibles.

HERZKA[17] indicó que había ventajas al usar propulsores que son más ligeros que el producto, en particular no existe el peligro de descarga de sólo propulsor en sistemas de tres fases, al menos hasta que todo el producto ha sido descargado.

Tabla 40.3. Propiedades físicas de propulsores hidrocarburados

Propulsor	Peso específico del líquido	Fórmula	P.M.	Temperatura de ebullición 1 atm (°C)	Presion de vapor a 100 °F (37,8 °C) (psig)	(kPa)
Propano	0,508	C_3H_8	44,09	− 42,1	189,5	1306
n-Butano	0,584	C_4H_{10}	58,12	− 40,5	52,0	358
Isobutano	0,563	C_4H_{10}	58,12	− 11,7	73,5	507

BESSE, HAASE y JOHNSEN[18] han publicado diagramas demostrando que se puede mezclar hasta el 30 por 100 de moles de propano con propulsor 12 antes de alcanzar una presión de 100 psig a 70 °F (689 kPa a 21,1 °C).

Cantidades más pequeñas (aproximadamente un tercio en peso) de propulsores hidrocarburos, a causa de su peso específico más bajo, se requieren para obtener la misma presión en un envase aerosol comparados con los propulsores clorofluorados y obtener el mismo volumen de contenido en una formulación.

Los propulsores hidrocarburos son solubles en los hidrocarburos clorofluorados, alcohol, cloroformo, cloruro de metileno, éter e hidrocarburos superiores, tales como n-pentano y n-hexano. No son polares y no se hidrolizan por el agua.

Existe poca posibilidad de formación de sustancias corrosivas a partir de los hidrocarburos. Estas características no corrosivas son una importante ventaja en el empleo de hidrocarburos en propulsores aerosoles. Esencialmente también son inmiscibles con el agua. Sistemas butano-agua-alcohol, diseñados para producir una fase líquida simple, son de importancia creciente para productos de cuidado personal, tales como aerosoles capilares. Se deben tomar precauciones con respecto a la corrosión y, por tanto, a la compatibilidad producto-envase.

Los propulsores hidrocarburos tienen bajo índice de toxicidad y no forman productos tóxicos de descomposición a elevadas temperaturas. No obstante, se deben tomar precauciones normales para evitar el contacto del líquido con la piel u ojos.

Los hidrocarburos tienen bajo punto de inflamación y bajos límites de explosión.

	Punto de inflamación (°C)
Propano	− 104
Butano	− 74
Isobutano	− 83

No obstante, desde el punto de vista de inflamabilidad son más importantes las propiedades de la formulación completa. También son no-inflamables muchas formulaciones que usan hidrocarburos como único propulsor y muchos que contienen una asociación de halohidrocarburos e hidrocarburos. Los componentes de una mezcla aerosol, distintos de los propulsores, tales como disolventes, resinas, etc., pueden incrementar los riesgos de inflamabilidad.

Se han publicado en la literatura muchos ejemplos de productos no inflamables que contienen propulsores hidrocarburos. Se han publicado otros ejemplos en los cuales la presencia del hidrocarburo en el propulsor prácticamente reduce la inflamabilidad.

REED[19] describió un propulsor compuesto de:

	Por ciento
	p/p
Propulsor 11	45
Propulsor 12	45
Isobutano	10

Mezclas similares se han llevado a la práctica de modo creciente para lacas capilares y desodorantes aerosoles.

FOWKS[20] citó un ejemplo en el cual la longitud de llama en los ensayos de extensión de llama se redujo notablemente cuando un propulsor hidrocarburo clorofluorado en una laca capilar aerosol se ha reemplazado por una mezcla hidrocarburo clorofluorado-hidrocarburo.

Calor Gas (Limited) Gran Bretaña suminista mezclas de propano-butano, actualmente utilizadas como propulsores en un gran número de importantes productos aerosoles. Ofrecen «gas desodorizado» opuesto al «gas inodoro» —este último recogido en la refinería—, y contiene pequeñas cantidades de compuestos residuales de azufre.

El gas desodorizado se obtiene por procesado posterior a través de tamices moleculares u otros absorbentes. Los propulsores aerosoles Calor se disponen como estándares a presiones de 30, 40 y 48 psig (207, 276 y 331 kPa) a 21 °C. Las presiones diferentes se obtienen variando los porcentajes de butano y propano presentes, puesto que cada uno tiene una diferente presión de vapor.

Eter dimetílico

ROTHEIM, en Noruega, fue el primero en sugerir el uso del éter dimetílico para aerosoles[21]. Desde 1966 se han producido aerosoles utilizando éter dimetílico como propulsor con mayor contribución en Holanda.

El éter dimetílico de elevada pureza es un propulsor atractivo. Prácticamente inodoro, tiene un poder específico de disolución y, como es miscible en agua, es capaz de producir sistemas de productos de una sola fase líquida (con etanol, por ejemplo), y así es recomendada su aplicación a varios productos de cuidado personal.

Estudios actualizados toxicológicos[24], amplios en sus objetivos, suministran datos esperanzadores modernos. Los estudios de toxicidad continúan, y se esperan con interés datos futuros.

Las características de inflamabilidad del éter dimetílico son tales que, cuando se manejan con las adecuados precauciones y cuidados, tanto en la producción como en las formulaciones de productos, la experiencia comercial revela que no hay exposición a un riesgo inaceptable.

El éter dimetílico se está usando de modo creciente, tanto en Europa como actualmente en EE. UU., para muchos tipos de productos aerosoles, incluyendo aerosoles capilares, lociones de laca, desodorantes, deo-colonias, perfumes y colonias.

Propulsores gases comprimidos

El uso de gases comprimidos como propulsores para envases a presión se propuso por vez primera en la segunda mitad del siglo XIX —mucho antes de la introducción de hidrocarburos clorofluorados[25, 26]—. El término «propulsores aerosoles gases comprimidos», en cuanto concierne al campo aerosol, se aplica a gases que sólo se pueden licuar a muy bajas temperaturas, o a extremadamente elevadas presiones. Los gases comprimidos más usados como propulsores son óxido nitroso, dióxido de carbono y nitrógeno.

Antes de 1958 se introdujo el uso de dióxido de carbono y óxido nitroso en aerosoles de nata batida, mientras que el dióxido de carbono sólo se utilizó para antiescarcha y extintores de fuego. Unicamente después de la disponibilidad de válvulas especiales fue posible el uso de nitrógeno como propulsor para descargar pastas dentríficas, emulsiones espesas en forma de chorro y varios líquidos en forma pulverizada, por ejemplo, perfumes en frascos de vidrio.

Existen varias diferencias de comportamiento ligadas principalmente a cambios de volumen y presión, entre los gases comprimidos, por una parte, y los propulsores licuados, por otra, y aún en algunos aspectos entre los gases comprimidos existen ciertas diferencias entre los solubles en el producto y los que no lo son. Estas diferencias producen distintas características de funcionamiento en aerosoles. Algunas de estas diferencias están relacionadas en la tabla 40.4.

En la práctica, el nitrógeno se usa para descargar productos en forma sin cambiar. Una ampliación de este principio está ilustrada en aerosol bote de aluminio con pistón libre, desarrollado por Bradley Sun Division de American Can Company[27]. Este proporciona una descarga de auténtico chorro sólido del producto que se separa del propulsor por medio de un diafragma interno plástico construido de polietileno de densidad media. El propulsor es nitrógeno, introducido a 90 psig (620 kPa) a través de una apertura en la base cóncava del bote, que se cierra inmediatamente después con un tapón de goma. La presión de nitrógeno ocasiona una posterior comprensión de las paredes del pistón contra el bote, proporcionando un cierre que evita la mezcla de producto y propulsor. El pistón tiene libertad de moverse hacia arriba o abajo dentro del envase según la presión cambia en uno de los lados. Casi se logra una completa (99 por 100) descarga del producto.

El dióxido de carbono usado aisladamente proporciona un producto húmedo y una gran caída de presión, dando lugar a características de descarga variables y posibilidad de producto sin descargar. Volúmenes superiores grandes, que dan lugar a reacciones adversas del consumidor, tienden a reducir ligeramente estos problemas. Con productos acuosos existe una posibilidad de reacción con el producto, y también de corrosión, que exige el empleo de válvulas y cápsulas especiales. Un sistema desarrollado en Alemania, sistema Carbosol[28], se basa en el hecho de que a temperatura y presión dadas un líquido absorbe una cantidad dada de dióxido de carbono. Se suministran instalaciones para la saturación de disolventes que se han de usar en un reactor especial Carbonix o Carbomat. Aunque este sistema a primera vista ofrece una alternativa al sistema convencional propulsor, no ha alcanzado éxito comercial significativo.

Mezcla de gases comprimidos y disolventes

Se han propuesto mezclas de dióxido de carbono con hidrocarburos clorofluorados, y aunque las presiones son más elevadas (60-70 psig o 414-483 kPa) se pueden utilizar con seguridad con botes de hojalata y aluminio. El llenado presenta dificultades, y tiene que ser realizado en un proceso de dos fases que disminuyen el rendimiento de producción o, de otro modo, por métodos especiales tales como presaturación del producto con dióxido de carbono. No obstante se pueden emplear válvulas de nueva generación para evitar todas estas dificultades.

Tanto el óxido nitroso como el dióxido de carbono se han utilizado en unión con hidrocarburos clorofluorados para descargar pulverizaciones especiales.

Otro sistema mezcla propulsores, desarrollado por Dow Chemical Co., se basa en una mezcla de gas soluble comprimido, tal como óxido nitroso con hidrocarburos clorados, tal como el cloruro de metileno o 1,1,1-tricloroetano.

Tabla 40.4. Comparación de propulsores gases comprimidos y licuados

Características/propiedades	Propulsor gas comprimido		Propulsor gas licuado
Solubilidad en producto. Ejemplo.	Insoluble. Nitrógeno.	Parcialmente soluble. Dióxido de carbono.	Parcialmente soluble. Clorofluorados o hidrocarburos.
Efectos en presión	Disminuye la presión cuando se usa el producto, con cantidad decreciente se descarga, cambio en el patrón de descarga, y retención de producto, especialmente si el volumen de llenado del envase es elevado.		Presión constante durante el uso del envase, con características constantes de descarga y baja retención de producto.
Residuo de producto.	Tiende a ser elevado aunque menos con propulsores solubles.		Generalmente bajo.
Cambios de volumen al descargar a la presión atmosférica.	El gas no descarga con el producto, no hay efecto de pulverización, excepto el ocasionado por pulsadores especiales de pulverización.	El gas disuelto en producto bajo presión escapa con aumento de 10 veces su volumen. Pequeño efecto pulverizador pero apreciable. Muy importante es la correcta, selección de especificación de la válvula.	El propulsor en la formulación se vaporiza con aumento de 250 veces su volumen. Como consecuencia gran efecto pulverizador que se puede aún incrementar además con una correcta selección de la válvula y, especialmente, de pulsador.
Cambio de presión al aumentar la temperatura.	El propulsor obedece grandemente a las leyes de los gases, y presenta poco cambio de presión con la temperatura.		El propulsor no es un gas «ideal» y presenta considerable cambio de presión bajo influencia de la temperatura.
Efecto cuando se pulveriza el producto en la piel.	No enfriamiento.	Ligero enfriamiento.	Marcado efecto de enfriamiento debido al calor requerido para vaporización.

Este sistema reivindica ser más barato que los hidrocarburos clorofluorados a los que sustituye en parte o totalmente.

Dependiendo de la solvencia de la mezcla y de la naturalza de la pulverización requerida, el hidrocarburo clorado puede ser cloruro de metilo o 1,1,1-tricloroetano o mezclas de los dos en el intervalo 1 : 2 a 2 : 1. Se utilizan, generalmente aplicados al empleo aerosol, grados de 1,1,1-tricloroetano desarrollados para el desengrasado en frío o a vapor, por ejemplo:

Genklene N ⎱
Genklene LV ⎰ ICI Ltd

Chlorothene NU ⎱
Chlorothene VG ⎰ Dow Chemical Co.

Los siguientes ejemplos ilustran formulaciones de lacas capilares aerosoles basadas en este sistema:

	(1) por ciento	(2) por ciento	(3) por ciento
Cloruro de metileno	15	15	16
1,1,1-Tricloroetano	10	31	16
Propulsor 12	25	—	16
Oxido nitroso (60 psig, 414 kPa)	—	—	2
Oxido nitroso (60 psig, 551 kPa)	—	4	—
Concentrado laca capilar aerosol	50	50	50
Perfume	c.s.	c.s.	c.s.

El cloruro de metileno y el 1,1,1-tricloroetano son excepcionalmente buenos disolventes para gases comprimidos, garantizando así buenas características de llenado y atomización en la pulverización, al mismo tiempo que minimizan los residuos.

Con tales sistemas disolvente-gas comprimido se llenan los aerosoles a aproximadamente 80 psig (551 kPa), y se indica que una caída de 30 psig no tiene consecuencias en cambio apreciable en la calidad de la pulverización, si el sistema de la válvula está adecuadamente seleccionado para dar las características requeridas de pulverización.

Uso de cloruro de metileno y 1,1,1-tricloroetano

Cloruro de metileno y 1,1,1-tricloroetano se han usado como disolventes en las lacas capilares, insecticidas, ambientadoras, pinturas, limpiahornos y lubricantes.

Estos disolventes funcionan como codisolventes para ingredientes activos y propulsores, y depresores de presión de vapor. No son inflamables en condiciones normales, y de este modo contribuyen a controlar la inflamabilidad y contenidos inflamables dentro de límites legales establecidos. Las elevadas densidades de los dos disolventes proporcionan compensación de masa cuando se utilizan con propulsores de baja densidad.

Se disponen en formas estabilizadas para proporcionar buen comportamiento en presencia de humedad, calor, luz, metales y aire.

Generalmente los disolventes clorados no son corrosivos cuando se utilizan en formulaciones anhidras aerosoles, similar a lo experimentado con algunos hidrocarburos clorofluorados.

Se ha sugerido el uso de inhibidores especiales como protectores de la corrosión. Se han publicado los resultados de los ensayos[29] demostrando propiedades superiores con relación a la corrosión de hojalata, acero y soldadura. No obstante se recomienda que los aerosoles basados en agua se deben ensayar a fondo en cuanto a su almacenamiento antes de comercializarlos; éste es un buen consejo para cualquier producto aerosol nuevo o modificado.

Una vez que el equilibrio de los disolventes produce las características requeridas de pulverización de la formulación total establecida, se debe realizar cuidadosamente la selección de junta, así como con toda formulación de nuevo producto.

Propulsores gelificados

Cuando un producto se descarga de un envase aerosol convencional, algo de propulsor líquido está incluido en la pulverización. Las gotas adicionales de propulsor líquido pueden ocasionar depósito no uniforme de producto, un cambio más rápido en las características de la pulverización durante largas ráfagas ocasionadas por evaporación del propulsor, y efecto refrescante incrementado sobre la piel en productos tales como antisudorales y desodorantes. Se ha afirmado[30] que estos efectos indeseables se minimizan por el empleo de versiones gelificadas de cualquier propulsor licuado. El propulsor se mezcla con la solución del producto en su forma vaporizada seca y no se introducen gotas líquidas adicionales en la pulverización.

Los tiempos de pulverización inicial de propulsores gelificados se afirma que son aproximadamente un tercio superiores al de los propulsores convencionales, y la capacidad total de descarga se dice que es aproximadamente un 40 por 100 superior que la proporcionada por el tipo convencional del propulsor.

LLENADO DE AEROSOLES

Cuando comenzó la industria, el método más importante de llenar aerosoles con propulsores licuados fue el llenado en frío. Este método aún se utiliza actualmente para algunos llenados especiales, como en las industrias de perfume y farmacéutica.

Un segundo método en impotancia —llenado bajo la cápsula— llegó a ser método dominante de la producción de llenado de aerosoles en los últimos años de la década de los sesenta y durante los setenta en los EE. UU., utilizando maquinaria Kartridg Pak, EE. UU. También se adoptó, especialmente en grandes operaciones de llenado en otros países.

Con importancia siempre creciente, el llenado a presión es el método más importante de producción empleado hoy día a escala mundial. Muy adecuado para propulsores licuados de todos los tipos, actualmente también es aceptado como método acreditativo para gases comprimidos con tal de que se empleen diseños adecuados de válvulas aerosoles, originadas en los años 70 y perfeccionadas en los 80.

Llenado en frío

En el llenado en frío, el propulsor se enfría a baja temperatura, pudiendo ser manipulado como líquido, y puede fluir por la abertura abierta del envase aerosol para unirse al concentrado de producto muy frío que ya se encuentra allí. El conjunto de la válvula se fija después al envase.

Este método facilita el llenado rápido del propulsor y, al mismo tiempo, expele el aire del envase aerosol. No se puede usar cuando el efecto de la congelación producido por la adición de propulsor en frío pueda afectar adversamente al concentrado de producto como ocurre, por ejemplo, con algunas emulsiones y productos basados en agua.

La temperatura de los contenidos del envase cerrado aerosol pronto retorna a la normal, ayudada por el paso a través del esencial ensayo de baño de agua caliente.

A pesar de la simplicidad del método de llenado en frío, tanto los costos de inversión de capital como los costos de funcionamiento de la refrigeración son elevados.

Llenado por debajo de la cápsula

Todas las operaciones en el llenado por debajo de la cápsula se realizan a la temperatura ambiente. El producto se llena por la abertura abierta del envase. La válvula, completa con pulsador cuando lo permiten las dimensiones, se coloca suelta en la abertura de una pulgada (25,4 mm), y el cabezal de llenado desciende para cerrar herméticamente por todo alrededor de la zona superior del envase.

Se eleva ligeramente la válvula, se aplica vacío al volumen superior del envase y se inyecta el propulsor entre la válvula y el borde del bote. Después la válvula se fija en el envase y retrocede el cabezal de llenado.

Llenado a presión

Con el llenado a presión, el propulsor a temperatura ambiente se inyecta a presión a través de la misma válvula de aerosol (Fig. 40.4).

La secuencia de operaciones impone la adición del concentrado al envase vacío, desplazamiento del aire del volumen superior, fijación del conjunto de la válvula, dosificación de la cantidad necesaria de propulsor e inyección de éste a presión a través de la válvula aerosol.

Con el llenado en frío, la introducción del propulsor en el envase abierto desplaza casi todo el aire del volumen superior. Es una operación autopurgante. No obstante, cuando se utiliza el llenado a presión, existe cierre entre el volumen

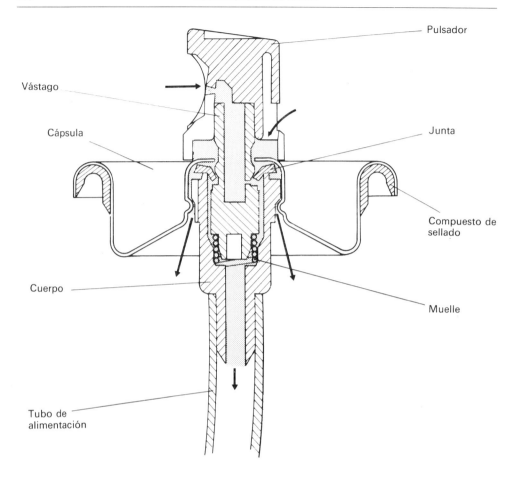

Fig. 40.4. La válvula CLF con pulsador serie 2000. La valvula está montada en una cápsula de metal que se embute (agrafa) en la abertura de una pulgada del envase. Se muestra en posición abierta con el muelle comprimido y la junta presionada, y una indicación de las trayectorias de flujo de la inyección del propulsor durante el llenado a presión. (Cortesía de Metal Box Ltd.)

superior y la válvula aerosol; el aire remanente en el interior del envase no puede escapar y se comprimirá cuando se añada el propulsor. El aire contribuirá a exceso indeseable de presión en el envase, y el oxígeno de aire afectará al comportamiento en cuanto a la corrosión. Por esto es necesario hacer el vacío con la válvula fija en el envase usando un método apropiado de purga.

Las máquinas de llenado a presión emplean sistemas neumáticos o hidráulicos para el funcionamiento del cabezal de carga. La cantidad de propulsor se varía ajustando la carrera del pistón de carga. El cabezal de llenado sobre la válvula se abre mecánicamente o por presión del propulsor, o por ambos, para permitir que se efectúe la inyección del propulsor.

La inyección rápida, aún cuando hay una carga grande de propulsor, es posible con válvulas normales, independientemente de la especificación.

Variantes de llenado a presión

Existen variantes del proceso real del llenado a presión del propulsor. Estas variantes incluyen:

Llenado a presión con pulsador o sin él. Después que la válvula se ha fijado a la abertura del envase, el propulsor se inyecta a través y alrededor del vástago de la válvula. Después se ajusta el pulsador.

Llenado a presión alrededor del pulsador. El pulsador está colocado en la válvula fijada al envase. El cabezal de llenado hace cierre concéntrico en la protuberancia de la válvula, y la inyección del propulsor en el envase tiene lugar principalmente entre el vástago y el orificio en la parte protuberante de la cápsula de la válvula.

Llenado a presión a través del pulsador. El pulsador está provisto de orificios para el gas, y el cierre se realiza por el borde del pulsador entre la protuberancia de la cápsula y el cabezal de llenado. Entonces el propulsor penetra en el envase a través de los orificios para el gas del pulsador, y de nuevo principalmente entre el vástago y el orificio de la protuberancia de la cápsula de la válvula. Cápsulas y vástagos se pueden seleccionar para lograr llenados muy rápidos de producción y velocidad de llenado.

La presión de llenado es igualmente adecuada para todos los gases licuados y comprimidos.

Saturación del disolvente

La saturación del disolvente es un procedimiento alternativo para los gases comprimidos que implica la presaturación, en una torre a presión, de parte del disolvente empleado en el concentrado líquido de producto con un gas soluble comprimido, a la presión deseada, antes de mezclarlo con el balance del concentrado en el envase. Este procedimiento ofrece una alternativa a los agitadores caros gasificantes, y permite mejorar las velocidades de llenado, haciéndolo atractivo comparado con otros métodos de llenado de gases comprimidos. Este tipo de llenado de aerosoles se ha adoptado por varios llenadores de aerosoles. No obstante, el desarrollo más importante en llenado de aerosoles de gases comprimidos es la introducción dosificada en envases a través de las válvulas, usando presiones y equipo similar a los empleados para propulsores licuados, esto es, gaseado de choque con las recientes válvulas aerosoles.

Volumen libre en un aerosol

En todo envase cerrado completamente lleno con líquido, una subida térmica originará el desarrollo de una presión hidráulica que deformará, y aún ocasionará, la rotura del envase. Los hidrocarburos clorofluorados tienen un alto coeficiente de expansión. No obstante, en todo envase aerosol se debe prever una tolerancia para la expansión de los contenidos proporcionando adecuada cámara vacía o volumen superior. También es aconsejable y común práctica la realización del ensayo de todos los aerosoles llenos en un baño de agua caliente, por ejemplo, a 50-55 °C para los envases metálicos, como comprobación de seguridad y hacer posible la eliminación de los «que presentan fugas».

El requisito del consumidor de llenado máximo de producto está en conflicto con la necesidad de seguridad, esto es, riesgos para el consumidor por exceso de llenado. En europa, una regla general que se ha aceptado es el llenado del 75 por 100 de producto y, de este modo, un 25 por 100 de volumen superior (o cámara vacía) a 20 °C.

Comprobación de peso

En producción es costumbre pesar una proporción de envases llenos aerosoles para comprobar la exactitud de la operación de llenado, y garantizar que las unidades llenadas cumplen con los requisitos.

Ensayo baño de agua caliente

Después de la producción de llenado y cerrado los envases metálicos aerosoles se ensayan en cuanto a fugas y se comprueban su seguridad e integridad sumergiéndolos en un baño de agua caliente a 50-55 °C. Disposiciones similares se requieren para envases de vidrio y otros no metálicos. En operaciones a pequeña escala se puede usar un tanque sencillo con termostato, y calefación sumergible, en que los envases se sumergen manualmente usando un cestillo de malla. En llenados a gran escala, generalmente los envases se transportan por una cinta a través del baño de agua. Se debe instalar protección de seguridad para los operarios. El área de ensayo debe estar bien iluminada para hacer posible la rápida detección de las diminutas burbujas de una fuga. Después del ensayo de fugas y seguridad, el agua residual se elimina de las cápsulas de la válvula antes de que los envases llenos se empaqueten en cajas de embalaje de cartón. Con esta finalidad se usan túneles de secado por soplado y aparatos similares.

TIPOS DE DESCARGA DE PRODUCTOS AEROSOLES

Existen dos partes de un aerosol, la interna (contenido) y la externa (contenido descargado).

El contenido interno de los aerosoles tiene dos fases (líquida y gaseosa) o tres fases (gaseosa, gas líquido y concentrado líquido); esta última se presenta cuando el propulsor licuado y el producto líquido carecen de miscibilidad.

Los productos pueden ser descargados de varias formas (las pulverizaciones constan de partículas líquidas y/o sólidas):

1. Pulverizaciones espaciales (verdaderos aerosoles) compuestas de diminutas partículas que permanecen suspendidas en el aire durante largos períodos de tiempo. Ejemplos son insecticidas y ambientadores.

2. Pulverizaciones de superficies (húmedas) con partículas mayores. Ejemplos son las lacas capilares aerosoles y desodorantes.

3. Pulverizaciones superficiales en forma de chorro. Ejemplos, los antiescarcha y lubricantes.

4. Espumas en que el gas propulsor licuado está parcialmente emulsionado con los componentes activos del producto; pueden ser estables o colapsarse rápidamente y presentar varias consistencias. Ejemplos son jabones, cremas de afeitar y espumas bronceadoras.

5. Forma física original sin cambios: el producto descarga con la misma forma física que tiene en el interior del envase. Generalmente es la manera convencional en que se obtendría de un envase no envasado a presión, pero en forma más conveniente, por ejemplo, una crema líquida o un cordón de crema sólida o pasta. La pasta dentífrica es un ejemplo.

SISTEMAS DE DOS FASES

Una elevada proporción de la totalidad de los aerosoles son sistemas de dos fases que contienen una fase líquida y una fase vapor (Fig. 40.5). Cuando el pulsador, o botón, del aerosol se presiona, la presión interna del envase da lugar a que el líquido ascienda por el tubo de alimentación, a través de la válvula abierta, y salga del pulsador a la atmósfera donde la presión inferior hace posible la inmediata expansión y vaporización del propulsor y la transformación del producto en niebla pulverizada, chorro o espuma. También se evapora rápidamente el disolvente dejando los constituyente activos en forma finamente concentrada y dispersa.

La mayoría de los envases de dos fases constan de una solución homogénea de sustancia activa, disolventes y propulsor líquido como fase líquida, con

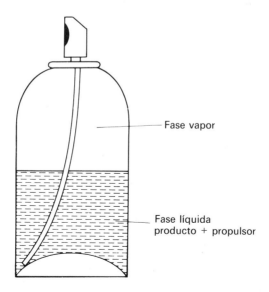

Fase vapor

Fase líquida
producto + propulsor

Fig. 40.5. Sistema aerosol de dos fases.

propulsor como fase vapor. También se pueden utilizar gases comprimidos que pueden ser o no solubles en la fase líquida. El tamaño de las partículas del producto descargado está principalmente determinado por la relación propulsor-producto, y está influido por el diseño de la válvula. Ejemplos de productos basados en sistemas de dos fases son las lacas capilares, desodorantes y colonias. Los aerosoles espaciales, ambientadores e insecticidas del tipo basado en disolventes también son sistemas de dos fases.

Los disolventes empleados en los sistemas de dos fases deben efectuar una completa disolución de todos los principios activos, por ejemplo, resina en etanol de las lacas aerosoles, de modo que la fase líquida del envase llenado sea completamente homogénea. Además de disolver la sustancia activa, también los disolventes en sistemas de dos fases deben ser miscibles con el propulsor. Los disolventes comunes con estas propiedades, y que presentan suficiente baja irritabilidad y toxicidad cuando se usan tópicamente o se inhalan, incluyen agua, etanol, isopropanol, propilen glicol. Otros disolventes incluyen cloruro de metilo y 1,1,1-tricloroetano.

Pulverizadores espaciales

La variedad de pulverizadores espaciales de dos fases requiere elevada proporción propulsor-producto para lograr el óptimo tamaño de partículas. Generalmente contienen no menos del 80 por 100 de gas propulsor licuado, y, como consecuencia, la cantidad de concentrado de producto es relativamente pequeña. Las pulverizaciones proyectadas de tales envases son aerosoles verdaderos, con tamaños de partículas del orden de 50 μm o inferiores.

Un buen ejemplo del uso funcional de aerosoles espaciales es el desodorante aerosol de ambiente que se pueden considerar como límite de una preparación de higiene, y que debe ser atomizada (como en el caso de insecticidas) para ser eficaz. Tales productos funcionan por varios mecanismos, incluyendo la eliminación física de los malos olores, lavando literalmente el aire, por neutralización química o por efectos enmascaradores del olor o reodorizadores.

La fórmula dada en el ejemplo funciona principalmente por el principio reodorizador, aunque los glicoles facilitan la eliminación de malos olores.

	(4) por ciento p/p
Trietilen glicol	4,5
Propilen glicol	4,6
Etanol	6,0
Perfume	0,2
Propulsor 11	42,5
Propulsor 12	42,5

Presión interna a 20 °C: aproximadamente 40 psig (276 kPa).
Envase adecuado: hojalata.

A escala mundial son importantes los insecticidas económicos basados en disolventes y propulsados por hidrocarburos y en sistemas de dos fases. No

obstante, emusiones basadas en agua y de tres fases propulsadas por hidrocarburos empleando válvulas con orificio de fase de vapor, son importantes para
insecticidas, y dominan el mecado del ambientador por razones de costo.

Aerosoles superficiales

Cuando el producto constituye el 20-75 por 100 en peso del envase (con una
apropiada carga de propulsor para complementar), el tamaño de partícula
resultante del producto pulverizado es del orden de 50-200 μm. Este tipo de
pulverización, ejemplarizado por las lacas aerosoles capilares, se denomina
pulverizaciones superficiales, por que las partículas son de tal tamaño que no
pueden permanecer suspendidas en el aire, sino que se depositan y experimentan
coalescencia en las superficies disponibles a las que se aplican. A veces se
denominan pulverizaciones húmedas e incluyen desodorantes corporales, colonias, perfumes y aerosoles bronceadores.

Estos aerosoles suelen ser del tipo de dos fases. Aunque productos basados en
alcohol se pueden producir con concentraciones de propulsor licuado tan bajas
como el 25 por 100, y hasta el 5 por 100 en el caso de gases comprimidos, las
pulverizaciones resultantes son relativamente bastas.

Otros productos personales contienen hasta un 95-99 por 100 de propulsor,
por ejemplo aerosoles para higiene femenina, elegidos asociados a una válvula
con oficio de vapor que evite el efecto refrescante-congelador.

A continuación se describen algunos productos de pulverización superficial
que utilizan sistemas de dos fases.

Lacas capilares aerosoles

El ejemplo 5 es una fórmula característica de la capilar aerosol.

	(5)
	por ciento
Resina	1,5
Lanolina, derivado soluble	0,2
Isopropilo, misristato de	0,2
Perfume	0,2
Etanol	32,9
Propulsor 11	39,0
Propulsor 12	26,0

Presión interna a 20 °C, aprox. 30 psig (207 kPa).
Envase adecuado: hojalata.

Lacas capilares coloreadas aerosoles se obtienen incorporando polvo coloreado de aluminio o colorantes solubles en la fórmula dada en el ejemplo 5. Se
deben seleccionar cuidadosamente colores y concentraciones para obtener el
efecto deseado de color, y también evitar el bloqueo de la válvula en el caso de
colorantes sólidos. Normalmente se puede tolerar hasta un 4 por 100 de

sustancias sólidas, pero es aconsejable incluir bolas agitadoras para ayudar a la dispersión.

Fijadores capilares

Los fijadores capilares basados en aceite se pueden formular con relativa facilidad. Los productos oscilan entre soluciones sencillas de aceite mineral a preparaciones más complejas que contienen, además, ésteres grasos, ingredientes acondicionadores de cabello o alcohol y agua.

Desodorantes corporales

GIACOMO[31] ha dado varias formulaciones. Los compuestos bacteriostáticos y bactericidas expuestos en el Capítulo 35 se pueden incorporar a formulaciones aerosoles, por ejemplo colonias desodorantes.

	(6)
	por ciento
Perfume	0,7
Bactericida	0,3
Isopropilo, miristato de	1,0
Dipropilen glicol	3,0
Etanol	65,0
Propulsor 12	30,0

Presión interna a 20 °C: aprox. 45 psig (310 kPa).
Envase adecuado: hojalata lacada o aluminio lacado.

Espumas

Se utilizan sistemas de dos fases para producir espumas temporales bastas, usando propulsores licuados a bajas concentraciones, especialmente en sistemas de productos relativamente viscosos. Se pueden obtener espumas estables usando gases comprimidos que son solubles en la fase del producto. Estos sistemas han demostrado tener aplicación en preparaciones de tocador.

Productos sin cambio

También los sistemas de dos fases incluyen ciertos productos sin cambio, tales como pastas y cremas descargadas utilizando un gas comprimido insoluble, como nitrógeno. Se experimentan grandes retenciones de productos, especialmente con productos viscosos. Esta dificultad particular se supera empleando un artificio que evita el contacto entre el propulsor licuado y el producto. Esto se ha cubierto por varias patentes[32-35].

El sistema de dos fases usando nitrógeno como propulsor proporciona el método más sencillo y económico de descargar productos en forma sin cambio. Es esencial que el producto sea suficientemente viscoso como para ser expulsado en forma adecuada y ser, sin embargo, lo bastante líquido como para fluir rápidamente en envase. Un producto reopéctico es ideal para esta forma de descarga.

En la actualidad, el producto más importante de este tipo es la pasta dentífrica, pero se pueden descargar otros muchos productos, incluyendo jabones líquidos, cremas para manos y cabello, cremas bronceadoras y cremas antitranspirantes. Las fórmulas se adoptan fácilmente a los productos estándares convencionales.

SISTEMAS DE TRES FASES

En el tratamiento de los sistemas de dos fases se supone que la fase líquida es una solución completamente homogénea. Sin embargo, muchos productos actuales se basan en emulsiones, según la tendencia hacia sistemas basados en agua por razones económicas, para evitar dificultades de disolventes y en parte por facilidad de formulación. Si un producto está en forma de emulsión estable no es difícil considerarlo como una fase sencilla en el contexto de un envase aerosol de dos fases. Pero no es siempre fácil formular emulsiones estables para incluir propulsores líquidos, y esto conduce al concepto de envases de tres fases con dos fases líquidas que están emulsionadas o mezcladas agitándolas en el momento de usar.

En un sistema de tres fases, el propulsor líquido y el producto ya no forman una fase líquida homogénea, como en el sistema de dos fases, sino que existen como dos fases líquidas distintas. Este sistema se usa principalmente para descargar formulaciones basadas en agua incluyendo cremas de afeitar y champúes. Las tres fases de tal sistema son la acuosa, la líquida no acuosa y la de vapor (Fig. 40.6 *a* y *b*). La fase líquida no acuosa consta principal o completamente de propulsor, continua, total o parcialmente emulsionada en la fase acuosa.

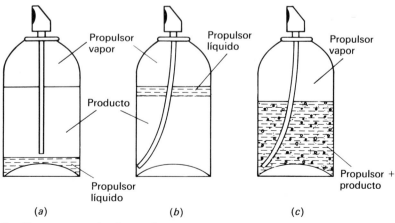

Fig. 40.6. Sistemas aerosoles de tres fases.

El sistema de tres fases se usa para descargar pulverizaciones espaciales y superficiales, espumas y productos sin cambio.

La cantidad de propulsor utilizado en la mayoría de los sistemas de tres fases es relativamente pequeña. Justo la suficiente de los propulsores seleccionados se añade al aerosol para asegurar la correcta y completa descarga del contenido.

También es posible otro tipo de sistema de tres fases en que están presentes una fase líquida, una sólida y una de vapor, ejemplarizados por aerosoles antitranspirantes y polvos (Fig. 40.6 c).

Aerosoles líquidos

Se pueden obtener aerosoles aunque el propulsor líquido y el producto líquido estén presentes como dos capas separadas. También emulsionando el producto líquido en una fase externa lipófila que consta completa o parcialmente de propulsor licuado. Estos sistemas se han descrito en las publicaciones de Du Pont[36] y también han sido expuestas por Root[37] y Sanders[38]. Tanto pulverizadores espaciales y húmedos obtenidos por este tipo de sistema pueden ser usados para aerosoles bronceadores, desodorantes, ambientadores y otros.

Aerosoles que contienen sólidos

Antitranspirantes

La formulación de aerosoles antitranspirantes se expone con detalle en el Capítulo 10.

Se dispone ya de envases y especificaciones de válvulas adecuadas a los requisitos de fórmulaciones establecidas. Una fórmula típica se da en el ejemplo 7.

	(7) *por ciento*
Aluminio, clorhidrato	4,0
Emoliente	
Agente suspensor	6,0
Perfume	
Propulsor 11	35,0
Propulsor 12	55,0

Presión interna a 20 °C: aprox. 37 psig (255 kPa).
Envase adecuado: hojalata lacada.

Aerosoles de polvo

Otra variante del sistema de tres fases es el aerosol de polvo a presión que da una pulverización de polvo. La formulación de tales aerosoles ha sido expuesta por Armstrong[39]. Constan del producto en forma particular constituyendo la fase sólida, mientras que el propulsor forma, tanto las fases líquida, como vapor. Normalmente la fase líquida consta de propulsor puro, pero a veces también contiene una pequeña cantidad de lubricante disuelto para ayudar a la descarga del producto facilitando el paso del polvo a través de los orificios de la válvula. A veces el polvo, por ejemplo talco, se trata con lubricante. A causa de la relativa baja concentración de polvo que se puede incorporar (menos del 20 por 100 y usualmente más del 10 por 100 en peso), este sistema no proporciona un método muy económico de descargar polvos corporales. No obstante, se emplea en champúes secos[40] y talco, y para descargar polvos antisépticos y otros productos especiales en forma de polvo. Antes de usar el envase se agita para garantizar que el polvo está uniformemente disperso en la totalidad de la fase líquida.

La formación de torta y la aglomeración han presentado muchos problemas en los envases de polvo. En los primeros aerosoles, la obstrucción de las válvulas sucedía frecuentemente, y la descarga solía ser pobre. Existe un límite de cantidad de polvo que se puede incorporar en un envase aerosol, por encima del cual se presentan serias obstrucciones de la válvula y del pulsador de descarga, dando como resultado descarga intermitente o fallo completo. Cuando el polvo tiende a aglomerarse, es preceptivo añadir un agente tensoactivo.

(8)

	por ciento
Talco	9,0
Lubricante	0,5
Bactericida	0,1
Isopropilo, miristato de	0,2
Perfume	0,2
Propulsor 11	45,0
Propulsor 12	45,0

Presión a 20 °C: aprox. 35 psig (241 kPa).
Envase adecuado: hojalata lacada o aluminio lacado.

En general, para que los aerosoles de polvo sean efectivos es necesario garantizar que las partículas sólidas sean suficientemente pequeñas para pasar un tamiz de 200 mallas, y aún más fino, y evitar la exposición a la humedad para prevenir la agregación de las partículas sólidas. Además, el producto debe ser insoluble en el propulsor para eliminar la posibilidad de crecimiento de cristales. Para mejores resultados deben ser similares las densidades del producto y propulsor.

Cargas electrostáticas y tamaños de partícula de sólidos contenidos en aerosoles

La carga electrostática y el tamaño de partícula de lo sólidos pulverizados son dos cuestiones de importancia creciente que continúa ocupando los pensamientos e investigaciones de la industria mundial del aerosol.

Carga electrostática. Sospechando la probable prohibición de los hidrocarburos clorofluorados en EE. UU., se buscaron y encontraron propulsores alternativos para todos los productos, incluyendo tales como productos de cuidado personal, como antitranspirantes y lacas aerosoles. En general se adoptaron hidrocarburos con la excepción del dióxido de carbono en el campo de las lacas capilares aerosoles para hombres. La adopción de hidrocarburos para productos de cuidado personal planteó cuestiones de inflamabilidad que se resolvieron con formulación cuidadosa y, más importante, por selección de la especificación de la válvula. No obstante, permanece una cuestión que es la carga electrostática creada cuando se pulverizan polvos, como con antitranspirantes y talcos aerosoles.

Tales fenómenos eran bien conocidos científicamente por la industria. La creación de tales cargas electrostáticas en antitranspirantes propulsados por hidrocarburos clorofluorados, producidos en miles de millones desde 1970, no originó nunca problemas. Cuando los hidrocarburos sustituyeron a los hidrocarburos clorofluorados como propulsores para aerosoles polvo, se admitió que la carga electrostática del contenido descargado podía originar chispa y ocasionar una explosión.

Ha habido una gran actividad con relación a este problema. Con ánimo amistoso y competitivo, dos grupos, uno en EE. UU.[41] y otro en Gran Bretaña[42] investigaron definir y acordar los métodos de ensayo. Se han ideado códigos de seguridad práctica, y generalmente se dispone de ellos. Compañías han investigado individualmente[43] agentes supresores de chispas para incorporar a las formulaciones de productos. El agua es buena, por ejemplo, pero inaceptable en formulaciones antitranspirantes a causa del efecto adverso en el producto y problemas de corrosión.

Tamaño de partículas. Nuevamente en relación con los antitranspirantes, el tamaño de partícula llegó a ser un problema en EE. UU. entre Food and Drug Administration y la industria. Los proveedores de ingredientes activos acordaron introducir nuevas sustancias[44] con distribuciones de tamaño de partícula garantizadas que minimizasen el número de partículas por debajo de 10 μm. Las partículas pequeñas, si son inhaladas y retenidas en los pulmones, constituyen un riesgo para la salud.

El problema se ha hecho más amplio, y actualmente se examinan todo tipo de productos aerosoles pulverizados y otras formas pulverizadas. Los laboratorios están utilizando equipos caros para medir las distribuciones de tamaños de partículas para muchos productos[45-47]. Muchas compañías mundiales a nivel individual, así como asociaciones privadas, están considerando esta cuestión globalmente para determinar los tamaños críticos de partículas a que están sujetos los consumidores, y cuáles son los riesgos reales que se crean[48, 49].

Las asociaciones industriales —British Aerosol Manufacturers (BAMA) en Gran Bretaña, Federation of European Aerosol Associations (FEA) en Europa, Chemical Specialties Manufacturers Association (CSMA) en EE. UU. y otras— desempeñan un papel clave a través del emprendimiento colectivo y cooperativo de comités y reuniones de trabajo para conocer tales retos y formulan programas de trabajo para garantizar la disposición de la industria por la bondad de sus productos y producción[50].

Espumas

Las espumas pueden obtenerse usando un sistema de tres fases, más que uno de dos fases. Usualmente las espumas aerosoles contienen hasta un 15 por 100, generalmente un 6-10 por 100 de gas propulsor licuado emulsionado con un producto acuoso en la que hay una alta cantidad de tensioactivo. El envase se agita, la válvula se acciona y la emulsión propulsada por el tubo de alimentación sale por el pulsador. Tan pronto como alcanza la atmósfera, las gotas dispersas de propulsor se vaporizan y, con ello, el producto se transforma en una espuma densa. Los aerosoles de este tipo frecuentemente están dotados de un conducto o pulsador de espuma. Tales sistemas se expusieron en algunas publicaciones citadas anteriormente en este capítulo, y en otras publicaciones de Du Pont, y también en los encabezamientos del producto apropiado en otras partes de este libro. La formulación de preparaciones de espumas cosméticas ha sido cubierta por varias patentes[51-53].

Productos de espuma se han utilizado para descargar cremas de afeitar, champúes y bronceadores.

Aunque los componentes de la solución acuosa o la emulsión pricipal en el sistema, incluyendo el tipo y cantidad de tensioactivo, indudablemente influyen en las propiedades físicas y funcionales de la espuma, tampoco existe lugar a dudas de que la densidad de la espuma, la velocidad de su formación y su estabilidad también están determinadas en gran parte por el tipo y cantidad de propulsor utilizado y, como consecuencia, por la presión de vapor existente en el sistema. Para una concentración deseada, propulsores de elevada presión de vapor, y elevadas cargas de ellos tienden a producir espumas densas, secas y elásticas con pobres propiedades humectantes y de extensibilidad. Propulsores de presión media producirán espumas más suaves y húmedas, mientras que propulsores de baja presión y baja concentración generan espumas suaves, húmedas, menos persistentes y de formación lenta. Se está desarrollando el interés en gases comprimidos para espumas aerosoles.

Cuando se han de descargar como espuma los sistemas emulsionados aceite en agua, la presión de vapor del propulsor usualmente está entre 20 y 50 psig (138-345 kPa) a 20 °C, y la concentración de propulsor es del 5-15 por 100 de la formulación total, pero generalmente hacia el límite inferior de este intervalo.

Este sistema proporciona un método muy valioso para aplicar cantidades pequeñas de crema a la piel, y así se ha encontrado aplicación en cremas limpiadoras de manos y cremas bronceadoras. Tiene aplicación en jabones líquidos[54], champúes y acondicionadores de cabello. Sin embargo, el producto más importante de esta clase, hasta ahora, es la crema aerosol para afeitar.

Cremas de afeitar

Las cremas de afeitar aerosoles emergen del orificio de salida del envase como espuma completamente desarrollada. Para este fin se emplean propulsores con presiones de vapor al menos de 25 psig (172 kPa) a 20 °C. Se puede usar una mezcla 40/60 de propulsores 12 y 114 a concentraciones de 7-10 por 100 para producir presiones de vapor de 40 psig (276 kPa) a 20 °C. Con presiones de vapor superiores a 40 psig a 21 °C, el producto se expande rápidamente en el interior del pulsador de la válvula y sale del envase en forma de una espuma compacta. La textura de la espuma se modifica con concentración creciente de propulsor, haciéndose más rígida y seca. Es interesante observar que las espumas de butano no son inflamables y han sustituido prácticamente a los otros propulsores en estas formulaciones.

La fórmula dada en el ejemplo 9 ilustra la composición de una espuma de afeitar.

| | (9) |
	por ciento
Acido esteárico	5,9
Trietanolamina	3,1
Propilen glicol, estearato de	3,0
Lanolina	1,0
Glicerina	2,0
Dietanolamida láurica	2,0
Perfume	0,5
Agua	82,5

92 partes envasadas con 8 partes de Butano 40.
Presión interna a 20 °C aprox. 40 psig (276 kPa).
Envase adecuado: hojalata lacada o aluminio lacado.

Champúes

Para champúes aerosoles se prefiere una espuma en forma de «chorro», también denominada «perezosa». Es un tipo de espuma suave que se extiende fácilmente, pero que no se desvanece rápidamente. Para este fin se usan propulsores de vapor de baja presión con presiones de vapor de 5-20 psig (34-138 kPa), que provocarán que el producto emerja inicialmente como un chorro líquido o semilíquido, que gradualmente se expande como una espuma. Normalmente se requiere aproximadamete un 40 por 100 de sustancia activa. Cuando se usan detergentes no jabonosos, se encuentran problemas de corrosión.

. La elección de propulsores 12 y 114 en preparados tipo espuma está regida por su estabilidad en presencia de agua, así como en el hecho de que cuando se usan en mezcla producen cualquier presión de vapor requerida. El modelo de espuma depende de los tipos de válvula y pulsador empleados, así como de la concentración del propulsor y formulación real. Si el producto empleado para producir espuma está en forma de emulsión, no debe ser excesivamente viscoso, de otro modo no se mezclará con rapidez con el propulsor y, como consecuencia, descargará no uniformemente, acompañado con proyecciones y pérdida de propulsor. En el caso de una emulsión, la formación de espuma también está influida por el tipo de agente emulsionante que se emplea en la preparación de la emulsión principal; generalmente se seleccionan los tipos de aceite en agua.

Sistemas basados en agua

En un sistema de tres fases que comprende dos capas líquidas inmiscibles y conteniendo un producto basado en agua, el producto forma una de las capas líquidas y el propulsor forma la otra, así como la fase vapor. Existen dos posibles situaciones que se ilustran esquemáticamente en la figura 40.6 *a* y *b*.

En *a* el propulsor es más pesado que el producto y forma la capa líquida inferior. Este es generalmente el caso de los propulsores hidrocarburos clorofluorados. En *b* el propulsor es más ligero que el producto (como en el caso de que el primero sea un hidrocarburo) y flota en el producto. En ambos casos, *a* y *b*, es esencial agitar bien el aerosol inmediatamente antes de su uso. En el caso *a* es necesario para hacer posible que las dos fases de propulsor se equilibren para que se mantenga la presión en el volumen superior; esto sucede automáticamente en el caso *b*. También en el caso *a* requiere un ajuste cuidadoso de la longitud del tubo de alimentación para evitar la descarga de propulsor líquido puro que, a su vez, ocasionará problemas de residuos de producto por insuficiencia de propulsor.

El producto se descarga del envase cuando se acciona la válvula. Se requieren pulsadores especiales para ayudar a pulverizar las partículas gruesas de producto, aunque la agitación que ocasiona la captura del propulsor en el producto ayuda, naturalmente, en la atomización de la pulverización del producto.

Las precauciones en el desarrollo de productos basados en agua resolverán cualquier problema que se presente con relación a la eficacia de la pulverización, compatibilidad del producto y envase con relación a la corrosión, y correcto equilibrio de formulación y especificación de válvulas para controlar la inflamabilidad cuando se utilizan hidrocarburos. Cuanto concierne a la corrosión se deben realizar ensayos completos de almacenamientos, tanto con hidrocarburos clorofluorados como hidrocarburos con todas las formulaciones en desarrollo. También se debe mencionar un artículo de GEARY[55], en el cual se exponen sistemas agua-propulsor licuado-codisolvente diseñados para ayudar en la formulación de productos aerosoles basados en agua de bajo costo.

PRODUCTOS DE CUIDADO PERSONAL CON PROPULSORES ALTERNATIVOS

La reacción a la teoría de Rowland y Molina en 1974 impuso restricciones significativas al uso de los propulsores clorofluorados para aerosoles en los EE. UU.[56] con ecos posteriores en Suecia y Noruega, mientras que la CEE recomendó una reducción del 30 por 100 del uso en 1976 para el final de 1981[57-59].

La industria aerosol en los EE. UU. así como en otros países, ya había adoptado los propulsores hidrocarburos para productos del cuidado no personal, tales como pulimentos, almidones y pinturas, de modo que la mitad de los aerosoles producidos eran descargados por un propulsor inflamable, presentando un excelente balance de seguridad en producción y uso[60]. El dióxido de carbono se utilizó en los antiescarcha, algunos insecticidas superficiales y extintores de fuego.

El único producto de cuidado personal, y muy importante en los EE. UU., para el cual se utilizaban hidrocarburos casi exclusivamente, era la crema de afeitar. No existía riesgo en este caso porque el contenido de hidroarburo era sólo del 5-10 por 100, el producto estaba basado en agua, y no descargaba pulverizado, sino como espuma, y esta espuma no podía arder. Los problemas reales en adoptar el uso de hidrocarburos en EE. UU. estaban relacionados con sólo dos importantes productos personales: antitranspirantes conteniendo un 90 por 100 de propulsor clorofluorado, y lacas capilares aerosoles que contenían menos propulsor clorofluorado, pero un producto concentrado rico en etanol (típicamente las lacas capilares aerosoles contenían un 50 por 100 de clorofluorados y un 50 por 100 de producto basado en etanol).

En Europa, las deo-colonias, con un 35 por 100 de propulsor 12 y un 65 por 100 de producto basado en etanol, llegaron a ser el tercer producto de importancia de cuidado personal, exigiendo consideración de revisión de formulación con respecto a la elección de propulsor.

Más recientemente, el éter dimetílico ha llegado a ser de interés como propulsor alternativo[61, 62].

Antitranspirantes

Los antitranspirantes[63, 64] son una categoría de productos importantes en Gran Bretaña y EE. UU., pero no en Europa continental.

Los antitranspirantes americanos, después de una breve duda con emulsiones basadas en agua propulsadas con hidrocarburos, se basan actualmente en un 80 por 100 de hidrocarburos y un 20 por 100 de concentrado antitranspirante; tales aerosoles también han aparecido en otros mercados. La diferencia en peso específico —mucho más bajo para los hidrocarburos que para clorofluorados— exige cuidadoso rediseño de concentrado para lograr características de suspensión aceptables, estética y buen funcionamiento de pulverización. La ausencia del propulsor 11 en tales formulaciones contribuye al funcionamiento inferior de tales aerosoles.

A pesar del contenido de hidrocarburos del 80 por 100, la selección de la válvula (orificio de fase vapor) y pulsador garantiza características aceptadas de inflamabilidad cuando se somete al ensayo de los Métodos de Extensión de Llama[65, 66], muy logrados para velocidades reducidas de descarga. Tales aerosoles, ligeros en peso por el reducido peso específico del propulsor, presentan una declaración inferior de masa en la etiqueta, duración más larga en manos del consumidor y generalmente tienen un comportamiento pobre.

En muchos países que aún permiten el uso de clorofluorados, muchos envasadores y firmas comerciales, reconociendo el costo inferior de los hidrocarburos, usan una mezcla de hidrocarburos clorofluorados e hidrocarburos; así evitan las desventajas antes mencionadas, mientras se benefician con relación a costos reducidos.

Lacas capilares aerosoles

En los EE. UU.[67] las formulaciones básicas de lacas capilares aerosoles, utilizando un 25 por 100 de hidrocarburos y un 75 por 100 de etanol, se modificaron para aceptar, por ejemplo, un 8 por 100 de agua o un 10-15 por 100 de cloruro de metileno para proporcionar características de disolución para las resinas. Puesto que estos productos se basan prácticamente en 100 por 100 de inflamables, la selección de pulsador y válvula, aún incluyendo orificio de vapor[68], se diseñan para producir buenas pulverizaciones[69] incluso con cantidades disminuidas de descarga[70] para controlar la extensión de la llama[71, 72] y otras características. El funcionamiento de estos productos generalmente es bueno, presentan una larga duración en el envase.

Se debe destacar que los sistemas butano-agua-etanol admiten un 8 por 100 de agua en una única fase líquida. Se deben tomar precauciones para garantizar la selección correcta de expecificaciones de envase metálico para evitar problemas de corrosión[73].

El dióxido de carbono se ha adoptado en EE. UU. como un propulsor alternativo para algunas lacas capilares para hombres.

En Europa[74], son conocidas las ventajas de costo de propulsores más baratos, pero su uso no es tan extendido porque existen varias diferencias importantes comparadas con América:

1. No se ha impuesto una prohibición total de hidrocarburos clorofluorados.

2. Los aerosoles que contienen más del 45 por 100 de sustancias inflamables incurren en obligaciones de etiquetado.

3. En muchos países el etanol cuesta varias veces el precio de hidrocarburos clorofluorado.

4. La Directiva de Cosméticos de la CEE[75] restringe el contenido de cloruro de metileno[76, 77] a menos del 35 por 100. La tendencia, sin embargo, es aún inferior, y en Alemania se ha impuesto un límite superior del 20 por 100.

Como para el cloruro de metileno, también el 1,1,1-tricloroetano parece atraer la atención de las autoridades legislativas y existe real preocupación con respecto a futuras formulaciones, no sólo para lacas capilares aerosoles, sobre la posibilidad de restricciones mayores aplicadas a propulsor 11, cloruro de metileno y 1,1,1-tricloroetano.

Una formulación básica europea de lacas capilares aerosoles ilustra la solución a las legislaciones y restricciones antes mencionadas:

	(10)
	por ciento
Cloruro de metileno	35
Hidrocarburo clorofluorado	20
Hidrocarburo	
Concentrado producto basado en etanol	45

Han aparecido en Europa lacas capilares aerosoles con hidrocarburos similares a los productos americanos en cantidades limitadas. En Alemania, durante un tiempo, se modificaron formulaciones específicas de lacas capilares aerosoles con hidrocarburos clorofluorados para reducir el contenido de propulsor sustituyéndolo, por ejemplo, por un 3 por 100 de dióxido de carbono. Son sistemas conocidos como *cocktails* o *topped-up*.

También se han propuesto lacas capilares aerosoles eficaces basados en óxido nitroso y propulsor 11.

Se han ideado sistemas propulsados por éter dimetílico para cumplir las restricciones y legislaciones actuales en Europa, como versiones de hidrocarburos, y este relativamente nuevo propulsor, que puede admitir hasta un 30 por 100 de agua, que también ayuda respecto a costo, solubilidad e inflamabilidad.

Como para los antitranspirantes, los envasadores firmas comercializadoras de lacas capilares aerosoles con hidrocarburos clorofluorados pueden sustituir parcialmente por hidrocarburo a los hidrocarburos clorofluorados, sin cambio de envase o especificaciones de válvula, y sin variación destacable de funcionamiento.

Deo-colonias

Este producto europeo[78-80], también basado en alcohol, sufre los mismos problemas de reformulación que las lacas capilares aerosoles, a excepción de que el cloruro de metileno no entra en la ecuación de formulación. Se han ensayado hidrocarburos clorofluorados cargados (dióxido de carbono-hidrocarburos clorofluorados), hidrocarburos, hidrocarburo-agua-alcohol, éter-dimetílico-agua e incluso sistemas con propulsor puro de dióxido de carbono o se comercializan normalmente mientras continúa la posibilidad de los productos formulados tradicionalmente.

CORROSION EN ENVASES AEROSOLES

En envases aerosoles, como en otros envases metálicos, la corrosión puede ocasionar daño en el producto y en la unidad envasada. Puesto que el sistema está a presión y en presencia de propulsor, la acción corrosiva del producto aerosol puede acelerarse y ser más grave que sería el mismo sistema a la presión atmosférica. A veces termina con la destrucción de la unidad envasada. Los ensayos de almacenamiento deben considerar la naturaleza del producto, su aplicación y el mercado al que se destina.

El estudio de la corrosión del envase, aparte de cubrir las reacciones entre un producto y su entorno, también trata de la eliminación de la corrosión modificando las características de los metales y su entorno, por ejemplo, usando películas de lacas protectoras e incluyendo inhibidores de la corrosión en la formulación, o modificando esta última.

Aunque no se tiene intención aquí de hacer una exposición detallada de la teoría de la corrosión, es necesario citar las causas de la corrosión interna en los envases aerosoles y exponer medios para controlarlas.

Existen tres causas principales de corrosión interna en aerosoles:

a) Cambio de estabilidad del propulsor en el medio del producto.
b) Ataque por el producto.
c) Interacción electrolítica de metales distintos.

Influencias del propulsor en la corrosión

Algunos hidrocarburos clorofluorados, aunque estables, muestran diversos grados de inestabilidad en contacto con los componentes del producto (por ejemplo, alcoholes inferiores) y los materiales del envase (por ejemplo, aluminio). El más inestable entre los propulsores comunes es el propulsor 11, tricloromonofluormetano. Muchos investigadores han estudiado su reacción con alcohol, que incluye radicales libres y conduce a la corrosión. Tiene lugar ante cantidades de trazas de aire, pero se inhibe si hay presente un exceso de aire. SANDERS[81] propuso la siguiente cadena de reacciones que conduce a la formación de acetaldehído, acetal, diclorofluormetano, cloruro de etilo y tetraclorodifluoretano:

$$C_2H_5OH + CCl_3F \rightarrow CH_3CHO + HCl + CHCl_2F$$
$$CH_3CHO + 2C_2H_5OH \rightarrow CH_3CH(OC_2H_5)_2 + H_2O$$
$$C_2H_5OH + HCl \rightarrow C_2H_5Cl + H_2O$$
$$R\cdot + CCl_3F \rightarrow RCl + \cdot CCl_2F \text{ (radical libre)}$$
$$2 \cdot CCl_2F \rightarrow FCCl_2—Cl_2CF$$

$R\cdot$ representa una cantidad inicial de radical libre derivado de polihalohidrocarburos por reacción con, por ejemplo, un metal.

Se considera el nitrometano como inhibidor efectivo de la corrosión en reacciones en que intervienen radicales libres.

En presencia de alcohol etílico, la hidrólisis del propulsor 11 tendrá lugar a velocidad dependiente de la temperatura ambiente. Su efecto corrosivo puede ser aún más intenso ante grandes cantidades de agua.

El riesgo inherente de corrosión en el uso de mezclas de propulsores 11 y 12 se puede minimizar sustituyéndolas por una mezcla de propulsores 12 y 114, si bien esto no significa que estos propulsores no reaccionen de modo similar, aunque a una velocidad más lenta.

Al exponer la corrosión debida a propulsores también se deben mencionar el cloruro de metilo y el 1,1,1-tricloroetano, ambos usados como auxiliares de disolventes-propulsores o depresores de presión, y sustitutos del propulsor 11, más caro.

ARCHER[82] anticipó adecuadamente que reacciones similares a las del propulsor 11 y etanol tendrían lugar entre 1,1,1-tricloroetano y etanol, y demostró que existía corrosión apreciable de estaño y hierro cuando se sometían a reflujo tiras de metal con tal mezcla. La mezcla causante de la máxima corrosión después de reflujo de cuarenta y dos horas fue:

	por ciento
1,1,1-tricloroetano	30
Etanol	55
Agua	15

En la práctica, el empleo de 1,1,1-tricloroetano, especialmente los grados con inhibidores, junto con etanol anhidro, no debería presentar serios problemas de corrosión, pero la introducción de pequeñas cantidades de agua incrementará las posibilidades de corrosión y se deberán realizar ensayos completos.

Influencia del producto en la corrosión

La corrosión como resultado de ataque químico directo es relativamente rara en los envases de aluminio. Puede ocurrir en contacto con soluciones de elevada acidez o alcalinidad, y también en los envases a presión. Los alcoholes anhídros (esto es, los que contienen menos del 0,01 por 100 de agua), y también los ácidos grasos, son responsables de atacar al aluminio. Así, los envases de aluminio son propensos particularmente a la corrosión en presencia de etanol o *n*-propanol, y los productos que contienen estos alcoholes no se deben envasar en recipientes de aluminio sin lacar internamente sin una experiencia adecuada de los ensayos de almacenamiento.

Los estudios de los investigadores de DU PONT[83] sobre la corrosión de aluminio han indicado que la acción de la corrosión del etanol anhidro es mucho más grave que la del alcohol al 99 por 100, aunque se destaca que aún con este último es todavía mayor que la que puede tolerar el envase. Varias reacciones tienen lugar cuando se presenta la corrosión por etanol anhidro, principalmente alcohólisis del propulsor y el ataque del aluminio por el ácido clorhídrico producido en esta reacción. Según PARMLEE y DOWNING[84], generalmente el isopropanol se presenta menos corrosivo que el etanol, pero en muchos casos la diferencia no fue grande.

Los productos que contienen isopropanol, incluso si incluyen propulsor 11 (triclorofluormetano) como un componente de mezcla propulsora, se puede envasar en recipientes sin lacar internamente, en tanto que el contenido de humedad dentro del envase no sea superior al 0,05 por 100.

La hojalata, como el aluminio, se corroe por soluciones de elevada acidez y alcalinidad. Además, la corrosión en sistemas ácidos se puede agravar por la presencia de oxígeno, consecuencia de purga inadecuada durante el llenado por inyección, y da como resultado, la alteración de color de productos por el estaño disuelto; esto conduce al lacado de los envases. No obstante, HERZKA y PICK-THALL[85] han resaltado que, en envases lacados, el ataque corrosivo de productos ácidos «estará concentrado en agujeros puntuales que invariablemente se presentan en la película de laca, y la perforación de los envases aún es más rápida que con envases sencillos internamente». Estos autores también han establecido que la corrosión de los envases de hojalata no es sencilla, a causa de los efectos de acción inhibidores sobre el acero dulce del estaño disuelto y la reducción de la concentración del ion estaño por formación del complejo. Un problema similar se ha observado en los aerosoles que contienen productos alcalinos, tales como cremas de afeitar, debido a la disolución del estaño en el producto y a la producción de una coloración grisácea. Aunque no hay peligro de perforación de envase, la alteración de color es indeseable, y nuevamente el lacado interno es el recurso para superar este defecto.

Acción galvánica

En los envases metálicos de aerosoles, frecuentemente se haya presente más de un metal, de modo que, aparte del ataque puramente químico por el producto al metal del envase, existen posibilidades de corrosión galvánica y varios lugares donde puede tener lugar. El envase de dos piezas constituye un riesgo superior de corrosión que el envase monobloque de una pieza. La interacción bimetálica se puede presentar en envases de aluminio con bases de hojalata, cápsulas de hojalata de válvulas especialmente con productos agresivos y cuando el recubrimiento protector óxido o lacado se ha dañado mecánicamente. La base de hojalata en el envase de dos piezas será generalmente el cátodo respecto al cuerpo de aluminio, pero la relación de polaridad dependerá de las características del producto. El metal catódico no es un riesgo con respecto a la corrosión salvo que fuerce a disolverse al metal más anódico.

Aunque todos los componentes del envase sean de hojalata, están presentes dos metales (estaño y hierro). Las propiedades eléctricas de éstos dependen de la concentración de oxígeno. Con algunos productos, cuando la concentración de oxígeno es baja, el estaño actúa de ánodo con relación al hierro, pero, a concentraciones más elevadas de oxígeno, el estaño se hace catódico y el hierro anódico, y este último presenta corrosión. Con otros productos el modelo total es inverso. La concentración óptima de aire es función de la combinación producto-envase, y por eso la purga por vacío de envases de hojalata puede ser efectiva en reducir el potencial corrosivo de ciertos productos.

También la corrosión bimetálica puede ser causada por trazas de cobre y por sales de metales pesados que, en consecuencia, se deben minimizar. La adopción de materiales de chapa o acero exento de estaño requiere una consideración cuidadosa.

Inhibición y prevención de la corrosión

En los párrafos que preceden se ha hecho referencia a los papeles que desempeñan el agua, el oxígeno y la naturaleza del metal en contacto con el producto. También se debe mencionar el hecho de que algunos alcoholes e hidrocarburos clorofluorados tienen mayor tendencia a atacar a los envases que otros. Por tanto se prestará atención para controlar el contenido de agua de la formulación y a la eficaz eliminación de oxígeno del volumen superior del envase, bien por vacío, o purgado con un gas compatible e inerte cuando esto sea apropiado. También se minimizará la posibilidad de corrosión, la correcta elección de alcohol y propulsor.

No han encontrado aplicación general en aerosoles los inhibidores comunes de corrosión, tales como silicato sódico neutro y fosfato de trietanolamina, que se añaden en cantidades trazas a los envases que no están a presión; bien por no haber demostrado ser efectivos, o por ser incompatibles con el producto y con su uso. No obstante, el uso de inhibidores específicos de corrosión a concentraciones añadidas determinadas empíricamente ha demostrado ser de enorme valor, especialmente en productos basados en agua.

Lacas para protección interna

Un importante medio para prevenir la corrosión es separar el producto y el propulsor del contacto con el metal, lo que se logra muy frecuentemente lacando el interior del envase.

Aunque los envases de hojalata sin lacar tienen tendencia al ataque de corrosión, especialmente en la soldadura lateral, raramente se desarrolla en ellos corrosión de perforación. Sin embargo, las imperfecciones en una película de laca pueden causar este defecto con productos ácidos, y la perforación del envase probablemente tiene lugar más rápidamente que en envases sin lacar. También los botes de interior sencillo pueden experimentar serios problemas de perforación si se usan para productos que son un riesgo para el acero, por ejemplo, productos basados en agua.

El metal catódico no es un riesgo con respecto a la corrosión, pero obliga a disolverse al metal, que es anódico. Preferentemente se usarán envases lacados internamente en sistemas en que el estaño es catódico respecto al acero. En las circunstancias en que el estaño es anódico respecto al acero, la consecuencia es el destañado. El ataque anódico es siempre más intenso cuando una gran superficie catódica (estaño) permanece en contacto con una pequeña superficie anódica (acero), situación que se presenta cuando exiten grietas en el lacado del estaño. Como ya se ha explicado mientras que el estaño es más noble que el hierro en la serie electroquímico, en muchas soluciones es anódico frente al acero. En estas condiciones sólo se puede presentar una lenta disolución de estaño a causa de las pequeñas superficies disponibles para la correspondiente reacción catódica.

El lacado interno se aplica en casi todas las formas de envases metálicos donde el contacto del contenido con el envase puede ser perjudicial de algún modo. Esto incluye alimentos enlatados, y en productos de tocador, tubos colapsables y aerosoles.

Las lacas para envases metálicos aerosoles deben formar una película coherente que sea adherente, impermeable, estable frente al metal, estable frente al producto o propulsor y que no afecte al producto. Debe ser dura, pero no frágil, tener suficiente flexibilidad para resistir los procesos de fabricación, pues aunque es posible lacar el bote fabricado parcialmente y cubrir la soldadura de la base y la costura lateral solada, es imposible lacar la junta final cuando la válvula se fija. La práctica general es lacar la lámina de hojalata antes de fabricar los tres componentes para el bote de hojalata, y lo mismo para la cápsula de la válvula. El bote se construye de tal modo la parte del metal que va a formar la costura lateral se deja descubierta para facilitar una buena autógena (o soldadura), después de lo cual se cubre aisladamente con una tira lateral de laca.

Frecuentemente se usa una asociación de una resina fenólica y epoxi como recubrimiento primario para el lacado interno de envases. Este puede ir seguido por la aplicación de dos o más revestimientos de resina epoxi para prevenir la corrosión puntual que, como se resaltó anteriormente, es mucho más propensa a producir perforación del envase que el ataque total que se presente en aerosoles sin lacar.

Las resinas fenólicas se caracterizan por su mayor impermeabilidad y resistencia química que las resinas vinílicas y epoxi, pero su flexibilidad es bastante baja. Las resinas vinílicas son duras, pero poseen pobre adhesión al metal desnudo, y se utilizan normalmente sobre un revestimiento base. Las resinas epoxi tienen buenas propiedades de fabricación y buena adherencia a la hojalata; por eso se utilizan como recubrimiento base en muchos sistemas. En muchos envases existe una banda interna de resina, para proteger al poducto de alteraciones de color y olor o sabor, consecuencia de la exposición al metal en la soldadura lateral. Las bandas laterales se aplican por pulverización inmediatamente después de la aplicación autógena (o soldadura), y los materiales utilizados para este fin incluyen oleorresinas y resinas vinílicas.

El lacado de los envases de aluminio es diferente y no tan fácil como el de los envases de hojalata. Mientras éstos se lacan en las láminas planas antes de fabricarlos, los envases de aluminio se deben lacar por pulverización o chorro del envase terminado, un proceso que es bastante caro cuando se trata de envases monobloque. Sin embargo, es preferible no depender de la protección proporcionada por el recubrimiento de la laca, particularmente en lo que concierne a envases de aluminio, sino usar, siempre que sea posible, formulaciones no corrosivas.

Anodizado

Un método alternativo, o adicional, de proteger la superficie interna de un envase de aluminio es el proceso conocido como anodizado, por medio del cual la fina película natural de óxido de aluminio se refuerza por una capa coherente, relativamente gruesa (4-6 μm) y elevada resistencia de óxido de aluminio. Esta película puede colorearse para dar un efecto de brillo dorado. El anodizado es caro, pero ofrece una resistencia muy intensa a la corrosión.

Electrocorrosividad[86, 87]

En el transcurso de los años se han ideado métodos electroquímicos sencillos y sofisticados para predecir la corrosión. La finalidad básica es estudiar la relación entre corriente y potencial aplicado a todas las combinaciones de metales básicos que se presentan, en particular, en un envase metálico en el entorno del producto para el que se ha pensado el envase específico. Se toman en consideración las áreas de metal expuestas en el envase según especificaciones.

Avances significativos en estas técnicas auguraron beneficios para la industria del aerosol en los años 1980, prometiendo una confianza mayor que las ya bien establecidas para hacer predicciones acerca del comportamiento de los envases después de sólo veinticuatro horas de estudio. La experiencia creciente facilita la eliminación de especificaciones no satisfactorias para el bote, al mismo tiempo que elimina dificultades de ingredientes de producto, por ejemplo perfumes o tensioactivos no satisfactorios.

La rápida exploración de las sustancias alternativas, tales como inhibidores de corrosión, garantiza que sólo se realicen ensayos completos de almacenamiento con variaciones de producto que más probablemente van a tener éxito en bote con especificaciones favorables.

En el caso de reclamación o fallo, los servicios ofrecidos por los equipos de electrocorrosividad son de valor incalculable en la investigación inevitable, y especialmente cuando el mercado demanda continuamente un producto de sustitución temporal, pero compatible.

Ensayos de almacenamiento

Son vitales[88, 89] los ensayos de almacenamiento completos, adecuados, cuyo programa considere el producto aerosol, aplicación y mercado a que se destina. La desidia en observar esta sencilla regla es una receta para un desastre último. Muchos aerosoles llenos deben ser almacenados de manera vertical e invertida, con concentraciones de aire que reflejan las variaciones de producción, incluyendo fallos, a temperaturas ambiente y elevadas, durante períodos proporcionales a la vida comercial esperada.

La experiencia que se desarrolla en adquirir confianza en los resultados obtenidos después de ocho meses a 35-37 °C, siempre que los resultados a temperatura ambiente sean también favorables, es una guía razonable del comportamiento durante dos años a temperatura ambiente. Ensayos más rigurosos pueden ser necesarios para regiones tropicales.

SISTEMAS ALTERNATIVOS

En el aerosol convencional, el producto y el propulsor están íntimamente asociados uno con otro. No obstante, pronto se realizaron tentativas para desarrollar métodos que fuesen capaces de mantener separados estos dos componentes, particularmente cuando se encuentra que son incompatibles uno con otro y se presentan problemas en almacenamiento y descarga.

Envases con pistón

Los primeros desarrollos condujeron al envase provisto de pistón, en el cual un pistón plástico cilíndrico dentro del bote de aerosol se desplaza por la presión del propulsor. Un ejemplo de tal sistema fue el envase de American Can Company, descrito anteriormente[27], que evita el contacto directo entre el producto y el propulsor, y ofrece la posibilidad de envasar productos de relativa elvada viscosidad en envases a presión sin riesgo de cavitación, y residuos importantes de productos. Sin embargo, han surgido problemas por la igualación de presión que se presenta a ambos lados del pistón, y que tiene como resultado, por ejemplo, la deformación del envase. Algunos productos se comercializan aún en envases con pistón, por ejemplo queso extensible. La existencia de envases con pistón ha conducido al desarrollo de envases con dos diferentes compartimentos, tal como el bote *Sepro-can*, con el objeto de evitar que el propulsor llegue a entrar en contacto con el producto.

Bote *Sepro-can* (Continental Can Company, EE. UU.)[90]

En las primeras versiones de este tipo de envase, el producto era introducido en una bolsa de plástico, que después se fijaba a la boca del envase y se cerraba por medio de la válvula. El propulsor se introducía por el fondo del envase, ejerciendo presión contra la bolsa, de modo que el producto descargaba cuando se abría la válvula. Un desarrollo posterior de este sistema ha conducido al bote *Sepro-can*. Este contiene un recipiente de bolsa de plástico de tipo fuelle mantenido de modo rígido y conectado al borde cónico del bote aerosol de hojalata. El producto se llena por la abertura de la bolsa y la cápsula de la válvula se agrafa en posición, mientras que el propulsor se introduce por el fondo cóncavo del bote por medio de un orificio que se tapona. Puede presentarse permeabilidad a través de la bolsa que separa producto y propulsor; no obstante, este envase se ha utilizado con éxito en EE. UU., especialmente para un gel de crema de afeitar.

Sistemas europeos de bolsas en envases (European bag-in-can sistems)[91]

La permeabilidad a través de un envase de plástico se evitó en desarrollos alemanes. El bi-aerosol (Bi-aerosol Verpackungs GmbH, Alemania) y el tri-aerosol, que operaban con el principio de bolsas en el envase, tenían una lámina fina de aluminio en lugar de bolsas de plástico suspendidas dentro de un bote aerosol estándard. El modo de operación era el mismo.

Se dispone de sistemas útiles comercialmente de bolsas de plástico de Rhen AG, Presspack y Comes en Suiza. Una reciente innovación permite la inyección de propulsor alrededor de la válvula, eliminando la necesidad de inyección del propulsor a través de un orificio en la base del bote con el subsiguiente taponamiento con un componente de goma. Se han reivindicado descargas del 98 por 100 para tales sistemas, que tienen considerables aplicaciones potenciales[92] en el envasado de alimentos y productos farmacéuticos y pastas dentífricas dentro de una amplia gama de viscosidades, donde el problema de incompatibilidad entre producto-propulsor ha impuesto limitaciones en la gama de productos que pueden descargarse de este modo. No hay duda de que son posibles otras aplicaciones en el campo de productos de tocador para extender la gama, y ya se ha hecho una reivindicación para depilatorios.

Comparados con sistemas convencionales para los cuales se emplean grandes cantidades de propulsor para realizar la descarga, el contenido de propulsor es bajo en todos los sistemas de bolsa y pistón en envases. Aunque válvulas y pulsadores pulverizadores convencionales se pueden utilizar con estos sistemas, es necesario el uso de atomizadores mecánicos para lograr pulverizaciones aceptables cuando sean apropiadas.

Tri-aerosol[91]

El principio de separación de producto-propulsor materializado en el bi-aerosol se extendió al sistema llamado tri-aerosol, que contenía dos envases internos. Esto permitía la mezcla de dos productos para activarlo en el momento de la descarga, por ejemplo, mezclando una base alcalina con peróxido de hidrógeno para decolorar el cabello. El flujo de salida se controla por una válvula de dos canales y los dos productos de los envases internos se mezclan en la relación requerida, por ejemplo por orificios de válvula de diferentes tamaños en la válvula de dos canales. La introducción del tri-aerosol preparó el camino de co-descarga y permite la comercialización de productos con dos componentes y multicomponentes en un único envase.

Válvulas de codescarga

Todos los fabricantes importantes de válvulas han trabajado en el desarrollo de válvulas para la codescarga. Los trabajos primeros se resumieron en *Aerosol Age* en 1968[93, 94].

El concepto de codescarga, es decir, la descarga de dos o más productos de un envase aerosol único, fue originado por Du Pont, que se aseguró dos patentes[95, 96], revelando modificaciones de las válvulas que hacían posible la codispersión de dos sustancias procedentes de un envase aerosol único. Entre los primeros fabricantes de válvulas para obtener una licencia de patente Du Pont estuvo Clayton Corporation, EE. UU., que desarrolló la válvula de codescarga *Clay-Twin*, que permite la descarga simultánea de dos productos diferentes en proporciones especificadas a través de un orificio común. La introducción de válvulas de codescarga ha hecho posible descargar varios productos, incluyendo cremas calientes de afeitar y formulaciones de colorantes capilares.

Cremas calientes de afeitar. Para descargar una crema caliente de afeitar, el producto que incluye un agente reductor se almacena en un envase, mientras se coloca peróxido de hidrógeno en una bolsa de plástico laminado. Cuando se acciona la válvula, la crema de afeitar y el peróxido descargan y se mezclan en una proporción equilibrada. Esto conduce a una reacción exotérmica entre el peróxido de hidrógeno y el agente reductor (p. ej., una mezcla de sulfito potásico y tiosulfato potásico) y al calentamiento de la crema de afeitar. Son importantes las proporciones en que los dos reactivos se suministran y mezclan. Con un exceso de uno u otro componente se presentan serios problemas, aunque diferentes; insuficiente peróxido de hidrógeno da sólo una espuma tibia, mientras que el exceso de peróxido proporciona un producto líquido más que una crema. Según Du Pont, temperaturas de espumas tan elevadas como 80 °C se han producido con ciertas mezclas de agentes oxidantes y reductores.

También ha sido objeto de una patente de EE. UU.[97] expedida a Gillette Co. de formulaciones autocalientes basadas en el principio de oxidación reducción en que se mencionan como agentes reductores tiourea y derivados sustituidos del ácido tiobarbitúrico.

Válvulas de codescarga para envases verticales. Las primitivas válvulas de codescarga estaban diseñadas para que funcionasen en posición invertida. Sin embargo, OEL Inc. EE. UU., también obtuvo licencia de la patente de Du Pont y desarrolló una válvula para usarla en posición vertical[90]. En el envase que utiliza esta válvula, el agente oxidante está encerrado en un tubo de polietileno que descarga en la válvula. Los fabricantes han reivindicado que es posible llenar sus envases en equipos estándares sin necesidad de adaptaciones especiales, y está a prueba de imprudencias de fallos en la descarga de proporciones correctas de cremas de afeitar y peróxido.

Un sistema de válvula de codescarga desarrollado por Valve Corporation of America se basa en sistemas de dos válvulas distintas (denominados válvula de doble compartimento) y son accionadas con un único pulsador[94]. El flujo de cada uno de los compartimentos se regula por el tamaño del cuerpo de la válvula y profundidad de la apertura del vástago. Este sistema de válvula puede funcionar en posición vertical o invertida.

Precisión Valve Corporation, EE. UU., ha investigado a fondo las válvulas de codescarga que funcionan en posición vertical hasta la fase de desarrollo final.

Pulverización Venturi

Ya se ha hecho referencia al hecho de que en sitemas tales como envase con pistón, envase Sepro y sistema Presspack, en donde producto y propulsor están separados uno de otro por superficies de plástico o metálica, no es posible realizar una atomización satisfactoria. Los intentos de combinar la separación de producto y propulsor con una pulverización adecuada han conducido al desarrollo de nuevos sistemas en que se utiliza el principio de Venturi. El prototipo de este sistema fue un envase normal aerosol que estaba lleno con propulsor líquido y conectado por medio de un puente de plástico con un envase de vidrio que contenía el producto a pulverizar. En conexión con estos desarrollos se deben citar los sistemas Innovair de Geigy, Francia, y Preval Atomizer, desarrollados por Precisión Valve Corporation of America. En ambos sistemas, propulsor y producto están separados, y sólo entran en contacto en el momento de la pulverización. No hay necesidad de que el envase que contiene el producto sea resistente a la presión, lo que permite el empleo de otros materiales distintos a los metales.

Sistema Innovair (ITO). El sistema Innovair, originalmente conocido como ITO y utilizado para insecticidas y más tarde para ambientadores, fue desarrollado por Geigy S. A. de Suiza, y utilizó un envase moldeado por soplado y no a presión, que contiene el producto a ser pulverizado. El boletín técnico[98] que trata este sistema lo describe como sigue:

«Una cápsula interna contiene el propulsor que se mantiene a presión por una válvula de alta presión. Esta última se fija en la cabeza pulverizadora que comprende un pulsador junto con la micro-boquilla Venturi de succión y pulverización. Una conexión que forma la válvula a baja presión controla el flujo de salida del líquido y mantiene el envase externo a la presión atmosférica. Cuando no se usa, el envase está herméticamente cerrado y la válvula de alta presión evita la fuga del propulsor, al mismo tiempo que la conexión impide el paso de líquido y su exposición a la atmósfera.

Cuando se acciona la válvula de tres vías que controla la acción de la unidad, las tres salidas se abren, el gas propulsor pasa por el cono pulverizador y produce un vacío al fluir por la boquilla Venturi. La conexión une la cámara de pulverización de la boquilla Venturi con el envase que contiene el producto y, estando abierto, compensará la diferencia entre la presión atmosférica y el vacío formado en el envase con la salida de líquido. Esto dará como resultado la aspiración por sifón del producto del envase externo, y originará una pulverización. Simultáneamente entrará aire al envase y sustituirá el producto.»

Varias ventajas técnicas se han atribuido a este sistema. El envase exterior, que no se encuentra a presión, se puede fabricar de varios materiales plásticos, lo que permite a su vez el empleo de envases de una gran variedad de formas y colores. También proporciona resistencia química y a la corrosión, superando de este modo muchos problemas asociados con la posible incompatibilidad entre producto y propulsor en el envase que se encuentra en los envases de hojalata y aluminio. El sistema permite, por ejemplo, la presentación con envase aerosol de productos basados en agua sin peligro de producir corrosión, y se puede usar para descargar soluciones, emulsiones y suspensiones. La unidad se puede usar sólo en posición vertical.

Como con las válvulas de codescarga, mantener el equilibrio diseñado de todas las unidades producidas, admitir tolerancias de producto y todas las situaciones y extremos de uso, conducen inevitablemente a un exceso de un producto respecto al otro.

Pulverizador Preval[90]. También el sistema Preval, desarrollado por Precision Valve Corporation, EE. UU., hace uso de un cartucho aerosol que consta de un conjunto de válvula y tubo de alimentación, y que lleva incorporado su propia cámara de propulsor, haciendo de nuevo posible eliminar el uso de envases a presión para el producto y usar metal, vidrio o plástico. La diferencia entre los sistemas Innovair y Preval radica en el hecho de que, en el primero, el producto se suministra a la boquilla Venturi alrededor del envase con propulsor mientras que en el sistema Preval, el producto atraviesa por el envase con propulsor a la boquilla Venturi. De nuevo, como el propulsor encuentra al producto en el punto de descarga, no aparecerán la mayoría de los problemas de compatibilidad presentados hasta ahora. También el empleo del cartucho Preval tiene como consecuencia una reducción en la cantidad de propulsor utilizado, permitiendo relaciones mucho más bajas de propulsor-producto. El sistema Preval es adecuado, por ejemplo, para productos de cuidado personal en salones, retoques de pinturas en garages, etc., así como aplicaciones de *do-it-yourself* y *hobby*.

Aquasol

El aquasol[99-101] se introdujo en la industria aerosol en la reunión de Chemical Specialties Manufacturers Association en Chicago, mayo de 1977.

Los sistemas aerosoles de productos basados en agua propulsados en hidrocarburos, caracterizados por válvulas con orificio de vapor, lograron resultados notables en cuanto a tamaño de partícula y eficacia cuando se utilizan para aplicaciones de insecticidas y ambientadores. No obstante, tópicamente tales pulverizaciones son generalmente húmedas, mientras que, por el contrario, la aplicación para productos de cuidado personal exige una pulverización seca.

Por razones de economía, el agua es preferida en productos aerosoles, especialmente cuando el formulador —por ejemplo a causa de la restricción de la legislación en el uso de los hidrocarburos clorofluorados— tiene que considerar propulsores alternativos, tal como hidrocarburos y busca una modificación disponible de las características de inflamabilidad del producto pulverizado. El aquasol se diseñó y ofreció para lograr pulverizaciones secas con tal sistema —para citar un ejemplo muy simplificado— de partes iguales de hidrocarburo, agua y etanol, utilizando una válvula y pulsador especiales.

El principio sencillo y establecido es introducir gas propulsor en la corriente de producto líquido por medio del orificio de vapor, y esto tiene lugar en la carcasa o cuerpo de la válvula. En el sistema original aquasol la interacción de las corrientes de gas y líquido tenían lugar en el pulsador. Se origina un remolino de gas a elevada velocidad que proyecta el chorro líquido tangencialmente, justo antes de ser liberado del orificio propulsor. El violento torbellino provoca la producción de partículas pequeñas uniformes que dan como resultado una pulverización seca. Por variadas razones de diseño, esta característica de turbulencia —interacción de la corriente tangencial de gas con la corriente de líquido— se transfirió posteriormente a la base del cuerpo de la válvula, permitiendo de este modo el empleo de válvulas más sencillas y un diseño también más sencillo de pulsador.

La producción de válvulas aquasol con diseños para distintos grados de velocidad de descarga encuentra muchas aplicaciones para varios tipos de formulaciones de productos, además de, los sistemas originalmente propuestos de hidrocarburo, agua y etanol.

BOMBAS DE DESCARGA SIN PROPULSOR

El concepto de un sistema de descarga sin propulsor [102-109] es atractivo por muchas razones, destacando éstas entre ellas:

1. Formulación más sencilla de productos.
2. Eliminación de cuanto concierne a toxicidad e inflamabilidad del propulsor.
3. Operaciones más fáciles de llenado.
4. Ausencia de necesidad de envase resistente a la presión, permitiendo una selección más amplia de materiales y forma de envases.
5. Posibilidad (sin necesidad de contener sustancia propulsora en un robusto envase resistente a la presión) de envases más ligeros y compactos, como consecuencia, mejoras de transporte y quizás de mayor facilidad de manipulación y uso.
6. Posibilidad de persuadir al consumidor que compra «todo producto».
7. Posibilidad disponible de recarga de envases.
8. Destrucciones igual que cualquier envase sin presión.

El reto de producir un sistema de pulverización más eficaz, menos caro y libre de propulsor ha existido y ha sido perseguido durante muchos años. El objetivo era producir un sistema adecuado, sencillo y seguro de usar, que no requiriese especial preparación antes de usarse, no dejase excedente de producto que descargar y desaprovechar después de su uso y (de capital importancia) dispersar el producto pulverizado en la zona de aplicación de modo que se deposite el producto de la manera requerida.

Existen y han sido patentados cientos de invenciones como aparatos de pulverizar sin propulsor, pero muy pocos se han explotado a escala comercial. Los aparatos más importantes desarrollados hasta el momento son los siguientes.

Frasco plástico comprimible

Cuando el frasco es comprimido en la mano, el líquido a pulverizar asciende por el tubo de alimentación a un tapón pulverizador moldeado por inyección, donde se mezcla con aire que entra en el cierre a través de orificios próximos al extremo superior del tubo de alimentación. Después, la mezcla pasa por un estrangulamiento del tapón, ocasionando un incremento de la presión suficiente como para producir una pulverización atomizada cuando la mezcla abandona el tapón. Este sistema se ha explotado durante años en productos tan diversos como lacas capilares, antiescarcha y descongestionantes nasales. Una desventaja importante del sistema es que, cuando la presión se afloja sobre el frasco, el aire es aspirado por el tubo de alimentación y penetra en el producto dando lugar en ciertos casos a la oxidación del producto.

Bomba de pera de goma (atomizador de perfume)

Este sistema opera con el principio de Venturi. El aire soplado procedente de una pera de goma sobre la zona superior de un tubo que se introduce en el líquido a pulverizar. El líquido es aspirado por el tubo hacia la corriente de aire y se proyecta como pulverización. Este sistema requiere un bombeo bastante fuerte de la pera de goma y la cantidad de pulverización descargada es muy baja. No obstante, estas bombas están asociadas a los perfumes clásicos de calidad, y aún tienen un valioso mercado basado en la nostalgia.

Pulverizador de elastómero a presión

En casos, tales como el sistema «Selvac», una bolsa de elastómero, ajustada a una válvula de descarga y alojada en una caja externa, se llena a través de la válvula con el producto a presión. La energía de la presión se almacena en la bolsa de elastómero y proporciona la presión de pulverización. Sin embargo, la presión de pulverización es variable a medida que el producto descarga. El envejecimiento y el ataque químico puede ocasionar el deterioro de la resistencia del elastómero.

Bomba mecánica de pulsación

El primer empleo de envases de consumo de pulverizadores mecánicos fue en 1946, cuando unidades fabricadas de acetato PVC fueron presentadas en ciertos limpiacristales domésticos. La disponibilidad más amplia de varios plásticos a partir de 1962, permitió moldear los componentes de la bomba a las tolerancias necesarias para garantizar la operación eficaz y proporcionar un ensamblado estanco. Aún entonces, las bombas disponibles producían una pulverización húmeda, basta, que era adecuada para muchos productos del hogar, pero no era satisfactoria en absoluto para productos que requerían atomización fina. Las primeras bombas de «atomización fina» aparecieron en 1970, y su funcionamiento fue suficientemente bueno como para asegurar, en 1975, una parte significativa del mercado de lacas capilares aerosoles de EE. UU. No obstante, la «primera generación» de bombas de atomización fina era vulnerable al mal empleo por parte del consumidor: si el pulsador no se presionaba con golpe firme y categórico, se producía un chorro o goteo en lugar de buena atomización.

La dificultad de controlar la presión a que trabaja la bomba, y la consecuente superación del problema de goteo y chorro, se resolvió en las bombas de atomización fina de la «segunda generación». Se han patentado varios excelentes sistemas, y generalmente se describen empleando términos tales como «presión creada», «precompresión» o «presión constante». Característicamente se destacan, por complicadas, configuraciones internas, y en términos del fabricante son ensamblajes complicados, de tolerancias muy ajustadas y multicomponentes. Han llegado a tener entidad en envasado económico sólo por la utilización de las técnicas más avanzadas en moldeo y ensamblaje, y el desarrollo de soporte técnico sofisticado para garantizar calidad sólida de producto y aplicaciones bien ejecutadas de nuevos productos.

Se considera que el tamaño de partícula de un buen patrón de pulverización de una bomba de segunda generación puede oscilar de 10 a 40 μm. Sin embargo, es de esencial importancia una formulación cuidadosa del producto para asegurar una buena calidad de pulverización. Una formulación con elevada tensión superficial producirá una pobre pulverización, y la elevada viscosidad origina un chorro por el orificio de pulverización. Se emplean materiales de amplia compatibilidad química para los componentes de la bomba. Estas se diseñan esencialmente para pulverizar soluciones, y sólidos suspendidos en un líquido sólo se pueden pulverizar si las partículas son muy finas, y están presentes en cantidades no superiores al 10 por 100.

La gran mayoría de los productos aerosoles convencionales se pueden envasar con éxito en recipientes tipo bomba. También existen ciertos nuevos productos que hasta ahora no habían sido posibles, y actualmente se pueden presentar en pulverización natural sin propulsor, por ejemplo, soluciones antitranspirantes de elevada concentración de sal de aluminio, y compuestos aromáticos y susceptibles de pérdida rápida de la nota de cabeza; la oxidación puede ser un problema.

Las bombas disponibles actualmente para cumplir con las aplicaciones de productos variados caen dentro de cuatro categorías principales:

Pulverizadores regulares:	Pulverizadores con una descarga de 1 ml y pulverización media a grosera.
Dispensadores regulares:	Dispensadores de lociones con la misma descarga que los pulverizadores regulares, por ejemplo, jabones líquidos.
Pulverizadores atomización fina:	Pulverizadores con descargas variables de 0,05 ml a 0,2 ml de pulverización muy fina.
Pulverizadores de gatillo:	Pulverizadores con descarga superior a 1 ml y pulsador horizontal más que vertical.

Después de treinta años de constante evolución técnica de bombas, los signos son que en EE. UU., y en todas partes, este tipo particular de sistema pulverizador sin propulsor —la bomba— ha logrado la aceptación del consumidor.

REFERENCIAS

1. US Patent 628 463, Helbing, H. and Pertsch, G., 1899.
2. US Patent 2 321 023, Goodhue, L. D. and Sullivan, W. N., 1943.
3. Ford, G. F., *Aerosol Age*, 1981, **26**(1), 37.
4. Gunn-Smith, R.A. and Simpson, A., *Aerosol Report*, 1980, **19**(6), 214.
5. Special Report, *Aerosol Age*, 1978, **23**(6), 40.
6. Budzilek, E., *Aerosol Age*, 1979, **24**(4), 28.
7. Vinson, N., *Aerosol Age*, 1958, **3**(11), 28.
8. Bespak Industries Ltd, *Chem. Engng News*, 1961, **39**(46), 84.
9. Harris, R. G. and Platt, N. E., *International Encyclopaedia of Aerosol Packaging*, ed. Herzka, A., Oxford, Pergamon, 1965, p. 94.
10. Anon., *Manuf. Chem.*, 1968, **39**(9), 84.
11. Rowland, F. S. and Molina, M. J., *Review of Geophysics and Space Physics*, 1975, **1**(1), 1.
12. Brasseur, G., *Critical Analysis of Recent Reports on the Effect of Chlorofluorocarbons on Atmospheric Ozone*, Eur 7067 EN, Commission of the European Communities, 1980.
13. Sanders, P. A., *Aerosol Age*, 1979, **24**(1), 24.
14. Ayland, J., *Aerosol Age*, 1978, **23**(3), 40.
15. Ford, G. F., *Aerosol Age*, 1978, **23**(3), 41.
16. Shaw, D., *Aerosol Age*, 1978, **23**(8), 30.
17. Herzka, A., *Aerosol Age*, 1960, **5**(5), 72.
18. Besse, J. D., Haase, F. D. and Johnsen, M. A., *Proc. 46th Mid Year Meeting CSMA*, 1960, p. 56.
19. Reed, W. H., *Soap Chem. Spec.*, 1956, **32**(5), 197.
20. Fowks, M., *Aerosol Age*, 1960, **5**(10), 100.
21. US Patent 1 800 156, Rotheim, E., 1931.
22. Bohnenn, L., *Aerosol Rep.*, 1979, **18**(12), 413.
23. Bohnenn, L., *Aerosol Age*, 1981, **26**(1), 26 and **26**(2), 42.
24. Reuzel, P. G. J., Bruyntjes, J. P. and Beems, R. B., *Aerosol Rep.*, 1981, **20**(1), 23.
25. US Patent 34 894, Lynde, J. D., 1862.
26. US Patent 256 129, Decastro, J. W., 1882.
27. Anon., *Modern Packaging*, 1961, **34**(6), 88.
28. Hoffman and Schwerdtel GmbH, Munich, technical literature.
29. Anthony, T., *Aerosol Age*, 1967, **12**(9), 31.
30. US Patent 3 461 079, Goldberg, I. B., 12 August 1969.
31. Giacomo, V. Di, *Am, Perfum. Aromat.*, 1957, **69**(5), 49.
32. British Patent 740 635, Taggart, R., 1955.
33. US Patent 2 689 150, Croce, S. M., 1954.
34. US Patent 2 772 922, Boyd, L. Q., 1956.
35. US Patent 2 794 579, McKernan, E. J., 1957.
36. Du Pont, Publication KTM, 21.
37. Root, M. J., *Am Perfum. Aromat.*, 1958, **71**(6), 63.
38. Sanders, P. A., *J. Soc. cosmet. Chem.*, 1958, **9**, 274.
39. Armstrong, G. L., *Soap Chem. Spec.*, 1958, **34**(12), 127.
40. Hauser, N., *Aerosol Rep.*, 1978, **17**(5), 130.
41. Reusser, R. E., O'Shaughnessy, M. T. and Williams, R. P., *Aerosol Age*, 1979, **24**(3), 17.

42. Greaves, J. R. and Makin, B., *Aerosol Age*, 1980, **25**(2), 18.
43. Johnson, S. C., *Aerosol Age*, 1979, **24**(10), 28.
44. Rubino, A., Siciliano, A. A. and Margres, J. J., *Aerosol Age*, 1978, **23**(11), 22.
45. Greaves, J. R., *Manuf. Chem.*, 1980, **51**(12), 3.
46. Pengilly, R. W., *Manuf. Chem.*, 1980, **51**(7), 49.
47. Turner, K., *Aerosol Rep.*, 1981, **20**(4), 114.
48. Berres, C. R., *Aerosol Age*, 1979, **24**(7), 32.
49. Whyte, D. E., *Aerosol Age*, 1979, **24**(5), 29, and **24**(6), 30.
50. Dixon, K., *Aerosol Age*, 1979, **24**(4), 20.
51. British Patent 719 647, Colgate-Palmolive-Peet Co. Inc., 1954.
52. British Patent 748 411, Spitzer, J. G., 1956.
53. British Patent 780 885, Innoxa (England) Ltd, 1957.
54. Coupland, K. and Chester, J. F. L., *Manuf. Chem.*, 1980, **51**(10), 39.
55. Geary, D. C., *Soap Chem. Spec.*, 1960, **36**(3), 135.
56. Von Schweinichen, J. G., *Aerosol Rep.*, 1981, **20**(3), 77.
57. MacMillan, D. and Simpson, A., *Manuf. Chem.*, 1980, **51**(6), 45.
58. Hyland, J. G., *Manuf. Chem.*, 1981, **52**(5), 51.
59. Kelly, S. W., *Manuf. Chem.*, 1981, **52**(1), 33.
60. Special Report: *Aerosol Age*, 1978, **23**(8), 16.
61. Braune, B. V., *Aerosol Rep.*, 1980, **19**(9), 294.
62. Blakeway, J. and Salerno, M. S., *Aerosol Rep.*, 1980, **19**(10), 330.
63. Anon., *Manuf. Chem.*, 1978, **49**(6), 37.
64. Anon., *Manuf. Chem.*, 1980, **51**(7), 31.
65. *BAMA Standard Test Methods*, UK, 1981.
66. *CSMA Aerosol Guide*, USA, 1981.
67. Murphy, E. J., *Aerosol Age*, 1981, **26**(3), 20.
68. Sanders, P. A., *Aerosol Age*, 1978, **23**(10), 38.
69. Kopenetz, A., *Aerosol Rep.*, 1978, **17**(10), 335.
70. Kinglake, V., *Aerosol Age*, 1978, **23**(8), 24.
71. Tauscher, W., *Aerosol Rep.*, 1980, **19**(12), 412.
72. Tauscher, W., *Aerosol Rep.*, 1979, **18**(2), 60.
73. Nowak, F. A., Koehler, F. T. and Micchelli, A. L., *Aerosol Age*, 1978, **23**(9), 24.
74. Klenliewski, A., *Aerosol Rep.*, 1981, **20**(1), 8.
75. Eisberg, N., *Manuf. Chem.*, 1980, **51**(2), 30.
76. Johnsen, M. A., *Aerosol Age*, 1979, **24**(6), 20.
77. Special Report, *Aerosol Rep.*, 1978, **17**(11), 410.
78. Schonfeld, H. W., *Aerosol Age*, 1979, **24**(5), 36.
79. Schonfeld, H. W., *Aerosol Rep.*, 1979, **18**(1), 5.
80. Schonfeld, H. W., *Aerosol Rep.*, 1981, **20**(3), 94.
81. Sanders, P. A., *Soap Chem. Spec.*, 1960, **36**(7), 95.
82. Archer, W. L., *Aerosol Age*, 1967, **12**(8), 16.
83. Downing, R. C. and Young, E. G., *Proc. sci. Sect. Toilet Goods Assoc.*, 1953, (19), 19.
84. Parmlee, H. M. and Downing, R. C., *Soap Sanit. Chem., (Special issue, Official Proceedings CSMA)*, Vol. XXVI-CSMA (2).
85. Herzka, A. and Pickthall, J., *Pressurized Packaging (Aerosols)*, London, Butterworth, 1958.
86. Murphy, T. P. and Walpole, J. F., *Aerosol Rep.*, 1972, **11**(11), 525.
87. Ziegler, H. K., *Aerosol Age*, 1980, **25**(9), 23 and **25**(10), 26.
88. British Aerosol Manufacturers Association Test Methods, *Aerosol Age*, 1981, **26**(2), 26.
89. Kleniewski, A., *Aerosol Rep.*, 1979, **18**(7/8), 235.
90. Meuresch, H., *Aerosol Age*, 1967, **12**(10), 32.
91. Anon., *Aerosol Rep.*, 1968, **7**(6), 265.
92. Braune, B. V., *Aerosol Rep.*, 1981, **20**(5), 171.
93. Anon., *Aerosol Age*, 1968, **13**(1), 19.

 94. Anon., *Aerosol Age*, 1968, **13**(2), 17.
 95. US Patent 3 325 056, Du Pont, 23 February 1966.
 96. US Patent 3 326 416, Du Pont, 14 January 1966.
 97. US Patent 3 341 418, Gillette Co., 3 March 1965.
 98. Geigy, Technical Bulletin: *Innovair*.
 99. Abplanalp, R. H., *Aerosol Age*, 1977, **22**(6), 35.
100. Kubler, H., *Aerosol Rep.*, 1979, **18**(1), 27.
101. Bronnsack, A. H., *Aerosol Rep.*, 1979, **18**(2), 39.
102. Davies, P., *Soap Perfum. Cosmet.*, 1978, **54**(6), 241.
103. Anon., *Aerosol Age*, 1975, **20**(9), 36.
104. Davies, P. W., *Manuf. Chem.*, 1980, **51**(4), 52.
105. Anon., *Aerosol Age*, 1979, **24**(9), 22.
106. De Vera, A. T., *Aerosol Age*, 1975, **20**(6), 46.
107. Nash, R. J., Rus, R. R. and Kleppe, Jr., P. H., *Aerosol Age*, 1975, **20**(5), 49.
108. Murphy, E. J. and Bronnsack, A. H., *Aerosol Rep.*, 1978, **17**(7), 232.
109. Anon., *Aerosol Age*, 1979, **24**(7), 25.

41

Envasado

Introducción

El envasado de cosméticos y productos de tocador en principio no es diferente del envasado de cualquier otro producto, pero de capital importancia son aspectos de diseño y desarrollo del envase en la comercialización con éxito de los productos cosméticos, que desempeñan un papel más importante en esta industria que en casi ninguna otra.

El envasado es muy diverso, y utiliza una amplia gama de variedad de materiales, tales como plásticos, vidrio, papel, cartón, metal y madera combinados con una amplia gama de tecnologías, incluyendo impresión, diseño de maquinaria y fabricación de herramienta. En efecto, no existe una industria claramente definida de envasado, pues muchas compañías de envasado también fabrican otros productos. El propósito de este capítulo es dar una amplia y extensa información de este vasto campo; detalles más amplios se pueden obtener de textos, tales como los de MacChesney [1], Payne [2] y Park [3], y de *Modern Packaging Encyclopaedia* [4].

El envasado ha sido definido como el medio de garantizar la entrega segura de un producto al consumidor final con la condición básica de un mínimo coste total. Otras definiciones son:

> El envasado es el arte o ciencia de la preparación de artículos y mercancías para transportar, almacenar y entregar al consumidor y las operaciones que implica (BSI *Glossary of Packaging Terms* [5]).

El envase vende lo que protege y protege lo que vende.

Principios del envase

El envase debe:

- Contener el producto.
- Encerrar el producto.
- Proteger el producto.

- Identificar el producto.
- Vender el producto.
- Dar información sobre el producto.

Y hace esto dentro de un costo en relación con «marketing», margen de beneficio, precio de venta e imagen del producto.

«Marketing» y envases

El envase proyecta el estilo y la imagen, no sólo del producto, sino frecuentemente de la compañía que comercializa la marca. El envase, por tanto, debe proyectar la imagen para que ha sido diseñada, y no solamente para el consumidor por la publicidad y punto de venta, sino también para el comerciante al por menor y cadenas de ventas al por mayor.

El envase es particularmente importante en el comercio al por menor en autoservicios. El diseñador de envases tiene la responsabilidad no sólo de garantizar que el envase tiene el tipo de atracción que incite al consumidor a adquirirlo y se anime a comprarlo por impulso, sino también que garantice el apilamiento en los estantes del autoservicio y proporcione al comercio al por menor el máximo beneficio por unidad lineal de espacio de estante.

La publicidad ha posibilitado que el envase sea ahora más ampliamente visto que nunca lo fue antes. Con el predominio del color en la publicidad —en televisión, salas de cine y anuncios de prensa y carteles—, el envase debe ser hecho de materiales que tengan una buena atracción estética, y tomen y mantengan el color.

TECNOLOGIA Y COMPONENTES

Plásticos

El uso de plásticos para producir componentes primarios, y materiales de punto de venta, actualmente domina la tecnología del envase. Se emplean dos grupos principales, resinas termoplásticas y resinas termoestables. Los termoplásticos pueden extruirse a su temperatura de fusión y después moldearse por soplado o inyección. Después de enfriar, la resina se puede volver a fundir por calor a los límites de fatiga térmica y oxidación. Las resinas termoestables, por el contrario, se moldean usando reacciones química irreversibles, y las resinas tienden a ser rígidas, duras, insolubles y no se afectan por el calor hasta la temperatura de descomposición.

Resinas termoplásticas

Ciertamente, en lo que concierne al público en general, el más familiar de todos los plásticos es el cloruro de polivinilo (PVC). El polímero básico varía de transparente a opaco. En su estado sin plastificar, conocido como UPVC, el producto es rígido y se usa principalmente para frascos transparentes y moldes por soplado de varios tipos. Plastificado o flexible, el PVC se emplea ampliamente en forma de lámina, tal cual o reforzado y soportado por otros materiales con laminados flexibles.

El polietileno es de la clase conocida como poliolefinas, que incluye dos tipos de polietileno y un material similar, polipropileno. El polietileno de baja densidad (LDPE = *low density polyethylene*) es la forma más flexible. Tiene características de elevado flujo frío sin punto de rotura determinado bajo flexión o impacto; cuando adquiere la forma de película se puede estirar ocasinando un incremento hasta del 600 por 100 en resistencias a la tensión, resultado de la realineación de sus moléculas. Principalmente se aplica como película. Cerca del 70 por 100 de la producción es en esta forma como se utiliza para envasar, construcción y horticultura. Sus características de moldeo por inyección son excelentes y se usa para tapones y juntas.

El polietileno de alta densidad (HDPE = *high density polyethylene*) es más duro, la forma más rígida de polietileno, generalmente con mayor resistencia mecánica. Su principal uso (aproximadamente el 40 por 100 de la producción) es como material de moldeo soplado para frascos y envases de tamaño pequeño a medio. El HDPE no se moldea tan bien como el LDPE, pero encuentra salidas como polímero de moldeo por inyección de jaulas de leche o *pallets* generales industriales.

El polipropileno (PP) se podría describir como lo mejor de LDPE y HDPE, a un precio competitivo. Su principal aplicación es para moldeo por soplado e inyección en toda clase de envases. Una calidad particular es su elevada resistencia a la fatiga, que lo hace popular para la fabricación de tapones duraderos. En cierto grado, el PP se emplea también para hacer películas de envasado y extrusiones.

El poliestireno (PS) es un material rígido transparente con excelentes propiedades de flujo que permite crear formas complicadas, y así principalmente se procesa por moldeo por inyección. Se usa ampliamente para tarros, frascos y cajas de rimel. Es algo frágil, pero esto se remedia mezclándolo con gomas sintéticas para formar poliestireno endurecido (TPS = *toughened polystyrene*), que es ampliamente empleado en todo tipo de componentes de envases donde el ataque del disolvente no es problema.

El poliestireno expendido (XPS = *expended polystyrene*) se utiliza en forma de láminas en construcción y aislamiento industrial por su baja conductividad térmica. También se moldea para proporcionar envases que se ajustan a productos frágiles, y se usa como carga inerte en envases secundarios.

Resinas termoestables

El término genérico «aminoplásticos» se usa para los plásticos que se obtienen por reacción de formaldehído con compuestos amino. Tienen la ventaja de no depender de los suministros de petróleo como materia prima y, por esto, han tenido gran demanda en los últimos años. Sus aplicaciones comprenden desde equipo eléctrico, tal como interruptores, enchufes e interruptores automáticos, asientos de tazas de retretes, cabinas de cuartos de baño y laminados superficiales de obras. Envases, cápsulas y tapones son los principales usos. General-mente, los aminoplásticos se procesan por moldeado a compresión.

Los fenólicos (PF) se relacionan con los aminoplásticos en que se forman por reacción de formaldehído y fenol. Sus características generales son similares, pero habitualmente sólo se disponen en negro o marrón, aunque aceptan pintura sin dificultad. Algunos grados se moldean por inyección y por compresión.

Tecnología de plásticos

Existen cinco métodos principales de transformar la resina de plásticos en componentes de envase:

a) *El moldeado por inyección* se emplea en la transformación de termoplásticos, donde el plástico fundido se inyecta a presión a un molde y se deja enfriar. El molde, después, se separa, y el componente se elimina, y se repite el ciclo. Este tipo de moldeado se usa principalmente para cápsu-las, tapones y pequeñas bandejas o cajas.

b) *El moldeo por extrusión y soplado* se emplea, además, en la transformación de termoplásticos: es un proceso en que un tubo o «parison» de plástico fundido se extrusiona de una matriz. El tubo se corta a lo largo mientras está caliente, y se transfiere a un molde por soplado donde se aplica aire a presión a través del tubo, forzándolo a expandirse a la forma del molde. El moldeo de extrusión y soplado se aplica principalmente a frascos y tarros.

c) *El moldeo por compresión* se usa en la transformación de resinas termoesta-bles. La resina y el catalizador se colocan en un molde y se mantienen a presiones de hasta 6000 psi (41 $N\,mm^{-2}$). El molde se calienta por vapor, electricidad o calentadores de inducción hasta que la reacción es completa (generalmente en sólo unos pocos segundos). El molde se separa y se quita el componente. Los principales usos en envases son cápsulas y cierres de alta calidad.

d) En el proceso de *termoformación*, una lámina preextruida de termoplástico se coloca sobre un molde en plancha, y la lámina se calienta por la parte superior con calentadores infrarrojos. Cuando se alcanza la temperatura de reblandecimiento de la lámina, se aplica succión por vacío por debajo del molde para ajustar la lámina firmemente al tablero molde. Se corta el calor al vacío, y el componente se separa del molde. El proceso se usa principalmente para bandejas de baja calidad y elementos de venta de mostrador.

e) *El moldeo inyección soplado* es una combinación de moldeo por inyección y extrusión por soplado; se utiliza para frascos que requieren medidas de estrechas tolerancias en cuello y hombros. El «parison», que incluye el cuello de la botella, se fabrica primero en un molde a inyección y después, mientras está aún caliente, se transfiere a otro molde donde se sopla la forma final del frasco.

Se observará que todos los envases realizados con termoplásticos son permea-bles al aire, perfume o vapor de agua en cierto grado, y además el producto puede reaccionar químicamente con el plástico. Por tanto, son esenciales estudios completos de compatibilidad antes de envasar cosméticos en plásticos.

Metales

La aplicación particular para la que los metales son más adecuados en el envasado de cosméticos son los envases aerosoles, aplicadores de polvo, latas poco profundas y tubos colapsables. La hojalata es el metal más comúnmente usado para envases rígidos, aunque también el aluminio encuentra un amplio uso. Como los aerosoles son, con mucho, la mayor de estas aplicaciones, el uso de hojalata y aluminio resistentes se ha discutido ya en el capítulo de envasado aerosol (Capítulo 40). Por otra parte, el metal necesario para tubos colapsables tiene que ser fácilmente deformable, pero no debe mostrar fatiga o grietas bajo tensión. Los metales útiles para esta finalidad son aluminio, estaño y plomo, de adecuada resistencia a la presión y pureza. El uso de tubos de aluminio colapsables en particular es extremadamente amplio, y casi todos los productos semisólidos, cosméticos y de tocador, incluyendo emulsiones, pastas y geles, se pueden comercializar en tubos colapsables, pero las pastas dentífricas continúan siendo la aplicación más popular. La naturaleza impermeable del metal confiere al tubo colapsable la gran ventaja de reducir el riesgo de contaminación del producto y pérdidas reducidas de materiales volátiles del contenido.

Plomo. El empleo de plomo para la fabricación de tubos varía en cierto grado con la disponibilidad y costo de los diferentes metales en una zona particular, pero su uso, particularmente en Europa, no se ha extendido. El plomo es más resistente a la corrosión que el aluminio, está mucho más bajo en la serie electroquímica y se ha utilizado para el envase de productos, tales como pastas dentífricas con flúor, que son ácidas y atacan muy rápidamente al aluminio. Como el plomo puede ocasionar cambios de color en algunos productos, y puede ser una fuente de contaminación, particularmente indeseada en productos orales, tales como pastas dentífricas, usualmente se cubre con cera el interior de los tubos de plomo para reducir el contacto entre los productos y el metal. Aparte del alto costo de los tubos de plomo en muchas zonas, su peso es evidentemente una desventaja.

Estaño. El estaño puro (al 99,5 por 100) tiene muchas propiedades que lo recomiendan para tubos colapsables, y mantuvo el dominio durante muchos años en la primera mitad del siglo. Sin embargo, aproximadamente en 1950 la tecnología del aluminio se había perfeccionado tanto, que se fabricaban tubos satisfactorios de aluminio que se hacían con una pureza del 99,7 por 100 a considerable costo inferior que el del estaño.

En determinados lugares hubo un intento de obtener alguno de los beneficios del estaño empleándolo en unión con el plomo, en aleaciones o como recubrimiento interno de estaño. Ninguna de estas soluciones han ganado aceptación amplia, debido principalmente a la gran cantidad de estaño que tiene que usarse para evitar la contaminación del producto con plomo.

Aluminio. Estructuralmente, el aluminio de alta pureza es un material muy adecuado para tubos colapsables, pues es fácilmente deformable, ligero, no se fractura en condiciones normales de uso y es totalmente impermeable al agua, aceites, disolventes y gases, tales como oxígeno. No obstante, el aluminio es un metal reactivo y de fácil corrosión. Comparados con tubos plásticos, los tubos de aluminio tienen la ventaja de ser impermeables y ser deformables permanentemente más que flexibles, de modo que no «aspira» al descargar el tubo, pero padecen del inconveniente de presentar poca resistencia a la corrosión y tener bastante inatractivo aspecto cuando se oprimen o chafan, especialmente si existe un diseño complejo y coloreado en el envase.

Cuando se envasa un producto en tubo de aluminio, se debe prestar atención cuidadosa al problema de la corrosión. Los botes de aluminio pueden presentar corrosión por acción galvánica o reacción química directa. El ataque químico es común a pH extremos, y generalmente la corrosión es rápida y está acompañada de desprendimiento de hidrógeno. Productos muy alcalinos, tales como depilatorios y alisadores de pelo, y productos ácidos como cremas de hidroquina de colorantes de la piel, no se pueden envasar en tubos de aluminio. Se requieren recubrimientos internos de laca, generalmente dos, y en muchos casos, cuando el producto tiene tendencia a desprender el revestimiento, se requiere de una capa de cera sobre la laca. Es muy común la corrosión galvánica del aluminio, y tiene lugar en condiciones ligeramente ácidas, o alcalinas, o aun neutras, si hay presentes electrólitos. La emigración de colorantes iónicos es frecuentemente una buena indicación de que está ocurriendo la acción galvánica. Se acelera por aire atrapado, teniendo lugar frecuentemente la corrosión en el borde aire-metal-producto, y también depende en considerable extensión de la pureza del aluminio. El silicato sódico es un inhibidor anódico de corrosión muy eficaz, y se puede también usar en productos de alcalinidad suave, tal como pastas dentífricas basadas en sulfato cálcico, y cremas de espuma de afeitar basadas en jabón. La corrosión en condiciones ligeramente ácidas es bastante más difícil de controlar químicamente. Ambos tipos de corrosión conducen al desprendimiento de hidrógeno, y posible reventamiento de tubos. El método usual de reducir o evitar la corrosión galvánica es el lacado interno de los tubos, de modo que el metal se aísle del producto. Las resinas vinílica, fenólicas y epoxi se usan como lacas.

Laminados

Varios de los requisitos de los envases para cosméticos y tocador (tal como apariencia atractiva; impermeabilidad al agua y a los aceites volátiles) no siempre se logran con un solo material. Este problema se puede resolver con el empleo de material compuesto en forma laminar. Los laminados han encontrado particularmente aplicación en la producción de bolsitas *(sachts)* y tubos colapsables como alternativa a los tubos de metal puro para pastas dentífricas.

Los laminados se utilizan para *bolsitas planas* que se sueldan por calor alrededor de la periferia (a diferencia de las *bolsitas almohadilla* que se hacen de tubo de PVC y se sueldan por ultrasonidos). El laminado debe ser capaz de resistir la presión del producto contenido y proporcionar cierre estanco. También debe evitar la pérdida de agua, y otras sustancias volátiles, como perfume; estas propiedades barrera se pueden proporcionar con láminas de aluminio o combinados plásticos de propiedades complementarias, tal como películas de polietileno y acetato de celulosa. Se pueden utilizar películas de poliéster para impartir resistencia, y una capa de papel proporciona tanto resistencia como rigidez. Un laminado típico de tres capas adecuado para bolsitas *(sachets)* se fabrica con acetato de celulosa, lámina de aluminio y polietileno, y un laminado rígido de cuatro capas tiene una cubierta de papel entre el aluminio y el polietileno. Dweck[6] ha descrito la fabricación de llenado de *sachets* a partir de materiales laminados.

Los laminados de *tubos colapsables* tienen el objetivo de asociar el aspecto de los plásticos con la impermeabilidad y colapsabilidad del aluminio. Los tubos se fabrican sólo de material plástico —generalmente polietileno, PVC o (en menor grado) polipropileno— que no se colapsan cuando se oprimen: el aire es aspirado dentro del tubo cuando ha sido descargado el producido. Esto no es aceptable para productos tales como pastas dentífricas que se espera que descarguen como un cordón continuo sin burbujas de aire. Otro inconveniente adicional es que el tubo de plástico que retiene su forma no da indicación alguna de la cantidad de producto que permanece. Los materiales básicos usados en laminados para superar estas limitaciones son película de polietileno y lámina de aluminio, pero se han desarrollado asociaciones complejas para lograr las propiedades deseadas. Por ejemplo, un laminado adecuado consta de polietileno (o polipropileno) en contacto con el producto, y luego lámina de aluminio, polietileno, papel y polietileno.

Guise[7] ha publicado un estudio comparativo de varios metales, plásticos y laminados, disponibles para la fabricación de tubos, junto con una breve descripción de las operaciones de llenado de tubos y estuchado.

Vidrio

Los envases de vidrio aún se usan ampliamente en la industria de productos de tocador en virtud de las características básicas del vidrio como envase. El vidrio es químicamente muy inerte, y, por lo general, no reacciona con productos cosméticos o perfumes de elevada calidad, ni los contamina; tiene la aprobación de la *Food and Drug Administration* (FDA) de EE. UU. para una amplia gama de productos. Con un cierre adecuadamente diseñado, el vidrio es un material barrera al 100 por 100, y suministra protección a la oxidación, pérdida o captación de humedad, pérdida de perfume, etc. El vidrio es transparente, brilla y proporciona una excelente presentación en la exposición en el punto de venta. Alternativamente, para productos sensibles a la luz, se puede usar vidrio de color ámbar o estuche de cartón. Finalmente, el vidrio se puede fabricar en diseños muy atractivos, y proporciona una excelente imagen de marco o producto, especialmente en el extremo alto de calidad del mercado.

El vidrio se fabrica de muchas formas diferentes, pero las más comunes en envases, son el vidrio de carbonatos de calcio y sodio compuestos como sigue:

	Porcentaje
Sílice obtenida de arena o cuarzo	72
Calcio, carbonato (piedra caliza)	11
Sodio, carbonato	14
Oxido de aluminio	2
Trazas de óxido	1

Las trazas de óxido son las que proporcionan color al vidrio, y se dispone fácilmente de envases verdes y ámbar. A veces se añaden trazas de compuestos de selenio como decolorantes. Una importante «materia prima» en la fabricación de vidrio es el petróleo o gas requerido para fundir los materiales, que constituye un elemento muy significativo del costo de los envases de vidrio.

Tecnología del vidrio

La tecnología del vidrio se remonta a miles de años, pero sólo en años recientes se han desarrollado métodos completamente automáticos para fabricar componentes de vidrio. El vidrio fundido se fabrica en un horno en flujo continuo, es decir, la alimentación de materias primas compensa la velocidad a que se retira el vidrio fundido. Un horno puede funcionar continuamente durante ocho años, y en este tiempo se debe mantener una temperatura de alrededor de 1500 °C. El vidrio fundido alimenta las máquinas de transformación donde se fabrican los envases. Detalles de los procesos de moldeo de vidrio han sido descritos por Moody[8]; las técnicas básicas son las siguientes:

Proceso de succión. El vidrio fundido es aspirado a un molde inicial o «parison» donde se forma el cuello. La forma «parison» se transfiere a un molde de soplado, donde se le da la forma final usando aire comprimido.

Proceso de flujo a presión y soplado. Una pequeña masa fundida de vidrio de peso determinado cae por goteo en el molde «parison», un pistón presiona el «parison» dándole forma. Después éste se transfiere a un molde de soplado donde se obtiene la forma final por soplado.

Proceso de flujo a soplado y soplado. La pequeña masa gotea en el molde donde se forma el cuello ayudado con aire comprimido. La forma «parison» se sopla después y a continuación se transfiere al molde final y se expulsa por soplado el envase final.

El vidrio continúa suministrando a la industria cosmética envases y frascos agradables estéticamente, estables y de elevada calidad, a pesar de sus inherentes desventajas de fragilidad y peso, que generalmente ocasionan un elevado costo en transporte y empaquetado secundario.

Papel y cartón

Prácticamente todos los cosméticos y productos de tocador utilizan papel y cartón de alguna forma. Se dispone de muchas clases de papel y cartón; los tipos

Tabla 41.1. Principales tipos de cartón de empaquetado

Tipo	Hecho de	Propiedades	Usos
Bastoncillo sencillo	100 por 100 residuo bajo grado, p. ej., periódicos viejos	Barato Imprime mal Color ligero gris/tostado Pliega mal	Cajas rígidas Unidades de embalaje
Cartoncillo capa-crema	Dos capas: a) Capa crema de nueva pulpa b) Como cartoncillo sencillo	Calidad mala Pliega satisfactoriamente	Cajas de cartón baja calidad
Cartoncillo «duplex»	Dos capas, ambas de nueva pulpa	Imprime bien Pliega bien Superficie lisa	Cajas de cartón de calidad Expositores en puntos de venta
Cartoncillo de capas blancas	Dos capas: a) Pulpa química 100% blanca b) Como cartoncillo sencillo	Imprime bien Pliega bien Superficie lisa	Cajas de cartón de calidad Expositores en puntos de venta
Cartoncillo recubierto de arcilla	Como «duplex» o capas blancas más recubrimiento de arcilla	Excelente impresión, pliegue y brillo	Calidad superior de cajas de cartón para cosméticos de elevado precio
Cartoncillo sólido blanqueado con sulfato o sulfito	Pulpa 100% sulfato o sulfito	Buena resistencia Excelente impresión y blancura Inodoro para contacto con alimentos	Alimento congelado, helado, nata, etc.

Tabla 41.2. Principales tipos de papel de empaquetado

Tipo	Hecho de	Peso (g m^{-2})	Propiedades	Usos
«Kraft»	Pulpa sulfito	65-300	Papel resistente	Cajas de cartón ondulado Sacos de paredes múltiples
Sulfito	Mezcla madera dura y blanda, es decir, pulpa mecánica y química Generalmente blanqueada	34-300	Papel brillante Imprime bien	Sobres Laminados Etiquetas Prospectos
Resistente grasa	Pulpa muy batida	65-100	Translúcido Resistente-grasa	Productos grasos
«Glassine»	Resistente grasas, satinado	39-150	Resistente al aceite y grasa Barrera buen olor	Envoltura jabones
Pergamino vegetal	Papel sin cola, tratado con ácido sulfúrico concentrado	59-370	No tóxico Resistencia muy húmedo Resistente a la grasa y aceite	Principalmente productos alimentarios
«Tissue»	Toda pulpa virgen	20-50	Baja resistencia Ligero peso	Envoltura de mercancías

principalmente usados en empaquetado se reseñan en las tablas 41.1 y 41.2. Los usos de papel y cartón en empaquetado de cosméticos incluyen etiquetas, literatura, cajas onduladas, cartón impreso y envolturas de jabones.

Impresión y decoración

Todos los componentes de empaquetado se deben imprimir para proporcionar una amplia gama de efectos decorativos. Se emplean procedimientos diferentes dependiendo de su aplicación. Se describen brevemente a continuación los cinco procedimientos principales usados en la impresión de componentes de empaquetado.

Impresión con trama

Método: plantilla porosa impresora en que una hoja de goma fuerza la tinta por las zonas de impresión sin bloquear la trama. La trama se fabrica generalmente en tejido de nilón, o, a veces, de seda.

Usos principales de empaquetado: impresión de plásticos o envases de vidrio, elementos de exposición en punto de venta.

Impresión litográfica

Método: la cara de la imagen para la impresión es una superficie con relieve sobre una lámina metálica: un proceso de impresión de relieve. La tinta se aplica directamente a la cara y se transfiere directamente al papel u otra superficie a imprimir.

Principales usos: todo tipo de etiquetas.

Flexografía

Método: en una placa impresora, pero la imagen en relieve hecha en caucho flexible o en placa de composición. Similar en la operación con la estampilla de caucho.

Principales usos: cartones ondulados y expedidor de transporte, algunas láminas y etiquetas.

Litografía offset

Método: las zonas de impresión y no impresión son zonas hidrófobas e hidrófilas en el mismo plano de la placa de impresión. Esta se humedece, las zonas hidrófobas entintadas rechazan el agua y aceptan la tinta, mientras que las zonas hidrófilas aceptan el agua y rechazan la tinta. La imagen formada se transfiere a un cilindro cubierto de caucho que después transfiere la tinta al substrato impreso.

Muchos usos en empaquetado: todo tipo de estuches y envases metálicos de elevada calidad.

Fotograbado

Método: inverso a la litografía. La imagen se forma a partir de «células» subsuperficiales grabadas en un cilindro metálico. La profundidad de las células varía según la intensidad de la tinta a transferir. El cilindro se entinta, el exceso de tinta se retira de la superficie por una escobilla u hoja «doctor». La tinta de las células de la subsuperficie se transfiere a las superficies a imprimir.

Principales usos en empaquetado: impresión de tubos flexibles de grandes series e impresión de etiquetas; se logra un trabajo de muy elevada calidad.

DESARROLLO Y DISEÑO DEL ENVASE

El desarrollo del envase tiene como finalidad el aumento de ventas y beneficios por un correcto diseño del envase. Tan pronto como sea posible se debe considerar el envase en el desarrollo de un nuevo producto para disponer de tiempo para garantizar que son compatibles, envase y producto. El proceso de desarrollo comienza con un análisis detallado del producto, de modo que el envase se diseña para protegerlo. Los factores de mercado también deben considerarse: el envase ha de ser adecuado para el producto y su comercialización. Facilidad de apertura, factores de comodidad y facilidad de manipulación son de importancia capital para el usuario final. También se debe considerar el diseño gráfico y estético en esta etapa, tomando en consideración todo criterio importante relacionado con la comercialización, y se investigará la interacción entre producto y envase primario y otros elementos de empaquetado. Finalmente se considerará en el desarrollo del empaquetado los aspectos del entorno al envase, no sólo en términos de destrucción y desperdicio, sino también desde el punto de vista de reutilización como materias primas escasas.

Aspectos técnicos del diseño

Los aspectos técnicos del diseño de empaquetado son bastante diversos, y conciernen a demasiadas personas como para una discusión detallada en este texto, pero, hablando en términos generales, dado un material particular de empaquetado, el envase final debe ser suficientemente fuerte como para sobrevivir a cualquier tratamiento a que esté expuesto desde el momento del primer suministro de fábrica, a través de llenado, distribución, venta y uso práctico. Seguramente, existirán ciertos fallos de envase, en mayor grado debido a accidentes, pero es esencial que este número de fallos sea muy bajo si el producto va a tener éxito comercial y, por tanto, es esencial un muy estricto ensayo y control de calidad en una fábrica que produce productos de tocador y cosméticos.

Problemas típicos que se deben observar en el diseño de un envase son las zonas finas en frascos que son bastante frecuentes en frascos de vidrio o plástico, zonas sometidas a elevadas tensiones, de particular importancia cuando se utilizan poliolefina y zonas convexas de pequeño radio en el exterior de envases transparentes que pueden actuar como lentes efectivas por concentrar radiación ultravioleta y, de este modo, concentra sus efectos perjudiciales en pequeñas zonas de un producto. Frascos que son inestables sobre sus bases presentan problemas en las líneas mecánicas de llenado, si son inestables vacíos y a pérdidas o roturas durante su uso, si son inestables cuando están llenos.

No sólo un envase debe ser atractivo al consumidor y contener el producto de modo eficaz, sino que también debe hacer posible disponer del producto tan pronto como el consumidor desee usarlo. No hay nada más irritante para un consumidor que una crema de manos no salga del frasco porque el orificio es demasiado estrecho o un frasco flexible que suelta un chorro directo de líquido, en lugar de la esperada pulverización fina. El simple ejemplo de un orificio mal juzgado es de una importancia extrema, como es absolutamente esencial que el tamaño del orificio de un frasco o tubo sea correcto, de modo que se descargue el producto en la cantidad deseada. Análogamente, en el segundo ejemplo, las dimensiones del orificio y diseño deben ser correctos para el efecto deseado, esto es, pulverización fina, pero también el envase debe ser suficientemente flexible como para hacer posible que el consumidor aplique fácilmente el volumen necesario de productos. Estos puntos de tamaño de orificio y diseño, flexibilidad de paredes, y también general accesibilidad del producto en envases abiertos, tales como tarros, parecerán evidentes, pero son factores que se pueden descuidar, y por ello merecen mucha atención.

Se usan ampliamente aplicadores para productos, tales como como antitranspirantes, desodorantes y varias formas de construcción decorativa que requiere la aplicación a zonas decorativas del cuerpo. En el campo de desodorantes en particular, ha existido una gran actividad en el diseño de aplicadores. Los productos de la gama de desodorantes se pueden obtener en la forma de envase a presión, bombas operadas con el dedo, envases flexibles, envases de bola *(roll-balls)* y barras.

El tipo bola *(roll-ball* o *roll-on)* de envase es de amplia utilización, y es particularmente ingenioso para aplicar una cantidad conveniente de producto sólo en el momento en que el envase se aplica a la piel. Generalmente, consta de un frasco de vidrio o plástico con un cuerpo-cierre de polietileno que contiene una bola de poliestireno o vidrio. Invirtiendo el envase, el producto fluye por un orificio situado en el centro del cuerpo sobre la bola, y ésta se hace rodar sobre la piel. El cierre se obtiene de dos modos, ambos patentados[9, 10]; una parte saliente de la tapa se constituye para encajar sobre la bola y empujarla a su asiento en el cuerpo, cortando así el flujo, o el interior de la tapa puede tener tal forma que, cuando se vuelve a colocar, el borde del cuerpo se comprime sobre la bola, proporcionando un cierre alrededor de la bola en lugar de hacerlo debajo de ella. El desarrollo de los aplicadores de bola ha sido descrito por HANLON[11]. Los envases de barra generalmente son cilindros de poliestireno que contienen un portador *(godet)* de polietileno. El envase que contiene este portador *(godet)* se usa como molde de la barra que se alarga o retrae de modo manual o, en envases más sofisticados, por medio de un artificio de tornillo que funciona girando la base del envase. Es de capital importancia que el interior del cilindro esté ajustado de modo que no exista la posibilidad de evaporación del agua o alcohol de la barra a través del portador *(godet)*. Los envases de barras de labios también pueden ser del tipo tornillo y, generalmente, se fabrican metálicos. Como la evaporación no es problema en las barras de labios, se moldea separadamente.

Otro área interesante donde ha existido una gran actividad es la del diseño de tubos colapsables para contener dos sustancias incompatibles que se mezclan durante la expulsión. Se ha presentado un gran número de patentes para tales tubos, que tienen particular aplicación en el campo de colorantes y decolorantes del pelo, pero aún no se dispone de un envase de completo éxito. Un diseño descrito es el del tubo colapsable que descarga producto (usualmente pasta dentífrica) en forma de rayas. Las partes separadas del producto expulsado pueden diferir en colores, pero también se pueden diferenciar de otros modos, por ejemplo, se pueden coexpulsar pastas dentífricas geles transparentes y opacos. Esto se puede lograr colocando un producto en la pieza inserta de diseño especial en la boquilla del tubo, de modo que el otro producto se expulsa pasando por la pieza insertada, tomando el primer producto la forma de tiras para formar bandas[1 2].

Cierres

Ningún envase, por perfecto que sea, tiene valor alguno a menos que posea un cierre eficaz. Idealmente, el cierre debe ser fácil de quitar y volver a colocar, pero deberá proporcionar un cierre estanco que evite la difusión de gases y vapores y el escape de líquidos. Muchos cierres de tubos y frascos constan de una cápsula con rosca que dispone de una junta compresible, pero actualmente se usan ampliamente cierres sin junta —logrados con nuevos diseños de cierres termoplásticos con rosca y cierre a presión— para productos líquidos tales como champúes y acondicionadores del cabello.

Los cierres que contienen junta suelen fabricarse con materiales plásticos termoestables, tales como urea- o fenol-formaldehído, aunque todavía se usan cierres de metal. Normalmente, las juntas constan de un material base firme, como pasta de madera, que se trata de varios modos. La pasta de madera aislada da sólo un cierre estanco pobre, pero éste se puede mejorar mucho con un revestimiento de cera. Sin embargo, este tipo de junta presenta muy poca resistencia a la humedad y a los aceites, y tiene tendencia a quedar empapada en largos tiempos de almacenamiento. Una junta más satisfactoria para envases cosméticos es la de pasta de madera con frente de papel recubierto de vinilo, que es muy resistente a la humedad y al aceite, aunque el cierre obtenido con bordes de vidrio y metal no es especialmente bueno. Si se van a envasar productos sensibles a la pérdida de humedad, por ejemplo, emulsiones aceite en agua, el recubrimiento de vinilo debe estar, además, recubierto de una capa de cera.

Cuando el cuello de un envase es pequeño, tal como en un frasco, hay más elecciones de materiales para juntas, pudiéndose usar juntas basadas en corcho. Las juntas de corcho con frente de lámina de aluminio son bastante comunes, pero dan un cierre insuficiente para sustancia oleosas. Las juntas recubiertas de vinilo son bastante superiores a este respecto, pero tienen tendencia a adherirse al envase y saltar cuando se quita el cierre, si el producto es resinoso. No obstante, el encerado resuelve este problema. También se usan para frascos tapones sólidos de goma flexible o juntas, particularmente los que tienen cuello pulverizador, en que se puede diseñar un saliente para ajustar en el orificio de salida, para dotarlo de un cierre hermético muy eficaz.

Los cierres usados en tubos colapsables metálicos son básicamente similares a los utilizados en frascos. Los cierres se hacen de resina termoestable, y las juntas suelen ser de pasta de madera con frente de papel recubierto de vinilo. Normalmente, sólo es necesario usar juntas especiales cuando el producto es sensible al aire o muy sensible a la pérdida de humedad, en cuyos casos son especialmente adecuadas las juntas de polietileno sólido o pasta de madera con frente de papel recubierto de polietileno. Una alternativa es usar cierre moldeado de polietileno de alta densidad o polipropileno conteniendo una superficie lisa que cierra estanco en el cuello del tubo. Estos cierres proporcionan hermeticidad, pero tienen tendencia a expandirse y a aflojarse ligeramente a elevadas temperaturas. En casos extremos, para proporcionar una hermeticidad perfecta se puede fabricar un tubo de aluminio con una membrana perforable en la totalidad de la boquilla del tubo. En el terminal plegado del tubo de aluminio se puede utilizar un cierre hermético de látex, banda interna de caucho látex de unos 6 mm de anchura para dar una buena hermeticidad, pero se debe tener cuidado durante el llenado para garantizar que ninguna porción del producto entre en contacto con el látex. No obstante, un terminal hermético no es necesario si el interior del tubo está encerado. En el caso de tubos de plástico (polietileno o PVC), generalmente es usual un cierre de polietileno sólido, pues la hermeticidad obtenida entre dos plásticos bastante flexibles suele ser bastante adecuada. Se pueden lograr diseños atractivos para este tipo de envase usando cierres del mismo diámetro que el cuerpo del tubo, haciendo posible una posición vertical en el estante.

Para algunos productos de características reológicas apropiadas, por ejemplo, cremas de manos, el cierre puede incorporar una bomba de descarga, de tal modo diseñada que una presión hacia abajo proporcione la descarga de una cantidad fija de producto. Tales dispensadores usualmente se fabrican de material poliolefínico.

ENSAYO Y COMPATIBILIDAD DEL ENVASE

Ensayo

Existen tres razones principales para ensayar los materiales de envasado y las unidades envasadas terminadas: proporcionar vital información al diseñador para que haga una selección adecuada de material, garantizar el comportamiento de un material en relación al servicio que tiene que realizar y proporcionar una comprobación continua de la calidad.

La comparación de resultados es sólo válida si se usa el mismo método estándar cada vez que se realiza el ensayo; se debe dudar de la cita de resultados sin estándares de referencia. Como consecuencia es importante, siempre que sea posible, usar un método estándar aceptado de ensayo. Los estándares de ensayo son redactados y publicados por organizaciones nacionales, como British Standars Institution (BSI), American Society for Testing and Materials (ATSM), Deutsches Institut für Normung (DIN), etc., utilizando cuadros de expertos en los campos de la industria y comercio, y están coordinados por la International Standards Organization (ISO). Como con todos los procedimientos de ensayo, es esencial un conocimiento básico de los métodos estadísticos, tanto para estar seguros de que las muestras seleccionadas para el ensayo son representativas, como para la interpretación de los resultados.

Los métodos principales de ensayo utilizados por la industria de envasado, tanto en materiales como en unidades terminadas, investigan lo siguiente:

Propiedades mecánicas, por ejemplo, compresión, resistencia a la extensión, flexión e impacto.

Propiedades físicas, por ejemplo, absorción de agua, velocidades de transmisión de vapor de agua, envejecimiento acelerado, inflamabilidad y conductividad térmica.

Propiedades químicas, por ejemplo, resistencia al producto o al entorno químico, y ensayo de corrosión.

Compatibilidad

El ensayo de compatibilidad se realiza cuando se han decidido la formulación final del producto y el sistema de envasado. Idealmente se tomarán muestras del producto de los lotes de ensayo, y se ensamblará el sistema completo de envase utilizando muestras reales, o muestras fabricadas a escala piloto, representativas del componente final.

La compatibilidad general del envase y producto necesita ser comprobada por ensayos de almacenamiento que permita hacer una valoración del efecto del envase en el producto, así como el del producto sobre el envase. Es importante recordar que el efecto del derrame externo del envase es importante, y evidentemente debe incluirse en el programa de ensayos. Por ejemplo, es posible formular productos alcohólicos que contengan una pequeña cantidad de éster no volátil que no tenga efecto, por ejemplo, en poliestireno, si éste es sumergido en el producto, pero si se permite que el producto se seque en la superficie de un envase de poliestireno, la evaporación de los alcoholes hace que se produzca una elevada concentración de éster, y éste puede disolver al poliestireno y hacer pegajoso al envase.

El ensayo de almacenamiento durante la vida comercial es también necesario para determinar la velocidad a que los volátiles se pierden, y esto incluye no sólo al agua y alcohol, sino al perfume. La valoración de la pérdida de perfume sólo se puede hacer sensible oliendo, aunque el peso evidentemente permitirá determinar la pérdida de disolventes.

Finalmente se debe ensayar la comodidad de todo envase cosmético con ensayos de uso real, así como por ensayos en laboratorio, y para esta finalidad es necesario tomar en consideración tanto las costumbres como el clima del país en que se va a comercializar el producto: por ejemplo, los cuartos de baño en Gran

Bretaña tienden a ser fríos, y los ensayos de vertido deben considerar esto; análogamente, los productos para países tropicales se deben ensayar en condiciones de elevada humedad y temperatura.

REFERENCIAS

1. MacChesney, J. C., *Packaging of Cosmetics and Toiletries*, London, Butterworth, 1974.
2. Paine, F. A., *Packaging Evaluation: The Testing of Filled Transport Packages*, London, Butterworth, 1974.
3. Park, W. R. R. (Ed.), *Plastics Film Technology*, New York, Van Nostrand Reinhold, 1970.
4. *Modern Packaging*, 1979, **52**(12).
5. BS 3130: 1973, *Glossary of Packaging Terms*.
6. Dweck, A. C., *Cosmet. Toiletries*, 1981, **96**(6), 17.
7. Guise, W., *Manuf. Chem.*, 1981, **52**(8), 24.
8. Moody, B. E., *Packaging in Glass*, London, Hutchinson Benham, 1977.
9. British Patent 740 220, Bristol-Myers Co., 17 March 1954.
10. British Patent 843 315, Owens Illinois Glass Co., 25 April 1958.
11. Hanlon, J. F., *Soap Cosm. Chem. Spec.*, 1981, **57**(6), 67.
12. British Patent 813 514, Marraffino, L. L., 11 June 1956.

42

La utilización del agua en la industria cosmética

De todas las materias primas utilizadas en la formulación y fabricación de cosméticos, el agua es casi con seguridad la más ampliamente usada. Sin agua, nuestra gama de productos cosméticos se reduciría drásticamente, aunque por ser relativamente barata y abundante, al agua frecuentemente no se le da la importancia debida. No debemos confiarnos: de la totalidad de agua dulce de este planeta (y no hay excesiva de ella), sólo el 0,03 por 100 es adecuada para ser consumida por la población mundial, que crece a velocidad asombrosa.

Propiedades y usos cosméticos del agua

El agua es una sustancia muy reactiva, mucho más que la mayoría de las materias primas de los cosméticos. Esto se pone de manifiesto por sus propiedades corrosivas: el agua oxida metales y descompone materia animal y vegetal. Por tanto, es sorprendente que fisiológicamente sea innocua: descompone sustancia muerta, pero no viva.

El agua interviene en cuatro tipos de reacciones químicas, esto es, oxidación, reducción, condensación e hidrólisis. La totalidad de las cuatro está representada en la variedad de procesos bioquímicos en que interviene el agua. Por esta razón, el agua es un requisito esencial para todos los organismos vivos: sin agua, no existirá vida. También, una vez que el agua está presente, casi con seguridad se encontrará algún tipo de vida. Además, el agua se distribuye muy heterogéneamente entre los organismos vivos. Por ejemplo, la medusa tiene un 97 por 100 de agua, los seres humanos adultos, un 70 por 100, y las esporas bacterianas, sólo un 50 por 100, que parece estar próximo al límite inferior en que la vida puede subsistir.

En la fabricación de cosméticos se hace uso del agua como disolvente, y como materia prima relativamente innocua, más que como un ingredinte esencial bioquímico. Entre otras aplicaciones, el agua constituye una parte significativa en champúes, productos para el baño, preparaciones alcohólicas, jabones y emulsiones. A causa de su fácil disponibilidad y economía, el agua desempeña una parte importante en los productos cosméticos; no obstante, por no considerar la calidad del agua empleada, estos productos pueden quedar inutilizados, cuando de otro modo podrían ser productos cosméticos satisfactorios.

Composición de las aguas de la red

En muchos países productores de cosméticos se dispone de agua de la red y se obtiene al abrir un grifo. Puesto que el agua pura es un disolvente extremadamente corrosivo, el agua de la red contiene inevitablemente contaminantes, y la presencia de éstos es lo que interesa al químico cosmético. La naturaleza de los contaminantes que llegan a nuestras plantas de fabricación en el agua de la red depende de la fuente original del agua, y naturaleza y grado de todos los procesos de purificación a que ha sido sometida por las autoridades nacionales o municipales del abastecimiento de agua. Generalmente, el agua de las zonas rurales contiene los siguientes iones inorgánicos en cantidades variables: calcio, magnesio, sodio, potasio, bicarbonato, sulfato, cloruro y silicato. Además, el agua tiene un contenido orgánico detectable, especialmente ácidos húmicos y fúlvicos (sustancias policarboxílicas derivadas de la descomposición de la vegetación natural), aminoácidos, hidratos de carbono y proteínas (de las hojas caídas), alcanos y alquenos de elevado peso molecular (procedentes del crecimiento de algas), y posiblemente compuestos orgánicos azufrados (procedentes de las aguas residuales o del contacto con la vida animal).

Procedente de las zonas urbanas, el agua más contaminada tiene una gran gama de contaminantes. Entre sustancias inorgánicas que se encuentran en el agua contaminada se cuentan amoniaco, fosfatos, arseniatos, boratos, cromo, zinc, berilio, cadmio, cobre, níquel, hierro y manganeso. Los contaminantes orgánicos del agua incluyen petróleo, disolventes clorados, agentes tensioactivos, tales como compuestos alquil bencén sulfónicos (aunque las concentraciones de éstos se han reducido mucho con la introducción de tensioactivos biodegradables). Cualquiera que sea el origen del agua, casi con seguridad contiene bacterias, virus, pirógenos, mohos y levaduras.

Aun el agua pura y relativamente sin contaminar, de las áreas rurales se considera no adecuada para el abastecimiento municipal en la mayoría de los modernos países industriales. Como consecuencia, tales aguas se purifican antes de su distribución. El objeto de tal purificación no es producir agua complementamente pura, sino generar agua potable para consumo general que sea agradable de ver, gustar y beber, y no contenga nada que sea peligroso para la salud humana. Para lograr este estándar, al agua se la libera de la mayoría de los sólidos suspendidos, ácidos húmicos y organismos vivos, pero aún contiene sales y gases disueltos para ser agradable de beber.

Requisitos de la pureza del agua para cosméticos

Antiguamente, los cosméticos se fabrican exclusivamente con agua de la red que no había sido purificada posteriormente. No obstante, para cumplir las estrictas normas actuales de estabilidad del producto es necesario investigar a fondo dos aspectos de la contaminación del agua de la red.

El primero de éstos es la concentración de iones inorgánicos. El agua de la red, aun después de purificación inicial, presenta muchas sales de sodio, calcio, magnesio y potasio; también contiene el 50 por 100 de la concentración original de metales pesados, particularmente mercurio, cadmio, zinc y cromo, así como pequeñas cantidades de hierro y otras sustancias que toma de las tuberías de abastecimiento.

En la fabricación de colonias y preparados para el postafeitado (que generalmente contienen entre el 15 y el 40 por 100 de agua), las pequeñas cantidades de calcio, magnesio, hierro y aluminio originarán la formación lenta de residuos invisibles, frecuentemente empeorada con la coprecipitación de los componentes menos solubles de la composición del perfume. Además, la presencia de compuestos orgánicos fenólicos, tales como antioxidantes y estabilizadores ultravioleta, ocasionan alteraciones de color de tales cosméticos al reaccionar con las trazas de metales, al formar productos coloreados.

En el campo de la tecnología de emulsiones, es bien conocido que la presencia de grandes concentraciones de iones inorgánicos, tales como magnesio y zinc, puede conducir a la separación de emulsiones, estables en otro caso, por interferir al equilibrio de cargas estáticas responsables para el funcionamiento adecuado de ciertos tensioactivos. Aunque no se ocasione una separación completa, la presencia de tales iones en la fase acuosa puede ocasionar características completamente imprevistas sobre la viscosidad de la crema o loción, y efectos análogos en la viscosidad se ocasionan en champúes y otros productos que contienen tensioactivos.

El segundo aspecto del agua sin purificar de la red de abastecimnto que interesa a los químicos cosméticos es la presencia de microorganismos en ella. Si se introducen microorganismos en cosméticos, y se les deja proliferar, el resultado es la inutilización del producto por desarrollo de olores desagradables, colonias visibles de bacterias, mohos u hongos y, finalmente (en el caso de emulsiones), separación del producto, y todo esto unido al daño potencial para el consumidor. Todo producto cosmético, aunque contenga un recubrimiento superficial de agua, presenta un riesgo microbiológico, y la fuente más común de tal contaminación es la misma agua. Como consecuencia, las modernas plantas de fabricación de cosméticos deben estar suministradas con agua que esté tanto libre de contaminación microbiológica, como viable técnica y económicamente. (Es irónico, como se verá, que una fuente potencial de contaminación con bacterias sea el gran aparato que se ha de usar para eliminar del agua la contaminación de iones no deseados.)

En general, el nivel de contaminación microbiológica del agua de la red que se toma del grifo es muy variable; puesto que los microbios se multiplican mejor en agua estancada o quieta, el nivel de contaminación en el momento en que el agua llega al consumidor depende no sólo de la pureza del agua a la salida de la planta municipal, sino también del trazado y frecuencia de uso del sistema de distribución.

Purificación posterior del agua de la red

Desionización

La desionización posterior del agua de la red se puede realizar por sistemas de intercambio iónico, ósmosis inversa o destilación. De éstos, el método más común es el intercambio iónico.

Para eliminar completamente todos los iones del agua, los sistemas de ionización comprenden al menos dos tipos de resinas: una para eliminar cationes (y, por tanto, denominada resina catiónica) y una segunda, la resina aniónica, para eliminar aniones. La figura 42.1 ilustra esquemáticamente el principio. A medi-

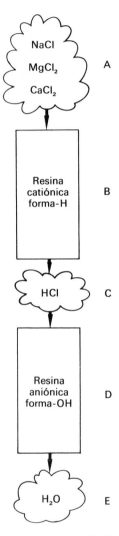

Figura 42.1. Principio de las columnas de intercambio iónico.
El agua de la red, *A*, contiene varios iones inorgánicos para ser eliminados por el proceso. La resina catiónica, *B*, a través de la cual pasa el agua, está en forma ácida o hidrógeno. Cuando el agua se filtra a través de los lechos de resina, cada uno de los cationes quedan unidos a un lugar activo en la superficie de la resina, sustituyendo a un ion hidrógeno. Dado un número suficiente de tales puntos, y una duración de tiempo de contacto suficiente entre agua y resina, es posible la sustitución cuantitativa por hidrógeno de todos los iones metálicos de la solución original; en este momento, el agua tiene la composición mostrada en *C*. Esta agua ácida se pasa ahora a través de la columna aniónica, *D*, donde tiene lugar un intercambio similar de aniones por iones hidroxilos, de modo que el eluyente en *E* contiene una concentración equivalente de iones de hidrógeno e hidroxilo a las cantidades de impurezas inorgánicas ionizables inicialmente presentes.

da que los puntos activos de ambos tipos de resina llegan a estar ocupados por iones inorgánicos, el desionizador se hace progresivamente ineficaz hasta que el agua que lo alimenta atraviesa las columnas virtualmente inalteradas. En este momento, las resinas deben ser «regeneradas» para continuar su función. Durante la regeneración, los puntos activos se inundan con iones libres de hidrógeno e hidroxilo por contacto prolongado con fuertes ácidos minerales y bases, respectivamente, hasta que los cationes y aniones inorgánicos adsorbidos son otra vez sustituidos por hidrógeno e hidróxilo. Después de lavar a fondo con agua desionizada, las resinas están listas para nuevo uso.

Las resinas de intercambio se utilizan de tres maneras, cada una de ellas produce calidades ligeramente diferentes de agua. En la primera de ellas, las dos resinas se mantienen en columnas separadas (sistema de «lechos gemelos»). En este caso, invariablemente hay una ligera fuga de sales sódicas procedentes de la columna catiónica, en grado que depende de la relación de sodio a contenido catiónico total en el agua de alimentación. Puesto que estas sales sódicas abandonan el desionizador como hidroxilo sódico, el agua purificada obtenida procedente de tal desionizador puede llegar a tener un pH tan alto como 10.

Para superar este problema, existe un segundo tipo de sistema en el cual ambas resinas están íntimamente mezcladas en una columna (sistema de «lecho mezcla»). Esta distribución produce un agua de calidad más elevada, que tiene reacción neutra, y una concentración iónica inferior a 1 ppm. No obstante, al exponer a la atmósfera tal agua, absorbe rápidamente dióxido de carbono para formar ácido carbónico y, por tanto, presentará un pH ácido.

El tercer tipo de sistema de resina asocia una resina catiónica fuerte con una resina aniónica débil, bien en forma de lecho gemelo o mezcla. Naturalmente, tal sistema no eliminará sustancias ácidas débiles, tales como sílice o dióxido de carbono. Como consecuencia, el agua purificada resultante no disminuirá en concentración de estas sustancias iónicas, y frecuentemente tiene un pH de aproximadamente 4. Tales sistemas se usan para purificar agua para enrasar baterías o lavado de vidrio.

Desde un punto de vista práctico, los sistemas de intercambio se pueden comprar o alquilar de tres formas diferentes: autorregenerables, cartucho de intercambio o como resinas de un solo uso.

Como indica su nombre, los desionizadores autorregenerables se regeneran por el usuario, bien manualmente (por manipulación de válvulas) o automáticamente en tiempos preestablecidos, o cuando el agua efluyente alcanza una calidad predeterminada. La comodidad del tipo automático da lugar a que sea, con mucho, el más popular, y se dispone de tales desionizadores en forma de lecho gemelo o mezcla.

Por otra parte, los cartuchos desionizadores suelen ser del tipo de lecho mezcla, estando ésta contenida en un cartucho sustituible. Cuando se requiere la regeneración del lecho mezcla, este cartucho es sencillamente eliminado y reemplazado por un repuesto que contiene resina fresca, siendo el cartucho agotado devuelto al fabricante para su regeneración. Dependiendo del uso a que se destina, los cartuchos desionizadores tienen ventajas respecto a la variedad autorregenerable. Producen agua más pura, el tiempo muerto de regeneración es despreciable (o nulo si está instalado en un aparato de cambio automático), se requiere poca especialiación, no hay que manipular productos químicos, o pérdida de efluyente, y son fáciles y rápidos de instalar. Su principal desventaja es su comparativamente elevado costo de funcionamiento, en especial para grandes consumos de agua. Los cartuchos desechables, o de un solo uso, están, como su nombre indica, diseñados para ser desechados cuando se agotan. Esto es especialmente útil en áreas en las que no se dispone fácilmente de instalaciones para su regeneración.

Otro tipo de técnica de intercambio iónico de uso frecuente en la industria cosmética es conocida como «intercambiador básico» o «ablandador de agua». En este caso, el agua de alimentación pasa por una resina catiónica en forma sódica. De este modo, los iones calcio y magnesio del agua dura se sustituyen por un número equivalente de iones sódicos, produciendo de este modo agua blanda. La concentración iónica equivalente del agua tratada de este modo permanece, por tanto, la misma, sólo cambia la naturaleza del catión.

Destilación

Las resinas de intercambio no porporcionan el medio de eliminar del agua contaminantes no iónicos o iónicos débiles. En particular, el agua desionizada contiene aún pirógenos y, por esta razón, a veces se usa la destilación como alternativa o complemento del intercambio iónico[1]. Aunque a veces se encuentran en los laboratorios calderas sencillas, los dos tipos más comúnmente usados de calderas para grandes volúmenes de agua son los tipos «termocompresión» y «retorno». No obstante, el primero es difícil de manejar, mientras que el último utiliza comparativamente grandes cantidades de agua de refrigeración.

El desarrollo más reciente es usar una caldera con columna de múltiples platos a presión que requiere poca o ninguna agua de refrigeración. Generalmente, la destilación es más comúnmente usada en la industria farmacéutica, donde es necesario el uso de agua estéril. Como medio de obtener grandes cantidades de agua pura para uso cosmético, la destilación es excesivamente cara. La naturaleza asociada a la molécula de agua da lugar a una capacidad calorífica, y calor latente de evaporación, que es desproporcionadamente elevado para tal pequeña molécula. Si no se recupera el calor del proceso de destilación, el requisito mínimo de energía para la destilación es del orden de 0,8 kW de energía por cada kilogramo de agua destilada.

Ultrafiltración

La ultrafiltración es un método sencillo y rápido para separar moléculas disueltas en base al tamaño bombeando agua a través de un filtro de tamaño molecular. Los valores de producción (hasta 10 litros por hora) son excesivamente bajos para que esta técnica sea de mucha aplicación para fines de producción.

Osmosis inversa

La ósmosis inversa[2-5] es la más extensamente aplicable de todas las técnicas de purificación que implican membranas. El principio del que procede su nombre exige forzar el agua a través de una membrana semipermeable desde una solución concentrada hacia una débil contra la presión osmótica. Así, la concentrada se hace progresivamente más concentrada en solutos. El valor de esta técnica es que la solución diluida se diluye extremadamente: la membrana es capaz de impedir el paso del 95 por 100 de los iones inorgánicos, el 100 por 100 de bacterias y virus y un muy alto porcentaje de otras sustancias orgánicas, dependiendo del peso molecular.

Como con el fenómeno de ósmosis más familiar, la membrana no desempeña un papel pasivo, siendo su naturaleza y estructura de gran importancia para la eficacia del proceso. Se dispone de varios tipos de membrana, pero aún los más ampliamente usados son los tipos de acetato de celulosa anisotrópica, y la fibra hueca de poliamida. Esta última sufre la desventaja de ser vulnerable al ataque bacteriológico, altas temperaturas, y cambios de pH fuera de un estrecho intervalo, y esto ha conducido a una investigación de otras membranas anisotrópicas, que desgraciadamente son más caras.

Las típicas membranas de acetato de celulosa constan de una capa relativamente densa no porosa («capa activa») con un espesor de 1500-2500 Å soportada en una subestructura de elevada porosidad que comprende el cuerpo de la membrana. Esta subestructura contiene aproximadamente un 55 por 100 de espacio hueco con poros de diámetro medio de 20 Å.

Aunque el mecanismo de rechazo no está completamente explicado, aparentemente está relacionado con la formación de enlaces de hidrógeno entre el agua alimentada y el polímero de la membrana, transformando el agua en menos fácil para disolver los solutos.

Las membranas se construyen en forma de cilindros capaces de resistir presiones de trabajo de 400-600 psi $(2,7-4,1 \text{ Nmm}^{-2})$ y el aparato total de la ósmosis inversa trabaja de modo continuo. El agua de alimentación pasa a través de la membrana (primero por la capa «activa») y se recoge como agua purificada al otro lado de la membrana. Aproximadamente, el 75 por 100 del agua de alimentación se recoge como purificada, y el 25 por 100 se descarga como concentrado de modo continuo.

Se dispone de plantas de ósmosis inversa para cumplir casi con cualquier caudal de agua y, aparte del capital de costo elevado inicial, son un medio ideal para suministrar agua pura para procesos cosméticos. Las membranas necesitan ser cambiadas a intervalos de cinco a diez años para operaciones continuas.

Purificación microbiológica

En Inglaterra, el agua del grifo está lejos de ser estéril. Se obtienen frecuentemente recuentos en placa entre 10^2 y 10^3 microorganismos por mililitro, y si el suministro procede de tanques de almacenamiento (comúnmente usados en la industria cosmética) estos recuentos pueden alcanzar con facilidad 10^5 o 10^6 microorganismos por mililitro. Los tipos de microorganismos que realmente viven en el agua de la red se limitan a aquellos de requisitos nutricionales pobres, principalmente cepas gram-negativas de las cuales son representativos *Pseudomonas*, *Achromobacter* y *Alcaligenes*. No obstante, estos son precisamente los microorganismos que proliferan más rápidamente en productos basados en agua, tales como emulsiones.

Otros tipos de microorganismos pueden, una vez que han encontrado su camino en el suministro de agua, sobrevivir a los procesos de cloración, y adaptarse a formas no proliferantes hasta llegar a disponer de sustratos adecuados; incluso las variedades formadoras de esporas se comportan de este modo. Sin embargo, a la salida de la planta de tratamiento, el suministro del agua municipal es probable que esté libre de pirógenos, algas y virus y, como consecuencia, también el suministro a la factoría permanece libre de estos contaminantes, a menos que los adquieran en las tuberías de suministro.

La materia prima, antes de su purificación posterior, puede estar ya contaminada con microorganismos en grado inaceptable. El paso por las resinas de intercambio iónico ocasiona niveles de contaminación más elevados: estas resinas forman una base ideal de alimentación de microbios, puesto que contienen grandes zonas de películas finas de agua estancada. Incluso la misma planta no está libre de contaminación; toda bomba, aparato medidor, junta, tubería, manómetro y válvula proporcionan un espacio de almacenamiento de agua estancada en el cual hay crecimiento microbiano.

Existen cinco métodos prácticos de reducción o eliminación de contaminación microbiana de agua en la planta de cosméticos: tratamiento químico, tratamiento por calor, filtración, tratamiento ultravioleta y ósmosis inversa. Estos se pueden utilizar separadamente o combinados.

Tratamiento químico. Los lechos de resina y los sistemas de distribución contaminados se pueden esterilizar y limpiar usando soluciones diluidas de formaldehído o cloro (generalmente en forma de soluciones de hipoclorito). Antes de que las resinas se traten se deben agotar completamente por contacto prolongado con salmuera; si no se hace esto probablemente el formaldehído se transformaría en paraformaldehído (un polímero), y el hipoclorito dará lugar a la formación de cloro. El método general de tratamiento es dejar los lechos en contacto con una solución acuosa al 1 por 100 de uno de los productos químicos durante la noche.

Una vez que el agua ha pasado por el desionizador, un método de garantizar que los microorganismos no pueden sobrevivir en el tanque de almacenamiento o sistema de abastecimiento es dosificar en ella, a muy baja concentración, uno de los desinfectantes. Las plantas cosméticas se deben mantener a niveles de contaminación inferiores a 100 unidades de micoorganismos formadores de colonias, dosificando el tanque de almacenamiento post-desionizado con cloro libre entre 1 y 4 ppm (5 ppm es ya detectable por el olor sin efecto aparente de detrimento en la gran mayoría de los productos cosméticos). No obstante, para lograr esto se debe realizar una monitorización constante de los niveles de cloro y efectuar redosificaciones cuando la concentración de cloro cae por debajo del 1 ppm.

Un medio menos usual de lograr agua estéril, o casi estéril, implica el tratamiento con conservantes y calor. Por ejemplo, una solución de 0,1-0,5 por 100 de metilparabenes, cuando se calienta a 70 °C, proporciona agua casi estéril que se usa para la limpieza de la planta.

Tratamiento por calor. La descontaminación del agua del proceso por tratamiento por calor en la industria cosmética se realiza más frecuentemente en el mismo recipiente. El recipiente se carga con la cantidad apropiada de agua que se calienta a 85-90 °C, y se mantiene esta temperatura al menos durante veinte minutos. Tal tratamiento es suficiente para eliminar todas las bacterias comunes de crecimiento en el agua, pero no destruirá las formadoras de esporas, en el caso, no probable, de haber alguna presente. (En efecto, el tratamiento por calor, tal como éste, probablemente provoca la germinación de todas las esporas. Si se sospecha que hay esporas, se debe repetir el mismo tratamiento por calor una segunda vez después de un lapso de dos horas y, para seguridad absoluta, aún una tercera vez dos horas después.)

Se cuenta con una disposición alternativa que calienta el agua a 120 °C en película fina, y después otra vez se enfría instantáneamente. Este es un aparato intercalado en la línea conocido como unidad de tratamiento UHST *(ultra high short term)*. Se afirma que tales unidades son capaces de destruir todas las bacterias.

En algunas plantas de fabricación farmacéutica, donde se tiene que almacenar agua esterilizada, los tanques de almacenamiento se mantienen con calefacción constante de 70 °C para evitar el crecimiento de cualquier contaminante disperso que haya escapado de los procesos de esterilización.

Radiación ultravioleta. La radiación ultravioleta de longitudes de ondas inferiores a 300 μm ha demostrado destruir la mayoría de los microorganismos que comúnmente contaminan el agua, incluyendo virus, bacterias y la mayoría de los mohos. El mecanismo por el cual los microorganismos se destruyen parece ser un efecto fotoquímico de tales radiaciones ultravioletas en el contenido DNA y RNA de sus núcleos débilmente protegidos. No obstante, puesto que la luz de esta longitud de onda no penetra mucho a través del agua, la alimentación debe llevarse a un contacto muy próximo de las fuentes ultravioleta para proporcionar efectividad; en efecto, esto significa que el agua debe extenderse en película fina, ocasionando así una restricción al sistema de alimentación y disminuyendo el valor del caudal.

Aunque la esterilización ultravioleta es un medio útil de control microbiológico en algunos tipos de instalación, se debe tener precaución de garantizar que la eficacia de la fuente no se deteriore por la formación de residuos cálcicos alrededor de la fuente o inevitable deterioro de la misma fuente. Como todos los métodos de esterilización en frío, la radiación ultravioleta nunca es completamente eficaz, generalmente algunos microorganismos se las ingenian para escapar incluso de los más eficaces sistemas, y si se les deja prosperarán y se multiplicarán.

Filtración. En teoría, todas las bacterias conocidas pueden ser eliminadas del agua pasándola a través de un filtro que tenga un tamaño de poro de 0,2 μm o inferior. Prácticamente, tales filtros existen en forma de cartuchos, y a veces se recomiendan como un método de esterilizar el agua intercalada en línea en la planta de cosméticos, bien solos o en unión con otros medios (aunque a veces se sugieren filtros de 0,45 μm como alternativa más práctica).

Aunque se puede demostrar que los filtros de membrana eliminan muy eficazmente la contaminación microbiana del agua, el método tiene varias desventajas. Estos filtros crean una resistencia muy elevada al flujo, y son extrema-

damente caros de sustituir —los costos de funcionamiento pueden ser desproporcionadamente altos comparados con otros métodos—. No obstante, una objec-
ción más fundamental es que la posible acumulación de microorganismos capta-
dos en la matriz del filtro aumenta la resistencia al flujo de agua hasta que
finalmente la presión alcanza un punto en que algunos microorganismos atraviesan la membrana o el agua cesa de fluir totalmente. Además, algunos microorganismos —especialmente los mohos— son capaces de multiplicarse en la matriz de
la membrana, y crecer literalmente por el otro lado. La velocidad a que sucede
esto depende del volumen de agua que pasa a través de la membrana, y su nivel
de contaminación. Especialmente están expuestas las instalaciones que emplean
el principio de recirculación constante, pues el paso constante de agua por
bombas y filtros calienta el agua circulante e incrementa la velocidad de crecimiento de los microorganismos atrapados en las membranas. Por estas razones,
muchas personas creen que es fundamentalmente erróneo el empleo de membranas para eliminar los microorganismos vivientes de este modo.

Finalmente, se observará que sólo la destilación, ultrafiltración y la ósmosis
inversa proporcionan agua libre de pirógenos.

Sistemas de distribución

La calidad del agua obtenida de un sistema real de tuberías de distribución
depende principalmente de la calidad del agua que entra en el sistema (si ésta es
pobre, no existe esperanza de obtener buena calidad de agua en ningún punto
de uso), la naturaleza de los materiales que entran en contacto con el agua, el
diseño del sistema y el mantenimiento del mismo. De estos factores, el primero
ya ha sido tratado con algún detalle, mientras que el segundo se supone no tener
relativamente importancia para los fines cosméticos. Sin embargo, esto está lejos
de la realidad.

Existen dos buenas razones concernientes a la naturaleza de los materiales
con que se construye el sistema de distribución: la probabilidad de contaminación por sustancias que se desprenden o reaccionan con el agua, y la facilidad de
limpiar el sistema. Probablemente el material ideal para construir las tuberías de
la distribución de agua es el acero inoxidable, pero su normalmente prohibitivo
elevado costo impide su uso en la mayoría de las plantas de cosméticos. Teóricamente es posible fabricar tuberías con otros materiales resistentes a la corrosión,
pero tales materiales son también relativamente caros y difíciles de conectar
juntos, de tal modo que excluyan bacterias y aire. Muchos sistemas de distribución emplean tuberías de plástico, especialmente tuberías fabricadas de cloruro
de polivinilo sin plastificar, polipropileno, acrilonitrilo-butadieno-estireno (ABS
= *acrylonitrile-butadiene-styrene*). La totalidad de los tres materiales sufre la desventaja de no ser capaz de resistir la esterilización por vapor, y cada uno de ellos
contiene una variedad de aditivos que pueden desprenderse y contaminar el
agua. Tales aditivos incluyen catalizadores, pigmentos, plastificantes, lubricantes, estabilizadores, antiestáticos, modificadores al elevado impacto y monómeros
o polímeros de bajo peso molecular.

En la práctica, muchas instalaciones de cosméticos se han construido de plástico sin detrimento claro de los productos, aunque sería ridículo suponer que nunca van a ocasionar interacción entre producto y contaminante.

Trazado físico del sistema de distribución

La elección del material con el que se construye la tubería es sólo un elemento de diseño del sistema de distribución que se ha de decidir. La elección del trazado físico del sistema es una parte muy importante del proceso de diseño; aún el equipo mejor creará problemas serios durante su uso, si no se ha seleccionado correctamente para su finalidad, y conectado unos a otros de manera razonable y apropiada.

Probablemente la primera etapa de este proceso es decidir qué tipo de desionizador se va a utilizar, teniendo presente la calidad y la cantidad del agua requerida, el nivel de especialización en el uso y mantenimiento que se dispone, y las limitaciones de costos de funcionamiento y capital que se deben cumplir. Esto ayudará en cierta medida a la selección de equipo para controlar la calidad microbiológica del agua: filtros, ultravioleta, tratamiento químico o quizá una combinación. También se ha de fijar, antes de realizar el primer proyecto de planos, la distancia a que ha de extenderse el sistema, y el mínimo número de salidas necesarias. Entonces el ingeniero de diseño estará en situación de decidir las características fundamentales del trazado y, en particular, si se selecciona un sistema de purificación centralizado o periférico, y si se selecciona un sistema de distribución «anillo principal» o «tramo muerto». Estas características se ilustran en las figuras 42.2-4.

La figura 42.2 representa un anillo principal convencional, sistema de circulación constante en que el agua se recircula continuamente por la red de tuberías, desionizador, filtros y esterilizador ultravioleta, y retorna a su punto de partida. De este modo la circulación tiene lugar veinticuatro horas por día, tanto si retira agua, como si no, de modo que el sistema, si se diseña adecuadamente, no tiene zonas muertas donde se pueda acumular agua estancada. Siendo continuamente bombeada a través del sistema de purificación, el agua mejora en calidad en cada paso.

Con tal de que la red de tubería sea adecuadamente trazada con ningún codo o ángulos acusados y que las válvulas de salida tengan el mínimo espacio muerto dentro de ellas, el sistema de recirculación constante ha demostrado ser muy eficaz en el suministro de agua de buena calidad. Su principal desventaja es que los filtros se obstruyen rápidamente si la calidad del agua de partida que llega de la red no es suficientemente buena para empezar con ella. Una vez que comienza el crecimiento bacteriano en el sistema de filtración, el incremento de presión así generado, y el paso constante de agua a través de otras restricciones del trazado, pueden dar lugar a una elevación considerable de la temperatura, fomentando así un crecimiento posterior no deseado.

La popularidad del sistema de anillo principal (especialmente en los proveedores de equipo de purificación de agua) ha conducido a la subestimación del sistema de «tramo muerto» (Fig. 42.3). La desventaja manifiesta de tal sistema es que el agua está estancada en las tuberías cuando realmente no se retira. No obstante, los trazados «tramo muerto» han probado su valor en ciertas circuns-

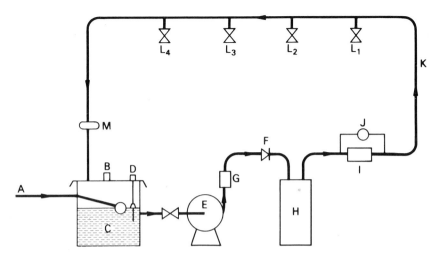

Fig. 42.2. Sistema de anillo principal con recirculación.
El suministro de agua bruta, *A*, alimenta directamente al tanque de corte, *C*, provisto de una válvula con flotador, una cubierta cerrada herméticamente, un tubo de respiración con aire filtrado bacteriológicamente, *B*, y un contactor de flotador indicador de bajo nivel *D*. La bomba, *E*, impulsa al agua vía una válvula sin posibilidad de retorno, *F*, a través de un prefiltro basto cuyo fin es proteger al desionizador, *H*, de toda materia suspendida. El agua desionizada sale de *H* vía control microbiológico, *I* (sistema de filtro o esterilizador ultravioleta), y a los puntos de toma L_1-L_4, retornando finalmente vía un tanque de caudal constante, *M*, al tanque de corte.

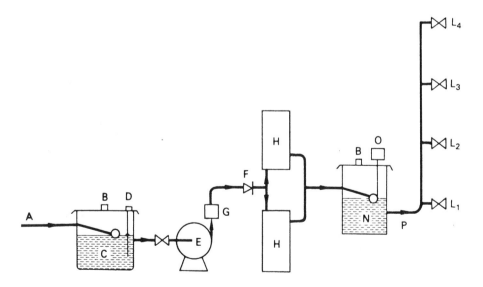

Fig. 42.3. Sistema de distribución «tramo muerto».
El agua se bombea a un tanque de almacenamiento, *N*, provisto de cuberta de cierre hermético, un respirador dotado de filtración bacteriológica, *B*, y una unidad de dosificación de cloro, *O*, que mantiene el contenido de cloro del agua constante a 1 ppm. La distribución es alimentada por gravedad vía un muy corto recorrido de tubería, *P*. Antes de usarlo, se hace correr suficiente agua a los desagues desde cada uno de los puntos de toma para vaciar *P*, garantizando de este modo que no se emplea el agua que ha permanecido estancada en la parte del sistema después de *N*.

tancias, particularmente en pequeñas plantas donde la red de tuberías de distribución se mantiene corta, y todos los tubos de toma se usan con asiduidad. La figura 42.3 muestra dos desionizadores instaladores en paralelo. Con apropiada monitorización microbiológica y química, que es esencial en todo sistema de agua purificada con buen funcionamiento, cualquiera que sea su diseño, tal trazado de «tramo muerto» puede ser eficaz, comparativamente libre de averías y funcionamiento económico.

Para plantas mayores, y donde se requiere especialmente agua pura, es apropiado un sistema descentralizado, tal como se muestra en la figura 42.4. En tal sistema, a cada uno de los puntos de toma se le dota individualmente de un desionizador y un aparato de control microbiológico. Es evidente que el elevado costo de instalación es una desventaja seria para un trazado de este tipo; sin embargo, en circunstancias apropiadas representa el sistema más seguro y con menos averías de todos.

La gama de posibles diseños no está limitada a los tres aquí descritos: se pueden utilizar combinaciones de todos los trazados ilustrados, así como características adicionales tales como columnas de enfriamiento y unidades de tratamiento UHST. Antes de instalar cualquier sistema es prudente contactar con un fabricante de garantía de equipos de tratamiento de agua para que aconseje el diseño más apropiado.

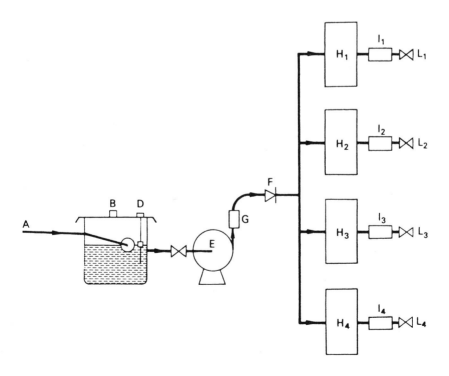

Fig. 42.4. Sistema de distribución descentralizado (denominaciones como en figuras 42.2 y 3).

Buena limpieza

Aparte de lo bien que se haya diseñado y construido, ningún sistema de agua purificada está a prueba de negligencia y mal mantenimiento. La buena limpieza debe comenzar en el momento de la instalación, garantizando que todas las tuberías y juntas se mantienen cuidadosamente limpias, y que las tapas terminales, y otros aparatos de expulsión de polvo, están adecuadamente ajustados. Después de poner en servicio el sistema, es esencial conservar los tanques limpios, y cambiar filtros y lámparas ultravioleta con suficiente frecuencia. La conductividad eléctrica del agua se debe monitorizar regularmente, y las resinas se deben cambiar o recargar en su momento oportuno. Análogamente, la contaminación microbiana se debe comprobar al menos una vez por semana, y el sistema total se debe limpiar químicamente al primer síntoma de problema.

Si un sistema moderno de purificación de agua se ha diseñado, ajustado y mantenimiento adecuadamente, se le puede exigir que de un suministro adecuado de agua de elevada calidad en todo momento.

REFERENCIAS

1. Shvedov, A., *Med. Tek.*, 1974, 36.
2. Reid, C. E. and Lonsdale, H. K., *Industrial Processing with Membranes*, ed. Lacy, R. E. and Loeb, S., London and New York, Wiley-Interscience, 1972.
3. Loeb, S. and Sourirajan, S., *Adv. Chem. Ser.*, 1963, **38,** 117.
4. Carter, J. W., Psaras, G. and Price, M. T., *Desalination*, 1973, **12,** 117.
5. Carter, J. W. and De, S. C., *Trans. Inst. Chem. Eng.*, 1975, **53,** 16.
6. Packham, R. F., *Water Treat. Exam.*, 1971, **20,** Parts 2 and 3.
7. Goodhall, J. B., *Manuf. Chem. Aerosol News*, 1973, **44**(9), 58.
8. Conacher, J. G., *Filtr. Sep.* 1976, **13,** 251.

43

Limpieza, higiene y control microbiológico en la fabricación

Introducción

El control de calidad comienza antes de adquirir cualquier sustancia, continúa a lo largo de la fabricación, acondicionamiento y distribución, y no puede «inspeccionarse dentro» de un producto al final del proceso de fabricación. Los productos de elevada calidad microbiológica no se elaboran por casualidad; se diseñan así desde las primeras fases de la fabricación. El acontecimiento frecuente de bajo nivel de contaminación microbiana del producto terminado es una advertencia de que el equipo en que se ha fabricado no había sido adecuadamente esterilizado. El ensayo del producto terminado es una medida (y sólo una medida) de la buena práctica de fabricación. Se deben tomar las precauciones apropiadas frente a los riesgos de contaminación de toda clase del productos. También la falta de higiene del equipo de procesado y llenado puede perjudicar al producto terminado. El polvo, suciedad o corriente irregular de aire fácilmente compromete un producto de otro modo aceptable[1], y debe existir una rutina de limpieza para todo el equipo y áreas de fabricación. Las instalaciones de servicios de aseo y lavado deben estar apropiadamente localizadas, diseñadas y equipadas.

Los siguientes son algunos de los requerimientos esenciales para la fabricación de un cosmético de calidad:

Mantenimiento de los locales limpios.
Atención a la higiene personal de los operarios.
Desarrollo de un programa eficaz de limpieza y esterilización.
Continua monitorización del suministro de agua.
Adhesión a criterios microbiológicos rígidos para las materias primas.
Incorporación de un sistema conservante adecuado.
Continua monitorización microbiológica de todas las fases del cosmético durante la producción.

La presencia de microorganismos en grandes cantidades en los preparados cosméticos es indeseable, porque puede producir el deterioro del producto. El producto puede cambiar de color, olor o consistencia, o manifestar crecimiento visible. Además, la presencia de contaminantes microbianos constituye un riesgo potencial para la salud pública, aunque son raros los informes de infecciones atribuidos a cosméticos contaminados. Estos problemas fueron puestos de relieve a principios de la década de 1970 por varios estudios de productos cosméticos en el mercado de EEUU; uno demostró un elevado grado de contaminación, alguno con recuentos de bacterias tan altos como 12×16^6 por ml. También un estudio de la Administración de Alimentos y Medicamentos de EEUU *(US Food and Drug Administration)* demostró un valor bastante alto de contaminación microbiana [2].

FUENTES DE CONTAMINACION

Medio ambiente

El control del medio durante la fabricación reduce significativamente el riesgo de contaminación del producto. Las superficies de los suelos y la pared deben ser impermeables, y resistentes a los agentes antimicrobianos. Las paredes deben lavarse periódicamente, y los suelos deben lavarse todas las noches. Charcos, suciedad y residuos deben eliminarse tan pronto como sea posible. Los desagües del suelo deben mantenerse cubiertos, y han de recibir particular atención, ya que pueden fácilmente convertirse en origen de contaminación. El flujo de aire por las áreas de producción debe reducirse al máximo. Los conductos de aire, las instalaciones de luz y otras conducciones pueden crear problemas a menos que sean rutinariamente limpiados. En general, un medio ambiente de producción aceptable y eficazmente controlado requiere que todas las superficies expuestas se mantengan limpias. Otros riesgos potenciales de contaminación son los utensilios de limpieza —cubos, fregonas, cepillos, etc.—, y ellos mismos deben matenenerse en una situación clínica limpia. Los fregaderos y las áreas donde se lava el equipo deben mantenerse limpios en todo momento. El tráfico a través de las áreas de producción debe restringirse al personal esencial y al equipo necesario.

Los factores mencionados anteriormente deben considerarse cuidadosamente, ya que todos pueden influir sobre el contenido microbiano del medio ambiente. Aunque el producto por sí mismo puede ser protegido por el uso de conservantes, la carga de microorganismos presentes en el medio ambiente de fabricación puede afectar a la actividad a largo plazo del sistema conservante. La presencia de grandes cantidades de microorganismos en la atmósfera de fabricación acortará el período de eficacia del conservante; un producto fabricado en un medio ambiente contaminado tendrá una actividad conservante reducida y, como resultado, cuando algo del contenido se saca del envase, puede producirse contaminación posterior, y presentar un riesgo para el consumidor.

Edificios de la fábrica

Los edificios deben construirse de manera que estén protegidos en lo posible frente a la entrada y albergue de bichos, pájaros y otras plagas. Los edificios deben estar eficazmente iluminados y ventilados con instalaciones de control del aire apropiadas, tanto para las operaciones realizadas dentro de ellas, como las del medio ambiente externo. No deben utilizarse ciertas áreas, como un camino de paso general para sustancias y personal de tránsito hacia otras partes de la fábrica. Los laboratorios, áreas de elaboración, almacenes y la fábrica en general deben mantenerse en una situación limpia, bien cuidada y ordenada, y libre de desperdicios acumulados. Las sustancias de desecho deben recogerse en recipientes apropiados para la eliminación a puntos de recogida fuera de los edificios. Se deben retirar a intervalos regulares y frecuentes. Las operaciones efectuadas en toda área determinada de los locales deben ser tales que reduzcan al mínimo la contaminación de un producto por otro.

Suelos y paredes

Los suelos estarán construidos de materiales impermeables, alisados en superficie uniforme lisa, y libres de grietas y juntas abiertas. Deben permanecer en un buen estado de mantenimiento. El polvo, la suciedad y otros contaminantes que pueden transportarse a las áreas de fabricación y llenado en las suelas de los zapatos, y en las ruedas de las carretillas, pueden recogerse sobre pantallas de plástico especiales, que acumulan tales materiales en sus superficies, tienen buenas propiedades antideslizantes y son fáciles de mantener.

Las paredes y los techos estarán terminados en una superficie lisa, impermeable y lavable, y mantenerse en buen estado de mantenimiento. Las cañerías no deben contener huecos sucios, y deben empotrarse de modo eficaz en las paredes y tabiques por los que pasan. Los ventiladores de extracción deben situarse de modo que eviten riesgos de contaminación cruzada ocasionada por aspiración o evacuación.

Equipo

Frecuentemente, el equipo se adquiere con escasa consideración a la facilidad de limpieza o higienización después de las paradas. Antes de comprar un nuevo equipo, no sólo debe considerarse la producción, sino también la predisposición del producto a la contaminación. Una pieza del equipo puede instalarse en un área de fabricación o llenado donde nadie sepa realmente cómo desmontar, limpiar o higienizarla, adecuadamente.

Frecuentemente, las consideraciones higiénicas se descuidan en el diseño del equipo. Es esencial la cooperación entre los técnicos de producción y microbiólogos, y esto se aplica también a las pequeñas modificaciones del equipo existente. El equipo debe construirse con materiales capaces de resistir los métodos convencionales de limpieza, tales como el uso de vapor, detergentes y agentes antimicrobianos químicos; el material más eficaz y ampliamente utilizado es el acero inoxidable. También deben recibir apropiada atención otros componentes esenciales de la maquinaria de producción, tales como juntas, uniones, tuberías y pasamanos. Las mangueras que están viejas, agrietadas y podridas, y el equipo con grietas, y rincones son casi imposibles de limpiar e higienizar adecuadamente. Las bombas que están viejas o frecuentemente sin usar pueden ser una fuente importante de contaminación. Pueden evitarse tales riesgos estableciendo una rutina de procedimientos de limpieza y mantenimiento. El criterio y una conciencia general de todos los aspectos sanitarios de higiene por parte del microbiólogo y del personal de ingeniería permiten la selección del equipo apropiado para elaborar y establecer procedimientos de mantenimiento rutinario, de modo que se evitan limpiezas innecesarias e interrupciones prolongadas en el procesado y llenado.

El proceso de fabricación

Las fuentes potenciales de contaminación microbiológicas durante el proceso de fabricación pueden resumirse del modo siguiente[3]:

Causa de la contaminación

Almacenamiento   Microorganismos del aire.
Inadecuada limpieza de recipiente-tanque.

Llenado   Microorganismos del aire.
Vía de transferencia máquina llenadora.
Vía de transferencia en envase.
Vía de transferencia operario.

Fuentes desconocidas de contaminación

Donde se han tomado todas las precauciones razonables, pero aún se producen brotes de infección esporádicas y graves, el origen es probablemente un depósito desconocido de contaminación. La causa fundamental está probablemente entre las siguientes:

Pobre comunicación entre la dirección y el personal.
Pobre supervisión, especialmente al principio de la mañana.
Pobre proyecto higiénico del equipo o distribución.
Cambios en procedimientos de limpieza-esterilización, introducidos para reducir costes.
Rápido relevo de personal.
Supuestos realizados sin verificación por ensayos de laboratorio.

LIMPIEZA Y DESINFECCION

El extremo cuidado tomado en la formulación de un cosmético de calidad, seleccionando materias primas de elevadas especificaciones, y comercializando cosméticos elegantes puede ser desbaratado por fracaso en ejercer el mismo control estricto sobre la limpieza e higienización de edificios, planta y equipos, y sobre las condiciones de fabricación de graneles, llenado y almacenamiento de productos. La limpieza eficaz, cuando se considera como parte del ciclo normal de producción, no requiere únicamente un conocimiento detallado de las operaciones de fabricación y planta, sino también una apreciación de todos los aspectos de la limpieza. Las decisiones que han de tomarse relacionan requisitos de trabajo, equipo de limpieza, detergentes y norma de limpieza requerida. Deben tenerse en cuenta las siguientes consideraciones importantes:

1)   La calidad y, por tanto, el valor del producto terminado depende esencialmente de la limpieza de la planta de producción.

2)   La capacidad de esterilización del producto está en función del recuento de microorganismos iniciales.

3)   La vida comercial de cremas, lociones y polvos que se fabrican a partir de ingredientes esterilizados está afectada por la reinfección durante la fabricación y llenado.

4)   Debe preverse la producción de microorganismos patógenos, tales como staphylococci, *Pseudomonas*, coliformes, clostridium y *Candida*.

Los programas de limpieza sólo pueden establecerse por estudio cuidadoso del problema, estimación de lo que se requiere y conocimiento de cómo se ha realizado mejor la limpieza y la esterilización.

Diario de limpieza

A pesar de ejercer todo el cuidado en la limpieza y esterilización del equipo y planta, pueden producirse problemas inesperados, y situaciones no frecuentes. Estas pueden detectarse fácilmente por los jefes del área de producción, si el personal de la limpieza o los operarios de las áreas de fabricación son responsables de mantener un diario de informes de los incidentes cotidianos. El supervisor o jefe responsable puede rápidamente familiarizarse con toda variación del patrón esperado, y adoptar acciones reparadoras. Cuando se obtienen pobres resultados microbiológicos en la fabricación a granel o producto terminado envasado, la referencia al diario de limpieza puede ayudar a identificar la causa si incumbe a una variación en el procedimiento de limpieza.

Personal de limpieza

A causa del fallo en apreciar que la limpieza eficaz puede materialmente contribuir a la rentabilidad total del negocio, demasiado frecuentemente en el pasado ha sido costumbre emplear en este fin trabajadores considerados inútiles para otras actividades. Este es un grave error, pues el fallo de estos empleados en la ejecución inteligente de sus obligaciones puede dañar en mayor grado a los productos y reputación de una compañía que un error realizado por la línea de empleados más altamente considerados de producción. Debe contratarse personas de apropiada calidad, se les debe explicar su papel en la empresa y deben estar instruidos en el tipo de planta empleada en la fábrica, y el equipo, procedimientos y materiales de limpieza a utilizar.

Al personal de limpieza debe proveérsele de batas, guantes de goma, calzado de goma y cubrecabezas. Se deben adoptar acuerdos para cambiar estos equipos cuando sea necesario con elementos adecuadamente limpios, con el fin de reducir la posibilidad de contaminación cruzada de las vestiduras sucias. El empleado de limpieza debe estar provisto de un equipo de limpieza compuesto de cepillos, abrasivos, detergentes y desinfectantes. Los procedimientos de limpieza no se ejecutarán correctamente, y en el espacio de tiempo razonable, si el empleado de limpieza ha de interrumpir su trabajo para buscar materiales de limpieza, y se recomienda mucho un carrito para transportar este juego compuesto de limpieza. También sería ventajoso un armario de equipo con puertas correderas de cristal para el almacenamiento del equipo de limpieza; el personal de limpieza debe asumir la responsabilidad de mantenerlo en estado escrupulosamente limpio.

Muchas de las sustancias de limpieza y desinfección descritas posteriormente en este capítulo son potencialmente peligrosas, así que es esencial instruir e informar al personal de limpieza para manipularlas de un forma completamente segura. Los supervisores pueden conocer las propiedades tóxicas y los peligros de los productos químicos utilizados y conocer los tratamientos apropiados para lesiones a consecuencia del mal uso.

Limpieza del equipo

Sin embargo, aunque se diseñe bien el equipo, a menos que el método de limpieza sea eficaz, todos los esfuerzos del diseño serán nulos. El establecimiento de un método de limpieza eficaz requiere:

a)   Una apreciación del tipo de planta y equipo utilizado, con especial referencia al tipo de contaminación probable que puede presentarse y a las consecuencias del fracaso para eliminarlo.

b)   Instrucción en la necesidad de una solución planteada y racional de la limpieza.

c)   La selección y uso del equipo apropiado de limpieza.

d)   La selección y uso de concentraciones de detergente correctas.

e)   La selección y uso de correctos desinfectantes y concentraciones de los mismos.

El método que ha de emplearse para limpiar un elemento específico del equipo variará de acuerdo con la naturaleza del producto que se está elaborando y la calidad de las superficies, pero pueden establecerse ciertos principios generales (Fig. 43.1); primero se debe desmontar el equipo y eliminar todos los residuos del producto. Toda parte del equipo que entre en contacto con el producto debe ser desmontada y limpiada: todos los recipientes de fabricación, bombas, mangueras, válvulas, tanques de almacenamiento, utensilios varios manuales y el equipo de llenado deben experimentar este proceso de limpieza. Debe prestarse especial atención a las partes inaccesibles de este equipo. Esta preparación puede requerir mucho tiempo, pero merece la pena el esfuerzo, si de este modo se evita un problema de contaminación serio.

PARA FABRICACION A GRANEL

PARA OPERACIONES DE LLENADO

Por ejemplo, recipiente de mezcla
provisto de un homogeneizador

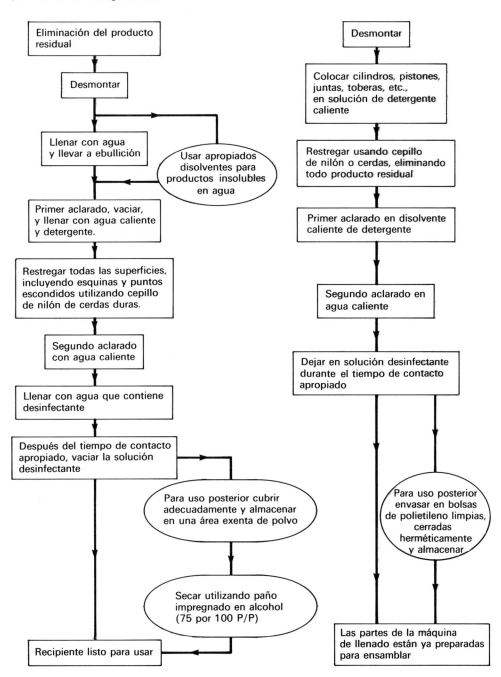

Fig. 43.1. Secuencia de limpieza del equipo y operaciones de esterilización.

Detergentes

Los detergentes empleados en la limpieza de la planta y el equipo deben ser capaces de:

a) Humedecer a fondo la superficie a limpiar.
b) Eliminar el producto residual de la superficie.
c) Mantener el producto eliminado en suspensión.
d) Impedir el depósito del producto residual en dilución, esto es, presentar una buena eliminación por enjuagues.

Además se necesita considerar otros factores en la selección de un detergente apropiado, tales como:

Prevención de la corrosión.
Acción disolvente y emulsificante de cosméticos sólidos, es decir, emulsificación del producto cosmético seco.
Prevención de la formación de incrustaciones.
Rápida y total solubilidad.
Economía de uso.

Ningún detergente simple, o clase de detergente, puede satisfacer todos estos requerimientos, y, por tanto, se ofrece una vasta gama de detergentes, tanto para fines domésticos como industriales. Entran en las cuatro categorías principales:

Jabones.
Detergentes sintéticos sin jabón.
Detergentes alcalinos.
Detergentes especializados.

Jabones. Los jabones se fabrican en forma de escamas, barras, pastillas, líquidos y polvos. Los jabones en escamas o en polvo se utilizan en procesos de lavandería; el jabón en pastilla, para higiene personal; el jabón líquido, para limpieza del equipo, planta, etc. Sin embargo, los jabones carecen de la poderosa acción humectante de los detergentes sinténticos y de las enérgicas propiedades disolventes de los álcalis.

Detergentes sintéticos sin jabón. Los detergentes sintéticos se dividen en cuatro clases:

Detergentes catiónicos.
Detergentes aniónicos.
Detergentes no iónicos.
Agentes tensioactivos anfóteros.

Los *detergentes catiónicos* no se utilizan normalmente para fines de detergente, pero algunos se emplean como desinfectantes, puesto que poseen propiedades bactericidás. Los compuestos de amonio cuaternario pertenencen a este grupo.

Detergentes aniónicos, a cuya clase pertenecen los alcoholes grasos sulfatados y los alquil aril sulfonatos, son la mayoría de los detergentes sintéticos ampliamente fabricados.

Los *detergentes no iónicos* poseen ciertas propiedades únicas. En general, no están afectados por ninguna de las reacciones iónicas, por ejemplo, no reaccionan con la dureza del agua. La espuma es generalmente menor que con los aniónicos, y es excelente su capacidad para eliminar los residuos de productos oleosos.

Agentes tensioactivos anfóteros. Los compuestos anfóteros manifiestan la propiedad de ser capaces de actuar tanto como ácidos o como bases; la electroquímica de la molécula depende del pH del medio en el cual esté presente. Manifiestan un grado muy marcado de actividad detergente. Trabajando soluciones de compuestos anfotéricos, producen buenos efectos humectantes y penetrantes, disuelven eficazmente la grasa y presentan buena acción limpiadora. Las soluciones al 0,5-1,0 por 100 en agua presentan adecuada acción microbicida y, por tanto, éstas se utilizan ampliamente como desinfectantes-esterilizantes.

Los detergentes sintéticos carecen de eficaces propiedades disolventes de los álcalis.

Detergentes alcalinos. Los detergentes alcalinos (por ejemplo, soluciones de hidróxido sódico o fosfatos alcalinos utilizados con tiempos de tratamiento de al menos treinta minutos) son muy eficaces en la eliminación de residuos de producto sólido y, por tanto, son usados invariablemente en la limpieza de máquina y planta, donde la espuma es un inconveniente. Sin embargo, no poseen las mismas propiedades humectantes que los detergentes sintéticos o las mismas propiedades emulsificantes del jabón.

Aunque los primeros detergentes siempre utilizados fueron alcalinos, su uso continuado en el campo de la limpieza es una clara indicación de su adaptabilidad y eficacia.

Detergentes especializados. Estos incluyen detergentes higienizantes, los cuales se diseñan para incorporar propiedades bactericidas con los otros rasgos deseables detergentes.

Acción bactericida de detergentes. Muchos detergentes presentan señaladas propiedades germicidas, aunque se utilizaron originalmente como detergentes. El agua caliente a 60-80 °C matará la mayor parte de las células vegetativas, pero pocas esporas. Un detergente siempre mejorará el efecto destructivo del calor; probablemente, el mejor ejemplo es el hidróxido sódico: un tratamiento a 63 °C durante treinta minutos en agua destruirá todas las bacterias, excepto las termorresistentes y esporas, pero una solución del NaOH al 1-3 por 100 en estas condiciones destruirá todas las células termorresistentes y una considerable proporción de esporas. Los detergentes son casi siempre utilizados en caliente y, de este modo, mejoran los efectos bactericidas del calor. Este efecto es especialmente valioso frente a las esporas en las aplicaciones industriales, por ejemplo, lavado de frascos seguido por llenado en frío, en los que se tienen que evitar temperaturas excesivas. Los detergentes-esterilizantes son particularmente útiles cuando no se pueden utilizar elevadas temperaturas, como en lavado de vajillas manuales, o debido a la fragilidad de los materiales. Incluso detergentes aparentemente innocuos, tales como aniónicos, no iónicos y fosfato trisódico, ejercen un efecto destructor frente a la mayoría de los patógenos, excepto frente al bácilo tuberculoso o esporas.

Desinfección del equipo

Una vez que el equipo está completamente limpio, puede iniciarse el proceso de desinfección real, utilizando vapor o desinfectantes químicos.

Desinfección por vapor

El vapor es el medio más efectivo y seguro de esterilizar el equipo, pero debe comprobarse la tolerancia al vapor del material del equipo antes de usar el vapor como agente esterilizante. Como con otros agentes esterilizantes, es importante el tiempo de contacto. La temperatura mínima en el momento de salida del sistema generador de vapor debe estar en el intervalo 72-80 °C. Los tiempos de contacto para envases abiertos son normalmente de treinta minutos o más, puesto que el vapor está a presión cero. Para sistemas cerrados, los tiempos de contacto varían según la presión de vapor; por ejemplo, a presiones de aproximadamente 1-5 psi (5-100 kPa), es necesario un tiempo de contacto de veinte minutos. A presiones de vapor más elevadas, el tiempo de contacto puede ser tan corto como cinco minutos. Además, el vapor utilizado debe estar libre de partículas y otra materia extraña. Esto eliminará el problema de residuos remanentes después del proceso de esterilización.

Desinfección por desinfectantes químicos

A concentraciones suficientemente elevadas, muchas sustancias químicas, incluyendo nutrientes, tales como oxígeno y ácidos grasos, son bacteriostáticos e incluso bactericidas. El término de «desinfectante» está restringido a sustancias que son rápidamente bactericidas a bajas concentraciones. La mayoría de los agentes desinfectantes actúan, bien disolviendo los lípidos de la membrana celular (detergentes, disolventes de lípidos), o dañando las proteínas (desnaturalizantes, oxidantes, agentes alquilantes y reactivos de sulfidrilos). La velocidad de destrucción por los desinfectantes aumenta con la concentración y con la temperatura. Los compuestos aniónicos son más activos a pH bajo, y los compuestos catiónicos, a pH alto. Este efecto es consecuencia de la penetración mayor de la forma no disociada del inhibidor, y posiblemente también del aumento en cargas opuestas en los constituyentes celulares. Soluciones ácidas o alcalinas fuertes son activamente bactericidas. Los ácidos débiles ejercen un efecto mayor, que puede explicarse con el pH: la presencia de moléculas altamente permeables no disociadas favorece la penetración del ácido en las células, y, aumentando la actividad con la longitud de la cadena, sugiere que desempeña en parte la acción directa del compuesto orgánico por sí mismo. El ácido láctico es el conservante natural de muchos productos de fermentación, y las sales del ácido propiónico se añaden en la actualidad frecuentemente a los alimentos, como pan, para retrasar el crecimiento de mohos. Los halógenos, tales como yodo y cloro, se combinan irreversiblemente con las proteínas, y son agentes oxidantes. El cloro fue el antiséptico introducido como cal clorada por O. W. HOLMES en Boston, en 1835, y por SEMMELWEIS en Viena, en 1847, para evitar la transmisión de las sepsis puerperal por las manos de los médicos. El cloro es un esterilizante-desinfectante seguro, que actúa rápidamente para materiales de «limpieza», pero es menos satisfactorio para materiales que están sujetos al ataque por cloro.

Agentes alquilantes. Las diluciones adecuadas de formaldehído y de óxido de etileno en dióxido de carbono (en recintos herméticos apropiados) sustituyen los átomos de H lábiles de los grupos —NH$_2$ y —OH que abundan en proteínas y ácidos nucleícos, y también de los grupos —COOH y —SH de proteínas (Fig. 43.2). Las reacciones del formaldehído son en parte reversibles, pero el puente epóxido de elevada energía del óxido de etileno conduce a reacciones irreversibles. Estos agentes alquilantes, en contraste con otros desinfectantes, son casi tan activos frente a las esporas como frente a células bacterianas vegetativas, presumiblemente debido a que pueden penetrar fácilmente (siendo pequeños y sin carga) y no requieren de agua para su acción.

Fenoles. El fenol es por sí mismo, tanto efectivo desnaturalizante de proteínas como detergente. Su acción bactericida implica la lisis celular. La actividad antibacteriana del fenol se aumenta por sustituyentes halógenos o alquilo sobre el anillo, los cuales aumentan la polaridad del grupo OH fenólico, y también hacen el resto de la molécula más hidrófobo; la molécula se hace más tensioactiva y su potencia antibacteriana puede aumentarse cien veces o más. Los fendes son más activos cuando se mezclan con jabones, los cuales aumentan su solubilidad y favorecen la penetración. Sin embargo, una excesiva alta proporción de jabón perjudica la actividad, presumiblemente por disolver el desinfectante completamente en micelas de jabón. Aumentando la longitud de la cadena, la potencia de los fenoles primero aumenta y después disminuye, posiblemente

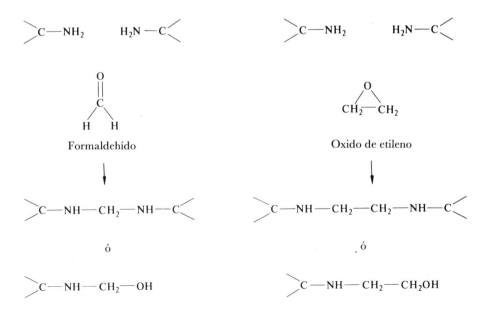

Fig. 43.2. Reacciones del formaldehído y óxido de etileno con grupos amino. Pueden formarse puentes entre grupos sobre la misma molécula o sobre moléculas diferentes.

debido a la baja solubilidad; con microorganismos gram-negativos se logra el máximo con una longitud de cadena relativamente corta.

Alcoholes. La acción esterilizante-desinfectante de los alcoholes alifáticos aumenta con la longitud de la cadena hasta 8-10 átomos de carbono, por encima de los cuales se vuelve demasiado baja la solubilidad en agua. Aunque el alcohol etílico ha recibido el más amplio uso, el alcohol isopropílico tiene las ventajas de ser menos volátil y ligeramente más potente. La acción esterilizante-desinfectante de los alcoholes, como efecto desnaturalizante de las proteínas, implica la participación del agua. El alcohol etílico es más eficaz en solución acuosa al 50-70 por 100; al 100 por 100 es un esterilizante pobre, en el cual se ha publicado que las esporas de ántrax sobreviven tanto como cincuenta días, y su acción bactericida es despreciable a concentraciones por debajo del 10-20 por 100. Algunos desinfectantes orgánicos, tales como formaldehído y fenol, son menos efectivos en alcohol que en agua debido a la menor afinidad del desinfectante por la bacteria que con respecto al disolvente. Por otro lado, el alcohol elimina las capas de lípido que puede proteger los microorganismos cutáneos de algunos otros desinfectantes.

Otros esterilizantes químicos. Los disolventes orgánicos, tales como éter, benceno, acetona y cloroformo, también matan las bacterias, pero no son desinfectantes seguros. La glicerina es bacteriostático a concentraciones superiores al 50 por 100, y se utiliza también como conservante en vacunas y otras sustancias biológicas, puesto que no es irritante para los tejidos.

El propilen glicol y el dietilen glicol reducen el recuento de bacterias en el aire cuando se dispersan en gotitas finas a concentraciones no tóxicas para el hombre, pero su actividad desafortunadamente es muy sensible a la humedad; a humedades altas, las gotitas de glicol captan agua, y se vuelven muy diluidas, mientras que a humedades bajas, las bacterias desecadas no atraen más a los glicoles. Más aún, los glicoles no desinfectan superficies, tales como suelos, paredes o superficies de trabajo, desde las cuales se renueva la contaminación aérea. Los esterilizantes químicos mencionados anteriormente son muy utilizados en la industria cosmética. Generalmente se utilizan en equipos que no pueden tolerar vapor o a los que no se puede aplicar vapor.

El cloro es comúnmente utilizado en las industrias alimenticias y de cosméticos, habitualmente empleando hipocloritos o cloraminas, y tiene relativamente un amplio espectro de actividad. Es bastante económico, pero es corrosivo y no es un agente de limpieza. El equipo debe estar completamente limpio o se inactivará el cloro.

Los esterilizantes que contienen yodo son útiles y pueden formularse con detergentes para limpiar y esterilizar. Los inconvenientes de las sustancias que contienen yodo son su escasa aclarabilidad y su inferior efecto satisfactorio frente a ciertos microorganismos. El manchar los componentes del equipo también puede ser un problema.

Los compuestos de amonio cuaternario son inodoros, y menos corrosivos que algunos de los otros agentes químicos. Su eficacia microbiana es ligeramente inferior a la de las sustancias alternativas, pero cuando se utilizan a concentraciones apropiadas y a temperaturas elevadas pueden ser satisfactorios. Los compuestos de amonio cuaternario tienen la ventaja de ser no tóxicos y, por tanto, son más fácilmente manejables que otros agentes esterilizantes.

Los detergentes esterilizantes trabajan más eficazmente a temperaturas más elevadas, requeriendo una menor concentración de esterilizante. A temperaturas más bajas, por otro lado, no solamente puede necesitarse una concentración más alta, sino también aumentar el tiempo de contacto. Los tipos diferentes de superficies pueden necesitar diferentes tiempos de contacto con el esterilizante; las superficies lisas, no porosas, requieren menos tiempo que las partes movibles. El procesamiento de sistemas que contienen partes movibles que no están siempre en contacto con el esterilizante precisarán ciclamientos frecuentes de las partes durante el tiempo de exposición para proporcionar el tiempo adecuado de contacto.

Tabla 43.1. Propiedades de algunas de las principales clases de sustancias químicas antimicrobianas

Propiedades	Hipocloritos inorgánicos	Detergentes cuaternarios	Detergentes yodóforos
Amplio espectro microbiano	Sí	No	Sí
Actividad frente a pseudomonas	Sí	No	Sí
Estabilidad del producto	Limitada	Sí	Sí
Interferencia por dureza del agua	No	Sí	Sí
Interferencia por alcalinidad	Sí	No	Sí
Olor (uso en solución)	Sí	No	Ligero
Indicador visual de actividad	No	No	Sí

Es un problema difícil la selección del esterilizante apropiado para el equipo esterilizante. El primer paso en la valoración de un esterilizante es revisar la literatura técnica y considerar sus ventajas e inconvenientes. En el laboratorio de microbiología se realizarán procedimientos básicos de limpieza, tales como determinación de las concentraciones inhibitorias mínimas, utilizando una amplia variedad de posibles contaminantes, y éstos deben ser preferentemente de los tipos encontrados en los productos cosméticos. Los resultados darán información tanto sobre el espectro de eficacia, como sobre el intervalo de concentración requerido para el esterilizante. Una vez que se haya establecido la concentración eficaz, pueden realizarse ensayos adicionales utilizando componentes del equipo. Puede establecerse un grado de eficacia esterilizante a partir de posteriores investigaciones adicionales sobre temperaturas y tiempos de contacto. También pueden realizarse fácilmente ensayos comparativos de dos o más esterilizantes o condiciones de esterilización.

Una vez que el nuevo esterilizante ha demostrado idoneidad aceptable, debe experimentalmente evaluarse sobre el equipo a tamaño natural. Puesto que previamente se han establecido todas las condiciones de uso, esta última evaluación no debe crear dificultades sustanciales.

El uso regular de un tipo único de esterilizante puede dar por resultado el desarrollo de cepas de microorganismos resistentes al agente antimicrobiano en uso. Durante largos períodos de tiempo, los microorganismos, que en otro tiempo fueron eliminados, se encuentran adaptados y sobreviven; esta adaptación de los microorganismos portados por el equipo puede prevenirse por la rotación de los esterilizantes. El uso regular de un esterilizante diferente eliminará la incidencia de microorganismos resistentes. Por ejemplo, un esterilizante cuaternario puede utilizarse durante un lapso dado, seguido de un esterilizante basado en cloro durante un período de tiempo posterior. Sin embargo, si el vapor se utiliza como esterilizante, no es normalmente necesaria la rotación. Para evitar serias contaminaciones portadas en el equipo, debe prestarse particular atención al fenómeno de adaptación microbiana.

Parámetros de limpieza, desinfeción y enjuague

Limpieza. En este procedimiento, la suciedad o el residuo del producto se separa de las superficies por la acción combinada del agente de limpieza y energía mecánica. Las investigaciones demuestran que la eliminación del residuo de producto o suciedad sigue esencialmente una reacción química de primer orden. Si m_A es la cantidad de residuo por unidad de área de superficie y t es el tiempo necesario para eliminarlo, la relación entre ambos puede describirse como $dm_A/dt = -k_R m_A$, donde k_R es una constante que describe la velocidad de limpieza. Así, una representación de t frente al log m_A proporciona una línea recta (Fig. 43.3). Este comportamiento podría deberse a la eliminación del residuo en capas, existiendo únicamente fuerzas cohesivas débiles entre las capas, pero al final debe vencerse la fuerza de adhesión más fuerte de la capa residual final a las paredes del envase.

El valor de la constante k_R depende de varios parámetros:

1) Tipo y concentración del agente de limpieza.
2) Material y estado de la superficie.
3) Tipo y estado de la suciedad o residuo.
4) Temperatura de la solución de limpieza.
5) Energía mecánica suministrada.

SCHIUSSLER[4] encontró que para muchos agentes de limpieza existe una concentración óptima a la cual es máxima la velocidad de limpieza (definida como la cantidad de suciedad o de producto residual eliminado en unidad de tiempo).

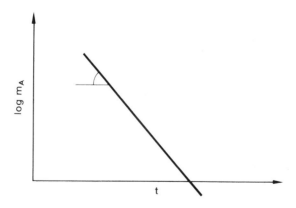

Fig. 43.3. Cinéticas de eliminación del residuo de producto: $dm_A/dt = -k_R m_A$.

Esto significa que una sobredosis puede disminuir la acción limpiadora exactamente tanto como una dosis inferior. Es bien conocido que se pueden limpiar más fácilmente las superficies lisas que las superficies rugosas. No es sólo la profundidad de la rugosidad, sino también la estructura de la rugosidad que influye en la velocidad de limpieza.

Existen esencialmente dos tipos de procedimientos de limpieza: limpieza abierta y limpieza cerrada. En estos dos métodos se sigue la misma secuencia de preparación: en primer lugar se elimina el producto residual y, en segundo, desinfección seguida finalmente de enjuague. Cuando existe residuo denso para ser eliminado, hay que enjuagar antes de la desinfección; esta secuencia evitará residuos y detergentes que afectan al desinfectante. Si el residuo a limpiar es ligero y el recuento bacteriano es bajo, la limpieza y desinfección pueden realizarse en una etapa:

a)   La limpieza abierta se utilizará sobre superficies abiertas, tales como áreas de trabajo, recipientes abiertos y equipos de fabricación, como espátulas y paletas de agitadores. Pueden utilizarse detergentes muy espumantes. Esto tiene la ventaja de que la espuma limpiadora puede trabajar más prolongadamente sobre la superficie que una película de líquido que desaparece rápidamente. El éxito final de las operaciones de limpieza en la limpieza abierta, que constituye la mayor parte de la limpieza en cualquier industria, depende de la comprensión del procedimiento y del cuidado tomado por el personal de limpieza.

b)   La limpieza cerrada o limpieza en el lugar se utiliza para recintos de planta y almacenamiento que están conectados juntos, y constan de tuberías y tanques. Aquí las soluciones limpiadoras o desinfectantes se mantienen en tanques de almacenamiento y se suministran a la planta a ser limpiada. Las soluciones de limpieza o desinfectantes son aplicadas con turbulencia, frecuentemente a presiones elevadas en forma de pulverizador. La limpieza en el lugar evita errores del operario, pero, debido a la mayor complejidad de la maquinaria limpiadora, existe una tendencia creciente al deterioro de la máquina y, por tanto, al fallo en algunas partes de la planta.

Desinfección. Para la desinfención de las superficies sólidas se usan en general dos procesos: *a*) la aplicación de calor, y *b*) el uso de sustancias químicas, cuando una solución desinfectante acuosa se bombea por la planta o directamente sobre la superficie. Para matar los microorganismos debe excederse, bien la temperatura letal, o bien la dosis letal del agente desinfectante.

Cinéticas de desinfección. Las investigaciones de PRADO[5] y HAN[6] sobre la destrucción de microorganismos sobre hoja de aluminio han demostrado que, para la destrucción de microorganismos sobre superficies sólidas, se aplican las mismas leyes que las que han sido conocidas hace tiempo para destrucción de los microorganismos en suspensión. Si N_A es el número de microorganismos por unidad de área, entonces la siguiente ley se aplica tanto para la mortalidad térmica, como química: $dN_A/dt = -kN_A$. Si log N_A se representa frente al tiempo, t, se obtiene una línea recta (siempre que la temperatura y la concentración del desinfectante se mantengan constantes) (Fig. 43.4). En estas circunstancias, es posible describir un «valor de reducción decimal», D, siendo éste el tiempo necesario para reducir la población de microorganismos a una décima parte de su concentración inicial. Es posible demostrar que $D = 2,3/k$. Cuando se permite variar la temperatura, D varía inversamente con ella. El incremento de temperatura, Z, a la que el valor de D se reduce a una décima parte del valor inicial, es también un parámetro práctico útil. Para la mayoría de los microorganismos, Z es aproximadamente 5 °C, y, para las esporas, es aproximadamente 10 °C[7].

El efecto de los agentes desinfectantes puede aumentar para una superficie dada incrementando la concentración, pero para desinfectantes con cloro activo existe una concentración superior limitada por la corrosión. El aumento en la temperatura mejora la acción del desinfectante. Para una temperatura dada, ya no es posible la separación en acción térmica y química. También el efecto de los desinfectantes depende del valor del pH. Los compuestos de cloro activo desarrollan más su efecto cuando es neutro, y los yodóforos son más efectivos a un pH ácido.

El estado de la superficie tiene una gran influencia en la desinfección. Si la superficie es rugosa, mayor es el peligro de la formación de nidos de microorganismos en los poros, y más difícil es la desinfección. La presencia de sustancias orgánicas reducirá grandemente la acción de un desinfectante, y así es necesaria la prelimpieza para una desinfección eficaz. Aparte de eliminar la materia orgánica indeseable, también la prelimpieza reduce la población bacteriana por eliminar los microorganismos por lavado.

CONTROL DE LA CONTAMINACION

Riesgos procedentes de las personas

Se debe prohibir comer, beber y fumar en todas las áreas de producción, y deben observarse estrictas normas de higiene personal por todas las personas implicadas en los procesos de fabricación; debe evitarse el contacto directo entre los materiales y las manos del operador, mediante el uso de equipo correcto y apropiado. Todos los operarios, deben llevar ropas protectoras apropiadas al

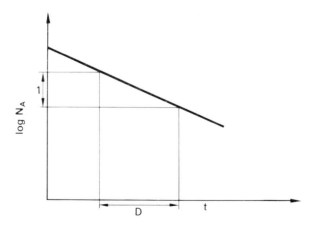

Fig. 43.4. Cinéticas de la desinfección: $dN_A/dt = -kN_A$; $D = 2,3/k$.

proceso que se esté realizando. Las vestiduras deben ser regular y frecuentemente lavadas. Las personas no empleadas regularmente en un área de producción, ya sean empleados o no de la firma, deben usar ropas protectoras donde sea apropiado y necesario. No debe emplearse en los procesos de producción ninguna persona que se sepa que padece una enfermedad en forma transmisible, o sea, transportadora de tal enfermedad, y ninguna persona con heridas abiertas o infección cutánea sobre la superficie expuesta del cuerpo.

Las bacterias que viven sobre la piel humana están adaptadas al hábitat cutáneo y utilizan las secreciones cutáneas, tales como sebo y sudor, como alimento; además, los poros y cavidades actúan como refugio. Las bacterias cutáneas, tales como *Staphylococcus epidermis y Corynebacterium acnes*, se adhieren a las capas epiteliales que forman la superficie cutánea cornificada, y se extienden entre las escamas y por debajo de las bocas de los folículos pilosos, y glándulas que se abren a la superficie cutánea. Estas bacterias sólo pueden reducirse en número, pero nunca eliminarse, por frotamiento y lavado. Producen sustancias olorosas por metabolización de las secreciones de las glándulas sudoríparas apocrinas, impregnando el cuerpo de un olor que el hombre moderno, al menos, encuentra ofensivo.

La capacidad de los microorganismos para propagarse desde un huésped a otro es de gran importancia para la distribución bacteriana y su eventual supervivencia. Claramente, si los microorganismos no se propagan de unos individuos a otros, morirían con el huésped y serían incapaces de persistir en la Naturaleza. Un ejemplo clásico de esta distribución es la propagación de la enfermedad respiratoria desde un individuo a una veintena de otros en el transcurso de una simple hora en un cuarto hacinado. Así, un microorganismo parásito afortunado es aquel que vive en el interior del individuo huésped o sobre el mismo, se multiplica, se propaga a individuos sanos, deja descendientes y, desde un punto de vista de la evolución, evita su extinción y el de su huésped. Por otro lado, si una infección es letal o paralizante, obviamente existiría una reducción en el número de la especie del huésped y, por tanto, en el número de microorganismos. Aunque pocos microorganismos causan enfermedades en la mayoría de los infectados, es de esperar que la mayoría sean comparativamente innocuos, no causando incluso enfermedad, o enfermedad en sólo una pequeña proporción de los que han sido infectados. Los parásitos afortunados no pueden permitirse volverse demasiado patógenos, puede ser necesario cierto grado de lesión del tejido para la salida eficaz de los microorganismos al exterior; así, por ejemplo, en el flujo de los líquidos infectados procedente de la nariz en el catarro común, o procedente del tracto alimentario en diarreas infeciosas, pero, por otra parte, existe idealmente muy poco tejido dañado. Pocos parásitos microbianos logran el triunfo supremo de no causar daño alguno, y así fracasan en ser reconocidos como parásitos por el huésped. Es la virulencia y la patogenidad de los microorganismos, su capacidad para matar y lesionar al huésped, lo que los hace importantes para la ciencia médica y para el microbiólogo.

Las bacterias cutáneas se desprenden principalmente adheridas a escamas cutáneas que descaman, y un promedio de aproximadamente 5×10^8 escamas, transportando 1×10^7 bacterias, se desprenden por persona y día. El polvo blanco fino que se recoge sobre las superficies en salas de hospitales y en dormitorios se compone de una gran extensión de escamas cutáneas. También, el desprendimiento procede de la nariz y, notablemente, del área perineal. *Staphylococcus aureus* potencialmente patogénico coloniza la nariz, los dedos y el perineo. El efecto del desprendimiento puede reducirse utilizando atuendos apropiados. Un buen desprendimiento de estafilococos puede aumentar el recuento de estafilococos en el aire desde menos de 36 por m^3 hasta 360 por m^3. No se sabe por qué sólo algunos individuos son desprendedores profusos, pero el fenómeno es significativo en infecciones cruzadas en hospitales y otras áreas donde es crítica la contaminación cruzada. Muchos microorganismos son efectivamente transmitidos de las heces a la boca después de la contaminación del agua utilizada para beber. En el intestino, casi siempre están presentes *E. coli*, *Cl. welchii* y *Cl. tetani*. Todos estos microorganismos son potencialmente patógenos, y existen pocas dudas de que pueden transferirse fácilmente y causar contaminación e infección. La transmisión microbiana por vía respiratoria depende de la producción de aerosoles que contengan microorganismos. Estas son partículas portadas por el aire producidas en cierto grado en la laringe, boca y garganta durante el habla y la respiración normal. Las bacterias, se desprenden, y también se extienden de esta manera los más patógenos estreptococos, meningococos y otros microorganismos, especialmente cuando las personas están hacinadas en pequeñas habitaciones. Los microorganismos de la boca, garaganta, laringe y pulmones son expelidos profusamente al exterior durante la tos; una tos proyectará bacterias al aire.

En las áreas de fabricación, tales como líneas de llenado, donde existe una gran densidad de personas, la pulverización de tos y estornudo es probablemente el vehículo más importante o, quizá la causa de contaminación. En un estornudo se producen hasta 20 000 gotitas que portan microorganismos, y estas gotitas, dependiendo de su tamaño, pueden recorrer hasta cinco metros. Los microorganismos se evaporan y liberan al medio ambiente[8]. Dolores de garganta producidos por estreptococos pueden adquirirse a una distancia de seis metros desde un portador. El polvo, caspa, pelo, partículas cutáneas, esputos secos y gotitas procedentes de la tos y estornudos han demostrado albergar todos los tipos de bacterias asociadas con el cuerpo humano, y éstas pueden obviamente trasferirse a los productos.

Servicios y retretes

Deben establecerse y cumplimentarse procedimientos estrictos para la limpieza y desinfección de lavabos, retretes, duchas, utensilios, roperos y suelos. Se deben evitar y suspender el uso de pastillas de jabón y toallas enrolladas para el lavado de las manos. En cambio, deben instalarse jabón líquido antiséptico y toallas de papel desechables. Deben proporcionarse a los empleados ropas de trabajo, y se dispondrá de prendas lavadas con regularidad y frecuencia. No puede tolerarse la suciedad de las vestimentas, ya que es una fuente de contaminación y, por tanto, debe hacerse todo esfuerzo para eliminarla.

A pesar del hecho de que pueden limpiarse diariamente los servicios y retretes, las bacterias procedentes de las heces son encontradas en grandes cantidades sobre todas las superficies. Estas áreas rápidamente entran en contacto con las personas. Una tercera parte del peso de las heces son bacterias, muchas de las cuales están vivas[9]. Probablemente las áreas que causan infecciones cruzadas son el asiento del retrete, el lavabo, el grifo, los pomos y el pomo interior de la puerta de entrada. Otra fuente de infección cruzada es la salpicadura del agua de la taza del retrete durante la defecación; esto varía con la altura de la cisterna y el modelo de taza. Es improbable la contaminación originada de estas áreas, a menos que estén especialmente sucios los pomos y asientos del retrete. Esto puede ocurrir en hospitales mentales o guarderías de niños, y se han producido brotes de infecciones intestinales en tales lugares, pero es improbable en otras partes[10]. Las salmonellas son microorganismos potencialmente peligrosos, porque resisten la sequedad y se piensa que producen infecciones a pequeñas dosis, pero no existen pruebas disponibles para inculpar al retrete de tales infecciones. El agua que «parece limpia» en las tazas, no siempre está bacteriológicamente limpia. Se han encontrado problaciones bacterianas de 1×10^6 microorganismos por mililitro en agua fresca de las tazas[11]. En Inglaterra, durante la sequía de 1976, cuando se utilizaron sistemas de «cisternas económicas» quedaban sin fluir grandes cantidades de bacterias, mientras que con la cisterna llena se eliminaban eficazmente las bacterias de las tazas; así, la simple limpieza y el mantenimiento de una buena cisterna con nivel, son los principios básicos del cuidado del retrete. Los pomos de la cisterna pueden ser una fuente de transmisión de contaminación de un individuo a otro, y se recomiendan los pedales operados con el pie para accionar la cisterna.

El cuidado del retrete debe ser principalmente mecánico: la válvula esférica debe fijarse a la altura correcta, y el mecanismo de funcionamiento, diseñado para trabajar adecuadamente. Las superficies y los pomos deben mantenerse limpios. En Inglaterra, el mejor equipo es la taza *british standard*, con una cisterna baja, pero esta última debe ser capaz de una buena acción limpiadora. El cuidado de la taza debe restringirse a la limpieza. Un polvo de limpieza estándar es adecuado para esto, si se utiliza en asociación con un cepillo y se acciona la cisterna. No sólo debe ser derramado en la taza y dejarse, pues puede obstruir el retrete. Agentes desincrustantes más convencionales pueden requerirse en zonas de agua dura. No existe razón para verter grandes cantidades de desinfectante en la taza; esto es antieconómico y se dirige a un peligro inexistente. Finalmente, como siempre, el cuidado de las manos es de suprema importancia en la prevención de la transmisión de la contaminación; se debe incitar a los operarios a usar papel desechable cuando manipulan pomos de cisterna, grifos del agua y pomos de la puerta en el área del retrete. También es necesario la provisión de un lavabo próximo al área de servicios.

Materias primas

Los ingredientes utilizados en las fórmulas del cosmético deben someterse a cuarentena hasta que se determine su calidad; las que se encuentran aceptables deberán protegerse de la contaminación durante el almacenamiento. Las materias primas son fuentes probables de contaminación microbiológica, y deben examinarse microbiológicamente como un principio de rutina. Una materia prima importante en los productos cosméticos es el agua. Si está contaminada, debe pararse el sistema completo de agua, vaciarse, limpiarse perfectamente, y desinfectarse por solución desinfectante circulante a través del sistema completo, incluyendo todas las líneas de alimentación, tanques y lechos de resinas. Después de la desinfección, debe enjuagarse y limpiar el sistema con agua limpia hasta que se hayan eliminado todos los indicios de la solución desinfectante. Por otro lado, si se detecta un recuento bacteriano reducido en ensayos de rutina, y se encuentra que se incrementa, puede ser suficiente inyectar una pequeña cantidad de solución desinfectante (por ejemplo, los viernes), como medida profiláctica para controlar la carga bacteriana. El suministro de agua puede ser una fuente importante de contaminación de *pseudomonas* y, donde las temperaturas ambientales exceden de 18 °C, pocas células bacterianas se deben permitir que alcancen 10^6 bacterias por gramo. Las materias primas de origen natural, tales como gomas naturales de tragacanto y acacia, pueden estar altamente contaminadas y, del mismo modo, caolín, yeso y almidón. Se ha publicado contaminación microbiológica significativa en bentonita, Quaternium 18, hectorita, silicato de sodio y aluminio, y polvo de aluminio.

En otras materias primas, las grasas y ceras contienen relativamente pocos microorganismos, pero HALL (citado por BOEHM y MADDOX[2]) encontró recuentos superiores a 16×10^6 bacterias por gramo en productos naturales desecados, tales como gomas y hierbas. También encontró que existía una variedad de mohos y levaduras. También pueden estar contaminadas muchas sustancias sintéticas.

Para el examen microbiológico de las materias primas, existen varios métodos para la toma aséptica de muestras. El objeto de la toma de muestra aséptica es limitar la posibilidad de contaminación adicional al producto, de modo que los resultados del ensayo indiquen el estado microbiológico de la sustancia a su llegada a la planta. Una muestra se saca con cuchara o se pipetea del envase de la materia prima, se coloca en un envase de muestra esterilizado y se remite al laboratorio para el ensayo inmediato. Debe precintarse al momento el envase de la materia prima.

Si, después de la terminación de todos los ensayos microbiológicos, se acepta la sustancia, entonces se retira del área de cuarentena, y se coloca en el almacén. Se debe recordar que la excesiva humedad y las grandes fluctuaciones en la temperatura del ambiente pueden afectar las propiedades físicas, químicas y microbiológicas de las materias primas. Las materias primas que se retienen durante largos períodos de tiempo deben reensayarse a intervalos específicos (al menos cada seis meses). Las materias primas que se adquieren preesterilizadas para garantizar la calidad microbiológica deben también analizarse para verificar, a) que el procedimiento de esterilización fue efectivo, y b) que no se produjo contaminación después de la esterilización.

Areas de almacenamiento

Todas las materias primas deben almacenarse de tal modo que se mantenga el grado de pureza microbiológica analizado. Las áreas de almacenamiento para las materias primas deben mantenerse en un estado tan limpio como la fabricación del producto a granel y las áreas de llenado del producto.

Cuando es necesario almacenar materias primas, materiales de acondicionamiento, productos intermedios o productos terminados en medios especiales, estas existencias deben almacenarse aisladas del suelo cuanto sea posible, para permitir su mantenimiento en un estado limpio, seco y ordenado. Sin embargo, esto no evita el almacenamiento exterior de materiales cuyo estado no afecte adversamente.

Envasado del producto

La protección del producto, una vez que se ha llenado en un envase adecuado, depende fundamentalmente de la eficacia del cierre. Debe asegurarse el sellado y la hermeticidad, protegiendo así al producto de microbios durante un período indefinido. Esta protección puede describirse como criterio de conservación del producto. Los componentes del envase, tales como tarros, frascos, tubos, cierres de envases y juntas de cierre, no deben ser ignorados como fuentes de contaminación [12]. Deben almacenarse en áreas limpias y secas, y empaquetadas o cubiertas convenientemente para evitar que microbios portados por el polvo se asienten en ellos. Antes de usarse, si es posible, deben soplarse con aire seco, limpio, para quitarle toda partícula extraña. Se ha recomendado mucho que el soplado se realice en una campana de extracción con vacío para facilitar que las partículas eliminadas por soplado sean inmediatamente extraídas del área de llenado. Si es posible, el proveedor debe ser persuadido de suministrar los componentes de acondicionamiento en bolsas de plástico precintadas que deben abrirse sólo antes de usarse. Esto obviamente evitará las complicaciones de limpieza con aire.

Estándares microbiológicos

Los estándares microbiológicos sirven a varios fines bastante diferenciados:

1) Control del peligro procedente de microorganismos patógenos.
2) Seguridad de que el producto cosmético nunca ha estado gravemente contaminado.
3) Confirmación de una vida razonablemente esperada en el almacenamiento, esto es, una estimación de la caducidad.

El requisito, generalmente importante en los estándares microbiólogicos, es estar exento de patógenos. La orientación habitual dada a la industria es excluir los «denominados patógenos» de los cosméticos. Con pocas excepciones, es dudoso que una simple célula bacteriana haya producido a nadie ningún daño. Parece ser necesario, para el crecimiento, que al menos algunos microorganismos se establezcan por sí mismos y se adapten a su medio. Esto está claramente ilustrado por las cifras de la «dosis mínima efectiva» para enfermedades bien conocidas (Tabla 43.2) [13].

La necesidad de garantizar que el producto cosmético nunca ha estado seriamente contaminado, resalta la importancia de los ensayos cuantitativos, en el control microbiológico. Se debe tratar siempre de evaluar el número de microorganismos presentes, incluso aunque el error pueda ser grande. La razón de esto es que la aparición de una infección, o el desarrollo de un defecto microbiológico en un producto, depende del número de microorganismos originalmente presentes.

La tercera consideración, la de la vida comercial o caducidad, se relaciona con la venta al por menor y el consumidor final de cadena de los cosméticos. En general, es siempre mejor prever el crecimiento microbiológico por formulación más que fiarse de los conservantes. Los conservantes, como los antioxidantes, no suelen ser completamente satisfactorios durante un período prolongado, especialmente donde las temperaturas del ambiente son cálidas, mientras que el control por formulación perdura indefinidamente.

Las especificaciones microbiológicas dentro de la industria de cosméticos son ayudas esenciales en el mantenimiento de la calidad sanitaria y estabilidad del producto final, cuando se utiliza para controlar materias primas, procesos e higiene de fabricación.

Tabla 43.2.   Dosis mínimas efectivas (aprox.) de patógenos en seres humanos

Enfermedad	Número de células
Fiebre tifodea	3
Tuberculosis	100
Moniliais cutánea	100 000
Salmonellosis (diferentes a la fiebre tifoidea)	100 000-1 000 000

Si el equipo ha sido adecuadamente limpiado y esterilizado, el número de bacterias que queden no excederá de una por centímetro cuadrado por un ensayo de hisopo o una por mililitro por un ensayo de lavado. Por tanto, estos análisis son bastante adecuados para evaluar la eficacia de la limpieza en sentido general. Se puede suponer, en condiciones ordinarias de trabajo, que si los resultados son satisfactorios (esto es, menos de una colonia por centímetros cuadrados o mililitro), entonces todos los patógenos han sido destruidos o eliminados. También es improbable que los microorganismos sobrevivan en número suficiente para ocasionar problemas.

Conclusión

Las condiciones más limpias de la fábrica pueden fácilmente quedar anuladas si se practican métodos antihigiénicos; la contaminación microbiológica sólo se evitará por la atención cuidadosa de todos los aspectos de la producción y control. El descuido de cualesquiera de los puntos siguientes da por resultado puntos débiles y, eventualmente, complicaciones costosas:

1)   Comprobación de la calidad de las materias primas.

2)   Desembalar las materias primas en un edificio aparte, especialmente si están protegidos por serrín, desperdicios de algodón, paja, etc.

3)   Aplicar un tratamiento biocida donde sea necesario, si esto es practicable.

4) Control de la calidad del agua utilizada en la fábrica.

5) Comprobar la pureza bacteriana del aire próximo a máquinas llenadoras, etc.

6) Comprobar las condiciones higiénicas de todos los envases.

7) Eliminar todos los residuos, envases rotos o agrietados, etc., tan pronto como sea posible.

8) No utilizar paños para limpiar vertidos, a menos que éstos se mantengan en estado limpio; son mucho mejores las toallas de papel.

9) Limpiar perfectamente el equipo después de usarlo.

10) Esterilizar o limpiar todo el equipo, cuando sea necesario, inmediatamente antes de usarlo.

Ideas falsas comunes en higiene

No es cierto que:

a) Chapotear desinfectante sobre los suelos, etc., «resuelve el problema de la higiene».

b) Forzar vapor alrededor de un circuito, con producción de grandes nubes de «vapor» y considerable ruido, necesariamente se esteriliza el equipo.

c) Si el equipo parece limpio, entonces debe estar limpio; esto no es microbiológicamente cierto.

Sistemas de «ropa de escaparate», tales como hacer usar a las personas batas y gorros blancos, provisión de lámparas ultravioleta encendidas, uso de aerosoles desinfectantes, pueden servir para ciertos fines útiles, e indudablemente ejercen una influencia psicológica, pero en términos prácticos su valor no es grande.

Un producto cosmético contaminado por microorganismos se considera un peligro potencial para el usuario, especialmente si están presentes patógenos dañinos. PAETZOID examinó ciento veintinueve productos y encontró un 17,1 por 100 de ellos contaminados con bacterias, de las que un 43,9 por 100 fueron patógenos, un 56,1 por 100 no patógenos[14]. KNOTHE[15] ha destacado que la piel posee propiedades autodesinfectantes con mayor efecto bactericida sobre patógenos que sobre los no patógenos. La conclusión de su trabajo es que los productos cosméticos no precisan necesariamente estar estériles con el fin de proteger al usuario sano normal. Así, ¿por qué la industria de cosméticos pretende limitar el contenido de microorganismos de los productos? La respuesta es que los microorganismos introducidos en un producto cosmético pueden alterar las propiedades generales del cosmético: a) por el microorganismo, b) por la multiplicación del microorganismo, y c) por metabólicos microbianos.

Los fenómenos siguientes son comunes en cosméticos insuficientemente conservados: las cremas y las lociones pueden presentar colonias visibles de hongos; los productos pueden descomponerse con producción de olor rancio o podrido o sin ella; puede presentarse decoloración; las preparaciones transparentes pueden hacerse turbias debido a la precipitación; la fermentación puede originar gas, a veces ocasionando hinchazón de tubos o reventamiento de frascos de cristal. El resultado es que un producto fabricado a elevado coste, y que se cree que ha recibido todo el cuidado posible, se hace no comerciable.

La calidad sanitaria de un producto cosmético es normalmente la suma del nivel de higiene en la producción de los ingredientes de las materias primas, la calidad de higiene de las materias primas terminadas y el nivel de higiene de la planta de fabricación del producto cosmético. La definición de la CEE al término de cosmético es «toda sustancia o preparación destinada a ponerse en contacto con varias partes superficiales del cuerpo humano (epidermis, sistema piloso, uñas, labios y órganos genitales externos) o con los dientes y membranas mucosas de la cavidad bucal con un propósito exclusivo o principal de perfumarlos, limpiarlos, protegerlos y mantenerlos en buen estado, para cambiar su aparencia o corregir olores corporales». Como tales, los cosméticos que presentan pobre calidad microbiológica son potencialmente perjudicales en número y veces imprevisibles.

REFERENCIAS

1. Yablonski, J. L., *Cosmet. Toiletries*, 1978, **93**(9), 37.
2. Boehm, E. E. and Maddox, D. N., *Manuf. Chem. Aerosol News*, 1971, **42**(4), 41.
3. Kano, C., Nakata, O., Kurosaki, S. and Yanagi, M., *J. Soc. cosmet. Chem.*, 1976, **27**, 73.
4. Schlüssler, H. J., *Milchwissenschaft*, 1970, **25**(3), 133.
5. Prado Fihlo, L. G., *Lebensm.-Wiss. Technol.*, 1975, **8**(1), 29.
6. Han, B-H., Dissertation, University of Karlsruhe, 1977.
7. Thor, W. and Loncin, M., *Chemie Ingenieur Technik*, 1978, **50**(3), 118.
8. Mims, C. A., *Pathogenesis of Infectious Disease*, London, Academic Press, 1977.
9. Mendes, M., *New Scientist*, 1977, **76**(1079), 507.
10. Newsom, S. W. B., *Lancet*, 1972, 30 September, 700.
11. *Guide to Good Pharmaceutical Manufacturing Practice*, London, HMSO, 1971.
12. Most, S. and Katz, A., *Am. Perfum. Cosmet.*, 1970, **85**(3), 67.
13. Davis, J. G., *Soap Perfum. Cosmet.*, 1973, **46**(1), 37.
14. Paetzoid, H., *Vortrag anl. der D. G. F.-Vortragstagung*, Mainz, 1967.
15. Knothe, H., *Referat anl. d. Vortrags- und Diskussionstagung der Gesellschaft deutscher Kosmetika-Chemiker e.V.*, Hamburg, 1967.

APENDICE

Sustancias de marca citadas en este libro

Las citas en itálicas son los nombres adoptados CTFA tal como están listados en CTFA *Cosmetic Ingredient Dictionary;* se han reproducido con el permiso de Cosmetic, Toiletry and Fragrance Association, Inc., Washington DC, USA.

Se observará que CTFA no «aprueba», «certifica» o «garantiza» ingredientes determinados para uso en productos cosméticos. CTFA tiene un comité que asigna «nombres adoptados» para ciertos ingredientes cosméticos para incluir en el CTFA *Cosmetic Ingredient Dictionary*, que es reconocido por las reglamentaciones de Food and Drug Administration de los Estados Unidos de América (Epígrafe 21, Code of Federal Regulations, Sección 701.3) como referencia legislada de la nomenclatura propia de un ingrediente para fines de etiquetado del ingrediente cosmético. La asignación de un «nombre adoptado» y la inclusión en el *Dictionary* fija sólo una *nomenclatura* propia de un ingrediente para fines de etiquetado del ingrediente en el producto cosmético vendido en los Estados Unidos de América; *no* significa que CTFA (o FDA) «apruebe» el ingrediente.

Con objeto de lograr una nomenclatura uniforme para los ingredientes disponibles para uso en la industria cosmética, CTFA adoptó nombres que se están usando de modo creciente en otros países distintos de los Estados Unidos de América.

Nombre de marca	Descripción química	Proveedor
Acetol	*Alcohol de lanolina acetilado*	Emery
Actamer	2,2-Tiobis-(4,6-diclorofenol)	Monsanto
Aduvex 2211	2-Hydroxi-4-metoxi-4′-metil-benzofenona	Ward Blendkinsop
Aerosil	Sílice finamente dividido	Degussa
Aerosol OT	Dioctil sodio sulfosuccinato	American Cyanammid
Aethosal	Alcohol graso etoxilado propoxilado *PPG-10-Ceteareth-20*	Henkel
Alcloxa	Aluminio clorhidroxi alantoinato	Hoechst
Alrosal	Amida de ácido graso, concentrado	Ciba-Geigy

Nombre de marca	Descripción química	Proveedor
Amerchol CAB	Colesterol, base de absorción *Petrolato* y *alcohol de lanolina*	Amerchol
Amerchol L-101	Aceite mineral y alcoholes de lanolina	Amerchol
Aminoxid WS35	Cocamidopropilamina óxido	Goldschmidt
Ammonyx 4002	Bencildimetilestearilamonio, cloruro *Stearalkonium Chloride*	Onyx
Amphomer	*Octylacrylamide/Acrylates/Butil-aminoethyl Metacrylate, Polymer*	National Starch
ANM almidones polvo	Almidones, éteres	Necker-Chemie
Anobial	3′,4′,5-Triclorosalicilanilida	Firmenich
Anobial TFC	3-Trifluorometil-4, 4′-diclorocarbanilida	Firmenich
Antara opalescentes	.	GAF
Antifoam AF	Mezcla de dimetilpolisiloxano *(dimethicone)* y silica gel *Simethicone*	Dow Corning
Antivirary	Homomentilo, salicilato *(Homosalate)*, bencil salicilato y metil eugenol	Bush Boake Allen
Arlacel A	Manida mono-oleato	ICI
Arlacel C	*Sorbitan Sesquioleate*	ICI
Arlacel 83	*Sorbitan Sesquioleate*	ICI
Arlacel 165	Glicerilmonoestearato y polioxietilen estearato *Glyceril Stearate* y *PEG-100 Stearate*	ICI
Arlamol E	Acido graso propoxilado *PPG-15 Stearyl Ether*	ICI
Arlatone T	Sorbitan polioxietilen éster ácido graso *PEG-40 Sorbitan Peroleato*	ICI
Arlex	*Sorbitol*	ICI
Arochlor 5460		Monsanto
Arquad 2HT	Dimetildi (sebohidrogenado) amonio, cloruro *Quaternium-18*	Armak
Arquad 16	Alquiltrimetilamonio cloruro *Cetrimonium Chloride*	Armak
Arquad 550	Trimetilsoja amonio cloruro *Soyatrimonium chloride*	Armak
Atlas G-271	N-soya-N-etilmorfolinium etosulfato *Quaternium-2*	ICI
Atlas G-1086	Polietilen glicol sorbitol hexaoleato	ICI
Atlas G-1425	Polioxietilen sorbitol lanolina, derivado	ICI
Atlas G-1441	Polioxietilen sorbitol lanolina, derivado *PEG-40 Sorbitan Lanolate*	ICI
Atlas G-1690	Polioxietilen éter de alquilfenol	ICI
Atlas G-1790	Polioxietilen lanolina, condensado *PEG-20 Lanolin*	ICI
Atlas G-2132	Polioxietilen lauril éter	ICI
Atlas G-2240	Polioxietilen sorbitol	ICI

Nombre de marca	Descripción química	Proveedor
Atlas G-2320	Polioxietilen sorbitol	ICI
Atlas G-2859	Polioxietilen sorbitol 4,5-oleato	ICI
Atlas G-3721	Polioxitilen-2 butil octanol	ICI
Atlas G-7596J	Polioxietilen sorbitan monolaurato *PEG-10 Sorbitan Laurate*	ICI
Avicel	Celulosa microcristalina	FMC
Avitex ML	Agente emulsionante catiónico	DuPont
Bentones	Hectoritos cuaternarios	NL Industries
Bentonite	Arcilla mineral, montmorillonita *Bentonite*	Berk
Betadine	Iodóforo (mezcla de *yodo* con agente tensioactivo)	Berk
BHT	Butil hidroxitolueno (2,6-di-*tert*-butil-4-metilfenol) *BHT*	Kodak Chemical
Bithionol	2,2'-tio-*bis*-(4,6-diclorofenol)	Hilton Davis Chemical
Bradosol	β-Fenoxietildimetildodecil-amonio bromuro	CIBA
Brij 30	Polioxietilen lauril éter *Laureth-4*	ICI
Brij 35	Polioxietilen lauril éter *Laureth-23*	ICI
Brij 93	Polioxietilen(2) oleil éter *Oleth-2*	ICI
Bronopol	2-Bromo-2-Nitropropano-1,3-Diol	Boots
BTC	Laurildimetilbencilamonio, cloruro	Onyx
BTC 2125 M	Tetradecildimetilbencilamonio y dodecildimetil-*p*-etilbencilamonio, cloruros *Myristalkonium Chloride* y *Quarternium-14*	Onyx
Cab-o-sil	Sílice pirogénica	Cabot
Calflo E	Calcio, silicato	Johns-Manville
Carbopol 934	Polímero de ácido acrílico con enlaces cruzados con un agente polifuncional *Carbomer-934*	Goodrich
Carbopol 940	Polímero de ácido acrílico con enlaces cruzados con un agente polifuncional· *Carbomer-940*	Goodrich
Carbopol 941	Polímero de ácido acrílico con enlaces cruzados con un agente polifuncional *Carbomer-941*	Goodrich
Carbopol 960	Sal de amonio de Carbopol 934 *Carbopol-960*	Goodrich
Carbowax 400	Etilen óxido polímero *PEG-8*	Union Carbide
Carbowax 1000	Etilen óxido polímero *PEG-20*	Union Carbide

Nombre de marca	Descripción química	Proveedor
Carbowax 1500	Etilen óxido polímero *PEG-6-32*	Union Carbide
Carbowax 1540	Etilen óxido polímero *PEG-32*	Union Carbide
Carbowax 4000	Etilen óxido polímero *PEG-75*	Union Carbide
Carbowax 6000	Etilen óxido polímero *PEG-150*	Union Carbide
Catrex	Interpolímero de aminoetilacrilato fosfato y ácido acrílico *Aminoethylacrylate Phosphate/Acrylate*	National Starch
Ceepryn	Cetilpiridinium bromuro o cloruro	Merrell
Celacol	Sodio, carboximetilcelulosa	British Celanese
Cellofas	Sodio, carboximetilcelulosa	ICI
Cellosize	*Hydroxyethylcellullose*	Union Carbide
Ceraphyl 60	γ-Gluconamidopropildimetil-2-hidroxietilamonio, cloruro *Quaternium-22*	Van Dyk
Ceraphyl 65	Visón (ácidos grasos) aminopropil-dimetil-2-hidroxietilamonio, cloruro *Quaternium-26*	Van Dyk
Cetavlon	Cetiltrimetilamonio, cloruro	ICI
Cetiol HE	Ester ácido graso poliol *PEG-7 Glyceryl Cocoate*	Henkel
Chorhexidine	1,6-di-(N-*p*-clorofenilguanidino)hexano *Chlorhexidine*	ICI
Chlorhydrol	Aluminio clorhidrato, solución 50 % *Aluminium chlorohydrate*	Reheis
Comperlan HS	Monoetanolamida esteárica	Henkel
Comperlan KD	Cocamida dietanolamida *Cocamide DEA*	Henkel
Courlose	Sodio, carboximetilcelulosa	British Celanese
Crillet 3	Mezcla de ésteres esteoratos de sorbitol y anhídridos de sorbitol condensada con aproximadamente 20 moles de óxido de etileno *Polysorbate 60*	Croda
Crodafos N3 ácido	Oleil éter fosfatado (3EO) *Oleth-3 fosfato*	Croda
Crodafos N3 neutro	Sal de dietanolamina de un complejo mezcla de ésteres de ácido fosfórico y *Oleth-3* (que es el polietilen glicol éter del alcohol oleílico) *DEA-Oleth-3 Phosphate*	Croda
Crodalan IPL	*Isopropyl lanolate*	Croda
Crodamol CSP	Cetostearilo, palmitato	Croda
Crodamol IPP	*Isopropyl Palmitate*	Croda

Nombre de marca	Descripción química	Proveedor
Crodamol ML	*Myristyl Lactate*	Croda
Crodamol OP	*Octyl Palmitate*	Croda
Crodaterge LS (ahora denominado Crodasinic LS)	*Lauroyl Sarcosine*	Croda
Crodaterge OS (ahora denominado Crodasinic OS)	*Oleoyl Sarcosine*	Croda
Crodesta F70, F160 y	Esteres de sacarosa de ácidos palmítico y esteárico	Croda
Cromeen	Derivado alquil amina substituida de varios ácidos de lanolina	Croda
Crotein Q	Proteína animal hidrolizada cuaternizada	Croda
DC 200	Dimetilpolisiloxano	Dow Carning
Dehyquart	Amonio cuaternario etoxilado fosfato *Quaternium-52*	Henkel
Deriphat 170C	Acido lauril aminopropiónico *Lauraminopropionic Acid*	General Mills
Detergent 1011	Amida secundaria de ácido láurico	
Dichlorophene	2,2-metilen-*bis*-(4-clorofenol)	Givaudan
Dicrylan 325	Polímero acrilato/acrilamida	Ciba-Geigy
Diometam	Di-(n-octil)-dimetilamonio, bromuro	British Hydrological
Dioxin	6-Acetoxi-2,4-dimetil-m-dioxano	Givaudan
Dowfax 2A		Dow
Dowicil 200	1-(3-cloroalil)-3,5,7-triaza-azonia-adamantano, cloruro *Quaternium-15*	Dow
Duponol C	Sodio, lauril sulfato	DuPont
Duponol WA	Sodio, lauril sulfato	DuPont
Duponol WAT	Sal trietanolamina de lauril sulfato *TEA-Lauryl Sulfate* y *TEA-Oleyl Sulfate*	
Edifas	Sodio, carboximetil celulosa	ICI
Emcol CD-18	Poliol propoxilado	Witco
Emcol E-607	N-(Acilcolaminoformilmetil) piridino, cloruro	Witco
Emcol E-6075	N-Estearoilcolamino-formil-metilpiridinio, cloruro *Quaternarium-7*	Witco
Emerest 2400	*Glyceryl Stearate*	Malmstrom
Emersol 132	Acido esteárico	Malmstrom
Empicol LZ	Sodio, laurilsulfato	Albright & Wilson
Empigen BB	Alquil dimetil betaína	Albright & Wilson
Empigen BT	Alquin amino betaína	Albright & Wilson
Empigen CDR 10	Coco imidazolina betaína	Albright & Wilson

Nombre de marca	Descripción química	Proveedor
Empigen CDR30	Coco imidazolina betaína modificada	Albright & Wilson
Emsorb 6915	*Polysorbate 20*	Malmstrom
Escalol 506	Acido amildimetil-*p*-aminobenzoico *Amyl Dimethyl PABA*	Van Dyk
Estol 1461	Glicerilo, monoestearato nse	Unichema
Ethomeen C/25	*PEG-15 Cocamine*	Armak
Eutanol G	2-Octildodecanol *Octyl Dodecanol*	Henkel
Eutanol LST		Henkel
Evanol	Marca de base de crema	Evans Chemetics
Extrapones	Extractos de hierbas	Dragoco
Fentichlor	*Bis*-(2-hidroxi-5-clorofenil) sulfuro	Cocker Chemical
F.H.P.	Sodio, carboximetilcelulosa	Hercules
Filtrosol A-1000 y B	Filtros UV —mexclas de marca	Norda
Fixanol C	Cetil piridinio, bromuro o cloruro	ICI
Fixanol VR	Tetradecilpiridinio, bromuro	ICI
Fluilanol	Aceite lanolina y *Oleth-3* (que es el polietilen glicol éter de alcohol oleílico	Croda
Fluorophene	3,5-dibromo-3'-trifluorometilsalicilanilida *Fluorosalan*	Pfister
F.M.P.	Sodio, carboximetilcelulosa	Hercules
Foromycen F10	Agente antifúngico	Petrosin Laboratorium
Fungicide UMA	Undecilenamida dietanolamina *Undecylenamide DEA*	Dragoco
Fungicide UMA	Undecilenamida monoetonolamida *Undecylenamide MEA*	Dragoco
Gafquat 734 y 755	Polímeros amonio cuaternarios formados por reacción de sulfato de dimetilo y un copolímero de vinilpirrolidona y dimetilaminoetilmetacrilato *Quaternium-23*	GAF
Gantrez ES-225	Ester monoetílico del copolímero de metilviniléter/ácido maleico (50 % en etanol) *Ethyl ester of PVA/MA copolymer*	GAF
Gantrez ES-425	Ester monobutílico del copolímero metilviniléter/ácido maleico (50 % en etanol) *Buthyl ester of PVM/MA copolymer*	GAF
Genapol 5200		Hoechst
Germall 115	Imidazonil urea	Sutton Laboratories
Giv-tan F	2-Etoxi-*p*-metoxicinnamato *Cinoxate*	Givaudan
Glucam-P20	*PPG-20 methylglucose ether*	Amerchol
HD Eutanol	Alcohol oleílico	Henkel

Nombre de marca	Descripción química	Proveedor
Hexachlorophene	2,2'-methylen-*bis*-(3,4,6-triclorofenol	Givaudan
Hibitane	1,6-di-(N-*p*-clorofenilguanidino) hexano	ICI
Hostaphat KL340N	Triéster de polietilen glicol éter de alcohol laurílico y ácido fosfórico *Trilaureth-4-Phosphate*	Hoechst
Hostapur SAS	Alcano sulfato secundario	Hoechst
Hyamine 10X	Metilbenzethonium, cloruro	Rothm & Haas
Hyamine 1622	*p*-Diisobutilfenoxietoxietildimetil-bencil-amonio, cloruro *Benzethonium Chloride*	Rohm & Haas
Hyamine 2389	Alquiltolilmetiltrimetilamonio, cloruro *Quaternium-28* y *Quaternium-29*	Rohm & Haas
Ionol	Hidrotolueno butilado, 2,6-di-*tert*-butil-4-metilfenol *BHT*	Shell
Ionol CP	Grado purificado de Ionol *BHT*	Shell
Irgasan BS200	3,3', 4,5'-Tetracloro salicilanilida	Ciba-Geigy
Irgasan CF-3	3-Trifluorometil-4,4'-diclorocarbanilida *Cloflucarban*	Ciba-Geigy
Irgasan DP-300	2,4,4'-Tricoloro-2''-hidroxidifeniléter *Triclosan*	Ciba-Geigy
Isopar E	Disolvente isoparafínico	Esso
Isopropylan 33	*Isopropyl Lanolate* y *Lanolin oil*	Robinson-Wagner
Isothan Q	Alquil isoquinolio, bromuro	Onyx
Isothan Q-15	*Lauryl Isoquinolinium Bromide*	Onyx
Kelzan	*Xanthan gum*	Kelco
Klucel	*Hidroxypropylcellulose*	Hercules
Klucel HA	Hidroxialquilcelulosa	Hercules
L-43 Silicone		Union Carbide
Laneto 50, 100	Polietilen glicol-50 lanolina *PEG-50 Lanolin*	R.I.T.A.
Lanoquats	Amidas cuaternizadas de ácidos grasos derivados de ácido de lanolina	Malmstrom
Lanoquat DES	Lanolina cuaternaria	Malmstrom
Lantrol	Lanolina cuaternaria *Lanolin oil*	Malmstrom
Laponite	Arcilla sintética tipo hectorita	Laporte
Lathanol LAL	*Sodium Lauryl Sulphoacetate*	Stepan
Lexate TA	Glicerilo estearato, isopropilo miristato y estearilo estearato	Inolex
Lexein X-250	Proteína animal hidrolizada	Inolex
Lexemul AR	Glicerilo estearato	Inolex
Lexemul AS	Glicerilo estearato y sodio lauril sulfato	Inolex

Nombre de marca	Descripción química	Proveedor
Liquid Base CB 3929	Aceite mineral y alcoholes de lanolina	Croda
Loramine DU 185	Undecilenamida dietanolamida	Rewo
Loramine OM 101	Monoalquilamida de mezcla de ácidos grasos	Rewo
Loramine SBV 185	Disodio, monoundecilenamido monoetanolamida sulfosuccinato	Rewo
Loramine U 185	Undecilenamida monoetanolamida	Rewo
Luviset CE 5055	Copolímero vinil acetato/ácido crotónico	BASF
Marinol	Alquildimetilbencilamonio, cloruro	Berk
Maypol 4C	Proteína animal cocilhidroxilada potásica	Stepan
Merquat-550	Sal amonio cuaternario polímera constituida por monómeros de acrilamida y dimetildialil amonio, cloruro *Quaternium-41*	Merck
Merquat resins	Ciclopolímeros dialquildimetil amonio, cloruro	Merck
Methocel	*Hydroypropylmethylcellolose*	Dow
Methofas	Metilcelulosa	ICI
Microdry	Aluminio clorhidrato, polvo fino *Aluminium Chorohydrate*	Reheis
Miranol C2M, C2M-SF	Imidazolina de cadena larga tipo zwitterion *Amphoteric-2*	Miranol
Miranol SM	Derivado de capril imidazolina	Miranol
Mirapol A15	Compuesto de amonio policuaternario	Miranol
Modulan	*Acetylated Lanolin*	Amerchol
Morpan CHSA	Cetilmetilamonio, bromuro	Glovers
Myacide SP	2,4-Diclorobencil alcohol	Boots
Myrj 45	Polioxietilen monoestearato *PEG-8 Stearate*	ICI
Myrj 52	Polioxietilen monostearato *PEG-40 Stearate*	ICI
Myverol 18-17	Monoglicérido por destilación molecular	Eastman
Nacconal NRSF	Alquilaril sulfonato	Allied Chemical
Natrosol	*Hydroxyethylcellulose*	Hercules
Neo-fat 18-55	*Stearic Acid*	Armak
Neo-PLC soluble en agua	Alquil fenol etoxilado y éster polietilen glicol de ácido 2-etilhexanoico *Monoxynol-14* y *PEG-4 Octanoate*	Dragoco
Neosyl	Sílice finamente divida	Crosfield
Neutronyx 600	Alquil fenol etoxilado *Nonoxynol-9*	Onyx
Nimlesterol D	*Mineral Oil* y *Lanolin Alcohol*	Malmstrom

Nombre de marca	Descripción química	Proveedor
Ninol 2012	Concentrado de alcanolamina de ácido graso	Stepan
Nipagin M	Ester metílico del ácido p-hidroxibenzoico *Methylparaben*	Nipa
Nipagin P		Nipa
Nipasol M	Propil-p-hidroxibenzoato *Propylparaben*	Nipa
Nonic 218	Polietilen glicol *tert*-dodecil tioéter	Sharples Chem.
Novol	*Oleyl Alcohol*	Croda
Oat-Pro	*Oat Flour*	Quaker Oats
Octaphen	*p-tert*-Octylfenoxietoxietildimetil-bencilamonio, cloruro	Ward Blenkinsop
Omadine	1-Hidroxipiridin-2-tiona	Olin Mathieson
Omamids	Resinas de poliamida	Olin Mathieson
Onamer	Poli(dimetilbutenilamonio cloruro)-α, ω-*bis*(trietanolamina cloruro)	Onyx
Oracid	Espuma urea-formaldehído	Chemische Fabrik Frankenthal
Orvus WA	*Sodium Lauryl Sulfate*	Procter & Gamble
Ottasept extra	*Chloroxylenol*	Ottawa Chemical
PCL Liquid	*Cetearyl Octanoate*	Dragoco
Phemerol	*p-ter*-Octylphenoxietoxietil dimetilbencilamonio. cloruro	Parke-Davis
Phenonip	Combinación de parabenes y fenoxietanol	Nipe
Pluronic F-127	Un polímero bloque polioxietilen-polioxietilen-polioxipropilen *Poloxamer-407*	BASF-Wyandotte
Pluronic L64D	Un polímero bloque polioxietilen-polioxiprolen *Poloxamer-184*	BASF-Wyandotte
Polawax	Cera emulsionante no iónica	Croda
Polawax A-31	Mezcla de cetil estearil alcohol y productos EO condensados	Croda
Polychol 5	Condensado polietilen glicol de alcoholes ceras de lana *Laneth-5*	Croda
Polychol 15	Ester polietilen glicol de alcohol de lanolina con valor medio 15 de etoxilación *Laneth-15*	Croda
Polyglycol 400	Polietilen glicol 400	Hoechst
Polymer JR	Derivado de celulosa éter catiónica *Quaternium-19*	Union Carbide
Povidone-Iodine	*PVP-iodine*	Berk

Nombre de marca	Descripción química	Proveedor
Procetyl AWS	Polioxipropilen, polioxietilen éter de alcohol cetílico *PPG-5-Ceteth-20*	Croda
Promulgen D	Cetilestearil alcohol y su derivado polietoxilado (20) *Cetearyl Alcohol* y *Ceteareth-20*	Robinson-Wagner
Prosolal, S8	Filtro octil cinnamato	Dragoco
Prosolal 58	Mezcla de ésteres fenilacrílicos y ésteres del ácido oxibenzoico	Dragoco
Protolate WS	PEG-lanolina y proteína animal hidrolizada *PEG-75 Lanolin oil*	Melmstrom
PVP-VA E-735	*PVP/VA Copolymer*	GAF
Quadramer		American Cyanamid
Renex	Esteres polioxietilénicos de mezcla de resinas y ácidos grasos	ICI
Resyn 28-1310	*Vinyl Acetate/Crotonic Acid Copolymer*	National Starch
Resyn 28-2930	*Vinyl Acetate/Crotonic Acid/Vinyl Neodecanoate Polymer*	National Starch
Rewopol SBFA 30	Disodio, lauril alcohol poliglicol éter sulfosuccinato	Rewo
Roccal	Alquildimetilbencilamonio, cloruro *Benzalkonium Chloride*	Bayer
Sandopan DTC acid	α-(Carboximetil)-ω-(trideciloxi) poli(oxi-1,2-etanodiil) *Trideceth-7-Carboxylic Acid*	Sandoz
Sandopan TFL	Sulfoamidobetaina *Amphoteric-7*	Sandoz
Santicizer 8	Plastificante sulfonamida	Monsanto
Santicizer 160	*Butyl Benzyl Phthalate*	Monsanto
Santocel 54	Sílice hidratada	Monsanto
Santolite MHP	Resina toluensulfonamida/ formaldehído	Monsanto
Santolite MS 80%	Resina toluensulfonamida/ formaldehído	Monsanto
Schercoquat	Amidas cuaternizadas de ácidos grasos derivados del ácido isoesteárico	Scher Chemicals
Silicone fluid DC-556	Polifenilmetil siloxano *Phenyl Dimethicone*	Dow Corning
Silicone fluid L-45	Dimetil silicona *Dimethicone*	Union Carbide
Sodium silicate «O»	*Sodium Silicate*	Philadelphia Quartz
Softigen 767	Ester glicérido de ácido graso parcialmente etoxilado *PEG-6-Caprylic/Capric Glycerides*	Dynamit-Nobel
Solprotex	Digalloilo, trioleato	Firmenich
Solulan 98	Polioxietilen (10) lanolina alcohol acetilado *Laneth-10 Acetate*	Amerchol

Nombre de marca	Descripción química	Proveedor
Sorbo	*Sorbitol*	ICI
Span 20	Sorbitan monolaurato *Sorbitan Laurate*	ICI
Span 60	Sorbitan monoestearato *Sorbitan Stearate*	ICI
Span 80	Sorbitan monooleato *Sorbitan Oleate*	ICI
Span 85	*Sorbitan Trioleate*	ICI
Standapol OLP	Oleil betaína	Henkel
Steinapon AM-B13	Alquilamido betaína	Goldschmidt
Stepanhold R-1	*PVP/Ethyl Methacrylate/Methacrylic Acid Polymer*	Stepan Chemical
Sunscreen 3573	Filtro solar soluble en aceite	Merck
Surfynol 82	*Diomethyl Octynediol*	Air Products
Syloid 72	*Sílice hidratada*	Grace
Syncrowax ERLC	*C18-C36 Acid Glycol Esters*	Croda
Syncrowax HGLC	*C18-C36 Acid Triglyceride*	Croda
Syncrowax HRC	*Glyceryl Tribehenate*	Croda
Syncrowax PRLC	Esteres propilenglicol de mezcla de ácidos grasos/ácidos ceras	Croda
TBS	3,4',5-Tribromosalicilanilida	Theodore St. Just
TCC	3,4,4'-Triclorocarbonilida *Triciocarban*	Monsanto
TCS	2,3,3',5-Tetraclorosalicilanilida	Ciba-Geigy
Tegin 515	Glicerilo monoestearato *Glyceryl Stearate*	Ciba-Geigy Goldschmidt
Tego 1035		Goldschmidt
Tegobetaine L7	Cocamidopropil betaína	Goldschmidt
Temasept IV	3,4',5-Tribromosalicilanilida	Fine Organics
Tergitol NPX	Alquilaril polietilen glicol éter *Nonoxynol-10*	Union Carbide
Texapon Extract N25	Sodio, lauril éter sulfato *Sodium Laureth Sulfate*	Henkel
Timica	Mica recubierta con titanio, dioxido	Mearl
Tinuvin P	UV-absorbente	Ciba-Geigy
Tiona G	Titanio dioxido, dispersable en aceite	Laporte
Topanol O	Hidroxitolueno butilado, 2,6-di-*tert*-butil-4-metilfenol *BHT*	ICI
Topanol OC	Grado purificado de Topanol O	ICI
Triton X-100	Aril poliéter alcohol alquilado *Octoxynol-9*	Rohm y Haas
Triton X-200	Sodio, sal de aril poliéter sulfato alquilado *Sodium Octoxynol sulfate*	Rohm y Haas

Nombre de marca	Descripción química	Proveedor
Triton X-400	Estearilmetilbencilamonio, cloruro *Stearalkonium Chloride*	Rohm y Haas
Tuasal 100	3,4',5-Tribromosalicilanilida	Dow
Tween 20	Polioxietilen sorbitan monolaurato *Polysorbate-20*	ICI
Tween 40	Polioxietilen sorbitan monopalmitato *Polysorbate-40*	ICI
Tween 60	Polioxietilen sorbitan monoestearato *Polysorbate-60*	ICI
Tween 65	Polioxietilen sorbitan triestearato *Polysorbate-65*	ICI
Tween 80	Polioxietilen sorbitan monooleato *Polysorbate-80*	ICI
Tylose	Sodio, carboximetil celulosa	Hoechst
Ucon LB-1715	Polipropilen glicol butil éter *PPG-40 Butyl Ether*	Union Carbide
Ucon 50-HB-660	Polioxipropileno, polioxietilen monobutil éter *PPG-12-Buteth-16*	Union Carbide
Ultrawet 60L	Trietanolamina, sal de alquilaril sulfonato *TEA-Dodecylbenzene Sulfonate*	ARCO
Uvinul D-50	2,2',4,4'-Tetrahidroxibenzofenona *Benzophenone-2*	GAF
Uvistat	2-Hidroxi-4-metoxi-4'-metil benzofenona	Ward Blenkinsop
Vancide 89RE	N-Triclorometiltio-4-ciclohexeno-1,2-dicarboximida *Captan*	Vanderbilt
Vancide BL	2,2'-Tiobis-(4,6-diclorofenol)	Vanderbilt
Vantoc AL	Alquiltrimetilamonio, bromuro	ICI
Vantoc B	Tetradecilpiridio, bromuro	ICI
Vantoc CL	Alquildimetilbencilamonio, cloruro	ICI
Veegum	*Magnesium Aluminum Silicate*	Vanderbilt
Veegum HV	*Magnesium Aluminum Silicate*	Vanderbilt
Veegum K	*Magnesium Aluminum Silicate*	Vanderbilt
VEM resin	*PVP/Ethyl Metacrylate/Metacrylic Acid Polymer*	Barr-Stalfort
Versamids	Resinas poliamidas	General Mills
Versene	Acido etilendiamina tetraacético *EDTA*	Dow
Virac	Iodofor (mezcla de iodo con agente tensioactivo)	Ruson Laboratories
Volatile Silicone	Compuesto cíclico dimetil polisiloxane *Cyclomethicone*	Union Carbide
Volpo N3	Condensado oleil alcohol/etilen óxido	Croda
Volpo N5	Polioxietilen oleil éter	Croda

Nombre de marca	Descripción química	Proveedor
Volpo S10	Polioxietilen (10) estearil éter *Steareth-10*	Croda
Volpo S20	Polioxietilen (20) estearil éter *Steareth-20*	Croda
Wescodyne	Iodofor (mezcla de iodo con agente tensioactivo)	Bedgue
Zephiran	Alquildimetilbencilamonio, cloruro	Bayer
Zephirol	Alquildimetilbencilamonio, cloruro	Bayer
Zetesol 856T	Alquil éter sulfato	Zschimmer & Schwarz
78-4329 (ahora denominado Celquat)	Polímero catiónico inserto en una cadena celulósica	National Starch

Indice

Abrasión de pastas dentífricas, 684.
Abrasivos en pastas dentífricas, 675.
Absorbancia de polvos faciales, 323.
Absorbentes de rayos ultravioleta para champúes, 480.
Absorción de radiación por filtros solares, 274.
Acacia, goma, en máscaras faciales, 311.
Aceite, absorción
de sustancias de polvos faciales, 326.
por la piel, 116.
Aceite de aguacate
en acondicionador de cabello, 563.
en fijador de cabello, 536.
Aceite de almendras
en acondicionadores para el cabello, 563.
en fijadores, 536.
Aceite de alquitrán, abedul
como repelente de insectos, 232.
como tónico capilar, 558.
Aceite de árbol de té como repelente de insectos, 232.
Aceite de girasol, 50.
en fijadores del peinado, 537.
Aceite de oliva
en fijadores capilares, 536.
en «cold creams», 62.
Aceite mineral
en aceites de baño, 118, 119.
en antiperspirantes aerosoles, 151.
en barras de labios, 369.
en champúes, 495.
en colorete, 373, 375, 376, 377.
en cremas base, 76, 77.
en cremas de limpieza, 64, 65, 66, 67.
en cremas de manos, 78.
en cremas de todo uso, 80.
en cremas hidratantes, 70, 73.
en cremas protectoras, 94, 95, 96.
en delineadores de ojos, 391.
en depilatorios, 160.
en fijadores de cabello, 536.
en limpieza de manos, 99.
en pomadas de labios, 369.
en productos filtros solares, 281.
en rímel, 385, 386.
en sombras de ojos, 389.

gelificado, 539.
Aceites, contaminación, 754.
Aceites animales en fijadores del cabello, 536.
Aceites sulfonados en limpieza de manos, 98.
Acetales como repelentes de insectos, 238.
Acetatos como astringentes, 84.
Acético, ácido, como astringente, 84.
Acetilcolina, 14.
Acetofenonas en filtros solares, 261, 263, 265.
Acetona como quitaesmaltes de uñas, 430.
Acetona sodio metabisulfito como antioxidante, 795.
Acido, teoría de la caries dental, 659.
Acidos, colorantes, 584.
constantes de disociación, 762.
débiles, como conservantes, 762, 763.
Acidos grasos
en acondicionadores de cabello, 563.
en cremas de afeitar, 180.
en espumas de afeitar, 181.
oxidación, 783, 790.
Acil lactilatos en champúes, 486.
Acil péptidos, 706.
en champúes, 486.
Acilamino ácido, 706.
Acilaminopropionatos, 706.
Aciloarcosinatos en champúes, 485.
Acné, 19, 52, 133.
incidencia, 133.
productos, 135.
Acondicionadores, agentes
en champúes, 480, 493.
en tintes de cabello, 602.
Acrílicas, resinas
en lacas de uñas, 420, 428.
en prolongador de uñas, 433.
Adamantano cloruro, cloroalquiltriazonia, como conservantes, 760.
Adhesión de polvos faciales, 328.
Adipatos en cremas hidratantes, 73.
Adrenalina, 14.
Adrenocorticotropina, hormona, 53.
Adsorción, papel en actividad superficial, 701.
Aerosol, botes monobloque, 889.
Aerosol, productos
afeitar, espumas, 181, 919, 932.

antitranspirantes, *ver* antiperspirantes, 150, 916, 922.
champúes, 504, 920.
cremas capilares, 915.
cremas manos, 915.
depilatorios, 166, 931.
desodorantes, 156, 914.
espumas, 914, 918.
fijadores de cabello, 544, 914.
fijadores para hombre, 536.
lacas para cabello, 526, 914, 922.
lociones fijadoras coloreadas, 585.
oleo-colonias, 524.
pastas dentífricas, 915.
polvos, 916.
polvos para los pies, 219.
refrescante bucal, 696.
solares, productos, 285, 915.
Aerosol, soldadura de botes, 888.
Aerosoles
   basados en agua, 920.
   bolsas en envases, 931
   corrosión, 924.
   ensayo baño de agua de, 910.
   ensayo de almacenamiento para, 930.
   orificio de fase vapor para, 895.
   válvulas de transferencia, 896.
   Venturi, 933, 936.
Afeitado, para después
   crema y bálsamo, 208.
   espuma, 206.
   espuma crujiente, 207.
   gel, 207.
   lociones, 85, 86, 202.
   polvo, 209.
Afeitar, crema
   barra, 181.
   barra, sin brocha, 194.
   barra gel, preafeitado eléctrico, 199.
   barra talco, preafeitado eléctrico, 196, 199.
   crema, jabón, 178.
   espuma, aerosol, 181, 919, 932.
   espuma, preafeitado eléctrico, 198.
   espuma caliente, 188, 932.
   loción, preafeitado eléctrico, 85, 196.
   polvo, preafeitado eléctrico, 201.
   sin brocha, 191.
Afeitar, hojas, corrosión, 191, 195.
Afinidad, molecular, 808, 812.
Agitadores propelentes, 856.
Aglutinantes, agentes
   para pastas dentífricas, 678.
   para polvos compactos faciales, 337.
Agregación en emulsiones, 810.
Agua
   absorción de las sustancias de los polvos facia-
      les, 326.
   chorros, para limpieza de dientes, 688.

contaminación, 754.
fluoración, 662.
pérdida, de la piel, 70, 125, 722.
resistencia, de productos filtros solares, 279.
tratamiento por color, 966.
ultrafiltración del agua, 964.
Agua de rosas en astringentes, 84, 85.
Aire para ondulado, 525.
Aire rotatorio, proceso para polvos faciales, 336.
Ajenjo, aceite, como repelente de insectos, 232.
Alanina, derivados, como repelentes de insectos, 238.
Alantoina
   en cremas para manos, 78.
   en filtros solares, 272.
   en tónicos para la piel, 86.
Albaricoque, aceite de, en fijadores para cabello, 536.
Albúmina en cremas hidratantes, 71.
Alcalinos, agentes para ondulado del cabello, 614, 627.
Alcalis, preparaciones para alisado del cabello, 642.
Alcalonamida sulfatos, 703.
Alcalonamidas, 705.
   como espesantes en champúes, 496.
   como opalescentes en champúes, 497.
   de ácido graso en champúes, 487.
   en baños de espuma, 104.
Alcalonamina lauril sulfatos en champúes, 483.
Alcanfor
   derivados en filtro solar, 272.
   como astringente, 86, 87.
   como depilatorio, 160.
   como repelente de insectos, 232.
   en tónico capilar, 557.
Alcoholes
   como astringentes, 84, 85.
   como conservantes, 760, 761, 764.
   en acondicionadores de cabello, 563.
   en fijadores de cabello, 537.
   éter sulfatos en baños de espuma, 104.
   grasos, en lápices labiales, 357.
   lactatos en fijadores de cabello, 537.
   para desinfección de plantas, 984.
   sulfatos en baños de espuma, 104.
Aldehídos
   en grasas enranciadas, 797.
   oxidación, 790
Alérgenos, 36, 43.
Alergia, 36.
   de contacto, urticaria, 40.
Alfa olefin sulfonatos
   en champúes, 482.
   en espumas para el baño, 105.
Alginatos
   en coloretes, 379.
   en cremas protectoras, 92, 96.

Algínico, ácido, trietanolamina sal, en champúes, 495.

Algodón, aceite en lápices de cejas, 392.

Alheña, colorantes cabello, 602.

Alimentos, residuos, 656.
en caries dentales, 660.

Almidón
contaminación, 754.
degradación, 757.
en antiperspirantes, 144, 153.
en polvos faciales, 322, 323, 324, 326, 327, 329, 332, 333, 334, 337, 338, 339, 344.
en polvos para bebés, 128, 131.
éteres, en pastas dentífricas, 679.

Alopecia
androgenética, 448, 463.
areata, 463, 464.
difusa, 52, 465.
patrón masculino, 16, 448, 463, 465.
post-febril, 463.
post-partum, 464.

Aloxana para coloreado de la piel, 372.

Alquil, morfolinium, sales, 704.

Alquil aril poliglicol éteres, 705.

Alquil aril sulfonatos, 703.

Alquil bencen sulfonatos lineales en baños de espuma, 105.

Alquil benceno sulfonatos
en baños de espuma, 104, 105.
en champúes, 482.

Alquil éter carboxilatos, 703.

Alquil éter sulfatos, 703.
en champúes, 483.

Alquil fosfatos, 703.

Alquil imidazolinas, 706.

Alquil imidazolinium, sales, 704.

Alquil piridinium, sales, 704.

Alquil polietilen glicol sulfatos en champúes, 483.

Alquil polietilenimina, 705.

Alquil poliglicol éteres, 705.

Alquil propionatos, 706.

Alquil secundario sulfato, 703.

Alquil sulfatos, 703.
en champúes, 482.

Alquil sulfonatos, 703.

Alquilamino ácidos, 706.

Alquildimetilbencilamonio, sales, 704.

Alquildimetilbencilamonio cloruro en productos para bebés, 127.

Alquiltrimetilamonio, sales, 704.

Alquitrán
como tratamiento anticaspa, 468.
en tónicos capilares, 558.

Alternaria solani, 775.

Alumbres
como astringentes, 84, 85.
en enjuagues bucales, 696.
en fortalecedores de uñas, 415.

Alúmina en cremas protectoras, 92.

Alúmina hidratada, en pastas dentífricas, 676.

Aluminio
botes para aerosoles, 889.
corrosión, 926, 946.
jabones, en champúes, 496.
láminas en laminados, 947.
metal en cosméticos oculares, 382, 387.
tubos en envasado, 946.

Aluminio bromohidrato como antitranspirantes, 145.

Aluminio circonio clorhidrato como antiperspirante, 145, 153.

Aluminio clorhidrato
como antiperspirante, 142, 143, 145, 146.

Aluminio cloruro, como antiperspirante, 141, 152, 145, 146.

Aluminio lactato en máscaras faciales, 316.

Aluminio óxido en lociones fijadoras, 524.

Aluminio, sales
como astringentes, 83, 85.
en pastas dentífricas, 668.

Aluminio silicato en polvos para bebés, 127.

Aluminio stearato en rímel, 386.

Aluminio sulfato
como antiperspirante, 145.
en fortalecedores de uñas, 415.

Amidas, cuaternizadas
de etilendiaminas, 704.
de polietilenimina, 704.

Amidas ácido graso en fijadores capilares, 537.

Amidoamina óxido en champúes, 496

Amil acetato como quitalacas de uñas, 430.

Amina fluoruros en pastas dentífricas, 667.

Amina óxidos
en acondicionadores del cabello, 571.
en champúes, 489.
en espumas de baño, 107.

Aminas en antioxidantes, 802.

Aminoácidos
efecto en crecimiento del cabello, 449.
en cremas hidratantes, 71.
en la queratina del cabello, 449, 458.
en piel, 48.
en tónicos capilares, 557.

Aminoácidos N-alquil, en champúes, 490.

Aminoalcanotiol, derivados, en champúes, 496.

Aminoantraquinonas, colorantes, 588.

Aminobenzaldehídos en filtros solares, 263.

Aminobenzenosulfónico, ácido en aclaradores de la piel, 305.

Aminobenzoatos en filtros solares, 259, 261, 262, 263, 264, 266, 267, 272, 273.

Aminobenzoico, ácido
en filtros solares, 261, 263, 272, 273, 286.
en pigmentación de la piel, 462.
fototoxicidad, 40.

Aminoplásticos en envases, 943.

Aminopropiónico, ácido, ésteres como repelentes de insectos, 238.
Amniótico líquido en tónicos capilares, 558.
Amoniacal mercurio, para aclaradores de la piel, 298.
Amonio, sales en pastas dentífricas, 665.
Amonio cuaternario, compuestos, 724.
　　como agentes anticaspa, 552.
　　como antisépticos, 736.
　　como conservantes, 760, 761, 763, 768, 769, 775.
　　en ablandadores de cutícula, 413.
　　en acondicionadores para el cabello, 561, 567, 570.
　　en enjuagues bucales, 695.
　　en lociones fijadoras del peinado, 524.
　　en productos para bebés, 126.
　　para desinfección de la planta, 755, 984.
Amonio lauril éter sulfato en champúes, 484.
Amonio lauril sulfato
　　en champúes, 483.
　　en espumas de baño, 105.
Anabasina sulfato como repelente de insectos, 237.
Anafiláctica, sensibilidad, 39.
Anagen efluvium, 16, 463.
Anágeno, 16, 443.
Andrógenos
　　absorción por la piel, 50.
　　en acné, 19.
　　en actividad de glándula sebácea, 17.
　　en crecimiento del cabello, 16, 448.
　　en pigmentación de la piel, 10.
Anfolíticos, tensioactivos, 703.
Anfóteros, tensioactivos
　　como germicidas, 739.
　　en champúes, 490.
　　en espumas de baño, 107.
Aniónicos, tensioactivos, 702.
　　como conservantes, 766.
　　efectos sobre cabello, 476.
　　en champúes, 481.
　　en espumas de baño, 104.
　　interacción con conservantes, 771.
Anodizado de botes aerosoles de aluminio, 929.
Anonychia, 405.
Antiandrógenos
　　en actividad glándula sebácea, 17, 20.
　　en crecimiento del cabello, 16, 448, 465.
　　en piel, 52.
　　en tratamiento de pérdida de cabello, 556.
Antiarrugas, productos, 316.
Antibacterianos, agentes
　　como desodorantes, 148.
　　sustantividad, 727.
Antibióticos
　　en productos bucales, 661.
　　en productos para acné, 137.
Anticolinérgicas, sustancias, 13, 142.

Anticuerpos, 36, 37.
Antifúngicos, agentes, para *tinea pedis*, 227.
Antígeno, ensayo para antígenos solubles, 40.
Antígenos, 36.
Antimonio trisulfuro en maquillaje de ojos, 380.
Antioxidantes
　　en champúes, 480, 496.
　　en colorantes para cabello, 598.
Antiperspirantes
　　acción, 141.
　　eficacia, 146.
　　evaluación, 146.
　　fines, 139.
　　principios activos, clasificación, 144.
Antiperspirantes, productos
　　aerosoles, 150, 916, 922.
　　barras, 152.
　　cremas, 153.
　　cremas para pies, 223.
　　OTC grupo, 144, 146.
　　polvos para pies, 220.
　　pulverización de pies, 221.
　　«roll-on», 154.
Antisépticos en productos para quemaduras solares, 287.
Antranilatos en filtros solares, 261.
Antraquinona, colorantes, 583.
Apatita, sintética, 676.
Apocrinas, glándulas, 18, 140.
Aquasol, aerosol, 934.
Aragonita, 675.
Araquidónico, ácido, en piel, 50.
Arcilla, máscaras faciales, 313.
Arcilla china, en mascarillas faciales, 314.
Arcillas en cremas protectoras, 92.
Aril sulfonamida-formaldehído, resinas
　　en lacas de uñas, 420.
　　en composiciones reparadoras de uñas, 435.
Arnica, en tónicos capilares, 557.
Arquad, agente antibacteriano, 736.
Arsenicales, piritas, como agentes depilatorios, 159.
Ascórbico, ácido
　　como antioxidante, 795, 799, 803.
　　deficiencia, 49.
　　en cremas cutáneas, 69.
　　en decolorante de la piel, 303, 304.
Ascorbilo oleato en aclaradores de la piel, 304.
Ascorbilo palmitato
　　como antioxidante, 795, 799, 803.
　　en decolorante de la piel, 303.
Aspergillus niger, 775.
Astringentes en máscaras faciales, 314.
Atleta, pie de, 216.
　　productos, 226.
Atmosférica, oxidación en ondulación de cabellos, 632.
Atomizador, pulverización, 936.

Autooxidación, 783, 802.
Azina, colorantes, 584.
Azo, colorantes, 584, 589.
Azoles, en filtros solares, 261.
Azúcar
  jarabe, en rímel, 384.
  papel en caries dental, 660.
Azufre
  como agente anticaspa, 469, 552.
  como antiséptico, 724.
  en mascarillas faciales, 314.
  en productos para acné, 136.
  en tónicos de capilares, 557.
Azuleno en tónicos para la piel, 86.

Bacillus subtilis, 775.
Bacterias
  en champúes, 497.
  en la piel, 747, 989.
  papel en caries dental, 660.
Bacteriostáticos
  en espuma de afeitar, 185.
  en pastas dentífricas, 664.
Bambú, extracto en cremas hidratantes, 71.
Bandrowski, bases, 596.
Baño
  aceites dispersables, 119.
  aceites extensibles, 117.
  aceites solubles, 120.
  para después, 121.
Baño, productos
  aceites, 116.
  cubos, 115.
  sales, 115, 217.
  satins, 122.
  tabletas, 115.
Baño de burbujas, 103.
Barba, pelo, 175, 185.
  crema de reblandecimiento, 177.
  reblandecimiento, 175.
Barcroft, manómetro, 798.
Bario, sulfuro como depilatorio, 169.
Barra, afeitado sin brocha, 194.
Barras, aplicadores, 953.
  para antiperspirantes, 152.
  para depilatorios, 167.
  para desodorantes, 156.
  para maquillaje, 347.
Barras de labios transparentes, 367.
Basal, extracto, 5
Base, cremas
  aplicación, 397.
  cremas, 58, 69.
  pigmentadas, 75.
Bases en cremas de afeitar, 183.
Básicos, colorantes, 583, 584.
Beau, líneas, 407.
Bebés, productos para

aceites, 127, 131.
cremas, 127, 129.
lociones, 127, 129.
polvos, 127, 131.
ungüentos, 127, 131.
Bencílico, alcohol en champúes, 495.
Bencilo, benzoato en repelentes de insectos, 233, 236.
Bentonita
  contaminación, 991.
  en cremas protectoras, 92.
  en mascarillas faciales, 310, 314.
  en productos para piel grasa, 135.
Bentonita, arcillas
  en lacas de uñas, 426.
  en quitaesmaltes, 432.
Benzalconio, cloruro, 736, 737, 750, 760, 765, 772, 773.
  en desodorantes, 148.
  en enjuagues bucales, 695.
  en pastas dentífricas, 664.
  en productos para bebés, 127.
Benzoatos
  como antioxidantes, 800.
  como astringentes, 84.
Benzocaína
  en depilatorios, 160.
  en productos para quemaduras solares, 288.
Benzofenonas en filtros solares, 252, 272, 273, 286.
Benzoico, ácido, como conservante, 760, 761, 762.
Benzoilo, peróxido en productos para el acné, 136.
Bergamota, aceite
  como repelente de insectos, 232.
  en dermatitis Berlock, 253.
Berlock, dermatitis, 253.
Betainas, 706.
  en champúes, 490, 491.
Bifenildisulfonatos, hidroxi-, en filtros solares, 261.
Biodegradación de tensioactivos, 709.
Biodeterioración, 747.
Bisfenoles, 730, 744.
Bismuto oxicloruro
  en barras de labios, 356.
  en coloretes, 375.
  en sombras de ojos, 387.
Bismuto subnitrato en polvo facial, 344.
Bisulfito en estirado de cabello, 645.
Bithionol, 728, 730, 731, 732, 743.
  fototoxicidad, 41.
Bola («roll ball»), aplicadores de, 953.
  para antiperspirante, 155.
  para lociones pre-afeitado, 198.
Bola («roll-on»), antiperspirante, 155.
Bomba, aplicadores de, 936, 953, 955.
  para lacas aerosoles de cabello, 530.
Bomba, pera de goma, 936.
Bomba mecánica de pulsación, 936.
Bombas, descarga, 955.

Bombeo, capacidad, 870.
Boratos en polvos, para bebés, 128.
Bórax
    en «cold cream», 62.
    en ondulación de cabello, 613, 627.
    en sales de baño, 114.
Bórico, ácido
    como conservante, 760, 762.
    en polvos para bebés, 128.
Bovina
    albúmina sérica en productos antiarrugas, 316.
    hormona de crecimiento, 17.
Bradosol, 736.
Brandiquinina, en inflamación, 33.
Brasídico, ácido en tónicos capilares, 557.
Brevibacterium ammoniages en sarpullido del pañal, 126.
Brillantinas, 537.
Brillo
    de dientes, 686.
    de pelo, 479.
Bromo ácidos, colorantes, en barras de labios, 352.
Bronce, polvo para sombra de ojos, 387.
Bronceado, 249, 253.
Bronceadores, productos, aerosoles, 915.
Bronopol, 740.
Brusita, 655.
Bucal, epitelio, ensayo, 693.
Butano, como propulsor, 531, 899.
Butanodiol, interacción con conservantes, 770.
Butil acetato como quitaesmaltes de uñas, 432, 433.
Butil hidroxianisol como antioxidante, 795, 798, 799, 802.
Butil hidroxitolueno como antioxidante, 795, 798, 799, 802.
Butilenglicol como humectante, 715.
Butiletilpropanodiol como repelente de insectos, 233, 237.
Butoxipiranoxilo como repelente de insectos, 232, 234, 238.
Butoxipolipropilenglicol como repelente de insectos, 237.

Cabello
    aclarados, 567.
    coloración, mecanismo, 580.
    electricidad estática, 479.
    engrosadores, 566.
    engrosamiento, 566.
    extracción con disolventes, 476.
    lacas, 526.
    terminaciones partidas, 562.
Cabello, colorantes para, 591.
    absorción por cuero cabelludo, 583.
    aclarado, 585.
    alheña, 603.
    aromático polihidroxílico, 602.

    eliminadores, 605.
    oxidación, 591.
    permanente, 578, 591.
    semi-permanente, 578, 586.
    temporal, 583.
    tinción de cuero cabelludo, 582.
    vegetales, 603.
Cabello, lacas
    evaluación, 533.
    para hombres, 544.
    toxicidad, 534.
Cabello, ondulación
    aire caliente, proceso, 633.
    color químico, 628.
    espuma, productos, 631.
    evaluación, 620.
    procesos en caliente, 626.
    procesos en frío, 628.
    química, 614.
Cacahuete, aceite, en fijadores de cabello, 536.
Cacao, manteca
    en barras de labios, 359, 360.
    en coloretes, 376.
    en lápices de cejas, 392.
    en rímel, 385.
    en sombras de ojos, 388.
Cactus, extractos en cremas hidratantes, 71.
Cade, aceite de alquitrán en tónicos capilares, 558.
Cadmio, sulfuro como agente anticaspa, 469.
Cal, agua, en fijadores de cabello, 544.
Calamina en productos para quemaduras solares, 287.
Calciferol en cremas para piel, 69.
Calcio, carbonato
    en filtro solar, 260.
    en pasta dentífrica, 675.
    en polvo facial, 325.
    en polvos para bebés, 127, 131.
Calcio, cloruro como humectante, 713.
Calcio, estearato en champúes, 497.
Calcio, fosfatos en pastas dentífricas, 675.
Calcio, hidróxido en fijadores de cabello, 544.
Calcio, pirofosfato, 675.
Calcio, tioglicolato como depilatorio, 164, 169, 171.
Calcita, 675.
Cálculo dental, 654, 656, 664.
Callos, 215, 223.
    preparados, 223.
Calvicie, 17, 465, 555.
Calzado, influencia en la salud de los pies, 213.
Camomila, colorante de cabello, 604.
Canas, cabellos, 462.
Cáncer de piel, 251.
Candelilla, cera
    en coloretes, 376.
    en lápices de cejas, 392.
    en lápices de labios, 359, 361, 362, 363, 365.
    en sombra de ojos, 388.

Candida albicans, 775.
  en boca, 693.
  sarpullido del pañal, 126.
Candida parapsilosis, en productos, 751.
Cantáridas, tinturas, como tónicos capilares, 557.
Cantaridina en tónicos capilares, 557.
Caolín
  contaminación, 754.
  en barra de maquillaje, 347.
  en blanco de uñas, 416.
  en coloretes, 372, 373, 375.
  en cremas protectoras, 92, 93.
  en maquillaje líquido, 346.
  en mascarillas faciales, 311, 312, 314.
  en polvos faciales, 324, 326, 327, 333, 334, 339, 342, 344.
  en polvos para bebés, 127, 131.
  en productos filtros solares, 260.
  en pulidores de uñas, 417.
  en rimel, 386.
  interacción con conservantes, 770.
Caprilatos en productos para pie de atleta, 227.
Capsaina en tónicos capilares, 557.
Capsicum, tinturas en tónicos capilares, 557.
Captan, 740.
Carbanilidas, 727, 733, 734.
Carbón, dióxido como propulsor, 531, 902, 904, 923, 924.
Carbón negro, en rímel, 382, 838.
Carboximetilcelulosa, 678.
Carboximetilmercaptosuccínico ácido, éster de, como antioxidante, 803.
Carboxivinil, polímeros
  en champúes, 496.
  en fijadores de cabello, 543.
Carcinogenicidad, 579.
Cargas en baños de espuma, 112.
Caries dental, 657, 658.
Carmín
  para colorear la piel, 372.
  para cosméticos de ojos, 381.
Carnauba cera
  en barra de maquillaje, 347.
  en barras de labios, 359, 361, 362, 363, 364, 365.
  en colorete, 375, 376.
  en fijador de cabello, 538.
  en lápiz de cejas, 393.
  en rímel, 383, 384, 386.
  en sombra de ojos, 389.
Caroteno en piel, 295.
Carragen, goma, 678.
  en máscaras faciales, 311, 314.
Cartamina para coloración de la piel, 372.
Caseína en máscaras faciales, 311.
Caseína hidrolizada, en acondicionadores capilares, 562.
Caspa, 21, 466, 552.

Cassia, aceite, en repelentes de insectos, 232.
Catágeno, 16, 443.
Catecol en decoloración de la piel, 304.
Catiónicos, antibacteriales, 735.
Catiónicos, polímeros
  en aclarado del cabello, 571.
  en acondicionadores de cabello, 562.
  en champúes, 494.
  en crema protectora, 96.
  en engrosadores de cabello, 567.
  en loción fijadora, 524.
  en tónicos de piel, 86.
Catiónicos tensioactivos, 702.
  como agentes anticaspa, 468.
  como conservantes, 763.
  en aclarado del cabello, 567.
  en acondicionadores de cabello, 561.
  en champúes, 492.
  en cremas de manos, 78.
  en cremas hidratantes, 71.
  en fijadores de cabello, 537.
Caucho-goma
  como depósitos de propulsores, 187.
  en depilatorios, 160.
  interacción con conservantes, 770.
Cedro, aceite de alquitrán, en tónicos capilares, 558.
Cedro, aceite de hojas, como repelente de insectos, 232.
Cedrus atlantica, aceite como repelente de insectos, 232.
Ceepryn, 736.
Cejas, lápiz, 392.
  aplicación, 399.
Celular, ciclo, tiempo de renovación, 6.
  tiempo de tránsito, 6.
Células
  respuesta mediada por, 36.
  tiempo de renovación, 6.
  tiempo del ciclo de tránsito, 6.
  transición, 7.
Celulosa, derivados
  en champúes, 494, 496.
  en cremas protectoras, 92.
  en pastas dentífricas, 678.
  interacción con conservantes, 771.
Celulosa, éteres en pastas dentífricas, 678.
Celulosa acetato
  en laminados, 947.
  en prolongadores de uñas, 433.
Celulosa microcristalina
  en barras antitranspirantes, 153.
  en polvos faciales, 325.
Celulosa nitrato en lacas de uñas, 419.
Cera, depilatorios, 160.
Cera de abejas
  en barra de labios, 359, 361, 362, 363, 365.
  en barra de maquillaje, 347.

en «cold cream», 62.
en colorete, 373, 375, 376, 377.
en cremas todo uso, 80.
en depilatorios, 160.
en fijador del cabello, 537.
en lápices de cejas, 393.
en polvo facial, 334.
en pomada labial, 369.
en productos para bebés, 127, 130.
en rímel, 382, 384, 385.
en sombra de ojos, 388.
Ceras
    contaminación, 754.
    en acondicionadores capilares, 563.
    en barras de labios, 359, 366.
    en coloretes, 374.
    en cremas base, 76.
    en cremas hidratantes, 73.
    en cremas limpiadoras, 65, 66.
    en fijadores del peinado, 537.
    en masaje y cremas de noche, 69.
Ceras microcristalinas en fijadores capilares, 537.
Ceresina, cera
    en barras de labios, 361.
    en fijadores de cabello, 537.
    en pomadas labiales, 369.
    en sombra de ojos, 389.
Cervical, erosión, 685.
Cetavlon, 736.
    como agente anticaspa, 468.
Cetil alcohol
    en lápiz de cejas, 392.
    en champúes, 497.
Cetilpiridinio cloruro
    como conservante, 760, 764, 767, 772.
    en productos para bebés, 127.
Cetiltrimetilamonio, bromuro, 736.
    como conservante, 760.
    en productos para bebés, 127.
Cetomacrogol, interacción con conservantes, 768.
Cetonas, oxidación, 791.
Cetrimida, 724, 735, 736, 738.
    como conservante, 763.
Cianuratos en limpiauñas, 413.
Ciclohexilacetoacetato como repelente de insectos, 232.
Cierres de envases, 954.
Cinebrio para coloreado de la piel, 371.
Cinnamatos en filtros solares, 262, 263, 264, 272, 273.
Cinnámico ácido, derivados en filtros solares, 262.
Ciproterona, acetato
    en actividad glandular sebácea, 17, 20.
    en crecimiento capilar, 466.
    en piel, 52.
Circonio
    cloruro, en endurecedores de uñas, 415.
    compuestos, como antiperspirantes, 142, 153.

fluoruro, en pastas dentífricas, 668.
    sales, como astringentes, 83, 85.
    silicato, en pastas dentífricas, 676.
Cisteína
    clorhidrato como antioxidante, 795.
    en champúes, 496.
Citrato, ésteres en aerosoles antitranspirantes, 151.
Citratos como astringentes, 84.
Cítrico, ácido
    como astringente, 84, 87, 88.
    papel en oxidación, 794, 795, 798, 800, 801.
Citronela, aceite como repelente de insectos, 232.
Citronelol en tónicos capilares, 557.
Cizalla, valor, 851.
Cladosporium resinae en productos, 750.
Clarificantes y agentes para, en champúes, 497.
Clínicos, ensayos de pastas dentífricas, 666, 667.
Cloflucarban en jabones desodorantes, 155.
Cloraminas para desinfección de plantas, 984.
Clorbutanol como conservante, 760.
Clorhexidina, 724, 729, 735, 737, 738, 741.
    como conservante, 765, 773.
    en desodorantes, 148.
    en enjuagues bucales, 696.
    en pastas dentífricas, 656, 664, 668, 680.
Clorhidróxidos, como astringentes, 84.
Cloro
    dióxido, efecto en cabello, 458.
    para desinfección de plantas, 984.
Clorobenzoico, ácido, como conservante, 760, 762.
Clorobutadieno como depilatorio, 169.
Clorocresol, 730.
Clorodietilbenzamida, como repelente de insectos, 233.
Clorofenoles como agentes anticaspa, 552.
Clorofila en pastas dentífricas, 664.
Clorofluorados
    propulsores, 897, 904.
    efecto en la capa de ozono, 526, 899.
Cloroquina, efecto en uñas, 408.
Cloroxilenol, 724, 729, 730.
Cloruros como astringentes, 84.
Clovo y aceite de, como repelente de insectos, 232.
CMC, 706.
Cobalto, sales en cosméticos de ojos, 381.
Cobre
    sales como astringentes, 83.
    en canas de cabello, 462.
    en formación de melanina, 460.
Cochinilla para coloración de piel, 371.
Coco, aceite, en fijadores capilares, 537.
Co-descarga, válvulas aerosol, 932.
Coiloniquia, 407.
Cola de pescado, hidrolizado en acondicionadores de cabello, 562.
Colágeno, 11.
Colágeno hidrolizado en acondicionadores de cabello, 562.

«Cold cream», 58, 62.
Colesterol
   derivados, en aclarados capilares, 571.
   en fijadores de cabello, 545.
Cólico, ácido en tónicos, 558.
Colofonia
   en depilatorios, 160.
   en rímel, 386, 387.
   madera, en champúes, 495.
Coloidal, molino, 863.
Colonias, 85.
Colorantes
   dispersos, 583, 584.
   en barras de labios, 352.
   para baños de espuma, 109.
   para barra de labios, 252, 365.
   para bronceado artificial de la piel, 288.
   para champúes, 480.
   para colorete, 374.
   para cosméticos de ojos, 381.
   para espuma de afeitar, 184.
   para laca de uñas, 424.
   para pastas dentífricas, 680.
   para polvos faciales, 330.
   para sales de baño, 115.
   reactivos, 588.
Colorantes cabello, disolventes coadyuvantes, 580,
      581, 589.
Colorete, 372.
Coloretes
   aplicación, 398.
   basado en ceras, 374.
   compacto, 372.
   líquido, 378.
   seco, 372.
Comedón, 19, 133.
Comedones, 19, 133.
Compactos, polvos faciales, 336.
Complementos, 31, 33.
Conservantes
   en baños de espuma, 109.
   en champúes, 480, 497.
   en espumas de afeitar, 184.
   en pastas dentífricas, 680.
Constantes de disociación de ácidos utilizados
      como conservantes, 762.
Contaminación
   de productos por bacterias, 749.
   importancia clínica, 750.
Corrosión
   de aluminio, 926, 946.
   en botes de aerosol, 926.
   inhibidores en espumas de afeitar, 185.
   inhibidores en pastas dentífricas, 680.
   por humectantes, 712.
Corticosteroides
   absorción por la piel, 51.
   en dermatología, 53.

en tratamiento de vitíligo, 19.
Cortisona en dermatología, 53.
Corynebacterium acnes, 19, 134.
Coulter, contador, 336.
Crema, definición, 57.
Crema de afeitar sin brocha, 191.
Cremas, ver Post-afeitado, todo-uso, antitranspi-
      rante, bebés, ablandado de barba, limpieza,
      «Cold cream», pies, base manos, manos y
      cuerpo, repelentes de insectos, maquillaje,
      protectora, afeitar, sports, evanescente.
Cremas cutáneas, lavabilidad, 66.
Cremas de deportes, 79.
Cremas de todo uso para la piel, 58, 79.
Cremas evanescentes, 58, 69.
Cresoles
   como antisépticos, 729.
   como conservantes, 760, 765.
Cristales líquidos, en cremas de afeitar, 180.
Cromo
   óxido en cosméticos para ojos, 381, 389, 390.
   sales como astringentes, 83.
Cuaternarios, amónicos tensioactivos, en cham-
      púes, 509.
Cubriente, poder de polvos faciales, 320.
Cuero cabelludo, superficie, 583.
Cuerpo
   olor del, 139.
   polvos para, 121.
   talcos, 122.
Cumarinas, derivados, en filtros solares, 261, 263,
      276.
Cutícula de uñas, 403.
   ablandadores, 413.
   quitacutículas, 411.

Chalonas en piel, 54.
Champúes
   aceites, 503.
   ácidos equilibrados, 510.
   acondicionadores, 506.
   aerosol, 504, 920.
   agentes fluidificantes, 480.
   anticaspa, 508.
   bebés, 484, 508.
   colorante cabello, 590.
   crema líquida, 501.
   crema sólida, 502.
   detergencia, 476.
   enjuagados, 478.
   evaluación instrumental, 479.
   gel, 502.
   líquidos transparentes, 499.
   loción, 501.
   materias primas, 480.
   polvos, 504.
   requerimientos básicos, 475.
   secos, 505.

seguridad, 479, 511.
suaves, 483, 508.
suavidad, 475, 508.
Chloramine T, 741.

Daño al cabello por soluciones de ondulación, 635.
Decenoico, ácido, como repelente de insectos, 231.
Decilo, alcohol como repelente de insectos, 237.
Decoloración del cabello, 606.
Decolorantes, 591.
    en mascarillas faciales, 314.
    en pastas dentífricas, 680.
    para cabello, 606.
Degradación de productos, 747, 749.
Dehidroacético, ácido, como conservante, 760, 762, 773, 774.
Densidad de pasta dentífrica, 683.
Dentadura, tableta para limpieza, 660.
Dentadura postiza, limpieza, 688.
Dental
    cálculo, 654, 655, 663.
    caries, 656, 658.
    cepillado, 687.
    cepillo, 687.
    cepillo eléctrico, 688.
    placa, 654.
Dentífrica, pasta
    aerosol, 914.
    fabricación, 682.
    formulación, 681.
    franjas, 680, 954.
    transparentes, 676.
Dentífricas, pastas transparentes, 676.
Dentífrico, sólido, 684.
Dentífricos, polvos, 683.
    fabricación, 683.
Dentífricos sólidos, 684.
Dentina, 652.
Deocolonias, aerosol, 924.
Dermatan, sulfato, 12.
Dermis, 10.
Dermo-epidérmico, límite, 5, 14.
Desinfección de la planta de fabricación, 976, 987.
Desinfectantes, 723.
Deslizamiento, temperatura, cremas, 58.
Desmineralización del esmalte, 659.
Desmosomas, 5, 6.
Desodorante, productos, crema de pies, 222.
    barras, 156.
    jabones, 155.
    pulverización de pies, 221.
Desodorantes
    acción, 147.
    evaluación, 149.
    finalidad, 139.
Destilación de agua, 964.
Detergencia, 476, 707.

Detergentes
    en pastas dentífricas, 677.
    evaluación como bases de champúes, 478.
    para champúes, 480.
    para limpieza de plantas, 980.
Dexametasona en aclaradores de piel, 302.
Dialquil adipatos en fijadores de cabello, 537.
Dialquil dimetilamonio, sales, 704.
Dialquil sebacatos en fijadores capilares, 537.
Dialquil sulfosuccinatos, 703.
Diamina cuaternizada, sales, 704.
Diatomeas, tierras de, en mascarillas faciales, 314.
Dibenzalacetona en filtros solares, 261.
Dibromosalicilanilida, 733.
Dibutil ftalato, como repelente de insectos, 233, 237.
Dibutil succinato, como repelente de insectos, 237.
Dicalcio, fosfato anhidro, 676.
Dicalcio, fosfato dihidratado, 676.
Dicianamida como depilatorio, 166.
Diclofeno, 730, 732.
    como conservante, 760, 764.
Dientes, pulido, 686.
Dietilen glicol como humectante, 717.
Dietiloltiourea en endurecedores de uñas, 416.
Dietiloluamida como repelente de insectos, 233, 235, 236.
Difenilaminas en colorantes de cabello, 593.
Difosfonato en pastas dentífricas, 669.
Difteroides en productos, 750, 751, 753.
Digaloílo, trioleato
    en filtros solares, 272, 273, 276.
    fototoxicidad, 41.
Diglicol estearato en colorete, 378.
Diguanidohexano bisclorofenilo- como conservante, 760.
Dihidrotestosterona
    en crecimiento de cabello, 465.
    en la piel, 53.
Dihidroxiacetona
    en filtros solares, 272.
    en productos para bronceadores solares, 289, 291.
Dihidroxifenilalanina en formación de melanina, 10, 299, 460.
Dihidroxinaftoico, ácido, en filtros solares, 261.
Diisopropil tartrato, como repelente de insectos, 32.
Dilatación, 852.
Dilauriltiodipropionato como antioxidante, 799.
Diluyentes en lacas de uñas, 423.
Dimetil carbato como repelente de insectos, 233.
Dimetil éter como propulsor, 531, 902, 922, 924.
Dimetil ftalato como repelente de insectos, 232, 233.
Dimetilol tiourea
    para fortalecedores de cabellos, 634.
    para fortalecedores de uñas, 416.

Dimetilol urea
    para fortalecedores de pelo, 635.
Dimetilsulfóxido, efecto en la penetración de la
    piel, 51.
Diometan, 736.
Dioxano, acetoxidimetil-, como conservante, 760.
Dioxano, bromonitro-, como conservante, 760.
Dioxina, 741.
Dipropilenglicol como humectante, 717.
Disolventes
    en champúes, 496.
    para lacas aerosoles cabello, 529.
    para lacas de uñas, 422.
Disulfuros, enlaces
    en cabello, 452.
    en cabello debilitado, 635.
    en queratina, 452, 458.
Doble capa en emulsiones, 821.
Dodecilo, alcohol, como repelente de insectos, 237.
Domiphen, bromuro, 736, 737.
Dopa en la formación de melanina, 8, 299, 460.
Dopa quinona en la formación de melanina, 8.
Dosificadoras, válvulas, para aerosoles, 894.
Dosis mínima efectiva de patógenos, 993, 994.
Dowicil, 738.
Draize, test para champúes, 511.
Durezas, ver callos.

Ecrinas, glándulas sudoríparas, 11, 13, 14, 140.
Eczema, infantil, 126.
Edema, 33.
    ocasionado por radiación solar, 251, 255.
Edificios, limpieza de, 975.
EDTA, en champúes, 497.
Edulcorantes, agentes, en pastas dentífricas, 680.
Efélides, 18.
Eflorescentes, aceites, 119.
Elásticos, fluidos, 852.
Elastina, 11.
Elastómero a presión; pulverizador, 936.
Eléctrica, carga, en emulsiones, 821.
Electro-corrosión, 929.
Electrólisis para depilación, 161.
Electrolitos en champúes, 496.
Electrostática, carga, en aerosoles, 917.
Embden-Meyerhof, vía en células de la piel, 47.
Emoliencia, 73.
Emolientes
    en aceite para el baño, 119.
    en baños de espuma, 107.
    en limpieza de manos, 99.
    para después del baño, 122.
Emulsificación, 707, 879.
Emulsificantes, agentes, 813.
Emulsiones
    análisis, 835.
    aplicación, propiedades de, 834.
    aspecto, 831.
    coalescencia, 810.
    como fijador de cabello, 544.
    control de calidad, 835.
    cremado, 811.
    determinación del tipo, 835.
    eléctricas, carga, 821.
    estabilidad, 721, 810, 812, 817, 828.
    fabricación, 827.
    pérdida de agua, 720, 721.
    pH, 824.
    reológicas, propiedades, 832.
    rotura, 810.
Energía, consumo, 866, 867.
Energía superficial, 701.
Enjabonado en champúes, 477.
Enjuagues bucales basados en jabones, 694.
Enranciamiento, 794, 795.
Ensayos en habitación cálida, 146.
Enterobacter, aerogenes, 775.
Envasado
    antiperspirantes y desodorantes, 139.
    como fuente de contaminación, 993.
    equipo, contaminación, 755.
    prevención de la fotodegradación, 804.
Envases comprimibles-flexibles, 936, 953.
Enzimas
    como depilatorios, 168.
    en caries dental, 660, 661.
    en colorantes del cabello, 601.
    en inflamación, 31, 33.
    en limpieza de dentaduras postizas, 690.
    en ondulado de cabello, 619.
    en pasta dentífrica, 665.
    inhibidores en pastas dentífricas, 664.
Eosina
    en barra de labios, 363.
    en coloretes, 372.
    fototoxicidad, 41.
    solubilidad, 357, 358.
Eosinófilos en inflamación, 34.
Epidermis, 5.
Epidermophyton floccusum en pie de atleta, 215.
Epidermophyton inguinale en pie de atleta, 215.
Epilación, 159.
Epoxi, resinas
    como lacas de botes de aerosoles, 928.
    como lacas de tubos, 946.
Equipo
    contaminación, 755.
    diseño en cuanto a limpieza, 975.
Erectores, músculos del pelo, 13, 185.
Eritema, 33.
    causada por luz solar, 249, 251, 253, 254.
    mínima dosis, 254, 269, 278.
Eritemogénica, radiación, 249, 253.
Eritrulosa en productos bronceadores solares,
    291.
Escherichia coli en productos, 751, 775.

Escualeno
  en cremas de manos, 78.
  en cremas limpiadoras, 65.
Esculina en filtros solares, 286.
Esenciales, aceites en desodorantes, 149.
Esenciales, ácidos grasos
  en cremas para la piel, 69.
  en la piel, 50.
Esmalte dental, 651, 652.
Esperma de ballena
  en cremas base, 77.
  en cremas limpiadoras, 63, 64, 65.
  en fijadores del peinado, 537.
  en rímel, 385.
  en sombra de ojos, 388.
Espesantes, agentes, para champúes, 480.
Espinillas, incidencia, 133.
Espuma
  estabilizadores para champúes, 480.
  formación, 707.
  válvulas para aerosoles, 893.
Espuma, baños de, 103.
  agentes espumantes, 104.
  evaluación, 112.
  geles, 111.
  irritación, 104, 106, 111.
  polvo, 112.
Espuma, «boosters» (reguladores, impulsores)
  para baños de espuma, 107.
  para champúes, 480.
Espuma crujiente, 207.
Espuma de champúes, 477.
Espumas, aceites de baño, 121.
Espumas calientes de afeitar, 188.
Estánnico, óxido, en pulidores de uñas, 417.
Estannitos como depilatorios, 163.
Estannoso, fluorocirconato, en pastas dentífricas, 668.
Estannoso, fluoruro, en pastas dentífricas, 665, 666, 681.
Estaño, compuestos
  como astringentes, 83.
  en pastas dentífricas, 668.
Estaño, tubos, para envasado, 945.
Estearatos
  en cremas base, 76, 77.
  en cremas de manos, 78.
  en cremas de todo uso, 80.
  en cremas hidratantes, 71.
  en cremas limpiadoras, 64, 65, 66.
  en polvos corporales, 122.
  en polvos faciales, 322, 323, 326, 327, 329, 332, 333, 334, 335, 337, 339, 340, 343, 345, 346.
  en productos para bebés, 127, 128, 129, 130.
Esteárico, ácido
  en colorete, 377.
  en crema cutánea, 92, 93, 94, 96, 99, 100.
  en cremas de manos, 78.

en cremas de todo uso, 80.
en cremas evanescentes, 74.
Estearílico, alcohol
  en barras antiperspirantes, 152.
  en champúes, 497.
Estearina
  en colorete, 378.
  en polvo facial, 334, 338.
Esteres
  como plastificantes en lociones fijadoras, 523.
  de ácidos grasos en acondicionadores de cabello, 563.
  en cremas evanescentes, 69.
  en cremas hidratantes, 73.
Esterilización ultravioleta del agua, 967.
Estípticos, lápices, 85, 90.
Estirado de cabello, agente de hinchamiento del pelo, 645.
Estoraque, tintura, en colorete, 380.
Estrógenos
  absorción por la piel, 52.
  en actividad de la glándula sebácea, 17, 20.
Estroncio, sulfuro, como depilatorio, 162.
Estroncio, sulfuro ácido, como depilatorio, 162.
Etanol
  como astringente, 84.
  en lacas capilares, 529.
Etil, acetato como quitaesmaltes de uñas, 430.
Etil hexanodiol como repelente de insectos, 232, 234.
Etilen glicol
  como humectante, 714, 715, 717, 722.
  en cremas hidratantes, 72.
Etilendiamino tetraacético, ácido
  en champúes, 497.
  en oxidación, 794, 798, 804.
Etileno, óxido para desinfección de las plantas, 983.
Etilhexilcianodifenilo, acrilato, en filtros solares, 272.
Etilhexilo, palmitato en filtros solares, 281.
Etilhexilo salicilato en filtros solares, 272. 273.
Etílico, alcohol
  como desodorante, 149.
  interacción con conservantes, 770.
Etilo, acetato como quitaesmalte de uñas, 430.
Etoxiladas, alquildimetilamonio, sales, 704.
Etoxiladas, amidas ácido graso en champúes, 488.
Etoxiladas, aminas grasas en champúes, 488.
Etoxilados, alcoholes grasos en champúes, 488.
Etoxilados, alquilfenoles en champúes, 488.
  diésteres de ácidos grasos en champúes, 496.
Etoxilados, ésteres ácido graso en champúes, 489.
Eucalipto, aceite esencial, como repelente de insectos, 232.
Eumelanina, 8, 296, 460.
  en piel, 49.
Evaporación, velocidad, disolventes, 423.
E-viton, concepto, 254.

Expelentes, 860.
Extensibilidad
 champúes, 478.
 coeficiente, 118, 119.
Extinción, coeficientes de filtros solares, 264.
Extracto basal, 5.

Fabricación, higiene en la, 748.
Facial, polvos, líquidos, 343.
Faciales
 deslizamiento de sustancias en polvo, 327.
 mascarillas, 88.
Factor natural de hidratación en la piel, 72.
Fase, inversión, 63, 826, 829.
Fases, separación, 810.
Fenilendiaminas en tintes de cabello, 592.
Feniletílico, alcohol, en champúes, 495.
Fenilfenoles como repelentes de insectos, 237.
Fenilmercúricas, sales
 como antisépticos, 742.
 como consevantes, 760, 761, 765, 774.
 en champúes, 498.
Fenilnaftilamina como antioxidante, 795.
Fenilo salicilato, en productos filtros solares, 273.
Fenol éter, sulfatos, 703.
Fenol sulfonatos como astringentes, 84, 85, 87.
Fenoles
 como antisépticos, 723, 729.
 como conservantes, 760, 761, 763, 772.
 para desinfección de la planta, 983.
Fenoles clorados
 como enjuagues bucales, 694.
 en champúes, 509.
Fenólicas, resinas
 en envases, 944.
 lacas de tubos, 946.
 lacas para botes aerosoles, 928.
Fenoxietílico, alcohol, como conservante, 760, 764, 773.
Fenoxipropílico, alcohol, como conservante, 760.
Fenticlor, 733.
Feomelanina, 8, 296, 460.
 en la piel, 49.
Feromonas, 141.
Férrico, fluoruro, en pastas dentífricas, 668.
Ferúlico, ácido, en tónicos capilares, 558.
Fibroblastos, 11, 12.
Fibrocito, 12.
Fijadoras del peinado, lociones, 522.
 coloreadas, 585.
Fijadores de cabello para hombres, 536.
Filtración de agua, 967.
Filtros solares, espesor de la película, 274.
Finsen, unidad de flujo eritematoso, 254.
Fixanol, 736.
Floculación, 875.
 en emulsiones, 810.
Flotantes, aceites de baño, 117.

Fluidos
 molinos de, 848.
 plásticos, 852.
Flujo turbulento, 850.
Fluorados, polímeros
 en aerosoles para el cabello, 529.
 en champúes, 496.
 en lociones fijadoras, 524.
Fluorapatita, 666.
Fluorocarbonadas, resinas, en acondicionadores capilares, 563.
Fluorocarburos, efecto en capa de ozono, 526, 899, 921.
Fluorometolona en aclaradores de la piel, 303.
Fluorophene, 734.
Fluorozirconatos en pastas dentífricas, 668.
Fluoruros
 efecto en esmalte dental, 662.
 en dentina y esmalte, 652.
 en pasta dentífrica, 665, 682.
 en polvo dental, 683.
 en suministro de agua, 652, 662.
 inorgánicos en pastas dentífricas, 666.
 orgánicos en pastas dentífricas, 667.
Folicular, queratosis, 49.
Formaldehído
 como antiperspirante, 141.
 como conservante, 760, 761, 775.
 en champúes, 498.
 (formol) en pasta dentífrica, 680.
 liberación durante tratamientos de fortalecimiento del cabello, 636.
 para desinfección de agua, 966.
 para desinfección de la planta, 755, 983.
 resinas, en fortalecedores de uñas, 415.
Fórmico, ácido
 como astringente, 84.
 como conservante, 760, 762.
Forniatos como astringentes, 84.
Fosfatos
 en sales de baño, 114.
 ésteres, en champúes, 496.
Fosfonio, sales, 704.
Fosfórico, ácido, como antioxidante, 795, 800, 803.
Foto-alérgicas, reacciones, 40.
Fotodegradación, 804.
Fotosensibilización por germicidas, 734.
Fototoxicidad, reacciones, 40.
Fricción
 durante el afeitado, 176.
 rozamiento, molinos de, 335, 373.
Frutas, extractos en cremas hidratantes, 71.
Fuerza de cizalla, 851, 862.
Fugas, ensayo, de aerosoles, 910.

Galatos, alquilo, como antioxidantes, 795, 798, 799, 800.
Gálico, ácido, como antioxidante, 800, 801, 802.

Galvánica, acción en corrosión, 926.

Gamma-valerolactosa en quitaesmaltes de uñas, 431.

Gatillo y pulverizadores de, 937.

Gelatina
efecto en el crecimiento de uñas, 407.
en cremas hidratantes, 71.
en mascarillas faciales, 311, 312.

Geles, fijador de cabello, 547.

Gelificantes, agentes
en fijadores de cabello, 539, 547.
en pastas dentífricas, 678.

Germall, 741.

Germen de trigo, aceite de, en acondicionadores de cabello, 563.

Germicidas
como tratamientos anticaspa, 468.
en espumas de afeitar, 185.
en productos para bebés, 126.
en productos para la piel, 135.

Gingivitis, 663.

Ginseng en tónicos capilares, 558.

Gleamer, 374.

Glicéridos en fijadores de cabello, 537.

Glicerilo
estearato en champúes, 497.
éter sulfonatos en champúes, 485.
palmitato en champúes, 497.

Glicerilo monoestearato
en maquillaje líquido, 346.
en polvo facial, 334, 338, 341, 343.

Glicerina
como humectante, 677, 713.
en cremas hidratantes, 72, 73.
en lacas capilares, 529.
en mascarillas faciales, 311, 312, 313, 314.
en preparados antiarrugas, 317.
inhibición de bacterias por, 758.
interacción con conservantes, 769.
metabolización, 757, 771.

Glicol estearatos en champúes, 497.

Glicolatos
como astringentes, 84.
polialcoxilados, éter, en champúes, 486.

Glicoles en lacas capilares, 529.

Glioxilatos en filtros solares, 272, 273.

Glomérulos («*Glomerae*»), 14.

Glucolítica, secuencia, en células de la piel, 47.

Gluconatos como astringentes, 84.

Glucosa
absorción por la piel, 51.
como humectante, 717.
en piel, 47.

Glutation en champúes, 496.

«*Godet*», 337.

Golgi-Mazzoni, corpúsculos, 13.

Goma arábiga
en lociones fijadoras, 522.

en rímel, 384.

Goma tragacanto
en coloretes, 378.
en fijadores capilares, 543.
en lociones fijadoras, 522.
en mascarillas, 386.
en mascarillas faciales, 311, 312.
en pastas dentífricas, 678.
interacción con conservantes, 769.

Gomas
contaminación, 754.
degradación, 575.
interacción con conservantes, 771.

Granos, 133.

Gránulos, recubridores de membrana, 6.

Grasa
eliminación del cabello, 475, 476.
reaparición en cabello, 496.

Grasas
contaminación, 754.
oxidación, 783, 797.

Graso, cabello, 554.

Guaiacum, resina, como antioxidante, 799, 801.

Guanidina en productos para el acné, 136.

Guanina
en filtros solares, 273.
en lacas de uñas, 425.

Guar, goma, en mascarillas faciales, 311.

Hamnelis, destilado, como astringente, 854.

Haptenos, 36.

Hectoritas, arcillas
contaminación, 992
en lacas de uñas, 426.
en pastas dentífricas, 679.

Hexaclorofeno, 724.
como conservante, 760, 764.
como tratamiento anticaspa, 468.
en desodorantes, 148, 155.
en enjuagues bucales, 695.
en pastas dentífricas, 664.
fototoxicidad, 41.

Hexadecílico, alcohol
en barras de labios, 357, 361.
en rímel, 384.

Hexahidroftálico, ácido, éster dietílico, como repelente de insectos, 232.

Hexametilen tetromina
como conservante, 763.
en desodorantes, 148.

Hexametilencarbamida como repelente de insectos, 238.

Hexamina como conservante, 760.

Hexilen glicol, interacción con conservantes, 769.

Hexoca-monofosfato, ruta en, células de la piel, 47.

Hexokinasa, 708.

Hialurónico, ácido, 12.

Hibitane, 738.
en pastas dentífricas, 664, 668.
Hidantoina, monometiloldimetil-, como conservante, 760.
Hidratación, 70.
de la piel, 722.
Hidratantes, 122.
cremas, 58, 68, 69.
Hidratos de carbono, efecto en la piel, 47.
Hidrocarburos
como propulsores, 531, 899, 904.
en productos filtros solares, 261.
Hidrocoloides, mascarillas faciales basadas en, 311.
Hidrógeno, enlaces en queratina, 450.
Hidrógeno, peróxido
en decoloración del cabello, 606.
en enjuagues bucales, 695.
en limpiauñas, 413.
en tintes de cabello, 591.
pastas dentífricas, 681.
Hidroperóxidos en oxidación, 785, 787, 799.
Hidroquinona
butil-, como antioxidante, 798.
como antioxidante, 795, 801.
en aclarado de la piel, 297, 299.
en productos filtros solares, 261.
monobencil éter, en aclaradores de la piel, 298, 303.
monoetil éter, en aclaradores de la piel, 297, 303.
monometil éter, en aclaradores de la piel, 297, 303.
Hidroxiapatita, 651, 666.
Hidroxibenzoatos
como antioxidantes, 800.
como conservantes, 760, 761, 764, 772.
Hidroxibenzoico, ácido, como conservante, 760, 762.
Hidroxietilcelulosa, 679.
Hidroxilo, índice, 796.
Hidroxipropilcelulosa en fijadores de cabello, 543.
Hidroxiquinolina
como conservante, 760.
dicloro-, en champúes, 509.
Hierbabuena, aceite esencial, como repelente de insectos, 232.
Hidratación, 70.
Hierro
en cabello, 456, 460.
en descomposición de productos, 804.
sales en astringentes, 83.
Hierro, óxidos de
en barras de maquillaje, 347, 348.
en colorete, 373, 375.
en lacas de uñas, 425.
en lápices de cejas, 392.
en maquillaje líquido, 347.
en medias cosméticas, 346.
en polvos faciales, 334, 341, 342.
en rímel, 381, 386, 389.

en sombras de ojos, 390.
Higiene, en la planta de fabricación, 990.
Higroscopicidad
de productos, 714.
equilibrio de humectantes, 714, 718.
Hinojo, aceite esencial como repelente de insectos, 232.
Hiperhidrosis, 140.
en los pies, 216.
Hiperpigmentación de la piel, 302.
Hiperplasia, 32.
Hiperqueratosis, 32.
Hipersensibilidad, 36.
retardada, 37, 42.
Hipertricosis lanuginosa, 443.
Hipoclorito
en decoloración de uñas, 413.
para desinfección de la planta, 755, 984.
para desinfección del agua, 966.
Hirsutismo, 16, 52, 448, 466.
Histamina, 12, 14.
en inflamación, 31, 34, 35.
en sensibilidad anofiláctica, 39.
Histidina en la piel, 48.
Histocitos, 10.
HLB, valores, 118, 816.
determinación, 825.
limitaciones, 826.
Hojalata
botes aerosoles, 888.
corrosión, 926, 927.
Holocrinas, glándulas, 17.
Homogeneizador ultrasónico, 865.
Homogeneizadora, válvula, 864.
Homomentilosalicilato en filtros solares, 264, 272, 273.
Hongos
en materias primas, 754.
en piel, 747.
en productos, 749.
Hormonas
efecto en crecimiento de pelo, 446.
efecto en la piel, 47, 51.
efecto en secreción sebácea, 52.
Huevo, yema, en tónicos capilares, 558.
Hulla, alquitrán, 724.
como agente anticaspa, 553.
Humectante, 707.
Humectantes
en cremas de afeitar, 179.
en cremas hidratantes, 71.
en espumas de afeitar, 183.
en mascarillas faciales, 311.
en pastas dentífricas, 677.
en pastillas de maquillaje, 340.
Humedad, controlada, 714.
Hyamine, 736.

Imidazol sulfatos, 703.
Imidazolidinil urea como conservante, 760, 764, 773.
Imidazolinas
    alquil-, 706.
    en champúes, 490, 491.
Impedancia de la piel, 143.
Impétigo del recién nacido, 126.
Impresión de envases, 951.
Inactivación de conservantes, 766, 767.
Indalone, 232, 234.
Indamina, colorante, 584.
Indio
    fluorozirconato en pastas dentífricas, 668.
    sales en pastas dentífricas, 668.
Indoanilina, colorantes, 584.
Indofenol, colorantes, 584.
Indol-5γ-quinona en la formación de melanina, 8.
Infección de la piel de bebés, 125.
Inflamabilidad de aerosoles, 531, 534, 922.
Inflamación, 12, 30.
    temperaturas, propulsores hidrocarburos, 901.
Inhalación, toxicidad de lacas aerosoles para el cabello, 534.
Inmunoglobulinas, 37, 39.
Inmunológico, respuesta, 36.
Innovair aerosol, 933.
Inoculación, ensayos para conservantes, 776.
Insectos, productos repelentes
    aceites, 240.
    barras, 244.
    cremas, 241.
    cremas líquidas, 241.
    geles, 243.
    lociones, 239.
    pulverizaciones aerosoles, 239.
    pulverizaciones con válvula bomba, 240.
    toallitas, 245.
Iodo
    índice, 796.
    sustancias que lo contienen como esterilizantes de la planta, 984.
Iodóforos, 724, 729, 741.
Iónico
    intercambio para purificación del agua, 966.
    resinas intercambiadoras de iones para productos para los pies, 228.
Irgasan, 724, 728, 730, 731, 732, 735.
Irlandés, musgo, 678.
Irritación
    de la piel del bebé, 125.
    primaria, 42.
Isoascórbico, ácido, como antioxidante, 795.
Isopropanol
    como astringente, 84.
    en filtros solares, 280.
Isopropilcatecol en despigmentación de la piel, 297, 304.

Isopropilo, miristato
    en ablandadores de cutícula, 413.
    en aceites de baño, 119.
    en antiperspirantes aerosoles, 150, 151.
    en baños de espuma, 108.
    en cremas protectoras, 93, 94, 96.
    en fijadores del cabello, 539, 541.
    en lacas aerosoles para el cabello, 527, 529.
    en rímel, 386.
    en sombras de ojos, 389.
Isopropilo, palmitato en antiperspirantes aerosoles, 151.
Isothon, 736.
Isotionatos, 703.
    en champúes, 485.

Jabones
    antibacterianos, 727.
    como conservantes, 766.
    como emulsionantes en limpieza de manos, 98, 99.
    de ácidos grasos, 703.
    en cremas de afeitar, 178, 191.
    interacción con conservantes, 771.
Jaborandi, tinturas, como tónicos capilares, 557.
Jalea real en cremas cutáneas para la piel, 69.
Juanetes, 215.
Juglona en productos bronceadores solares, 291.
Juntas para botes aerosoles, 892.

Karaya goma
    en champúes, 496.
    en lociones fijadoras, 522.
Keroseno, desodorizado
    en fijadores de cabello, 537, 539.
    en limpieza de manos, 98, 99, 100, 101.
Kieselguhr en polvos faciales, 326.
Klebsiella pneumoniae en cremas de manos, 750.
Kohl, maquillaje de ojos, 380.
Krause, bulbos terminales, 13.
Krebs, ciclo en células de la piel, 47.
Kreis, ensayo de enranciamiento, 797.
Kritchevsky, amidas, en champúes, 487.
Kwashiorkor, 50, 448.

Labios, barras de
    aplicación, 400.
    líquidas, 370.
    moldeado, 366.
Labios, pomadas para, 368.
Laca, goma
    en delineadores de ojos, 391.
    en lacas aerosoles para el cabello, 527.
    en lociones fijadoras del peinado, 522.
Lacas
    fijadoras de cabello femenino, 522.
    para botes aerosoles, 927.
    para tubos colapsables, 946.

Lactalbúmina en productos antiarrugas, 316, 317.
Lactatos
    como astringentes, 84.
    en cremas hidratantes, 72.
Láctico, ácido, como astringente, 84, 87.
Lactilatos, acil-, en champúes, 486.
Lacto globulina en productos antiarrugas, 316, 317.
Lámina lúcida, 5.
Laminados
    para bolsitas («satches»), 946.
    para tubos colapsables, 946.
Laminar, flujo, 850.
Lana
    composición, 450, 455.
    propiedades, 458.
Langerhans, células, 5, 10.
    en alergias, 36.
Lanolina
    alcoholes cerosos en fijadores del peinado, 545.
    en barras de labios, 359, 360, 362, 363, 364, 365.
    en colorete, 373, 375, 376.
    en cremas de manos, 78.
    en cremas de masaje y cremas de noche, 69.
    en cremas de todo uso, 80.
    en cremas hidratantes, 70, 73.
    en cremas limpiadoras, 64, 66, 67.
    en cremas protectoras, 92, 93, 96.
    en lápices de cejas, 393.
    en limpiadores de manos, 99.
    en productos para bebés, 127, 129, 130.
    en rímel, 383, 384.
    en sombras de ojos, 388, 389.
    interacción con conservantes, 769.
Lanolina, bases de absorción
    en barras de labios, 359.
    en lápices de cejas, 392.
    en sombras de ojos, 388.
Lanolina, derivados
    en acondicionadores capilares, 562.
    en champúes, 495.
    en fijadores de cabello, 537, 541.
    en lacas aerosoles para el cabello, 527.
    en lociones fijadoras, 523.
Lantionina en ondulación del cabello, 615, 616, 620.
Lanugo, cabello, 443.
Lápices para colorear cabello, 585.
Laurel, aceite de hojas, como repelentes de insectos, 232.
Lauril
    sulfatos en champúes, 482, 486.
    sulfoacetatos en baños de espuma, 106.
Lavanda, aceite, como repelente de insectos, 232.
Lawsona
    en productos bronceadores solares, 291.
    en productos filtros solares, 272.

Lecitina
    como antioxidante, 795, 799, 800, 801, 803.
    en acondicionadores capilares, 563.
    en barras de labios, 359.
    en fijadores capilares, 537.
Legislación
    en aditivos de colorantes, 353, 425.
    en agentes aclaradores de la piel, 298.
    en agentes antimicrobianos, 155, 724.
    en antioxidantes, 799.
    en clorofluorocarburos, 526.
    en cloruro de metileno, 923.
    en colorantes de cabello, 596.
    en conservantes, 778.
    en fluoruros, 682.
    en ingredientes antiperspirantes, 143.
    en ingredientes filtros solares, 271.
Léntigos, 18.
Leucocitos, 11.
    en inflamación, 30.
Leuconiquia, 407.
Levaduras
    en materias primas, 754.
    en productos, 750, 751, 752, 754, 775.
Limón, jugo, en cremas de limpieza, 66.
Limpiadoras, cremas, 61.
Limpieza en plantas de fabricación, 976, 978, 986.
Linfocitos, 11.
    en alergia, 36.
Linoleatos en cremas hidratantes, 73.
Linoleico, ácido en la piel, 50.
Lípidos
    en la piel, 48, 72.
    etoxilados, en cremas hidratantes, 73.
Lipoproteínas en membranas celulares, 50.
Litio
    bromuro, efecto en pelo, 459.
    mercaptopropionato en depilatorios, 166.
    tioglicolato en depilatorios, 166.
Loción
    definición, 57.
    en tintes capilares, 589.
Lubricantes en espumas de afeitar, 183.
Lubrificación de la piel, 195.
Luminosidad de polvos faciales, 329.
Lúnula de la uña, 403.

Macrófagos, 10, 11.
    en alergia, 36.
    en hipersensibilidad retardada, 38.
    en inflamación, 33, 34.
Macromoléculas, interacción con conservantes, 769, 772.
Magnesio
    lauril éter sulfato en champúes, 484.
    lauril sulfato en champúes, 484, 504.
Magnesio, carbonato
    en colorete, 373.

en maquillaje líquido, 346.
en polvos faciales, 326, 327, 344.
en polvos para bebés, 127.
Magnesio, estearato
en champúes, 497.
en polvos faciales, 323, 334.
Magnesio, óxido
en polvos faciales, 326, 327.
en productos filtros solares, 260.
Magnesio, peróxido
en máscara facial, 316.
en pasta dentífrica, 681.
Magnesio y aluminio, silicato en champúes, 497.
Malaquita para maquillaje de ojos, 380.
Maleico, resinas alquídicas, en lacas de uñas, 420.
Mancha blanca, lesión, 659.
Manchas
de cuero cabelludo por colorantes de cabello, 582.
de ropa por antiperspirantes aerosoles, 150, 151.
Manganésico, borato, en sales de baño, 217.
Manitol como humectante, 717.
Manos, cremas, 58, 77.
aerosol, 915.
Manos, ensayo de lavado de manos para antibac-
terianos, 727, 743.
Manos y cuerpo, cremas, 77.
Maquillaje
crema, 343.
pastilla, 340, 342.
líquido, 346.
Marasmo, 449.
Marinol, 736.
Masaje
cremas, 58, 67.
facial, 396.
Mascarillas faciales
basadas en caucho, 310.
basadas en ceras, 309.
basadas en vinilo, 309.
de lodo, 313.
Mastocitos, células, 11, 12.
en inflamación, 34.
Materia alba, 656.
Materias primas, contaminación, 754, 991.
MECSA antioxidante, 803.
Medias cosméticas, 345.
Medicamentos, ley (*Medicine Act*), 664.
Meissner, corpúsculos, 13.
Melanina, 7, 295.
en bronceado, 250, 258.
en pelo, 459.
en protección solar, 8.
formación, 459.
Melanina en depilatorios, 166.
Melanocitos, 5, 7, 11, 295.
en la piel, 49.
en pelo, 459.
hormona estimulante, 9, 53, 295.

Melanogénesis, 249.
Melanosomas, 8, 295, 459.
Melisa, aceite, como repelente de insectos, 232.
Melocotón, aceite de semilla, en fijadores de ca-
bello, 536.
Membrillo, semillas, mucílago, en rímel, 384.
Mentol
en astringentes, 84, 87, 88.
en productos de la piel, 135.
Mepacrina, efecto en uñas, 408.
Mercaptanos, como depilatorios, 164.
Mercapto-aminas en decolorantes de la piel, 305.
Mercaptoetanol, efecto en cabello, 458.
Mercaptopropanodiol como depilatorio, 168.
Mercaptopropiónico, ácido, como depilatorio, 168.
Mercaptoquinolina, óxido, en champúes, 510.
Mercaptoquinoxalina, óxido, en champúes, 510.
Mercurio, compuestos
como antisépticos, 742.
como decolorantes de la piel, 298.
Mercurio, sales como astringentes, 83.
Mercuritiosalicilato sódico de etilo como conser-
vante, 760.
Merkel, células, 5.
Metabolismo microbiológico, 748.
Metales
en envases, 945.
en pelo, 456.
Metil celulosa, 679.
en colorete, 379.
en mascarillas faciales, 312.
en sombras de ojos, 390.
interacción con conservantes, 769, 772.
Metil etil cetona como quitaesmaltes de uñas,
432.
Metil oleoesterearato, oxidación, 789, 790.
Metil táuridos en champúes, 489.
Metil-B-nortestosterona en la piel, 52.
Metileno, cloruro, en propulsores, 903, 923, 925.
Metilglicerina como humectante, 717.
Metilo estearato, oxidación, 790.
Metilo linoleato, 790, 801.
Metilo linolenato, 790, 801.
Metilo oleato, oxidación, 783, 787, 790, 801.
Metilo salicilato en filtros solares, 286.
Metiloles para fortalecedores de pelo, 635.
Metilpentariodiol, interacción con conservantes,
770.
METSA, antioxidante, 803.
Mezcla, 840.
de líquidos con líquidos, 878.
de sólidos con líquidos, 873.
de sólidos con sólidos, 842.
dispersión, 849.
tiempo de, 868.
Mezclador
cizalla, 849.
elevada fuerza de cizalla, 861.

tipo cinta, 846.
vertical de torbellino, 848.
Mezcladores estáticos, 860.
MGK, repelentes de insectos, 235, 238, 240, 243, 244.
Mica en polvo facial, 335.
Mica recubierta con dióxido de titanio
en barras de labios, 357, 358.
en colorete, 373.
en sombra de ojos, 388, 390.
Micelar, crítica, concentración, 706.
Micelas, 706, 814.
Micosis de los pies, 215.
Microbiana, flora del cuerpo, 725, 728.
Microbiano, crecimiento en productos, 756.
Microbiológico
estándares, 993.
metabolismo, 748.
Micrococos en productos, 750, 752, 753.
Microorganismos
en agua de la red, 961, 965.
en productos, 973.
Micropulverizadores, 335.
Miel en champúes, 495.
Milaria, rubra, 20.
Miristatilo, miristato en limpieza de manos, 99,
100.
Miristatos en crema hidratantes, 73.
Mohos en productos, 749.
Molibdeno en abastecimientos de agua, 668.
Molino
coloidal, 863.
de arena, 865.
de bolas, 865.
de martillos, 335, 373, 845.
de rodillos, 863.
trialíndrico o triple rodillo, 863, 864.
Molinos de pernos, 335, 848.
Moniletrix, 463.
Monilia albicans, 775.
Monoetanolamina lauril sulfato en champúes, 483.
Monoetanolamina lauril éter sulfatos en cham-
púes, 484.
Monofluorofosfato
en pastas dentífricas, 665, 667, 682.
reacción con esmalte, 667.
Monoglicérido, sulfatos, 703.
en champúes, 484.
Monoisopropilo, citrato como antioxidante, 799.
Morpan, 736.
Mucopolisacáridos
en cremas hidratantes, 71.
en la piel, 47.
Mudas, 16.
Mutagénicos, 379.

Nacarados, pigmentos, en lacas de uñas, 425.
Naftiltiourea, efecto en pigmentación del cabello,
462.

Naftol, en tónicos de cabellos, 557.
Naftosulfonatos en productos filtros solares, 261.
Naftosulfónicos, ácidos, en productos filtros sola-
res, 264.
Nata, 188.
Negra, piel, depilación, 769.
Negro, marfil en rímel, 384.
Negro de humo en rímel, 383, 385, 386.
Nervios de la piel, 12.
Neutralizantes
en alisadores del cabello, 644.
en ondulación en frío, 631.
Neutrófilos
en hipersensibilidad retardada, 38.
en inflamación, 33.
Niacina en decolorantes de la piel, 305.
Nicotinatos en tónicos capilares, 557.
Nicotínico, ácido, deficiencia, 49.
Nilón
en lacas de uñas, 420.
fibras en rímel, 386.
interacción con conservantes, 770.
recubierto con dióxido de titanio, en máscaras
faciales, 311.
Niosomas en la piel, 72.
Nitroaminofenoles, tintes, 587.
Nitrocelulosa
en composiciones de reparadores de uñas, 435,
436.
en lacas de uñas, 419.
Nitrofenilendiamina, colorantes, 586.
Nitrógeno, como propulsor, 902, 904, 914.
Nitrometano como inhibidor de corrosión, 925.
Nitrosamina, formación, 487.
Nitroso, óxido, como propulsor, 902, 903.
Noche, cremas de, 58, 67.
Norbonildenpentenona, dimetil-, en productos
filtros solares, 272.
Nordihidroguayarético, ácido, como antioxi-
dante, 795, 800, 801.
Nutrición, efecto en el crecimiento del cabello,
448.
Nutritivas, cremas, 68.

Octacálcico, fosfato, 655.
Octaphen, 736.
Octopirox, 469.
Odland, cuerpos, 6.
Ojos
cosméticos, contaminación, 753.
irritación por tensioactivos, 512.
Ojos, delineador («eyeliner»), 391.
aplicación, 400.
Ojos, maquillaje, 380.
aplicación, 398.
Ojos, sombra, 387.
aplicación, 399.
barra, 389.

crema, 387.
líquida, 390.
Oleatos
en cremas de manos, 78.
en cremas de todo uso, 80.
en cremas hidratantes, 73.
en cremas limpiadoras, 64, 66.
en productos para bebés, 127, 130.
Oleico, alcohol, en fijadores de cabello, 541.
Olor
axilar, 140, 147.
corporal, 139.
pies, 214.
Omadine, 742.
Ondulado permanente suave, 622, 635.
Onycholisis, 406.
Opacidad de sustancias de polvos faciales, 322.
Opalescentes, agentes
en baños de espuma, 110.
en champúes, 497.
Optica, densidad, de películas filtros solares, 274, 276.
Organosilicona, compuestos, en productos filtros solares, 266.
Oro, metal, en sombras de ojos, 387.
Oropimiento como depilatorio, 159.
Ortocórtex, 641.
Osmosis inversa, para purificación de agua, 964.
Osmótica, presión, efecto en el crecimiento microbiano, 758.
OTC antitranspirantes, grupo («panel»), 144, 146.
OTC filtro solar, grupo («OTC Panel»), 269, 271, 277, 278.
Oxibenzona en productos filtros solares, 259, 272.
Oxidación
de compuestos saturados, 790.
de productos, 783.
Oxidación, colorantes, 591.
acopladores, 592.
bases, 592.
mecanismo, 593.
modificadores, 592.
Oxidantes, agentes para aclaradores de la piel, 298.
Oxigenada, máscara facial, 315.
Oxígeno, tensión efecto en crecimiento microbiano, 758.
Ozono, capa, disminución por fluorocarburos, 526, 899, 921.
Ozoquerita, cera
en barras de labios, 361, 362, 363, 365.
en colorete, 375, 376.
en fijadores capilares, 537.
en lápices de cejas, 392.
en maquillaje barra, 348.
en rímel, 386.
en sombras de ojos, 389.

Pacianos, corpúsculos, 13.

Paletas, agitadores, 856.
Pangámico, ácido, en cremas cutáneas, 69.
Pantenol
en cremas cutáneas, 69.
en lociones fijadoras de cabello, 524.
en tónicos capilares, 558.
Pantetina en cremas cutáneas, 69.
Pantoténico, ácido, 462.
en cremas cutáneas, 69.
en tónicos capilares, 558.
Pañal
limpieza, 131.
sarpullido, 126.
Pañales, productos para limpieza de, 131.
Papel
en envasado, 948.
en laminados, 947.
Parabenes, 680, 750, 761.
Paracórtex, 641.
Parafina, cera
en barras para maquillaje, 347.
en cremas limpiadoras, 64, 65.
en fijadores de cabello, 537, 538.
en rímel, 385.
en sombra de ojos, 388.
Parafínicos, sulfonatos
en baños de espuma, 105.
en champúes, 481.
Parahidroxibenzoatos, 680.
Paraqueratosis, 32.
Parche, ensayo del, 38.
Paredes, limpieza, 975.
Partícula, tamaño de
aerosoles, 918, 937.
antiperspirantes aerosoles, 144.
lacas aerosoles para el cabello, 534, 535.
polvos faciales, 320, 336.
Paso a escala industrial, 872.
Pasta, mezclador, 860.
Pastas dentífricas, aprobación, 665.
Pecas, 18.
«Peeling», agentes, en productos acné, 135.
Peinado, facilidad de, 478, 479.
Peinado caliente para alisar el cabello, 641.
Pelagra, 49.
Película, 564.
adquirida, 653, 654.
Películas poliéster en laminados, 947.
Pelitre, como repelente de insectos, 231, 237.
Pelo
acondicionado, 475, 476, 487.
anillo, 462.
área superficial, 476, 583.
brillo, 479.
canas, 462.
color, 459.
componentes minerales, 456.
cortex, 442.

cutícula, 442.
densidad, 443.
dono, 459.
enfermedades, 463.
extracción con disolventes, 476.
folículo, 11, 13, 14, 16, 441, 443, 445.
hidratación, 176.
lanugo, 443.
médula, 442.
pérdida, 463.
propiedades mecánicas, 623.
química, 449, 457.
sección transversal, 613, 641.
terminal, 443.
vello, 443.
Pelo, crecimiento
    ciclo, 443, 447.
    velocidad, 446.
Pelotillas, productos para limpieza de la piel, 225.
Penicillium chrysogenum, 775.
Penicillium en productos, 751.
Penicillium notatum, 757.
Péptidos, acil, en champúes, 486.
Peracético, ácido, efecto en cabello, 458.
Percutánea, absorción, 50.
Perfume
    atomizador, 936.
    solubilización, 108.
Perfumes
    como sensibilizantes, 38.
    en aceites para el baño, 119.
    en baños de espuma, 108.
    en barras de labios, 360.
    en champúes, 480, 498.
    en desodorantes, 149.
    en espumas de afeitar, 184.
    en filtros solares, 286.
    en lacas aerosoles para el cabello, 529.
    en lociones ondulantes de cabello, 635.
    en polvos faciales, 332, 335.
    en sales de baño, 114.
    fototoxicidad, 38.
Peridental, afección, 656, 658, 663.
Perlantes, agentes
    en champúes, 497.
    en lacas de uñas, 425.
Permanentes, instantáneas, 634.
Permeabilidad de la piel, 50, 51.
Peróxido
    determinación, 796.
    en oxidación, 784, 789, 796, 799.
    índices, 796.
Personas, como fuente de contaminación, 756, 988.
Persulfato en decolorado de cabello, 606.
Petrolato
    en cremas de masaje y noche, 69.
    en cremas limpiadoras, 64, 66, 67.

en cremas protectoras, 92, 93.
en cremas todo uso, 80.
en filtros solares, 272.
en productos para bebés, 127, 129.
ver vaselina.
pH
    correlación con actividad de conservantes, 761, 771.
    efecto en crecimiento microbiano, 758, 671.
Phemerol, 736.
Picor, 35.
Piel
    afecciones, 18.
    aminoácidos, 48.
    bacterias, de los operarios de la planta, 989.
    color, 295.
    control de la temperatura, 14, 15.
    ensayo de colorantes cabello, 597.
    fricción, 176.
    grasa, productos, 134.
    heridas, 53.
    inervación, 12.
    lípidos, 48.
    lubricación, 176.
    permeabilidad, 3.
    peso en seres humanos, 3.
    pigmentación, 7, 49, 53.
    refrescantes, 85.
    respiración, 48.
    tónicos, 85.
    superficie en seres humanos, 3.
    vasos sanguíneos, 14.
Pies
    preparados para baño, 217.
Pies, productos
    aerosoles, 221.
    cremas, 222.
    masaje para emulsión, 223.
    polvo, 219.
Pigmentación de la piel, 7, 18.
Pigmentos
    en barras de labios, 355, 365.
    en polvos faciales, 320, 321.
    interacción con conservantes, 770.
    transmisión ultravioleta, 321.
Pili annulati, 462.
Pili torti, 463.
Pilocarpina en tónicos capilares, 557.
Pilomotores, agentes, en productos para afeitado, 185, 198.
Pilosebáceo, aparato, 133.
Pimentón, aceite, como repelente de insectos, 232.
Pino
    aceite de alquitrán en tónicos de capilares, 558.
    aceite esencial, como repelente de insectos, 232.
Pinzas de ondulación permanente, 634.
Piperonil éter butóxido como repelente de insectos, 232.

Piridina, N-óxidos, como antisépticos, 742.
Piridintiol-N-óxido, derivados como agentes anti-
    caspa, 469, 509, 552.
Piridintionas como antisépticos, 742.
Pirogalol como antioxidante, 801.
Pistón, envase aerosol, 930.
Pituitaria, hormonas en la piel, 53.
Pityriasis capitis, 21.
Pityrosporum ovale, 22, 466, 469, 509.
Pityrosporum orbiculare, 22, 466.
Placa dental, 654.
Placenta, extracto, en tónicos capilares, 558.
Planta, contaminación, 755.
Plantas, extractos
    en cremas hidratantes, 71.
    en baños de espuma, 109.
Plástico, envases, para aerosoles, 891.
Plásticos
    en envases, 942.
    en polvos faciales, 326.
    interacción con conservantes, 770.
Plastificantes
    lacas aerosoles para el cabello, 527, 529.
    lacas de uñas, 420.
    lociones fijadoras del peinado, 522.
    prolongadores de uñas, 433.
Plata
    metal, en cosméticos de ojos, 382.
    sales, como astringentes, 83.
Plomo
    en cabellos, 456.
    en tintes de cabello, 604.
    sales, como astringentes, 83.
    tubos, para envasado, 945.
Polen en cremas cutáneas, 69.
Poleo, aceite, como repelente de insectos, 232.
Polialcoxilados, derivados, en champúes, 488.
Polialquilen glicoles en aerosoles antiperspirantes,
    151.
Poliesterenos sulfonados en lociones fijadoras del
    peinado, 524.
Poliestireno
    en envases, 943, 956.
    en polvos faciales, 327.
    en prolongadores de uñas, 433.
Polietilen glicol
    alquil éteres en champúes, 495.
    como humectante, 714, 717.
    derivados, 705.
    éster, sulfatos, 703.
Polietilen glicoles
    en acondicionadores de cabello, 563.
    en fijadores de cabello, 537, 541, 547.
    en lociones fijadoras del peinado, 523.
    interacción con conservantes, 767, 769, 772.
Polietilenimin amidas, 705.
Polietileno
    cera, en productos para bebés, 127.

    en envases, 943.
    en laminados, 947.
    en polvos faciales, 327.
    en productos para piel grasa, 135.
Polifenoles en tónicos capilares, 558.
Poligliceril éteres, en champúes, 489.
Poliglicol, ésteres, 705.
Poliinsaturados, compuestos, oxidación, 787, 789.
Poliisobutileno en prolongadores de uñas, 433.
Polímeros
    absorbentes en antiperspirantes, 145.
    en lociones fijadoras del peinado, 522.
    sustancias filtros solares, 267.
Polimetacrílico, ácido, en champúes, 495.
Poliolefinas en envases, 943, 955.
Polioxietilen glicol como humectante, 717.
Polioxietilen glicol sorbitol como humectante, 717.
Polipropilen glicol alquiléteres en champúes, 495.
Polipropilen glicoles en fijadores capilares, 537,
    541.
Polipropileno en envasado, 943, 947.
Polisiloxanos
    en lacas aerosoles capilares, 529.
    en lociones fijadoras del peinado, 523.
Poliuretano, interacción con conservantes, 770.
Polivinílico, alcohol, en máscaras faciales, 311.
Polivinílicos, alcoholes, en champúes, 496.
Polivinilo, cloruro, en envases, 942, 946, 947.
Polivinilpirrolidona
    en champúes, 496.
    en fijadores del cabello, 541, 542.
    en lacas aerosoles para el cabello, 528.
    en lociones fijadoras del peinado, 522.
    en lociones fijadoras coloreadas del peinado,
        585.
    en máscaras faciales, 311.
    interacción con conservantes, 769.
Polivinilpirrolidona-vinil acetato, copolímeros
    en lociones fijadoras del peinado, 523.
    en lacas aerosoles para cabello, 528.
Polivinilpirrolidona-yodo, complejo
    como agente anticaspa, 552.
    en champúes, 509.
Polvo
    aplicación, 398.
    facial, blanco húmedo, 343.
    pigmentado, 844, 846.
    válvulas para aerosoles, 893.
Polvos
    almacenamiento, 849.
    cohesivo, 843.
    empolvadores, 121.
    pulverizados, aerosoles, 916.
    segregación, 842.
Pomadas, 537.
Pómez, en limpiadores de uñas, 414.
Porositonas en cremas base, 75.
Potásico, cianuro, efecto en cabello, 458.

Potasio
  alumbre, en endurecedores de uñas, 415.
  aluminio, sulfato como agente antiperspirante, 145.
Presión, depresor para aerosoles, 898.
Preval, aerosoles, 934.
Procolágeno, 11.
Prolina en antioxidantes, 802.
Propano como propulsor, 531, 532, 900.
Propanodiol
  bromonitro-, como conservante, 760, 763, 767.
  clorfenil-, como conservante, 760.
  interacción con conservantes, 770.
Propilen glicol
  como conservante, 765.
  como humectante, 714, 715, 717, 720.
  en cremas hidratantes, 72, 73.
  en mascarillas faciales, 311.
  en productos antiarrugas, 317.
  en productos para la limpieza de manos, 99.
  estearato, en champúes, 497.
  glucósido como humectante, 717.
  interacción con conservantes, 769.
  palmitato en champúes, 497.
Propilo, galato, como antioxidante, 795, 799, 800.
Propionatos en productos para pie de atleta, 226, 227.
Propiónico, ácido, como conservante, 760, 762.
Propulsores
  efecto en capa de ozono, 526, 899, 921.
  en espumas aerosoles de afeitar, 184, 186.
  presión de vapor de propulsores, 898, 899, 900.
  temperaturas de ebullición, 898, 900.
  toxicidad, 535.
Prostaglandinas en irritación, 34.
Protectoras, cremas, 58.
Proteína, deficiencia, 50.
  efecto en crecimiento del cabello, 50.
Proteína, hidrolizada, en cremas hidratantes, 71.
Proteína, hidrolizados
  en acondicionadores del cabello, 562.
  en lacas aerosoles para cabello, 529.
Proteínas
  en champúes, 495.
  en fijadores del peinado, 537.
  en lociones fijadoras, 524.
  hidrolizadas, en cremas hidratantes, 71.
  interacción con conservantes, 771.
  síntesis en la piel, 48, 49.
Proteolítica, teoría de caries dental, 659.
Pseudofolliculitis barbae, 169.
Pseudomonas, en productos, 750, 751, 757, 758.
Pseudomonas aeruginosa, 775.
  en infecciones de uñas, 408.
Pseudoplasticidad, 851.
Psoralenos
  en productos bronceadores, 252, 289.
  en tratamiento del vitíligo, 19.

Psoriasis, 20.
  efecto en uñas, 405, 407.
Purcellin, aceite de, en cremas evanescentes, 69.
PVP-iodo, complejos
  como agentes anticaspa, 552.
  en champúes, 509.

Quaternium-18, contaminación, 992.
Queratina, 449.
  afinidad de colorantes de cabellos, 580.
  disulfuros, enlaces, 452.
  estructuras, 453.
  hidrógeno, puentes, 450.
  hidrolizado, en acondicionadores de cabello, 562.
  sales, enlaces, 452.
Queratinasa como depilatorio, 168.
Queratinización
  de cabellos, 16.
  de la piel, 5.
Queratinocitos, 5, 7, 10, 296, 297.
Queratohialina, 7.
Química, desinfección de la planta, 982.
Quina en tónicos capilares, 557.
Quinina, sales
  en filtros solares, 261, 265.
  en tónicos capilares, 557.
Quininas, 31.
Quinolina, derivados, en filtros solares, 261.

Radiación ultravioleta-intervalos A, B y C, 254.
Radicales libres en oxidación, 785, 791, 794.
Radioseguimiento, método para la abrasión de pastas dentífricas, 685.
Rayón, fibras
  en productos reparadores de uñas, 435, 436.
  en rímel, 386.
Reductor en ondulación en frío, 629.
Reductores, agentes, en ondulación del cabello, 616.
Refracción, índice de sustancias de polvos faciales, 320, 321.
Refrescantes, agentes, en espumas de afeitar, 184.
Regeneración, tiempo, de células, 6.
Relajantes en alisadores de cabello, 644.
Remineralización del esmalte, 669.
Reparto, coeficiente, de conservantes, 765, 771.
Resinas
  en lacas aerosoles para cabello, 527.
  termoestables en envasado, 943.
  termoplásticas en envasado, 942.
Resorcinol
  como agente anticaspa, 468, 552.
  como antiséptico, 724.
  en productos para el acné, 136.
Reticulina, 11.
Retinoico, ácido
  en aclaradores de la piel, 302, 303.
  en productos para acné, 137.

Reynold, número de, 850, 867, 870, 873.
Rhodotorula rubra en productos, 751.
Riboflavina, deficiencia, 49.
Ribosomas, 49.
Ricino, aceite
  en acondicionador capilar, 563.
  en barra de labios, 356, 361, 363, 364, 368.
  en colorete, 376, 380.
  en fijador capilar, 540, 541.
  en lápices de cejas, 392.
  en productos para bebés, 127.
  en rímel, 386.
  en sombra de ojos, 389.
Ricinoleatos en desodorantes, 148.
Rímel, 380.
  aplicación, 399.
  contaminación, 753.
  crema, 383.
  pastilla o bloque, 382.
Rizado, por calor, 525.
Robertson-Berger, medidor, 278.
Roccal, 736.
Rojo turco, aceite, en pastas dentífricas, 677.
Ruffini, órganos terminales, 13.
Ruibarbo, extracto, en tónicos capilares, 557.
Rulos, permanente, 634.
Rusma como depilatorio, 159.
Rutgers, 232, 234, 612.

Sabañones, productos, 225.
Saborizantes
  para enjuagues bucales, 696.
  para pastas dentífricas, 614.
Sacarosa, ésteres, en productos para bebés,
  129.
Sal de mar, baños de pies, 218.
Sales, enlaces, en queratina, 452.
Salicilanilidas, 727, 733.
  halogenadas, en champúes, 509.
Salicilatos
  como astringentes, 84.
  en filtros solares, 261, 262, 263, 264, 272,
  276.
Salicílico, ácido
  como agente anticaspa, 22, 468, 552.
  como conservante, 760, 762.
  efecto en uñas, 407.
  en máscaras faciales, 316.
  en pomadas, 51.
  en productos para acné, 136.
Saliva, 653.
Salol en productos filtros solares, 286.
Sándalo, aceite como repelente de insectos, 232.
Sarcosinatos, 703, 708.
  acil-, en champúes, 485.
Sarpullido por calor, 20.
Sasafrás, aceite, como repelente de insectos, 232.
Schiff, ensayo de, para aldehídos, 797.

Sebáceas, glándulas, 17, 133, 139.
Sebo, 17, 48, 140.
  composición, 17.
  efecto en cabello, 475.
  en acné, 133, 134.
  excreción, 554.
Seborrea, 554.
Seborreica, dermatitis, 468.
Secado
  de cabello, 479.
  de productos, 711.
  tiempo de champúes, 496.
Secuestrantes (quelantes), agentes
  en champúes, 480, 497.
  papel en oxidación, 794, 803.
Seda, pulverizada en polvos faciales, 330.
Segregación de mezclas, 842.
Selenio, disulfuro, 724.
  como agente anticaspa, 22, 469, 552.
Sensibilización por conservantes, 774.
Sensibilizantes, 38, 39.
Sepro-can, aerosol, 930.
Sericina en tónicos capilares, 558.
Servicios en la planta, fabricación, 990.
Sésamo, aceite
  en champúes, 495.
  en cremas base, 77.
  en cremas limpiadoras, 63.
  en fijadores de cabello, 536.
Sesamol como antioxidante, 801.
Silicatos·
  en lociones fijadoras de peinado, 524.
  en polvos faciales, 329.
Sílice
  en blanco de uñas, 416.
  en lociones fijadoras de peinado, 524.
  en polvos faciales, 324, 325, 326, 329.
  en polvos para bebés, 128, 131.
  en productos para piel grasa, 135.
  en pulidores de uñas, 417.
Silicona, compuesto, órgano-, en filtros solares,
  266.
Siliconas
  ceras, en barras de labios, 359.
  en aclaradores de cabello, 641.
  en aclarados de cabello, 571.
  en acondicionadores de cabello, 562.
  en aerosoles antiperspirantes, 151.
  en alisadores de cabello, 641.
  en barra antiperspirante, 153.
  en barras de labios, 361.
  en bola «roll-on» antiperspirante, 154.
  en champúes, 495.
  en cremas antiperspirantes, 153.
  en cremas de manos, 78.
  en cremas hidratantes, 70, 73.
  en cremas protectoras, 93, 94, 95.
  en lociones fijadoras del peinado, 523.

en pomadas labiales, 369.
en productos para afeitar, 176, 184, 193, 195.
en productos para bebés, 127, 130.
en rímel, 383, 385.
Sinergismo
    en antioxidantes, 794.
    en antisépticos, 742.
    en conservantes, 765.
Sodio
    aluminio, cloro hidroxilactato, como agente
        antiperspirante, 145, 152.
    benzoato, en pastas dentífricas, 680.
    bicarbonato en desodorantes, 148.
    bisulfito, como antioxidante, 795.
    carbonato, en sales de baño, 114.
    cloruro, en sales de baño, 114.
    estearato, en barras desodorantes, 156.
    fluoruro, en pastas dentífricas, 665, 666, 682.
    formaldehído sulfoxilato, como antioxidante,
        795.
    lactato, como humectante, 713, 715, 717.
    metabisulfito, como antioxidante, 795.
    metafosfato insoluble, 676.
    metasilicato, en depilatorios, 166.
    N-lauril sarcosinato, en pastas dentífricas, 662,
        664.
    percarbonato, en limpiadores de dentaduras
        postizas, 688.
    pirrolidona carboxilato, en la piel, 72.
    ricinoleato, en pastas dentífricas, 677.
    sesquicarbonato, en sales de baño, 113.
    sulfito, como antioxidante, 795.
    sulforicinoleato, en pastas dentífricas, 677.
    triosulfato, como antioxidante, 795.
    xílen sulfonato, en champúes, 496.
Sodio, carboximetilcelulosa
    en fijadores del peinado, 543.
    en máscaras faciales, 311.
Sodio, hipoclorito
    como antiséptico, 741.
    en enjuagues bucales, 696.
    en limpiadores de dentaduras postizas, 690.
Sodio, lauril éter sulfato
    en baños de espuma, 105.
    en champúes, 483.
    en pasta dentífrica, 677.
Sodio, lauril sulfato
    en baños de espuma, 105.
    en champúes, 482.
    en pastas dentífricas, 677.
Sodio, monofluorofosfato
    en pastas dentífricas, 667, 682.
    reacción con el esmalte, 667.
Sodio, perborato
    en enjuagues bucales, 695.
    en limpiadores de dentaduras postizas, 688.
    en limpiauñas, 413.
    en pastas dentífricas, 681.

Sodio, sulfuro
    como depilatorio, 162.
    efecto sobre el cabello, 458.
Solar
    factor protector, 268, 276.
    filtro, índice, 263, 274, 276.
    quemadura, 250, 256, 258.
    radiación, efectos en el cuerpo, 249, 250.
Sólidos, interacción con conservantes, 770.
Solubilización, 708.
Sórbico, ácido, como conservante, 760, 762, 770,
    772, 774.
Sorbitan, sesquioleato, en fijadores del peinado,
    545.
Sorbitol
    como humectante, 677, 713, 714, 715, 717, 720,
        721.
    en cremas de todo uso, 80.
    en cremas hidratantes, 72, 73.
    en mascarillas faciales, 310.
    ésteres, polioxietilados, en champúes, 488.
    inhibición de bacterias, 758.
    metabolización, 757, 771.
Staphilococci en productos, 750, 751, 752.
Staphilococcus albus en acné, 134.
Staphilococcus aureus, 753, 775.
    en acné, 134.
    en plantas operativas, 990.
Staphilococcus epidermidis, 19.
    en malos olores de pies, 214.
    en plantas operativas, 989.
Stratum
    germinativum, 5.
    granulosum, 6.
    intermedium, 6.
    lucidum, 7.
    spinosum, 6.
Stratum corneum, 7.
    hidratación, 50, 51.
Streptococcus mitis, 775.
Sudor, 15, 139.
    resistencia al, de los productos filtros solares, 279.
Sudoración, 15, 139.
    glándulas, 14, 140.
Suelos, limpieza, 975.
Sulfatos como astringentes, 84.
Sulfitos
    en alisado de cabello, 645.
    en limpiauñas, 413.
    en ondulación del cabello, 616.
Sulfonil ácidos grasos, 703.
Sulfonio, sales, 704.
Sulfosuccinatos
    dialquil-, 703.
    en baños de espuma, 106.
    en champúes, 484.
Sulfuros como depilatorios, 162.
Sulfuroso, ácido, como conservante, 760, 762.

Superamidas en champúes, 487.
Suspensión, agentes de
　en lacas de uñas, 426.
　para champúes, 480.
Suspensión de sólidos en líquidos, 877.
Sustancia fundamental, 12.
Swift, ensayo de estabilidad, para enranciamiento, 798.

Tableta para limpieza de la dentadura, 660.
Talco
　barra para pre-afeitado eléctrico, 199.
　en colorete, 373, 376.
　en cremas protectoras, 92.
　en delineadores de ojos, 391.
　en filtros solares, 260.
　en maquillaje crema, 343.
　en maquillaje líquido, 346.
　en polvos faciales, 321, 322, 323, 326, 327, 328, 332, 333, 334, 335, 339, 340, 341, 342, 344.
　en polvos para bebés, 127, 131.
　en productos para piel grasa, 135.
　en pulidores de uñas, 417.
　esterilización, 128.
　interacción con conservantes, 770.
　polvo, 121, 122.
Tánico, ácido
　en enjuagues bucales, 696.
　en filtros solares, 261, 286.
Tartárico, ácido
　interacción con conservantes, 770.
　papel en oxidación, 794, 803.
Tartratos como astringentes, 84.
Táuridos, metil-, en champúes, 485.
Taurinas, 703.
Telogen effluvium, 462, 463.
Temperatura, efecto en crecimiento microbiano, 759.
Telógeno, 443.
Telurio, dióxido, como tratamiento anticaspa, 469.
Tensioactivos
　en pastas dentífricas, 674, 677.
　en productos para afeitado, 176, 183, 189, 190.
　metabolización, 757, 771.
　no iónicos, 702.
　no iónicos, como conservantes, 767.
　no iónicos, en baños de espuma, 106.
　no iónicos, en champúes, 487, 497.
　no iónicos, interacción con conservantes, 766, 767.
　para champúes, 480.
　propiedades físicas, 515.
Tensión superficial, 808, 813, 817, 818.
　efecto en crecimiento bacteriano, 758.
Teratogenicidad, 579.
Terpenos en desodorantes, 149.
Testosterona
　en actividad glándulas sebáceas, 17.

en crecimiento del cabello, 17, 465.
en piel, 52, 53.
en pigmentación de la piel, 10.
Tetraciclina
　efecto en uñas, 408.
　en terapia de acné, 20, 136.
Tetraclorofeno, 743.
Tetraclorosalicilanilida, 734.
　como conservante, 760.
　fototoxicidad, 41.
Tetrametiltiuram, disulfuro, 728, 740, 743.
　como conservante, 760.
Thesaurisis, ocasionada por lacas aerosoles para cabello, 534.
Thiomersal, conservante, 764.
Tiamina, clorhidrato, como repelente de insectos, 231.
Tierras, mascarillas faciales basadas en, 313.
Timol
　derivados, como conservantes, 760.
　en champúes, 509.
　en enjuagues bucales, 695.
Tinnea pedis, 215.
Tinnea unguium, 215.
Tintes metalizados, 583, 584, 589.
Tiodiglicol como depilatorio, 171.
Tiodipropionatos como antioxidantes, 803.
Tiodipropiónico, ácido, como antioxidante, 799.
Tiodisuccínico, ésteres del ácido, como antioxidante, 803.
Tioglicerina
　como antioxidante, 795.
　como depilatorio, 168, 171.
Tioglicolatos
　como depilatorios, 164, 166, 167.
　efecto en pelo, 458, 617, 618, 629.
　en alisadores de pelo, 643.
Tioglicólico, ácido
　como antioxidante, 795.
　en colorantes cabello, 589.
　en ondulación del cabello, 616, 629, 630.
Tiolactatos como depilatorios, 166.
Tioláctico, ácido, como depilatorio, 166, 168, 171.
Tioles en ondulación cabello, 616, 618.
Tiomálico, ácido, como depilatorio, 171.
Tiosorbitol como antioxidante, 795.
Tiouracil, efecto en pigmentación del cabello, 462.
Tiourea en depilatorios, 166.
Tirosina en formación de melanina, 8, 296, 299, 460.
Tirosinasa en formación de melanina, 8, 297, 298, 460, 462.
Tiroxina, 447.
Titanio, compuestos, en pastas dentífricas, 669.
Titanio, dióxido
　en barras de labios, 355.
　en blanco de uñas, 416.
　en champúes, 497.

en colorete, 373, 375, 376.
en cosméticos de ojos, 282.
en delineadores de ojos, 391.
en filtros solares, 259, 260, 262, 272.
en lacas de uñas, 424.
en maquillaje crema, 343.
en maquillaje de barra, 347, 348.
en maquillaje líquido, 346, 347.
en medias cosméticas, 345.
en polvos faciales, 320, 327, 334, 339, 340, 341, 342, 344.
en sombras de ojos, 387, 389, 390.
interacción con conservantes, 770.
Tixotropía, 852.
Tocoferoles como antioxidantes, 795, 799, 800, 801, 803.
Toluenodiaminas en colorantes del cabello, 592.
Tonofibrillas, 6.
Tonofilamentos, 6.
Toxicidad
de antioxidantes, 801.
de colorantes cabello, 578, 582, 596.
de conservantes, 773.
de humectantes, 712, 721, 722.
de lacas aerosoles para el cabello, 534.
de lociones para ondulación del cabello, 635.
de propulsores, 535.
de tensioactivos, 710.
Tragacanto, goma, en champúes, 496.
Transepidérmica, pérdida de agua, 70.
Trementina en tónicos capilares, 557.
Tretinoin en productos para acné, 137.
Tri-aerosol, 931.
Tribromosalicilanilida, 724, 728, 734.
Tribromsalan en jabones desodorantes, 155.
Tricálcico, fosfato, 676.
Tricarboxílico, ciclo del ácido, en células de la piel, 47.
Trichophyton flaccosum en malos olores de pies, 214.
Trichophyton interdigitale en pie de atleta, 215.
Trichophyton mentagrophytes en pie de atleta, 215.
Trichophyton rubrum en pie de atleta, 215.
Trichophytosis pedis, 215.
Trichorrhexis invaginata, 463.
Trichorrhexis nodosa, 463.
Triclorocarbanilida, 724, 727, 728, 734, 743.
como conservante, 760.
en champúes, 509.
Triclorocarbón en jabones desodorantes, 155.
Tricloroetano en propulsores, 905, 923, 925.
Triclorofenilacético, ácido, como conservante, 760.
Triclorosalicilanilida, 728, 734.
como conservante, 760.
Triclosan
en desodorantes, 148, 155, 156.
en productos para la piel, 135.
en productos para las quemaduras solares, 288.

Tricosiderinas, en cabello, 460.
Trietanolamina
como humectante, 717.
estearato, en productos para quemaduras solares, 287.
jabones, en champúes, 486.
lactato, como humectante, 717.
lauril éter sulfato, en champúes, 484.
lauril sulfato en champúes, 484.
Trietilen glicol como humectante, 717.
Trifenilmetano, colorantes, 584.
Trihidroxibutirofenona como antioxidante, 799, 803.
Tropocolágeno, 11.
Tuberías, sistema de, para agua, 968.
Tubos para envasado, 945, 947, 954.
Turbinas mezcladoras, 856.

Umbeliferona en productos filtros solares, 263, 264, 276.
Undecenílico, alcohol, como repelente de insectos, 237.
Undecenoico, ácido, como repelente de insectos, 237.
Undecilenatos en productos para pies de atleta, 227.
Undecilénico, ácido, etanolamidas, en champúes, 509.
Ungulina officinalis, extracto, en desodorantes, 149.
Uña, planta córnea, 404.
Uña encarnada, 215.
Uñas
amarillas, síndrome, 408.
blanco, 416.
composiciones reparadoras, 435.
cremas, 414.
en cuchara, 407.
endurecedores, 415.
limpiauñas, 413.
plástico, 433.
prolongadores, 433.
pulidores, 417.
secadores, 433.
síndrome de uña-rótula (*nail patella syndrome*), 405.
Uñas, lacas, 425.
capas base, 429.
capas superiores, 429.
fabricación, 429.
quitaesmaltes, 430.
Urea
absorción por la piel, 51.
como humectante, 717.
en ablandadores de cutícula, 413.
en pastas dentífricas, 665.
interacción con conservantes, 771.
Urea-bisulfito, efecto en el cabello, 458.

Urea-formaldehído, espuma, en polvos faciales, 326.
Urginea marítima en tónicos capilares, 557.
Urico, ácido, en productos filtros solares, 261.
Urocánico, ácido, en la piel, 258.
en decolorantes de la piel, 305.
Urticaria, 34.
de contacto, 34.

Vacuna contra la caries dental, 661.
Vainilla
como conservante, 760.
en productos para pie de atleta, 228.
Vainíllico, ácido, como conservante, 760.
Valerolactona como quitaesmaltes de uñas, 431.
Válvulas de llenado rápido, aerosoles, 895.
Vancide, 740.
como tratamiento anticaspa, 468.
Vantoc, 736.
Vapor, desinfección de la planta, 982.
Vaselina en polvos faciales, 334.
Vaselina filante (petrolato)
en barras de labios, 359, 364.
en colorete, 374, 375, 376, 377.
en filtros solares, 262.
en lápices de cejas, 392, 393.
en polvos faciales, 334.
en pomadas labiales, 369.
en rímel, 389.
en sombras de ojos, 388.
Vasos sanguíneos de la piel, 14.
Vegetales, aceites
en cremas hidratantes, 70, 73.
en depilatorios, 160.
en fijadores del peinado, 536.
Vello, 16.
Velocidad principal, 870.
Verrugas, 215.
Vidrio, envases de, para aerosoles, 889.
Vidrio en envasado, 947.
Vinil acetato-ácido crotónico, copolímeros
en lacas aerosoles para el cabello, 528.
en lociones fijadoras del peinado, 523.
Vinílicas, emulsiones, en champúes, 497.
Vinílicas, resinas, en lacas de tubos, 946.
Vinílico, látex, en champúes, 497.
Violúrico, ácido, en productos filtros solares, 261, 265.
Viscosidad, 851.
de humectantes, 712, 717.
en baños de espuma, 109.
modificadores, en champúes, 480, 496.
Visón, aceite
en acondicionado de cabello, 563.
en champúes, 495.
Vitamina A
deficiencia en la piel, 49.
en decolorantes de la piel, 302.

en productos para el acné, 137.
Vitamina B$_2$, deficiencia, 49.
Vitamina C
deficiencia, 49.
en terapia del sarpullido, 20.
Vitamina D en la piel, 250, 296.
Vitaminas
efecto en crecimiento de cabello, 448.
en cremas para la piel, 68.
en fijadores del peinado, 536.
en tónicos capilares, 558.
Vitíligo, 19.

Warburg, respirómetro, 798.
Warburg-Dickens, ruta de, en células de la piel, 47.
Whitlockite, 656.

Xanteno, colorantes, 584.
Xilenol, metadicloro, 730.
Xilenoles como conservantes, 760, 766.
Xilitol como humectante, 717.

Yeso (calcio, carbonato)
contaminación, 754.
en coloretes, 373.
en maquillaje líquido, 346.
en medias cosméticas, 345.
en pasta dentífrica, 675.
en polvos faciales, 321, 325, 332, 333, 339, 342, 344.
Yodo, como antiséptico, 741.

Zephiran, 737.
Zeta, potencial, 821.
Zinc, acetato, en endurecedores de uñas, 415.
Zinc, estearato
en champúes, 497.
en colorete, 373.
en cremas protectoras, 92.
en medias cosméticas, 345.
en polvos faciales, 323, 326, 327, 332, 333, 334, 335, 339.
en sombra de ojos, 390.
Zinc, fenolsulfonato, 724.
Zinc, hidroximetilsulfinato, como agente anticaspa, 553.
Zinc, omadina, como agente anticaspa, 469.
Zinc, óxido
en blanco de uñas, 416.
en champúes, 497.
en colorete, 373.
en cosméticos de ojos, 382.
en cremas base, 77.
en cremas protectoras, 92.
en maquillaje líquido, 346.
en medias cosméticas, 345.
en polvos faciales, 320, 327, 332, 333, 334, 335, 339, 340, 342, 343, 344.

en productos filtros solares, 259, 260, 262.
en productos para bebés, 127, 131.
en productos para quemaduras solares, 287.
en sombra de ojos, 387, 388.
interacción con conservantes, 770.
Zinc, peróxido, en limpiauñas, 413.
Zinc, piridintiol-N-óxido, 724, 742.
como agente anticaspa, 469.
en champúes, 509.
Zinc, piritiona, como agente anticaspa, 22, 469.
Zinc, ricinoleato, en desodorantes, 148.

Zinc, sales
como astringentes, 83, 85, 87.
en enjuagues bucales, 696.
en pastas dentífricas, 668.
Zinc, sulfato, en terapia del acné, 137.
Zinc, undecilenato
en champúes, 509.
en productos para pie de atleta, 227.
Zinc en cabellos, 456.
Zinc y aceite de ricino, ungüento, 131.